NUTRIÇÃO & ALIMENTAÇÃO DE EQÜINOS

TERCEIRA EDIÇÃO

NUTRIÇÃO & ALIMENTAÇÃO DE EQÜINOS

TERCEIRA EDIÇÃO

DAVID FRAPE
PhD, CBiol, FIBiol, FRCPath

gen | ROCA

- **Atendimento ao cliente: (11) 5080-0751 | faleconosco@grupogen.com.br**

- Traduzido de
Equine Nutritions & Feeding, 3rd ed.
Copyright © 2004 by Blackwell Publishing Ltd.
All rights reserved.
This edition of *Equine Nutritions & Feeding*, 3rd ed., by David Frape, is published by arrangement with Blackwell Publishing Ltd.
ISBN: 1-4051-0598-4
Esta edição de *Nutrição e Alimentação de Equinos*, 3ª edição, de David Frape, é publicada por acordo com Blackwell Publishing Ltd.

Direitos exclusivos para a língua portuguesa
Copyright © 2008 pela **EDITORA ROCA LTDA.**
Uma editora integrante do GEN | Grupo Editorial Nacional

Travessa do Ouvidor, 11
Rio de Janeiro – RJ – CEP 20040-040
www.grupogen.com.br

- Tradução
Abertura/Capítulos 1 e 2
Fernanda Maria de Carvalho
Médica Veterinária pela Faculdade de Ciências Agrárias e Veterinárias da Universidade Estadual Paulista "Júlio de Mesquita Filho" (FCAV – Unesp Jaboticabal)

Capítulos 3 – 12/Apêndices/Glossário
Clarisse Simões Coelho
Médica Veterinária – FV/UFF (1997)
Mestre em Medicina Veterinária (Área de Clínica Veterinária) – FMVZ/USP (2002)
Doutora em Medicina Veterinária (Área de Clínica Cirúrgica) – FMVZ-USP (2006)

CIP-BRASIL. CATALOGAÇÃO-NA-FONTE
SINDICATO NACIONAL DOS EDITORES DE LIVROS, RJ.

F918n

Frape, David L. (David Lawrence), 1929-
Nutrição e alimentação de eqüinos / David Frape ; [tradução Fernanda Maria de Carvalho, Clarisse Simões Coelho]. - [Reimpr.]. - Rio de Janeiro: Guanabara Koogan, 2024.

Tradução de: Equine nutrition & feeding, 3rd ed.
Apêndices
Contém glossário
Inclui bibliografia
ISBN: 978-85-7241-725-9

1. Cavalo - Alimentação e rações. 2. Cavalo - Nutrição. I. Título

07-3745.
CDD: 636.1085
CDU: 636.1.084

Agradecimentos

Agradeço ao Professor Titular Franz Pirchner por ler e fazer comentários úteis para a melhoria do Capítulo 6. Agradeço também à minha esposa, Margery, por seu encorajamento e apoio.

Introdução à Terceira Edição

A maior atenção dada às questões nutricionais de eqüinos nos últimos seis a sete anos por grupos de pesquisa no mundo todo me incitou a revisar a segunda edição deste livro. O preparo desta edição exigiu leitura cuidadosa da edição prévia e, com isso, a descoberta embaraçosa de alguns erros, incluindo uma ou duas equações, as quais corrigi agora.

Foi necessário revisar todos os capítulos e outras seções, alguns em maior grau do que outros. O maior entendimento do funcionamento do trato gastrointestinal levou a um número considerável de mudanças nos Capítulos 1 e 2. O volume de trabalhos realizados a respeito do crescimento e desenvolvimento esqueléticos (Caps. 7 e 8), em parte, explicaram os mecanismos envolvidos na ossificação endocondral, mas a história está incompleta. Foram realizados trabalhos a respeito das causas de várias doenças metabólicas (Cap. 11), mas as etiologias ainda são obscuras. O papel do cálcio na formação óssea é entendido há muitos anos, mas evidências recentes exigem revisão das necessidades dietéticas (Cap. 3). Situação semelhante surgiu com algumas vitaminas e outros minerais/oligoelementos minerais aos quais se faz referência nos Capítulos 3 e 4. No Capítulo 5, é dada uma relação breve de alguns novos alimentos, suplementos e toxinas, o que levou à sua extensão. Houve continuação do interesse pela fisiologia do exercício em muitos grupos de pesquisa, de forma que os Capítulos 6 e 9 foram revisados. Isso incluiu um resumo de procedimentos adotados, tanto historicamente como nos dias atuais, para medir o consumo de energia. Foram dadas definições escritas para os novos acrônimos e termos, os quais invadiram o discurso científico.

Uma nota sobre nomenclatura: números EC foram usados ao longo do livro para se referir a enzimas específicas. Informações mais detalhadas sobre esse sistema podem ser encontradas no Capítulo 12.

Finalmente, acredito que uma característica inerente desta terceira edição é ser uma fonte de referência para cada uma das evidências mais recentes e importantes de cada área descrita. Isso pode auxiliar os pesquisadores e fornecer aos estudantes, espero, um cômputo breve e útil no qual possam basear suas atividades futuras; mas devo prestar tributos aos autores dos artigos dos quais essas páginas dependeram. Considerando que foram publicadas discordâncias válidas na literatura, um conjunto eclético de referências foi, espero, destilado em um discurso legível e compreensível.

David Frape

Lista de Abreviações

Acetil-CoA	acetil coenzima A
ACTH	hormônio adrenocorticotrópico
ADAS	Agricultural Development and Advisory Service
ADP	adenosina difosfato
AGL	ácidos graxos livres
AGNE	ácidos graxos não esterificados
AGPI	ácido graxo poliinsaturado
AGV	ácidos graxos voláteis
ALT	alanina aminotransferase
AMP	adenosina monofosfato
AST	aspartato aminotransferase
ATB	ácido tiobarbitúrico
ATC	ácido tricarboxílico
ATP	adenosina trifosfato
BSP	Bromsulphalein® (sulfobromoftaleína)
CCO	citocromo-c oxidase
CGL	cromatógrafo gás-líquido
CK	creatina cinase
CLAP	cromatografia líquida de alta performance
CNE	carboidrato não-estrutural
CSB	célula sangüínea branca; leucócito
DDCA	diferença dietética cátion-ânion
DDG	grãos escuros de destilaria
DHL	desidrogenase láctica
DIF	diferença iônica forte
DMG	N,N-dimetilglicina
$DMSO_2$	dimetilsulfona
DNME	doença do neurônio motor eqüino
DOD	doença ortopédica do desenvolvimento
DPOC	doença pulmonar obstrutiva crônica
e.b.	excesso de base
EB	energia bruta
ED	energia digestível
EDCA	equilíbrio dietético cátion-ânion
EE	extrato etéreo

EFE	excreção fracionada de eletrólitos
EL	energia líquida
EM	energia metabolizável
ENN	extrativo não nitrogenado
FA	fosfatase alcalina
FAD	flavina adenina dinucleotídeo
FAP	fator ativador de plaquetas
FAS	fosfatase alcalina sérica
FB	fibra bruta
FCFB	fator de crescimento de fibroblasto básico
FDA	fibra em detergente ácido
FDN	fibra em detergente neutro
FEC	fluido extracelular
FIC	fluido intracelular
FSH	hormônio folículo-estimulante
FT	contração rápida, pouco oxidativa
FTH	contração rápida, altamente oxidativa
GE	gravidade específica
GGT	gama-glutamiltransferase
GI	gastrointestinal
GMS	glutamato monossódico
GnRH	hormônio liberador de gonadotropina
GSH	glutationa
GSH-Px	glutationa peroxidase
HAB	hidroxianisol butilado
Hb	hemoglobina
hCG	gonadotrofina coriônica humana
HPNS	hiperparatireoidismo nutricional secundário
Ht	hematócrito
HTB	hidroxitolueno butilado
HVE-1/4	herpes-vírus eqüino
i. a.	ingrediente ativo
IA	inseminação artificial
IC	incremento calórico
IGER	Institute of Grassland and Environmental Research
IMP	inosina monofosfato
INRA	Institut National de la Recherche Agronomique
IV	intravenoso
LBA	lavagem broncoalveolar
LDMB	lipoproteína de densidade muito baixa
LH	hormônio luteinizante
LPL	lipoproteína lípase
LPS	lipopolissacarídeos
MADC	*matières azotées digestibles corrigées* (ou *cheval*)
MDA	malonildialdeído

MDE	mieloencefalopatia degenerativa eqüina
MO	matéria orgânica
MS	matéria seca
MSM	metil sulfonil metano
NA	nucleotídeos de adenina
NAD	nicotinamida adenina dinucleotídeo
NADP	nicotinamida adenina dinucleotídeo fosfato
NNP	nitrogênio não-protéico
NP	nutrição parenteral
NPT	nutrição parenteral total
NRC	National Research Council
OC	osteocondrose
OCD	osteocondrite dissecante
OVR	óleo vegetal restituído
PB	proteína bruta
PBD	proteína bruta digestível
PC	peso corpóreo
PCr	fosfocreatina
PDH	piruvato desidrogenase
PEP	prova do exercício padronizado
PNM	palha nutricionalmente melhorada
PPH	paralisia periódica hipercalêmica
PTH	paratormônio
QR	quociente respiratório
RDR	resposta à dose relativa
RER	rabdomiólise de esforço recorrente
SDH	sorbitol desidrogenase
SLB	seleção de *Lactobacillus*
SOD	superóxido dismutase
SRATB	substância reativa ao ácido tiobarbitúrico
SER	síndrome da rabdomiólise de esforço
ST	contração lenta, altamente oxidativa
T_3	triiodotironina
T_4	tiroxina
TAG	triacilglicerol
TB	*Thoroughbred*
TGOS	transaminase glutâmico-oxaloacética sérica
TMB	taxa metabólica basal
TPP'	temperatura e pressão padronizadas
TPP''	pirofosfato de tiamina
TRH	hormônio liberador de tirotropina
TSH	hormônio tiróido-estimulador
UDP	uridina difosfato
UE	União Européia
UFC'	unidade formadora de colônia

UFC”	*unité fourragère cheval*
UI	unidade internacional
UKASTA	United Kingdom Agricultural Supply Trade Association
UR	umidade relativa
UTF	unidade de titulação fúngica
VL	valor limitante

Sumário

CAPÍTULO 1

Sistema Digestório

Um cavalo mantido com alimento seco irá, muitas vezes, salivar excessivamente. Se ele mastigar seu feno e milho e colocá-los para fora novamente, isto significa que há algum problema nos molares. Haverá, algumas vezes, buracos feitos pelos molares nas partes frágeis de sua boca. Primeiro devem-se lixar os molares com uma lima própria para este fim, até ficarem lisos.

Francis Clater, 1786

Cavalos são ungulados e, de acordo com J. Z. Young (1950), são membros da ordem *Perissodactyla*. Outros membros existentes incluem asnos, zebras, rinocerontes e antas. As características distintas da ordem são o desenvolvimento dos dentes, a porção inferior dos membros com a disposição peculiar dos ossos cárpicos e társicos e a evolução dos intestinos posteriores em câmaras de fermentação da ingesta. Cada uma dessas características distintas irá desempenhar um papel significativo nas discussões deste texto.

O cavalo doméstico consome uma variedade de alimentos variando na forma física desde forragem, com alto conteúdo de umidade, até cereais com grandes quantidades de amido; e desde feno, na forma de um talo fisicamente comprido e fibroso, até sal mineral e água. Em contraste, o cavalo selvagem desenvolveu-se e adaptou-se a uma existência de pastar, na qual seleciona forragens suculentas, as quais contêm uma quantidade relativamente grande de água, proteínas solúveis, lipídeos, açúcares e carboidratos estruturais, mas pouco amido. Períodos curtos de alimentação ocorrem ao longo da maior parte do dia e da noite, apesar de serem, geralmente, mais intensos durante o dia. Na domesticação do cavalo, o homem, em geral, restringiu o tempo de alimentação e introduziu materiais desconhecidos, particularmente, cereais ricos em amido, concentrados protéicos e forragem seca. A arte de alimentar, adquirida por longa experiência, é para garantir que esses materiais supram as necessidades nutricionais variadas dos cavalos, sem causar transtornos digestivos e metabólicos. Assim, um entendimento da forma e função do canal alimentar é fundamental para uma discussão sobre alimentação e nutrição do cavalo.

978-85-7241-725-9

BOCA

Taxas de Ingestão de Alimentos de Eqüinos, Bovinos e Ovinos

Os lábios, a língua e os dentes do cavalo são perfeitamente adaptados para preensão, ingestão e alteração da forma física do alimento para aquela própria para propulsão através do trato gastrointestinal (GI), em um estado que facilite a mistura com os sucos digestivos. O lábio superior é forte, móvel e sensível e é usado durante o pastejo para colocar a forragem entre os dentes; na vaca, a língua é usada para esse propósito. Por contraste, a língua do cavalo leva o material ingerido para os molares e pré-molares para ser triturado. Os lábios também são usados como um funil através do qual água é sugada.

Diferentemente dos bovinos, o cavalo tem tanto os incisivos superiores como os inferiores, possibilitando pastar muito próximo do solo, cortando a forragem. A mastigação mais intensa pelos cavalos significa que a taxa de ingestão de feno longo por quilograma de peso corpóreo (PC) metabólico é três ou quatro vezes mais rápida em bovinos e ovinos que em pôneis e cavalos, embora o número de mastigações por minuto, de acordo com observações publicadas, seja semelhante (73 a 92 para cavalos e 73 a 115 para ovinos) para feno longo. A ingestão de matéria seca (MS) por quilograma de PC metabólico para cada mastigação é, então, 2,5mg em cavalos (calculamos que seja ainda menor) e 5,6 a 6,9mg em ovinos. Conseqüentemente, o cavalo precisa de períodos diários de pastejo maiores do que os ovinos. Os movimentos laterais e verticais da mandíbula do cavalo, acompanhados de salivação profusa, possibilitam que os molares e pré-molares triturem o feno longo em maior extensão e as partículas pequenas, cobertas de muco, são adequados para deglutição. Dentes saudáveis geralmente reduzem as partículas de feno e capim para menos de 1,6mm de comprimento. Dois terços das partículas de feno no estômago do cavalo são menores que 1mm de comprimento, de acordo com trabalho de Meyer *et al.* (1975b).

O número de movimentos mastigatórios para volumosos brutos é consideravelmente maior que o necessário para mastigar concentrados. Cavalos fazem entre 800 e 1.200 movimentos mastigatórios para 1kg de concentrado, ao passo que 1kg de feno longo requer entre 3.000 e 3.500 movimentos. Em pôneis, a mastigação é ainda mais pronunciada – requerem 5.000 a 8.000 movimentos mastigatórios para 1kg de concentrado e muito mais para feno (Meyer *et al.*, 1975b). A mastigação de feno, quando comparada com péletes, tanto para cavalos como para pôneis, é pronunciada, com freqüência menor de ciclos de mastigação, já que o deslocamento mandibular é maior, tanto vertical como horizontalmente. Clayton *et al.* (2003) concluíram, a partir dessa observação, que o desenvolvimento de arestas cortantes no esmalte é mais provável com uma dieta rica em concentrados.

Dentição

Como indicado anteriormente, os dentes são vitais para o bem-estar dos cavalos. Dentes doentes são um estorvo. Doenças primárias dos molares e pré-molares representaram 87% das desordens dentárias em 400 cavalos, com referência a Dixon *et al.* (2000a). As doenças incluíram anormalidades do desgaste, danos traumáticos e fraturas, dos quais a resposta ao tratamento foi boa.

As evidências mostram que dentes anormais ou doentes podem causar distúrbios digestivos e cólica. A digestibilidade aparente da fibra, a proporção de partículas curtas de fibras nas fezes e os ácidos graxos plasmáticos livres estavam todos aumentados após a correção dentária de éguas. Conseqüentemente, dentes doentes e dentes mal gastos, como em cavalos geriátricos, podem limitar a habilidade do cavalo em lidar com volumoso e comprometer a saúde geral. A digestibilidade aparente da proteína e da fibra do feno e do grão é reduzida se o ângulo de oclusão do pré-molar 307 for maior que 80° em relação ao ângulo vertical (achatado) (Ralston *et al.*, 2001). Infecções dos molares e pré-molares não são incomuns e Dixon *et al.* (2000b) observaram secreção nasal mais freqüente em infecções de dentes maxilares caudais do que de rostrais.

O cavalo normal tem dois conjuntos de dentes. Os primeiros a aparecerem, os dentes decíduos, ou de leite, nascem durante o início da vida e são substituídos pelos dentes permanentes, durante o crescimento. Os incisivos, os molares e os pré-molares permanentes crescem constantemente para compensar seu desgaste e mudança de forma, fornecendo uma base para avaliar a idade do animal. No vazio presente na mandíbula, entre os incisivos e os

978-85-7241-725-9

pré-molares, o cavalo macho geralmente tem um conjunto de caninos. O vazio, por sorte, fixa seguramente a mordida. A fórmula dentária e a configuração dos dentes decíduos e permanentes são dadas na Figura 1.1. Os molares e os pré-molares inferiores são implantados na mandíbula em duas fileiras retas que divergem em direção caudal. O espaço entre as fileiras de dentes da mandíbula é menor que na maxila (ver Fig. 1.1). Isso permite movimentos laterais ou circulares da mandíbula, os quais efetivamente cortam o alimento. Essa ação leva a um padrão distinto de desgaste da superfície e mordida da coroa exposta. Esse padrão resulta das diferenças de dureza que caracterizam os três materiais (cemento, esmalte e dentina) que compõem os dentes. O esmalte, sendo o mais duro, apresenta-se na forma de sulcos afiados proeminentes. Estima-se que se os sulcos do esmalte de um molar ou pré-molar superior em um cavalo adulto jovem fossem alinhados, formariam uma linha de mais de 30cm. Essa superfície irregular torna-o um órgão eficiente para moer.

978-85-7241-725-9

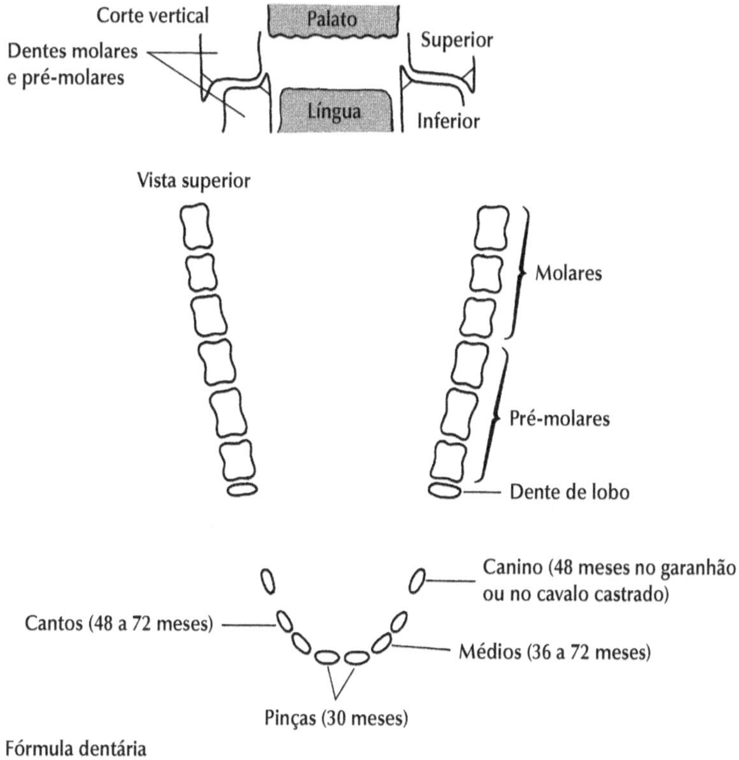

Fórmula dentária
Decíduos: 2(Di 3/3 Dc 0/0 Dp 3/3) = 24
Permanentes: 2 (I 3/3 C 1/1 P 3/3 ou 4/3 M 3/3) = 40 ou 42

Figura 1.1 – Configuração da dentição permanente na maxila ou na mandíbula (os molares e pré-molares da mandíbula são um pouco mais próximos da linha média). Os dentes decíduos de cada lado delas são: três incisivos, um canino, três molares. Os caninos decíduos são vestigiais e não nascem. Os dentes de lobo (presentes na maxila de cerca de 30% das potras e 65% dos potros) são freqüentemente extraídos por terem pontas cortantes que podem lesionar as bochechas quando é usado freio. Os meses (entre parênteses) são as idades aproximadas em que ocorre erupção dos dentes incisivos e caninos permanentes, substituindo os decíduos. C = caninos; Dc = caninos decíduos; Di = incisivos decíduos; Dp = pré-molares decíduos; I = incisivos; M = molares; P = pré-molares.

Cavalos e pôneis dependem mais dos seus dentes do que nós. As pessoas podem ser taxadas como "comedores" de concentrado. Concentrados exigem bem menos mastigação do que volumosos. Mesmo entre os herbívoros, cavalos e pôneis dependem muito mais de seus dentes do que os ruminantes domésticos – bovinos, ovinos e caprinos. Os ruminantes, como discutido em *Taxas de ingestão de alimentos de eqüinos, bovinos e ovinos*, anteriormente, engolem capim e feno com o mínimo de mastigação e, portanto, dependem da atividade das bactérias do rúmen para quebrar a fibra. É, então, fragmentada muito mais prontamente durante a ruminação.

Saliva

A presença física de material alimentar na boca estimula a secreção de uma grande quantidade de saliva. Por volta de 10 a 12L são secretados por dia, em um cavalo alimentado normalmente. Esse fluido parece não ter atividade de enzima digestiva, mas seu conteúdo mucoso permite que funcione como um eficiente lubrificante, prevenindo o engasgo. Seu conteúdo de bicarbonato, cerca de 50mEq/L, dá uma capacidade tamponante à saliva. Entretanto, a concentração de bicarbonato e cloreto de sódio na saliva é diretamente proporcional à taxa de secreção e, dessa forma, aumenta durante a ingestão de alimento. A secreção contínua de saliva durante a alimentação parece tamponar a ingesta na região proximal do estômago, permitindo alguma fermentação microbiana com a produção de lactato. Isso tem implicações importantes para o bem-estar do animal (ver Cap. 11).

A obstrução do esôfago por alimento impactado ou corpos estranhos não é incomum. Para facilitar o suporte nutricional durante o tratamento da perfuração esofagiana, um tubo é colocado através de uma esofagotomia cervical e empurrado até o estômago (Read *et al.*, 2002). Uma dieta enteral inclui uma mistura de eletrólitos (em parte para compensar as perdas de eletrólitos via saliva através do local da esofagotomia), sacarose (1,2kg/dia), caseína, óleo de canola (1,1L/dia) e péletes de alfafa desidratada. Em seguida, introduz-se um tubo nasogástrico para permitir o reparo do local da esofagotomia.

ESTÔMAGO E INTESTINO DELGADO

Os primeiros aspectos quantitativos da digestão foram demonstrados por Waldinger em 1808, com a passagem de alimento capsulado pelos intestinos. Estudos intensivos a respeito da fisiologia foram iniciados por Colin em Paris, por volta de 1850, mas prosseguiram predominantemente a partir de 1880 em Dresden por Ellenberger e Hofmeister, que investigaram a boca, o estômago e o intestino delgado. Scheunert continuou o trabalho com o intestino grosso em Dresden e Leipzig até os anos de 1920. Embora a digestibilidade aparente da celulose tenha sido estimada em 1865, levaram-se mais 20 anos para a descoberta do processo de digestão microbiana no intestino grosso. Até 1950, a maioria dos experimentos de rotina da digestibilidade nos eqüinos foi conduzida na Alemanha, na França e nos Estados Unidos (Klingeberg-Kraus, 2001), ao passo que estudos comparativos eram conduzidos por Phillipson, Elsen *et al.* em Cambridge, nos anos de 1940.

Desenvolvimento do Trato Gastrointestinal e Órgãos Associados

O tecido do trato GI do potro neonato pesa apenas 35g/kg de PC, ao passo que o fígado é grande, aproximadamente na mesma proporção em relação ao PC, agindo como reserva de nutrientes para os primeiros dias críticos. A partir dos seis meses de idade, o tecido do trato

GI já aumentou proporcionalmente para 60g/kg de PC e o fígado diminuiu proporcionalmente cerca de 12 a 14g/kg de PC. Aos 12 meses, ambos os órgãos estabilizaram-se em 45 a 50g/kg de PC para o trato GI e 10g/kg de PC para o fígado. O tamanho do órgão também é influenciado pela atividade do cavalo. Após uma refeição, o fígado dos mamíferos geralmente aumenta de peso de forma rápida, provavelmente como resultado do armazenamento de glicose e fluxo sangüíneo. No cavalo, o consumo de feno tem menos impacto no glicogênio hepático, de forma que, após uma refeição de feno, o fígado pesa apenas 3/4 do peso após o alimento misto. Além disso, durante e imediatamente após o exercício, o tecido do trato GI pesa significativamente menos do que em cavalos em descanso, em razão do desvio de sangue dos vasos mesentéricos para os músculos. Em descanso, cerca de 30% do débito cardíaco circulam pelo sistema da porta hepática. Mais sobre esses aspectos no Capítulo 9.

Por incrível que pareça, o intestino delgado não aumenta materialmente de comprimento a partir de quatro semanas de idade, ao passo que o intestino grosso aumenta com a idade e o cólon até 20 anos, pelo menos. As regiões distais do intestino grosso continuam a aumentar até uma idade maior do que as regiões proximais. Esse desenvolvimento reflete o aumento da dependência de volumoso do animal mais velho. Em um cavalo adulto de 500kg de PC, o intestino delgado tem aproximadamente 16m de comprimento, o ceco tem no máximo cerca de 0,8m, o cólon ascendente 3m e o cólon descendente 2,8m.

Trânsito da Digesta no Trato Gastrointestinal

O tempo de permanência da ingesta em cada seção do trato GI permite a mistura adequada com secreções gastrointestinais, a hidrólise pelas enzimas digestivas, a absorção de produtos resultantes, a fermentação de material resistente por bactérias e a absorção dos produtos dessa fermentação. O tempo de trânsito no trato GI é, normalmente, considerado em três fases, em razão de suas características completamente diferentes.

Essas fases são:

1. Taxa de expulsão do estômago para o duodeno após uma refeição.
2. Taxa de passagem pelo intestino delgado até o orifício ileocecal.
3. Tempo de retenção no intestino grosso.

A primeira será considerada a seguir em relação a desordens gástricas. A taxa de passagem da digesta pelo intestino delgado varia de acordo com o tipo de alimento. Em pastagem, essa taxa é acelerada, embora uma alimentação prévia com feno cause diminuição na taxa da refeição sucessiva, com implicações no exercício (ver Cap. 9). O volumoso é retido no intestino grosso por período de tempo considerável, o que permite que o tempo de fermentação microbiana quebre carboidratos estruturais. Entretanto, o tempo de trânsito gastrointestinal do eqüino para resíduos de dietas ricas em fibra é menor do que daqueles com baixa fibra, com o mesmo tamanho de partícula, característica comum à relação encontrada em outros animais monogástricos.

978-85-7241-725-9

Função Digestiva do Estômago

O estômago do cavalo adulto é um órgão pequeno, seu volume ocupa cerca de 10% do trato GI (Figs. 1.2 e 1.3). No potro lactente, entretanto, a capacidade do estômago repre-

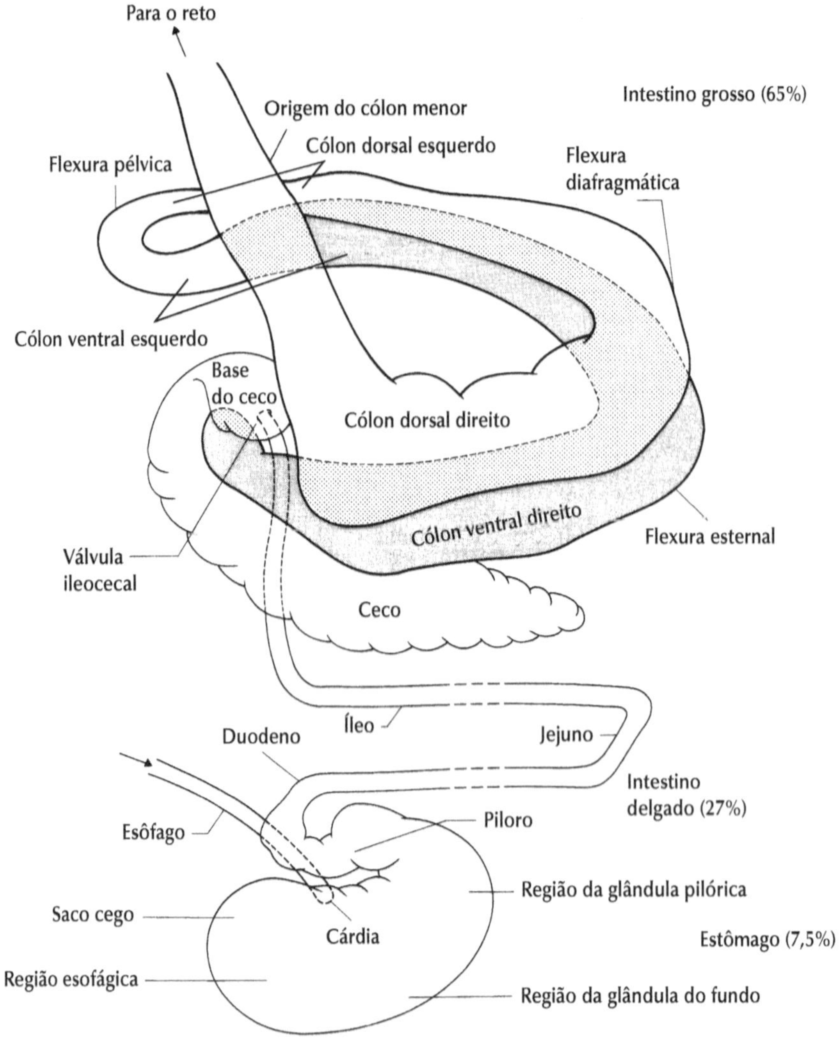

Figura 1.2 – Trato gastrointestinal de um cavalo adulto (volumes relativos dados entre parênteses).

978-85-7241-725-9

senta uma proporção maior do trato alimentar total. A maior parte da digesta é retida no estômago por um tempo comparativamente curto, mas esse órgão raramente fica completamente vazio e uma porção significativa da digesta pode permanecer nele por duas a seis horas. Uma parte da digesta passa para o duodeno logo após o início da ingestão de alimento, quando ingesta fresca adentra o estômago. A expulsão para o duodeno é aparentemente suspensa assim que a ingestão pára. Quando um cavalo bebe, uma grande proporção da água passa pela curvatura da parede do estômago, de forma que a mistura com a digesta e a diluição dos sucos digestórios sejam evitadas. Esse processo é particularmente perceptível quando o estômago está largamente preenchido pela digesta.

A entrada para o estômago é guardada por uma válvula muscular poderosa chamada esfíncter cárdico. Embora um cavalo possa se sentir nauseado, raramente vomita, em parte

978-85-7241-725-9

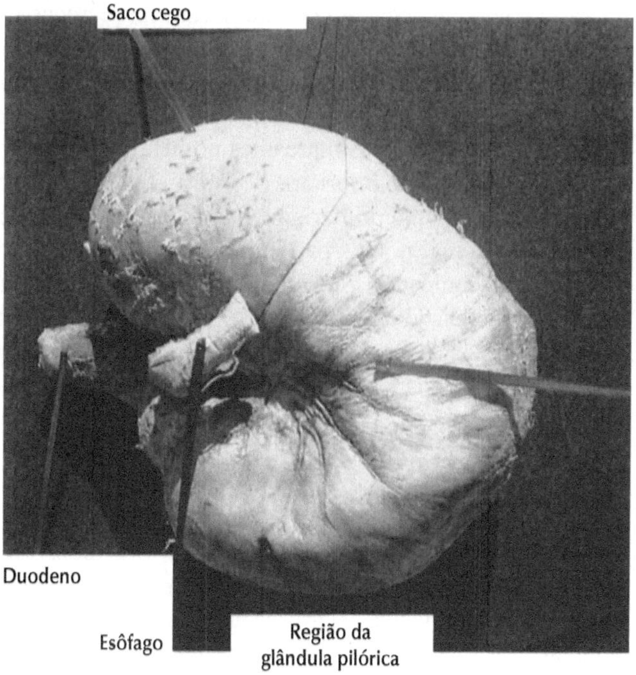

Figura 1.3 – Estômago de uma égua *Thoroughbred* de 550kg, com capacidade de 8,4L, medindo cerca de 20×30×15cm. A fermentação ácida do conteúdo estomacal ocorre no saco cego (*topo*).

pelo funcionamento dessa válvula. Isso também tem conseqüências importantes. Apesar da pressão abdominal extrema, o esfíncter cárdico é relutante em relaxar de forma a permitir a regurgitação de alimento ou gás. Nas raras ocasiões em que o vômito ocorre, a ingesta geralmente sai pelas narinas, em razão da existência de um palato mole longo. Tal evento pode indicar um estômago rompido.

A anatomia gástrica diferencia o estômago eqüino daqueles de outros monogástricos. Afora a força considerável dos esfíncteres cárdico e pilórico, quase metade da superfície da mucosa é recoberta por epitélio escamoso, ao invés de glandular. A mucosa glandular é dividida em regiões das glândulas do fundo e pilórica (ver Fig. 1.2). A mucosa fúndica contém células parietais que secretam ácido clorídrico (HCl) e células de zimogênio que secretam pepsina, ao passo que o hormônio polipeptídico, gastrina, é secretado no plasma sangüíneo pela região pilórica. A secreção hormonal é disparada pela refeição e estudos sobre eqüinos na Suécia mostram que um mecanismo da fase gástrica da liberação parece ser a distensão da parede estomacal pelo alimento e não a visão do alimento. A secreção maior e mais prolongada de gastrina ocorre quando o cavalo se alimenta de feno livremente (A. Sandin, comunicação pessoal). No cavalo, a gastrina parece não agir como um hormônio de estresse. O hormônio estimula fortemente a secreção de ácido gástrico e a secreção e a liberação diárias de suco gástrico no estômago chegam a cerca de 10 a 30L. A secreção de suco gástrico continua mesmo durante o jejum, embora a taxa pareça variar de uma hora para outra.

A secreção de HCl continua, mas diminui gradualmente a uma taxa variável quando o estômago está quase vazio e, por isso, nesse momento o pH está por volta de 1,5 a 2. O pH cresce rapidamente durante a refeição subseqüente, especialmente se for somente de grãos, em parte como conseqüência de um atraso na secreção de gastrina, comparando-se com a resposta mais rápida da gastrina ao feno. O ato de comer estimula o fluxo de saliva – uma fonte de sódio, potássio, bicarbonato e íons cloreto. O poder tamponante da saliva retarda a taxa de queda do pH do conteúdo estomacal. Essa ação, combinada com a estratificação da ingesta, traz diferenças marcantes no pH de diferentes regiões (cerca de 5,4 na região fúndica e 2,6 na região pilórica).

A fermentação, que primariamente produz ácido láctico, ocorre nas regiões esofágica e fúndica do estômago, mas particularmente na parte conhecida como saco cego (*saccus caecus*), que acompanha as células escamosas. À medida que a digesta aproxima-se do piloro, na porção distal do estômago, o pH gástrico cai, em razão da secreção de HCl, que potencializa a atividade proteolítica da pepsina e diminui a fermentação. A atividade da pepsina na região pilórica é cerca de 15 a 20 vezes maior do que na fúndica. Em razão do pequeno tamanho do estômago e, em conseqüência, do tempo relativamente curto de permanência, o grau de digestão da proteína é baixo.

Mau Funcionamento Gástrico

Professor Meyer e seus colegas em Hanover (Meyer *et al.*, 1975a) realizaram investigações detalhadas do fluxo de ingesta e digesta no trato GI dos cavalos. Em relação ao estômago, sua tese é de que a fermentação gástrica anormal ocorre quando o conteúdo de matéria seca pós-prandial do estômago é particularmente grande e não se alcança um pH baixo. Há, entretanto, considerável número de camadas e diferenciação do pH entre o saco cego e a região pilórica. A fermentação é, dessa forma, uma característica normal da região de pH mais alto e nessa região as partículas maiores de volumoso tendem a flutuar. Entretanto, o conteúdo de matéria seca, em geral, é consideravelmente menor após uma refeição de volumoso do que depois de uma de cereais. Após refeições de 1kg de feno e 1kg de cereais peletizados, as matérias secas resultantes têm, respectivamente, 211 e 291g/kg de conteúdo.

O grupo de Hanover comparou volumoso longo com volumoso picado, moído, ou peetizado e observou que, à medida que diminuía o tamanho da partícula, o conteúdo de matéria seca gástrica diminuía de 186 para 132g/kg de conteúdo e a taxa de passagem de ingesta pelo estômago aumentava. A razão para isso é provavelmente o fato de que as partículas mais finamente divididas da massa alimentar gástrica passam primeiro para os intestinos. A massa alimentar é forçada para dentro do duodeno por contrações denominadas "sístole antral", a uma taxa de aproximadamente três por minuto. Contudo, deve-se lembrar que o tamanho das partículas é geralmente pequeno, como resultado da trituração pelos molares. Em refeições maiores de cereais peletizados, até 2,5kg/refeição, o conteúdo de matéria seca gástrica atingiu 400g/kg e o pH foi de 5,6 a 5,8, por até duas a três horas após o consumo. A matéria seca se acumulava mais rápido do que era ejetada para o duodeno e como os cereais são consumidos mais rapidamente do que o feno, com menor secreção de saliva, a matéria seca do estômago era maior após refeições grandes de cereais. Até 10 a 20% de uma refeição relativamente pequena de concentrados (dada a uma taxa de 0,4% do PC) foram encontrados ainda no estômago seis horas após a alimentação de pôneis. Um conteúdo grande de matéria seca age como um potencial tamponador do HCl no suco gástrico e a natureza aderente da ingesta de cereais inibe a penetração desta pelos sucos.

Juntamente com o atraso na secreção de gastrina durante uma refeição de cereais, esses fatores poderiam ser responsáveis pela falha de diminuição do pH pós-prandial a níveis

978-85-7241-725-9

que inibam a proliferação e a fermentação microbianas. Bactérias produtoras de ácido láctico (lactobacilos e estreptococos) proliferam-se (ver também *Probióticos*, Cap. 5). Embora os estreptococos não produzam gás, algumas espécies de lactobacilos produzem dióxido de carbono, aumentam o pH para 5,5 a 6 e até na faixa de 4 a 6,8 e alguns crescem em condições tão ácidas quanto pH 3,5. O pH do conteúdo gástrico irá até mesmo aumentar para níveis que permitam a sobrevivência de bactérias não produtoras de ácido láctico, produtoras de gás, gerando grandes quantidades de ácidos graxos voláteis (AGV). A produção de gases a uma taxa acima daquela que pode ser absorvida pela corrente sangüínea, causa timpanismo gástrico e até ruptura gástrica e, dessa forma, é desejável que o pH gástrico pós-prandial caia o suficiente para inibir a maior parte do crescimento bacteriano e, de fato, matar patógenos potenciais.

Ulceração Gástrica

A mucosa com epitélio escamoso estratificado do estômago eqüino existe em um ambiente potencialmente muito ácido e é suscetível a danos causados por HCl e pepsina. A bile, encontrada em quantidades significativas no estômago durante períodos longos de jejum, aumenta o risco de dano (Berschneider *et al.*, 1999). Exame *post mortem* de rotina de 195 cavalos *Thoroughbred* (TB) em Hong Kong (Hammond *et al.*, 1986) revelou que 66% haviam sofrido ulceração gástrica. Em TB pegos diretamente do treino a freqüência foi de 80% e dentre aqueles que estavam aposentados há um mês ou mais foi de apenas 52%. As lesões aparentam ser progressivas durante o treinamento, mas parecem regredir durante a aposentadoria. Essas lesões não se restringem a animais adultos. Potros neonatos são capazes de produzir secreções gástricas altamente ácidas tão cedo quanto dois dias de idade e o pH médio da superfície da mucosa glandular e os conteúdos fluidos de 18 potros aos 20 dias de idades foram 2,1 e 1,8, respectivamente (Murray e Mahaffey, 1993). Ulceração e erosão ocorrem na mucosa gástrica escamosa, particularmente aquela adjacente ao *margo plicatus*, já que faltam processos protetores na mucosa com epitélio escamoso, especialmente a barreira muco-bicarbonato na mucosa glandular.

Observações feitas pelo grupo de pesquisa em Hanover mostraram que sinais clínicos de cólica periprandial e bruxismo (ranger dos dentes) foram mais pronunciados em cavalos com as lesões gástricas mais graves de gastrite ulcerativa difusa (ver Cap. 11).

Embora o tratamento com omeprazol, cimetidina, ou ranitidina seja efetivo, deve-se pensar se a infecção tem algum papel na síndrome eqüina (como ocorre freqüentemente no ser humano, no qual os organismos se protegem astutamente do ácido por meio da secreção de urease com um pH ácido ótimo), já que a atividade microbiana periprandial e o pH do conteúdo gástrico são mais altos em animais alimentados com concentrado. Além disso, o pH é menor durante o jejum. Se essa proposta for verdadeira, devem-se escolher tratamento e profilaxia bem diferentes.

Digestão no Intestino Delgado

O cavalo de 450kg tem um intestino delgado relativamente curto, 21 a 25m de comprimento, através do qual o trânsito da digesta é bem rápido, com uma parte aparecendo no ceco dentro de 45min após uma refeição. A maior parte da digesta move-se no intestino delgado a uma taxa de 30cm/min. A motilidade do intestino delgado está sob controle tanto nervoso como hormonal. Cinqüenta por cento de um marcador líquido instilado no estômago de

978-85-7241-725-9

um pônei alcançou o íleo distal em 1h hora e, após 1,5h da instilação, 25% estavam presentes no ceco (Merrit, 1992, comunicação pessoal). O cavalo que pasta tem acesso ao alimento o tempo todo e comparações de quantidades de alimento consumido, entre acesso *ad libitum* e quantidades similares fornecidas após um jejum de 12h, mostraram que o trânsito do alimento do estômago até o ceco é muito mais rápido após o jejum.

Para estimar o tempo de trânsito, podem-se introduzir no estômago bolsas de poliéster monofilamentado com poros de 41μm, contendo 200 ou 130mg de alimento, através de um tubo nasogástrico, recuperadas nas fezes após o tempo de trânsito de 10 a 154h. Tempos de trânsito e digestibilidade no intestino delgado podem ser estimados após a captura das bolsas próximo à válvula ileocecal com um ímã (Hyslop *et al.*, 1998d). Entretanto, deve-se ter cuidado na interpretação de valores pré-cecais de N-digestibilidade, que podem ser consideravelmente maiores comparados com a técnica de fístula ileal (Macheboeuf *et al.*, 2003).

Em conseqüência do trânsito rápido da ingesta no intestino delgado, é surpreendente quanta digestão e absorção aparentemente ocorrem nele. Embora diferenças na composição da digesta que adentra o intestino grosso possam ser detectadas com uma mudança na dieta, é um material consideravelmente mais uniforme do que aquele que adentra o rúmen da vaca. Esse fato tem significados práticos e fisiológicos notáveis na nutrição e bem-estar do cavalo. A natureza do material que deixa o intestino delgado é descrita como resíduos alimentares fibrosos, amido alimentar não digerido e proteína, microrganismos, secreções intestinais e *debris* celulares.

Secreções Digestivas

Grandes quantidades de suco pancreático são secretadas como resultado da presença de alimento no estômago, em resposta a estímulos mediados por fibras nervosas vagais e pelo HCl gástrico no duodeno, estimulando a secreção do hormônio polipeptídeo secretina no sangue. De fato, embora a secreção seja contínua, a taxa de secreção de suco pancreático aumenta em quatro a cinco vezes quando se dá o alimento pela primeira vez. Essa secreção, que adentra o duodeno, tem uma baixa atividade enzimática, mas fornece grandes quantidades de fluido e íons sódio, potássio, cloro e bicarbonato. Entretanto, alguma tripsina ativa está presente. Há evidências conflitantes em relação à presença de lípase nas secreções pancreáticas e a bile secretada pelo fígado provavelmente exerce uma influência maior, porém diferente, sobre a digestão e a gordura. A estimulação da secreção de suco pancreático não aumenta o seu conteúdo de bicarbonato, como ocorre em outras espécies. O conteúdo de bicarbonato da digesta aumenta no íleo, onde é secretado em troca do cloreto, fornecendo, assim, um tampão para os AGV do intestino grosso (ver *Produtos da Fermentação*, adiante).

O cavalo não possui vesícula biliar, mas o estímulo da bile também é causado pela presença de HCl no duodeno. As secreções de suco pancreático e bile cessam após um jejum de 48h. A bile é tanto uma excreção como uma secreção digestiva. Como uma reserva de álcalis, ajuda a preservar uma reação ótima no intestino para o funcionamento das enzimas digestivas ali secretadas. No cavalo, o pH da digesta que sai do estômago aumenta rapidamente para pouco acima de 7.

Carboidratos

A habilidade do cavalo para digerir carboidratos solúveis e a eficiência dos sistemas de transporte de monossacarídeos na mucosa do intestino delgado foram estabelecidas por

978-85-7241-725-9

uma série de testes de tolerância de dissacarídeos e monossacarídeos orais (Roberts, 1975b). Essa habilidade é importante para o entendimento de determinados desarranjos aos quais os cavalos estão sujeitos.

Uma alta proporção das fontes de energia consumidas pelo cavalo durante o trabalho contém amido de cereais, que consistem em cadeias ramificadas, relativamente longas, cuja unidade são moléculas de alfa-D-glicose unidas, como mostra a Figura 1.4. A absorção pela corrente sangüínea depende da quebra das ligações entre as moléculas de glicose. Isso depende completamente das enzimas secretadas no intestino delgado, que estão aderidas à borda em escova das vilosidades, na forma de alfa-amilase (secretada pelo pâncreas) e alfa-glicosidases (secretadas pela mucosa intestinal) (Tabela 1.1).

As secreções do suco pancreático liberam oligossacarídeos suficientes para posterior hidrólise pelas enzimas da borda em escova, na superfície da célula intestinal (Roberts, 1975a). Mecanismos de transporte ativo levam então os produtos finais da hexose através da célula intestinal para o sistema da porta hepática. O sistema digestório pode, entretanto, ficar sobrecarregado. Foram dados 4kg/dia de alimento para pôneis com 266kg de PC, na proporção de 2:1 casca de aveia:aveia sem casca (isto é, 1,33kg de aveia sem casca). Isso causou mudanças na fermentação intracecal, indicando que havia amido da aveia chegando àquele órgão, embora o pH intracecal não tenha diminuído abaixo de 6,5 (Moore-Colyer *et al.*, 1997). A fermentação do amido no ceco e suas conseqüências são discutidas a seguir e nos Capítulos 2 e 11.

A concentração de alfa-amilase no suco pancreático do cavalo é apenas 5 a 6% da do porco e a concentração de alfa-glicosidase é comparável à de muitos outros mamíferos

978-85-7241-725-9

Amido

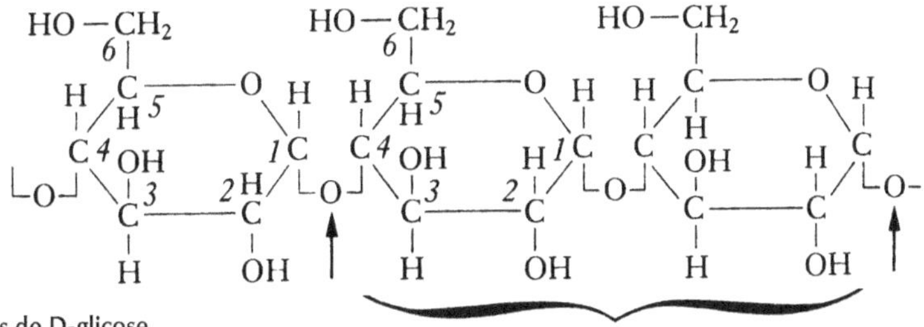

Unidades de D-glicose com ligações α-1,4

Resíduo de maltose

Celulose

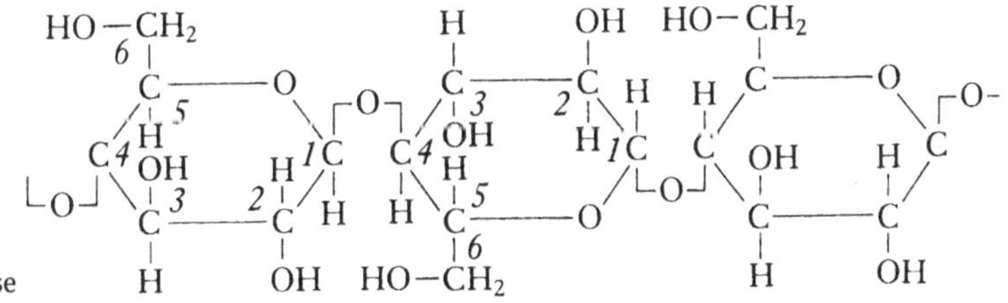

Unidades de D-glicose com ligações β-1,4

Figura 1.4 – Representação diagramática de três unidades de glicose em duas cadeias de carboidratos (o grânulo de amido também contém amilopectina, que tem tanto ligações 1,4 como ligações 1,6). As *setas* indicam locais de digestão intermediária.

Tabela 1.1 – Digestão de carboidrato no intestino delgado.

Substrato	Enzima	Produto
Amido	Alfa-amilase	Dextrinas de limite (cerca de 34 unidades de glicose)
Dextrinas de limite	Alfa-glicosidases (glicoamilase, maltase e isomaltase)	Glicose
Sacarose	Sacarase	Frutose e glicose
Lactose	Beta-galactosidase neutra (lactase)	Glicose e galactose

domésticos. As alfa-glicosidases (dissacaridases) incluem a sacarase, a dissacaridase presente em concentrações cinco vezes a da glicoamilase, capaz de digerir sacarose. A atividade da sacarase é maior no intestino delgado proximal e, ao passo que sua atividade é similar àquela descrita para outras espécies não-ruminantes, a atividade da maltase é extremamente alta em comparação à descrita para outras espécies. A atividade da maltase é expressa de forma similar nas regiões proximal, média e distal. A D-glicose e a D-galactose são transportadas através da membrana da borda em escova intestinal do eqüino por uma isoforma *tipo 1* do co-transportador de Na+/glicose (SGLT1) de alta afinidade e baixa capacidade, com taxas de transporte na ordem duodeno>jejuno>íleo (Dyer *et al.*, 2002).

Outro importante dissacarídeo no suco intestinal é a beta-glicosidase, a beta-galactosidase neutra (lactase neutra ou da borda em escova), necessária para a digestão do açúcar do leite no potro. Essa enzima tem um pH ótimo por volta de 6. Embora a lactase funcional seja expressa por todo o intestino delgado do cavalo adulto, a atividade é menor do que essa no cavalo imaturo (Dyer *et al.*, 2002), assim, grandes quantidades da lactose da dieta podem causar distúrbios digestivos e cavalos adultos são relativamente intolerantes à lactose.

Cavalos saudáveis de todas as idades podem absorver a mistura glicose:galactose sem qualquer mudança nas fezes. A intolerância relativa decorre da reduzida hidrólise de lactose e normalmente não envolve os sistemas de transporte de monossacarídeos ou a má absorção. Se faltar uma forma ativa da enzima a um potro lactente ou que esteja recebendo leite de vaca, ele sofrerá de diarréia. Um teste de tolerância à lactose oral (1g/kg de PC em uma solução a 20%) poderia ser de valor clínico para determinar os danos à mucosa intestinal de potros diarréicos, quando a ingestão contínua de lactose pode ser danosa. A ingestão deficiente ou a má absorção de carboidrato, tanto primária como secundária, pode ser quase sempre localizada em um defeito da capacidade enzimática ou de transporte da célula superficial do intestino delgado (ver Cap. 11).

Lindermann *et al.* (1983) forneceram 2g/kg de PC de lactose ou amido de milho, diariamente, antes de uma refeição de palha de trigo, ou misturada com uma dieta de concentrado. A digestibilidade pré-cecal aparente da lactose foi de 38 e 71% nos períodos de palha e concentrado, respectivamente, e a do amido naqueles períodos foi de 88 e 93%. Cerca de 1,2g/kg de PC da palha e 0,6g/kg de PC do concentrado fluíram para o ceco diariamente, levando a uma menor concentração de AGV cecais e menor pH cecal com lactose em comparação ao amido no período da palha. O fluxo ileocecal de água alcançou 16,5 e 8,2kg/kg de MS alimentar com lactose, nos períodos da palha e do concentrado, respectivamente, comparados com 15,2 e 7kg/kg de amido. As digestibilidades pré-cecais aparentes

978-85-7241-725-9

978-85-7241-725-9

Tabela 1.2 – Desaparecimento de matéria orgânica e proteína bruta (PB) *in sacco* a partir da matéria seca (MS) ou da PB em bolsas de poliéster durante a passagem do estômago ao ceco de pôneis *Welsh cross* (Moore-Colyer *et al.*, 1997).

	Desaparecimento de conteúdo do intestino delgado		
	Matéria orgânica g/kg (MS)	*Proteína bruta g/kg (PB)*	*Proteína bruta digestível g/kg (MS)*
Polpa de beterraba açucareira	185	296	30
Cubos de feno	294	521	52
Casca de soja	239	597	60
Mistura 2:1 de casca de aveia:aveia sem casca	337	771	54

da lactose de 38 e 71% podem refletir, em parte, a fermentação microbiana no íleo. O amolecimento das fezes com a alimentação de lactose é explicável.

Proteínas

A quantidade de proteína hidrolisada no intestino delgado é cerca de três vezes a do estômago. As proteínas estão na forma de cadeias dobradas longas, cuja unidade são resíduos de aminoácidos. Para que as proteínas sejam digeridas e utilizadas pelo cavalo, estes aminoácidos devem, geralmente, ser liberados, embora as células da mucosa intestinal possam absorver dipeptídeos. As enzimas responsáveis são aminopeptidases e carboxipeptidases secretadas pela parede do intestino delgado.

Foi medida a perda de digesta de bolsas de poliéster passando do estômago ao ceco e contendo polpa de beterraba açucareira, cubos de feno, soja integral, ou uma mistura 2:1 de casca de aveia:aveia sem casca (Moore-Colyer *et al.*, 1997). Os resultados (Tabela 1.2) indicam que a polpa de beterraba açucareira seria sujeita a uma maior fermentação no ceco do que outros alimentos.

Gorduras

O cavalo difere do ruminante no fato de que a composição de sua gordura corporal é influenciada pela composição da gordura da dieta. Isso sugere que as gorduras são digeridas e absorvidas no intestino delgado antes que possam ser alteradas pelas bactérias do intestino grosso. O intestino delgado é o local primário para a absorção de gordura da dieta e ácidos graxos de cadeia longa. A drenagem contínua de bile a partir do fígado facilita isso, por meio da emulsificação da gordura, principalmente pela ação de sais biliares. A emulsificação aumenta a interface gordura-água de forma que a enzima lípase possa hidrolisar mais prontamente ácidos neutros em ácidos graxos e glicerol. Estes são absorvidos imediatamente, embora seja possível que uma proporção considerável de gordura da dieta seja absorvida pelo sistema linfático na forma de partículas de gordura neutra finamente emulsificadas (triacilgliceróis) e transportada como uma lipoproteína em quilomícrons. Muitos pesquisadores demonstraram que cavalos digerem gordura de forma bem eficiente e que a adição de gordura comestível à dieta tem valor, particularmente quando for o caso de trabalhos de enduro e também exercícios mais intensos (ver Cap. 5 e 9).

Triacilgliceróis (TAG) de cadeia média (cadeia com 6 a 12 carbonos) são facilmente absorvidos nessa forma por cavalos, seguido por transporte via portal até o fígado, onde são metabolizados em cetonas (Jackson *et al.*, 2001).

Modificação do Alimento para Melhorar a Digestão

O grau de decomposição química, pré-cecal, do amido dos cereais de dietas peletizadas está na seqüência: aveia>cevada>milho (de Fombelle *et al.*, 2003). Varloud *et al.* (2003) e de Fombelle *et al.* (2003) constataram que embora grande parte do amido desaparecesse (mas não era absorvida) no estômago, a quantidade que escapava da digestão pré-cecal aumentava com a ingestão de amido: 20% da cevada e 30% do milho escaparam quando os cavalos receberam 281g de amido/100kg de PC em uma refeição. Assim, para aumentar a digestibilidade e evitar a fermentação do amido no intestino grosso do eqüino, o cozimento comercial de cereais é de interesse econômico. Os processos incluíram micronização de cereais por infravermelho e expansão ou extrusão de produtos. O grau de cozimento pelo processo de extrusão varia consideravelmente entre os aparelhos usados e as condições de processamento. Entretanto, a digestibilidade no intestino delgado é influenciada por esse cozimento, mesmo em cavalos adultos; assim, a digestibilidade total não melhora (Tabela 1.3). Isso é, a digestibilidade de cereais crus e cozidos é semelhante quando os valores derivam da diferença entre os carboidratos consumidos e aqueles perdidos nas fezes. Assim, o grau de digestão pré-cecal, ou, possivelmente, digestão pré-ileal, influencia a proporção de carboidratos de cereais absorvida na forma de glicose e a absorvida na forma de AGV e ácido láctico.

Evidências de várias fontes indicam que pouco mais de 50% do amido da dieta são sujeitos à digestão pré-ileal ou pré-cecal. A proporção digerida dessa forma é influenciada não apenas pelo processamento dos cereais, mas também pela quantidade oferecida. A produção de lactato e de outros ácidos orgânicos está aumentada e o pH diminuído no íleo e no ceco quando amido não digerido alcança aquelas regiões. De forma a evitar o acúmulo de amido e, conseqüentemente, a fermentação excessiva deste no intestino grosso, Potter *et al.* (1992a) concluíram que a ingestão de amido em cavalos, recebendo duas a três refeições por dia, deve ser limitada a 4g/kg de PC por refeição (ver Cap. 11). Consideramos que esse limite é muito liberal se houver risco de laminite (ver Cap. 11). O grupo do Texas (Gibbs *et al.*, 1996) também constatou que quando a ingestão de nitrogênio (N) é menor que 125mg/kg de PC, 75 a 80% da proteína verdadeiramente digestível de uma refeição de grãos de soja

Tabela 1.3 – Digestão pré-cecal de várias fontes de amido e digestão no trato gastrointestinal total em cavalos (Kienzle *et al.*, 1992) e pôneis (Potter *et al.*, 1992a) (digerido, ingestão em g/kg).

	Ingestão de amido, g/100kg de PC	Milho pré-cecal	Aveia pré-cecal	Aveia total	Sorgo pré-cecal	Sorgo total	Referência
Inteiro	200	289	835	–	–	–	Kienzle *et al.*, 1992[1]
Em flocos	200	299	852	–			Kienzle *et al.*, 1992
Moído	200	706	980				Kienzle *et al.*, 1992
Texturizado[2]	264^{AT} 295ST	–	480	944	360	940	Potter *et al.*, 1992a
Micronizado	237^{AM} 283^{SM}	–	623	938	590	945	Potter *et al.*, 1992a

[1] As digestibilidades do milho e da aveia medidas por esses pesquisadores referem-se a mensurações pré-ileais.

[2] Rolados a seco com roladores corrugados que quebram as sementes. ^{AM} = aveia micronizada; ^{AT} = aveia texturizada; ^{SM} = sorgo micronizado; ST = sorgo texturizado.

PC = peso corpóreo.

são digeridos na região pré-cecal e 20% são digeridos no intestino grosso, ao passo que 10% não são digeríveis.

A digestibilidade pré-ileal de amido de aveia excede a do amido de milho ou de cevada (Meyer *et al.*, 1995). Quando a ingestão de amido por refeição é de apenas 2g/kg de PC, a digestibilidade pré-ileal de aveia moída pode ser acima de 95%, ao passo que, no outro extremo, a do milho inteiro ou quebrado pode ser menor que 30%. O ato de moer cereais aumenta a digestibilidade pré-ileal quando comparada com grão inteiros, texturizados, ou quebrados [nota: a qualidade de manutenção ou *shelf life* (vida de prateleira) de grãos moídos é, entretanto, relativamente curta]. Pesquisadores em Hanover descobriram, em contraste aos resultados dos pesquisadores do Texas, que no quimo jejunal há um aumento ainda maior nas concentrações pós-prandiais de ácidos orgânicos, incluindo lactato, e na acidez, quando é oferecida aveia ao invés de milho. Ainda não foi estabelecido se isso é relacionado ao suposto efeito de aquecimento da aveia, quando comparado a outros cereais. A gelatinização do amido pelo cozimento aumenta a digestão no intestino delgado a taxas de ingestão moderadas ou altas.

Utilização do Nitrogênio

Com altas taxas de ingestão de proteínas, mais nitrogênio não-protéico (NNP) adentra o trato GI na forma de uréia. O nitrogênio (N) que adentra o ceco a partir do íleo é proporcionalmente 25 a 40% do NNP, variando de acordo com o tipo de alimento. Meyer (1983b) calculou que, em um cavalo de 500kg, 6 a 12g de N na forma de uréia passam diariamente através da válvula ileocecal. A quantidade de N que passa para o intestino grosso também varia com a digestibilidade da proteína. Com altas taxas de ingestão de proteína de baixa digestibilidade, mais N no total irá fluir para o intestino grosso, onde será degradado em NH_3. Segundo as evidências de Meyer, cerca de 10 a 20% desse total são N na forma de uréia, já que a variação diária de N total que flui para o ceco é:

$$0{,}3 \text{ a } 0{,}9\text{g N/kg de PC}^{0{,}75}$$

O N também adentra o intestino grosso por secreção, embora a quantidade pareça ser menor que a que entra através da válvula ileocecal e quase sempre ocorre absorção total. Contudo, a secreção total pode ocorrer com dietas com proteína baixa e fibra alta.

A utilização do NH_3 produzido pelas bactérias intestinais está entre 80 e 100%. A ingestão excessiva de proteína deve aumentar a carga de N não-utilizável, tanto na forma de N inorgânico, como na forma de proteína bacteriana relativamente não-utilizável. Essa carga é influenciada pela seqüência de alimentação. O fornecimento de alimento concentrado, duas horas depois do volumoso, quando comparado com alimentação simultânea, causou maiores concentrações plasmáticas de aminoácidos livres, particularmente os essenciais, de seis a nove horas depois (Cabrera *et al.*, 1992; Frape, 1994). A uréia plasmática não aumentou com a alimentação dissociada ou separada, mas aumentou continuamente durante nove horas após a alimentação simultânea de volumoso e concentrado. Isso indica que o alimento misturado causou um grande fluxo de N para o ceco com uma economia de proteína da dieta bem menor; contudo, a alimentação separada foi na ordem inversa da prática padrão de dar concentrado antes do volumoso.

INTESTINO GROSSO

Herbívoros que pastam têm uma ampla variedade de mecanismos e arranjos anatômicos para fazerem uso da energia química contida nos carboidratos estruturais das plantas. Uma característica de todos os animais que pastam gramíneas e arbustos é o aumento de alguma parte do trato GI para acomodar a fermentação da digesta por microrganismos, produzindo AGV e lactato (Tabela 1.4).

Mais da metade do peso seco das fezes é de bactérias e as células bacterianas no trato digestório do cavalo somam mais de dez vezes a soma de todas as células teciduais do corpo. Nenhum mamífero doméstico secreta enzimas capazes de quebrar as moléculas complexas de celulose, hemicelulose, pectina, fruto e galacto-oligossacarídeos e lignina em partes adequadas para absorção, mas, com exceção da lignina, as bactérias intestinais são capazes disso. O processo é relativamente lento em comparação com a digestão de amido e proteína. Isso significa que o fluxo de digesta deve ser reduzido por tempo suficiente para permitir que o processo atinja uma conclusão satisfatória do ponto de vista da economia energética do animal hospedeiro.

Durante a amamentação e o pós-desmame do potro de ano e sobreano, o intestino grosso cresce mais rápido que o restante do canal alimentar para acomodar uma dieta mais fibrosa e volumosa. Conseqüentemente, a digestibilidade da energia de uma dieta mista de concentrado e forragem aumenta aos cinco a oito meses de idade (Turcott *et al.*, 2003).

Na porção distal do íleo existe um grande saco de fundo cego conhecido como ceco, o qual mede cerca de um metro de comprimento no cavalo adulto e tem uma capacidade de 25 a 35L. Em uma das pontas existem duas válvulas musculares relativamente próximas entre si, uma através da qual a digesta entra vinda do íleo e outra através da qual a passagem do ceco para cólon ventral direito é facilitada. Os segmentos direito e esquerdo do cólon ventral e os segmentos esquerdo e direito do cólon dorsal constituem o cólon maior, que mede cerca de 3 a 4m de comprimento no cavalo adulto, tendo uma capacidade maior que o dobro da capacidade do ceco. As quatro partes do cólon maior são conectadas por dobras conhecidas como flexuras. São, na seqüência, as flexuras esternal, pélvica e diafragmática (ver Fig. 1.2). Sua relevância provavelmente está em mudanças na função e na população microbiana de região para região e no fato de agirem como focos de impactações intestinais.

A digestão no ceco e no cólon ventral depende quase que totalmente da atividade das bactérias e protozoários ciliados que os constituem. Em contraste ao intestino delgado, as paredes do intestino grosso contêm apenas glândulas secretoras de muco, isto é, não fornecem enzimas digestivas. Entretanto, altas atividades de fosfatase alcalina, conhecida

978-85-7241-725-9

Tabela 1.4 – Efeito da dieta no pH, na produção de ácidos graxos voláteis (AGV) e lactato e no crescimento microbiano no ceco e no cólon ventral do cavalo 7h após uma refeição.

Dieta	pH	AG (mmol/L) Acetato	AG (mmol/L) Propionato	AG (mmol/L) Butirato	AG (mmol/L) Lactato	Bactérias totais por (mL × 10^{-7})
Feno	6,9	43	10	3	1	500
Concentrado mais feno mínimo	6,25	54	15	5	21	800
Em jejum	7,15	10	1	0,5	0,1	5

Nota: os valores dados são os típicos, mas todos, com exceção do pH, apresentam grandes variações.
AG = ácidos graxos.

por estar associada com grande ação digestiva e absortiva, são encontradas no intestino grosso do cavalo, diferentemente do ambiente do intestino grosso do gato, do cachorro e do homem.

O diâmetro do cólon maior varia consideravelmente de região para região, mas atinge um máximo no cólon dorsal direito, onde forma uma grande saculação com um diâmetro de até 500mm. Essa estrutura é sucedida por uma parte afunilada abaixo do rim esquerdo, em que o diâmetro diminui para 70 a 100mm à medida que a digesta adentra o cólon menor. Este continua dorsalmente na cavidade abdominal por 3m antes do reto, o qual tem cerca de 300mm de comprimento e termina no ânus (ver Fig. 1.2).

Contrações dos Intestinos Delgado e Grosso

As paredes dos intestinos delgado e grosso contêm fibras musculares longitudinais e circulares essenciais:

- Para as contrações necessárias para mover a digesta por meio do processo de peristalse na direção do ânus.
- Para permitir mistura completa dos sucos digestivos.
- Para banhar as superfícies absortivas da parede com os produtos da digestão.

Durante a dor abdominal, esses movimentos podem parar de forma que os gases da fermentação se acumulem.

Passagem da Digesta através do Intestino Grosso

Muitas das perturbações digestivas são focalizadas no intestino grosso e, dessa forma, seu funcionamento merece discussão. A intensidade das contrações intestinais aumenta durante a alimentação – contrações fortes do ceco expelem a digesta para o cólon ventral, mas contrações separadas expelem gás, que é acelerado através da maior parte do cólon. O refluxo da digesta para o ceco é grandemente prevenido pela configuração sigmóide da junção. A passagem da digesta através do intestino grosso depende da motilidade intestinal, mas é principalmente uma função do movimento de um dos compartimentos para o próximo através de uma barreira separadora. Uma mistura considerável ocorre dentro de cada compartimento, mas parece haver pouco fluxo retrógrado entre eles. As barreiras são:

- A válvula ileocecal já referida.
- A válvula colônica ceco-ventral.
- A flexura colônica ventrodorsal (flexura pélvica), que separa o cólon ventral do dorsal.
- A junção do cólon menor dorsal em que a digesta adentra o cólon menor.

A resistência ao fluxo tende a aumentar na mesma ordem, isto é, a última dessas barreiras fornece a maior resistência (ver Cap. 11). Essa resistência é muito maior para partículas alimentares grandes do que para pequenas. De fato, o atraso na passagem de partículas com 2cm de comprimento pode ser de mais de uma semana. Normalmente, o tempo gasto para esvaziar o material inútil após uma refeição é tal que, em pôneis recebendo uma dieta à base de grãos, 10% são eliminados após 24h, 50% após 36h e 95% após 65h. Mais recentemente, o tempo médio de retenção (TMR) em um cavalo de 18 meses de idade, para o

978-85-7241-725-9

qual foi dada uma dieta de feno e concentrado, demonstrou ser de 42,7 e 33,8h, respectivamente para as fases líquida e sólida da digesta (Chiara *et al.*, 2003). Para uma dieta baseada em feno em cavalos pesados adultos foi de 21 a 40h, diminuindo dentro dessa faixa à medida que a ingestão aumentava (Miraglia *et al.*, 2003). Dentro de variações moderadas de ingestão, a digestibilidade da dieta foi constante. Uma grande diminuição de TMR foi associada com um coeficiente de digestibilidade menor.

978-85-7241-725-9

A maior parte da digesta atinge o ceco e cólon ventral dentro de três horas após a refeição, de forma que é no intestino grosso que o material não absorvido passa a maior parte do tempo. A taxa de passagem em ruminantes domésticos é um pouco menor e isso explica parcialmente a sua maior eficiência em digerir fibras. Entretanto, o cavalo utiliza a energia de carboidratos solúveis com maior eficiência, pela absorção de uma maior proporção de açúcares no intestino delgado.

No cavalo, o tempo de passagem é influenciado pela forma física da dieta; por exemplo, dietas peletizadas têm uma taxa de passagem mais rápida em relação a feno picado ou longo e o capim fresco move-se mais rápido que o feno. Um trabalho em Edimburgo (Cudderford *et al.*, 1992) mostrou que a fibra era digerida mais completamente pelo burro que pelo pônei, que, por sua vez, digeria mais efetivamente do que o TB. Essas diferenças provavelmente se devem, em grande parte, aos tamanhos relativos do intestino grosso e, dessa forma, ao tempo de permanência da digesta. Burros que trabalharam por cinco horas, diariamente, sem acesso a alimento, subseqüentemente, comeram tanto feno de má qualidade e digeriram tão bem quanto aqueles que não trabalharam e tiveram acesso contínuo ao alimento (Nengomasha *et al.*, 1999). O tempo de permanência no intestino grosso parece não ser influenciado pelo tamanho da refeição, ao passo que a taxa de passagem através do intestino delgado é maior com refeições grandes e menos freqüentes.

Padrão de Contrações do Intestino Grosso

O ceco contrai-se em um anel a cerca de 12 a 15cm da junção ceco-cólica, prendendo a ingesta na base do ceco e forçando uma parte através da junção que, nesse meio tempo, se relaxou. Com a relaxação dos músculos cecais, algum refluxo ocorre, embora haja um movimento de toda a digesta para dentro do cólon ventral. A taxa de passagem da digesta através do ceco é de aproximadamente 20% por hora (Hintz, 1990), comparando-se com uma taxa típica do rúmen de 2 a 8% por hora. Entretanto, taxas de desaparecimento do alimento em bolsas de poliéster monofilamentado mantidas no ceco do pônei, foram maiores durante a alimentação com feno do que entre as refeições (Hyslop *et al.*, 1999). A alimentação parece causar um aumento da motilidade e do volume do ceco, permitindo uma mistura mais completa entre a digesta e as bactérias.

As contrações do cólon são complexas. Há início súbito de atividades contráteis que se propagam na direção aboral, mas algumas contrações se propagam oralmente e algumas são isoladas e não se propagam em qualquer direção. Assim, ocorrem movimentos arrítmicos de constrição das saculações (haustros do cólon) e contrações mais fortes propulsivas e retropulsivas. Essas contrações têm a função de misturar os constituintes e promover fermentação e absorção, bem como mover resíduos em direção ao reto. Para o cólon maior, as contrações fortes e rítmicas começam na flexura pélvica, onde existe um "marca-passo elétrico" de posição variável. Um local muito comum de impactações é o cólon ventral esquerdo, logo cranialmente a essa flexura pélvica (ver Cap. 11). O conhecimento mais detalhado dessa atividade deve, definitivamente, ajudar no controle das causas comuns de mau funcionamento do intestino grosso e de cólica.

Digestão Microbiana (Fermentação)

Existem três distinções principais entre fermentação microbiana do alimento e digestão feita pelas secreções do próprio cavalo:

1. Os polímeros de celulose com ligações beta-1,4 (ver Fig. 1.4) são quebrados pela microflora, mas não pelas secreções do cavalo. As paredes celulares de plantas contêm vários carboidratos (incluindo hemicelulose) que formam até metade da fibra das paredes celulares de capins e um quarto daquelas do trevo. Esses carboidratos também são digeridos por microrganismos, mas a extensão depende da estrutura e do grau de incrustação da lignina, a qual é indigerível, tanto para as bactérias intestinais como para as secreções do cavalo (ver *Flora*, adiante).
2. Durante seu crescimento, os microrganismos sintetizam aminoácidos indispensáveis (essenciais) à dieta.
3. As bactérias são produtores totais de vitaminas hidrossolúveis do grupo B e de vitamina K_2.

978-85-7241-725-9

Números Microbianos

Na relativamente pequena região fúndica do estômago, onde o pH é de mais ou menos 5,4, existem normalmente 10^8 a 10^9 bactérias/g. As espécies presentes são aquelas que podem resistir à acidez moderada, sendo os tipos comuns lactobacilos, estreptococos e *Veillonella gazogenes*. De Fombelle *et al.* (2003) observaram que lactobacilos, estreptococos e bactérias que utilizam lactato colonizaram todo o trato GI. O estômago e o intestino delgado abrigavam, por mL, o maior número dessas bactérias, influenciando, assim, a digestão de carboidratos prontamente fermentáveis. De Fombelle *et al.*, também determinaram que a maior concentração de bactérias anaeróbicas totais no trato GI, ocorria no estômago (ver *Úlceras Gástricas*, Cap. 11). O jejuno e o íleo sustentam uma população abundante, na qual bactérias gram-positivas anaeróbias obrigatórias podem predominar (10^8 a 10^9/g). Nessa região do intestino delgado, uma dieta à base de cereais pode influenciar na proporção da população produtora de ácido láctico, em comparação com a produtora de AGV como produto final, embora os números de lactobacilos por grama de conteúdo tenda a ser mais alto no intestino grosso, onde o pH é, em geral, mais baixo.

As floras do ceco e do cólon são principalmente bactérias, as quais em animais alimentados atingem cerca de $0{,}5\times10^9$ a 5×10^9/g de conteúdo. Uma diferença característica entre a fermentação de intestino grosso eqüino e a do rúmen é o conteúdo menor de amido no intestino grosso, o que implica em uma taxa de fermentação, geralmente menor. Contudo, o conteúdo de amido do ceco é mutável, causando uma supressão variável de bactérias celulolíticas e relacionadas. À medida que a proporção de cevada rolada e feno picado (dado após a cevada) aumenta de nula para metade, a digestibilidade da matéria orgânica (MO) também aumenta, ao passo que a da fibra em detergente neutro (FDN) e da fibra em detergente ácido (FDA) diminuem, apesar da taxa de fluxo da digesta ser menor, com as maiores proporções de cevada (C. Drogoul, comunicação pessoal).

Ainda é escasso o conhecimento a respeito da atividade das bactérias eqüinas que digerem as várias entidades da fibra. Em um estudo com pôneis (Moore e Dehority, 1993), as bactérias celulolíticas atingiam 2 a 4% do total. Adicionalmente, havia 2×10^2 a 25×10^2 unidades fúngicas/g, das quais a maioria era celulolítica (ver *Probióticos*, Cap. 5). No cavalo, tanto as bactérias (que juntamente com os fungos constituem a flora) como os protozoários (fauna) cecais participam da decomposição de pectinas e hemicelulose a um pH ótimo entre 5 e 6 (Bonhomme-Florentin, 1988).

Fauna

Protozoários no intestino grosso do eqüino atingem cerca de 10^{-4} da população bacteriana, ou seja, $0{,}5 \times 10^5$ a $1{,}5 \times 10^5$/mL de conteúdo. Embora os protozoários sejam individualmente muito maiores que as bactérias e dessa forma contribuam com uma massa total similar para o conteúdo do intestino grosso, sua contribuição para o metabolismo é menor, já que é basicamente proporcional à área de superfície. As espécies da fauna diferem um pouco daquelas do rúmen. Já foram descritas cerca de 72 espécies de protozoários, primariamente ciliados, como habitantes normais do intestino grosso eqüino, com alguma tendência de diferenças de espécies entre os compartimentos. Moore e Dehority (1993) encontraram os seguintes gêneros de protozoários em pôneis: *Buetschlia*, *Cycloposthium*, *Blepharocorys* e alguns *Paraisotricha*. A remoção dos protozoários (defaunação) causou apenas uma leve diminuição na digestibilidade da MS, com nenhum efeito nos números de bactérias, ou na digestibilidade da celulose.

Flora

No intestino grosso, as populações bacterianas são maiores no ceco e cólon ventral. Aqui, a concentração de bactérias digestoras de celulose é seis a sete vezes maior que no cólon terminal. Cerca de 20% das bactérias do intestino grosso podem degradar proteína.

Os números de microrganismos específicos podem mudar em mais de 100 vezes durante 24h em cavalos domésticos recebendo, digamos, duas refeições leves por dia. Essas flutuações refletem mudanças na disponibilidade de nutrientes (particularmente amido e proteína) e conseqüentes mudanças no pH do meio. Assim, uma alteração na razão cereais:feno não apenas terá grandes efeitos no número de microrganismos, mas também influenciará consideravelmente a distribuição de espécies no intestino grosso. Embora a freqüência de alimentação possa causar pouco impacto na digestibilidade em si, pode ter grande influência na incidência de desordens digestivas e distúrbios metabólicos. Grandes refeições de concentrado levam a respostas glicêmicas elevadas que podem precipitar anormalidades comportamentais, ao passo que o alimento fibroso diminui a resposta. Além disso, a fibra estimula a peristalse e é catiônica, o que diminui o risco de acidose metabólica (Moore-Colyer, 1998). Algumas dessas conseqüências resultam diretamente dos efeitos da dieta e digesta sobre as populações microbianas (bactérias e protozoários).

Bactérias cecais de cavalos adaptados a uma dieta à base de grãos são menos eficientes em digerir feno do que os micróbios de cavalos adaptados ao feno. Uma situação análoga ocorre com micróbios cecais adaptados ao feno quando submetidos a um substrato de grãos. Se tal mudança dietética é feita abruptamente em um cavalo, podem ocorrer impactações na primeira situação e cólica, laminite, ou inchaço nas pernas podem acontecer na segunda situação (ver Cap. 11).

978-85-7241-725-9

Os microrganismos cecais em pôneis ou cavalos tendem a ser menos eficientes para digerir feno que os micróbios rumenais em vacas. As digestibilidades da MO e da fibra

978-85-7241-725-9

bruta em cavalos recebendo uma dieta com mais de 15% de fibra bruta (uma dieta normal de concentrados e feno) são cerca de 85% e 70 a 75%, respectivamente, dos valores dos ruminantes. Isso foi atribuído aos efeitos combinados de uma taxa mais rápida de passagem de resíduos em cavalos e diferenças nas espécies microbianas celulolíticas. De fato, Hayes *et al.* (2003) concluíram que éguas têm habilidade maior para digerir fibras por apresentarem tempo de retenção maior quando comparadas com potros de um mês de idade. A população fecal de micróbios desses potros tinha uma capacidade similar àquela da égua de fermentar a FDN do feno de *Festuca* spp. Também ocorrem diferenças no tempo necessário para adaptação das enzimas microbianas à fermentação da fibra, nas diferentes regiões do trato GI. Isso influenciará no grau de fermentação em um tempo limitado. O inoculado de estômago, duodeno e íleo apresentou um tempo retardado de 1 a 2h para fermentação de volumoso, comparando-se com 0,1 a 0,5h para o inoculado do intestino grosso, limitando, dessa forma, a fermentação do intestino delgado (Moore-Colyer *et al.*, 2003).

Um trabalho feito por Hyslop *et al.* (1997) demonstrou que, sob as condições de seu experimento, a degradação da fibra em detergente ácido (FDA) e proteína bruta de polpa de beterraba açucareira, cubos de feno, casca de soja e uma mistura 2:1 de casca de aveia:aveia sem casca não era menor no ceco do pônei que no rúmen do novilho castrado por períodos de incubação de 12 a 48h. Na verdade, durante períodos de incubação de 12h, a degradação da polpa de beterraba açucareira e do feno era marginalmente maior no ceco. Assim, a microflora do intestino grosso eqüino pode não ser propriamente menos eficiente que a microflora rumenal na degradação alimentar. A menor digestibilidade alimentar eqüina resulta de uma taxa de passagem mais rápida através do intestino grosso em relação à do rúmen (Hyslop *et al.*, 1997).

Estimação da Degradabilidade da Fibra

Moore-Colyer (1998) mensurou a digestibilidade aparente e a degradação da fibra, como indicado pela análise de polissacarídeos não-amido (PNA) e FDN, de polpa de beterraba açucareira (BA), casca de soja (CS), cubos de feno (CF) e casca de aveia:aveia sem casca (CA:AC) (2:1). Moléculas de PNA são compostas de alguns monômeros presentes em diferentes proporções em várias fontes, componentes normais de paredes celulares. Os principais monômeros são: arabinose, galactose, ácidos urônicos, glicose e xilose. Os monômeros mais degradáveis por micróbios nos quatro alimentos citados anteriormente foram arabinose, galactose e ácidos urônicos. BA tinha as concentrações mais altas de arabinose e ácidos urônicos e foi degradada na taxa mais rápida, ao passo que as taxas para CF e particularmente para CA foram bem mais lentas. CF e CA teriam uma digestibilidade aparente menor que BA; CS teria valor intermediário. PNA e FDN são mais simples de mensurar, mas são indicadores piores da degradabilidade que o conhecimento da composição de monômeros dos PNA dos alimentos. O assunto de análise de fibras foi revisado recentemente em várias publicações, notavelmente por McCleary (2003).

Produtos da Fermentação

A fermentação microbiana de fibra dietética, amido e proteína gera grandes quantidades de AGV de cadeia curta como subprodutos, principalmente os ácidos acético, propiônico e butírico (Tabela 1.5 e Fig. 1.5). Essa fermentação e a absorção dos AGV são promovidas por:

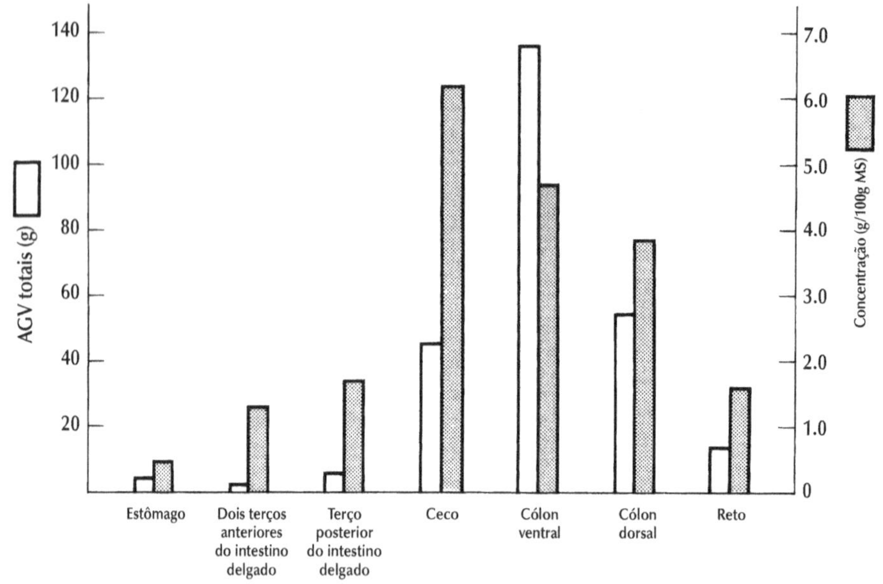

Figura 1.5 – Ácidos graxos voláteis (AGV) (□) calculados como peso total (g) de ácido (como ácido acético) no órgão ou como a concentração (g/100g de matéria seca [MS]) (■) no lúmen (segundo Elsden *et al.*, 1946).

- O efeito tamponante do bicarbonato e Na^+ derivados do íleo.
- Um ambiente anaeróbico.
- Motilidade normal para garantir tempo de fermentação e mistura adequados.

Acetato e butirato são os principais produtos da digestão da fibra, ao passo que a proporção de propionato (e lactato, ver Cap. 11) aumenta com proporções descendentes de amido não digerido no intestino delgado. No pônei, evidências limitadas indicam que 7% da produção total de glicose são derivados do propionato produzido no ceco.

Absorção de Ácidos Graxos Voláteis, Fluidos e Eletrólitos no Intestino Grosso

Os AGV produzidos durante a fermentação logo poluiriam o meio, rapidamente produzindo um ambiente impróprio para o crescimento microbiano contínuo; entretanto, um meio equivalente é mantido pela absorção desses ácidos pela corrente sangüínea. Adicionalmente a essa absorção, há a absorção vital de grandes quantidades de água e eletrólitos (sódio, potássio, cloreto e fosfato).

978-85-7241-725-9

Tabela 1.5 – Proporção de ácidos graxos voláteis (AGV) em digesta para peso corpóreo (PC) em quatro herbívoros (Elsden *et al.*, 1946).

	g AGV/kg PC
Boi	1,5
Ovelha	1,5
Cavalo	1
Coelho	0,5

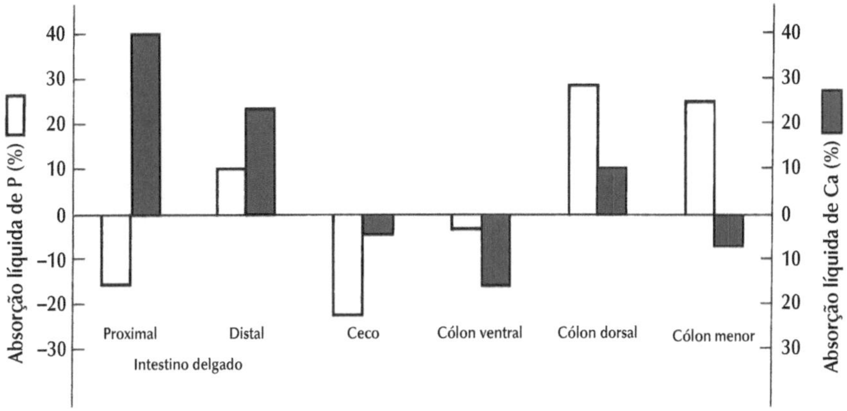

Figura 1.6 – Absorção fracionada líquida de P (□) e Ca (■) de várias regiões dos intestinos delgado e grosso (segundo Schryver *et al.*, 1974a).

Absorção de Fluidos

A maior proporção de água que passa através da junção ileocecal é absorvida do lúmen do ceco e a segunda maior é absorvida do cólon ventral. Fluido também é absorvido do conteúdo do cólon menor, para o benefício da economia de água do cavalo e com a formação de bolas fecais. Esse declínio aboral de absorção da água é acompanhado por uma diminuição paralela da absorção de sódio. No pônei, 96% de sódio e cloreto e 75% de potássio e fosfato solúveis que adentram o intestino grosso a partir do íleo são absorvidos para a corrente sangüínea. Embora o fosfato seja absorvido de forma eficiente, tanto no intestino delgado como no grosso, o cálcio e o magnésio não o são, sendo absorvidos principalmente no intestino delgado (Fig. 1.6). Esse fenômeno tem sido colocado como uma explicação para o fato de que o cálcio da dieta não deprime a absorção de fosfato, mas o excesso de fosfato pode deprimir a absorção de cálcio, embora não necessariamente o balanço de cálcio no cavalo (ver Cap. 3).

O conteúdo de água da digesta do intestino delgado chega a cerca de 87 a 93%, mas as fezes de cavalos saudáveis contêm apenas 58 a 62% de água. O tipo de dieta tem um efeito menor nisso do que se pode imaginar. Por exemplo, aveia produz fezes bem secas, mas farelo produz fezes úmidas, embora, na verdade, contenha apenas 2 a 3% a mais de umidade.

978-85-7241-725-9

Produção e Absorção de Ácidos Graxos Voláteis e Ácido Láctico

A degradação microbiana parece ocorrer a uma taxa bem mais rápida no ceco e no cólon ventral que no cólon dorsal (ver Fig. 1.5) e a taxa também é mais rápida quando são quebrados amidos ao invés de carboidratos estruturais. Uma mudança na razão de amido para fibra na dieta leva a uma mudança nas proporções de vários ácidos produzidos (ver Tabela 1.4). Essas proporções também diferem nas porções do intestino grosso. Assim, proporcionalmente, mais propionato é produzido como conseqüência do consumo de uma dieta à base de amido e o ceco e o cólon ventral produzem mais propionato que o cólon dorsal. Muitas bactérias têm a capacidade de quebrar a proteína da dieta, dessa forma produzindo outra mistura de AGV.

Existe um pH ótimo de 6,5 para atividade microbiana que também promove absorção de AGV. Os AGV são absorvidos na forma não ionizada. À medida que o pH se aproxima do pK de um AGV específico, mais é absorvido. Os íons H^+ necessários para isso são provavelmente derivados das células da mucosa em troca de Na^+. O tampão HCO_3^- é secretado no lúmen em troca de Cl^-. Assim, a absorção de AGV é acompanhada da absorção total de NaCl. Isso, por sua vez, é determinante importante da absorção de água. A ingestão de uma refeição grande pode causar uma redução de 15% do volume de plasma, resultando na secreção de renina-angiotensina e, em seguida, aldosterona. Esse aumento na concentração de aldosterona plasmática causa aumento na absorção de Na^+ e, com este, água (ver Cap. 9). Contudo, não está claro se uma refeição grande aumentaria o risco de impactações, em comparação com a alimentação contínua.

978-85-7241-725-9

Embora a maior parte do butirato rumenal seja metabolizada na mucosa antes de adentrar a corrente sangüínea, em cavalos todos os AGV passam prontamente para o sangue. O ácido láctico produzido no estômago aparentemente não é absorvido no intestino delgado. Ao chegar ao intestino grosso, parte é absorvida juntamente com o produzido no local, mas muito é metabolizado por bactérias para propionato.

A atividade microbiana inevitavelmente produz gases – principalmente dióxido de carbono, metano e pequenas quantidades de hidrogênio – que são absorvidos, eliminados pelo ânus, ou participam de metabolismo posterior. Os gases podem, entretanto, ser um peso grave, com conseqüências críticas quando a taxa de produção excede a de eliminação.

Degradação da Proteína no Intestino Grosso e Absorção de Aminoácidos

O crescimento microbiano e conseqüentemente a quebra da fibra dietética também dependem de uma fonte de nitrogênio prontamente disponível. Isso é fornecido na forma de proteínas da dieta e uréia secretada no lúmen a partir do sangue. Apesar da atividade proteolítica dos microrganismos no intestino grosso, a quebra de proteína por litro é cerca de 40 vezes maior no íleo que no ceco ou cólon, pela atividade das secreções digestivas do próprio cavalo no intestino delgado.

A morte e a degradação dos microrganismos dentro do intestino grosso liberam proteínas e aminoácidos. O grau de absorção do nitrogênio no intestino grosso, na forma de aminoácidos e peptídeos úteis para o hospedeiro, ainda é debatido. Estudos com isótopos indicam que a síntese microbiana de aminoácidos no intestino grosso não tem um papel significativo no *status* de aminoácidos do hospedeiro. Estimativas quantitativas obviamente dependem da dieta utilizada e das necessidades do animal, mas de 1 a 12% dos aminoácidos plasmáticos podem ser originários de micróbios do intestino grosso. Estudos sobre absorção demonstraram que não ocorre absorção significativa de aminoácidos básicos, ao passo que a amônia é prontamente absorvida pelo cólon proximal. Absorção de aminoácidos-S pode ocorrer em pequena extensão. Conseqüentemente, a digestibilidade de proteína no intestino delgado é importante e para a polpa de beterraba açucareira é, de certa forma, menor que a de cubos de feno e muito menor que a de casca de soja (Moore-Colyer, 1998). O último, conseqüentemente, possui o maior valor de aminoácidos dos três.

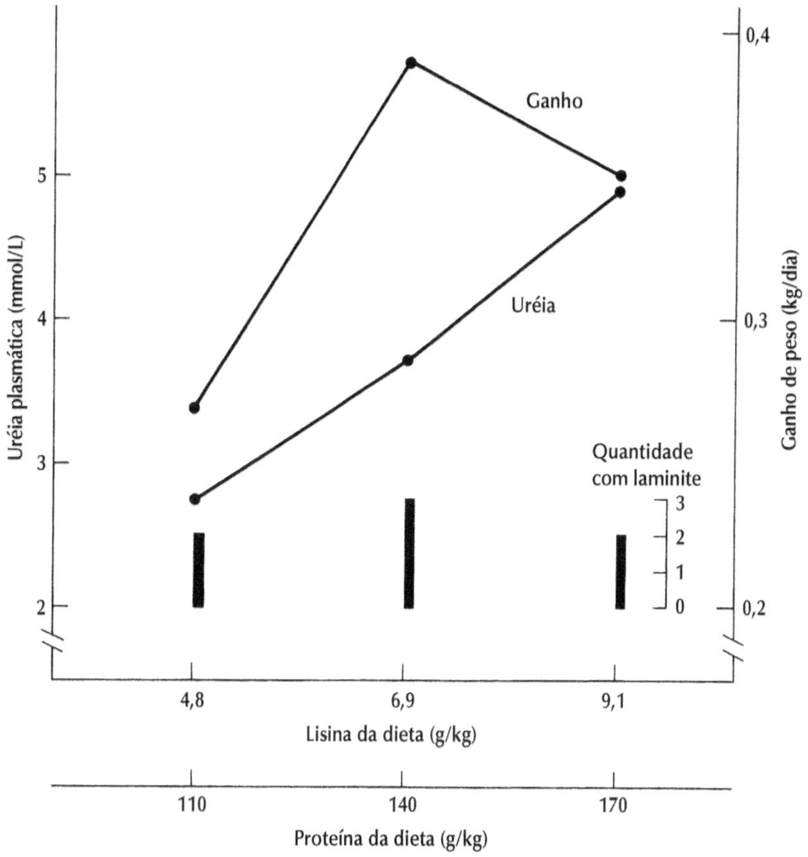

Figura 1.7 – Resposta de 41 pôneis de seis meses de idade a dietas contendo diferentes quantidades de proteína e lisina (peso inicial de 127kg), oferecidas por um período de três meses. Note que, nesse experimento, o aumento da ingestão de proteína levou ao catabolismo protéico elevado e à produção elevada de uréia, sem aumento da incidência de laminite (Yoakam *et al.*, 1978).

Cavalos diferem de ruminantes em razão da absorção de uma maior proporção de nitrogênio da dieta, na forma de aminoácidos presentes nas proteínas da dieta, tendo, proporcionalmente, menor conversão em proteína microbiana. Já que apenas uma pequena proporção de aminoácidos presentes na proteína microbiana torna-se disponível para utilização direta pelo cavalo, cavalos jovens em crescimento particularmente respondem à suplementação de proteína dietética de baixa qualidade com lisina e treonina, os principais aminoácidos limitantes indispensáveis (Fig. 1.7).

Produção de Uréia

A uréia é o principal produto final do catabolismo protéico em mamíferos e a maior parte dela é excretada pelos rins. É um componente altamente solúvel, relativamente inócuo e uma proporção razoavelmente alta de uréia produzida no fígado é secretada no íleo e conduzida até o intestino grosso (Tabela 1.6, mostrando N total, do qual 12 a 24mg/kg de PC estão na forma de uréia), onde a maior parte é quebrada em amônia pelas

978-85-7241-725-9

Tabela 1.6 – Efeito da dieta no fluxo de nitrogênio do íleo para o ceco (Schmidt *et al.*, 1982).

Dieta	Fluxo de nitrogênio por dia (mg N/kg PC)
Concentrado, 3,75kg/dia (1%)*	62
Concentrado, 7,5kg/dia (2%)*	113
Feno	68
Palha	37

* Peso do concentrado dado como porcentagem do peso corpóreo (PC).

bactérias. Essa reação é possível em razão da enzima urease presente nos microrganismos, o que não ocorre nas células de mamíferos. A maior parte da amônia produzida é reutilizada pelas bactérias intestinais para síntese de proteínas. Entretanto, uma parte difunde-se para o sangue, onde os níveis são normalmente mantidos muito baixos por um fígado saudável. Se a amônia produzida exceder muito a capacidade das bactérias e do fígado em utilizá-la, pode aparecer a toxicidade da amônia. O destino de qualquer uréia adicionada à dieta é similar.

Em resumo, muitos estudos levaram à conclusão de que a digestão e a fermentação no intestino grosso e a absorção a partir dele são responsáveis em termos gerais por 30% da proteína, 15 a 30% do carboidrato solúvel e 75 a 85% do carboidrato estrutural presentes na dieta. As causas evidentes de variação nos valores de cada um dos principais componentes da dieta do cavalo são:

- O grau de adaptação do animal.
- O processamento ao qual o alimento é submetido.
- As diferenças de digestibilidade dentre os diferentes alimentos.

Enzimas e Produtos de Microrganismos Comerciais

Uma diretiva da União Européia (UE) (Diretivas do Conselho 93/113/EC e 93/114/EC) discorre sobre os papéis de enzimas suplementares e culturas microbianas. Há uma lista de todos os produtos permitidos e adequadamente identificados para uso dentro da UE. A lista inclui produtos para uso no alimento, na água de beber e aqueles fornecidos de forma forçada. A necessidade de uma descrição taxonômica completa dos microrganismos implica em que as culturas bacterianas sejam puras e que haja uma identificação da espécie e da cepa da coleção de cultura. As recomendações do Nomenclature Committee da International Union of Biochemistry and Molecular Biology são aplicadas à nomenclatura de enzimas. O Medicines Act (1986) do Reino Unido (RU) será aplicado se reivindicações medicinais, tais como promoção de crescimento, forem feitas; entretanto, evidência de segurança de todos os produtos terá sido submetida.

A eficácia de tais produtos pode depender de condições e tempo de armazenamento, da perda de unidades formadoras de colônia de culturas microbianas durante o armazenamento, da habilidade delas em sobreviverem ao baixo pH estomacal e, certamente, da manutenção da atividade de suas enzimas. A eficácia das enzimas também deve presumir que a sua atividade, por definição, se aplique à região do trato GI onde se espera que atuem (ver *Probióticos*, Cap. 5).

978-85-7241-725-9

978-85-7241-725-9

QUESTÕES PARA ESTUDO

1. Quais são as vantagens e desvantagens de um sistema digestório com um local principal de fermentação microbiana apenas no intestino grosso, em comparação ao sistema de fermentação do ruminante?
2. O estômago do cavalo é relativamente menor que o do rato ou o do ser humano. Quais conseqüências pode-se tirar disso?

LEITURA COMPLEMENTAR

Sissons, S. & Grossman, J.D. *(1961) The Anatomy of the Domestic Animais. W.B.* Saunders, Philadelphia and London.

Vernet, J., Vermorel, M. & Martin-Rosset, W. (1995) Energy cost of eating long hay, straw and pelleted food in sport horses. *Animal Science,* **61**, 581-8.

CAPÍTULO 2

Utilização dos Produtos de Energia e Proteína da Dieta

Um cavalo cujo trabalho consiste em viajar vinte milhas três vezes por semana, ou doze todos os dias, deveria receber um *peck** de aveia de qualidade e, nunca, mais do que oito libras** de feno de qualidade a cada vinte e quatro horas. O feno, bem como o milho, deve, se possível, ser dividido em quatro porções.

J. White, 1823

CARBOIDRATO, GORDURA E PROTEÍNA COMO FONTES DE ENERGIA E A REGULAÇÃO HORMONAL DA ENERGIA

Clearances *de Glicose, Ácidos Graxos Voláteis e Triacilglicerol*

Dietas para cavalos raramente contêm mais que 5% de gordura e 7 a 12% de proteína, de forma a representarem fontes relativamente menores de energia em comparação ao carboidrato, que pode constituir, em termos de peso, dois terços da dieta. Além disso, a proteína é requerida primariamente para construção e reposição de tecidos e é uma fonte de energia custosa. Entretanto, tanto a proteína como a gordura da dieta podem contribuir para aqueles substratos usados pelo cavalo para atingir sua demanda energética de trabalho. A proteína o faz por meio da conversão das cadeias de carbono dos aminoácidos em ácidos intermediários e algumas das cadeias de carbono em glicose. A gordura neutra o faz seguindo a sua hidrólise em glicerol e ácidos graxos. O glicerol pode ser convertido em glicose e a cadeia de ácidos graxos pode ser quebrada por meio de um processo incremental chamado beta-oxidação, na mitocôndria, gerando adenosina trifosfato (ATP) e acetato, ou, mais estritamente, acetil coenzima A (acetil-CoA) e requerendo oxigênio tecidual (ver Fig. 9.2, Cap. 9).

A digestão e a fermentação de carboidratos geram predominantemente glicose e ácidos graxos voláteis (AGV) acético, propiônico e butírico. Esses nutrientes são coletados pelo sistema venoso portal, o qual drena o intestino, e uma proporção deles é removida do sangue à medida que passam pelo fígado. Tanto a glicose como o propionato contribuem para as reservas de amido do fígado (glicogênio) e o acetato e o butirato sustentam o *pool* de gordura (Fig. 2.1) e também constituem fontes primárias de energia para muitos tecidos.

Seqüência de Alimentação e Quantidades Oferecidas

Estudos na França e na Alemanha demonstraram que a seqüência na qual os alimentos são oferecidos pode influenciar no efeito metabólico. Quando concentrado foi dado para pôneis 2h após o volumoso, a concentração plasmática de uréia no período pós-prandial era

* N. do T.: *peck* é uma medida de volume que equivale a 2 galões ou 7,56L.
** N. do T.: 1lb = ~0,45kg.

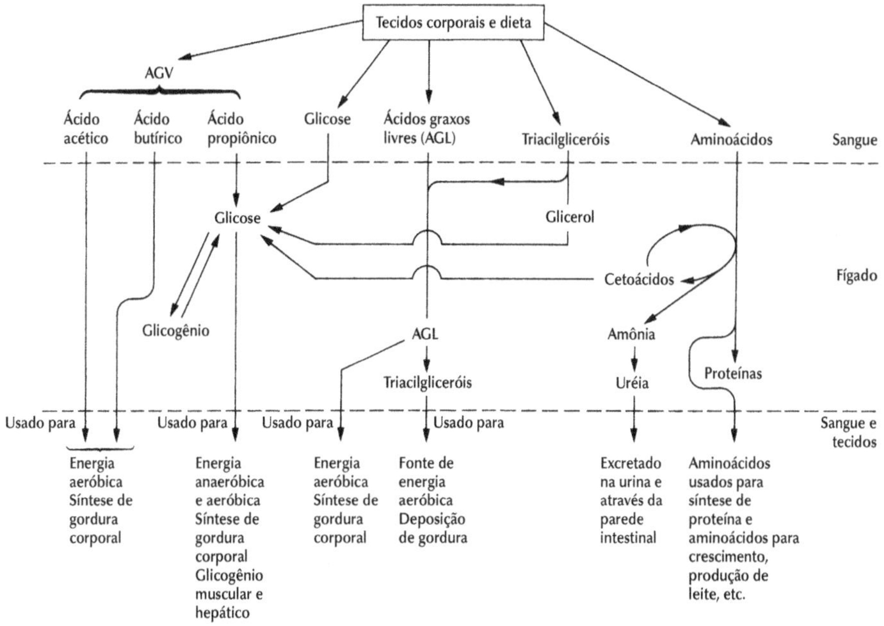

Figura 2.1 – Fontes, metabolismo e destino dos principais nutrientes produtores de energia, derivados dos tecidos corporais e da dieta (segundo McDonald *et al.*, 1981). AGV = ácidos graxos voláteis.

978-85-7241-725-9

significativamente menor e a concentração de aminoácidos livres era maior, ao serem comparadas com concentrado e volumoso oferecidos simultaneamente (Cabrera *et al.*, 1992). Isso indica que o procedimento convencional de oferecer o concentrado com o feno, ou antes dele, provavelmente irá deprimir o valor líquido potencial de proteína da dieta. Aparentemente, o concentrado é mais bem utilizado quando dado após o consumo de volumoso, provavelmente como resultado do retardo na sua passagem pelo intestino delgado. Porções maiores de alimento aumentam a taxa de passagem da ingesta através do trato gastrointestinal (GI), como ocorre em cavalos que estão iniciando períodos maiores de trabalho. Taxas de passagem maiores reduzem ligeiramente a digestibilidade do volumoso e são responsáveis pela utilização um tanto pior da fibra por pôneis, em comparação com burros (Pearson e Merrit, 1991).

Horário de Alimentação e Apetite

No cavalo ou no pônei, a alimentação causa hiperemia mesentérica, isto é, um desvio do sangue, com ingurgitação, para os vasos sangüíneos que adentram o trato GI. De forma similar, a imposição de exercício causa aumento do fluxo sangüíneo para os músculos. Dessa forma, exercício dentro de algumas horas após a alimentação aumenta as exigências para que o coração forneça sangue para ambas as atividades. Até exercício moderadamente estrênuo (75% da freqüência cardíaca máxima), sob tais condições, leva ao aumento da freqüência cardíaca, do débito cardíaco, do volume de ejeção e da pressão arterial, em comparação com os efeitos do exercício em animais em jejum (Duren *et al.*, 1992). O horário ideal das refeições em relação ao exercício é discutido no Capítulo 9 (ver *Apetite*, adiante, para mais detalhes).

Glicose Sangüínea

Cavalos e pôneis saudáveis mantêm a concentração plasmática de glicose dentro de determinados limites. Isso é necessário, já que a glicose representa a fonte de energia preferida para a maioria dos tecidos. Em pôneis, os níveis saudáveis de descanso podem estar entre 2,8 e 3,3mmol/L, mas raças de cavalo podem geralmente ter níveis de descanso maiores, estando os *Thoroughbred* (TB) na casa dos 4,4 a 4,7mmol/L. Em cavalos, as concentrações aumentam dramaticamente, do início de uma refeição para 6,5mmol/L, ou mais, após 2h (Fig. 2.2). O retorno às concentrações de jejum é bem mais lento que em seres humano e mais lento ainda nos pôneis. Contudo, a escala de resposta da glicose plasmática a uma refeição é muito influenciada pela intensidade de qualquer exercício prévio e o exercício intenso diminui grandemente a resposta (Frape, 1989).

Geralmente, a resposta da glicose plasmática é mensurada como a área sob a curva de resposta a uma dose conhecida de carboidrato. Quanto mais rápido a glicose for retirada do sangue, isto é, quanto maior a tolerância, menor a área (ver Figs. 2.2 e 2.3). Essa retirada de glicose do sangue resulta da absorção, particularmente, pelas células hepáticas e musculares, onde a glicose é convertida em glicogênio e também em gordura, embora a conversão líquida em gordura em um animal propriamente atlético seja pequena. A glicose circulante

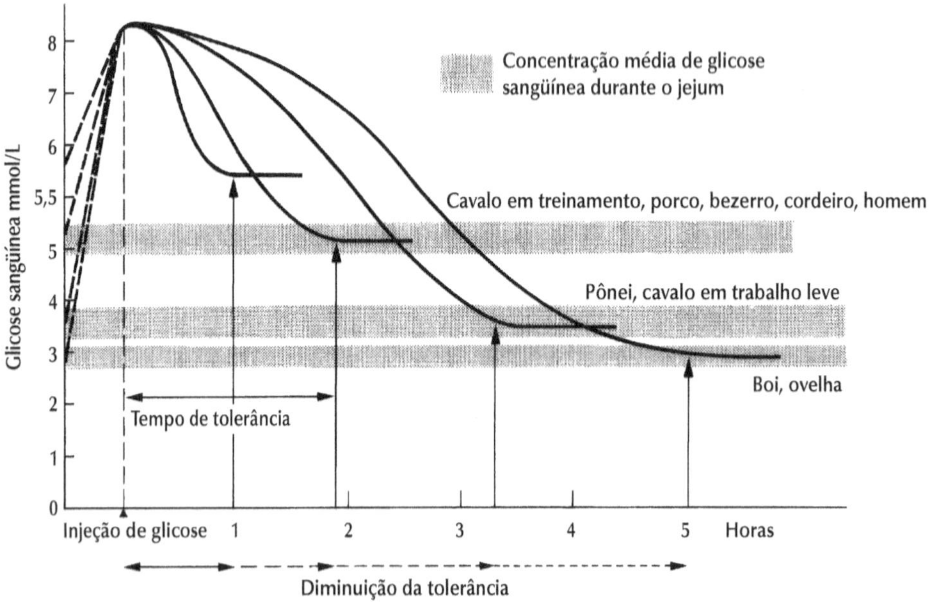

Figura 2.2 – Tempos aproximados de tolerância à glicose (*setas*) e concentrações sangüíneas normais de glicose durante o jejum (*sombreado*). (A glicose foi injetada de forma intravenosa para permitir comparações entre espécies com anatomia e mecanismos digestivos diferentes. Com o fornecimento de glicose na forma de uma refeição à base de amido, o pico demora de 2 a 4h no cavalo. Quando se fornece aveia como alimento, a concentração máxima de glicose sangüínea em cavalos *Thoroughbred* ocorre cerca de 2h após o início da ingestão.) A determinação do "tempo de tolerância" já foi bastante substituída pela determinação da área abaixo da curva de resposta a uma dose de glicose, já que isso é determinado com maior precisão. Quanto maior a área, geralmente, maior é o tempo de tolerância em um determinado cavalo.

978-85-7241-725-9

978-85-7241-725-9

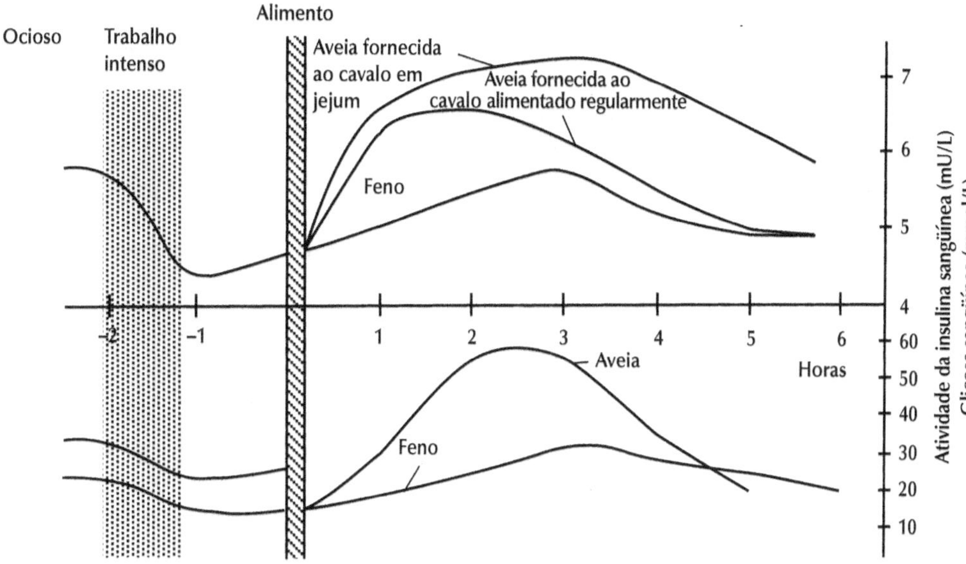

Figura 2.3 – Respostas da glicose e da insulina sangüíneas ao alimento.

é usada diretamente para suprir a demanda energética imediata para atividade muscular, atividade do tecido nervoso, etc. O processo de armazenamento é estimulado pelo hormônio insulina, que responde ao aumento da glicose sangüínea e também promove a remoção da gordura por meio da ativação da lipoproteína lípase, presente no tecido adiposo.

Concomitantemente ao aumento da concentração plasmática de glicose, a concentração de ácidos graxos não esterificados (AGNE) diminui. Isso indica redução na mobilização de estoques de gordura, como resultado da repressão da atividade da lípase intracelular sensível a hormônio causada pela insulina (ver Cap. 9). Geralmente, as concentrações plasmáticas de insulina e glicose são menores e as de AGNE e uréia são maiores em cavalos que recebem quantidade restrita de alimento. Stickle *et al.* (1996) constataram que essas mudanças plasmáticas ocorrem imediatamente em cavalos leves, ao passo que o glucagon plasmático responde com uma taxa de redução ligeiramente mais lenta e a tiroxina com um aumento bem mais lento da concentração perante a restrição imposta.

Elevações patológicas da concentração plasmática de glicose durante o jejum ocorrem no hiperadrenocorticismo, uma hipersecreção de cortisol ou síndrome de Cushing. Isso está associado com gliconeogênese excessiva, desgaste muscular grave e quebra de proteína. No cavalo, a produção excessiva de glicose resultante é, com mais freqüência, decorrente da presença de um adenoma da pituitária, embora neoplasias primárias do córtex adrenal também tenham sido relatadas (van der Kolk *et al.*, 2001) (ver *Aminoácidos*, adiante).

Resposta Insulínica

A insulina é um hormônio anabólico, cuja função é, portanto, acionar enzimas direcionadas ao armazenamento de glicose e gordura sangüíneas. O pico de insulina sangüínea é logo depois do pico de glicose e as concentrações podem atingir quatro a oito vezes os valores de jejum, 1 a 2h após uma refeição. A insulina sangüínea pode permanecer acima das concentrações de jejum ao longo do dia, novamente de forma diferente da resposta humana a uma refeição única (Frape, 1989). Cavalos e pôneis têm uma tolerância à glicose menor que o homem e o porco, mas ligeiramente maior que os ruminantes. TB e outros cavalos de sangue quente, geralmente têm uma tolerância maior que pôneis; em outras palavras, os pôneis tendem a secretar menos insulina e seus tecidos podem ser menos sensíveis à insulina, embora haja adaptação considerável à dieta. Os pôneis podem, portanto, resistir melhor ao jejum que os TB e estes se tornam mais excitáveis após a alimentação.

A insulina impede que o excesso de glicose sangüínea saia na urina, por meio do aumento da absorção desta pelos tecidos e, assim, diminui a concentração sangüínea. Entretanto, para evitar a hipoglicemia, seus efeitos são contrabalanceados pelos efeitos de outros hormônios (por exemplo, o glucagon, os glicocorticóides e as catecolaminas, epinefrina e norepinefrina). O sistema é, portanto, mantido em um estado de equilíbrio dinâmico. A natureza anabólica da insulina entra em conflito com as necessidades catabólicas do exercício e, embora as catecolaminas secretadas durante exercício intenso suprimam nova secreção de insulina, a circulação pós-prandial elevada de insulina é indesejável se for iniciado exercício. Tanto desse ponto de vista como daquele da redistribuição sangüínea, o exercício deve ser desencorajado durante o intervalo pós-prandial.

Casos de ataques hipoglicêmicos foram relatados em cavalos, durante o que a glicose plasmática pode cair para menos de 2mmol/L. A causa tem sido adenoma com origem nas células das ilhotas pancreáticas, com hiperplasia, predominantemente, de células beta, causando hiperinsulinemia.

Resistência à Insulina e Hiperinsulinemia

O diabetes insulino-dependente é muito raro em cavalos; entretanto, a forma não insulino-dependente, expressa como resistência à insulina, ocorre. Não se sabe se alguma dessas ocorrências em cavalos envolve deficiência de cromo trivalente na dieta (ver Cap. 3).

A conclusão de resistência pode não estar correta. Cavalos que receberam uma dieta com alto conteúdo de amido produziram uma resposta de glicose semelhante àqueles que receberam uma dieta com menos amido, mas a resposta insulínica foi maior no primeiro grupo (Ralston, 1992). Isso pode não indicar que cavalos que recebem dietas ricas em cereais tenham um risco maior de desenvolver resistência à insulina. A resistência à insulina está associada com uma resposta inadequada dos receptores teciduais ao hormônio; ou seja, é necessária uma concentração local do hormônio acima do normal para causar uma resposta tecidual normal. As respostas de glicose e insulina plasmáticas a uma refeição ou a uma dose de glicose oral são acima do normal. Pôneis tendem a ser mais intolerantes à glicose que cavalos e animais em jejum mais intolerantes que os alimentados. Entretanto, a resposta dos pôneis, particularmente pôneis *Shetland*, é uma secreção de insulina *reduzida* em resposta a uma carga de carboidratos. Isso não implica em resistência à insulina e explicaria uma diminuição menor da concentração de AGNE plasmáticos em pôneis após uma carga de glicose. Testes orais de tolerância à glicose conduzidos em pôneis potros e adultos que receberam uma dieta peletizada com fibra alta indicaram que os adultos eram mais tolerantes à glicose, tanto em relação aos potros como em relação a adultos que receberam feno longo (Murphy *et al.*, 1997). (O teste oral de tolerância à glicose pode sofrer influência de outros fatores além da insulina, por exemplo, função intestinal diminuída; a rota de carregamento via intravenosa é preferível; ver Cap. 12).

978-85-7241-725-9

Em pôneis sujeitos a jejum prolongado, a concentração de triacilgliceróis (TAG) plasmáticos é muito maior que aquela de cavalos, embora isso possa não indicar resistência à insulina. Pode resultar da concentração aumentada de AGNE plasmáticos, os quais são convertidos pelo fígado em TAG, onde são mobilizados e transportados como lipoproteínas de densidade muito baixa. (Existem receptores teciduais de insulina, sensíveis a glicose e gordura (TAG), em adipócitos. A resistência à insulina retarda a deposição de gordura; o aumento de TAG plasmáticos promove resistência à insulina; portanto, pode não ser coincidência o fato de ocorrer hiperlipemia com mais freqüência em pôneis que em cavalos).

As causas dietéticas de resistência à insulina permanecem não solucionadas. O principal envolvimento dietético e metabólico na causa da resistência parece ser excesso de ingestão de energia alimentar, obesidade, idade e exercício inadequado. Pôneis sofrendo previamente de laminite também são muito mais intolerantes à glicose (Jeffcott *et al.*, 1986) do que os que não tiveram laminite. A obesidade em seres humanos retarda a retirada da gordura de uma refeição do plasma em razão da baixa sensibilidade à insulina dos receptores nos adipócitos. Já foi demonstrado que quatro dias de jejum podem causar plasma lipêmico visível em pôneis, mas não em cavalos, e os mesmos fatores podem ser causa de laminite. Exercício moderado regular pode prevenir tanto laminite como resistência à insulina. Em seres humanos, o aumento pós-prandial da gordura plasmática, após uma refeição gordurosa, causa um aumento de AGNE plasmático que, por sua vez, pode provocar resistência à insulina. Ainda não foi examinado se a hiperlipemia em pôneis é uma causa de resistência à insulina por meio da elevação de AGNE plasmáticos, mas isso merece atenção. Tal aumento é improvável de acontecer após uma refeição, já que os alimentos normais têm baixo conteúdo de gordura.

METABOLISMO ENERGÉTICO

O trabalho muscular intenso pode requerer disponibilidade energética para contração muscular a uma taxa cerca de 40 vezes a necessária para atividade normal de descanso. Dessa forma, isso poderia resultar em mudanças rápidas no suprimento de glicose sangüínea se o sistema do animal não responder rapidamente. Existem muitas mudanças para acomodarem as circunstâncias alteradas, mas a discussão, neste ponto, será a respeito do suprimento de nutrientes para os tecidos.

Durante um galope, a ventilação pulmonar aumenta rapidamente, de forma que mais oxigênio (O_2) esteja disponível para ser transportado pelo sangue até os músculos esqueléticos e cardíacos, para a liberação oxidativa de energia. Entretanto, esse processo não consegue acompanhar a demanda de energia e, conseqüentemente, a glicose é quebrada até ácido láctico, liberando energia rapidamente, na ausência de O_2. A queda na glicose sangüínea estimula os glicocorticóides e os outros hormônios que aumentam a quebra de glicose, de forma que a glicose sangüínea pode subir durante o exercício moderado.

O trabalho intenso repetido (ver Cap. 9) traz várias adaptações fisiológicas para atender às demandas energéticas do trabalho muscular. Primeiro, o volume pulmonar e, conseqüentemente, o volume corrente de O_2 aumentam e a capacidade de difusão dos gases também, de forma que o dióxido de carbono (CO_2) seja eliminado do sangue com mais eficiência e o O_2, absorvido a uma taxa maior. Esse processo é assistido por mudanças tanto no número

978-85-7241-725-9

de hemácias (eritrócitos) como na quantidade de hemoglobina no sangue. Dessa forma, há uma capacidade maior para a oxidação de ácido láctico e ácidos graxos para CO_2.

Contudo, o treinamento é associado com a diminuição na secreção de insulina, possivelmente uma secreção maior de glicocorticóides, quantidades maiores de glicogênio muscular e glicose sangüínea e, em razão da maior capacidade de trabalho, maiores concentrações de lactato sangüíneo. Os glicocorticóides e, possivelmente, a epinefrina no animal que foi treinado estimulam quebra (lipólise) e oxidação da gordura corpórea mais eficientes, como uma fonte de energia, conservando glicogênio e produzindo concentrações maiores de AGNE no sangue. O glicerol liberado durante a quebra tende a se acumular durante o exercício intenso, possivelmente em razão da concentração aumentada de lactato sangüíneo, o qual é utilizado para a regeneração da glicose apenas após o término do trabalho muscular intenso (ver Fig. 2.1).

978-85-7241-725-9

As necessidades energéticas do trabalho estendido podem ser completamente ajustadas por meio da quebra aeróbica da glicose e pela oxidação da gordura corpórea. Assim, não foi observado acúmulo contínuo de lactato em dois cavalos submetidos a uma cavalgada de enduro (Fig. 2.4). Embora a gordura corpórea represente a fonte de energia primária, sua quebra relativamente mais lenta significa que há uma exaustão gradual do glicogênio muscular e hepático, associada com um declínio contínuo da glicose sangüínea (Fig. 2.5), apesar das concentrações elevadas de AGNE no sangue. A exaustão ocorre quando a glicose sangüínea alcança um limite inferior tolerável.

De forma mais geral, a hipoglicemia (glicose sangüínea baixa) contribui para uma diminuição da tolerância ao exercício. Conseqüentemente, cavalos e pôneis condicionados a fazerem gliconeogênese – isto é, a produção de glicose a partir de fontes que não sejam carboidratos por meio de adaptação e treinamento (ver Fig. 2.1) – podem suportar trabalho

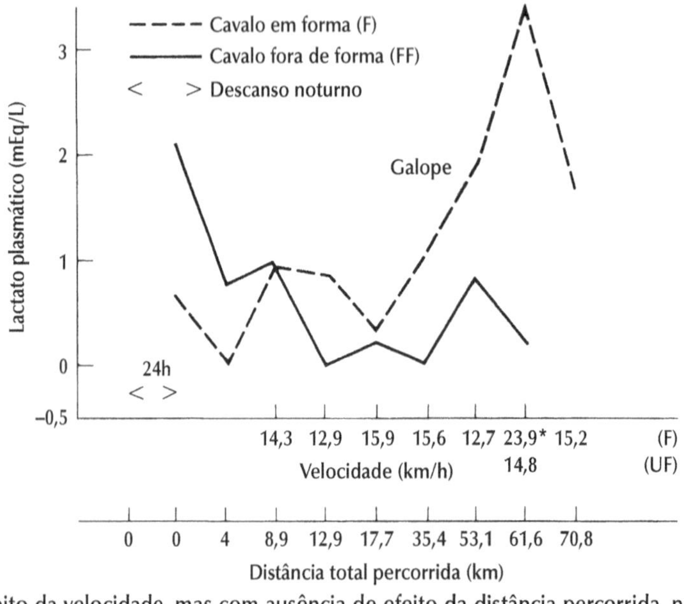

Figura 2.4 – Efeito da velocidade, mas com ausência de efeito da distância percorrida, na concentração plasmática de lactato. Cavalos separados aos 53,1km*. Nota: apenas o cavalo em forma galopou entre 53,1 e 61,6km a partir do começo. O cavalo fora de forma parou após 61,6km (Frape *et al.*, 1979).

978-85-7241-725-9

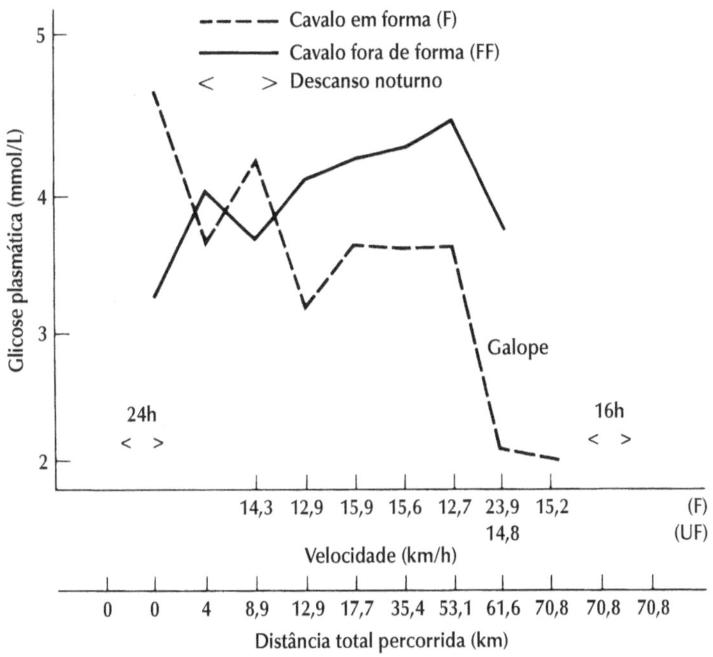

Figura 2.5 – Efeito da velocidade e da distância percorrida na concentração plasmática de glicose em dois cavalos (Frape *et al.*, 1979).

estendido, mais prontamente. Pode ocorrer hipoglicemia quando um exercício muito intenso coincidir com um pico de secreção de insulina. Isso sugere que cavalos e pôneis condicionados a fazerem gliconeogênese, por meio de dietas ricas em volumoso, podem enfrentar mais prontamente a anorexia prolongada (falta de apetite persistente, geralmente em razão da escassez de alimento).

A glicose representa um substrato energético bem maior em indivíduos recebendo uma dieta rica em grãos. O mesmo ocorre com os AGV naqueles que vivem de volumoso. Cavalos e pôneis acostumados a uma dieta rica em cereais terão, de forma rítmica, picos mais altos e depressões mais baixas da glicose sangüínea que os indivíduos mantidos com uma dieta de volumoso. Isso decorre de diferenças na secreção de insulina e nas taxas de consumo dos dois tipos de dieta. O cavalo alimentado com grãos é mais ativo no pico de glicose e menos na depressão, mas não necessariamente suporta melhor o trabalho no pico. A dedução prática disso é que determinados cavalos e pôneis acostumados a uma dieta rica em concentrados devem ser alimentados com regularidade e com freqüência em quantidades relativamente pequenas, não apenas para prevenir a ocorrência de cólica, mas também para suavizar as mudanças cíclicas na glicose sangüínea (a preparação para o exercício é um assunto diferente, discutido no Cap. 9). Na Figura 2.6 estão representadas as transferências energéticas do cavalo adulto jovem submetido ao trabalho.

Apetite

Há evidências conflitantes a respeito dos fatores que controlam o apetite e a fome em cavalos e pôneis. Está claro que as quantidades de AGNE no sangue não são significativa-

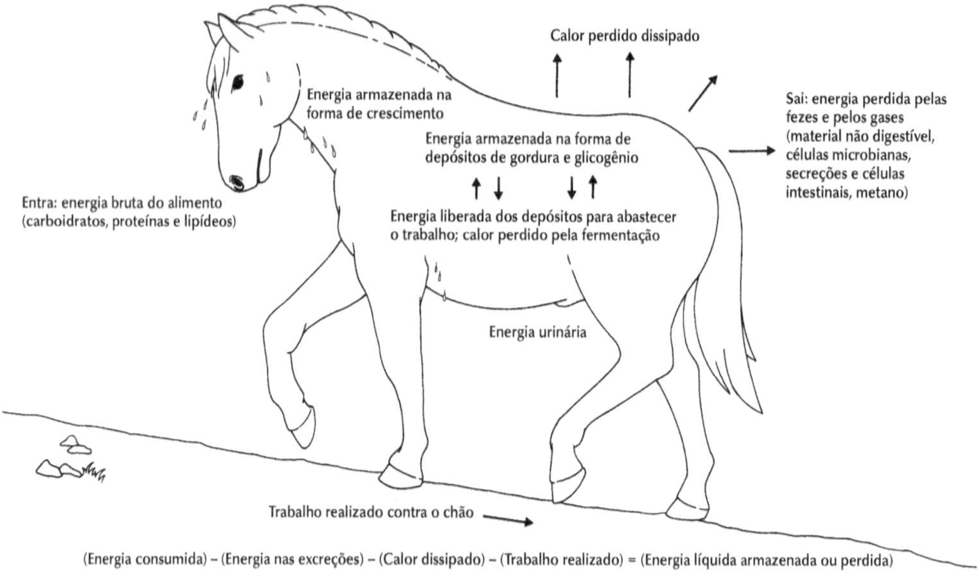

Figura 2.6 – Transferência de energia no cavalo adulto jovem durante o trabalho.

mente diferentes entre animais saciados e aqueles com fome normal. Parece também que a saciedade não está diretamente associada com a elevação da glicose sangüínea, embora indivíduos com concentrações baixas de glicose sangüínea tendam a comer mais e de forma mais rápida. A concentração sangüínea de glicose em pôneis pode não influenciar a quantidade de alimento consumido em uma refeição, mas pode influenciar o intervalo até a próxima refeição e reduzir a ingestão total de alimento 3 a 18h após a administração.

Pode ser que a quantidade de produtos da digestão no intestino (especialmente a glicose) e a produção de AGV no ceco sejam um mecanismo de gatilho para controlar a sensação de saciedade ou fome no cavalo ou pônei. Ou seja, quando esses produtos, presentes no lúmen e na mucosa intestinal, atingem determinadas concentrações, o animal pára de comer. Isso pode ser mediado por fibras aferentes do nervo vago. Se houver acesso ao alimento, a alimentação recomeça quando essas concentrações caírem abaixo de determinado limiar. De acordo com essa evidência, o grau de preenchimento do estômago e a concentração sangüínea de glicose não têm influência na ingestão de alimento. Entretanto, sabor, contato visual entre os cavalos, densidade energética do alimento, taxa de alimentação e hora do dia parecem influenciar a ingestão de alimento. A interpretação prática disso para o manejo alimentar é considerável e será discutida no Capítulo 6.

978-85-7241-725-9

AMINOÁCIDOS

As proteínas consistem em cadeias longas de aminoácidos e cada unidade constitui um resíduo de aminoácido. Em todas as proteínas naturais que foram estudadas, as unidades ou alfa-aminoácidos são de cerca de 20 tipos diferentes. Os animais não têm capacidade metabólica para sintetizar o grupo amina de metade dos diferentes tipos de aminoácidos. O cavalo e outros animais podem produzir alguns deles a partir de outros, por meio da transferência do grupo amina de um esqueleto de carbono para outro. Esse processo é conhecido como transaminação. Dez ou onze dos diferentes tipos não podem ser sintetizados de forma alguma, ou não podem ser sintetizados de forma suficientemente rápida pelo cavalo, de forma a atender suas necessidades de proteína para crescimento tecidual, secreção de leite, manutenção, etc. As plantas e muitos microrganismos podem sintetizar todos os 25 aminoácidos. Assim, o cavalo e outros animais têm que ter material vegetal na sua dieta, ou produtos animais originalmente derivados de alimento vegetal, de forma a atender todas as suas necessidades de aminoácidos (isto é, são incapazes de sobreviver a partir de uma fonte de energia e nitrogênio inorgânico). Ainda é um assunto controverso se os microrganismos, principalmente no intestino grosso do cavalo, sintetizam proteína cujos aminoácidos poderiam ser usados diretamente pelo cavalo em quantidades significativas. O consenso é que, embora essa fonte contribua de alguma forma, provavelmente no intestino delgado, apenas quantidades pequenas de aminoácidos podem ser absorvidas no intestino grosso e a maior parte é eliminada na forma de proteína bacteriana intacta nas fezes.

Durante a digestão da proteína da dieta, os aminoácidos constituintes são liberados e absorvidos pelo sistema sangüíneo portal. A quantidade de proteína consumida pelo cavalo pode estar em excesso em relação às necessidades imediatas. Embora haja capacidade para armazenar um pouco acima das necessidades na forma de albumina sangüínea, a maior parte dos aminoácidos excedentes, ou daqueles fornecidos acima da energia disponível para utilizá-los na síntese de proteínas, é desaminada no fígado, com formação de uréia. A con-

978-85-7241-725-9

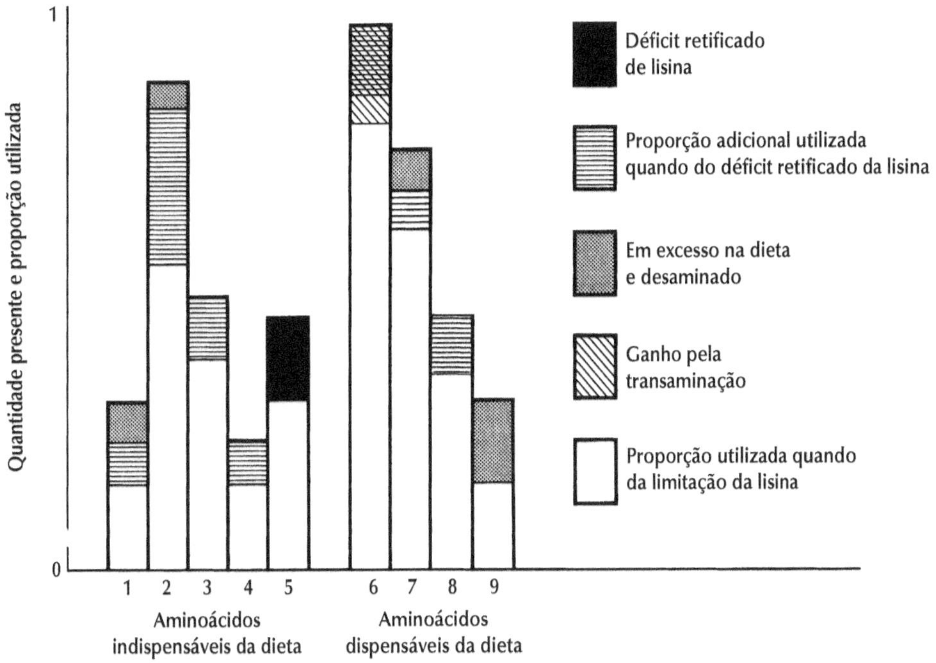

Figura 2.7 – Efeito da suplementação de lisina na utilização de uma proteína da dieta cujo conteúdo de lisina (5) é extremamente limitante. Apenas 9 de 25 aminoácidos possíveis são mostrados. Aminoácidos 3 e 4 limitam a melhor utilização de uma dieta suplementada com lisina. A adição de 3 e 4 suplementares agora diminuiria a desaminação de 1, 2, 7 e 9.

978-85-7241-725-9

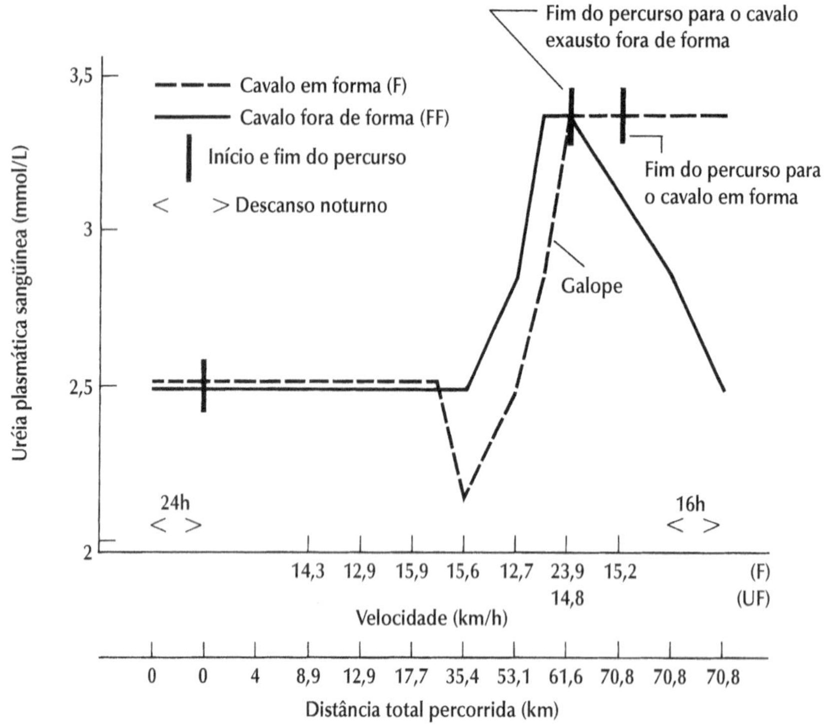

Figura 2.8 – Efeito da velocidade e distância na concentração sangüínea de uréia. O aumento da uréia plasmática no cavalo fora de forma resultou de um estresse, que não o galope (dados de Frape *et al.*, 1979).

centração de uréia aumenta no sangue do cavalo (Fig. 2.7), embora uma parte do amino-nitrogênio possa ser usada no fígado para a síntese de aminoácidos dispensáveis (Fig. 2.8). Adicionalmente, é claro, o esqueleto de carbono dos aminoácidos glicogênicos (por exemplo, glicina, alanina, ácido glutâmico, prolina, metionina) e cetogênicos (por exemplo, leucina e, em parte, isoleucina, fenilalanina e tirosina) desaminados é usado como fonte de energia.

O grau em que as proteínas da dieta atendem às necessidades atuais do cavalo depende de sua qualidade e quantidade. Quanto mais próxima for a proporção de cada um dos diferentes aminoácidos indispensáveis na proteína da dieta em relação às proporções da mistura requerida pelos tecidos, maior a qualidade da proteína. Se uma proteína como o amido de milho, contendo uma proporção baixa de lisina, for consumida e então digerida, a quantidade dela que poderá ser utilizada na síntese de proteína será proporcional ao conteúdo de lisina. Já que a lisina é limitante, pouco será desperdiçado. Contrariamente, os outros aminoácidos, tanto dispensáveis como indispensáveis, estarão presentes em quantidades excessivas e, conseqüentemente, serão desaminados em extensões alarmantes.

Suplementos Sintéticos

A deficiência relativa de lisina no glúten pode ser melhorada por meio da suplementação da dieta com uma proteína de boa qualidade, como farinha de peixe, ou com lisina sintética. Assim, as quantidades de cada aminoácido disponível no plasma sangüíneo ficarão mais próximas das necessárias. Dessa forma, proporcionalmente, mais daqueles aminoácidos

Tabela 2.1 – Resposta média dos tratamentos (com erro padrão) de potros *Thoroughbred* ou Quarto de Milha com um ano de idade à suplementação de aminoácidos com uma mistura de concentrado (Graham *et al.*, 1993).

	Ganho por alimentação (g/kg MS)	Ganho diário de peso (g/dia) (erro padrão)	Ganho de cinturão (cm) (erro padrão)	N uréico (mg/g de soro) (proteína) (erro padrão)
Basal	71	570 (20)	9,7 (0,49)	2,6 (0,2)
Basal + lisina	77,2	640 (20)	10,1 (0,46)	2,5 (0,19)
Basal + lisina + treonina	78,7	670 (20)	11,3 (0,47)	2 (0,19)

MS = matéria seca.

978-85-7241-725-9

poderão ser usados para síntese protéica (ver Fig. 2.7). Foi demonstrado que as proporções de aminoácidos nas fontes comuns de proteínas alimentares oferecidas aos cavalos e pôneis são tais que a lisina é o aminoácido indispensável mais propenso a limitar a utilização da proteína do tecido e a treonina o segundo mais propenso.

Vários estudos foram realizados com TB e Quartos de Milha em crescimento para mensurar a sua resposta de crescimento à adição de lisina-ácido clorídrico (HCl) aos convencionais concentrados com 12% de proteína bruta, contendo milho, aveia e farinha de soja, oferecidos com feno. Graham *et al.* (1993), ofereceram tal concentrado, à vontade, duas vezes ao dia, acompanhado de feno de capim bermuda (1kg/100kg de peso corpóreo [PC]) para cavalos de cerca de um ano de idade durante 112 dias (Tabela 2.1). O concentrado foi suplementado com 2g de lisina/kg de alimento, ou 2g de lisina/kg mais 1g de treonina/kg, ou não foi suplementado. A suplementação aumentou a taxa de ganho de peso corporal e a eficiência do ganho, ao mesmo tempo em que diminuiu a concentração de uréia sérica. Essa redução indicaria que a treonina melhorou o equilíbrio de aminoácidos da dieta. A treonina causou aumento do incremento de ganho muscular acima do incremento decorrente da lisina. Isso foi indicado pela ausência de aumento da gordura da garupa com os suplementos de aminoácidos.

Foram usados suplementos protéicos para pastagem ainda mais baixos. Foi dada uma mistura com 14% de proteína bruta (PB), composta por milho, farinha de soja e óleo de milho, ou uma mistura com 9% de PB suplementada com 6kg de L-lisina/kg e 4kg de L-treonina/kg, para éguas e potros TB (Staniar *et al.*, 1999). As taxas de crescimento foram semelhantes durante 12 meses, embora o último grupo de potros tenha crescido mais rápido em outubro, após o desmame, quando a qualidade do pasto estava caindo.

Proteína de Dieta Inadequada e Secreção de Hormônio e Neurotransmissor

Já foi proposto em vários lugares que as recomendações do National Research Council (NRC) (1989) para proteína em cavalos de trabalho são excessivas, pois o NRC considera que essas necessidades são proporcionais àquelas de energia. Contudo, Wickens *et al.* (2003) observaram que a retenção de N aumentou para 12,5% acima das recomendações do NRC (1989) em um período de 14 dias por meio da elevação da ingestão de proteína de cavalos submetidos a exercício. Pode ser que o período e a medida de avaliação tenham sido inadequados, já que o N urinário aumentou e há outras influências no metabolismo de N durante a corrida, como descrito no Capítulo 9, que podem ser mais relevantes.

Em apoio a Wickens *et al.* (2003) e com o uso de dados publicados, Lawrence *et al.* (2003b) estimaram a retenção de N (não levando em consideração as perdas pelo suor) de cavalos exercitados e sedentários como sendo de 93 e 53mg/kg de PC, respectivamente. Além disso, a suplementação da dieta de cavalos adultos submetidos a exercícios leves, com 2,5g de lisina e 2g de treonina por kg de alimento, aumentou a massa muscular deles em um período de 14 semanas (Graham-Thiers *et al.*, 2003).

Proteína inadequada na dieta causa queda na concentração de albumina plasmática, proteína total e, de acordo com evidências escandinavas, mais concentrações de aminoácidos essenciais livres no plasma: isoleucina, leucina, lisina, fenilalanina, treonina e valina (ver Cap. 8). Essas mudanças restringem gravemente a taxa de síntese de proteína e podem influenciar a secreção hormonal. Os ácidos aspártico e glutâmico são secretagogos para o hormônio do crescimento e o ácido aspártico, até certo ponto, para hormônios gonadotróficos. Já arginina e lisina são secretagogos para a prolactina e a insulina (Sticker *et al.*, 1999). O triptofano é um precursor do neurotransmissor serotonina. Entretanto, uma dose oral de 50g de triptofano em *Standardbreds* duas horas antes do exercício foi insuficiente para induzir a resposta de serotonina, embora a freqüência cardíaca média máxima durante o exercício tenha diminuído (Vervuert *et al.*, 2003c).

Digestibilidade da Proteína

Outro atributo da proteína da dieta que não deveria ser negligenciado quando alimentos alternativos estiverem disponíveis é a digestibilidade. Por exemplo, o couro é uma fonte rica em proteína, mas sem valor para o cavalo em razão da baixa digestibilidade. A maior parte das proteínas tem um coeficiente de digestibilidade aparente de 0,6 a 0,8, mas isso indica apenas a quantidade de N digerido. Os aminoácidos fornecidos pela proteína que chega ao intestino grosso não são absorvidos em quantidade significativa. A digestibilidade aparente pré-cecal da maioria dos aminoácidos é de 0,3 a 0,6 (Almeida *et al.*, 1999, e Cap. 5). Isso implica na digestibilidade dos aminoácidos no intestino delgado ser o critério principal para comparar fontes alimentares. Um aspecto relacionado ao da digestibilidade é a disponibilidade de aminoácidos e, particularmente, da lisina. Na prática, uma redução na disponibilidade da lisina ocorre quando do aquecimento excessivo do leite desnatado e das farinhas de peixe e de carne durante o processamento. O aquecimento excessivo do leite leva a uma reação de parte da lisina com as gorduras insaturadas e o açúcar lactose. Essas reações geram produtos dos quais o sistema digestório do animal não consegue retirar a lisina. Em resumo, o valor protéico de uma dieta é o produto da quantidade, da qualidade e da digestibilidade dos aminoácidos constituintes.

NITROGÊNIO NÃO-PROTÉICO

A uréia é sintetizada no fígado a partir de aminoácidos presentes em quantidade superior à necessária, de forma que um aumento na proteína da dieta acima das necessidades é associado com o aumento da uréia plasmática (ver Figs. 2.7 e 1.6, Cap. 1). Em pôneis recebendo dietas com 6 e 18% de proteína, são reciclados e degradados entre 200 e 574mg de N uréico/kg de PC metabólico ($P^{0,75}$) diariamente no trato intestinal. Em um pônei de cerca de 150kg, essa variação é equivalente a 54 a 154g de proteína bruta diariamente.

978-85-7241-725-9

978-85-7241-725-9

Enquanto a uréia estiver nos tecidos de um cavalo, não poderá ser degradada ou utilizada de outra forma. Entretanto, quando é fornecida uma fonte adequada de energia na dieta, microrganismos – principalmente no intestino grosso – utilizam-na para síntese de proteínas. Primeiro, degradam a uréia em amônia, pela ação da urease bacteriana. Na ausência de um suprimento adequado de energia, que normalmente está presente na forma de fibra, amido e proteína, uma proporção da amônia em um pH relativamente neutro se difunde de volta para o sangue e pode não ser efetivamente utilizada, tanto pelo cavalo como pelos seus microrganismos cativos (N de NH_{3-} pode ser incorporado em aminoácidos não essenciais pelo fígado durante as reações de transaminação, mas isso não aumentaria necessariamente o equilíbrio líquido de N).

É necessário um equilíbrio fino, pois na ausência de nitrogênio suficiente, o crescimento bacteriano não ocorre na taxa máxima e, conseqüentemente, não ocorrerá a taxa máxima de quebra e utilização da fibra. Embora a uréia circulante não seja tóxica para o cavalo, exceto quando concentrações muito altas afetam a osmolalidade, a amônia absorvida é altamente tóxica. Um fígado saudável lida adequadamente com baixas concentrações nas aminações dos cetoácidos, formando aminoácidos dispensáveis, e pela síntese de uréia. Entretanto, se ocorrer insuficiência hepática, mais freqüente em cavalos mais velhos, pode ocorrer intoxicação por amônia na ausência de qualquer aumento da uréia sangüínea (ver Cap. 11).

Evidências limitadas (Fig. 1.6, Cap. 1) não apóiam a opinião altamente difundida de que o consumo excessivo de proteína por si só predispõe o cavalo à laminite. O fluxo de uréia e outros compostos nitrogenados para dentro do intestino grosso a partir do íleo varia com a quantidade e o tipo do alimento (Tabela 1.6, Cap. 1). Essa digesta é relativamente pobre em N em cavalos recebendo uma dieta à base de palha. O fornecimento de nitrogênio não-protéico (NNP) ou, nesse caso, de proteína como suplemento da dieta, resulta em um fluxo de nitrogênio aumentado e estímulo do crescimento microbiano no intestino grosso. A uréia, ou mais efetivamente, o biureto, adicionado a dietas com baixa proteína, na concentração de 1,5 a 3%, tem retenção aumentada de N, tanto em cavalos adultos como em crescimento, com intestino grosso funcional. Éguas prenhes subsistindo de pastagem pobre aparentemente se beneficiam do consumo de uréia suplementar.

Contudo, na maioria das demais circunstâncias, a resposta ao suplemento de uréia é pobre e difícil de justificar. Martin *et al.* (1996b) descobriram que não havia benefício nutricional para cavalos adultos pela suplementação de uréia em uma dieta com baixa proteína, já que o equilíbrio de N não aumentava. Quando a uréia foi dada para éguas lactantes, o fator limitante foi, geralmente, a ingestão de energia. Nessa situação, a ingestão de alimento e o peso corpóreo diminuíram e o N uréico plasmático aumentou, sem elevação da concentração sangüínea de amônia.

A adição de uréia ou biureto a dietas à base de feno com baixa proteína e qualidade pobre pode aumentar a digestão de matéria seca (MS) e fibra, bem como a retenção de N por meio do estímulo ao crescimento bacteriano. Esses efeitos são, entretanto, pequenos sob um ponto de vista prático. Estudos detalhados com cavalos castrados, conduzidos por Martin *et al.* (1996b), falharam em encontrar qualquer melhora na digestão da palha de cevada, medida por meio da digestibilidade da matéria seca, da matéria orgânica e da fibra em detergente neutro, a partir da adição de 20,3g de uréia/kg de MS da dieta, a uma dieta contendo 4,4g/kg de N.

Em resumo, aparentemente cavalos e pôneis com intestino grosso funcional, recebendo dietas com menos de 7 a 8% de proteína bruta, fazem apenas pequeno uso do NNP suplementar como adjunto daquele secretado no intestino delgado nas secreções digestivas e mais diretamente do sangue. A razão para isso é que aminoácidos sintetizados por bactérias são absorvidos a partir do intestino grosso apenas em pequenas quantidades. Em ruminantes, a entrada de grandes quantidades de N solúvel no rúmen leva a uma produção rápida de amônia e, conseqüentemente, à intoxicação por amônia.

Tratamento de Intoxicação por Amônia

A intoxicação por amônia, expressa como hiperamonemia (concentrações sangüíneas maiores que 150µmol/L; note que é necessário manejo cuidadoso das amostras, com análise rápida), causada pelo excesso de nitrogênio não protéico ou proteína na dieta, é menos provável no cavalo saudável com função hepática normal. Isso ocorre principalmente porque a maior parte do nitrogênio é absorvida para a corrente sangüínea antes de alcançar as regiões de maior atividade bacteriana no intestino grosso. Contudo, a hiperamonemia foi produzida experimentalmente, por meio da ingestão de grandes quantidades de uréia, mas nesses casos a uréia sangüínea também está elevada. Quando as concentrações séricas de uréia estão normais (6 a 8mmol/L), a disfunção hepática é freqüentemente a causa de hiperamonemia, com sinais de encefalopatia (a amônia atravessa imediatamente a barreira hematoencefálica para competir com K^+). Peek *et al.* (1997) relataram evidência de hiperamonemia associada com uréia sanguínea e concentrações de enzimas hepáticas normais, mas com hiperglicemia e acidemia. Os sinais clínicos incluíram pressão de cabeça, ataxia simétrica, taquicardia e diarréia e comportamento sugestivo de cegueira súbita e dor abdominal.

A amônia interfere no ciclo do ácido cítrico, na fosforilação oxidativa e no metabolismo aeróbico, resultando em acidose láctica e hiperglicemia. Desta forma, o tratamento deve incluir administração de fluidos, excluindo a dextrose, mas incluindo íons fortes para combater a acidose, fornecidos lentamente por via intravenosa. Quando a disfunção hepática tiver sido eliminada como uma causa, a origem da amônia tende a ser o intestino grosso. Nesse caso, também devem ser fornecidos agentes acidificantes orais, como a lactulose, pois diminuem a absorção de amônia por meio da conversão desta em íon amônio.

PROTEÍNA PARA MANUTENÇÃO E CRESCIMENTO

Manutenção

As proteínas teciduais são quebradas em aminoácidos e ressintetizadas durante a manutenção normal de animais adultos e em crescimento. Esse processo não é totalmente eficiente e, juntamente com as perdas de proteína na renovação dos tecidos epiteliais e em várias secreções, há uma necessidade contínua de proteína da dieta para compensar a perda. Entretanto, essas perdas são relativamente pequenas em comparação com a síntese a protéica no crescimento normal, ou na produção de leite e, proporcionalmente, menos lisina é requerida. Segue-se então que menos proteína ou proteína de menor qualidade é necessária para manutenção do que para crescimento ou secreção de leite. Contudo, foi demonstrado que as necessidades protéicas para manutenção do cavalo adulto são menores quando do fornecimento de proteína de boa qualidade em comparação com proteína de má qualidade.

978-85-7241-725-9

Por exemplo, éguas TB adultas permaneceram em equilíbrio de nitrogênio quando do oferecimento de 97g de proteína de peixe/dia, mas precisaram de 112g para equilíbrio quando a fonte protéica foi glúten de milho.

A proteína necessária para manutenção corporal do cavalo pode ser definida como a quantidade de proteína requerida por um indivíduo que não está apresentando ganho ou perda líquido de nitrogênio, excluindo-se qualquer proteína secretada pelo leite. Nessas circunstâncias, o animal precisa repor as células epiteliais e os pêlos perdidos, fornecer material para várias secreções e manter todos os tecidos celulares em um estado de equilíbrio dinâmico. As perdas são em decorrência da massa magra dos tecidos corporais, sendo diretamente proporcionais ao tamanho corporal metabólico. Na maioria dos casos, o último pode ser considerado como o peso corporal elevado a 0,75. Evidências sugerem que os cavalos requerem, diariamente, cerca de 2,7g de proteína digestível na dieta por kg de $PC^{0,75}$. Conseqüentemente, um cavalo com 400kg necessitaria, diariamente, de 240kg de proteína digestível ou 370g de proteína bruta na dieta. Isso, assumindo-se que a proteína tenha um equilíbrio razoável de aminoácidos, embora, conforme já mencionado, o conteúdo de lisina da proteína para manutenção não precise ser tão alto quanto o requerido para crescimento (discutido mais detalhadamente no Cap. 6).

Crescimento

978-85-7241-725-9

Um cavalo jovem com peso adulto de 450kg normalmente ganha 100kg entre três e seis meses de idade, a uma taxa de 1kg/dia. A taxa de crescimento em quilogramas por dia declina durante os meses sucessivos e, conseqüentemente, o animal ganha os próximos 100kg entre 6 e 12 meses de idade e 75kg entre 12 e 18 meses (Hintz, 1980a). Desde muito jovem, a taxa de ganho por unidade de peso corporal decresce continuamente, ao passo que a necessidade diária de manutenção aumenta (Cap. 8). À medida que o potro desmamado cresce, uma proporção crescente desse ganho diário é composta de gordura e uma proporção decrescente de massa magra. Dessa forma, aparentemente, a necessidade diária de proteína e o aminoácido limitante lisina declinam com o aumento da idade no cavalo em crescimento. Atingiu-se uma taxa máxima de crescimento para potros com três meses de idade, com dietas contendo 140 a 150g de proteína/kg e 7,5g de lisina/kg.

As dietas podem diferir na quantidade de energia digestível fornecida por quilograma. Por motivos óbvios, é mais acurado determinar as necessidades de proteína como uma proporção da energia digestível (ED) ou da energia líquida (EL) fornecidas. Evidências recentes sugerem que potros TB e Quartos de Milha com um ano de idade requerem 0,45g de lisina por MJ de ED (Caps. 6 e 8). Grânulos compostos para alimentação em haras para cavalos jovens em crescimento podem conter cerca de 12 a 13MJ ED/kg e cerca de 11MJ ED/kg de aveia. Entretanto, feno duro contendo 50 a 60g de proteína/kg pode fornecer 7,5 a 8MJ ED/kg. Se o potro consumir uma mistura (aproximadamente 50:50) de concentrados e feno, a dieta fornecerá em média 10MJ ED/kg e a necessidade mínima de lisina é 4,5g/kg da dieta total (isto é, 0,45g/MJ ED). Feno com 50 a 60g/kg de proteína pode conter apenas 2g/kg de lisina digestível. Conseqüentemente, o concentrado deverá conter pelo menos 7g de lisina/kg, de forma a atender as necessidades mínimas. Um potro de um ano consumindo um total de 9kg desse alimento receberia cerca de 40g de lisina.

A maior parte do crescimento dos cavalos pode ocorrer no pasto. A proteína de algumas espécies de leguminosas demonstrou conter 55 a 59g de lisina/kg. Durante a estação de crescimento, o conteúdo protéico na matéria seca do capim varia consideravelmente de 110 a 260g/kg na folha, ao passo que o tronco ou ramo de floração contém apenas 35 a 45g/kg. Dessa forma, o conteúdo de lisina do material ingerido como uma fração do peso seco ao ar pode variar de 5 a cerca de 13g/kg. E, se uma dieta a base de leguminosas for suplementada com uma mistura de concentrado, as necessidades de lisina e proteína podem ser alcançadas por meio do uso de cereais como fonte dessa proteína. Em razão da grande variabilidade da qualidade do pasto, o uso de cereais por si só pode significar que as necessidades de proteína e lisina não sejam sempre atendidas. E, é claro, a mistura pode ser inadequada em relação a alguns outros nutrientes. A Tabela 10.4 (Cap. 10) fornece alguns dados analíticos relativos a pastagens em alguns meses da estação de pasto.

Laminite e Ingestão de Energia

Riscos altos de laminite e cólica foram associados com uma sobrecarga abrupta de carboidrato não-estrutural (CNE). Esses riscos foram atribuídos a carboidratos hidrolisáveis (CHO-H) em concentrados a base de grãos, bem como a carboidratos altamente fermentáveis (CHO-F_R) em pastos. Hoffman *et al.* (2001) demonstraram que CHO-H era responsável por 97% ou mais dos CNE em concentrados, mas por apenas 33% deles em pastos e feno, sendo o restante CHO-F_R. Esses pesquisadores descobriram que as pastagens eram surpreendentemente ricas em CHO-F_R durante o outono e essa fração de CNE é um grande contribuinte para o risco de laminite. Os cavalos devem ser ajustados gradualmente ao pasto novo por meio do aumento lento do período diário de acesso a ele, para permitir que a população microbiana do intestino grosso se adapte. Conselho semelhante se aplica à alimentação à base de concentrado.

De Fombelle *et al.* (1999a) introduziu abruptamente 30 a 50% de cevada na MS de uma dieta à base de feno, como parte de duas refeições diárias para pôneis. Em toda refeição, a cevada era consumida antes do feno. A quantidade de amido não excedeu 2,3g/kg de PC por refeição. Entretanto, a concentração de lactato no cólon aumentou dez vezes e as populações de *Lactobacillus* e *Streptococcus* estavam aumentadas no cólon ventral direito cinco horas após a mudança de dieta, sem uma diminuição significativa do pH. Quatorze dias após a adaptação à dieta com 50% de cevada, o pH do intestino grosso havia caído de 6,74 para 6,26, associado com um declínio na população de bactérias celulolíticas. Uma conseqüente redução na digestão da fibra poderia criar uma situação favorável para impactação do intestino grosso (Reeves *et al.* 1996) (um método para alimentação *ad libitum* de concentrados está descrito no Capítulo 8 e a laminite é discutida com detalhes no Cap. 11). A introdução gradual de uma dieta rica em gordura e fibra deve ter um papel importante na prevenção de desordens digestivas e metabólicas pelo fato dos cavalos utilizarem eficientemente a gordura da dieta (Williams *et al.* 2001b).

978-85-7241-725-9

Controle da Laminite

Os riscos de ocorrência de laminite associados com acúmulo de gordura corporal em animais acima do peso devem ser compreendidos. A ingestão de alimento deve ser reduzida gradualmente, para diminuir a deposição de gordura, compatível com a evitação de hiperlipidemia. Para cavalos e pôneis tanto com *score* corporal normal como alto, a seleção de alimentos adequados para animais com laminite requer evidências analíticas.

Requisitos Gerais do Método Analítico

O método analítico deve ser capaz de estimar o seguinte, no alimento:

- Amido total* mais indigestível, carboidratos rapidamente fermentáveis ($CHO\text{-}F_R$).
- Fibra em detergente neutro (FDN). (Métodos analíticos melhorados para fibra já foram discutidos e, sem dúvida, serão introduzidos gradualmente, veja McCleary, 2003, e publicações associadas).

O procedimento descrito por Hoffman *et al.* (2001) (Fig. 2.9) permite que essas características do alimento sejam estimadas por meio de determinações de umidade, proteína bruta, gordura, matéria mineral e FDN. O carboidrato não-estrutural (CNE) pode, então, ser calculado somando-se esses cinco valores e subtraindo-se de 100. Valores médios de FDN do alimento são dados pelo NRC (1989) e alguns se encontram no Apêndice C.

978-85-7241-725-9

Os CNE consistem em carboidratos hidrolisáveis (CHO-H) e carboidratos rapidamente fermentáveis ($CHO\text{-}F_R$). A maioria dos $CHO\text{-}F_R$ alcança o intestino grosso, ao passo que a proporção de CHO-H que o alcança depende:

- De sua digestibilidade.
- Da quantidade de alimento oferecida em uma refeição.

Se o alimento contiver uma pequena quantidade de mono e dissacarídeos (com exceção da lactose), que são normalmente digeridos no intestino delgado, poderão ser extraídos com água fervente. O CHO-H restante pode então, se necessário, ser determinado após a hidrólise enzimática do amido. O valor de ($CHO\text{-}F_R$ + CHO-H) não deve exceder 0,25% do peso corporal por refeição, para fornecer um risco razoavelmente baixo de laminite relacionada ao alimento.

É sabido que o pasto, como fonte de alimento, apresenta grandes problemas, tanto na definição de suas características químicas como na quantidade ingerida por hora. De forma a prevenir o excesso de ingestão de capim, é necessário que o cavalo coma uma quantidade adequada de alimento seguro, antes de ser solto no pasto. Isso pode ser difícil de conseguir. Evidências indicam que frutanos (e possivelmente outros oligossacarídeos indigestíveis, todos componentes do $CHO\text{-}F_R$) presentes nas plantas do pasto são grandes causadores de laminite. Estimou-se que um cavalo de 500kg a pasto consumiria em média 1,8kg de $CHO\text{-}F_R$ prontamente fermentável por dia.

Em relação ao risco de laminite, os alimentos seguros incluem:

- Feno de boa qualidade.
- Palha nutricionalmente melhorada (PNM).
- Palha de cereal.
- Aveia.
- Casca de soja.
- Óleo vegetal.

---

*É informativo ter uma estimativa da fração de amido digestível, o restante sendo amido "resistente" (resistente à hidrólise por enzimas digestivas).

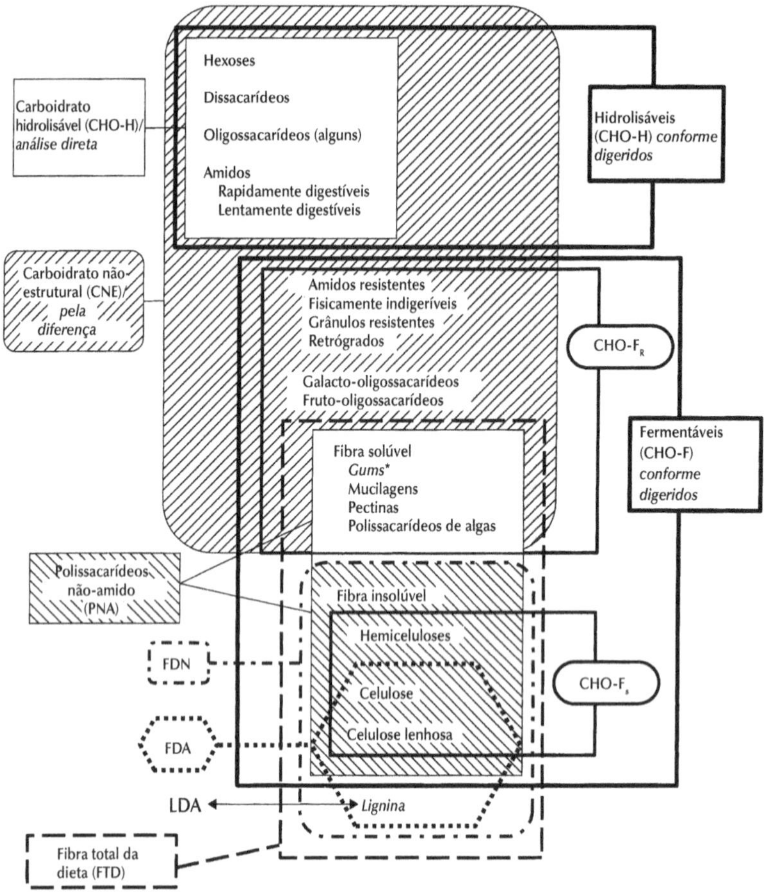

Figura 2.9 – Esquema das frações de carboidrato da dieta para o cavalo, retirado de Hoffman *et al.* (2001). Análises aproximadas das frações da dieta estão dispostas no lado esquerdo da figura. Carboidratos não-estruturais (CNE) são estimados pela diferença: CNE = 100 – (água + proteína + gordura + material mineral + fibra em detergente neutro [FDN]). A fração, fibra total da dieta, é freqüentemente mencionada em descrições de comidas para consumo humano. As frações, como usadas pelo cavalo, carboidratos digestíveis (CHO-H) e carboidratos fermentáveis (CHO-F), estão dispostas do lado direito da figura. CHO-H é a fração de carboidrato digerida pelo cavalo, com liberação principalmente de glicose, a não ser que sejam dadas quantidades excessivas de amido em uma refeição, ao passo que o amido resistente passará para o ceco e, juntamente com o excesso de CHO-H, constituirá um risco de distúrbio digestivo. CHO-F também é subdividido em uma fração rapidamente fermentada (CHO-F_R), a qual contribui para o risco, e uma fração lentamente fermentada (CHO-F_L). Reproduzido com permissão, Hoffman *et al.*, 2001. FDA = fibra em detergente ácido; LDA = lignina detergente ácido.

978-85-7241-725-9

* N. do E.: *Gums* = polissacarídeos de origem natural (secreção mucilaginosa de várias plantas) capazes de aumentar a viscosidade de uma solução. Na indústria de alimentos são utilizados como agentes espessantes, emulsificantes ou estabilizantes.

Alimentos aceitáveis em quantidades restritas:

- Alfafa seca e péletes de capim.
- Melaço.
- Farelo de trigo.
- Polpa de beterraba açucareira.

QUESTÕES PARA ESTUDO

1. O cavalo evoluiu como um animal de pastejo, lançando-se em várias pequenas refeições a cada dia. Qual o impacto disso em relação a:

- Seleção de alimento e respostas metabólicas.
- Hábitos sociais.
- Segurança na vida selvagem?

978-85-7241-725-9

2. Qual o significado da limitação de aminoácidos na dieta e qual a relação, se houver, entre esse fato e (a) dietas de manutenção e (b) dietas de produção? Qual o significado de equilíbrio de nitrogênio?
3. Quais fatores devem ser considerados quando um cavalo tiver perdido o apetite por alimento suficiente para manter seu peso corporal?

LEITURA COMPLEMENTAR

Frape, D.L. (1989) Nutrition and the growth and racing performance of thoroughbred horses. *Proceedings of the Nutrition Society,* **48**, 141-52.

Graham, P.M., Ott, E.A., Brendermuhl, J.H. and TenBroeck, S.H. (1993) The effect of supplemental lysine and threonine on growth and development of yearling horses. *Proceedings of the 13th Equine Nutrition and Physiology Society,* University of Florida, Gainesville, 21-23 January 1993, pp. 80-81.

McDonald, P., Edwards, R.A. and Greenhalgh, J.F.D. (1981) *Animal Nutrition.* Longman, London and New York.

CAPÍTULO 3

Participações dos Macrominerais e Oligoelementos Minerais

Gramínea é a primeira fonte de alimentação de todos os potros após terem desmamado. Ao considerar o período quando são alimentados com milho e feno, mas especialmente com o primeiro, ficam expostos a lesões inexplicáveis.

W. Gibson, 1726

MACROMINERAIS

Cálcio e Fósforo

Função

As funções do cálcio (Ca) e do fósforo (P) são consideradas juntas por causa de sua inter-relação como elementos principais do cristal apatita, que provê a força e a rigidez do esqueleto. O osso tem uma relação Ca:P de 2:1, ao passo que no restante do corpo do eqüino a relação é de aproximadamente 1,7:1 em razão da distribuição do P nos tecidos moles. O osso atua como um reservatório de ambos os elementos, que pode ser usado quando a dieta não atinge os requerimentos. Os elementos do osso estão em uma condição contínua de fluxo com o Ca e o P, sendo removidos e novamente depositados por um processo que facilita a função de reservatório e permite o crescimento e o remodelamento do esqueleto durante o crescimento e o desenvolvimento. A função crítica do Ca está relacionada à sua participação em uma forma solúvel iônica para as funções nervosas e musculares. Conseqüentemente, a concentração do Ca^{2+} no plasma sangüíneo precisa ser mantida dentro de limites rigorosamente definidos.

978-85-7241-725-9

Controle da Concentração do Íon Cálcio Plasmático e Metabolismo de Cálcio e Fósforo

O fluxo e a distribuição do Ca e do P no corpo são estritamente regulados por dois hormônios proteináceos em particular, funcionando de forma antagônica na interface sangue-osso, na mucosa intestinal e nos túbulos renais (ver também *Vitamina D*, Cap. 4). Os dois hormônios são o potente hormônio paratireóideo, secretado pelas glândulas paratireóides adjacentes às glândulas tireóides, e a menos significativa calcitonina, secretada pelas células foliculares da glândula tireóide. Uma ligeira redução na concentração de Ca^{2+} no líquido extracelular dos eqüinos causa a imediata secreção do hormônio paratireóideo (Estepa *et al.*, 1998) e o estresse da gestação e lactação causa um aumento de tamanho das paratireóides. A concentração excessiva de Ca^{2+}, como ocorre na toxicidade pela vitamina D, causa uma redução de atividade e tamanho das glândulas. A calcitonina, por outro lado, rapidamente diminui a concentração sangüínea do íon Ca ao reduzir a atividade osteoclástica e aumentar a atividade osteoblástica.

Tabela 3.1 – Valores médios e intervalos dos valores para as concentrações séricas totais (mmol/L) de eletrólitos em eqüinos de diferentes idades (modificado das tabelas publicadas de S. W. Ricketts, Beaufort Cottage Laboratories, Newmarket, Suffolk).

		Nascimento até 36h	Três semanas	Doze meses	Eqüinos em treinamento	Éguas em reprodução
Ca	Médias	3,2	3,2	3,3	3,4	3,4
	Intervalo de valores	2,7-3,6	2,5-4	2,7-4	2,6-3,9	2,9-3,9
P	Médias	2,5	2,5	1,8	1,3	1,1
	Intervalo de valores	1,2-3,8	1,6-3,4	1,4-2,3	1,1-1,5	0,5-1,6
Na	Médias	136	137,5	138,5	138,5	138,5
	Intervalo de valores	126-146	130-144	134-143	134-143	134-143
K	Médias	4,8	4,5	4,3	4,3	4,3
	Intervalo de valores	3,7-5,4	3,6-5,4	3,3-5,3	3,3-5,3	3,3-5,3
Mg	Médias	0,83	0,81	0,78	0,78	0,78
	Intervalo de valores	0,57-1,1	0,66-1,1	0,62-1,1	0,62-1,1	0,62-1,1
Cl	Médias	–	–	–	–	–
	Intervalo de valores	Valores normais para todas as idades 99-109				

978-85-7241-725-9

O rim eqüino parece ter um papel maior no controle das concentrações de Ca no sangue do que o trato intestinal e isso pode ter um significado prático em relação à dieta e à doença renal. Os valores médios e os intervalos dos valores para o Ca e o P totais séricos, dentre outros, estão listados na Tabela 3.1. Deve ser observado que a concentração plasmática de fosfato normal no repouso diminui com o avançar da idade e que a concentração plasmática do Ca ionizado é aproximadamente 1,7mmol/L menor do que os valores totais fornecidos na tabela.

Os valores séricos de fosfato variam sem efeitos fisiológicos. Por exemplo, exercícios extenuantes podem deprimir o fosfato sangüíneo para metade do valor em repouso por 2 a 2,5h. O hiperparatireoidismo nutricional secundário (HPNS) é uma doença clínica relacionada à dieta de eqüinos na qual o fosfato sérico está ligeiramente aumentado e os valores de [Ca^{2+}] sérico estão ligeiramente deprimidos (Figs. 3.1 e 3.2).

O HPNS é bem reconhecido, mas é muito menos comum hoje. Sua apresentação típica é a osteodistrofia fibrosa dos ossos da face ("cara-inchada"), presente em um pônei adquirido das colinas Welsh. Todavia, o HPNS ocasionalmente ocorre sem a típica anormalidade facial (Little *et al.*, 2000). Outros sinais clínicos incluem andar rígido ou claudicação de troca de apoio, mastigação anormal com disfagia oral e estridor das vias aéreas anteriores.

Cálcio e Fósforo no Osso

Os eqüinos não têm um "senso eqüino" ao selecionarem uma dieta contendo uma mistura balanceada de Ca e P – preferem a palatabilidade de uma dieta rica em P, considerando que este não se encontra disponível para seleção no ambiente natural de pastagens. Assim, uma deficiência de Ca na dieta não é de ocorrência infreqüente entre os eqüinos domésticos.

Ca e P inadequados na dieta de potros em crescimento causam um atraso no fechamento das placas epifisárias dos ossos longos e contribuem com as doenças ortopédicas do desen-

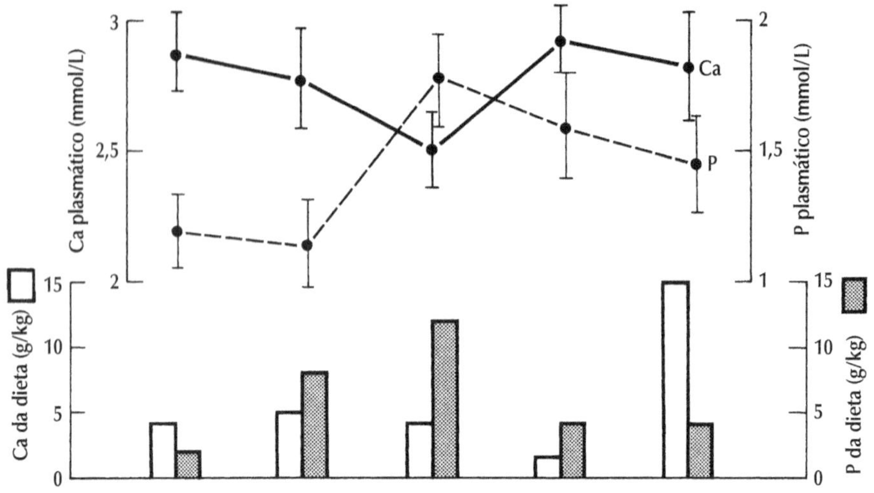

Figura 3.1 – Efeitos do Ca (□) e do P (■) da dieta nas concentrações médias no plasma sangüíneo, ± erro padrão (segundo Hintz e Schryver, 1972).

volvimento (DOD). Em eqüinos adultos em atividade, isso causa claudicação e fraturas ósseas. A falha do osteóide, ou osso jovem, em mineralizar-se é chamada de raquitismo em eqüinos jovens e de osteomalacia em adultos (algumas autoridades argumentam que o raquitismo verdadeiro não ocorre nos potros).

Em casos extremos, quando o mineral está sendo reabsorvido do osso, o resultado pode ser a osteodistrofia fibrosa generalizada, na qual o tecido fibroso é substituído por osso duro, como ocorre nos ossos da face ("cara-inchada"). Na presença de vitamina D em cada uma dessas condições, o corpo, por meio do paratormônio (PTH), se esforça para manter a homeostase do Ca sangüíneo acelerando a remoção dos ossos e aumentando a reabsorção tubular de Ca. As dietas baseadas em farelo de trigo e cereais são ricas em P orgânico e pobres em Ca, predispondo os eqüinos a essas condições.

A tendência à diminuição do [Ca^{2+}] sangüíneo causa elevação da reabsorção óssea, excreção renal aumentada de fosfato, velocidade maior das trocas osso-mineral e uma maior suscetibilidade dos ossos em fraturar. A deposição dos sais de Ca em tecidos moles, incluindo o rim (nefrocalcinose), pode também ser evidente. Um exemplo fisiológico de aumento da concentração sérica de PTH ocorre nas éguas periparturientes durante a secreção mamária de Ca, quando existe uma redução nas concentrações séricas do Ca total e ionizado (Martin *et al.*, 1996a) e um fragmento ativo do PTH é detectado e mensurado no leite da égua (Care *et al.*, 1997). O hormônio calcitonina, ou tirocalcitonina como é secretado pelas células parafoliculares C da glândula tireóide, se opõe aos efeitos do PTH. Quando a concentração plasmática de Ca está elevada, a secreção de PTH é reduzida, reduzindo o Ca plasmático ao diminuir a atividade dos osteoclastos e aumentar a dos osteoblastos.

978-85-7241-725-9

Hipocalcemia

O Ca é um cátion principalmente extracelular que existe nas formas ionizada [Ca^{2+}], complexa e ligada a proteínas. A forma ionizada é fisiologicamente ativa e sua concentração no plasma

978-85-7241-725-9

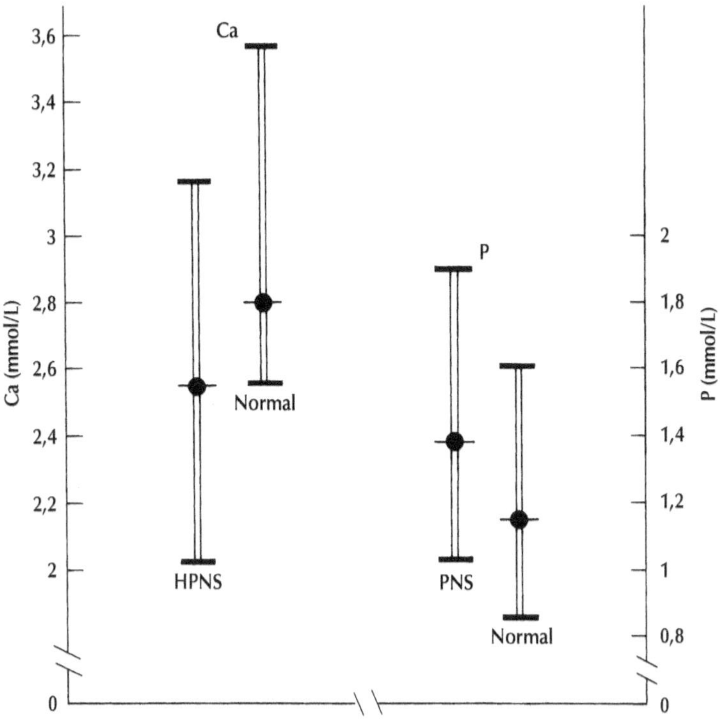

Figura 3.2 – Média e intervalo de valores das concentrações séricas de Ca e de P no hiperparatireoidismo nutricional secundário (HPNS) espontâneo (Krook, 1968). Observe como nos casos de HPNS o Ca fica reduzido e o P elevado.

sangüíneo é precisamente controlada, mas é influenciada por alterações ácido-base. A concentração normal sérica de Ca total no eqüino é de 3,2mmol/L e a concentração do Ca ionizado é de cerca de 1,5mmol/L, apesar de o método laboratorial influenciar os valores obtidos.

A hipocalcemia pronunciada dificilmente resulta de uma dieta inadequada de Ca, mas sim da alcalose metabólica, mais provavelmente. Assim, a hipocalcemia pode ocorrer em eqüinos adultos como um estresse pós-exercício. Os sinais clínicos são: fasciculações musculares e espasmos tetânicos, incoordenação, palpitação diafragmática sincrônica, sons intestinais diminuídos e mesmo incapacidade de ficar em pé. O trabalho prolongado e o superaquecimento levam ao aumento do pH sangüíneo, que deprime a concentração do Ca^{2+} no sangue. Ainda mais, a temperatura corpórea elevada por si só promove uma perda de 350 a 500mg de Ca/h no suor e essa velocidade de perda pode exceder a capacidade de reposição do sangue por meio da mobilização óssea.

Exercícios rápidos causam uma queda do pH do sangue e em geral espera-se que isso esteja associado com um ligeiro aumento no [Ca^{2+}] plasmático; mas, surpreendentemente, Vervuert *et al.* (2002, 2003b) detectaram uma queda no pH e no [Ca^{2+}] plasmáticos, mas aumentos no lactato e no P_i (P inorgânico) e PTH intacto. Exercícios de baixa velocidade resultaram em aumento no pH, ao passo que lactato, [Ca^{2+}], Ca total, P_i e PTH não apresentaram modificações. Todavia, de acordo com o mecanismo assumido para o controle homeostático do Ca plasmático ionizado, uma relação estrita negativa entre PTH intacto e

[Ca^{2+}] foi mantida (Vervuert *et al.*, 2002). O PTH intacto é um mediador na contra-regulação da hipocalcemia induzida pelo exercício por meio da reabsorção do Ca renal ou pela reabsorção óssea mediada por osteoclastos.

Van der Kolk *et al.* (2002) determinaram o intervalo normal de valores de [Ca^{2+}] para eqüinos sadios como sendo de 1,45 a 1,75mmol/L de sangue heparinizado e de 1,58 a 1,9mmol/L de soro. (Trabalho espanhol demonstrou que quando o [Ca^{2+}] plasmático caiu para 1,25mmol/L, o PTH atingiu um máximo de > 80pg/mL, mas quando o [Ca^{2+}] aumentou para 1,8mmol/L, o PTH caiu para um mínimo de 12pg/mL). Van der Kolk *et al.* (2002) demonstraram que as concentrações plasmáticas médias de ácido etilenodiaminotetracético (EDTA) para o PTH intacto e PTH C-terminal foram, respectivamente, 0,6pmol/L e 96pmol/L. O trabalho espanhol, por outro lado, indicou uma concentração plasmática de PTH de 20 a 30pg/mL, determinada por radioimunoensaio, empregando um anticorpo contra o PTH humano intacto, e de 35 a 45pg/mL com um anticorpo contra a região amino-terminal do PTH de ratos. Essa região fragmentada possui atividade biológica. Os valores de Van der Kolk para o PTH intacto são menores do que os valores espanhóis (0,6pmol/L ≅ 5,7pg/mL, PTH humano, PM 9424).

Conforme o [Ca^{2+}] varia com o pH sangüíneo, Van der Kolk computou uma equação de predição para o sangue heparinizado com pH 7,4:

$$[Ca^{2+}]_{pH7,4mmol/L} = -6{,}4570 + 0{,}8739\,(pH_{mensurado}) + 0{,}9944\,([Ca^{2+}]_{mensurado}\ mmol/L)$$

A administração intravenosa (IV) de uma solução com 50 a 100mmol de $CaCl_2$, ou gluconato de Ca, em 1L por 30min deve resolver os sinais clínicos da hipocalcemia. A dose maior pode causar arritmias cardíacas e assim a administração deve ser acompanhada pela auscultação cardíaca, diminuindo a velocidade de administração se necessário. A hipercalcemia também induz a arritmias cardíacas (hipo e hipercalcemias, respectivamente, prolongam e encurtam o intervalo Q-T do eletrocardiograma).

Níveis da Dieta de Cálcio e Fósforo em Relação aos Requerimentos

Quantidades excessivas de Ca na dieta não parecem iniciar os tipos de problemas encontrados em outras espécies domésticas. Porém, um experimento no qual pôneis *Shetland* de quatro meses de idade receberam uma dieta contendo 25g de Ca/kg, com uma relação Ca:P de 6:1, por quatro anos (Jordan *et al.*, 1975) resultou em um ligeiro aumento de tamanho da região da medula óssea dos ossos/°ongos e no estreitamento da área cortical, junto com menos mineral ósseo por unidade de córtex. A claudicação pela perda de suporte dos tendões e ligamentos é freqüentemente uma característica da reabsorção do osso cortical. Excessivas quantidades de Ca na dieta podem tornar os ossos quebradiços, em razão da estocagem óssea anormal de Ca. Porém, investigações nas quais dietas contendo 7 a 27g de Ca/kg foram comparadas por até dois anos mostraram que as diferenças são pequenas; a densidade óssea é aumentada por dietas ricas em Ca e o córtex dos ossos longos fica ligeiramente mais delgado (Schryver *et al.*, 1970a, 1971b, 1974a, 1974b). Grace *et al.* (1998b) mensuraram a composição mineral de eqüinos com 150 dias de idade (aproximadamente 190kg de peso corpóreo [PC]) e assumindo uma velocidade de crescimento de 1kg/dia ao pasto estimando o requerimento diário para Ca e P como sendo, respectivamente, de 28g e 21g/dia.

978-85-7241-725-9

A rápida velocidade de crescimento tem conseqüências questionáveis. Eqüinos de criação recém desmamados com 187 dias de idade e 236kg de PC foram alimentados para crescerem 0,97kg/dia ou 0,49kg/dia (Petersen *et al.*, 2001) com dietas que atingissem, ou excedessem, os requerimentos de minerais do NRC (National Research Council, 1989). O crescimento a uma rápida velocidade causou maior aumento no conteúdo mineral ósseo sem qualquer comprometimento da qualidade do osso. Todavia, três dos seis desses eqüinos desenvolveram sinais clínicos de fisite, acompanhados por dor articular demonstrada pela postura de flexão dos joelhos, do que se recuperaram com 302 dias de idade.

Já foi mostrado de forma geral que a força do osso aumenta com o aumento de sua densidade e conteúdo de Ca. Certa precisão foi, por isso, fornecida para os requerimentos por meio das mensurações da retenção do Ca. O aumento do consumo de Ca para 115% das recomendações do NRC (1989) (4,8g Ca/kg da dieta, 11,7MJ ED/kg) em eqüinos em crescimento aumenta a retenção do Ca (Moffett *et al.*, 2001) (Tabela 3.2).

O exercício é crucial para a força óssea e o conteúdo mineral nos eqüinos em crescimento (Henry *et al.*, 2003). Já foi demonstrado que ele aumenta o tamanho e a massa do terceiro metacárpico e a concentração sérica do propeptídeo carboxi-terminal do procolágeno de tipo I (PICP) de eqüinos Quarto de Milha no desmame (Williams *et al.*, 2003a). Por essas razões, é provável que o pastoreio, oposto à estabulação (Bell *et al.*, 1999) ou à manutenção em confinamento (Stephens *et al.*, 2003), aumente o conteúdo mineral dos ossos dos eqüinos jovens.

A densidade óssea de eqüinos jovens Quarto de Milha em treinamento foi aumentada por meio do fornecimento de quantidades moderadamente elevadas de Ca, P e magnésio (Mg) (respectivamente, 151, 130 e 159% das recomendações do NRC de 1989) em comparação com quantidades menores (respectivamente, 136, 98 e 126% do NRC de 1989) (Nolan *et al.*, 2001). Todavia, apesar da maior ingestão de Ca do que a descrita por Moffett *et al.* (2001, ver Tabela 3.2), durante os estágios iniciais do treinamento, em animais entre um e dois anos de idade, aparentemente existe um período de desmineralização do osso com redução na retenção de Ca e P, mas não observada para o Mg (Stephens *et al.*, 2001), de

Tabela 3.2 – A resposta de eqüinos Quarto de Milha entre 12 e 18 meses de idade a dietas contendo 115%, 100% e 85% dos requerimentos de dietas do National Research Council (1989) para cálcio (Moffett *et al.*, 2001)

	12 meses	15 meses	18 meses
115%			
Ingestão, g Ca/dia	28,13	32,87	38
Digestibilidade aparente, %	39,75	42,98	40,36
Retenção, g/dia	8,07	12,86	11,64
100%			
Ingestão, g Ca/dia	25,35	29,14	39,4
Digestibilidade aparente, %	38,75	38,89	55,85
Retenção, g/dia	6,9	9,93	18,47
85%			
Ingestão, g Ca/dia	19,33	21,05	36,6
Digestibilidade aparente, %	38,61	39,97	64,03
Retenção, g/dia	2,74	7,49	18,87

978-85-7241-725-9

forma que o estresse do exercício intenso deve ser retardado. Essa desmineralização é seguida por um período de nova mineralização.

A remodelação do osso, incluindo a atividade osteoblástica, pode ser monitorada com a osteocalcina sérica. A reabsorção óssea, isto é, a atividade osteoclástica, pode ser monitorada pela mensuração do telopeptídeo carboxi-terminal do colágeno de tipo I (ICTP) e a formação óssea é monitorada pela mensuração do PICP. Deve ser observado, porém, que as alterações circadianas nas concentrações séricas da osteocalcina e IGF-I (fator de crescimento semelhante à insulina, regulador da remodelação óssea) de éguas *Thoroughbred* (TB) de dois anos de idade já foram demonstradas. O momento de pico da osteocalcina foi às 9h e o do IGF-I, com menos amplitude, foi observado às 17h30 (Jackson *et al.*, 2003). Dentre os eqüinos que receberam 275% dos requerimentos do NRC (1989) para Ca e P, comparados àqueles que receberam 133% dos requerimentos, a concentração de Ca foi maior nos animais castrados de idades variadas (de 2 a mais de 15 anos de idade) que receberam quantidade maior durante períodos sedentários e de exercícios (Buchholz *et al.*, 1999) e a concentração sangüínea de ICTP aumentou, indicando que a remodelação óssea foi acelerada (Mansell *et al.*, 1999). Eqüinos jovens de corrida recebendo Ca, P e Mg correspondentes a, respectivamente, 169, 132 e 168% das recomendações do NRC (1989) atingiram velocidades maiores de formação óssea, com menores taxas de desmineralização do que aqueles que receberam menores quantidades (Michael *et al.*, 2001). Os requerimentos minerais revisados estão fornecidos na Tabela 3.3.

978-85-7241-725-9

O rim eqüino tem papel vital na homeostase do Ca e a excreção diária de Ca urinário demonstra uma relação direta com a ingestão. Em várias espécies, a perda urinária do Ca é aumentada com a elevação da ingestão de sódio, quebrando a homeostase do Ca. Porém, essa relação não ocorre no eqüino (ver *Sódio*, adiante). As dietas ricas em Ca produzem uma urina contendo um precipitado de sais de Ca; a perda urinária do Ca em um eqüino de 12 meses de idade e 300kg, que recebe uma dieta contendo 20g de Ca/kg, foi de 20 a 30g em 6 a 8L de urina diariamente (isto é 0,36% do Ca). A ausência da formação de cálculos no rim demonstra a capacidade do eqüino em lidar com grandes quantidades de Ca apesar da baixa solubilidade do elemento; de forma inversa, uma deficiência na dieta do Ca produz uma urina quase isenta do elemento.

Ao contrário, a perda endógena do Ca nas fezes, representando a perda mínima obrigatória que precisa ser reposta por fontes dietéticas, é amplamente influenciada por quantidades da dieta. Ca e P fecais endógenos foram estimados, respectivamente, em 36mg/kg de PC e 18mg/kg de PC diariamente em eqüinos Quarto de Milha em crescimento (Cymbaluk *et al.*, 1989b). As perdas de Ca na urina diminuem em 50 a 75% com o trabalho prolongado

Tabela 3.3 – Requerimentos diários mínimos de cálcio e fósforo para eqüinos em crescimento (Schryver *et al.*, 1974a; Grace *et al.*, 1998b; Michael *et al.*, 2001; Moffett *et al.*, 2001; Nolan *et al.*, 2001; Petersen *et al.*, 2001).

Idade (meses)	PC (kg)	Ganho de peso (kg/dia)	Ca (g/dia)	P (g/dia)
3	100	1	55	31
6	200	0,8	55	29
12	300	0,6	50	28
18	375	0,3	50	28
Adultos	450	0	46	27

PC = peso corpóreo.

(Schryver *et al.*, 1975, 1978a), ao passo que as perdas pelo suor aumentam. Durante 20min de trabalhos pesados, intervalos de valores de 80 a 145mg de Ca e 11 a 17mg de P foram encontrados na produção total de suor (Schryver *et al.*, 1978c). Durante um dia inteiro de atividades pesadas, essa fonte representa uma perda considerável de Ca. Por outro lado, os eqüinos e pôneis inativos por longos períodos retêm menos Ca do que aqueles que trabalharam, quando a concentração de P na dieta é excessiva. Após tal período de inatividade, o Ca e o P na dieta devem ser aumentados em 20% acima dos níveis mínimos de requerimento.

978-85-7241-725-9

Eqüinos precisam absorver cerca de 2,5g de Ca/100kg de PC diariamente para equilibrarem as perdas obrigatórias. A taxa de absorção de calcário de boa qualidade é aproximadamente 50%, indicadora de ingestões diárias requeridas de 5g/100kg de PC. Porém, as evidências acumuladas fornecidas anteriormente indicam que ingestões muito maiores aumentam a densidade e a força óssea em eqüinos em crescimento e adultos jovens (ver Tabela 3.3).

Absorção Intestinal

A falta de impacto do Ca da dieta sobre a eficiência da absorção de P no eqüino pode estar relacionada ao fato de que Ca e P são absorvidos em diferentes regiões do intestino (ver Fig. 1.6, Cap. 1). Porém, ingestões enormemente excessivas de Ca aumentam a perda fecal de P e o Ca da dieta pode afetar a absorção de outros elementos. Por exemplo, Ca excessivo pode deprimir a absorção de magnésio, manganês e ferro em razão da competição por locais comuns de absorção, ou possivelmente para a formação de sais insolúveis. Meyer *et al.*, na Alemanha, reportaram que 50 a 80% do Ca da dieta e 45 a 60% do magnésio são absorvidos no intestino delgado (1982c), ao passo que existe uma livre secreção desses elementos no intestino grosso.

Reporta-se que as digestibilidades verdadeiras de Ca e P declinam, respectivamente, de 71% para 42% e de 52% para 6% entre 6 e 24 meses de idade (Cymbaluk *et al.*, 1989b). Eqüinos mais velhos podem mesmo ser menos eficientes na absorção de Ca. O grupo de Meyer ainda demonstrou que o local da absorção de P varia com a composição da dieta. Nenhum P é absorvido nos segmentos mais anteriores do intestino delgado de eqüinos alimentados somente com alimentos volumosos, ao passo que parte é absorvida nas porções mais posteriores, especialmente nos animais que recebem somente concentrado. Grandes quantidades de fosfato secretadas no ceco e cólon ventral provavelmente atuam como um tampão para os ácidos graxos voláteis (AGV) produzidos nessa região e o cólon dorsal e o cólon menor são os principais locais de absorção e reabsorção do fosfato (ver Fig. 1.6, Cap. 1).

Disponibilidade

A livre disponibilidade de Ca em uma variedade de alimentos foi estimada entre 45 e 70%, exceto quando quantidades significativas de oxalatos estiverem presentes. O nível de fosfato na dieta influencia a absorção de Ca. Quando o P na dieta, como fosfato inorgânico, foi aumentado de 2 para 12g/kg, a absorção de Ca foi diminuída mais do que 50% em pôneis jovens recebendo uma dieta por sua vez adequada com relação ao Ca (4g/kg de dieta) (Schryver *et al.*, 1971a). O fosfato-P dicálcico ou farinha-P de osso é digerido em uma extensão de 45 a 50%. O fosfato de rocha e metafosfatos são fontes pobres de P e Ca. O fósforo em sais de ácido fítico, fonte predominante no cereal e nas sementes de leguminosas, está somente 35% disponível, apesar da presença de grande número de bactérias intestinais secretando a fitase. O fitato-P constitui pelo menos 75% do P total no grão de trigo e 54 a 82% do P em feijões. A suplementação de fitase das dietas contendo 1,8 a 3g/kg e com base em milho, aveia, soja e feno de capim falhou em aumentar a digestibilidade do P em eqüinos adultos (Morris-Stocker *et al.*, 2001; Patterson *et al.*, 2002).

Grandes quantidades de vitamina D na dieta podem aumentar a utilização da fitina-P, mas como essas quantidades são quase tóxicas, não podem ser recomendadas. O uso da fitina-P pode ser melhorado pela adição de cultura de leveduras à dieta (ver *Probióticos*, Cap. 5). Experimentos em suínos demonstraram que a adição de fitase, derivada do *Aspergillus niger*, à dieta aumentou a digestão do fitato. Geralmente, o P da dieta tem origem nas plantas, que têm uma menor disponibilidade do que as principais fontes de Ca (excluindo aquelas ricas em oxalatos). Por isso, eqüinos em crescimento podem algumas vezes receber P disponível inadequado em suas dietas para crescimento normal. Pagan (1989) também argumenta que as perdas de P endógeno por eqüinos jovens são o dobro daquelas (20 em comparação com 10mg/kg de PC) usadas pelo National Research Council (NRC) ao estimar o requerimento de P na dieta. Assim, com algumas dietas, ao fiar-se em seu conteúdo natural de P, seus requerimentos para eqüinos jovens podem não ser atingidos.

Oxalatos e outros Fatores da Dieta Afetando a Absorção de Cálcio

A biodisponibilidade ou digestibilidade verdadeira do Ca na dieta varia consideravelmente. Os principais fatores controlando a biodisponibilidade são:

- Quantidade de Ca na dieta (digestibilidade verdadeira é 0,7 por requerimento ingerido comparado com 0,46 por várias vezes o requerimento).
- Quantidade de P na dieta (10g de P adicionado/kg contendo 4g de Ca/kg reduz a digestibilidade verdadeira do Ca de 0,68 para 0,43).
- A concentração da vitamina D (de menos relevância para a absorção no eqüino do que em algumas outras espécies domésticas).
- Fitatos e oxalatos na dieta [fitatos e oxalatos se ligam ao Ca e assim reduzem a sua disponibilidade; Ca:oxalato $<$ 0,5:1 causa o HPNS; gramíneas implicadas ricas em oxalatos incluem: capim *napier*, capim-tanzânia, capim-*buffel* (*Cenchrus ciliaris*), pangola (*Digitaria decumbens*), capim *green panic*, capim-angola, capim-*kikuyu* (*Pennisetum clandestinum*), capim setária (*Setaria sphacelata*) e provavelmente algumas espécies de gramíneas de milhetos; alfafa contém ácido oxálico, ver adiante].
- Idade do animal (biodisponibilidade pode declinar ligeiramente com a idade, mas a relação não é pronunciada em eqüinos).

O ácido oxálico se liga aos cátions divalentes, como o Ca, em uma forma indisponível. Várias gramíneas tropicais são ricas em oxalatos e seu uso como alimento é associado com osteoporose e claudicação em eqüinos. Ao contrário, os microrganismos ruminais degradam o ácido oxálico de forma que a concentração plasmática de Ca não seja afetada e a função renal permaneça não prejudicada em ovinos e caprinos (Duncan *et al.*, 1997). As doenças pela deficiência de Ca são perceptíveis em eqüinos que se alimentam em pastos, ou de feno, contendo uma abundante quantidade dessas espécies de gramíneas tropicais e subtropicais (ver Cap. 10). A biodisponibilidade do Ca pode, todavia, diferir entre as fontes de plantas contendo oxalatos. A alfafa contém esses compostos, mas seu Ca tem um alto valor ali-

978-85-7241-725-9

mentar e cerca de três quartos do Ca são absorvidos, apesar do conteúdo em relação ao ácido oxálico ser muito maior do que no feno, o qual não é uma fonte significativa de ácido oxálico. Evidências em animais de laboratório demonstram que a alimentação de fontes de Ca que têm baixa disponibilidade compromete tanto a quantidade como a qualidade de ossos, ao passo que quantidades inadequadas de Ca amplamente disponível reduzem somente a quantidade de osso. Ainda é desconhecido se isso é um fator contribuinte para a claudicação em eqüinos.

Em Resumo

O requerimento de manutenção para os macrominerais Ca e P é aquele necessário para equilibrar as perdas nas fezes e na urina, assim como as "perdas dérmicas" inespecíficas. Existe uma necessidade adicional para o crescimento e, na égua em reprodução, para a mineralização do esqueleto fetal e a lactação. Cada quilograma de tecido corpóreo magro no eqüino contém cerca de 20g de Ca e 10g de P; as quantidades necessárias na dieta para permitirem a manutenção e o crescimento estão demonstradas na Tabela 3.3. O leite da égua contém uma média de cerca de 900mg de Ca e 350mg de P/kg (Fig. 7.3, Cap. 7). Uma égua de 500kg pode produzir um total de 2.000kg de leite em uma lactação que se estenda por cinco a seis meses – um déficit de lactação de 1,8kg de Ca e 0,7kg de P derivados de reservas esqueléticas e alimentos. Para a síntese do leite, os requerimentos diários de Ca e P na dieta, com disponibilidades médias de, 50 e 35%, respectivamente, são de 10g para Ca e 5,5g para P para equilibrar o que é secretado diariamente. Farinha de calcário e fosfato dicálcico são fontes confiáveis de Ca e o segundo também de P. O requerimento de 10g de Ca é atingido com 28g de calcário ou 40g de fosfato dicálcico, que também atinge as necessidades de P por completo.

Magnésio

O magnésio (Mg) é um íon vitalmente importante no sangue; forma um elemento essencial dos líquidos intercelular e intracelular, participa na contração muscular e também é um co-fator de vários sistemas enzimáticos. As cinzas ósseas contêm 8g de Mg/kg além dos 360g de Ca/kg e 170g de P/kg. Existe uma pequena livre absorção de Mg pelo intestino grosso, mas a maior parte ocorre na metade distal do intestino delgado. A "perda obrigatória" de Mg secretado no trato intestinal responde por cerca de 1,8mg/kg de PC diariamente; uma perda obrigatória adicional em torno de 2,8mg/kg de PC ocorre na urina e o requerimento de manutenção para compensar essas perdas é de mais ou menos de 13mg/kg de PC diariamente ou aproximadamente 2g/kg na dieta.

A homeostase é obtida amplamente por um equilíbrio entre a absorção intestinal e a excreção renal. Os hormônios adrenais, tireóideos e paratireóideos influenciam a situação, apesar do $[Mg^{2+}]$ plasmático ter um efeito menos potente no PTH do que o $[Ca^{2+}]$. O PTH promove o aumento de Mg no plasma ao aumentar a absorção pelo intestino e pelos túbulos renais e a reabsorção do osso (PTH também requer íons Mg para a ativação da adenilciclase no osso e no rim). A secreção de aldosterona (ver *Sódio*, adiante) promove uma redução do Mg plasmático e um aumento na excreção urinária do Mg. Dietas típicas podem não atingir a necessidade de Mg do eqüino sem suplementação.

Uma deficiência raramente observada de Mg na dieta causa hipomagnesemia associada com perda de apetite, nervosismo, sudorese, tremores musculares, respiração rápida (hiperpnéia), convulsões, degeneração de músculo cardíaco e esquelético e, nos casos crônicos,

978-85-7241-725-9

978-85-7241-725-9

Tabela 3.4 – Requerimento diário de magnésio (g).

	Peso adulto (kg)	
	400	*500*
Adulto		
Repouso	5,6	7
Médio	6,5	8
Últimos 90 dias de gestação	6,5	8
Pico de lactação	6,6	8,1
Crescimento: idade (meses)		
3	4,2-5,5	4,8-6,8
6	4-5,2	4,4-6,3
12	4,2-5,3	4,5-6,5
18	4,5-5,6	5-7

mineralização da artéria pulmonar causada pela deposição de sais de Ca e P. Os valores séricos sangüíneos normais estão fornecidos na Tabela 3.1.

O Mg de origem vegetal, naturalmente presente em alimentos, está disponível em proporções que variam de 45 a 60%, sendo as fontes mais digeríveis o leite e possivelmente a alfafa. A absorção de Mg pela alfafa ressecada a altas temperaturas é maior do que do feno de capim-timóteo, de acordo com a evidência de Edimburgo (ver também *Oxalatos e outros fatores da dieta afetando a absorção de cálcio*, anteriormente). O açúcar da polpa de beterraba e o melaço da beterraba são também fontes razoavelmente boas de Mg digestível (ambas contêm cerca de 2,8g de Mg/kg de matéria seca [MS]). Grandes quantidades de P na dieta parecem deprimir ligeiramente a absorção de Mg, mas de forma não tão eficiente quanto os oxalatos na dieta. A fitase bacteriana no intestino pode ajudar na absorção. As fontes inorgânicas de Mg – óxido (magnesita calcinada), sulfato e carbonato de Mg – são todas absorvidas cerca de 70% pelo eqüino, apesar dos óxidos de diferentes países de origem apresentarem disponibilidades variadas. Geralmente, por isso, o carbonato de Mg é uma fonte mais confiável. Um aumento no nível da dieta de Mg de 1,6 para 8,6g/kg demonstrou aumentar a absorção de Ca sem efeito sobre o P. Grace *et al.* (1998b) mensuraram a composição mineral de eqüinos com idade de 150 dias (aproximadamente 190kg de PC) e, assumindo uma velocidade de crescimento de 1kg/dia ao pasto, estimaram o requerimento diário destes eqüinos para o Mg como sendo de 4,4g/dia. A Tabela 3.4 fornece os requerimentos diários de Mg para eqüinos pesando de 400 a 500kg.

Potássio

O potássio (K) está primariamente sujeito à absorção pré-cecal, em que 52 a 74% são absorvidos. Uma ingestão de 46mg/kg PC/dia durante o repouso é adequada para um balanço positivo em eqüinos adultos. Potros requerem mais, talvez tanto quanto 150 a 200mg/kg PC, o equivalente a 7g de K/kg de dieta. As perdas durante o suor ou diarréia aumentam consideravelmente as necessidades. Potros jovens podem se tornar deficientes em K como resultado de diarréia persistente e isso por sua vez tende a precipitar a acidose. As modificações espontâneas no $[K^+]$ plasmático podem por isso resultar de exercícios extenuantes, o que será discutido no Capítulo 9. A concentração plasmática

Tabela 3.5 – Concentrações séricas totais (mmol/L) de eletrólitos em potros *Thoroughbred* (Sato *et al.*, 1978).

Dias após nascimento	Ca	P	Na	K	Cl	Mg
0	2,64	1,51	131,6	4,68	103,6	0,88
10	2,62	1,48	142	4,42	97,8	0,97
20	2,83	1,79	138,6	4,08	98,4	0,9
50	2,34	2,11	137,2	4,28	96,6	1,32*
90	2,5	1,74	140	3,96	99,8	-
120	2,23	1,63	136,4	4,12	101,4	-

* Trinta dias de idade

978-85-7241-725-9

normal de K varia de 2,4 a 4,7mmol/L ou mEq/L) (Tabela 3.5). Todavia, a concentração plasmática aumenta durante episódios de acidose, pois o K das hemácias (concentração normal de 83 a 100mmol/L) (Muylle *et al.*, 1984b), intracelular, é trocado pelos íons H^+, quando as arritmias cardíacas ocorrem. As concentrações do K nas hemácias menores que 81mmol/L são acompanhadas por sinais de fraqueza muscular esquelética (Frape, 1984b). Os meios de avaliar a concentração de K e as principais causas de depleção e sua terapia serão discutidos no Capítulo 11.

Deficiências

Uma deficiência na dieta de K pode reduzir o apetite e deprimir a velocidade de crescimento; ocorre redução no K plasmático (hipocalemia) e em uma deficiência extrema pode haver distrofia muscular clínica e rigidez articular. A hipocalemia pode ocasionalmente resultar de diarréia persistente, ou de excessiva administração de bicarbonato de sódio. Na depleção de pôneis, as perdas de K na urina não caíram para valores abaixo de 20mmol/L (Meyer *et al.*, 1986) e o conteúdo de K no suor permaneceu invariável em cerca de 27mmol/L (comparado ao sódio). O K plasmático sangüíneo diminuiu de 3,5 para 2,3mmol/L, ao passo que o K das hemácias do sangue pouco se alterou. Porém, a depleção do K do esqueleto foi tão elevada quanto 60% e as perdas em músculos, órgãos vitais e conteúdo gastrointestinal foram de somente 9, 15 e 7%, respectivamente. A ingestão de alimentos e água diminuiu, os pôneis estavam mais excitados e a exaustão ao exercício ocorreu mais rapidamente.

Paralisia Periódica Hipercalêmica

Uma síndrome de fraqueza episódica em eqüinos, acompanhada pelas concentrações elevadas de K sérico – paralisia periódica hipercalêmica (PPH) – foi descrita em eqüinos (Naylor *et al.*, 1993) e é aparentemente confinada aos descendentes de uma linhagem de cavalos Quarto de Milha (descendentes do garanhão Impressive). A causa genética foi identificada e progresso tem sido feito para eliminar a doença (Meyer *et al.*, 1999). A PPH não é causada por uma deficiência de K na dieta. É acompanhada por miotonia, espasmos da musculatura fascial e fasciculações e decúbito. A traqueotomia pode ser necessária se houver grave dispnéia. A maioria dos episódios se resolve espontaneamente em 15 a 120min, mas pode requerer administração parenteral de gliconato de Ca, bicarbonato de Na, dextrose, insulina e manejo subseqüiente da dieta. Essa situação reflete as trocas do K^+ intracelular com o H^+ na acidose no potássio, mencionadas anteriormente.

Fontes

Os cereais são fontes relativamente pobres de K, mas o feno contém 15 a 25g de K/kg; assim, a maioria das dietas deve conter ampla quantidade se pelo menos um terço estiver na forma de forragens de boa qualidade. Animais em trabalho pesado geralmente consomem mais cereais, reduzindo assim a quantidade de K na dieta quando as perdas pelo suor estão normalmente aumentadas. Pastos viçosos podem conter grandes quantidades de K na matéria seca e assim, teoricamente, podem interferir com o metabolismo de Mg.

Sódio

O sódio (Na) é o principal determinante da osmolaridade do líquido extracelular e conseqüentemente do volume desse líquido. A concentração de cloreto no líquido extracelular está diretamente relacionada à de Na. O Na deriva do alimento ingerido e sua excreção via rim é controlada pelo sistema renina-angiotensina-aldosterona. A hiponatremia pode ocorrer da ingestão reduzida de Na e promove a secreção da aldosterona; porém, os déficits de Na podem também ocorrer em razão de perdas excessivas dos tratos gastrointestinal ou urinário relacionadas à perda de água. Essas podem indicar obstrução intestinal, enterocolite, ou falência renal. A sudorese excessiva normalmente causa a hipernatremia. Em algumas outras espécies, os níveis plasmáticos aumentados de aldosterona resultam em excreção urinária elevada de Mg, apesar de não ser claro o que ocorre em eqüinos.

O Na é reabsorvido por meio do intestino grosso em uma extensão de 95%. Na deficiência de Na, a reabsorção pode atingir 99% e as perdas renais do Na são reduzidas, conservando assim o conteúdo tecidual, de acordo com o grupo de Meyer em Hanover (Meyer *et al.*, 1982b). O eqüino em repouso, recebendo uma dieta deficiente em Na, pode conservá-lo. O conteúdo de Na no suor dos eqüinos em atividade é, porém, somente ligeiramente diminuído, sendo parcialmente substituído pelo K. Tais eqüinos com depleção de Na exibem um hábito de se lamberem e uma ânsia por grandes quantidades de cloreto de sódio, reduzido turgor cutâneo, reduzida ingestão alimentar até a cessação da alimentação, disfunção muscular e nervosa (tremor muscular, incoordenação de andadura e mastigação). Na depleção avançada de Na, as concentrações plasmáticas de Na e cloreto caem para 120 e 70mmol/L, respectivamente, com um aumento no K plasmático até 5,5mmol/L e uma redução na água corpórea total, principalmente em decorrência do aumento da matéria seca no conteúdo do trato gastrointestinal (GI).

Apesar de as gramíneas do pasto conterem tanto quanto 18 vezes mais K do que Na, a suplementação de Na em forma de sal comum para rebanhos de pastejo é normalmente desnecessária. As forragens são uma fonte mais rica de Na do que os cereais e dentro dos intervalos um elemento tende a inibir a perda do outro na urina, por meio da ação da aldosterona nos túbulos renais, conservando os recursos corpóreos de Na no rebanho de pastejo. As dietas provendo 2 a 4g de Na/kg devem atingir de forma adequada o requerimento de Na, exceto durante períodos de excessiva sudorese em climas muito quentes ou como resultado da diarréia. As dietas contendo 5 a 10g de sal comum/kg atingem amplamente o requerimento normal de Na.

Cloreto

Quando forem atingidos os requerimentos para o sal comum (NaCl), é improvável que ocorra uma deficiência de cloreto (Cl). A principal fonte de perda, particularmente em climas

978-85-7241-725-9

978-85-7241-725-9

Tabela 3.6 – Recomendações de cloreto (mg/kg PC/dia) (Coenen, 1999).

Perdas endógenas (fecal + renal + cutânea)	3 + 2 + 1
Perdas pela manutenção cutânea por meio da perspiração	14
Manutenção, mínima	20
Manutenção, recomendação	80
Manutenção + exercício, 5, 20, ou 50g de suor/kg de PC	108, 190, ou 355
Manutenção + gestação até 90 dias antes do parto	80
Manutenção + gestação nos últimos 90 dias	82
Manutenção + lactação, 3º mês	89 – 93
Manutenção + crescimento até o 6º mês	93
Manutenção + crescimento do 6º ao 12º mês	85

PC = peso corpóreo.

quentes, é a sudorese, em que mesmo em velocidades moderadas de trabalho os eqüinos podem perder 60g de Cl/dia. O Cl é crucial para o metabolismo de água, a capacidade de trabalho muscular, a função renal e a secreção de ácido gástrico; Coenen (1999) fornece detalhes dos requerimentos (Tabela 3.6).

OLIGOELEMENTOS MINERAIS

A maioria dos eqüinos em estábulos no Reino Unido agora recebe suplementos contendo quantidades variadas de oligoelementos minerais e o eqüino parece ser capaz de lidar de forma bem sucedida com algumas medidas de ingestão anormal sem demonstrar sinais clínicos de toxicidade ou deficiência. Os oligoelementos minerais de prima importância na dieta de eqüinos serão discutidos aqui. O cobalto (Co) é considerado no Capítulo 4 ao se abordar a vitamina B_{12}. A variedade de estrato geológico abaixo dos solos do Reino Unido produz áreas de pastejo que promovem sinais clinicamente detectáveis de deficiências específicas em bovinos e ovinos. Existem evidências bioquímicas que demonstram que eqüinos e pôneis nessas regiões podem similarmente refletir seu ambiente nutricional. As Tabelas 3.7 e 3.8 fornecem os valores séricos médios de alguns oligoelementos minerais. As anormalidades no crescimento de membros e no desenvolvimento de potros e animais de 12 meses foram reportadas como associadas com deficiências na dieta de cobre (Cu), manganês (Mn) e selênio (Se) e toxicidades ao iodo (I) e ao chumbo (Pb).

A extensão de extração pelas plantas de pastejo dos oligoelementos minerais presentes no solo depende do pH e do conteúdo de umidade do solo e das espécies de plantas. Os efeitos podem também ser atribuídos aos sistemas de raízes das plantas como leguminosas; várias ervas têm raízes mais profundas do que as gramíneas. Os níveis de oligoelementos minerais na pastagem são claramente importantes, mas o eqüino também consome solo enquanto pasteja. A ingestão de solo dependerá da densidade do pasto. Em certas condições, bovinos e ovinos podem consumir mais do que 10% de sua ingestão diária de matéria seca como solo.

Suplementos Mistos

Ott e Asquith (1995) mensuraram a resposta de eqüinos TB e Quarto de Milha em crescimento, de 340 a 452 dias de idade, aos suplementos de oligoelementos minerais, quando fornecidos concentrados para o apetite e feno de capim-bermuda (*Cynodon dactylon*) a

Tabela 3.7 – Valores de quatro oligoelementos minerais (μmol/L) no soro ou no plasma e leite normais de éguas (Smith *et al.*, 1975; Blackmore e Brobst, 1981; Cape e Hintz, 1982; Schryver *et al.*, 1986; Lawrence *et al.*, 1987b; Bridges e Harris, 1988; Saastamoinen *et al.*, 1990) (ver também Cap. 12 para a determinação do cobre)

	Sangue	Leite		
	Soro ou plasma	*Parto*	*1-8 dias*	*9-120 dias*
Cu				
TB, Estados Unidos, principalmente em estábulos	24-35	16	10-12	4-6
TB	8-18			3[1]
TB, 7, 14, 28 dias de idade	6, 14, 25			
Quarto de Milha	5-31			
Eqüino/pônei, gestação[2]	16,3			
Eqüino/pônei, lactação[2]	14,7			3,8
Eqüino/pônei/ 12 meses de idade	15,3-26,1			
Eqüino/pônei, 2-3 anos de idade	21,3			
Fe				
TB	28 ± 7			
Quarto de Milha	28			
Árabe	23	24	17	12
Standardbred americano	30 ± 7			
Shetland	19			
Zn				
TB, Estados Unidos, em estábulos	–		46	60
TB, Reino Unido, pastejo	17 ± 7	98	52	36
TB, Reino Unido, em estábulos	26 ± 8			
TB, 7, 14, 28 dias de idade	17, 12, 12			
Eqüino/pônei, gestação[2]	5,8			
Eqüino/pônei, lactação[2]	7,6			31,3
Eqüino/pônei/12 meses de idade	10,7, 12,5			
Eqüino/pônei, 2-3 anos de idade	10,1			
Pb				
TB e *Standardbred* Americano				
Lactente até adulto (média)	0,8-1,9			
Mestiços	7-8			

[1] Informação não publicada pelo autor.
[2] Saastamoinen *et al.*, 1990. Raça Finnhorse.
TB = *Thoroughbred*.

uma velocidade de 1kg/100kg de PC diariamente. A dieta total não suplementada continha 195mg de Fe, 36mg de Mn, 41mg de zinco (Zn) e 4,8mg de Cu, cada um por kg de MS. Os suplementos não apresentaram influência sobre o crescimento e o desenvolvimento, mas a deposição mineral no terceiro metacárpico foi aumentada pela mistura de oligoelementos minerais, apesar disso não ser observado para o Cu ou Cu mais Zn, excluindo outros elementos. Os resultados sugerem que os outros oligoelementos minerais (Fe, Mn, Co, ou I) foram mais cruciais. Porém, trabalho prévio do mesmo grupo (Ott e Asquith, 1989) indicou que a deposição mineral óssea em animais de 12 meses de idade foi aumentada quando uma mistura de oligoelementos minerais contendo Fe, Mn, Zn e Cu foi adicionada a uma

978-85-7241-725-9

Tabela 3.8 – Características sangüíneas normais de eqüinos[1]. Os intervalos de valores indicam aproximadamente ± 1 DP da média

Amostra	Característica	Unidades por litro	12 meses	Eqüinos em treinamento	Éguas	Potros
Plasma	Albumina	g	27-28	34	27	25
Soro	AST	UI	140	150-400	140	70-120
Soro	CK	UI	43	50-70	43	53-57
Soro	FAS	UI	100-120	85-95	70-80	150-400
Soro	ALT	UI	1-6,7	1-6,7	1-6,7	ND
Soro	GGT	UI	18-30	20-30	18-19	13-16
Hemácias	GSH-Px	U/mL[7]	15-25	15-25	–	–
Soro	LDH	UI	45-100	45-100	–	–
Soro	SDH	UI	0,8-1,2	0,8-1,2	–	–
Soro	Bilirrubina, total[2]	µmol	34	34-39	26	38-55
Soro	Glicose em jejum	mmol	3,5-5	3,5-5	3,5-5	3,1-4,2
Soro	T_4	nmol	5-39	5-35	3-56	10-150
Soro	T_3	nmol	1,5-2	1-2	0,9-1,4	2-7
Soro	Creatinina	mmol	140	170-185	140	150-190
Soro	Cu	µmol – estábulo	15,2[3]	12,4	15[4]	6 para 20[5]
Soro	Cu	µmol – gramínea	–	15,9	16-26	20[8]
Soro	I	µmol	–	–	0,6	0,8-0,85
Soro	Zn	µmol – estábulo	–	26	9-12	13
Soro	Zn	µmol – gramínea	–	17	9-12	–
Soro	Mo	µmol	–	0,31	–	–
Soro	Se	µmol	0,8-1,3	1,5[6]	0,8-1,2	0,6-1,1
Sangue total	Se	µmol	–	1,6[6]-3	0,8-1,1	0,5-0,7
Plasma	alfa-tocoferol	mg	1-3	1,5-4,4	1,8-2,6	1,1-2,4
Plasma	alfa-tocoferol	µmol	2,3-6,8	3,4-10	4,1-5,9	2,5-5,5
Plasma	Retinol	µg	180	180	150-300	150
Soro	25-hidroxi vitamina D	µg	–	–	2,9-3,6	2,2-2,5
Sangue total	Cianocobalamina	µg – estábulo	3,7-6,6	1,2-6,6	3,7-6,6	3,7-6,6
Sangue total	Cianocobalamina	µg – gramínea	2,8-20	2,8-20	2,8-20	2,8-20
Soro	Folato	µg – estábulo	4,5-12	4,5-12	4,5-12	4,5-12
Soro	Folato	µg – gramínea	5,3-13,5	5,3-13,5	5,3-13,5	5,3-13,5
Sangue total	Tiamina	µg	28	30	33	24
Plasma	Ácido ascórbico	mg	–	2,5-4,5	–	–

[1] Informações obtidas principalmente de TB. Ver Tabela 3.1 para os valores séricos de Ca, P, Mg, Na, K e Cl.
[2] Principalmente não conjugada.
[3] Pôneis.
[4] Sangue total.
[5] Aumentando de uma semana de idade até o platô em quatro semanas.
[6] Mínimo adequado.
[7] Uma unidade enzimática da atividade de GSH-Px = 1µmol/L de NADPH oxidado/min.
[8] Plasma.

ALT = alanina aminotransferase; AST = aspartato aminotransferase; CK = creatina cinase; DHL = desidrogenase láctica; DP = desvio padrão; FAS = fosfatase alcalina sérica; GGT = gama-glutamiltransferase; GSH-Px = glutationa peroxidase; NADPH = forma reduzida de nicotinamida adenina dinucleotídeo fosfato; ND = não disponível; UI = unidade internacional; SDH = sorbitol desidrogenase; T_3 = triiodotironina; T_4 = tiroxina; TB = *Thoroughbred*.

978-85-7241-725-9

dieta natural contendo menores concentrações desses elementos do que as recomendadas pelo NRC (1978).

Conteúdo Mineral do Pêlo de Eqüinos

O conteúdo mineral do pêlo animal varia não somente com a ingestão de minerais, mas também com estação do ano, raça, idade, coloração dos pêlos e condição corpórea. A ingestão de níquel (Ni) está aparentemente correlacionada ao Ni nos pêlos, mas outros metais pesados, pelo menos em consumo subtóxico, não estão (consumo tóxico de Pb promove aumento do Pb nos pêlos). Existe pequena relação entre minerais de importância nutricional e sua concentração no pêlo dos eqüinos.

Cobre e Molibdênio

A hipocupremia ocorre em todo mundo em bovinos de pastejo, freqüentemente atribuída a um excesso de molibdênio (Mo) derivado do extrato subjacente rico em Mo, particularmente lamas de camadas inferiores e xisto negro marinho dos períodos jurássico e carbonífero. Os altos níveis de molibdênio associados com o cobre (Cu) relativamente baixo levam a relações Cu:Mo no pasto tão estreitas quanto 6:1, causando a deficiência de cobre no então chamado pasto tipo *teart* (rico em Mo e normal para Cu) nessas áreas. A hipocupremia pode também ocorrer em decorrência dos baixos níveis de cobre por si só nos solos e plantas.

O eqüino não é tão suscetível aos sinais clínicos de deficiência de cobre como são os ruminantes, mas os sinais já foram descritos como erosão da cartilagem articular e anemia e hemorragia em éguas parturientes. Mais ainda, o molibdênio e o sulfato não têm o mesmo impacto na situação do cobre em eqüinos como têm nos ruminantes. Os tiomolibdatos, que se ligam ao cobre (CuMoS é muito insolúvel), não foram detectados em eqüinos com concentrações dietéticas de Mo de 10mg/kg. Sua formação pode depender da presença de um rúmen e de sua atividade microbiana, que é extensa em uma região do trato GI proximal aos pontos de absorção de cobre. Assim, Ricker *et al.* (1999, 2000) demonstraram que um concentrado contendo 5 a 20mg de Mo/kg fornecido a animais castrados com feno de gramínea (50:50) não apresentou efeito adverso na absorção e retenção do cobre.

Mensuração da Situação do Cobre e Requerimentos Dietéticos

Consumo excessivo de cobre é perigoso para ovinos e, em menor extensão, para bovinos. Os ruminantes diferem dos não ruminantes na propensão daqueles em estocar cobre em seus fígados quando de um consumo baixo de cobre na dieta. Por outro lado, níveis muito elevados de cobre na dieta (maiores que 4mmol/kg de MS) são necessários para aumentar o cobre hepático de pôneis de forma substancial (referido por Suttle *et al.*, 1996). (Nota: qualquer aumento acima do requerimento mínimo na dieta parece levar somente a uma estocagem hepática adicional de cobre). Por essa razão, os eqüinos são menos sujeitos à intoxicação pelo cobre da dieta. Existe uma relação curvilínea em ruminantes entre as concentrações do cobre hepático e do cobre plasmático. No plasma de ruminantes, ou no soro, os valores de cobre atingem um platô e, exceto nas crises tóxicas, raramente excedem 16µmol/L, mesmo com a concentração hepática maior que 800µmol/kg de peso fresco. Em 44 eqüinos, Suttle *et al.* (1996) encontraram uma relação linear:

$$Y = 7{,}00811 + 0{,}086019X \ (R^2, 0{,}168)$$

978-85-7241-725-9

Nela, Y é µmol de Cu/L de soro, X é µmol de Cu/kg de fígado fresco (valores estão restritos ao cobre hepático menor que 190 e cobre sérico menor que 29) e R^2 é a proporção de variação, ou soma dos quadrados, atribuída ao modelo (nesse caso, um valor de 0,168, isto é, 16,8% da variação são considerados pela relação que a equação descreve). Em 48 eqüinos, Suttle *et al.* (1996) encontraram concentrações médias de cobre de:

- 16,7µmol/L de soro com 13,5 e 19,5µmol/L como valores dos quartis inferior e superior.
- 113,7µmol/kg de fígado fresco.
- 172,5µmol/kg de alimento (11mg/kg) com 61,1 e 233,8µmol/kg como valores dos quartis inferior e superior.

978-85-7241-725-9

O animal tem uma necessidade de manter uma concentração celular normal de cobre, mensurável como concentração hepática. No eqüino, Suttle *et al.* (1996) concluíram que os níveis hepáticos adequados são atingidos por uma concentração na dieta de 20mg/kg de MS e que essas concentrações hepática e dietética correspondem a 16µmol/L de soro. Esses autores propuseram 16µmol/L como um valor limiar para distinguir valores séricos normais dos subnormais e um nível sérico de 11,5µmol/L para distinguir deficiência das concentrações hepáticas marginais de cobre de 52,5µmol/kg de peso fresco. Infelizmente, conforme destacado por Suttle *et al.*, valores altos de cobre sérico ocorrem após inflamação, infecção, ou vacinação e as amostras hepáticas são, então, preferidas, mas não prontamente disponibilizadas. (O cobre plasmático pode não ser confiável como um guia da situação de cobre, pois cerca de 70% do cobre circulante no eqüino está presente na forma de ceruloplasmina – EC 1.16.3.1 –, uma proteína de fase aguda). Por isso, uma fonte celular alternativa pode ser preferida como um meio de avaliar o estado do cobre.

A deficiência do cobre diminui a atividade da superóxido dismutase Cu-Zn (EC 1.15.1.1) de leucócitos e plaquetas. A mensuração dessa atividade não é fácil. Os colaboradores do autor (Williams *et al.*, 1995) têm rotineiramente usado os conteúdos de cobre de leucócitos mononucleares e plaquetas e a atividade do citocromo-c oxidase das plaquetas (EC 1.9.3.1) como orientação do estado. O cobre das células mononucleares mostra-se como boa premissa (Tabela 3.9). O conteúdo de cobre estará presente principalmente como co-fator enzimático (ver Cap. 12).

O cobre é transferido para o fígado fetal que, como o fígado neonatal, contém mais cobre do que o de potros mais velhos ou suas mães. A baixa concentração sérica de cobre dos potros neonatos não se eleva aos valores normais de adultos até cerca de 28 dias de idade (Kavazis *et al.*, 2001). Experimentos na Nova Zelândia demonstraram que quando o

Tabela 3.9 – Intervalo de valores do conteúdo de cobre e zinco dos leucócitos em sete pôneis *Shetland* recebendo somente feno ruim, antes e após a suplementação com cobre e zinco por 50 dias (informações não publicadas pelo autor)

	Cu (µg 10^{-9}) nos leucócitos	Zn (µg 10^{-9}) nos leucócitos
Antes da suplementação	0,11-0,18	2,57-6,25
Após a suplementação	0,4-2,86	2,57-10,57

cobre da dieta de éguas gestantes de pastejo é aumentado aproximadamente de 6 a 30mg de Cu/kg de MS ao longo dos últimos quatro a cinco meses de gestação, então o conteúdo de cobre no fígado do potro ao nascimento pode ser aumentado em dois terços. Pearce *et al.* (1998a) estudaram éguas de pastejo e seus potros durante a segunda metade da gestação, criados em um pasto contendo 4,4 a 8,6mg de Cu/kg de MS. Metade das éguas foi suplementada com 0,5mg de Cu/kg de PC diariamente. Os potros das éguas-controle e suplementadas foram retidos como controles ou suplementados com 0,2mg/kg aumentando até 0,5mg/kg de PC com 49 dias de idade. As concentrações de cobre plasmático e de ceruloplasmina nos potros não foram afetadas, ao passo que a concentração hepática de cobre aumentou com a suplementação. Somente a suplementação da égua (Pearce *et al.*, 1998b) reduziu os índices radiográficos de fisite no terceiro osso metatársico distal e a prevalência das lesões da cartilagem articular com 150 dias de idade, sem evidência de efeito na clínica da doença ortopédica do desenvolvimento (DOD).

O leite da égua pode fornecer menos cobre do que as necessidades diárias do potro lactente [conteúdo de cobre no leite é de cerca de 3μmol/L (0,19mg/L)], ao passo que as gramíneas de pastejo e o feno de capim podem conter 4 a 9 e 10 a 12mg de Cu/kg de MS, respectivamente. Por isso, com o objetivo de aumentar o conteúdo de cobre e zinco no leite e diminuir o risco de osteocondrite dissecante (OCD), Baucus *et al.* (1987) dobraram esse conteúdo na dieta de éguas para 53mg de Zn/kg e 12mg de Cu/kg ao parto. Todavia, o conteúdo de cobre e zinco no leite não foi afetado.

O potro lactente requer uma fonte de cobre que o mantenha durante o período no qual ingere pouca gramínea e alimentos secos. Essas necessidades são normalmente atingidas quando os estoques do fígado fetal têm cerca de 300μg de Cu/g de MS de fígado ou mais. Os estoques devem oscilar entre 300 e 600μg/g quando a égua gestante recebeu cobre adequado em sua dieta. Apesar de Hoyt *et al.* (1995b) terem observado que eqüinos miniatura absorviam 42,2 a 50,7% do cobre total de suas dietas contendo 12mg/kg, Ott e Asquith (1994) relataram que as concentrações séricas de cobre e zinco em potros aumentaram somente quando suas mães receberam oligoelementos minerais quelados, mais do que fontes inorgânicas, durante a gestação.

As perdas obrigatórias de cobre nas fezes de pôneis totalizam cerca de 3,5mg/100kg de PC diariamente na presença de baixos níveis de Mo da dieta (Cymbaluk *et al.*, 1981a,b). Porém, na tentativa de permitir interações adversas com outros oligoelementos minerais e maximizar a retenção de ferro (Fe), um consumo dietético de 15 a 20mg/kg de alimento seco é recomendado para eqüinos em crescimento. Potros necessitam de 25 a 30mg/kg de alimento para reduzir, mas não eliminar, o risco de erosão cartilaginosa. Grace *et al.* (1998b) mensuraram a composição mineral de eqüinos com idade de 150 dias (aproximadamente 190kg de PC) e, assumindo uma velocidade de crescimento de 1kg/dia ao pasto, estimaram o requerimento diário para o cobre em 26mg/dia.

Cobre e Formação da Cartilagem

Os ossos e a cartilagem de animais com deficiência de cobre demonstram defeitos e fragilidade e contêm uma proporção aumentada de colágeno solúvel. Essa solubilidade é causada por uma redução na ligação cruzada entre as moléculas de colágeno e elastina que requerem cobre como co-fator da lisil oxidase (EC 2.3.2.3). A função osteoblástica é inibida pela deficiência de cobre, ao passo que a função osteoclástica não é afetada. O excesso de cobre da dieta pode interferir com o metabolismo ósseo, causando inibição da síntese colágena e perda de densidade óssea. Entre 629 potros de sangue quente hanoverianos na Alemanha, 222 apresentaram lesões osteocondróticas não correlacionadas à velocidade de crescimento ou ao consumo de proteína, Ca, P, Cu, Zn, ou Se (Coenen *et al.*, 2003a; Vervuert *et al.*, 2003a), apesar dos níveis desses nutrientes na dieta não terem atingido as recomendações (GEH 1994). Evidências preliminares de Firth (1998) indicaram que a suplementação com cobre no potro pode reduzir a densidade mineral óssea do rádio, do terceiro metacárpico e terceiro cárpico. Mais ainda, nem os suplementos orgânicos e nem os inorgânicos de cobre e zinco influenciaram o propeptídeo carboxi-terminal sangüíneo do procolágeno de tipo I, ou a densidade óssea, em eqüinos castrados de 12 meses de idade em atividade que receberam uma dieta básica de acordo com as recomendações do NRC (1989) (Baker *et al.*, 2003).

Por outro lado, estudos *in vitro* indicaram que, em uma forma dose-dependente, o cobre reverteu a depleção de proteoglicanos da cultura de cartilagem na presença de líquido sinovial, de forma que o cobre teve um efeito *condroprotetor* (Davies, 1998). Davies formulou a hipótese de que o cobre exerce uma ação antiinflamatória.

Van Weeren *et al.* (2003) não encontraram relação em potros ou éguas das concentrações de cobre hepático e do estado de osteocondrose aos 5 ou 11 meses. Porém, conforme os potros aumentavam em idade a partir do nascimento, a redução esperada em número e gravidade de lesões osteocondróticas foi menor nos casos em que a situação do cobre foi baixa ao nascimento do que nos potros com uma concentração alta de cobre ao nascimento. Assim pode existir um efeito do estado elevado de cobre no processo natural de reparo de lesões precoces, indicando a precedência do cobre da égua gestante.

Um excesso de cobre da dieta em uma dieta de até 791mg/kg em pôneis por seis meses (Smith *et al.*, 1975) levou a concentrações hepáticas de cobre acima de 4.000mg/kg de MS, aparentemente não causando lesão hepática e efeitos adversos na fertilidade ou outras características (ver *Crescimento de potros*, Cap. 8).

Zinco

Uma deficiência do zinco (Zn) da dieta em vários animais domesticados, incluindo os eqüinos, deprime o apetite e a velocidade de crescimento nos jovens, causa lesões de pele e está associada com depressão das concentrações de Zn no sangue. Uma deficiência de Zn no rato e em várias outras espécies causa o desenvolvimento anormal das costelas e vértebras, fenda palatina, micrognatias (mandíbula reduzida de tamanho) e agenesia (ausência) de ossos longos, mas existe pouca evidência direta disso no eqüino. O excesso de Zn pode exacerbar as lesões ósseas induzidas por dietas com baixo cobre.

Siciliano *et al.* (2003b) observaram imunoglobulinas positivas totais e respostas imunes humorais de IgM em potros ao desmame com um suplemento de Cu, Zn e Mn. O zinco tem uma potente capacidade imunomoduladora, particularmente influenciando a organização das células T-*helper* e a secreção de citocina. A hipersensibilidade aos *Cullicoides* em eqüinos, causando uma doença pútrida de pele, lembra a fase inicial e tardia das reações de hipersensibilidade do tipo I em humanos. Stark *et al.* (2001) determinaram que a gravidade da hipersensibilidade ao *Cullicoides* em eqüinos islandeses expressou uma baixa, mas significativa, correlação negativa à concentração plasmática de zinco. Porém, suas mais recentes observações indicaram que as picadas dos *Cullicoides* são uma causa de redistribuição de Zn entre o plasma e as células sangüíneas e como o plasma retém somente 10 a 23% do

978-85-7241-725-9

Zn total sangüíneo, o nível de Zn plasmático não é um indicador confiável do estado nutricional. Assim, a depressão do Zn plasmático é bem provável de ser uma reação à picada dessa mosca.

Os suplementos de Zn são ditos como benéficos ao desenvolvimento da parede do casco, apesar de Siciliano *et al.* (2001) não terem influenciado o conteúdo de oligoelementos minerais da parede do casco, ou a velocidade do crescimento do casco, a dureza e a força de tensão, com suplementos de Cu, Zn, ou Mn fornecidos a éguas magras como sais inorgânicos ou quelatos de aminoácidos. Mais recentemente, Siciliano *et al.* (2003a) aumentaram a dureza da parede do casco, mas não outras características da parede, com suplementos semelhantes de Cu, Zn e Mn.

978-85-7241-725-9

Zinco como Co-fator Enzimático

O Zn é um co-fator para mais de 200 enzimas em animais, tanto como parte da molécula quanto como um co-fator de ativação. As enzimas incluem a fosfatase alcalina (EC 3.1.3.1), colagenase (EC 3.4.24.3) e anidrase carbônica (EC 4.2.1.1), todas requeridas na formação óssea. A fosfatase alcalina também requer Mg e o excesso de Zn na dieta pode inibir a enzima se o Mg for deslocado. Uma deficiência de Zn, portanto, tem raros efeitos fisiológicos disseminados, mas níveis dietéticos bem elevados são necessários para a toxicidade.

Um aumento no Zn da dieta de 26 para 100mg/kg de forma progressiva eleva as suas concentrações séricas. O requerimento na dieta eqüina é de aproximadamente 50mg/kg de MS dietética. Grace *et al.* (1998b) mensuraram a composição mineral de eqüinos com idade de 150 dias (aproximadamente 190kg de PC) e, assumindo uma velocidade de crescimento de 1kg/dia no pasto, estimaram o requerimento diário para o Zn de 152mg. Hudson *et al.* (2001) mensuraram a digestibilidade verdadeira e os requerimentos para Cu, Zn e Mn a partir de uma mistura de fontes orgânicas e inorgânicas em eqüinos sedentários e exercitados. Encontraram um requerimento de Zn de 461mg/dia em eqüinos exercitados comparado com os 274mg/dia nos eqüinos sedentários (Tabela 3.10). Os suplementos normalmente usados incluem o carbonato ou o sulfato de zinco. Esses sais inorgânicos possuem maior disponibilidade que os sais de fitato do zinco presentes nos grãos cereais e em alimentos com grãos de girassol. A eficiência da absorção do Zn em todas as suas formas é provavelmente afetada mais pelas dietas ricas em fitato do que é a absorção de outros oligoelementos minerais, mas mesmo assim, é improvável que altas concentrações de fitato deprimam a utilização do Zn em mais de 30 a 40%.

Tabela 3.10 – Digestibilidade verdadeira, perda endógena e requerimentos diários estimados para cobre, zinco e manganês em eqüinos castrados *Thoroughbred* sedentários (SED) e exercitados (EX) de 11 anos de idade e 534kg de peso corpóreo (Hudson *et al.*, 2001)

		Cu	Zn	Mn
Digestibilidade (%)	SED	41,8	25,4	57,9
	EX	54,5	14,3	40,2
Perda endógena, mg/dia	SED	15,7	65,2	304,8
	EX	20,3	69,6	163,6
Requerimentos, mg/dia	SED	44,2	274,4	528,6
	EX	35	461,3	408,3

O Zn é um dos oligoelementos minerais essenciais menos tóxicos, mas onde existir poluição industrial dos pastos os animais de pastejo podem mostrar sinais de toxicidade. As concentrações dietéticas tóxicas provavelmente excedem 1.000mg/kg. A intoxicação pelo zinco está associada com a reduzida absorção de Ca. Um nível dietético de 5,4g de Zn/kg causa anemia, aumento de volume epifisário, rigidez e claudicação, incluindo rachaduras da pele ao redor dos cascos (Willoughby *et al.*, 1972a,b).

Em comparações quanto à eficácia de fontes orgânicas e inorgânicas de cobre e zinco, dois de três estudos indicaram o uso mais eficiente das fontes orgânicas em eqüinos jovens (Miller *et al.*, 2003; Siciliano *et al.*, 2003b), mas o terceiro em eqüinos adultos indicou baixa eficiência de absorção a partir de ambas as fontes (Wagner *et al.*, 2003).

Interações de Cobre e Zinco

Em humanos e na maioria dos animais domésticos que já foram investigados existe um antagonismo entre zinco e cobre. Consumo excessivo de zinco, especialmente onde o fitato e o cálcio da dieta não são abundantes, pode causar a deficiência do cobre se o nível dietético deste estiver marginal. Investigações em eqüinos não demonstraram efeitos similares. Hoyt *et al.* (1995b) observaram que concentrações dietéticas de Zn de 73 a 580mg/kg, fornecidas como óxido de zinco, não tiveram influência tanto na absorção quanto na retenção de cobre em eqüinos com dietas contendo 12mg de Cu/kg. Porém, valores tão baixos quanto 100mg de Zn/kg de dieta para eqüinos demonstraram aumentar a perda fecal de cobre e reduzir o cobre sangüíneo em cerca de 10%. Esta alteração na concentração sangüínea pode não refletir por si só qualquer alteração na eficiência de absorção do cobre. Todavia, como a adequação do cobre parece ser crucial para o apropriado desenvolvimento ósseo, assumimos que o zinco da dieta em concentrações acima de 100mg/kg deve ser evitado.

978-85-7241-725-9

A quelação dos aminoácidos de oligoelementos minerais evita qualquer interrupção da absorção de zinco por outros metais e a competição pela absorção ocorre então entre os aminoácidos. Experimentos demonstraram que as misturas queladas de Mn, Zn e Cu, comparadas com as misturas inorgânicas, aumentaram a velocidade de crescimento do tecido queratinizado do casco em animais de 12 meses de idade que receberam um concentrado peletizado contendo 120g de proteína/kg a uma velocidade de 1kg/100kg de PC com feno. Experimentos com zinco e cobre quelados fornecidos para éguas gestantes levaram ao aumento nas concentrações plasmáticas de zinco e cobre em seus potros. Pode-se concluir que a tolerância a oligoelementos minerais para a égua gestante é mais importante do que a fornecida durante a lactação para o bem-estar do potro.

Manganês

O manganês (Mn) é requerido como um co-fator para glicosiltransferases, que catalisam a transferência de um açúcar de um nucleotídeo-difosfato para um aceitante, e assim o Mn é essencial em vários estágios da formação do sulfato de condroitina-glicosaminoglicano. Assim, as formações da cartilagem epifisária e da matriz óssea são comprometidas por uma deficiência de manganês. É também requerido como um co-fator da peróxido dismutase contendo manganês.

Acredita-se que uma deficiência de Mn possa ser causa de jarretes aumentados de tamanho e, ao afetar a placa de crescimento, de membros mais curtos com características de encaroçamento das articulações. Nos Estados Unidos, concentrações excessivamente altas de Ca em algumas amostras de alfafa precipitaram uma deformidade flexural nos membros de eqüinos em crescimento que havia sido corrigida por suplementos de Mn. O jovem também parece sofrer claudicação e incoordenação de movimentos ao apresentarem ausência de Mn suficiente, sendo a deficiência de Mn uma possível explicação para o andar na ponta dos cascos em situações em que os potros lactentes estão em pastos contendo menos que 20mg/kg de MS. Uma deficiência grave pode aumentar a reabsorção *in útero*, ou a morte ao nascimento, e deficiências menores podem provocar ciclos estrais irregulares. Lawrence *et al.* (1987b) reportaram valores plasmáticos normais de Mn em pôneis de 12 meses de 100 a 180μmol/L de soro.

A digestibilidade verdadeira do Mn da dieta é de aproximadamente 50% (Hudson *et al.*, 2001; ver Tabela 3.10). Foi demonstrado por Sobota *et al.* (2001) que uma concentração dietética total de Mn de 36mg/kg (usando um concentrado contendo 23 ou 131mg/kg e feno de capim-bermuda de 55mg/kg) é inadequada em TB e Quarto de Milha de 12 meses de idade para ganho máximo de peso, crescimento dos ossos longos e índices bioquímicos de formação óssea. A evidência de Hudson *et al.* (2001) indicou um requerimento de aproximadamente 50mg/kg de MS em eqüinos adultos.

Ferro

A maioria dos alimentos naturais, à exceção do leite, é uma fonte razoavelmente rica de ferro (Fe), mesmo quando a disponibilidade pode ser questionável, e as deficiências são improváveis a não ser que o eqüino esteja anêmico em razão do parasitismo intenso. O potro nasce com um estoque adequado de Fe hepático e a atividade de pastejo do potro é normalmente um suplemento adequado para o leite da égua, que contém quantidades escassas da maioria dos oligoelementos minerais, com a possível exceção do selênio (Se) em éguas suplementadas com este elemento. Os níveis de Fe no leite de éguas árabes estão demonstrados na Tabela 3.7.

Uma deficiência de Fe causa anemia, mas evidência de anemia pela deficiência de Fe na dieta é rara em eqüinos. Uma concentração dietética de 50mg/kg de MS deve ser adequada para potros em crescimento. Considera-se que somente o valor de 40mg/kg atinge os requerimentos de manutenção de adultos. A dieta basal usada por Lawrence *et al.* (1987b) continha 436mg de Fe/kg (típica de várias dietas naturais de ingredientes) e foi composta de feno de capim-bermuda, milho, soja, alfafa e minerais, incluindo um suplemento provendo 40mg de Fe/kg de dieta basal. A adição de 500 ou 1.000mg de Fe/kg, como citrato, não trouxe benefício.

A deficiência dietética verdadeira de Fe pode ser confundida com a pseudodeficiência. A anemia não é sinônimo de deficiência de Fe. A hemoglobina (Hb), que contém 67% dos estoques de Fe nos eqüinos, é sintetizada preferencialmente em relação às proteínas não hemoglobina que contêm Fe em animais com depleção. Por outro lado, o volume corpuscular (VC) e a Hb podem estar diminuídos pelo parasitismo. A perda de hemácias também ocorre durante o exercício de TB, quando há um pouco de hemólise dessas células, e 0,6% do Fe na dieta podem ser encontrados no suor (Inoue *et al.*, 2003). Nessa situação, a absorção aparentemente eficiente do Fe está aumentada, evitando a deficiência.

O estado do Fe é avaliado mais confiavelmente pela concentração de ferritina sérica. O Fe sérico total não é uma medida confiável do estado e pode declinar durante invasão microbiana, lesão tecidual, reações imunológicas e em qualquer processo inflamatório causando uma resposta de fase aguda, iniciada pela interleucina-1. Os valores normais de ferritina estão entre 100 e 200μg/L de soro. A deficiência pode ser presumida quando os valores caírem abaixo de 50μg/L e a sobrecarga de Fe pode existir quando os valores excederem 400 a 450μg/L.

Efeitos Adversos dos Suplementos de Ferro

Hematínicos contendo Fe são amplamente usados na indústria eqüina. Os suplementos de Fe dietético e o Fe injetável são usados na crença errônea de que o VC e a concentração de Hb podem ser regularmente elevados. O risco de toxicidade pelo Fe é real e as interações antagônicas com outros oligoelementos minerais podem ocorrer. Consumo elevado, mas natural, do ferro em bovinos pode causar deficiência de cobre. Uma deficiência induzida de cobre desse tipo parece ser menos provável em eqüinos, apesar da redução de cobre e manganês esplênico, associada com consumo de 1.400mg de Fe/kg da dieta, ter sido observada por Lawrence *et al.* (1987b). Esses pesquisadores também observaram redução do zinco sérico e hepático com consumo dietético de ferro de somente 890mg/kg. As interações desse tipo podem se originar da competição pela ligação com a transferrina intestinal e/ou outros mecanismos de transporte.

A maior parte do Fe é transportada no fígado e no baço, sem mecanismo para o controle do excesso, o qual pode causar hepatite e outras formas de lesão hepática. O nível tóxico depende de vários fatores, incluindo doença concomitante, lesão hepática prévia e estado de vitamina E e de selênio. O Fe está envolvido nas reações de redução-oxidação. Quando a atividade da glutationa peroxidase está deprimida, o estado da vitamina E é reduzido e existe uma sobrecarga de Fe, aumento da atividade da catalase com conseqüente lesão hepática, coagulopatia e mortalidade elevada. A sobrecarga de Fe no baço pode ser a causa de linfopenia freqüentemente observada em casos de neonatos.

978-85-7241-725-9

Os potros neonatos são particularmente suscetíveis a toxicidade iatrogênica pelo Fe. O Fe-ferroso (divalente) é mais solúvel do que o Fe-férrico (trivalente) e por isso o sulfato ou o fumarato ferroso são geralmente usados nos suplementos e têm maior probabilidade de causarem toxicidade. A ingestão de uma única grande dose de fumarato ferroso, logo após o nascimento, pode causar a morte dentro de cinco dias. A administração diária de tão pouco quanto 300mg de Fe na forma ferrosa já foi associada com sinais de toxicidade pelo Fe em TB adultos. Na intoxicação prolongada pelo Fe existe com freqüência:

- Disfunção hepática, expressa como letargia.
- Descoloração amarelada e hemorragias petequiais das membranas mucosas.
- Trombocitopenia e atividade sérica elevada da gama-glutamiltransferase (GGT) (EC 2.3.2.2) e fosfatase alcalina (FA).

Essas alterações enzimáticas são indicativas de hepatopatia colestática, com proliferação periportal dos dutos biliares, já que uma origem dessas enzimas é o epitélio biliar.

Flúor

O flúor (F) prontamente substitui o íon hidroxila e a hidroxiapatita dentária, criando um cristal mais estável de Ca, P e Mg. Não se difunde para o osso formado, mas é incorporado durante a sua formação. O F aumenta o número de osteoblastos por meio do aumento da proliferação da célula osteoprogenitora. Os riscos de excesso na dieta (fluorose) em eqüinos de pastejo provavelmente excede os riscos de deficiência, já que o F tem um estreito índice terapêutico. A contaminação excessiva dos pastos, especialmente por obras, promove amolecimento, espessamento e fraqueza dos ossos, por meio dos defeitos de mineralização, que provavelmente não são evitados pelo Ca e pela vitamina D. Uma redução no efluente industrial de vários países garantiu que somente alguns poucos casos ocorressem hoje em dia. Os eqüinos parecem excretar mais F em suas fezes do que os bovinos, mas as concentrações na dieta não devem exceder 50mg/kg. Uma deficiência mundial de fontes de P digestíveis levou a um aumento no uso de fosfatases de rocha; como algumas dessas são ricas em F, um exame minucioso de sua composição é essencial antes da compra e do uso.

Iodo

O iodo (I) é um elemento relativamente raro na crosta terrestre e não parece ser requerido por plantas mono ou dicotiledôneas, nas quais a concentração é baixa. No homem e nos animais, tanto a deficiência de iodo quanto a toxicose geralmente resultam em hipotireoidismo (toxicose pode causar o hipertireoidismo em alguns indivíduos). O bócio pode então ocorrer com a hiperplasia e a hipertrofia da glândula tireóide, induzido pela secreção elevada do hormônio tiróido-estimulador (TSH) originado na pituitária anterior na ausência de *feedback* de inibição. Isso não é necessariamente o resultado da toxicose por iodo na égua gestante (ver adiante).

Com relação à deficiência e à toxicidade pelo iodo, o feto é motivo de preocupação quando a égua está em risco ao longo da gestação e talvez mesmo logo após a fertilização. Quando as éguas recebem iodo insuficiente pela dieta, podem não demonstrar sinais externos, mas podem exibir ciclos estrais anormais e então produzem potros hipotireóideos. As concentrações de triiodotironina (T_3) e tiroxina (T_4) na égua são baixas, em geral abaixo de 1,3 e 19nmol/L (0,7 e 15µg/L), respectivamente (Tabela 3.11). A concentração de iodo do leite de éguas deficientes está abaixo de 20µg/L. Uma deficiência com os sinais anteriormente citados é demonstrada quando éguas pastam áreas com pastos nativos que são freqüentemente deficientes em iodo.

Sinais de Deficiência em Potros

Os sinais de deficiência em potros são aumento de tamanho das glândulas tireóideas, fraqueza, hipotermia persistente, doença respiratória e alta mortalidade neonatal. Existe uma suscetibilidade aumentada às doenças infecciosas e infecções respiratórias são freqüentes. Os níveis de T_4 no soro de potros serão menores, ao passo que as concentrações de T_3 podem ser normais. Os níveis plasmáticos de T_3 e T_4 não são geralmente muito úteis no

Tabela 3.11 – Intervalos normais de valores para as concentrações plasmáticas de triiodotironina (T_3) e tiroxina (T_4) em *Thoroughbred* (nmol/L)

	T_3	T_4
Éguas gestantes	0,6-2	3-56
Potros*	2-10	10-150
Adultos em treinamento	0,3-2	5-28

* Níveis de T_3 aumentam a um máximo com 48h de idade e depois declinam.

978-85-7241-725-9

978-85-7241-725-9

diagnóstico e sua correlação é ruim. Todavia, a concentração de T_4 fica deprimida no hipotireoidismo. De maior valor é a inspeção do alimento e a determinação das concentrações de iodo nas amostras de alimentos e no plasma.

Sinais de Toxicidade em Éguas e Potros

Em éguas que recebem 300 a 400mg de iodo por dia no alimento ocorrem infertilidade e abortamentos. Algumas éguas desenvolvem o hipertireoidismo, expresso pelas elevações na concentração plasmática tanto de T_3 quanto de T_4 e TSH plasmático suprimido, ou podem desenvolver hipotireoidismo, expresso por T_3 normal e T_4 reduzido, apesar de clinicamente parecerem eutireóideas. Ao nascimento, o potro é hipotireóideo, freqüentemente com bócio colóide, tamanhos variados de folículos tireóideos, contendo uma única camada de células cubóides baixas, existindo baixas concentrações de T_3 e T_4 circulantes. Interessante notar que a mucosa traqueal revela metaplasia escamosa, reminiscente de deficiência de vitamina A.

No homem, o excesso de iodo circulante induz ao que é chamado de bloqueio de Wolff-Chaikoff, que inibe o consumo de iodo, evitando a síntese de T_4 a partir dele. Em várias espécies isso é um fenômeno temporário, mas no eqüino o bloqueio pode depender do nível preciso de consumo de iodo, apesar de ser somente temporário na nossa experiência. No potro neonato, a toxicidade do iodo bloqueia a liberação de T_3 e T_4 pelos folículos, aparentemente interferindo com a proteólise colóide no ácino. Alguns patologistas dão peso à relação T_3:T_4, apesar de na experiência do autor, os dois hormônios serem correlacionados de maneira pobre em eqüinos sadios. As algas, como os sargaços, em geral contêm altas concentrações de iodo; alimentar as éguas gestantes com algas castanhas ressecadas, uma planta marinha, é com freqüência uma causa de iodismo em potros, com sinais clínicos similares àqueles de uma deficiência de iodo. Também existem casos em que potros que receberam suplementos excessivos de tireoproteínas desenvolveram despigmentação focal.

Se o consumo diário de iodo de uma égua gestante de 550kg estiver entre cerca de 40 e 400mg, o bócio pode aparecer em seu filhote. Na extremidade superior do intervalo de valores, a égua pode ter bócio. Consumo por parte da égua de 30 a 50mg de iodo diariamente pode causar somente o aumento de tamanho da tireóide em seu filhote, mas o potro pode ser eutireóideo e não apresentar outra anormalidade, ainda que potros bem peludos sejam vistos. Se o consumo diário exceder cerca de 100mg de I por qualquer período de tempo durante a gestação, é provável que o potro recém-nascido demonstre sinais adicionais de hipotireoidismo, expressos como fraqueza, letargia, alta mortalidade neonatal, pobre desenvolvimento muscular e, mais patentemente, displasia óssea dos ossos longos. As observações do autor indicam incluírem deformidade angular, contração de tendão e hiperextensão dos membros inferiores com pobre ossificação dos ossos do carpo e do tarso. Essa extensão faz com que os potros andem sobre seus talões com suas pinças elevadas do solo. O crescimento anormal dos ossos ocorre tanto na epífise quando na metáfise dos ossos longos. Esses ossos são finos e pequenos com espessamento cortical. Esse espessamento parece resultar de uma maior redução na osteoclasia do que da osteogênese. Observações de mandíbulas proeminentes (prognatismo mandibular) e boca de papagaio (braquignatia) já foram registradas (Fig. 3.3).

A razão dessas conseqüências é que o iodo está concentrado na placenta, que conduz quantidades excessivas ao feto, causando malformações congênitas e concentrações de

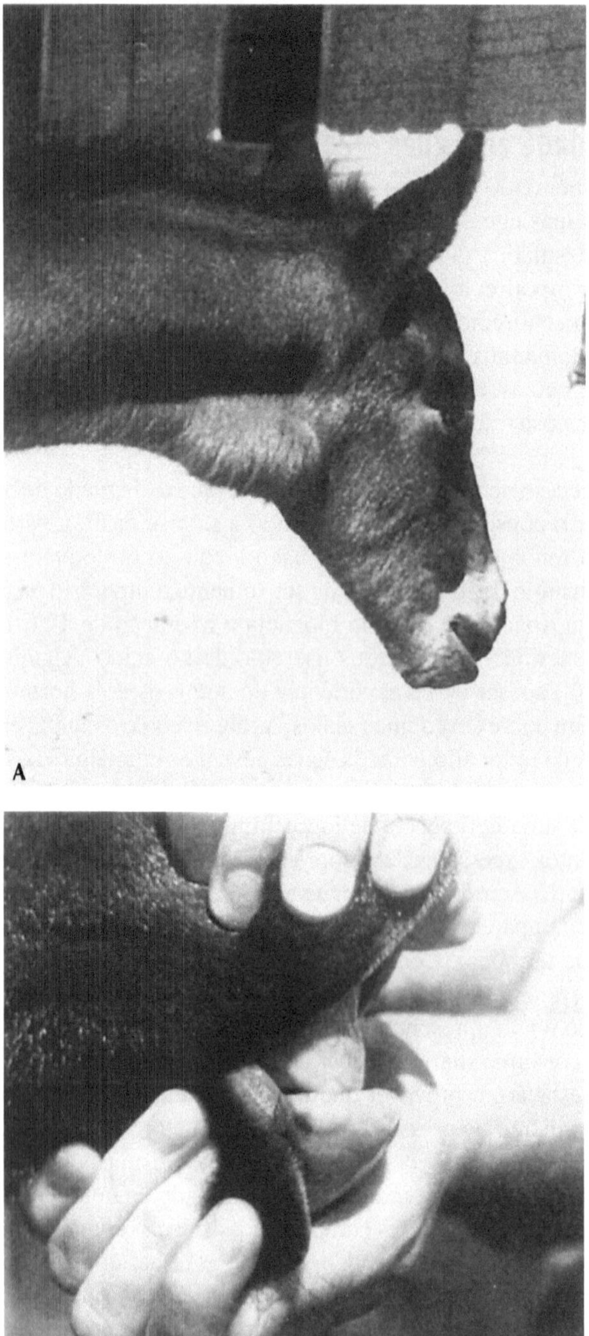

Figura 3.3 – Sinais de intoxicação por iodo ao nascimento de potros de éguas que receberam quantidades excessivas de iodo na dieta durante a gestação. Os principais sinais clínicos no estábulo são aumento de volume da tireóide e anormalidades ósseas nos potros neonatos. (*A*) Bócio em um potro oriundo de uma égua eutireóidea. (*B*) Mandíbula protraída (prognatismo) de um potro intoxicado. (*Continua*).

978-85-7241-725-9

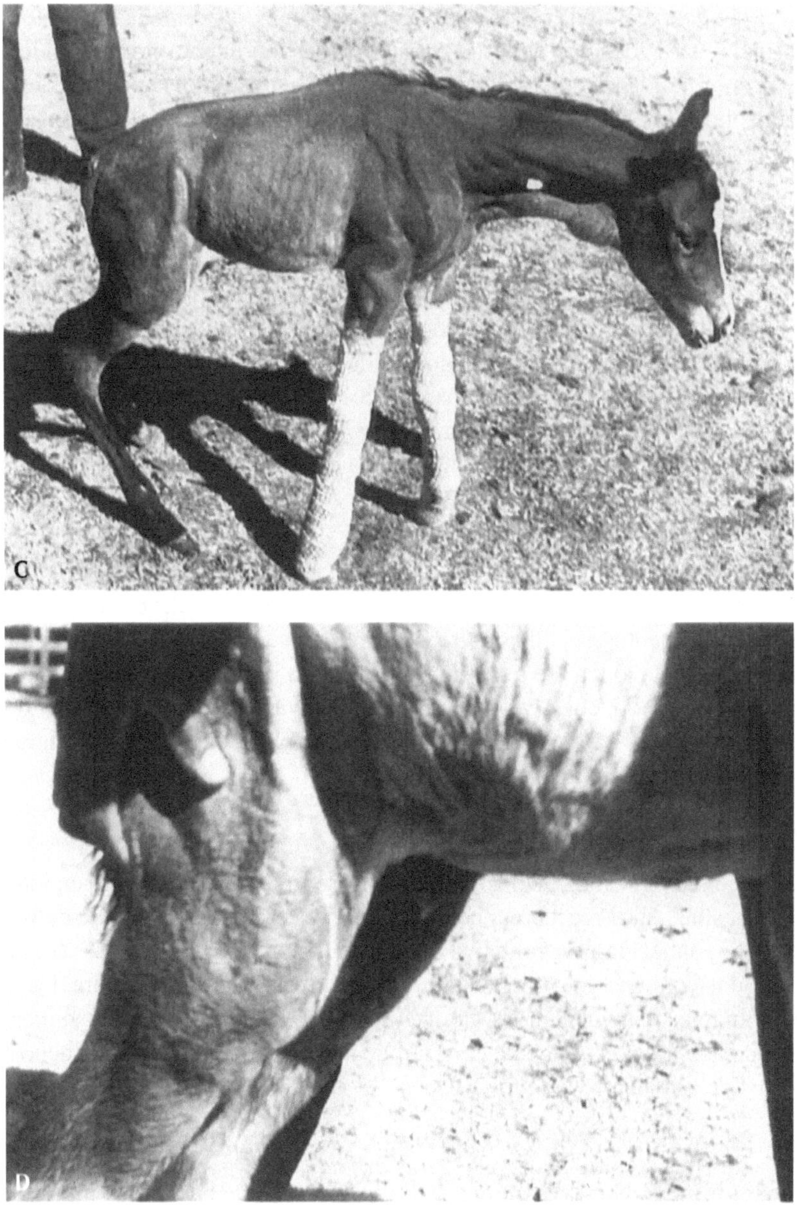

Figura 3.3 – (*Cont.*) (*C*) Fraqueza muscular e anormalidades dos ossos longos do potro intoxicado. (*D*) Aumento de volume da articulação do joelho no potro intoxicado.

978-85-7241-725-9

iodo no sangue fetal duas a três vezes maiores que as observadas no sangue da mãe (mas T_3 e T_4 podem estar reduzidas). O iodo está também concentrado na glândula mamária e é secretado no leite. Se a fonte excessiva de iodo fornecida às éguas gestantes for excluída da dieta bem antes do parto, o estado eutireóideo pode ser novamente imposto, resultando em potros normais. A involução da tireóide, aumentada de tamanho congenitamente em potros jovens em razão do excesso de iodo, pode ocorrer por meio da remoção da(s) fonte(s) de iodo. Isso inclui a remoção do leite da égua. O desenvolvimento normal pode ocorrer, desde que as anormalidades ósseas já não tenham se desenvolvido. O potro pode ter tamanho ligeiramente menor que o normal, pois o hipotireoidismo está associado com a reduzida síntese e liberação do hormônio de crescimento.

Bociógenos

O iodo é requerido por animais para a síntese dos hormônios T_4 e o mais potente T_3, sendo absorvido pelo intestino principalmente como iodetos. Alguns alimentos (grãos crus de soja, trevo-branco e repolho) contêm bociógenos (ver Cap. 5) que podem inibir o consumo do iodo livre por meio das proteínas colóides da tireóide, evitando sua incorporação à tirosina. Os tioglicosídeos, tiocianatos e percloratos podem ser bociógenos. Os efeitos dessas substâncias podem ser superados pelo aumento do consumo de iodo. Porém, os efeitos bociógenos das drogas contendo tiouracil, tiouréia e metimazol não podem ser superados dessa forma, pois interferem com a síntese de T_4 (ver *Interações de selênio e iodo*, adiante).

978-85-7241-725-9

Suplementos

As dietas suplementadas com valores entre 0,1 e 0,2mg de I/kg devem atingir de forma adequada os requerimentos de eqüinos. O iodo é preferencialmente adicionado como iodato de potássio ao invés de iodeto de potássio. A razão para isso é que os iodetos são prontamente oxidados para iodo, que é volátil e assim gradativamente perdido de pré-misturas e dietas; porém, os iodatos são mais tóxicos aos manipuladores na forma concentrada e devem ser manipulados com cuidado.

Tratamento do Hipotireoidismo

Potros jovens com diagnóstico de bócio não devem ser tratados com iodeto ou iodato, sais de primeira escolha. Após receberem colostro, devem ser afastados do leite de suas mães para uma fonte conhecida que contenha quantidades normais de iodo. Esses potros são primeiro tratados com tiroxina, enquanto outras análises são realizadas para determinar a causa do problema. A evidência do autor é que a tiroxina rapidamente aumenta o T_4 sangüíneo, ao passo que o tratamento com sais de iodo somente tem uma influência inicial marginal no T_4 plasmático.

Selênio

O selênio (Se) vem ganhando destaque desde a afirmação de que forma uma parte integral da molécula de glutationa peroxidase (GSH-Px) (EC 1.11.1.9). Essa enzima catalisa a desentoxicação do peróxido nos tecidos corpóreos durante o qual a glutationa (GSH) é oxidada. Está intimamente envolvido com a atividade do alfa-tocoferol (vitamina E), o qual protege os ácidos graxos poliinsaturados da peroxidação. O requerimento de alfa-tocoferol e Se está aumentado na presença de altos níveis de ácidos graxos poliinsaturados – óleo de fígado de bacalhau, óleo de linhaça e de milho – e, de fato, gramíneas de pastejo. Um possível caso de óleos de peixe está demonstrado no Capítulo 5, apesar de requererem maiores taxas de proteção pela vitamina E, em razão de uma maior chance de insaturação do que os óleos minerais.

As gorduras dos alimentos contêm níveis variados de ácidos graxos poliinsaturados; os óleos vegetais são geralmente fontes muito mais ricas desses ácidos do que as gorduras pesadas dos animais. Apesar do ácido linoléico (um ácido graxo n-6) ser talvez o ácido graxo poliinsaturado mais abundante nos óleos vegetais, alguns óleos, incluindo aqueles presentes nas gramíneas, são mais ricos em ácido alfa-linolênico (um ácido graxo n-3). Esse último é particularmente sensível à peroxidação nos tecidos e por isso pode apresentar maior probabilidade de causar problemas do que o ácido linoléico (porém, o ácido alfa-linolênico pode, por outro lado, ter benefícios; ver Cap. 5, *Suplementos de Gordura*). O tratamento álcali das forragens para aumentar sua digestibilidade tem atraído interesse. Porém, precisa ser considerado que tal tratamento destrói o alfa-tocoferol e o betacaroteno e, se não for fornecido suplemento apropriado, sinais de miopatia podem ocorrer em animais que consomem significativa quantidade de tal forrageira.

978-85-7241-725-9

Eqüinos requerem cerca de 0,15mg de Se disponível/kg de alimento para atingirem seu requerimento dietético em relação a esse suplemento, apesar da égua em reprodução poder necessitar até 0,25mg/kg de MS de dieta. A suplementação de Se é normalmente fornecida tanto como selenito de sódio como selenato de sódio e evidências em eqüinos (Podolf *et al.*, 1992) indicam que não existe diferença entre elas quanto à potência. Mensurações em animais de laboratório, porém, demonstram que as fontes de Se de plantas orgânicas são mais potentes do que as inorgânicas, apesar do selenato de bário e do selênio quelado por aminoácidos possuírem alta disponibilidade.

O Se em forrageiras e sementes ocorre como selenocistina, selenocisteína e selenometionina. As leveduras enriquecidas com Se são mais digeríveis do que o Se oriundo do selenito de sódio (Pagan *et al.*, 1999b). Em uma comparação das fontes de Se orgânicas e inorgânicas da dieta de 0,15 a 0,6mg/kg, Richardson *et al.* (2003) observaram que as fontes orgânicas tendem a elevar a concentração plasmática de Se, mas as fontes inorgânicas tendem a aumentar a atividade da GSH-Px das hemácias. Assim, parece existir uma diferença, não somente em digestibilidade, mas também no metabolismo. Uma explicação pode ser que a absorção do Se orgânico não é afetada por minerais presentes em forma inorgânica.

O exercício aumenta a perda urinária de Se a partir do selenito. Após a absorção, as hemácias do sangue apreendem o Se inorgânico e o retornam ao plasma durante o exercício em forma reduzida, o seleneto de hidrogênio. Parte dele, não ligada à proteína plasmática, é excretada pelos rins e parte é transportada para o fígado para formar parte do *pool* de selenoproteína. Por comparação, o Se orgânico é transportado no sangue ligado aos aminoácidos, com menor probabilidade de ser perdido pelos rins (Pagan *et al.*, 1999b).

Janicki *et al.* (2001) observaram que 3mg/dia de Se orgânico da levedura de selênio, comparados ao selenito de sódio, produziram maiores concentrações plasmáticas no colostro e no leite em éguas em reprodução e maiores concentrações séricas de Se, atividade de GSH-Px e título de anticorpos contra influenza, possivelmente associados com a maior proliferação de células B, em seus potros.

Deficiência

A deficiência de Se produz palidez, fraqueza muscular em potros e uma coloração amarelada dos depósitos de gordura. É sabido que essa forma de distrofia muscular em potros está relacionada ao nível subnormal de Se sangüíneo e a uma atividade reduzida da enzima GSH-Px. É essencial que as éguas gestantes recebam adequado Se em sua dieta, pois seu estado afeta seus potros e sua performance no parto, ao passo que seu leite fornece somente modestas quantidades de Se (Lee *et al.*, 1995). As éguas gestantes com deficiência (menos de 0,5µmol de Se/L de soro), recebendo pelo menos 500mg de vitamina E e 25mg de Se por meio de injeção intramuscular duas ou três semanas antes do parto, responderam com tempo de retenção placentária mais curto e um intervalo menor entre o parto e a monta eficiente (Ishii *et al.*, 2001). Apesar do Se sérico do potro ter aumentado com o tratamento de suas mães, ainda era deficiente.

Os valores séricos de Se podem cair para menos de 0,3µmol/L em potros e as quantidades reduzidas entre os TB no Reino Unido foram associadas com performance atlética ruim (Blackmore *et al.*, 1979, 1982). Somente em extremas deficiências, não normalmente observadas em animais adultos, existe lesão muscular suficiente para ser detectado o extravasamento extenso pela membrana de enzimas como aspartato aminotransferase (EC 2.6.1.1) e creatina cinase (EC 2.7.3.2). Porém, não foi demonstrada a redução por meio da suplementação de Se da peroxidação normal que ocorre nos músculos após o exercício. A deficiência de Se *in vitro* altera a função neutrofílica e assim pode deprimir a resistência a infecções.

O conteúdo de Se em pastagens, cereais e outras culturas depende do conteúdo de Se no solo em que crescem. Áreas de deficiência incluem a Nova Zelândia e concentrações baixas de solo ocorrem em partes da Escócia e estados do oeste e leste dos Estados Unidos (trigo escocês tem 0,028 e o trigo canadense tem 0,518µg de Se/g de MS; Barclay e MacPherson, 1992). As Grandes Planícies e os estados centrais do sul dos Estados Unidos apresentam regiões de altas concentrações de Se nas pastagens. Essas diferenças refletem-se na concentração sangüínea de Se, na atividade da GSH-Px e na performance. No oeste dos Estados Unidos, as concentrações do Se no sangue mostram uma correlação negativa à incidência de doenças reprodutivas em éguas (Basler e Holtan, 1981). Nesse estudo em particular, as concentrações sangüíneas oscilaram entre 1,2 e 3,1µmol/L e as concentrações na dieta variaram de 0,045 até 0,461mg/kg, isto é, de deficiência a um ligeiro excesso. O Se sangüíneo normal varia entre 0,8 e 2,8µmol/L em éguas adultas (de acordo com Blackmore e Brobst, 1981), possivelmente sugerindo que alguns animais "normais" podem ter a capacidade reprodutiva prejudicada em razão da inadequação de Se. Quantidades de Se no soro são intimamente correlacionadas ao Se do sangue total, de forma que os valores séricos no eqüino parecem, na presente evidência, ser uma boa e reprodutível mensuração do estado. Um aumento no Mn dietético de 38 para 50mg/kg aumenta a retenção de Se e o Se do sangue, de acordo com Spairs *et al.* (1977).

Toxicidade

O Se é altamente tóxico para animais e também pessoas lidando com o sal em formas altamente concentradas. A dose tóxica mínima de Se por meio de consumo contínuo é de 2 a 5mg/kg de alimento e a toxicidade aguda é causada em ovinos que recebem quantidades iguais a, ou maiores que, 0,4mg de Se/kg de PC em uma única dose.

Fora do Reino Unido existem áreas onde os solos podem conter em excesso 0,5mg de Se/kg e são encontradas quantidades de 5 a 40mg/kg de MS em certas plantas acumuladoras. As formas predominantes de Se nessas plantas são os compostos orgânicos solúveis metilselenocisteína e selenocistationina. As concentrações de até vários milhares de mg/kg já foram detectadas em espécies de ervilhaca leitosa (*Astragalus*). Várias espécies de *Xylorhiza* e *Oonopsis*, que crescem em áreas baixas de florestas tropicais, são também

978-85-7241-725-9

plantas indicadoras, contendo níveis relativamente altos de Se. A toxicidade é assim mais comum em regiões secas, mas os eqüinos selecionam as gramíneas ao invés dessas sementes tóxicas onde há o pastejo adequado, pois as plantas indicadoras não são palatáveis. Onde as gramíneas são escassas, os animais sofrem da "*alkali disease*", na qual o Se em excesso causa perda do pêlo na crina e na cauda, claudicação, lesões ósseas incluindo membros torcidos em potros e crescimento alongado dos cascos. A Figura 3.4 (comunicação pessoal de S. Ricketts) demonstra os sinais em eqüinos adultos intoxicados pelo Se. Os cascos doentes se apresentaram côncavos, indicados pela percussão, e os pêlos na crina e na cauda tornaram-se acinzentados, característica não observada previamente (ver Fig. 3.4, *A* a *C*). O tecido córneo do casco e os pêlos anormais continham concentrações muito maiores de Se do que o material sadio dos mesmos pontos.

A intoxicação envolve um aumento uniforme no acúmulo de Se tecidual por meses até um platô em que a excreção na urina e nas fezes se mantém regular de acordo com o consumo. Os valores de saturação de fígado, rim, pêlos e cascos são de aproximadamente

978-85-7241-725-9

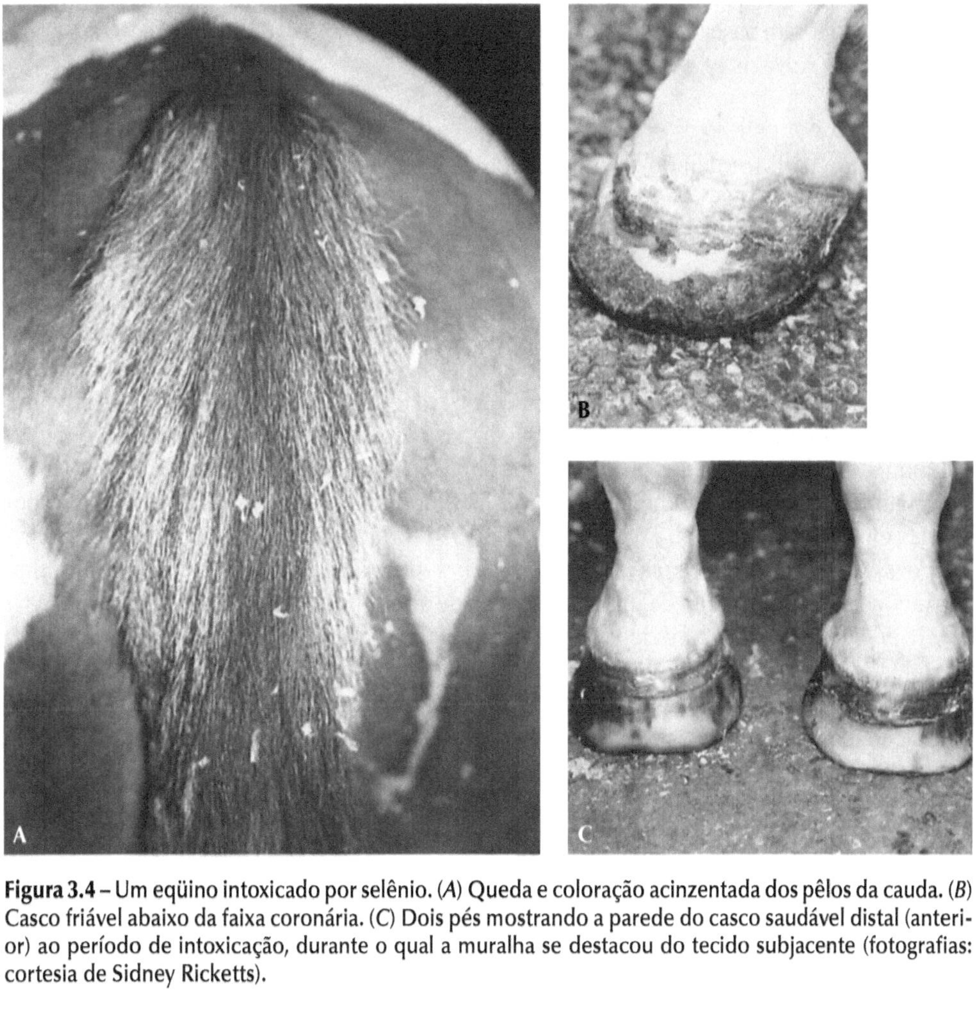

Figura 3.4 – Um eqüino intoxicado por selênio. (*A*) Queda e coloração acinzentada dos pêlos da cauda. (*B*) Casco friável abaixo da faixa coronária. (*C*) Dois pés mostrando a parede do casco saudável distal (anterior) ao período de intoxicação, durante o qual a muralha se destacou do tecido subjacente (fotografias: cortesia de Sidney Ricketts).

20 a 30mg/kg de MS, para o que o Se, substituindo o enxofre, é incorporado nas proteínas teciduais como selenocistina e selenometionina. As doses de Se recebidas por eqüinos intoxicados são normalmente impossíveis de serem estimadas de forma precisa a partir de evidências de campo em razão de uma perda de apetite. Não existe remédio simples para essa intoxicação, além da remoção dos animais da região caso a destruição das plantas acumuladoras de selênio seja impraticável.

Interações de Selênio e Iodo

O selênio atua não somente como um componente da glutationa peroxidase (GSH-Px; EC 1.11.1.9), mas também como parte da enzima 1,5'-iodotironina desiodase (EC 3.8.1.4) requerida para a conversão de T_4 em T_3. Como T_3 é o hormônio mais potente, diz-se que a deficiência de Se está associada com o cretinismo humano no nordeste do Zaire. Lá parece não haver registros de bócio em potros com deficiência de Se, de forma que o requerimento de Se no eqüino para o funcionamento dessa desiodase pode ser menor que o necessário para a função normal da GSH-Px.

As recomendações dietéticas do NRC (1989) para Cu, Zn, Fe, Mn, Co, I e Se na gestação e lactação foram baseadas na ausência de resposta entre potros à suplementação adicional de suas mães (Kavazis *et al.*, 2002).

Cromo

Nos anos de 1950, foi demonstrado por Schwartz e Mertz que a tolerância prejudicada de glicose em ratos poderia ser causada por uma deficiência do fator de tolerância à glicose, sendo os constituintes ativos o cromo (Cr) trivalente, niacina, glicina, ácido glutâmico e cisteína.

Desse modo, o cromo é essencial para o metabolismo normal dos carboidratos como um potencializador da ação da insulina e assim é encontrado em tecidos sensíveis à insulina, onde estimula o *clearance* da glicose. Quando fornecido como suplemento inorgânico, o Cr trivalente (III) em doses de 300 a 500μg de Cr/kg de dieta acelera o *clearance* de glicose, apesar de nenhuma melhora ter ocorrido em éguas idosas quando um suplemento de Cr-L-metionina (0,01mg e 0,02mg/kg de PC diariamente) foi fornecido (Ralston *et al.*, 1999). Em algumas espécies, aparentemente, o Cr melhora o índice de imunidade mediado por células e o humoral. Porém, Dimock *et al.* (1999) foram incapazes de demonstrar quaisquer dessas melhoras em éguas idosas, nas quais a imunocompetência encontrava-se ruim, por meio da suplementação de um concentrado de alfafa/milho com Cr-L-metionina. O Cr trivalente é relativamente atóxico, ao passo que o Cr hexavalente, presente em cromatos e dicromatos e atuando como pró-oxidante, é oralmente 10 a 100 vezes mais tóxico. Os ratos não mostram efeitos adversos com 100mg de CrIII/kg de dieta. O consumo diário seguro recomendado de CrIII para seres humanos varia de 50 a 200μg.

O Cr orgânico na forma de fator de tolerância completa à glicose, como encontrado na levedura de cerveja, pode ser mais potente do que o Cr inorgânico. Pão de cevada tem sido tradicionalmente fornecido a indivíduos sofrendo de *diabetes mellitus* no Iraque. Parece que a cevada é uma fonte mais rica de Cr do que o trigo, com amostras tipicamente contendo mais de 6mg de Cr/kg. Algumas leveduras são fontes muito ricas de Cr orgânico; eqüinos recebendo 5mg de Cr, como leveduras, em uma dieta basal natural provendo 12mg de Cr/dia, demonstraram diminuição nas respostas de glicose e de insulina. Durante o exercício, uma resposta plasmática menor de cortisol e concentrações plasmáticas aumentadas de TAG foram observadas com o elevado Cr das leveduras. Como a insulina inibe a atividade da lípase intracelular hormônio-sensível nos adipócitos, a menor resposta da insulina provavelmente fez com que mais ácidos graxos não esterificados (AGNE) fossem mobilizados para oxidação e retorno ao fígado. Lá, os AGNE devem ser novamente esterificados, entrando na circulação como TAG, contido nas lipoproteínas de muito baixa densidade. Ott e Kivipelto (1990) forneceram a eqüinos de 12 meses feno de capim-bermuda (*Cynodon dactylon*) suplementado com um concentrado provendo tripicolinato de cromo em doses de 0, 105, 210 e 420µg de Cr/kg total da dieta. A tolerância a uma injeção intravenosa de glicose foi melhorada pela maior suplementação de Cr. O Cr parece ter reduzido a resistência à insulina, reduzido o estresse e facilitado o metabolismo energético em todos esses eqüinos. Todavia, dúvidas surgiram sobre a segurança das fontes de picolinato na nutrição humana.

Níquel

O níquel (Ni) é tanto essencial quanto tóxico para o funcionamento dos microrganismos ruminais e assim a concentração na dieta pode ser crucial para eqüinos. Em seres humanos sujeitos à toxicidade por Ni, CrVI e Fe, isso está mais restrito à poluição das indústrias de metais.

Silício e Ligantes

978-85-7241-725-9

Apesar de o silício (Si) ser o segundo elemento mais abundante na crosta terrestre, sua absorção pode ser influenciada pelo Mo e alumínio (Al) na dieta e sua retenção por animais é suficientemente baixa para que seja classificado como um oligoelemento mineral (a melhor fonte biodisponível de Si na nutrição humana é a cerveja) (Jugdaohsingh *et al.*, 2002). O Si do tecido conjuntivo é encontrado nos osteoblastos. É um componente dos glicosaminoglicanos de animais e seus complexos protéicos, de forma que aparenta ser essencial para a formação da matriz óssea. Parece ter uma função estrutural, atuando como elemento de ligação cruzada nas cadeias de polissacarídeos dos proteoglicanos ligados ao colágeno (proteína) da cartilagem. A síntese de colágeno também requer o Si para a atividade ótima da prolina hidroxilase (EC.1.14.11.2). O Si é provavelmente também requerido para a mineralização óssea, pois as deficiências em outras espécies incluem anormalidades no crânio e ossos dos membros. Independentemente das anormalidades induzidas pela vitamina D, os ossos longos têm uma circunferência menor, córtex mais fino e reduzida flexibilidade resultante da deficiência de Si.

Lan *et al.* (2001) suplementaram éguas para reprodução dando cria com 220g/dia de Si, fornecidos como zeólito de sódio (aluminossilicato hidratado que se quebra em ácido monossilícico e alumínio no intestino). Com dois meses após o parto, aumentos na concentração de Si foram encontrados no plasma sangüíneo das éguas e no leite e no plasma dos potros. O Si também demonstrou uma tendência a aumentar a osteocalcina sérica das éguas (uma proteína não colágena sintetizada pelos osteoblastos e usada como indicador da formação óssea). A suplementação dos potros Quarto de Milha em crescimento de 6 a 18 meses de idade com zeólito de sódio em uma taxa de 18,6g/kg de dieta total (Nielsen *et al.*, 1993) aumentou a subseqüente concentração plasmática e a velocidade de Si. Também estendeu o tempo de trabalho antes da lesão de membros, reduzindo sua freqüência e atrasando a remoção do animal do treinamento.

O período crítico parece ser de até um ano de idade em eqüinos Quarto de Milha, pois a suplementação iniciada no estágio de 12 meses de crescimento não teve efeitos fisiológicos relevantes na performance de corridas aos 18 meses de idade. Os sais de Al podem também proteger contra a absorção de metais tóxicos. Se isso é um fator na observação de Nielsen *et al.* (1993) não se sabe. Porém, Al e Mo podem inibir o acúmulo tecidual de Si e inibir a formação óssea por meio de redução da atividade osteoblástica, mineralização osteóide e formação da matriz. Ainda não se sabe se o componente Al tem um papel útil por meio da precipitação do fósforo em excesso no intestino, ou se a toxicidade do Al é simplesmente exercida pela inibição do uso de Si. Deve ser questionado se um silicato de Al é o veículo mais apropriado para prover o Si.

Os zeólitos são capazes de trocar cátions constituintes sem alteração principal da estrutura. A inclusão do zeólito em uma dieta de suínos em reprodução que também continha zearalenona melhorou a performance reprodutiva (Papaioannou *et al.*, 2002). É sabido que o zeólito aumentará a excreção fecal do zearalenona e de aflatoxina B.

Frape *et al.* (1981, 1982) demonstraram que um componente da parede celular do grão de trigo (o extrato de fibra detergente-ácida modificada [DAM]) se liga à aflatoxina B_1 e aumenta bastante sua excreção fecal. MTB-100® (Alltech, Inc., Nicholasville, Kentucky, 40356, Estados Unidos), um glucomanan esterificado da parede celular da levedura, se liga a aflatoxina, desoxinivalenol, fumonisina, toxina T-2, ocratoxina e zearalenona (Anon, 2001) e os ligantes de argila se ligam à aflatoxina. É possível que uma parte da resposta aos zeólitos possa ser explicada pela sua capacidade de se ligar às toxinas intestinais.

978-85-7241-725-9

Boro, Gálio e Vanádio

Nenhuma informação relativa a eqüinos está disponível sobre os elementos boro, gálio e vanádio.

QUESTÕES PARA ESTUDO

1. O uso e a função do cálcio são agora bem compreendidos. Quais fatores afetam a suficiência do cálcio e seu uso e por que está associado com um problema contínuo em eqüinos?
2. A maioria dos alimentos contém potássio adequado e as fontes dietéticas são geralmente bem usadas. Por que o potássio é motivo de preocupação sob quaisquer pontos de vistas nutricionais e fisiológicos?
3. Se os animais ao desmame têm problemas com (a) estado mineral ou (b) estado de oligoelementos minerais, como se posicionar para resolver o problema?

LEITURA COMPLEMENTAR

Cymbaluk, N. F., Christison, G. I. and Leach, D. H. (1989) Nutrient utilization by limit- and *ad libitum*-fed growing horses. *Journal of Animal Science,* **67**, 414-25.

Suttle, N. F., Gunn, R. G., Allen, W. M., Linklater, K. A. and Wiener, G. (eds) (1983) Trace elements in animal production and veterinary practice. *Proceedings of the Symposium of the British Society of Animal Production and British Veterinary Association.* BSAP Occasional Publ. No. 7, Edinburgh.

Underwood, E. J. (1977) *Trace Elements in Human and Animal Nutrition,* 4th edn. Academic Press, New York and London.

Williams, N. R., Rajput-Williams, J., West, J. A., Nigdikar, S. V., Foote, J. W., Howard, A. N. (1995) Plasma, granulocyte and mononuclear cell copper and zinc in patients with diabetes mellitus. *Analyst,* **120**, 887-90.

CAPÍTULO 4

Requerimentos de Vitaminas e Água

A bebida de todas as criaturas brutas sendo nada além da água, é por isso a mais simples... pois é o veículo apropriado de todos os alimentos e o que dilata o sangue e outros sucos, os quais sem quantidade suficiente de líquido cresceriam logo espessos e viscosos.

W. Gibson (1726)

REQUERIMENTOS DE VITAMINAS

As vitaminas são nutrientes que os eqüinos requerem em quantidades muito pequenas, apesar das necessidades reais de cada uma diferirem consideravelmente. Por exemplo, o requerimento dietético de niacina ou alfa-tocoferol (vitamina E) pode ser de pelo menos 1.000 vezes o peso do requerido para vitamina D ou vitamina B_{12}. Porém, as mensurações dos requerimentos vitamínicos falham em precisão; existem poucas evidências diretas dos requerimentos para quaisquer vitaminas no eqüino e as asserções são amplamente baseadas nas mensurações em outros animais domésticos.

978-85-7241-725-9

Como os outros animais, os eqüinos requerem vitaminas para as funções corpóreas normais. Esses requerimentos serão atingidos por meio das vitaminas naturalmente presentes no alimento, fontes suplementares, síntese tecidual e, no caso da vitamina K e vitaminas hidrossolúveis, quantidades adicionais supridas da síntese microbiana no trato intestinal. Os requerimentos teciduais são dificultados pela síntese de ácido ascórbico por açúcares simples nos tecidos do eqüino, pela produção de vitamina D na pele como reação aos raios ultravioletas, pela síntese tecidual de niacina a partir do aminoácido triptofano e pela substituição parcial de uma necessidade de colina por metionina e outras fontes de grupos metil.

Os requerimentos na dieta para vitaminas específicas são por isso afetados por circunstâncias; por exemplo, onde os eqüinos são mantidos fechados ou em latitudes bem ao norte, ou de fato possuem peles altamente pigmentadas e coberturas espessas de pêlos, seus requerimentos dietéticos de vitamina D serão maiores. Potros jovens possuem um intestino grosso pobremente desenvolvido, de forma que uma pequena dependência em relação a ele para a síntese de vitamina B ou vitamina K pode ser presumida. Potros crescem rápido e, como com outros animais domésticos, deve-se presumir que seus requerimentos teciduais excedam os de adultos, assim suas necessidades dietéticas são muito maiores. As demandas teciduais também são maiores para as éguas lactantes do que para as éguas vazias, mas como as primeiras têm maior probabilidade de comerem mais, isso tende a diminuir a diferença por unidade de alimento.

Eqüinos adultos são capazes de extrair reservas bem maiores de algumas vitaminas para compensar os períodos de privação. Por exemplo, uma boa estação de pastejo de gramíneas de alta qualidade pode satisfazer o requerimento de vitamina A das éguas por cerca de dois meses do inverno seguinte. Em algumas situações, porém, as éguas mais velhas ou outros eqüinos têm uma capacidade reduzida de assimilar nutrientes, particularmente as vitaminas lipossolúveis,

Tabela 4.1 – Concentrações adequadas de vitaminas disponíveis* por quilograma de dieta total (presumindo-se 88% de matéria seca).

	Eqüino adulto		Éguas: últimos 90 dias de gestação Garanhões	Éguas lactantes	Potros desmamados	Com 12 meses de idade
	Manutenção	*Trabalho intenso*				
Vitamina A (UI)	1.600	1.600	3.500	3.000	3.000	2.500
Vitamina D (UI)	500	500	700	600	800	700
Vitamina E (mg)	50	80	60	60	70	60
Tiamina (mg)	3	4	3	4	4	3
Riboflavina (mg)	2,5	3,5	3	3,5	3,5	3
Piridoxina (mg)	4	6	5	6	6	5
Ácido pantotênico (mg)	5	10	5	8	10	5
Biotina (µg)	200	200	200	200	200	200
Ácido fólico (mg)	0,5	1,5	1	1	1,5	0,5
Vitamina B_{12} (µg)	0	5	0	0	15	0

* Não existe evidência de um requerimento dietético para vitamina K, niacina ou ácido ascórbico em eqüinos sadios.
UI = unidade internacional.

durante um declínio da eficiência digestiva com a idade e possivelmente durante uma lesão debilitante por parasitas intestinais. Existe também alguma evidência de que a fertilidade de éguas idosas inférteis é beneficiada por doses de vitamina A maiores do que as normais. Outro papel do betacaroteno, além de precursor da vitamina A, é duvidoso no eqüino, e de fato nada é diretamente conhecido das funções possíveis de centenas de outros carotenóides no metabolismo eqüino, embora possa-se suspeitar de algumas.

Interferências delineadas em outros animais domésticos não podem ser usadas na estimativa do efeito de exercícios extenuantes sobre as necessidades vitamínicas. Já foi afirmado, com alguma justificativa, que os requerimentos dietéticos para certas vitaminas B envolvidas no metabolismo energético estão aumentados para animais em trabalho pesado, tanto

978-85-7241-725-9

Quadro 4.1 – Sinais de deficiência avançada de vitaminas no eqüino e no pônei. O estado deve sempre ser mantido bem acima daquele que leva a estes sinais para prover benefícios positivos

- Vitamina A: anorexia, crescimento ruim, cegueira noturna, ceratinização da pele e da córnea, suscetibilidade aumentada a infecções respiratórias, infertilidade, especialmente em éguas mais velhas, claudicação.
- Vitamina D: calcificação óssea reduzida, andadura rígida e anormal, dor dorsal, articulações aumentadas de tamanho, redução no cálcio e no fósforo séricos.
- Vitamina E: áreas pálidas dos músculos esqueléticos e miocárdio, fragilidade das hemácias, reduzida atividade fagocítica.
- Vitamina K: tempo estendido de coagulação sangüínea (tempo de protrombina), mas a deficiência dessa vitamina é raramente vista, a não ser que seja induzida por drogas. A vitamina K é também requerida para a função da osteocalcina e a saúde óssea.
- Tiamina: anorexia, incoordenação, coração dilatado e hipertrofiado, baixa tiamina sangüínea e elevado piruvato sangüíneo.
- Ácido fólico: crescimento ruim, reduzido folato sangüíneo.
- Biotina: deterioração da qualidade do tecido córneo do casco, expressa pelo formato de disco das paredes que ficam côncavas em suas extremidades inferiores, de forma que os cravos não se fixam.

no total quanto por unidade de alimento. Essa conclusão é reforçada por um freqüente declínio no apetite durante o trabalho pesado extra. Os requerimentos nutricionais da atividade física não devem, porém, ser confundidos com respostas farmacológicas. Por exemplo, a tiamina administrada via parenteral em doses únicas de 1.000 a 2.000mg é considerada como tendo efeito sedativo acentuado em eqüinos de corrida nervosos.

As tolerâncias dietéticas recomendadas para as vitaminas estão nas Tabelas 4.1 e 6.21 (Cap. 6) e um resumo dos sinais de deficiência é fornecido no Quadro 4.1.

Vitaminas Lipossolúveis

Vitamina A (Retinol)

Os eqüinos de pastejo obtêm sua vitamina A dos pigmentos carotenóides presentes nas pastagens. O principal desses é o betacaroteno e os pastos frondosos frescos contêm o equivalente a 100.000 a 200.000UI (unidade internacional) de vitamina A/kg de matéria seca (MS) para a maioria dos animais domésticos [1UI igual a 0,3µg de retinol (álcool de vitamina A)]. O eqüino, porém, parece ser relativamente ineficiente na conversão do betacaroteno em vitamina A e estima-se que o caroteno de gramíneas ou alfafas de boa qualidade possua um quarto do valor, peso a peso, de retinol (vitamina A). Apesar do pasto fresco normalmente prover o requerimento em excesso, o feno usado para a alimentação dos eqüinos no Reino Unido provê pouca quantidade de caroteno e particularmente onde tenha mais de seis meses de idade deve ser considerado como se não contribuísse em nada, a não ser que esteja visivelmente verde. Greiwe-Crandell *et al.* (1995) observaram que as reservas em eqüinos privados do pasto sofreram depleção em cerca de dois meses.

978-85-7241-725-9

Vários sinais da deficiência de vitamina A já foram registrados, pois possui várias funções importantes, dentre as quais a integridade do tecido epitelial, o desenvolvimento ósseo normal e a visão noturna. Um dos sinais mais precoces da deficiência inclui lacrimejamento excessivo (produção de lágrimas); uma deficiência prolongada pode causar a função endometrial prejudicada na égua. K. M. Greiwe-Crandell (comunicação pessoal) observou freqüências aumentadas de placenta retida ao parto e menor peso ao nascimento, menor velocidade de crescimento e contratura de tendões em potros após a depleção de vitamina A da mãe.

A Figura 4.1 indica que esses sinais clínicos de deficiência ocorrem sob condições razoavelmente extremas de privação. Como vários eqüinos ficam em estábulos a maior parte do tempo, período em que consomem pouca ou nenhuma pastagem, a possibilidade desse estado de privação existe. Porém, poucos casos de deficiência evidente de vitamina A são identificados entre eqüinos em estábulos nos países do ocidente, pois a maioria rotineiramente recebe fontes sintéticas suplementares. Existe evidência de respostas em várias espécies animais perante as taxas de consumo acima do nível mínimo de requerimento (ver Fig. 4.1) sob o estresse de certas doenças crônicas transmissíveis. Algumas formas de infertilidade, particularmente em éguas mais velhas, podem responder à terapia com vitamina A e já foram detectadas respostas entre *Thoroughbred* (TB) em treinamento sofrendo de estiramento tendíneo e claudicação (Abrams, 1979).

Mensuração do Estado da Vitamina A a Partir de Valores Sangüíneos

O retinol plasmático sangüíneo tem uma concentração relativamente baixa em eqüinos. Butler e Blackmore (1982) forneceram um intervalo de valores de 60 a 300µg/L para TB

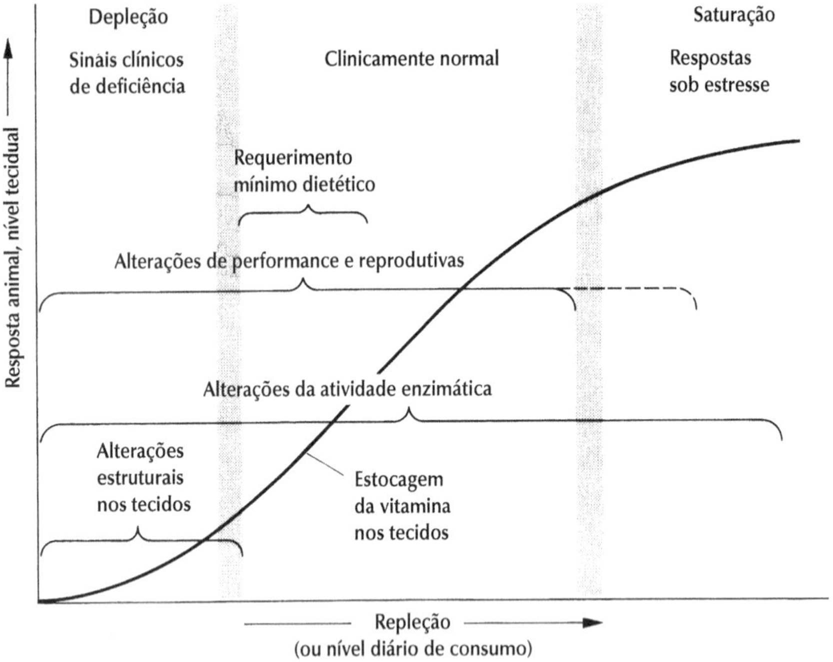

Figura 4.1 – Relação geral da resposta animal ao nível de consumo vitamínico.

978-85-7241-725-9

em treinamento no Reino Unido. Esses valores são compatíveis com os fornecidos por outros países, mas uma deficiência dietética marginal causa poucas alterações neles. O retinol plasmático é mantido por reservas hepáticas e assim varia somente em pequena extensão com o consumo. O estado da vitamina A pode ser avaliado por meio da resposta à dose relativa (RDR). Para o eqüino, isso é determinado no sangue jugular como:

$$100\ (A_4 - A_0)/A_4 = RDR\%$$

Nessa equação, A_4 é a concentração de retinol no plasma 4h após a alimentação com 10.000UI de vitamina A, e A_0 é a concentração de retinol plasmático no jejum (Jarrett e Schurg, 1987). Uma deficiência é indicada quando RDR% for maior que 20%.

A resposta em 4h, mensurada como vitamina A total, provavelmente representa uma combinação do éster retinil, no processo de absorção, mais a liberação subseqüente do retinol do fígado. Porém, o objetivo do estudo foi mensurar a liberação hepática do retinol, que atinge picos em 12 a 15h após a dosagem do éster. Assim, um teste de RDR mais sensível é obtido por meio da mensuração somente do retinol plasmático, pela cromatografia líquida de alta performance (CLAP), em 0h e por volta de 14 a 15h após a dosagem. O procedimento revisado emprega uma dose oral de 123,5mg de palmitato de retinil (224.152UI) (Greiwe-Crandell *et al.*, 1995):

$$100\ (A_{14} - A_0)/A_{14} = RDR\%.$$

Por esse teste, uma deficiência provavelmente ocorre quando RDR% excede 10 a 12%.

Requerimento

O National Research Council (NRC) (1989) recomenda 9 a 18µg/kg de peso corpóreo (PC) de retinol por dia. Isso equivale a 15.000UI diariamente para um eqüino de 500kg (ou 1.500UI/kg de alimento total). A maioria dos alimentos comerciais é suplementada com pelo menos 10.000UI/kg, fornecendo assim muito mais em uma base diária, em que um acréscimo de, digamos, 4 a 7kg é fornecido. Donoghue *et al.* (1981), porém, reportaram que o ótimo consumo de vitamina A para a taxa normal de crescimento de potros foi de 17µg/kg de PC diariamente, para a adequada secreção hepática de constituintes séricos foi de 65µg/kg de PC e para hematopoese normal foi de 120µg/kg de PC. Como 120µg/kg equivalem a 15.000UI/kg de alimento, o consumo ótimo não é claramente bem estabelecido. Mais ainda, a presença de infecções respiratórias pode aumentar o requerimento, pois essas infecções são freqüentemente associadas com uma redução da concentração plasmática de vitamina A. Uma dose de 120µg/kg de PC diariamente equivale a 150.000 a 200.000UI diárias para um eqüino, esperando-se reações tóxicas em uma velocidade de consumo cinco ou mais vezes maior que essa.

978-85-7241-725-9

A vitamina A pré-formada e o betacaroteno, como todas as outras vitaminas lipossolúveis, são instáveis, sendo sujeitos à oxidação, de forma que o alimento natural gradativamente perde sua potência. As formas sintéticas de vitamina A são estabilizadas e, quando não diluídas e estocadas em condições razoáveis, retêm mais que três quartos de sua potência por vários anos. A porção concentrada grão/proteína da dieta suplementada com uma extensão de 10.000UI de vitamina A/kg (3mg de retinol/kg) deve permitir que todas as demandas previsíveis de vitamina A sejam atingidas (com a possível exceção da hematopoese em potros, conforme indicado anteriormente). Na prática, as deficiências podem se originar da falha na suplementação alimentar ou da provisão de alimentos velhos mal estocados.

A deficiência de vitamina A pode também ser induzida em rebanhos por outras anormalidades da dieta. Evidências em várias espécies de pastejo indicam que os sinais da deficiência possam se originar no rebanho mantido com forrageiras ruins em caroteno, as quais, como muito do feno de eqüinos, contêm menos que 7% da proteína bruta e são deficientes em zinco. Evidências comprovadas de tais interações em eqüídeos não estão disponíveis, mas provavelmente explicam as observações de Jeremias (14:6): "os asnos selvagens ficam nas alturas descobertas, ofegantes como chacais; seus olhos falham porque não existe pastagem". Assim, o rebanho sob condições de pasto devem também receber adequado suplemento protéico e de macrominerais.

Betacaroteno

O pigmento betacaroteno das plantas é o precursor do retinol (vitamina A); porém, o pigmento parecer funcionar no corpo animal independentemente de sua função precursora. Existe evidência de que as vacas privadas de betacaroteno respondem à sua suplementação por meio de uma melhora na fertilidade. Pode simplesmente funcionar como um antioxidante intracelular; para ratos estressados com consumo elevado de óleo de milho, o consumo de betacaroteno diminuiu a atividade da superóxido dismutase. Porém, o corpo lúteo acumula betacaroteno e foi demonstrado que 1g/égua diariamente estimula a atividade ovariana nas fases folicular e do corpo lúteo e aumenta o progesterona circulante durante o diestro. Diz-se que as éguas tratadas exibem estro melhorado, taxa de gestação aumentada e reduzidas doenças de ciclagem. Esse tratamento de éguas de reprodução em estábulos tem, em alguns estudos, levado a concentrações de betacaroteno sangüíneo similares às encontradas em éguas de pasto. Porém, diz-se que as éguas inférteis problemáticas acumulam menores quantidades no sangue. Afirma-se que a diarréia do "cio do potro" dos potros é reduzida pelas concentrações sangüíneas elevadas de betacaroteno em suas mães.

Um estudo de Edimburgo (Watson *et al.*, 1996), por outro lado, indicou que o betacaroteno sintético hidrossolúvel não é absorvido pelo eqüino, pois nenhum aumento no betacaroteno plasmático ocorreu com suplementos dietéticos tanto de 1,8 quanto de 10mg/kg de PC *per os* diariamente. Mais ainda, nenhuma alteração na atividade cíclica ovariana, ou na concentração plasmática de progesterona, foi produzida nesse estudo e menores taxas de gestação e parto, comparadas ao palmitato de retinil, foram observadas em outro estudo (K. M. Greiwe-Crandell, comunicação pessoal). As leguminosas do pasto são particularmente fontes ricas de betacaroteno e essas fontes naturais são absorvidas por eqüinos, apesar da resposta eqüina ser relativamente baixa. Pastos mistos de capim-trevo contêm pelo menos 400mg de betacaroteno/kg de MS durante a estação de crescimento, provendo várias vezes o equivalente ao requerimento de vitamina A. Fonnesbeck e Symons (1967) registraram concentrações plasmáticas de 70µg/L de betacaroteno a partir do consumo diário de 650mg do betacaroteno da alfafa em comparação com os 40µg/L de betacaroteno a partir de 170mg de betacaroteno derivado do capim-festuca (ver Cap. 5).

As éguas em reprodução privadas de pasto durante o inverno podem se tornar deficientes nas vitaminas lipossolúveis A, D e E, pois feno de capim, ou silagem, geralmente não é uma fonte adequada dessas vitaminas. As concentrações sangüíneas tendem a ser menores ao final do inverno (Mäenpää *et al.*, 1988a); além do mais, as éguas podem ser privadas da vitamina A dois meses após sua remoção do pasto, ou na metade do inverno no caso das éguas de pastejo (Greiwe-Crandell *et al.*, 1995).

Vitaminas D_2 (Ergocalciferol) e D_3 (Colecalciferol)

Função

A ocorrência disseminada de anormalidades ósseas em eqüinos e os erros de interpretação em relação aos valores de Ca e fosfato no sangue justificam um breve resumo do funcionamento da vitamina D, a qual tem sido elegantemente esclarecida. A vitamina D é requerida para a manutenção da homeostase de Ca e fosfato, cujo dano produz as lesões no osso chamadas de raquitismo ou osteomalacia e os riscos de claudicação e fraturas ósseas.

Metabolismo

Está claro nos últimos anos que um entendimento mais completo da função da vitamina D e da economia do cálcio de um eqüino requer uma avaliação da forma ativa do paratormônio (PTH), secretado pela glândula paratireóide no pescoço. Testes padrões usam um anticorpo contra as regiões carboxi-terminal e média e outro contra a região amino-terminal da molécula (PTH intacto humano), ou simplesmente dois anticorpos contra a região amino-terminal (teste de ratos). Estepa *et al.* (1998) relataram que ambos os testes detectaram um aumento nas concentrações de PTH do plasma eqüino quando Ca ionizado sangüíneo foi diminuído e detectaram um declínio nas concentrações de PTH com a hipercalcemia. A modulação do Ca ionizado ocorre como conseqüência da conversão, sob a influência do PTH, da vitamina D em sua forma metabolicamente ativa, que tem dois alvos principais em vários mamíferos – o intestino delgado e o osso. A forma ativa 1,25-$(OH)_2$-vitamina D é oriunda tanto do

978-85-7241-725-9

ergocalciferol quanto do colecalciferol. Nessa forma, a vitamina se encaixa no modelo clássico de um hormônio esteróide, mas é encontrada em concentrações extremamente baixas – 55pmol/L de plasma (aproximadamente 24ng/L) em eqüinos de 1 a 30 anos de idade (A. Breidenbach, comunicação pessoal) (plasma humano 20 a 40ng/L, 1ng/L = 1/1.000μg). O metabólito intermediário 25-OH-vitamina D, formado no fígado, está presente em concentrações muito maiores (no plasma humano 15 a 38μg/L) e por isso é mais facilmente mensurado. O sangue eqüino contém concentrações relativamente baixas do metabólito 25-OH. Na Finlândia, Mäenpää *et al.* (1988b) reportaram concentrações médias no inverno de 2,14μg/L e 8,05μg/L, respectivamente, para o 25-OH-vitamina D_2 e 25-OH-D_3. No verão, os valores médios respectivos foram de 2,16 e 16,6μg/L. O valor de 25-OH-D_3 relativamente maior reflete a síntese de vitamina D em resposta à irradiação solar ultravioleta da pele no verão, ao passo que o ergocalciferol vitamina D_2 é uma fonte pobre, oriunda da ação dos raios ultravioletas sobre as forrageiras frondosas cortadas, isto é, feno.

A concentração baixa em eqüinos, mesmo do metabólito 25-OH no sangue, após injeções de vitamina D (Harmeyer *et al.*, 1992), parece indicar que o hormônio tem função menor nos eqüinos do que em outros animais domésticos, em que é crucial para a absorção intestinal de Ca. O metabólito 25-OH é convertido no hormônio 1,25-$(OH)_2$ pela 1-alfa-hidroxilase no córtex renal, sendo a sua atividade próxima de ser indetectável em eqüinos (Harmeyer *et al.*, 1992). Todavia, as concentrações plasmáticas sangüíneas de Ca no eqüino são maiores do que aquelas no lúmen intestinal de forma que a absorção ativa precisa ocorrer, presumivelmente requerendo uma proteína ligante do Ca. De fato, a proteína ligante do Ca responsiva à vitamina D foi identificada no duodeno eqüino, mas parece ser de relevância metabólica menor do que em outras espécies domésticas investigadas. É possível que as necessidades dietéticas de vitamina D sejam fornecidas por quantidades maiores do que as recomendadas, pois é essencial na prevenção da discondroplasia, assim como garante minerais ósseos adequados. Todavia, as doses tóxicas excessivas causam sinais similares àqueles de uma deficiência.

No tecido ósseo, junto com o PTH, o hormônio 1,25-$(OH)_2$-vitamina D serve para mobilizar minerais ósseos. Nos túbulos renais, o PTH estimula a reabsorção dos íons Ca, mas bloqueia a reabsorção de fosfato. O objetivo vital desses dois hormônios, junto com a tirocalcitonina, é manter um nível constante de Ca sangüíneo. É fascinante que modulem tanto a nutrição de Ca quanto a de P, mas com sinais diferentes. Quando a dieta é deficiente em Ca, mas adequada em P, então uma queda nos íons plasmáticos de Ca desencadeia a liberação do PTH pela glândula paratireóide. Isso estimula a reabsorção renal de Ca e a produção do hormônio da vitamina D. A absorção intestinal e a mobilização óssea tanto de Ca quanto de fosfato são facilitadas de forma que o Ca e o pH sangüíneos retornem ao normal. O fosfato sangüíneo não aumenta por causa do efeito bloqueador do PTH na sua reabsorção renal.

A tirocalcitonina contrabalança e modula o efeito do PTH ao aumentar a deposição líquida do Ca no osso estimulada por um aumento do Ca sérico. Ao contrário, a deficiência de P na dieta deprime o fosfato sangüíneo, que por sua vez diretamente aumenta o Ca ionizado no sangue, mas também estimula a produção do hormônio da vitamina D. O efeito combinado disso é a supressão da produção do PTH, aumentando a retenção do fosfato pelo rim (impedindo a diurese de fosfato), estimulando a absorção de Ca e P pelo intestino delgado. O Ca sangüíneo, porém, não aumenta excessivamente, pois a ausência do PTH eleva a perda urinária do Ca (ver Cap. 11).

É evidente que quando a nutrição de vitamina D está adequada para uma determinada idade de eqüino, mas não a de Ca ou de P, o Ca sangüíneo é mantido dentro de limites razoavelmente bem definidos e o fosfato irá variar mais. Na ausência da vitamina D, a eficiência da absorção de Ca pelo trato intestinal e a mobilização do Ca ósseo estarão deprimidas, de forma que os níveis sangüíneos de Ca cairão. Entretanto, alguma mobilização do Ca ósseo continuará, de forma que a osteomalacia ou perda gradativa da calcificação óssea ocorra no eqüino adulto e o raquitismo ou reduzida calcificação óssea seja desencadeado no jovem. Por outro lado, algumas autoridades disputam a existência do raquitismo verdadeiro em eqüinos em crescimento e a vitamina D provavelmente é de relevância metabólica menor do que no suíno jovem. Todavia, perda de apetite, desconforto quando em pé, claudicação, risco aumentado de fraturas ósseas e adelgaçamento do córtex dos ossos longos já foram descritos em potros privados de luz do sol e vitamina D na dieta. Em eqüinos jovens, a placa de crescimento (placa epifisária) dos ossos longos é irregular, alargada e pobremente definida e as epífises são tardias quanto ao fechamento.

Requerimento na Dieta

Se o componente concentrado cereal/proteína da dieta for suplementado com 1.000UI de vitamina D/kg (25µg de colecalciferol ou ergocalciferol, pois 1UI é equivalente a 0,025µg de colecalciferol ou ergocalciferol), então o requerimento diário de vitamina D deve ser atingido. Doses moderadamente grandes de vitamina D podem, em certo grau, compensar o baixo Ca na dieta ao promoverem mais absorção do Ca, particularmente onde o P dietético estiver em excesso. Porém, grandes doses de vitamina D (em excesso de 2.000 a 3.000UI/kg de PC diariamente, ou em excesso de 60.000 a 100.000UI/kg de dieta) causarão sinais semelhantes aos da deficiência e morte eventual, em razão do efeito do hormônio da vitamina D na mobilização mineral óssea e de uma conseqüente calcificação dos tecidos moles.

Fontes Naturais de Toxicidade

Várias espécies de plantas, não encontradas no Reino Unido, sintetizam esse hormônio altamente ativo como o principal calcitrópico, 1,25-$(OH)_2$-D_3-glicosídeo. Assim, eqüinos que pastam em áreas onde as plantas existem desenvolverão raquitismo e calcificação dos tecidos moles (por exemplo, o *Cestrum diurnum*, um membro da família da batata, algumas vezes chamado erroneamente de jasmim, encontrado na Flórida e em outros estados subtropicais, incluindo Texas e Califórnia, causa a condição).

978-85-7241-725-9

Vitamina E (Alfa-tocoferol)

A potência da vitamina E é contida por vários isômeros do tocoferol e tocotrienol e sem dúvida todos têm algum valor antioxidante no alimento e no trato gastrointestinal (GI). Porém, análises mostram que o alfa-tocoferol é o único isômero encontrado em quantidades significativas nos tecidos eqüinos e assim é a única forma com relevante potência vitamínica. Assim, as formas naturais da vitamina E (D-alfa-tocoferol e seu sal acetato) têm, de certa forma, maior biodisponibilidade no eqüino do que misturas racêmicas das formas sintéticas (DL-alfa-tocoferol e seu sal acetato) e álcoois livres são superiores aos sais (Hargreaves *et al.*, 2001). Todavia, evidências (Christen *et al.*, 1997) indicaram que o gama-tocoferol desencadeia um papel metabólico ativo em várias espécies.

Embora os tocoferóis tenham uma propriedade antioxidante que protege outras substâncias no alimento, são por si só destruídos pela oxidação. Isso é acelerado por estocagem ruim, danos por mofo e ensilagem da forragem, ou preservação de cereais em condições de umidade. Após o esmagamento da aveia, ou trituração dos cereais, as gorduras são mais rapidamente oxidadas e a vitamina E é gradativamente destruída a não ser que o material seja peletizado. Forragens frescas e verdes e a semente dos grãos de cereais são fontes ricas em vitamina E, mas os alimentos são freqüentemente suplementados hoje em dia com ésteres de acetato de alfa-tocoferol relativamente estáveis (ver *Selênio*, Cap. 3, quanto aos efeitos dos suplementos de vitamina E/selênio.)

Estado da Vitamina E

A avaliação do estado de vitamina E dos eqüinos é problemática, em razão de uma concentração plasmática normal relativamente baixa de alfa-tocoferol. O intervalo normal de valores está entre 1,5 a 5mg/L. O tecido adiposo dos eqüinos contém grandes quantidades (10 a 60μg/g) de alfa-tocoferol que não são propensas a flutuações de curta duração, características dos níveis sangüíneos. O amplo intervalo de valores indicado para esses dois tecidos pretende acomodar evidências limitadas para a variação encontrada entre as raças. Os TB tendem a ter concentrações plasmáticas e no tecido adiposo menores dentro desses intervalos e a estocagem total é menor do que a da vitamina A.

Vitamina E, Ácido Ascórbico e Exercício

A suficiência da vitamina E tem sido mensurada por vários anos por causa da quantidade dietética requerida para minimizar a hemólise dos eritrócitos na presença de ácido dialúrico, peróxido de hidrogênio, ou outros agentes hemolíticos. Estudos iniciais (NRC, 1978) indicaram que o eqüino requer somente 10 a 15mg/kg de dieta para garantir isso. Evidências experimentais limitadas (Lawrence *et al.*, 1978) sugeriram que os suplementos de vitamina E aumentam as quantidades de glicose e lactato sangüíneos em eqüinos exercitados e podem ajudar a manter o volume corpuscular normal do sangue. Uma deficiência da vitamina E é conhecida por reduzir a tolerância em ratos e a vitamina pode ser particularmente importante no trabalho prolongado. Mais evidências indicam que os suplementos de vitamina E resultam em maior atividade da glutationa peroxidade (GSH-Px) das hemácias após o exercício (Ji *et al.*, 1990).

Ronéus *et al.* (1986) observaram que para prover adequada saturação tecidual de *Standardbred* americanos com alfa-tocoferol, a suplementação diária de acetato de DL-alfa-tocoferil (acetato de all-*rac*-alfa-tocoferil) deveria ser de 600 a 1.800mg, o que equivale a 1,5 a 4,4mg/kg de PC. A questão que se origina então: é necessário saturar os tecidos com a vitamina? Alfa-tocoferol forma uma parte integral das membranas celulares, onde protege os ácidos graxos poliinsaturados. A peroxidação desses ácidos graxos ômega-6 provavelmente aumenta durante o exercício – freqüentemente mensurado como um aumento das substâncias reativas ao ácido tiobarbitúrico (ATB) – produzindo n-pentano, um gás de hidrocarbono que é excretado na respiração, apesar de uma avaliação do pentano inalado após o exercício ser complicada por um aumento associado na freqüência respiratória. McMeniman e Hintz (1992) registraram aumento no ácido ascórbico plasmático e tendência a uma diminuição no ATB plasmático em pôneis exercitados suplementados com vitamina E adicional. Porém, a quantidade adicional foi somente de 100UI/dia e poucos

978-85-7241-725-9

animais foram usados. Os eqüinos TB podem ter necessidades maiores. Schubert (1990) relatou que níveis bem elevados de suplementação de vitamina E melhoraram a performance em pista dos cavalos de corrida. Um alimento suplementado com 240UI de vitamina E/kg mais 10g/dia de ácido ascórbico levou aos maiores níveis sangüíneos tanto de alfa-tocoferol quanto de ácido ascórbico em pôneis de pólo bem trabalhados na estação de competição (Hoffman *et al.*, 2001).

Dentre os eqüinos de enduro, um consumo variado de vitamina E de 1.150 a 4.700mg/dia durante semanas antes de uma atividade de 80km resultou em uma correlação positiva do consumo com a concentração plasmática de alfa-tocoferol e uma correlação negativa do consumo com as atividades plasmáticas de creatina cinase (CK) e aspartato aminotransferase (AST) durante a atividade (Williams *et al.*, 2003b). Essas informações indicam que a média de 5mg de vitamina E/kg de PC para o exercício pesado pode ser inadequada. Além do mais, foi proposto que o desequilíbrio oxidante/antioxidante tem um papel decisivo na patogênese das doenças inflamatórias crônicas das vias aéreas. Um suplemento de vitamina E, ácido ascórbico e selênio (Winergy Ventil-ate®, Winergy, Pedigree Masterfoods, Melton Mowbray, Leicestershire, Reino Unido), melhorou a tolerância ao exercício e reduziu a inflamação pulmonar em eqüinos afetados pela obstrução recorrente das vias aéreas (ORVA) em remissão ao repouso e após um teste padrão de exercício (Kirschvink *et al.*, 2002). Assim, o requerimento da vitamina E dos eqüinos em atividade requer avaliação adicional e pode ser de até 300mg/kg de MS da dieta (8 a 9mg/kg de PC diariamente).

Suplementação de Gordura

Existe um grande interesse na suplementação de gordura das dietas para eqüinos em atividade (ver Cap. 9). Vários óleos vegetais e de peixe, como de milho, soja, ou bacalhau, são ricos em ácidos graxos poliinsaturados e a suplementação com óleos em outras espécies é conhecida por aumentar o requerimento da vitamina E. No músculo eqüino, os ATB demonstraram aumentar após sua suplementação, apesar da concentração naturalmente alta de vitamina E no óleo fresco de milho ou soja e a adição de antioxidantes durante o preparo dos óleos. Claramente, óleos passados e mal estocados não devem ser usados.

978-85-7241-725-9

Éguas em Reprodução

A vitamina E tem por função proteger da oxidação os lipídeos insaturados no tecido. Em condições nas quais o consumo de selênio e vitamina E estiver baixo, o que pode ocorrer no pasto, as éguas parem potros sofrendo de miodegeneração. Áreas pálidas no miocárdio e nos músculos esqueléticos ficam evidentes no exame pós-morte e a lesão da célula muscular é vista histologicamente. Se os potros sobrevivem, a lesão é dita irreversível. Outros sinais incluem a esteatite, ou coloração amarelada da gordura corpórea, e a necrose generalizada da gordura com hemorragias pequenas e múltiplas nos tecidos adiposos. Como com outras causas de lesão muscular, as atividades da CK (EC 2.7.3.2) e da AST (EC 2.6.1.1) sangüíneas aumentam e provavelmente a fragilidade das hemácias também.

Função Imune

A vitamina E é requerida para a função imune normal. Baalsrud e Øvernes (1986) reportaram que um suplemento de vitamina E fornecido a eqüinos alimentados com aveia aumentou sua resposta imune humoral ao toxóide tetânico e vírus da influenza eqüina. Um aumento na atividade fagocítica dos neutrófilos dos potros foi induzido pela suplementação. As éguas que receberam um suplemento adicional misto com 160UI de vitamina E/kg, comparado com 80UI/kg, a partir de quatro semanas antes do parto, tenderam a ter maiores concentrações de imunoglobulinas séricas e no colostro, levando de certa forma a maiores concentrações séricas de imunoglobulina G (IgG) e imunoglobulina A (IgA) em seus potros lactentes (Hoffman *et al.*, 1999). Trabalhos adicionais são requeridos, especialmente com relação às infecções neonatais.

Vitamina E na Prevenção da Mieloencefalopatia Degenerativa Eqüina e Doença do Neurônio Motor Eqüino

Duas doenças neurológicas dos eqüinos já foram identificadas por envolverem o estado do alfa-tocoferol – a mieloencefalopatia degenerativa eqüina (MDE) e a doença do neurônio motor eqüino (DNME). A lesão oxidativa das fibras nervosas mielínicas ocorre em ambas as doenças. As bainhas dessas fibras são ricas em gordura insaturada normalmente protegida pelo alfa-tocoferol.

A DNME é caracterizada por perda de peso, apesar do apetite aumentado ou normal, maior decúbito e tremores da musculatura proximal dos membros (Mayhew *et al.*, 1994). O ato de levantar um membro torácico do solo por alguns minutos pode induzir aos tremores, especialmente nos músculos proximais do membro torácico oposto. Outros sinais incluem hiperestesia (resposta hipersensível a estímulos) e sustentação baixa de cabeça e pescoço. Os eqüinos afetados se movimentam melhor do que permanecem em estação. Os sinais clínicos e as lesões nervosas lembram os presentes nos neurônios autonômicos da doença das gramíneas (EGS) em eqüinos ou disautonomia (ver Cap. 10), não considerando o consumo normal de alimentos pelos pacientes com a DNME. A atrofia muscular está presente na forma crônica da DNME e a base da cauda é freqüentemente mantida em posição elevada, pois a atrofia neurogênica oriunda da lesão oxidativa das células nervosas motoras ventrais somáticas causa a contratura muscular. Depósitos de pigmento castanho anormal podem ser vistos no fundo da retina e a ferritina sérica e o ferro hepático estão freqüentemente elevados (Divers *et al.*, 2001; Verhulst *et al.*, 2001). Em comum com a MDE, a doença é tipicamente associada com ausência de acesso dos eqüinos ao pasto, com o consumo de feno de baixa qualidade e com baixas concentrações de níveis circulantes de alfa-tocoferol. A DNME parece prevalecer entre eqüinos adultos com uma ampla distribuição etária. Divers *et al.* (1994) registraram a DNME em 28 eqüinos, variando em idade de 3 a 18 anos, com maior freqüência entre quatro a nove anos de idade. Os Quarto de Milha são comumente afetados (Divers *et al.*, 2001). Mayhew (1994) considerou que a DNME pode requerer uma neurotoxina para iniciar a degeneração nervosa oxidativa em um estado pré-existente de deficiência de vitamina E de eqüinos adultos (ver Cap. 10). As forragens verdes e a suplementação com vitamina E de 2.000UI/dia são requeridas quando o acesso a forragens verdes/pasto está limitado. A preparação padrão que inclui Se deve normalmente levar à toxicose pelo selênio se a dose prover a quantidade requerida de vitamina E.

A MDE em geral se desenvolve em eqüinos em crescimento e é possivelmente mais prevalente em algumas linhagens. É uma doença degenerativa difusa da medula espinhal e da medula oblonga caudal dos eqüídeos. A doença pode se originar em potros onde os eqüinos em reprodução não têm acesso ao pasto ou onde grande número de eqüinos é mantido em pastos pobremente produtivos, freqüentemente secos, e recebem feno queimado

978-85-7241-725-9

pelo sol. Os sinais clínicos incluem início abrupto a insidioso de paresia simétrica, ataxia e dismetria. Rigidez de membros em potros e eqüinos de 12 meses é observada persistindo pela vida adulta. Os sinais estão presentes particularmente nos membros pélvicos, mas também nos torácicos. Na experiência do autor, a MDE foi associada com a ausência de pasto e a presença de doença ortopédica do desenvolvimento (DOD) (Cap. 8) e os sinais não foram apresentados até três a cinco meses de idade. Eqüinos mais velhos exibiram uma hiporreflexia notável sobre pescoço e tronco. Histologicamente, a distrofia neuroaxonal é disseminada e a atrofia neuronal, o aumento de volume do axônio (esferóide), a astrogliose e o acúmulo de pigmentos semelhantes à lipofuscina são evidentes em eqüinos mais velhos. Os sinais não devem ser confundidos com os de infecções, tais como da infecção pelo vírus West Nile (Cantile *et al.*, 2000), cujos sinais incluem ataxia, fraqueza e paresia dos membros posteriores, ocasionalmente progressivas até a tetraplegia e o decúbito. Na MDE, as concentrações plasmáticas de alfa-tocoferol variam de 1 a 1,5mg/L. A condição é responsiva à vitamina E, se não houver progredido tanto, e então os níveis plasmáticos podem aumentar para 2mg/L. O selênio não parece estar envolvido.

Para os eqüinos de reprodução sem acesso ao pasto, a suplementação diária de vitamina E necessita ser elevada – 2.000UI diariamente para éguas em reprodução. Para aqueles apresentando sinais de ataxia, 6.000UI de acetato de DL-alfa-tocoferil/eqüino por dia devem ser misturadas a 30mL de óleo vegetal (veja adiante) que devem ser adicionados a 1kg de cereal fresco em uma administração diária (não estocado). Provavelmente, haverá pouca resposta por três semanas. Uma vez que a melhora tenha sido atingida, a dose suplementar pode ser lentamente reduzida para 2.000UI diariamente. Prova da absorção deve ser buscada por meio das determinações de alfa-tocoferol nas amostras de sangue.

Os lipídeos das folhas das plantas são mais ricos em ácidos graxos poliinsaturados n-3 do que os das sementes. Sugerimos que a causa da MDE possa ser uma combinação das deficiências de antioxidantes naturais e de ácidos graxos poliinsaturados n-3. Essa afirmação necessita ser testada antes das recomendações avançarem. Os óleos de peixe são fontes ricas nos maiores ácidos graxos n-3. Como uma etapa intermediária, os óleos vegetais, como o óleo de colza, mais ricos nos membros inferiores das séries n-3 do que o óleo de milho, poderiam ser usados como carreadores de vitamina E; mas a dose do óleo deveria ser muito maior do que 30mL – digamos 200mL, diariamente. Os antioxidantes naturais incluem os carotenóides. Observamos que o controle da MDE é auxiliado pelo fornecimento de uma fonte desses carotenóides, como as cenouras livres de umidade ou a alfafa desidratada, e a suplementação com riboflavina de uma mistura de concentrado deve ser aumentada para 12mg/kg (Quadro 4.2).

Comentou-se anteriormente que a DOD parece estar presente em alguns casos de MDE. Para esse fim, conforme discutido no Capítulo 8, observamos que a alimentação *ad libitum* de potros em crescimento e animais de 12 meses é útil. A maioria das evidências publicadas sugere que isso agrava a condição; porém, em vários estudos, incluindo Savage *et al.* (1993a,b), eqüinos alimentados por refeições e alimentados *ad libitum* foram comparados quando receberam o *mesmo alimento concentrado* (essa comparação foi necessária para a precisão do bom *design* experimental), ao passo que a experiência do autor indica que o alimento *ad libitum* deveria ser na forma de uma mistura grossa ou péletes pequenos diluídos com palha triturada, de forma que a quantidade obtida em cada “sentada” proveria uma quantidade relativamente pequena de energia, semelhante ao ato de mordiscar.

978-85-7241-725-9

978-85-7241-725-9

Quadro 4.2 – Resumo do tratamento diário proposto para um eqüino apresentando mieloencefalopatia degenerativa eqüina
• Vitamina E: 2.000-6.000UI. • Óleo de colza[1]: 30-200mL. • Cenouras limpas, livres de bolor: 2kg. • Alfafa ressecada[2]: 2kg. • Riboflavina: 12mg/kg de concentrado. • Mistura grossa diluída com palha triturada: para o apetite, fornecida *ad libitum* para animais desmamados em crescimento.

[1] Se o óleo de peixe for usado, a dose mínima de vitamina E deve ser de 4.000UI/dia.
[2] Uma boa fonte de riboflavina, apesar do adicional de 12mg ser uma garantia.
UI = unidade internacional.

Tying-up *(Síndrome do Amarramento)*

Afirma-se que algum benefício resulta do tratamento com injeções de selênio-vitamina E em casos de *tying-up* ou miosite, na ocasião, após um ou dois dias de repouso em eqüinos de trabalho intenso (ver Cap. 11).

Tolerância Dietética Recomendada para Eqüinos Manejados Normalmente

Apesar da vitamina E ser necessária quando o selênio está deficiente, ambos são nutrientes requeridos e a quantidade de vitamina E que deve estar presente na dieta aumenta na proporção do nível de gorduras insaturadas dietéticas (Agricultural Research Council, 1981). As rações típicas para eqüinos devem conter 75 a 100UI de vitamina E/kg (1UI é igual a 1mg de acetato de DL-alfa-tocoferil, isto é, acetato de all-*rac*-alfa-tocoferil), apesar do requerimento de potros muito jovens poder ser ligeiramente maior e o de eqüinos adultos sem atividade menor do que isso, de certa forma.

Vitamina K (Filoquinona)

Existem duas fontes naturais de vitamina K. As plantas verdes sintetizam as filoquinonas (fitilmenaquinona) e as bactérias sintetizam as menaquinonas. A vitamina K_2, prenilmenaquinona-n, junto com as vitaminas B, é sintetizada pelos microrganismos do intestino funcionante em quantidades que normalmente devem atingir os requerimentos do eqüino. Porém, essa fonte pode ser inadequada durante as primeiras semanas pós-natal ou durante tratamento prolongado com sulfonamidas. A vitamina K atua na carboxilação pós-traducional de resíduos específicos de glutamato em pelo menos uma dúzia de proteínas, incluindo a osteocalcina, uma proteína importante da matriz óssea e uma proteína requerida para o desenvolvimento ósseo. Maiores concentrações da vitamina são requeridas para a função da osteocalcina do que são necessárias para seu papel na coagulação do sangue, apesar dos sinais de deficiência não terem sido observados nos eqüinos. A carboxilação permite que a osteocalcina ligue a hidroxiapatita na formação óssea. A concentração de vitamina K dos eqüinos em crescimento aumenta com a idade, conforme indicado pela capacidade aumentada de ligação da osteocalcina sérica (mas com menores concentrações de osteocalcina sérica). A capacidade de ligação aumenta com o desmame mais precoce, indicando maiores concentrações de vitamina K do que com o desmame mais tardio (Siciliano *et al.*, 1999b), provavelmente refletindo um papel precoce do intestino grosso.

Existe uma estocagem tecidual de vitamina K e, em adição à síntese intestinal, as forragens verdes são uma fonte rica de filoquinona, de forma que a suplementação é desnecessária. Nenhuma correlação entre a osteocalcina sérica, ou sua capacidade de ligação, com a densidade ou a saúde óssea foi observada em eqüinos recebendo feno de *bromegrass* (2,73g de filoquinona por kg) e uma mistura de grãos (400mg de filoquinona por kg) (Siciliano *et al.*, 2000).

As hemorragias das vias aéreas em cavalos sangradores são expressões da fragilidade dos vasos sangüíneos e não somente uma falha no mecanismo de coagulação e assim podem não ser controladas pela terapia com vitamina K. É comum eqüinos de corrida apresentarem evidência de uma forma leve de hemorragia após as corridas e o exercício não tem efeito sobre a concentração de vitamina K, expressa pela capacidade de ligação da hidroxiapatita pela osteocalcina sérica (Siciliano *et al.*, 1999a).

Vitaminas Hidrossolúveis

A síntese intestinal normal mais as quantidades naturalmente presentes nos alimentos típicos dos eqüinos parecem atingir os requerimentos de manutenção das vitaminas B, riboflavina, niacina, ácido pantotênico e piridoxina. Se houver uma modificação básica na dieta rumo a raízes vegetais e certos produtos secundários no futuro, pode ocorrer então um aumento nas necessidades suplementares. As necessidades de éguas lactantes e potros em desmame devem ser atingidas se o pasto de boa qualidade for fornecido. Demandas nutricionais adicionais decorrentes de exercícios são discutidas no Capítulo 9.

Tiamina

Os sinais de deficiência de tiamina em eqüinos têm sido deduzidos, em larga extensão, de estudos em outras espécies. Porém, deficiência dessa vitamina (Carroll *et al.*, 1949) foi demonstrada causando perda de apetite e de peso, incoordenação de membros posteriores, coração dilatado e hipertrófico, declínio na concentração sangüínea de tiamina e na atividade das enzimas que requerem a tiamina como co-fator. Cymbaluk *et al.* (1978) tornaram quatro eqüinos *Standardbred* deficientes em tiamina por meio da administração oral de 400 a 800mg de amprólio/kg de PC (amprólio é um análogo estrutural da tiamina). Após um a dois meses, os sinais da deficiência de tiamina – bradicardia, ataxia, fasciculações musculares e hipotermia periódica das extremidades, cegueira, diarréia e perda de peso corpóreo – foram observados e a atividade da transcetolase eritrocítica foi reduzida.

O Quadro 4.3 fornece os valores normais para os níveis sangüíneos de tiamina. Essa vitamina tem sido usada no tratamento do *tying-up*, mas não existe corroboração de que a sua deficiência seja uma causa. Os animais de pastejo no banhado infestado com samambaia

Quadro 4.3 – Concentrações sangüíneas normais de tiamina (µg/L) em eqüinos *Standardbred* (Loew e Bettany, 1973)

• Garanhões: 2,25 ± 0,16.	• 1-4 anos: 2,81 ± 0,1.
• Castrados: 3,03 ± 0,13.	• 5-10 anos: 3,53 ± 0,14.
• Éguas e potrancas: 3,36 ± 0,11.	• 10-20 anos: 3,35 ± 0,17.
• Menos de 1 ano: 2,42 ± 0,26.	

(*Pteridium aquilinum*) podem exibir sinais de deficiência de tiamina se as ingerirem. O tratamento com tiamina é em geral eficiente. Cerca de 25% da tiamina livre sintetizada no ceco é absorvida para o sangue e um nível total da dieta de 3mg/kg parece atingir o requerimento dietético. Ainda não foi demonstrado se o requerimento por quilograma de alimento aumenta ou não durante os períodos de trabalho intenso.

Vitamina B_{12} (Cianocobalamina)

A molécula de cianocobalamina contém o elemento cobalto (Co). Bovinos e ovinos que pastam em áreas deficientes desse elemento desenvolvem a deficiência de vitamina B_{12}, pois os microrganismos ruminais são incapazes de produzi-la. A terapia com Co retifica a situação. Eqüinos parecem ser mais resistentes à deficiência de Co, mas sem dúvida requerem-no em um nível mínimo de cerca de 0,1mg/kg de dieta para a síntese intestinal da vitamina, pois presume-se, então, que seja absorvida em quantidades adequadas. A síntese em potros pode ser inadequada e, de fato, foi demonstrado que a suplementação de vitamina B_{12} aumenta a sua concentração sangüínea. É requerida para a replicação celular; assim, uma deficiência pode causar anemia e redução no número de hemácias do sangue. A anemia macrocítica é comum nas deficiências de B_{12} e ácido fólico em razão de uma limitação na síntese de ácido desoxirribonucléico (DNA).

Apesar de uma deficiência evidente não ter sido produzida em eqüinos adultos, foi sugerido que uma resposta, incluindo um estímulo para o apetite, pode ser obtida em alguns animais anêmicos. Eqüinos adultos em treinamento recebendo rações ricas em grãos podem necessitar de suplementação dietética porque um declínio no apetite demonstrado em tais animais pode refletir uma formação de propionato sangüíneo. Esse ácido graxo volátil (AGV) é produzido de forma proporcional e absoluta em quantidades muito maiores quando as dietas desse tipo são consumidas e seu metabolismo para succinato requer a metilmalonil-coenzima A (CoA) mutase (EC 5.4.99.2) que tem a adenosilcobalamina como uma coenzima. De fato, a deficiência de vitamina B_{12} causa uma elevação do ácido metilmalônico e da homocisteína na urina, o que a distingue da deficiência do ácido fólico, em que isso não ocorre. Potros precocemente desmamados devem receber um suplemento de 10µg de vitamina B_{12}/kg de MS da dieta.

978-85-7241-725-9

Ácido Fólico (Ácido Pteroilglutâmico)

O ácido fólico é doador de um carbono no ácido nucléico e na síntese protéica. Folatos naturais existem como conjugados do ácido *p*-aminobenzóico (PABA) com o ácido poliglutâmico. A estabilidade e a disponibilidade desses compostos sem dúvida variam para o eqüino, mas existe uma escassez de evidências relacionadas à nutrição eqüina. A síntese do ácido fólico pelas bactérias intestinais a partir do PABA é bloqueada pela sulfanilamida, a qual tem uma estrutura similar ao PABA e que se combina com a enzima bacteriana requerida para a síntese do ácido fólico. Assim, a ação enzimática é inibida por uma substância que se combina a ela para evitar a formação de um complexo enzima-substrato normal. Um eqüino Quarto de Milha com suspeita de mieloencefalopatia protozoária eqüina (MPE) foi tratado oralmente por nove meses com sulfadiazina, pirimetamina e 19mg de ácido fólico diariamente (Piercy *et al.*, 2002). Apresentou disfagia, glossite, anormalidades neurológicas, anemia, leucopenia, medula óssea hipoplásica e acidemia hipofólica. As anormalidades resolveram-se após as administrações orais terem sido descontinuadas e substituídas pela administração intravenosa de ácido fólico e tratamento oral com diclazurila. A deficiência de ácido fólico, induzida pela administração prolongada de inibidores desse ácido, foi exacerbada pela administração oral de ácido fólico oxidado.

As formas de ácido fólico variam dependendo da adição de unidades de um carbono, do grau de conjugação pelos grupos glutamil e do grau para o qual a molécula é reduzida pela diidrofolato redutase (para di e tetraidrofolato). O ácido fólico nas plantas existe nas formas de poliglutamatos e antes da absorção precisa ser desconjugado pelas enzimas localizadas na borda em escovadura. A absorção passiva e ativa ocorre, mas para a absorção ativa o folato precisa estar em uma forma *reduzida*, usualmente distinta da encontrada nos suplementos. A forma completamente oxidada requer a redução por meio da diidrofolato redutase antes de sua absorção ativa. Assim, freqüentemente, o ácido folínico, uma forma completamente reduzida, é administrada. O ácido fólico intestinal, quando na forma oxidada, diminui a absorção do metiltetraidrofolato biologicamente ativo porque a afinidade do primeiro pela proteína intestinal que se liga ao folato é aproximadamente seis vezes maior que a do último. Além do mais, o efeito combinado do folato oxidado e de um inibidor da diidrofolato redutase (pirimetamina) intensifica mais a inibição da absorção do folato reduzido (ver Cap. 12). Essa conclusão provavelmente explica a observação de Ordakowski *et al.* (2002) de que eqüinos tratados com drogas antifolato foram refratários à co-administração de folatos naturais e sintéticos.

O ácido fólico é intimamente associado com a vitamina B_{12} no metabolismo de um carbono único. Em alguns animais domesticados, uma deficiência causa a anemia macrocítica em razão do prejuízo da função da metionina sintetase (EC 2.1.1.13), e assim deprime as sínteses de DNA e ácido ribonucléico (RNA). Em humanos e eqüinos com deficiência de ácido fólico (Ordakowski *et al.*, 2002) as concentrações elevadas de homocisteína (mas não de ácido metilmalônico) ocorrem no sangue e na urina. A suplementação de TB recebendo uma dieta inadequada produz um aumento na concentração de folato sérico de cerca de 4 a 9μg/L e onde a hemoglobina sangüínea estiver baixa, o nível pode ser elevado. Trabalho australiano sobre ácido fólico em eqüinos sustenta as observações do autor, sugerindo que existe uma utilização aumentada de ácido fólico por eqüinos em atividade intensa. Leguminosas verdes são fontes ricas de vitamina, mas sua disponibilidade em algumas fontes é baixa. Como eqüinos solicitados para o exercício intenso tendem a receber menos forragens verdes, recomenda-se que recebam uma fonte suplementar de ácido fólico, ou forragens verdes em sua dieta.

A suplementação de ácido fólico (25mg/dia, cinco dias/semana) não tem efeito sobre a sua situação, ou na avaliação submáxima de exercícios, em eqüinos adultos manejados ao pasto e recebendo feno e um concentrado comercial (Ordakowski *et al.*, 2003). Ordakowski *et al.* (2001) observaram 6,5mg de ácido fólico/kg de MS em um pasto em abril, ao parto, declinando para 2,2mg/kg de MS em junho. A concentração plasmática média em éguas TB, recebendo suplementos contendo 1,6 ou 1,9mg de ácido fólico/kg, foi de 20,6ng/mL ao parto declinando para 17ng/mL com três a seis meses de lactação. O leite da égua continha aproximadamente dez vezes o nível de seu soro, isto é, 218ng/mL ao parto declinando para 147 a 196ng/mL durante três a seis meses de lactação (os níveis séricos do potro variaram com a concentração de sua mãe). Um suplemento diário de 2 a 3mg de ácido fólico para potros desmamados e eqüinos em trabalho é apropriado.

978-85-7241-725-9

Biotina

A biotina é a única vitamina hidrossolúvel que levou a respostas clinicamente observáveis com dietas normais em eqüinos sadios. Isso pode ocorrer *porque* a biotina contida nos grãos de trigo, cevada e sorgo e no farelo de arroz é quase que completamente indisponível para utilização. Aquela contida na aveia é somente ligeiramente mais digerível. Porém, toda a biotina no milho, nas leveduras e na soja é acessível, junto com a maioria daquela presente nas folhagens de gramíneas e de trevos.

978-85-7241-725-9

A doença da parede do casco é comum em eqüinos. Slater e Hood (1997) reportaram que 28% dos eqüinos em sua pesquisa no Texas apresentaram algum tipo de problema na parede do casco, em geral com uma causa predisponente indeterminada. Todavia, vários casos de cascos fragilizados, deformados, rachados e friáveis que tendem a se separar da sola responderam à suplementação diária com biotina. Uma resposta maior, conforme mensurada pela dureza, força de tensão e possivelmente velocidade de crescimento do tecido córneo, tem sido evocada com 15mg/eqüino diariamente ao invés de 7,5mg (Buffa *et al.*, 1992) (Figs. 4.2 e 4.3). A velocidade de crescimento da cápsula e do tecido córneo do casco também aumentou em um período de cinco meses, quando um cubo rico em fibras para pôneis contendo 100μg de biotina/kg foi suplementado com 8mg de biotina/kg de alimento (0,12mg/kg de PC diariamente) (Reilly *et al.*, 1999). Essa quantidade suplementar é consideravelmente maior do que a que normalmente deveria ser adequada como uma dose diária de manutenção.

É também essencial que os cascos estejam adequadamente moldados e guarnecidos. Cascos longos e não aparados exercem pressão excessiva nos talões e isso restringe o fluxo de sangue e assim impede a nutrição adequada da pata, causando qualidade ruim e friável, crescimento insatisfatório das paredes, sola e ranilha. A parede do casco cresce linearmente a partir da banda coronária em uma velocidade de 8 a 10mm/mês, de forma que 9 a 12

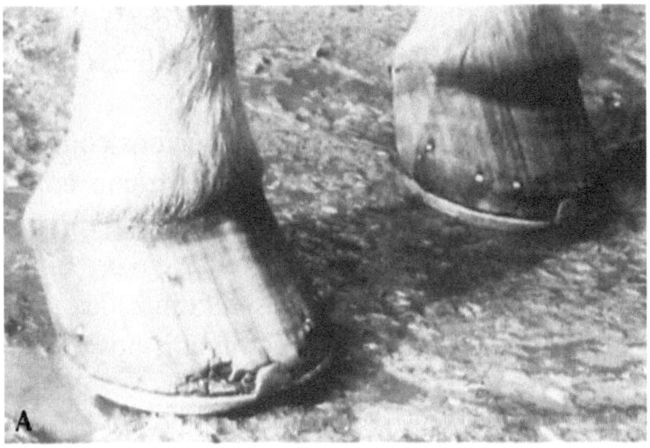

Figura 4.2 – Cascos deficientes dos membros anteriores de um eqüino irlandês castrado castanho de oito anos de idade, antes (*A*) e após (*B*) receber 15mg de biotina sintética/dia oralmente por 13 meses (com a gentil permissão de Norman Comben, MRCVS; Comben *et al.*, 1984).

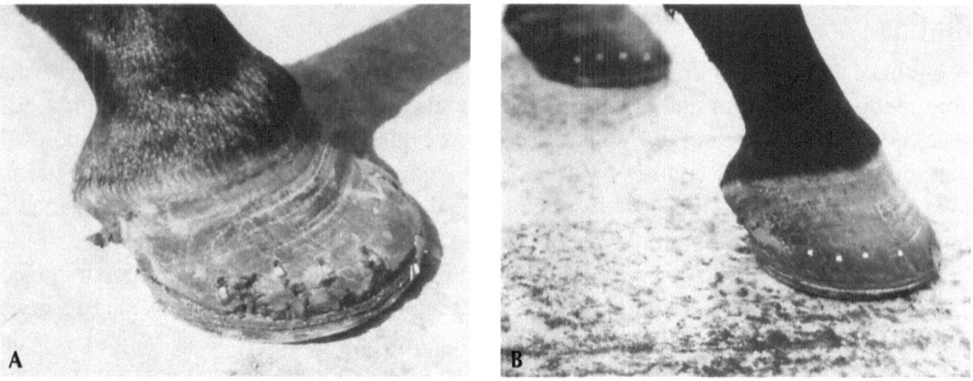

Figura 4.3 – Um eqüino *Thoroughbred* castrado de cinco anos de idade, antes (*A*) e depois (*B*) de receber 15mg de biotina sintética/dia oralmente por cinco meses (com a gentil permissão de Norman Comben, MRCVS; Comben *et al.*, 1984).

978-85-7241-725-9

meses são necessários para a parede da pinça crescer da borda proximal para a distal (Pollitt, 1990) (a sola e a ranilha são substituídas a cada dois meses) e pelos menos 10 a 12 meses são necessários antes de ser concedida uma dose de manutenção de cerca de 2 a 5mg de biotina suplementar/eqüino diariamente.

Evidências abrangentes indicam que um nível de dose de 20mg/dia pode ser requerido por grandes eqüinos e isso por até três anos para um benefício mínimo ser atingido (Josseck *et al.*, 1995; Zenker *et al.*, 1995). No trabalho de Josseck *et al.* (1995) a concentração plasmática de biotina em eqüinos não tratados foi de 350 ng/L e em eqüinos tratados foi de 1.000ng/L. Kempson *et al.* (1987) relataram que a biotina não superou um segundo defeito de casco de fraca inserção de escamas ceratinizadas do tecido córneo. O calcário suplementar (7,5g/dia) com a biotina melhorou esse defeito. Todavia, é possível que essa resposta adicional tenha resultado do uso mais prolongado da biotina. Ainda que várias dietas sejam deficientes em Ca, é uma deficiência que deveria ser retificada.

O tecido córneo é principalmente composto de proteína, rica em aminoácidos com enxofre, e vários suplementos encontrados contêm metionina, ou metil sulfonil metano, como uma fonte de enxofre biologicamente ativo (ver *Suplementos Vitamínicos e Minerais na Dieta*, Cap. 5), além da biotina, o que pode ser um recurso se uma dieta pobre em proteínas for fornecida. Kempson (1987) também notou infecção das escamas ceratinizadas pelo *Bacteroides nodosus* responsivo ao metronidazol, apesar de esses microrganismos provavelmente representarem invasores secundários.

Riboflavina, Niacina, Ácido Pantotênico, Piridoxina e Ácido Lipóico

Cada uma das vitaminas – riboflavina, niacina, ácido pantotênico, piridoxina e ácido lipóico – tem uma função metabólica no eqüino; porém, nenhuma evidência de deficiência dietética já foi estabelecida em razão, presumivelmente, da biossíntese adequada, por exemplo, síntese intestinal pela flora. Animais são capazes da biossíntese de ácido lipóico. Se a suplementação for benéfica em circunstâncias especiais, por exemplo, doença ou exercícios extremos, ainda não foi estabelecido. Tiamina, niacina, riboflavina e ácido lipóico estão intimamente envolvidos com o metabolismo energético.

A tiamina como pirofosfato de tiamina (TPP''), a niacina como nicotinamida adenina dinucleotídeo (NAD^+), a riboflavina como flavoproteínas e o ácido lipóico funcionam no ciclo do ácido tricarboxílico (ATC) para a combustão aeróbica de acetato em CO_2 e água com a produção de energia, eventualmente provida às células musculares na forma de fosfato rico em energia em adenosina trifosfato (ATP). O ácido pantotênico funciona como um carreador dos grupos acil na forma de CoA, o que faz o tioéster rico em energia se ligar com os ácidos carboxílicos, dos quais o mais importante é o ácido acético. O ácido acético é formado a partir do catabolismo metabólico tanto de gorduras quanto de carboidratos. Os grupos acetil dessas fontes têm de estar na forma de acetil-CoA para serem posteriormente metabolizados na síntese de gordura, ou para a produção de energia no ciclo ATC.

978-85-7241-725-9

No metabolismo de carboidratos, o acetato se origina do piruvato. O piruvato requer TPP'', ou cocarboxilase, a forma ativa da tiamina, para a quebra do piruvato (um alfa-cetoácido), caso contrário, a formação de ácido láctico a partir do piruvato será acelerada. No exercício intenso, a formação de ácido láctico é um componente da fadiga. É possível por isso que a tiamina e ácido pantotênico suplementar possam promover o metabolismo aeróbico do piruvato em acetil-CoA, reduzindo a produção de lactato, apesar de não existirem evidências de que isso ocorreria em eqüinos alimentados de forma normal. A. L. Parker (comunicação pessoal), no Kentucky, demonstrou que nem a dosagem oral aguda (4,5g/eqüino) e nem a crônica (30g/dia, equivalente a 5,7mg/kg de PC diariamente) com grande quantidade de niacina têm qualquer influência em vários parâmetros da tolerância ao exercício.

Vitamina B_{15} (Ácido Pangâmico)

Ácido pangâmico (vitamina B_{15}) é um termo que tem sido usado de forma indiscriminada para descrever vários produtos. Não é uma entidade definida e nenhuma informação parece ter sido apresentada para sustentar as afirmações dos efeitos biológicos benéficos.

Vitamina C (Ácido Ascórbico)

O ácido ascórbico é sintetizado a partir da glicose nos tecidos eqüinos. As fontes da dieta são muito absorvidas de forma muito pobre e, de fato, Löscher *et al.* (1984) concluíram que nos casos em que a suplementação pôde ser requerida após operações e traumas, uma dose intravenosa (IV) de 10g de ácido ascórbico foi necessária para aumentar a concentração sangüínea. Foi usado por meio de injeções nas infecções pós-traumáticas de feridas, epistaxe, garrotilho e rinopneumonia aguda. Sua natureza ácida causa irritação local em seguida à administração subcutânea e intramuscular e, portanto, é administrada por injeção IV na remoção de cálculos renais. Snow *et al.* (1987) reportaram que doses orais únicas de 20g não causaram efeito na concentração plasmática, enquanto a administração diária tanto de 4,5 quanto de 20g de ácido ascórbico resultou em um aumento do nível plasmático após cinco a dez dias. Nenhum benefício de tal administração foi demonstrado em eqüinos sadios.

REQUERIMENTOS DE ÁGUA E PERDAS DE LÍQUIDOS

A água constitui cerca de 65 a 75% do peso corpóreo de um eqüino adulto e 75 a 80% de um potro. A água é vital para a vida do animal. O eqüino também necessita ingerir água com seus alimentos para atuar como um meio líquido para a digestão e propulsão da ingesta através do trato GI, para produtos úteis – leite e crescimento, e para permitir boas perdas por meio de pulmões, pele e fezes e urina. Em eqüinos adultos sadios submetidos a trabalhos leves, uma estimativa demonstrou que as perdas de água foram distribuídas de modo que 18% ocorreram na urina, 51% nas fezes e os 31% remanescentes representaram as perdas insensíveis (Tasker, 1967). O consumo restrito de água deprimirá o apetite e reduzirá o consumo de alimento.

Os eqüídeos diferem na capacidade de conservar água corpórea e na resistência à desidratação. Asininos das regiões secas dos trópicos podem impedir a extrema desidratação porque conservam a água de forma mais eficiente que os eqüinos. Um aumento na temperatura ambiente de 15 para 20°C eleva o requerimento de águas dos eqüinos em 15 a 20%. Atividade física, dependendo de sua intensidade, aumentará os requerimentos em 20 a 300% acima das necessidades de manutenção por meio das perdas elevadas pelos pulmões e pela pele. Por razões óbvias, o pico de lactação pode levar ao dobro dos requerimentos observados na manutenção (ver Tabela 7.5, Cap. 7).

O eqüino obtém água para suas necessidades metabólicas a partir de três fontes – o consumo de água fresca, o conteúdo de água de folhagens naturais e outros alimentos e a partir da água metabólica. Pastagens frescas, jovens e em crescimento podem conter 75 a 80% de água, de forma que sob várias situações a água fresca adicional pode não ser necessária, mas uma fonte deve sempre ser fornecida. Em condições áridas, as pastagens são muito diferentes e os eqüinos procurarão e consumirão arbustos venenosos e plantas suculentas a não ser que a água e os alimentos sejam providos.

A água metabólica é aquela produzida durante a degradação de carboidratos, gorduras e proteínas na respiração celular, por exemplo:

$$C_6H_{12}O_6 + 6\ O_2 \rightarrow 6\ CO_2 + 6\ H_2O \text{ para carboidratos}$$
$$C_{57}H_{104}O_6 + 80\ O_2 \rightarrow 57\ CO_2 + 52\ H_2O \text{ para gordura típica}$$
$$2\,C_3H_7O_2N + 6\,O_2 \rightarrow (NH_2)_2CO^{*} + 5\,CO_2 + 5\,H_2O \text{ para o aminoácido alanina (* indica uréia)}$$

978-85-7241-725-9

Assim, para cada 100g de glicose, gordura média, ou aminoácidos médios metabolizados existirão respectivamente 60, 106 ou 101g de água produzida. Por quilograma de alimento ingerido isso chega ao equivalente a 350 a 400g de água, dependendo da digestibilidade do alimento. Todavia, em circunstâncias de escolha, o consumo de água dos eqüinos está altamente correlacionado ao consumo de MS e quantidades entre 2 a 4L/kg de MS em eqüinos em estábulos funcionaram moderadamente.

Requerimentos de Água

Manutenção

Para a manutenção de eqüinos adultos em um ambiente uniforme, o requerimento total de água é provavelmente menor que 2L/kg de consumo de MS (cerca de 5L/100kg de PC).

Eqüinos em Atividade Física

O esforço extenuante em climas quentes aumenta o requerimento de água para 5 a 6L/kg de consumo de MS (12 a 15L/100kg de PC) quando existe uma perda inevitável de quantidades relativamente grandes de cloreto de sódio e potássio pelo suor. A desidratação excessiva pode

978-85-7241-725-9

ser fatal. Certas raças de eqüinos e outras espécies de *Equus* (por exemplo, *E. asinus*) (Maloiy, 1970) podem suportar perda excessiva de calor sem desconforto aparente, mas eqüinos de raças temperadas podem sucumbir às perdas de água que totalizarem 12 a 15% de seu peso corpóreo (Hinton, 1978; Brobst e Bayly, 1982). As estimativas do grupo de Hanover (Meyer, 1990) indicam que eqüinos de 500kg, trotando a uma velocidade de 3,5m/s, em temperatura ambiente de 27°C, requerem um mínimo de 10 a 12L de água/h para reporem perdas inevitáveis. A repleção de água deve ser acompanhada por eletrólitos balanceados, apesar dos eletrólitos freqüentemente terem de ser fornecidos primeiro para induzir o ato de beber quando ocorreu uma desidratação isotônica ou hipotônica. Onde o eqüino se enquadrar, deve-se permitir que caminhe ou paste de forma que esfrie gradativamente por uma hora antes de receber quantidades substanciais de água. O consumo excessivo de água gelada por eqüinos aquecidos pode precipitar cólica ou sobrecarga de estômago. Durante climas muito frios, a água aquecida a uma temperatura de 7 a 18°C deve ser fornecida e será consumida mais prontamente do que a água muito fria. O consumo reduzido de água pode contribuir com a incidência de cólica por compactação e com a piora da performance de cavalos de corrida.

O trato GI contém 300mg de Na, 150mg de Cl e 220mg de K/kg de PC ou 15 a 20% do total de Na, 17% do total de Cl e 10% do total de K. O conteúdo de K no trato GI está, todavia, correlacionado ao consumo e o conteúdo de todos os três está relacionado ao conteúdo gastrointestinal de água (Meyer, 1996). A esse conteúdo é adicionado o consumo dietético de fibras solúveis, fornecendo assim uma fonte de eletrólitos e água para o trabalho prolongado (ver Cap. 9).

Potros e Eqüinos Desmamados

Uma égua de alta produção com 500kg pode produzir 12kg de água diariamente em seu leite (ver Tabela 7.5, Cap. 7, para os requerimentos de água em um haras). Porém, um potro tem um requerimento maior que um adulto em proporção ao seu tamanho, porque é menos capaz de concentrar urina. Uma causa freqüente de morte em potros neonatos é a rápida desidratação pela diarréia persistente, o que requer tratamento com uma solução salina fisiológica (ver Cap. 11). O consumo de líquido de potros mamando em éguas de pasto foi mensurado (Martin *et al.*, 1992) em Queensland, onde a temperatura ambiente máxima ficou em uma média de 30°C e a umidade relativa (UR) foi de 70%. Os resultados estão fornecidos na Tabela 4.2.

Os eqüinos desmamados satisfazem suas necessidades hídricas mediante períodos relativamente breves de beberagem, mesmo quando alimentados com comida. Sufit *et al.* (1985) observaram que pôneis bebem por 27min diariamente, muito do que era periprandial.

Tabela 4.2 – Consumo diário de líquidos por potro (Martin *et al.*, 1992).

Idade (dias)	Consumo de leite (kg)	Consumo de água (kg)	Consumo total de líquidos (g/kg de PC)	Leite consumido (kg/kg de ganho de PC)
11-18	16,9	zero	246	12,8
30-44	-	3,9	202	15,7
60-74	18,1	5,5	172	16,4

PC = peso corpóreo.

Qualidade da Água

Onde for praticável, a água deve ser provida de aquedutos. Se não estiverem disponíveis, então água de poços ou córregos precisa estar livre de poluição pela água de esgoto ou de vazamentos de fertilizantes. O ideal é que uma nova fonte seja primeiro avaliada por analistas competentes. Contaminação microbiológica potencialmente perigosa pode ocorrer. Por exemplo, a excreção urinária da leptospira por roedores pode poluir a água e a inundação de rio e esgoto pode causar abortamentos em éguas e morte dos potros. A febre do rio Potomac é uma doença gastrointestinal de eqüinos causada pela *Ehrlichia risticii*. Ocorre na América do Norte e Europa entre o final da primavera e início do outono nos climas temperados e está associada com depressão, anorexia, letargia, febre, cólica leve, diarréia aquosa, desidratação, edema e leucopenia. É mantida em um ecossistema aquático complexo, do qual a transmissão para eqüinos ocorre pela ingestão de insetos. Madigan *et al.* (2000) demonstraram sua transmissão pela ingestão de moscas d'água adultas de águas poluídas no norte da Califórnia.

A água de rios é normalmente mais segura do que a água de lagoas. Todavia, além dos riscos impostos por qualquer poluição a partir da nascente, uma velocidade diminuída do fluxo na secura do verão estimula o crescimento e o acúmulo de plantas. Apesar disso poder ajudar com a oxigenação da água, as algas azul-esverdeadas cianofíceas (*Myxophyceae*) podem se proliferar e ser contidas por outras plantas. A espécie que recebe mais atenção é a *Anacystis cyanea* (Clarke e Clarke, 1975), pois o consumo dela por eqüinos pode causar lesão hepática, icterícia e fotossensibilização, ou morte. A microcistina, um decapeptídeo cíclico e uma hepatotoxina alcalóide são considerados como os agentes tóxicos nessa espécie. Existem várias outras espécies de algas que contêm uma variedade de toxinas e é recomendado evitar as fontes de água que possam contê-las.

Perdas e Privação de Água

Perdas Renais

O eqüino não exercitado elimina a maior parte da água em excesso pela excreção dos rins. Essa água é o veículo para a excreção do excesso de sais de sódio e potássio e muito dos produtos da quebra do metabolismo de nitrogênio. Apesar dos sais de cálcio poderem, em parte, ser excretados em uma forma sólida, existe um limite para o qual o eqüino pode concentrar uréia e os sais altamente solúveis de sódio e potássio. Assim, nos casos em que as dietas forem ricas em sal ou em proteínas, mais água dietética será requerida. Com base na evidência em outras espécies, um aumento no total de sal da dieta de 7,5 para 30g/kg aumentaria a relação da água de livre-escolha com a MS na dieta de 2:1 para 3,5:1, com outros itens mantendo-se iguais.

Meyer (1990) relatou que 73 a 89% do consumo total de água foram perdidos pela excreção renal em eqüinos recebendo concentrado, ao passo que menos de 60% foram perdidos por essa via em eqüinos recebendo feno. A restrição de água diminui as perdas renais, mas não afeta as perdas pelo suor em eqüinos normais. Nos casos em que a restrição de água persistir, um considerável estresse é induzido em eqüinos exercitados, com aumento das concentrações plasmáticas de proteína e uréia e freqüência respiratória elevada durante o exercício. A uréia urinária ao repouso, de acordo com a informação de Hanover (Meyer, 1990), foi de 6 a 8g/L, mas a quantidade aumentou para 15 a 50g/L após o exercício, refletindo a solubilidade da uréia e a ausência relativa do efeito da conservação de água em alguns eqüinos. O maior valor de uréia ocorreu com dietas ricas em proteínas e privação prolongada de água.

Suor

Eqüinos perdem grande quantidade de líquido pelo suor durante o exercício. A quantidade aumenta muito com uma elevação na temperatura ambiente. Meyer (1990) registrou perdas de 1L/100kg de PC/h a 18 a 20°C, mas para cada grau aumentado na temperatura ambiente (intervalo de 15 a 27°C) a produção de suor aumentou em 3%. Em contraste com as perdas de líquidos pelos pulmões, o suor tem quantidade significativa de eletrólitos e pequena quantidade de oligoelementos minerais (Tabela 4.3). Durante 2h de exercícios, as perdas no suor foram calculadas como:

	mg/kg de PC
Na	28-69
K	17-30
Cl	56-118

Assim, durante esse exercício, um eqüino de 500kg poderia perder 50 a 90g de cloreto de sódio somente no suor.

Perdas pela Evaporação pelos Pulmões

A evaporação do suor, ou da água da superfície pulmonar, absorve calor e assim resfria o eqüino (a evaporação isotérmica de 1kg de água insensível absorve 2.256kJ). A perda de água pela superfície pulmonar aumenta muito durante o exercício em razão da elevação da temperatura corpórea do eqüino e da elevação tanto da freqüência respiratória quanto do volume corrente. A perda de calor pelos pulmões a 20°C e 60% de umidade relativa (UR) foi calculada como sendo de 289kJh no repouso e 3.059kJh trotando (Tabela 4.4).

A Tabela 4.4 indica que um aumento na temperatura corpórea durante o exercício elevou o conteúdo de umidade do ar exalado em 15%, mas isso, junto com o aumento do volume respiratório durante o exercício, elevou a perda de água expiratória em oito vezes. As perdas de água de eqüinos exercitados, no suor e pelos pulmões, não podem ser reduzidas durante a privação de água se a temperatura corpórea for mantida em limites fisiológicos, apesar das perdas urinárias serem aumentadas.

Tabela 4.3 – Composição do suor após 2h de exercício (segundo Meyer, 1990).

	g/L		mg/L
Na	2,77	Ca	123
K	1,42	Mg	52
Cl	5,33	Zn	11,4
		Fe	4,3
		Cu	0,27
		Mn	0,16
		Se	2-5μg/L

978-85-7241-725-9

Tabela 4.4 – Perda líquida de água por unidade de volume (m^3) do ar exalado e perda de água no ar exalado por hora.

	Perda de água durante a expiração (g/m^3)	Perda de água expirada (g/h/eqüino)
Repouso	38,3	172,5
Trote a 3,5m/s	44,2	1.356

Determinando a Privação de Água e a Resposta à Sede

À parte os vários sinais clínicos de perda de líquidos, incluindo o turgor de pele, o volume corpuscular (VC) do sangue não é um guia de desidratação e privação de água. O enrugamento das hemácias e as alterações na sua liberação pelo baço durante a desidratação e os exercícios podem tornar esse parâmetro não confiável. A proteína plasmática total, porém, pode aumentar em 10 a 12g/L (digamos, de 62 para 73g/L) com uma perda de líquido causando redução de 12 a 15% no peso corpóreo. As modificações nos eletrólitos plasmáticos e urinários e na uréia dependem de vários fatores associados. Em um estudo (Brobst e Bayly, 1982), as perdas de líquidos dessa extensão resultando da desidratação de eqüinos TB castrados aumentaram a concentração de uréia sérica e urinária em, respectivamente, 68 e 130%. A gravidade específica da urina atingiu pelo menos 1,042 e a osmolalidade urinária aumentou em 30% para 1.310mOsm/kg quando a relação de osmolalidade da urina:soro aumentou para 4,14:1. A beberagem voluntária foi encontrada começando em pôneis quando a osmolalidade plasmática (mOsm/L) aumentou em 3% com uma conseqüente redução no volume plasmático, mensurado como aumento na concentração de proteína plasmática (Sufit *et al.*, 1985).

Nyman *et al.* (2002) compararam consumos de água de eqüinos *Standardbreds* desidratados, normais e hiper-hidratados após o exercício. Com os estímulos osmótico e hipovolêmico de sede, os dois primeiros grupos reidrataram-se mais rapidamente após o exercício do que os eqüinos que estavam hiper-hidratados antes dele. A perda do volume plasmático foi ligeiramente menor nos hiper-hidratados do que nos eqüinos normais. A concentração plasmática de aldosterona aumentou na mesma extensão após 10min de exercício, independentemente do estado de hidratação; mas em um teste, aumentou em uma extensão significativamente maior no grupo hiper-hidratado. É provável que haja explicações fisiológicas e psicológicas para as diferenças entre os eqüinos em sua inclinação para beber quando desidratados. Schott *et al.* (2003) demonstraram três grupos distintos dentre 18 árabes de dois anos de idade não treinados, quanto à quantidade de líquido obtido durante e após um exercício de 60km em esteira. "Você pode levar um cavalo para beber...".

O efeito do consumo de líquido antes do exercício sobre a performance dependerá de vários fatores, incluindo a quantidade consumida, seu conteúdo de soluto, duração e intensidade de exercício e temperatura ambiente (ver Caps. 9 e 11). Finalmente, deve ser observado que os eqüinos que viajam para uma competição podem freqüentemente chegar ao local em estado desidratado.

Reservas de Água

O consumo voluntário de água é maior nos eqüinos alimentados com feno do que naqueles recebendo concentrados e o conteúdo de água do trato GI é consideravelmente maior nos

978-85-7241-725-9

Tabela 4.5 – Conteúdo médio de líquidos do trato gastrointestinal em pôneis recebendo 18g de matéria seca (MS)/kg de peso corpóreo (PC) como feno ou alimento concentrado (segundo Meyer, 1990).

	Feno	Concentrados
3,5h após alimentação		
MS (g/kg de PC)	19,4	18,3
Água (mL/kg de PC)	183	101
Na (mg/kg de PC)	398	226
K (mg/kg de PC)	289	220
Após 1h de exercícios na esteira com 3,5h após a alimentação		
Redução no conteúdo de água (mL/kg de PC)	20	8
Redução no conteúdo de Na (mg/kg de PC)	291	Sem alteração significativa

que recebem dieta de feno do que nos que recebem somente mistura de concentrados. Conseqüentemente, o trato GI após a alimentação com feno pode atuar em certa extensão como um reservatório de água e sódio para as necessidades metabólicas (Tabela 4.5).

A quantidade de cloreto de sódio é perigosa nos estados de privação de água, mas aumentará o consumo voluntário de água antes do trabalho de resistência, aumentando a retenção de água. A retenção máxima ocorreu da terceira à quarta hora após o fornecimento do sal em um alimento (Meyer, 1990) e, assim, este pode ser o momento ótimo após uma pequena refeição para o exercício prolongado durante climas quentes (ver Cap. 9).

QUESTÕES PARA ESTUDO

1. Existe alguma circunstância na qual se espera uma resposta útil dos eqüinos a uma preparação de vitaminas lipossolúveis? Se sim, descreva essas circunstâncias e forneça as razões da existência delas.
2. Quais fatores devem ser considerados ao se decidir pela suficiência de uma fonte de água para eqüinos?

LEITURA COMPLEMENTAR

Josseck, H., Zenker, W. & Geyer, H. (1995) Hoof horn abnormalities in Lipizzaner horses and the effect of dietary biotin on macroscopic aspects of hoof horn quality. *Equine Veterinary Journal,* **27**, 175-82.

Martin, R.G., McMeniman, N.P. & Dowsett, K.F. (1992) Milk and water intakes of foals sucking grazing mares. *Equine Veterinary Journal,* **24**, 295-9.

Meyer, H. (1990) Contributions to water and mineral metabolism of the horse, In: *Advances in Animal Physiology and Animal Nutrition*, pp. 1-102. Supplements to *Journal of Animal Physiology and Animal Nutrition*, Paul Parey, Hamburg and Berlin.

Watson, E.D., Cuddeford, D. & Burger, I. (1996) Failure of β-carotene absorption negates any potential effect on ovarian function in mares. *Equine Veterinary Journal*, **28**, 233-6.

Zenker, W., Josseck, H. & Geyer, H. (1995) Histological and physical assessment of poor hoof horn quality in Lipizzaner horses and a therapeutic trial with biotin and a placebo. *Equine Veterinary Journal*, **27**, 182-91.

CAPÍTULO 5

Ingredientes dos Alimentos de Eqüinos

Algumas partes do reino não produzem grãos tanto quanto aveia, o que provavelmente pode ser a razão pela qual passou a ser usada como nossa forragem principal.

W. Gibson, 1726

Algumas das principais características químicas dos ingredientes de alimentos de eqüinos são dadas no Apêndice C. Os ingredientes devem ser selecionados não apenas para proverem os nutrientes requeridos, mas também para serem uniformes em qualidade, para evitar contaminações e sujeiras danosas e para equilibrar alimentos densos ricos em energia com alimentos mais volumosos. A taxa de consumo de energia digestível (ED), não deve ser excessiva e o conteúdo do estômago deve reter uma textura física "aberta".

ALIMENTOS VOLUMOSOS

Feno Solto

As gramíneas e forrageiras leguminosas são cortadas para a produção de feno. As espécies mais comuns de gramíneas são adequadas, mas provavelmente as mais populares e produtivas incluem azevém (*Lolium*), festuca (*Festuca*), timótio (*Phleum pratense*) e dáctile (*Dactylis glomerata*). Várias espécies encontradas nas pastagens permanentes, como por exemplo, poa paludosa (*Poa*), bromo (*Bromus*), capim panasco rasteiro (*Agrostis*) e rabo-de-raposa (*Alopecurus*), são também bem satisfatórios. Dentre as leguminosas, os trevos vermelhos, brancos, híbridos e encarnados e os trifólios (*Trifolium*), a alfafa (*Medicago*) e algumas vezes o esparzeta (*Onobrychis*) são usados. Apesar do conteúdo de fibra crua do feno de trevo encarnado (*Trifolium incarnatum*) poder ser similar ao de outros trevos, a fibra tende a ser menos facilmente digerida pelo eqüino (fibras de forragens leguminosas geralmente são mais lignificadas do que as de gramíneas). Para servir como culturas de silagem pré-seca (ou silagem emurchecida) ou feno eqüino, duas misturas confiáveis de grãos são:

- Três cepas perenes de azevém – Melle 5kg/ha, Meltra tetraplóide 15kg/ha, Augusta tetraplóide híbrida 13kg/ha – ou como uma cultura de dois anos.
- Trevo vermelho largo tetraplóide – Hungaropoly 7kg/ha – e azevém Italiano tetraplóide – Wilo 15kg/ha, Whisper 10kg/ha.

978-85-7241-725-9

As folhas das leguminosas e gramíneas são muito mais ricas em nutrientes do que os talos, pois estes contêm cerca de dois terços da energia e cerca da metade das proteínas e outros nutrientes encontrados nas partes aeradas. As folhagens das leguminosas tendem a se despedaçar mais prontamente do que as folhas das gramíneas, de maneira que é necessário cuidado na confecção do feno a fim de conservar a qualidade nutricional do feno de leguminosas. Ainda assim, no mesmo estágio de maturidade, o feno de leguminosa contém mais ED, cálcio, proteína, betacaroteno e algumas vitaminas B, incluindo ácido fólico, do que o feno de capim. Eqüinos consumindo feno composto predominantemente de forragens leguminosas tendem a produzir mais urina com forte odor de amônia e contendo depósitos de sais de cálcio. Esses eventos são respostas fisiológicas normais em animais sadios.

978-85-7241-725-9

Contanto que o feno seja composto por plantas nutritivas, não tóxicas e seguras, o estágio de maturidade da cultura no momento do corte e as condições de tempo e cuidado para o qual o preparo do feno está sujeito são características muito mais importantes do que as espécies de plantas presentes. Porém, nos últimos anos, a digestibilidade e o valor alimentar do feno feito de várias espécies de esparzetas já foram determinados em estágios semelhantes de maturidade. A digestibilidade do feno de capim-cevadinha (*Bromus unioloides*), uma *bromegrass* de climas frios, foi demonstrada como sendo maior que o de capim-bermuda (*Cynodon dactylon* L.) (Sturgeon *et al.*, 1999). Fenos de capim *bromegrass* Matua (*B. willdenowii* Kunth), 11,5 e 15,1% de PB, foram consumidos em quantidades similares, respectivamente, a fenos de alfafa de 15,4 e 20,4% de proteína bruta (PB) por éguas em reprodução e as duas espécies causaram performance reprodutiva semelhante (Ball *et al.*, 1999; Guay *et al.*, 2002). Como seria esperado, o feno de capim Matua contendo 17% de PB, 54% de fibra em detergente neutro (FDN) e 5,5% de lignina tem uma maior digestibilidade da matéria seca do que o feno Matua com 9% de PB, 67% de FDN e 9,5% de lignina (Box *et al.*, 2001). O feno de capim-bermuda (*Cynodon dactylon* L) é consumido em maiores quantidades e produz velocidades de crescimento maiores que os fenos Florakirk e Tifton 85, ou os de capim-florona (Lieb e Mislevy, 2001).

LaCasha *et al.* (1999) observaram que o consumo voluntário e a digestibilidade da matéria orgânica (MO) foram maiores para o feno de alfafa (*Medicago sativa* L) do que para os fenos de gramíneas: *bromegrass* Matua (*Bromus willdenowii* Kunth, comparado com Grasslands Matua) e capim-bermuda (*Cynodon dactylon*) e o consumo do feno de capim-bermuda foi pior do que o do Matua. Os autores concluíram que o feno de capim Matua atingiu os requerimentos de proteína digestível e de minerais dos eqüinos Quarto de Milha de 12 meses. Três outros fenos de capim perene subtropical, Tifton 85, Florakirk (*Cynodon* spp.) e Florona possuíram conteúdo de nutrientes e digestibilidade bons, ou melhores, comparados com o capim-bermuda (Lieb e Mislevy, 2003).

O consumo voluntário (e a digestibilidade) de fenos de gramíneas de estações quentes e frias como único alimento varia de 19 a 29g/kg de peso corpóreo (PC) e é negativamente correlacionado a seu conteúdo de FDN:

$y = 124{,}55 + 0{,}0155x^2 - 2{,}5742x$ ($R^2 = 0{,}67$) (Lawrence *et al.*, 2001)
$y = 90{,}95 - 0{,}98x$ ($R^2 = 0{,}68$) (Reinowski e Coleman, 2003)
em que x = % de FDN em matéria seca (MS) e $y = g.kg\ PC^{-1}\ d^{-1}$.

O consumo voluntário de três fenos de gramíneas perenes da estação quente diminuiu na seqüência: *andropogon* (*Andropogon gerardii*), *indiangrass* (*Sorghastrum nutans*) e *gammagrass* (*Tripsacum dactyloides*) (conteúdo de FDN de 700 a 740g/kg de MS), mas o feno de timótio (613g de FDN/kg de MS) foi preferido a todos os fenos da estação quente (Reinowski e Coleman, 2003; Reinowski *et al.*, 2003). O consumo de feno estende o tempo de alimentação e assim é benéfico a eqüinos sem atividades. Aqueles recebendo somente o feno de timótio podem gastar 6,7 a 9,3h/dia comendo, com um consumo de MS de 1,5% de PC/dia (Shings *et al.*, 2001).

Conforme as folhagens do capim amadurecem, a produção de MS por hectare aumenta, o conteúdo de umidade da plantação diminui e, no Reino Unido, o clima fica mais quente. No Jealott's Hill Research Station, Bracknell, Berkshire (ICI Ltd.) (possuído e operado como uma estação de pesquisa por Zeneca CTL, Macclesfield, Cheshire), vários anos atrás, a produção média de MS de culturas precoces de feno foi somente de 57% do ceifado numa data tardia. Mesmo quando a segunda colheita foi incluída, a produção total do feno inicial quantificou somente 71% do produzido pelo corte tardio. Assim, existe um incentivo comercial considerável para produzir feno formado por gramíneas no estágio final de floração. Todavia, onde o feno de boa qualidade nutricional for requerido para eqüinos, misturas de capim e trevo devem ser cortadas antes do capim estar em completa floração, quando o conteúdo protéico da lavoura situa-se entre 9 e 10% de MS e a cultura contém altas concentrações de cálcio, fósforo e outros minerais. Fenos duros, de gramíneas maduras, porém, freqüentemente contêm 3,5 a 6% de proteína bruta, menores concentrações de minerais e mais fibra bruta (Fig. 5.1). Hyslop *et al.* (1998a) observaram que pôneis castrados adultos recebendo acesso *ad libitum* ao feno de gramíneas maduras trilhadas (933g de matéria orgânica, 49g de proteína bruta, 796g de FDN e 6,25MJ de ED/kg de MS) foram capazes de exceder em 43% seu requerimento predito de manutenção de energia, ao passo que o consumo de proteína bruta digestível (PBD) foi 40% menor que o requerimento protéico predito. Várias amostras de feno de gramíneas maduras, em nossa experiência, foram semelhantes a isso, requerendo um suplemento protéico para uso mais eficiente, em particular porque muito da proteína absorvida é nitrogênio inorgânico na região posterior intestinal.

Usando a flora fecal intestinal, Hussein *et al.* (2001) observaram que a digestibilidade da matéria seca e da matéria orgânica *in vitro* foram menores para o azevém perene (*L. perenne*) do que *bromegrass* (*Bromus inermis*), dáctile (*Dactylis glomerata*), ou festuca (*Festuca arundinacea*) em vários estágios de maturidade. Assim, muito mais pesquisas são necessárias para determinar as misturas apropriadas de espécies de gramíneas para as pastagens e feno desejáveis para eqüinos, pois várias características devem ser avaliadas.

O feno de boa qualidade de culturas puras de alfafa ou esparzeta é difícil de ser feito quando se conta com a secagem natural, porque a perda de umidade dos talos com suco espesso é relativamente lenta e o ato mecânico de virar e espalhar pode resultar em perda considerável de folhagens, que secariam mais cedo e se fragmentariam mais prontamente. Para o melhor produto, essas leguminosas devem ser cortadas antes da floração no estágio de botão, porque após a primeira floração o conteúdo de proteína bruta declina em uma taxa diária de 0,5% e a energia digerível declina em cerca de 0,75% por dia.

Os eqüinos nunca devem receber feno umedecido, de forma que o preparo de feno satisfatoriamente frondoso durante clima rigoroso representa um problema considerável, na ausência de um recurso para a secagem artificial. O feno de melhor qualidade deve ser frondoso e verde, mas livre de umidade, ervas daninhas e partes com excessos de desgaste. Quando as misturas pasto-lavoura crescem para a produção de feno, o primeiro corte pode conter várias plantas daninhas, o segundo corte é geralmente produzido a partir de um crescimento mais rápido e contém mais talos, mas o terceiro corte pode ter conteúdo mais elevado de nutrientes e folhas, fornecendo uma produção pequena por hectare.

978-85-7241-725-9

Figura 5.1 – Amostras de feno de vários tipos. (*A*) Feno de "sementes" duras cortado quando a gramínea formou a inflorescência. O material está limpo, com pouca poeira, mas com baixo valor nutritivo. (*B*) Feno de alfafa, o qual é igualmente taludo e foi seco ao sol; o descoramento destrói a potência de sua vitamina A, mas adiciona alguma potência à vitamina D. A colheita ruim causou a perda da maioria das folhas, privando assim o feno de seu componente mais digerível. (*C*) Feno de alfafa de boa qualidade, que pode ter sido secada no celeiro. É um material "rico" e cuidado deve ser tomado para evitar a perda das folhagens durante a alimentação (observe as partículas das folhas na base da amostra). A secagem artificial priva o feno da potência da vitamina D. (*D*) Feno de grama azul (prado) contendo uma parte de timótio (*Phleum pratense*). Esta amostra é de qualidade razoável e é livre de umidade significativa.

Silagem Pré-seca

Particularmente quanto às espécies de gramíneas e aspectos de segurança, ver o Capítulo 10. A silagem pré-seca (corte da pastagem entre os estágios iniciais de silagem e de feno e normalmente contendo, após a preservação, 40 a 65% de MS) tem sido usada cada vez mais no lugar do feno para a alimentação de eqüinos. Porém, a produção de silagem pré-seca para consumo doméstico só é justificada se:

- Existir número suficiente de eqüinos disponíveis para fazer uso da quantidade mínima que deve ser produzida de forma eficiente e um número que poderia usar um fardo aberto dentro de dois dias.

- Existir pasto adequado, que não tenha sido usado no pastejo naquele ano por eqüinos e que possa ser deixado de lado e fertilizado.
- Existir mão-de-obra com conhecimento adequado, equipamentos e espaços disponíveis para fazer, verificar e estocar o produto.

Os mais bem sucedidos produtores e usuários da silagem pré-seca parecem achar que um produto muito rico em conteúdo de MS é o melhor e mais aceitável pelo maior número de eqüinos em um estábulo. No Yorkshire Riding Centre, na Inglaterra, a grama azul (prado) é cortada da metade de junho, quando a gramínea está começando a florescer, cerca de duas semanas antes de o feno ser obtido. Permite-se que o material ceifado murche no campo por um dia e então são preparados fardos quadrados (Fig. 5.2, *A*) um dia antes de estar pronto como feno, produzindo um produto com 45 a 68% de MS e 90 a 120g de proteína bruta/kg de MS. Os fardos quadrados são preferidos, pois os "redondos" são mais propensos ao mofo na parte central, onde pode existir um espaço vazio. É importante evitar perfurar a cobertura plástica do fardo, pois o mofo ocorrerá naquele ponto. Ainda é normalmente seguro separar e descartar somente a porção embolorada, pois o micélio da *maioria* dos bolores é benigna e não penetra nos fardos bem compactados (Fig. 5.2, *B* e *C*). Se houver fermentação secundária, ocasionada pelo excessivo aquecimento no centro, então todo o fardo deve ser descartado. Um fardo bem preparado e empacotado pode ser deixado aberto por até quatro dias em clima frio e por um tempo menor em clima quente, antes do resíduo ser descartado.

Em relação ao peso, com 50 a 60% de conteúdo de MS, a silagem pré-seca é equivalente em valor energético ao mesmo peso do feno típico de gramíneas. No Yorkshire Riding

978-85-7241-725-9

Figura 5.2 – Silagem pré-seca. (*A*) Uma meda de fardos empacotados com plástico: fardos quadrados são menos propensos a embolorar na parte central do que os fardos redondos. (*B*) Superfície embolorada em um fardo, adjacente a um ponto de penetração. (*C*) Um corte do fardo, mostrando que aquela penetração pelo bolor da silagem pré-seca comprimida era leve.

Centre, 0,405ha (um acre) provêem um suprimento de silagem pré-seca de um ano para um eqüino. Cerca de 375 fardos atingem os requerimentos de 40 eqüinos por um ano, exceto para um ou dois que não comerão a silagem pré-seca. As fezes da maioria dos eqüinos são mais pastosas quando são introduzidos na silagem pré-seca, um efeito semelhante ao que ocorre quando os eqüinos são colocados para pastar, ainda que nenhuma cólica esteja presente. Assim eqüinos que "saem" do capim se adaptam mais facilmente a um regime que inclui a silagem pré-seca. Um fardo por dia é suficiente para cerca de 35 eqüinos no inverno, quando os eqüinos recebem uma ração dele no solo, duas a três vezes durante aquele dia (5,5 a 7,5kg para eqüinos menores e até 12kg para eqüinos maiores, diariamente). Esse esquema de alimentação parece manter os animais em um estado mental adequado para cavaleiros novatos. Durante o verão, quando os eqüinos geralmente são mais ativos, são fornecidos mais concentrados, de forma que a necessidade de silagem pré-seca é reduzida em 20 a 25% e os eqüinos correm na grama de noite (Tabela 5.1). Além do mais, eqüinos de competição recebem menos do que outros animais, na tentativa de evitar uma "barriga" excessivamente grande.

O consumo e os valores de digestibilidade aparente para silagem pré-seca, feno de gramíneas, silagem de gramíneas de silos de superfície (geralmente cobertos por rolos plastificados lembrando grandes fardos) e silo de trincheira foram comparados usando-se pôneis. O consumo de MS do silo de trincheira foi o menor, uma resposta que pode estar relacionada ao seu baixo pH, e o consumo de MS do feno foi menor do que o observado nas silagens de rolos plastificados. A digestibilidade do feno e da silagem pré-seca foi menor do que para a silagem de trincheira e de superfície. Todos os alimentos, exceto o feno, atingiram os requerimentos diários de ED e proteína bruta digestível (Moore-Colyer e Longland, 2000; Hale e Moore-Colyer, 2001; Tabelas 5.2 e 5.3). Trabalho subseqüente desse grupo (Moore-Colyer *et al.*, 2003) demonstrou que a silagem de superfície de gramíneas foi prontamente aceita e foi mais digestível (MS, MO, PB, fibra em detergente ácido [FDA] e FDN) do que o feno de gramíneas derivado da mesma fonte, apesar de ter produzido fezes com menor conteúdo de MS e maior pH (Coenen *et al.*, 2003c). As digestibilidades comparáveis da MS foram de 67 e 49%.

Como muito do valor nutricional das forrageiras se origina da absorção dos nutrientes pelo intestino grosso, o seu valor de aminoácidos é baixo quando comparado àquele observado para os alimentos concentrados. Os valores verdadeiros de proteína e lisina de cubos

978-85-7241-725-9

Tabela 5.1 – Esquema de fornecimento de rações diárias para eqüinos usando silagem pré-seca de gramíneas com 50 a 60% de matéria seca.

	Silagem pré-seca (kg/dia)	Concentrados (kg/dia)
Eqüinos de eventos	7-7,5	5-6
Eqüinos de montaria para novatos		
1,68-1,73m (16,2-17 palmos) – verão	7-7,5	1,5-2,5
– inverno	11-12	0-1
1,57-1,68m (15,2-16,2 palmos) – verão	5-6	1-1,5
– inverno	7-7,5	0-0,5
1,42-1,57m (14-15,2 palmos) – verão	5-6	0,5-1
– inverno	6,5-7	0-0,5

Tabela 5.2 – Uma comparação de feno de gramíneas (F), silagem pré-seca (SP), silo de superfície (SS)* e silo de trincheira (ST) em pôneis castrados adultos mestiços Welsh. Os alimentos foram oferecidos à taxa de 1,65kg de matéria seca (MS)/100kg de peso corpóreo diariamente (g/kg de matéria seca, a não ser quando determinado de outra forma) (Moore-Colyer e Longland, 2000).

	F	SP	SS	ST
MS (g/kg)	922	676	500	337
Matéria orgânica	946	934	937	916
Proteína bruta	44	70	111	154
Amido	90	50	40	33
EB (MJ/kg)	17,4	17,5	17,8	18,6
Ca	3,1	5,8	4,7	5,5
P	1,3	2	3,7	3,3
Mg	1,4	1,8	2,4	2,6
NSP total	408	293	405	353
Consumo de MS (g/kg PL/dia)	14,7	18,4	17,3	9,17
ED (MJ/kg de MS)	5,75	9,09	9,83	11,98
Consumo de ED (MJ/kg de PL/dia)	0,091	0,167	0,170	0,109
PBD (g/kg de MS)	6	34	74	104

* N. do T.: geralmente coberto por rolos plastificados, lembrando grandes fardos .
Ca = cálcio; EB = energia bruta; ED = energia disgestível; Mg = magnésio; NSP = proteínas não estruturais; P = fósforo; PBD = proteína bruta digestível; PL = peso líquido.

de alfafa de alta qualidade são apenas 60% dos valores comparados de uma mistura de concentrado (Coleman *et al.*, 2001).

ALIMENTOS "PROCESSADOS"

Meios de Peletizar

Os meios mais comuns de peletizar incluem os ligantes de melaço, lignosulfonita e argila (bentonita, silicato de alumínio hidratado, principalmente montmorillonita). A bentonita de sódio é também usada em alimentos como um líquido tampão para ruminar e já foi

Tabela 5.3 – Composição, consumo e coeficientes de digestibilidade aparente do feno, silagem de gramíneas em silos de superfície e silagem de trevo vermelho em silos de superfície oferecidos *ad libitum* para pôneis (Hale e Moore-Colyer, 2001).

	Feno	Silagem de gramíneas	Silagem de trevo vermelho
Matéria seca (g/kg)	852	371	268
Matéria orgânica (g/kg de MS)	919	916	866
Carboidratos hidrossolúveis (g/kg de MS)	103	110	8,9
Proteína bruta (g/kg)	74	104	193
Consumo de matéria seca (kg/dia)	5,5	6,1	7,2
Digestibilidade da matéria seca	0,36	0,69	0,74
Digestibilidade da proteína bruta	0,29	0,68	0,8

MS = matéria seca.

978-85-7241-725-9

demonstrado que a bentonita de cálcio diminui parte dos efeitos adversos da aflatoxina dietética em suínos. A argila tem uma grande área de superfície e essa característica, combinada à sua capacidade de tamponamento, é a razão de a bentonita ser incluída nos produtos para conter a laminite e as cólicas gasosas em eqüinos (ver Cap. 11). Considerou-se que a argila pudesse inibir a absorção de nutrientes, mas estudos próprios do autor mostraram que isso não interfere com a absorção da vitamina A de uma fonte de palmitato de retinil.

978-85-7241-725-9

Péletes e Pastas

A palha, quimicamente processada com hidróxido de sódio ou amônia, será discutida adiante (em *Palha tratada com hidróxido de sódio*). O feno é também processado ocasionalmente; pode ser moído e peletizado, ou ceifado e oferecido como pastas. Durante a peletização, o melaço e um agente ligante são normalmente adicionados para se obter um produto satisfatório. Apesar dos custos adicionais de processamento, os péletes possuem algumas vantagens:

- O produto é mais fácil de pesar e ser oferecido.
- Existe menos desperdício durante a alimentação e, particularmente com material folhoso de leguminosas ou gramíneas, a separação de pequenas partículas de folhas e sua perda na cama da baia é evitada. Isso ocorre regularmente quando feno com longas folhagens é consumido.
- Menos espaço de estocagem é requerido do que para o feno grande.
- Os custos de transporte são menores.
- Os eqüinos particularmente propensos a alergias respiratórias (obstrução recorrente das vias aéreas [ORVA]) ficam menos sujeitos a irritação pela poeira ao receberem feno peletizado. A tosse é reduzida em eqüinos normais e os cavalos sangradores ficam menos propensos a episódios e epistaxe.
- Eqüinos mais velhos com dentição ruim tendem a mastigar o feno comprido de forma incompleta, ocasionalmente ocorrendo cólicas por compactação. A introdução do feno peletizado deve superar esse risco.
- A saliência da barriga pelo feno pode ser reduzida.

Péletes podem, porém, ter algumas desvantagens, as principais sendo:

- Materiais incorretamente peletizados, ou bons péletes que foram molhados, podem ser friáveis e macios de forma que os de excelente qualidade são perdidos e os umedecidos mofam dentro de 18 a 24h.
- É difícil avaliar a qualidade do feno peletizado visualmente.
- Eqüinos podem sufocar com péletes de cerca de 12mm (0,5 polegada) de diâmetro. Diz-se que o problema é mais comum quando os péletes são fornecidos na mão, mas isso poderia ser evitado colocando-se uma pedra grande e esférica (muito grande para ser mastigada) no cocho, forçando o animal a comer ao redor dela. É provável que a extensão desse problema seja exagerada e episódios de aparente engasgo são normalmente superados sem intervenção.
- Mastigação de madeira e coprofagia (comer fezes) são mais prevalentes onde o feno peletizado é fornecido sem qualquer feno comprido. O fornecimento de 0,25 a 0,5kg de feno tradicional/100kg de PC diariamente, ou cama de palha de boa qualidade, é normal-

mente suficiente para minimizar esses problemas. Sua incidência parece ser menor, mas não é eliminada, quando é usado o feno em pastas contendo partículas de feno de 4 a 5cm (1,5 a 2 polegadas) de comprimento. Existem evidências que sugerem uma relação entre o ambiente cecal e a incidência de mastigação de madeira em eqüinos recebendo feno ou grãos. Uma dieta só de feno induz a uma maior proporção de acetato nos ácidos graxos voláteis (AGV) do líquido cecal (ver Tabela 1.4, Cap. 1). Acredita-se que o baixo pH do líquido cecal e o alto conteúdo de propionato sejam cruciais para a tendência à mastigação de madeira (Willard *et al.*, 1977). Porém, é improvável que o conteúdo de propionato responda por esse hábito, pois esses indivíduos gastam menos tempo comendo e em repouso do que eqüinos normais e seu reduzido consumo alimentar (P. D. McGreevy, comunicação pessoal) pode responder por um tempo prolongado de trânsito no intestino grosso para a passagem de ingesta, provavelmente associado com um pH normal (ver Caps. 6 e 11).

- Apesar da trituração e peletização do feno não afetar a digestibilidade da proteína, a digestibilidade da MS e da fibra bruta fica diminuída ligeiramente, talvez em razão da diminuição no tempo usado para consumir uma quantidade fornecida de alimento. De um ponto de vista prático, o efeito na digestibilidade é mais do que compensado pela redução no desperdício.
- Trituração e peletização podem aumentar os custos do feno em até 10%.

O tempo de alimentação pode ser influenciado pelas condições e pelos métodos de processamento do feno. Pesquisadores em Hanover (Meyer *et al.*, 1975b) registraram que eqüinos levaram 40min para consumir tanto 1kg de feno tradicional quanto 1kg de feno em pastas, duro e prensado. Levaram mais tempo para consumir o feno ceifado ou moído, mas menos tempo para comer pastas prensadas macias. O feno de qualidade ruim e com conteúdo elevado de fibra tomou mais tempo para ser ingerido do que o feno de qualidade melhor. A silagem de milho altamente digerível foi ingerida muito mais rapidamente do que o feno. Eqüinos entre 450 e 500kg realizaram entre 3.000 e 3.500 movimentos mastigatórios ao consumirem 1kg de forrageiras longas, mas somente entre 800 e 1.200 desses movimentos ao comerem 1kg de concentrado. Porém, pôneis entre 200 e 280kg necessitaram duas vezes mais tempo para comerem uma refeição de feno e concentrado e entre três a cinco vezes mais tempo para ingerirem aveia inteira ou péletes. Realizaram entre 5.000 e 8.000 movimentos mastigatórios ao consumirem 1kg de concentrado. A ingesta dos eqüinos recebendo feno ceifado, ou feno moído, passou através do estômago mais rapidamente do que nos animais que receberam feno comprido (tradicional) e o primeiro causou a presença de mais conteúdo líquido no estômago.

Vários outros relatos mostraram de maneira clara que o alimento de eqüinos recebendo feno moído passa mais rapidamente através do trato gastrointestinal (GI) (Wolter *et al.*, 1974), não contrariando a evidência de que eqüinos normalmente mastigam forrageiras em partículas menores que 1,6mm de comprimento antes de degluti-las (Meyer *et al.*, 1975b). Em um experimento, a velocidade média de passagem do feno comprido de grama azul foi de 37h comparada com 26 e 31h para o feno moído de grama azul e o feno moído e peletizado de grama azul, respectivamente. A diminuição na digestibilidade da fibra experimentada pela trituração quase que seguramente ocorre em razão da velocidade de passagem através do trato GI. Porém, pelo mesmo pensamento, quanto mais rápida a velocidade de passagem se torna, maior é a capacidade do eqüino em se alimentar, mas

978-85-7241-725-9

um prolongamento do tempo para cada refeição de forrageiras peletizadas pode melhorar a digestibilidade da fibra.

Quando os eqüinos recebem uma escolha de feno solto, feno em pastas e feno peletizado, é consumido mais dos dois últimos do que do primeiro. Generalizando, o eqüino é um juiz razoável da qualidade do feno solto e, entre os fenos de gramíneas, o azevém bem preparado é geralmente confiável. Eqüinos preferem grãos tanto em relação ao feno solto quando ao ceifado e, se fornecida uma mistura de feno ceifado e grãos, são propensos a escolherem os últimos. Todavia, tal mistura freqüentemente provoca uma útil função de depressão da velocidade do consumo de grãos por um alimentador voraz. Algumas evidências sugerem que o consumo de alimento concentrado antes do feno, ao invés de depois, causa uma mistura mais intensa da ingesta e menos variação na concentração de AGV no lúmen do intestino grosso (Muuss *et al.*, 1982). Isso pode ser uma vantagem, mas outras evidências (Cabrera *et al.*, 1992) indicam que o consumo de forrageiras antes dos concentrados melhora a utilização de aminoácidos das proteínas digeridas.

Para eqüinos em estábulos, o feno longo é fornecido em uma área limpa no chão no canto da baia, em um cavalete para feno, ou em uma rede. Essa última deve ser colocada em local alto o suficiente para evitar a possibilidade de um eqüino enrolar seu casco em uma rede vazia. A quantidade de feno desperdiçada pode ser maior se o feno for colocado no chão, mas esse procedimento provoca menos poeira no ar.

Grânulos Liofilizados de Capim

Culturas de gramíneas, trevos, alfafa e esparzeta são freqüentemente cortadas quando verdes e frondosas, artificialmente secas e cortadas e peletizadas de preferência com um conteúdo de umidade de cerca de 120g/kg. No Reino Unido, o produto precisa ter um conteúdo de proteína bruta de pelo menos 130g/kg, presumindo-se que o conteúdo de umidade seja de 100g/kg para ser designado como "gramínea seca". Os grânulos secos de capim ricos em proteína contêm aproximadamente 160g de proteína/kg. A alfafa desidratada confeccionada nos Estados Unidos contém 150 a 170g de proteína/kg (90g de umidade/kg). Esses produtos contêm pouca vitamina D_2, mas são fontes ricas de proteínas de alta qualidade, betacaroteno, vitamina E e minerais, bem adequados para a alimentação eqüina e de composição relativamente equilibrada. Porém, se o produto for rico em forragens leguminosas, a relação cálcio: fósforo (Ca:P) é com freqüência muito ampla e o conteúdo de proteína muito elevado para formar uma dieta completa. Deve ser, então, suplementada com um produto cereal rico em P.

978-85-7241-725-9

A secagem artificial das forrageiras verdes produz um produto mais valioso do que o feno, pois o material em seu estado natural a ser seco é menos maduro, as folhas não são danificadas e perdidas, o mofo é evitado e a poeira é mínima. Hyslop *et al.* (1998b) relataram que as digestibilidades da proteína bruta e da FDN foram maiores para o material artificialmente seco do que para o feno quando uma cultura perene de azevém foi cortada para ambos os propósitos no mesmo dia. Presumiu-se que houve menos perda de folhagens para o capim desidratado. As únicas desvantagens foram a ausência de fibras longas e os conteúdos de betacaroteno e alfa-tocoferol foram variáveis e influenciados particularmente pela duração da estocagem do produto. Assim, metade da potência da vitamina A (inicialmente pode ser equivalente a 30.000 a 40.000UI de vitamina A/kg para os eqüinos) pode ser perdida durante os primeiros sete meses de estocagem nos casos em que as condições não forem ideais (ver *Estocagem de alimentos*, adiante).

FUNÇÕES DO FENO E USO DE OUTROS ALIMENTOS VOLUMOSOS

Silagem Pré-seca

Fibras e volumosos têm características úteis para parte da dieta eqüina. Ao diluir mais prontamente o material fermentável, a fibra suprime uma rápida queda do pH do conteúdo do intestino grosso e, ao estimular a contração peristáltica, o alimento com essas características provavelmente ajuda na expulsão de bolhas acumuladas de gás. Existem várias alternativas ao feno como fonte de fibra e para eqüinos com dentes sadios muitas são úteis quando feno confiável não puder ser obtido. Silagem de boa qualidade e silagem pré-seca livre de mofo podem ser usadas para alimentar a maioria dos eqüinos. A silagem de capim acidificado de boa qualidade com um alto conteúdo de MS pode substituir entre um terço e todo o alimento dos eqüinos; mas o sucesso depende de sua composição, isenção de fermentação anormal, habilidade do alimentador e do eqüino. A compensação de sua deficiência na potência das vitaminas A e E deve ser feita, em comparação com o capim. Os eqüinos sofrendo de alergia respiratória devem se beneficiar da maioria das alterações do feno para a silagem. Silagens muito ácidas devem ser evitadas. A silagem com quantidades pequenas (menos que 25%) de matéria seca e material empacotado ou enfardado com um conteúdo maior de matéria seca, mas com um pH ao redor de 6, pode levar a um maior risco de fermentação anormal por clostrídios (ver Cap. 10). Pode também, muito ocasionalmente, precipitar a fermentação intestinal forte e a cólica se for fornecida de forma inadequada. A razão para isso pode ser que a velocidade de consumo de MS altamente fermentável é muito maior nessa forma do que na de fenos compridos.

978-85-7241-725-9

Resíduos Industriais e de Culturas

A cevada da primavera ou a palha de trigo de boa qualidade em pequenas quantidades atuam como fonte de fibras para eqüinos com dentes sadios, mas são deficientes na maioria dos nutrientes. A inclusão de vários produtos de dejetos em dietas completas tem sido examinada, particularmente na França e nos Estados Unidos. Esses produtos incluem a polpa cítrica seca, que é bem satisfatória (Ott *et al.*, 1979b), a casca da soja e materiais incomuns, como cascas de girassóis, cascas de amêndoas, papelão de caixas e papel de computador. A digestibilidade dos dois últimos parece ser de cerca de 90 e 97%, respectivamente, mas é muito menor para as cascas de girassóis e amêndoas porque são altamente lignificadas. As características de alguns outros alimentos volumosos são discutidas em outros pontos neste capítulo. Com a maior competição por alimentos entre os animais domésticos e uma população humana mundial em expansão, sem dúvida continuará a procura por meios satisfatórios e seguros de se manter uma população sadia de herbívoros domesticados por meio do melhor uso de produtos de descarte das atividades humanas.

Tratamento Alcalino das Forragens

Ao tratar a palha com hidróxido de sódio – palha nutricionalmente melhorada (PNM) – aumenta sua digestibilidade para o eqüino (Mundt, 1978) e, com os ajustes dietéticos de seu conteúdo de sódio, o produto é um importante fornecedor de fibra dietética. A palha tratada com amônia também é confiável (Salgsvold *et al.*, 1979), mas resultados em bovinos e eqüinos foram misturados. A digestibilidade potencial das forragens de baixa qualidade é difícil de ser estabelecida por análises químicas, pois os fatores que inibem a digestão completa dos polissacarídeos da parede celular da planta incluem a diferença na organização estrutural, assim como diferenças na composição química daquelas estruturas (ver Cap. 2).

Alimentação em Grupo

Os hábitos alimentares e a fome dos eqüinos em estábulos podem variar enormemente e forrageiras suculentas são algumas vezes usadas para estimular os animais com apetite enfraquecido. Um estudo francês (Doreau, 1978) demonstrou que o consumo *ad libitum* de um alimento seco por um grupo de eqüinos em estábulos variou de 8,1 a 19,2kg por dia e o tempo gasto comendo variou de 6h40min até 15h50min. Os eqüinos comeram várias grandes refeições e algumas pequenas refeições diurnas e noturnas. As refeições noturnas representaram 30% do consumo total. Vários fatores podem contribuir com o fastio de animais enjoados, tais como estresse ambiental e nervosismo, ausência de palatabilidade e monotonia na ração, deficiências nutricionais, saúde e dentes ruins, ausência de exercícios e ordem de alimentação (hierarquia) entre os eqüinos alimentados em grupo.

Suculentos

Vários vegetais e frutas suculentas (por exemplo, raízes de beterraba, cenouras, maçãs, pêras, pêssegos e ameixas) são bons regalos para eqüinos. Os pêssegos e ameixas devem ser descaroçados e os vegetais de raízes duras devem ser descascados em tiras para evitar engasgos e então misturados com grânulos ou grãos combinados. As cenouras contêm mais de 100mg de caroteno/kg e cuidado deve ser tomado com as quantidades usadas (não mais de 0,5kg de material fresco/100kg de PC diariamente) se outros suplementos de vitamina A estiverem sendo fornecidos. Uma atitude similar deve ser aplicada em relação a outros agrados, pois representam um alimento desbalanceado e em grandes quantidades (mais do que 20% do consumo total de matéria seca) podem ser mais perigosos do que benéficos. Deve-se também compreender que os suculentos, incluindo raízes vegetais e frutas, contêm 80 a 90% de água e com base na matéria seca podem, por isso, ser uma fonte bem dispendiosa de energia e proteína. Somente se forem relativamente baratos podem ter seu uso justificado e o volume restrito ao seu papel de suplemento de rações normais. De todos os principais grupos de sabores presentes nos alimentos, o eqüino é desestimulado por sabores azedos e atraído por sabores doces com moderação.

978-85-7241-725-9

GRÂNULOS COMPOSTOS

Vários ingredientes são geralmente incorporados em forma moída, dentre eles os grãos cereais comuns, refeições de semente oleosas e subprodutos da moagem, fermentação e destilação de derivados, alfafa e gramíneas secas, farinha de peixe e suplementos minerais, oligoelementos minerais e suplementos vitamínicos. Seu principal papel nessa forma é prover uma fonte balanceada de todos os nutrientes, mas devem ser suplementados com feno solto como uma fonte de fibras longas, com água e algumas vezes com sal comum. Os grânulos ricos em nutrientes e com alta digestibilidade podem ser fornecidos aos potros jovens; os grânulos ricos em energia podem ser fornecidos para eqüinos em trabalho intenso; e os grânulos de baixa energia podem ser fornecidos para eqüinos adultos comprometidos com trabalhos leves. As vantagens dos grânulos incluem dietas padronizadas com propósitos particulares, qualidade constante, tempo de vida prolongado, ausência de poeira, palatabilidade e características físicas e densidade uniformes para eqüinos adultos, tudo facilitando a rotina de alimentação.

Os grânulos compostos, particularmente as formulações ricas em energia e densas em nutrientes, devem ser introduzidos gradativamente para fornecerem ao eqüino e a sua flora microbiana tempo de adaptação ao novo regime. Uma introdução muito rápida de grânulos, ou de aveia para essa finalidade, algumas vezes causa fezes amolecidas durante as primeiras duas a três semanas, "membros inchados" e mesmo cólica. Os grânulos completos são também preparados para a alimentação de eqüinos na ausência de feno, mas geralmente devem ser usados somente para um maior controle de poeira onde eqüinos estiverem sujeitos a alergias respiratórias. Na ausência de feno solto, a mastigação de madeira e alguns outros vícios, incluindo a coprofagia, podem ser mais prevalentes. Todavia, o acesso *ad libitum* a uma dieta peletizada por completo, contendo 29% de fibra bruta (53% de FDN), capacitou éguas de três anos de idade a estabelecerem padrões naturais de alimentação com poucos vícios. O consumo de alimento excedeu a manutenção durante as primeiras quatro semanas, mas retornou aos níveis de manutenção subseqüentemente (Argo *et al.*, 2002).

A preparação do alimento na forma de grânulos pode ter a desvantagem de o usuário ser incapaz de diferenciar ingredientes de boa e má qualidade. Produtos de origem confiável, por isso, devem ser usados para alimentar os eqüinos, mas pode-se elaborar uma hipótese sobre a indicação da natureza química do produto mediante a referência às análises declaradas requeridas por lei na Comunidade Européia, encontrada em uma etiqueta fixada ao saco. O Statutory Statement incluído na etiqueta deve fornecer as seguintes informações sobre os produtos de alimentação complementar e completa:

- O nome da marca comercial, preço, país de origem e endereço da pessoa responsável pelas particularidades da receita.
- A quantidade líquida e o tempo mínimo de estocagem (ou número da partida) e o conteúdo de umidade dos componentes, se exceder 14%.
- Se foram incluídos antioxidante, corante, ou preservante permitidos.
- Os níveis ativos de vitamina A, D e E, se incluídos, e o período mais curto sobre o qual as atividades se mantêm.
- O nome de qualquer aditivo de cobre e o nível total de cobre (naturalmente presente mais o adicionado).
- Bentonita e montmorillonita, o nome dos agentes aditivos e (outros) ligantes presentes.
- Detalhes de quaisquer enzimas ou microrganismos adicionados (ver *Probióticos*, adiante).
- Podem ser incluídas informações sobre os níveis totais de outros oligoelementos minerais e os níveis totais de outras vitaminas, pró-vitaminas e substâncias semelhantes à vitamina, incluindo o período mínimo em que as atividades são mantidas.
- Ingredientes em ordem descendente por peso.
- A porcentagem por peso de óleo bruto (lipídeos extraídos com petróleo leve, ponto de ebulição de 40/60°C sem hidrólise prévia, exceto no caso de produtos do leite).
- A porcentagem por peso de proteína (conteúdo de nitrogênio multiplicado por 6,25).
- A porcentagem por peso de fibras cruas (principalmente substâncias orgânicas que permanecem insolúveis após tratamento alcalino e ácido).

- A porcentagem por peso das cinzas totais insolúveis em ácido.
- Níveis de lisina, metionina, cistina, treonina e triptofano podem ser incluídos.
- Níveis de amido, Ca, sódio (Na), P, magnésio (Mg) e potássio (K) podem ser incluídos (níveis de Ca acima de 4,9% e de P acima de 1,9% precisam ser incluídos).

A Tabela 5.4 fornece as declarações recomendadas e alguns valores químicos para alimentos combinados de eqüinos.

Uma variação de tamanhos dos grânulos combinados foi considerada satisfatória para alimentação de eqüinos em crescimento e adultos. Porém, o ótimo parece ser um diâmetro de 6 a 8mm e um comprimento de 12mm. Para potros muito jovens recebendo um grânulo substituto de leite, um diâmetro de 4 a 5mm e um comprimento de 6 a 7mm é provavelmente mais adequado. Trabalho da África do Sul (van der Merwe, 1975) indica que a aceitabilidade não é mensuravelmente afetada pela dureza do grânulo, apesar da maioria dos eqüinos não gostar de grânulos que quebrem muito prontamente e os excessivamente duros podem ser ocasionalmente engolidos sem mastigação. Esse trabalho revelou que grânulos menores são mastigados mais lentamente e requerem mais tempo para uma quantidade fornecida ser consumida – uma vantagem evidente.

Nos casos em que os eqüinos estiverem especialmente em trabalho intenso, até 80% por peso da ração total podem ser providos na forma de grânulos ou grãos e suplementos, com os 20% restantes formados por feno. Regimes dessa natureza requerem conhecimento considerável, quatro a cinco refeições diárias e exercícios regulares todos os dias. Um regime muito mais típico para eqüinos em estábulos em trabalho extenuante é uma ração de 50 a 60% por peso de grânulos ou concentrado e 40 a 50% de feno. Conforme é reduzida a quantidade de trabalho, a proporção de grânulos pode ser reduzida, ou usam-se grânulos de menor energia. Em haras onde os eqüinos recebem seus concentrados mensurados em termos de número de tigelas por dia, deve-se reconhecer as diferenças na densidade do volumoso e na densidade de energia dos alimentos. Por exemplo, uma unidade de volume

Tabela 5.4 – Declarações recomendadas e valores químicos para grânulos combinados e misturas grossas (presumindo-se 88% de matéria seca).

	Óleo bruto (%)	Fibra bruta (%)	Proteína bruta (%)*	Lisina total (%)	Energia digestível (MJ/kg)	Cinzas totais (%)
Potros						
1 mês antes do desmame até 10 meses de idade	4-4,5	6,5-7,5	17-18	0,9	13	7-9
11-20 meses de idade	3-3,5	8,5	15-16	0,75	11	7-9
Adultos						
Exercício extremo	3,5-4	8,5	12-13	0,55	12	8-10
Exercício leve a moderado, éguas falhadas e garanhões	3	14-15	10-10,5	0,45	9	9-10
Último quarto da gestação, lactação e garanhões em atividade	3	9-10	13-15	0,65	11	8-10

* Concentrações reais de proteína são menos importantes do que o conteúdo total de lisina. Nota: lisina e energia digestível não são normalmente declaradas.

978-85-7241-725-9

Tabela 5.5 – Pesos dos grãos cereais comuns e refeições à base de soja e valores de energia digestível (ED) e *unité fourragère cheval* (UFC") (MJ/10L) por unidade de volume.

	Pesos		ED	UFC"
	lbs/alqueire	*kg/10L*		
Aveia	27-45	3,4-5,6	51,7	3,9
Cevada	36-55	4,5-6,9	73	5,7
Trigo	50-62	6,2-7,7	98	7,5
Milo (Sorgo)	51-59	6,4-7,4	89,7	6,4*
Milho	46-60	5,7-7,5	93,7	7,4
Soja (extração por solvente, 44%)	47-53	5,9-6,6	83,1	5,7
Farelo de trigo	17-21	2,1-2,6	25,4	1,8

* Valor de energia líquida (EL) estimada do milo.

de cevada é cerca de três vezes o peso da mesma unidade de volume do farelo de trigo. Além disso, os cereais comuns têm quantidades diferentes de energia digestível por unidade de peso. Os efeitos combinados da densidade de energia e do volume implicam que, por exemplo, uma unidade de volume de milho contenha quase o dobro de energia digestível do mesmo volume de aveia (a Tabela 5.5 fornece os valores apropriados de conversão).

978-85-7241-725-9

MISTURAS GROSSAS

Alguns eqüinos em trabalho intenso apresentam apetite ruim e têm maior probabilidade de "engolirem" quando recebem uma mistura grossa (alimento texturizado altamente palatável) do que recebendo grânulos em quantidades semelhantemente grandes. As misturas grossas têm assim ganhado popularidade, embora seja evidente que o apetite pobre pelos grânulos decorra em parte dos volumes similares e, portanto, pesos maiores dos grânulos oferecidos, quando recusas seriam esperadas. As misturas grossas devem ser completas, sendo suplementadas somente com feno solto, água e algumas vezes com sal comum. Tendem a ser mais caras para produzir do que os grânulos combinados, mas têm a vantagem de serem menos densos e normalmente contêm uma proporção de cereais cozidos e em flocos e sementes oleaginosas e tortas de sementes extrusadas. Argo *et al.* (2002) forneceram a éguas acesso *ad libitum* a péletes e a misturas grossas de mesma composição. Observaram que o consumo de ED foi maior com os péletes, mas que cada refeição foi menos freqüente e de maior duração com menor taxa de mordiscar e menor consumo de MS por minuto para a mistura grossa. Vantagens da criação podem provir da extensão do tempo de alimentação que ocorreu com a mistura grossa. Isso pode explicar a maior resposta glicêmica produzida por um concentrado peletizado de 4mm comparado com a produzida por um alimento texturizado de conteúdo similar de amido (Harbour *et al.*, 2003). Por outro lado, sua meia-vida é menor do que a atribuída aos grânulos combinados e seu volume demanda proporcionalmente mais espaço para estocagem. A estocagem dessas misturas e de todos os alimentos deve ser em condições secas, ventiladas e com temperatura mais baixa onde existir pouca variação na temperatura, caso contrário pode ocorrer o desenvolvimento de mofo.

CEREAIS

Ao passo que a água é provavelmente o nutriente mais crucial para a sobrevivência imediata, a gordura e a falta de exercícios são os piores inimigos do eqüino. O controle adequado do consumo de energia é o aspecto mais difícil da ótima e confiável alimentação. Cereais (Fig. 5.3) são as principais fontes de energia na dieta de eqüinos em trabalho intenso e por isso é apropriada uma breve discussão das características dos grãos cereais comuns e seus subprodutos.

Os grãos cereais contêm de 12 a mais de 16MJ ED/kg de MS comparado com cerca dos 9MJ/kg no feno comum. Os grãos cereais personificam três principais tecidos: camada de folhelho e aleurona, endosperma e embrião. O endosperma é um estoque rico em amido requerido como uma fonte de energia durante o crescimento inicial da planta. Dos compostos nitrogenados dos grãos cereais, 85 a 90% são proteínas, encontradas em cada uma das regiões teciduais, mas em maiores concentrações na camada de aleurona e embrião. As proteínas cereais não são tão úteis nutricionalmente como as sementes oleaginosas e as proteínas animais, porque são relativamente deficientes em lisina, treonina e metionina. A qualidade das proteínas (distintas da quantidade) diminui na seguinte ordem: aveia, arroz, cevada, milho, sorgo, trigo e milhete. A proteína da aveia contém ligeiramente mais lisina do que a proteína de outros cereais.

O conteúdo de óleo dos grãos cereais varia de cerca de 15 a 50g/kg, com a aveia contendo ligeiramente mais do que o milho, que por sua vez contém mais do que a cevada ou o trigo. Esse óleo é rico em ácidos graxos poliinsaturados, dos quais o principal é o ácido linoléico, que geralmente constitui cerca de metade da composição de ácidos graxos por peso no óleo. Os óleos insaturados, como esses, são propensos ao ranço subseqüente à

978-85-7241-725-9

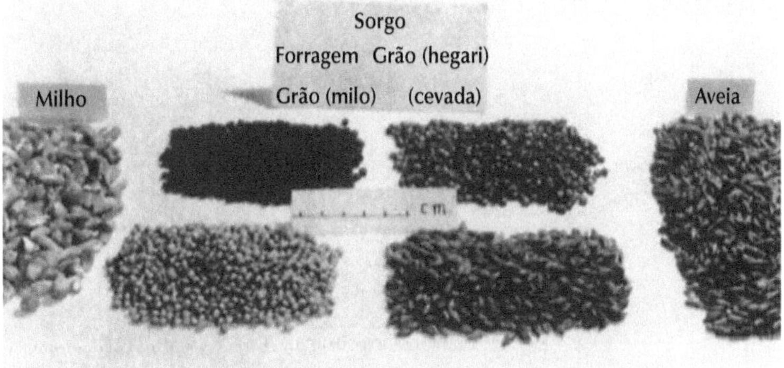

Figura 5.3 – Grãos cereais. Os grãos de milho são maiores e podem ser fornecidos inteiros aos eqüinos com dentes sadios, mas como podem ser muito duros, vale a pena quebrá-los. A cevada é menor e relativamente dura e os grãos devem ser prensados ou ligeiramente rolados. Os grãos de aveia são relativamente leves e volumosos e prensar ou rolar é requerido somente para eqüinos jovens ou para eqüinos mais velhos com dentes ruins. Por comparação, os grãos de sorgo são pequenos como se estivessem "nus". O sorgo cresce em países secos e quentes e as variedades brancas são bem satisfatórias para eqüinos quando grosseiramente moídas, quebradas, roladas, ou cozidas. As variedades castanhas contêm grandes quantidades de tanino e são inadequadas para eqüinos.

moagem dos cereais a não ser que a refeição seja comprimida em péletes, ou de outra forma estabilizada.

Os grãos cereais são deficientes em cálcio porque contêm menos do que 1,5g/kg, mas têm de três a cinco vezes mais fósforo, principalmente na forma de sais de fitato. Esses sais tendem a reduzir a disponibilidade de cálcio, zinco e provavelmente magnésio no trato intestinal; os sais da aveia são considerados como tendo maior efeito de mobilização do que os fitatos de outros cereais comuns.

Palatabilidade

Apesar das amostras diferentes de uma espécie de cereal variarem consideravelmente em qualidade, quando se fornece a pôneis uma escolha, preferem a aveia a outros cereais comuns. As comparações feitas em Cornell (Hawkes *et al.*, 1985) demonstraram que a ordem de preferência foi aveia, milho moído, cevada, centeio e trigo moído. Todavia, existe pouca diminuição no consumo total quando somente os cereais menos palatáveis são fornecidos.

Aveia (*Avena sativa*)

Em sistemas tradicionais de alimentação, em que uma única espécie de grão cereal é fornecida, os grãos de aveia são mais seguros para a alimentação do que os outros cereais, pois a baixa densidade e o alto conteúdo de fibras os tornam mais difíceis de sobrecarregar e o tamanho do grão é mais adequado para mastigação. Não necessitam, por isso, de moagem ou laminação para eqüinos de idade acima de um ano se os dentes estiverem sadios. Maior quantidade de aveia do que de outros cereais precisa ser consumida para produzir cólica por sobrecarga ou outros problemas digestivos. Porém, tendem a ser mais caros por unidade de energia do que os demais, pois entre 23 e 35% do grão constituem-se de cascas. A Figura 5.4 fornece um corte transversal da aveia e no Apêndice C suas características químicas estão listadas por comparação a outros cereais comuns.

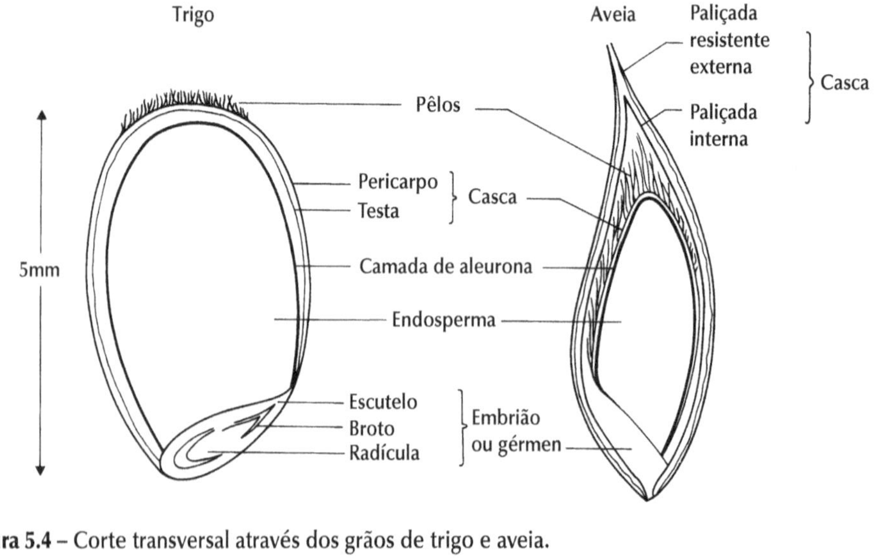

Figura 5.4 – Corte transversal através dos grãos de trigo e aveia.

978-85-7241-725-9

Aveia sem Casca (Variedade Produzida pelo Cruzamento de Avena nuda *com* Avena sativa*)*

O grão da *Avena sativa* está envolvido por uma casca que constitui 250g/kg do peso do grão. A casca das novas variedades é solta e cai durante a debulha, assim o conteúdo de energia da aveia sem casca é consideravelmente maior que o do grão de *Avena sativa*. A aveia sem casca tipicamente contém 120g/kg de proteína e 6g/kg de lisina. O conteúdo de P é alto (3,5g/kg), mas está principalmente presente como fitatos, e o óleo é propenso a lipólise durante a estocagem. No presente, é recomendado restringir a aveia sem casca a uma mistura de 100 a 200g/kg de cereais de eqüinos.

978-85-7241-725-9

*Cevada (*Hordeum vulgare*)*

Aveia e cevada diferem de trigo, milho e grão de sorgo por serem revestidas por uma casca (botanicamente chamada de camada interna e externa) que nos outros três cereais é perdida durante a colheita. Todos os grãos cereais são, porém, encapsulados firmemente na membrana delgada composta da testa fundida menos fibrosa e do pericarpo (ver Fig. 5.4).

A casca da cevada constitui 10 a 14% do peso total do grão e é relativamente menor e mais fixada a ele do que a casca de grãos menores de aveia. Assim, para a alimentação de eqüinos, o grão de cevada deve ser prensado ou ligeiramente laminado para romper a casca logo antes da alimentação, mas pode ser fornecido como único cereal após um período de adaptação gradativa. Esse período é necessário pelo conteúdo maior de amido e pelo peso da cevada em comparação com a aveia. Processos que gelatinizam os grãos de amido, tais como laminação a vapor ou micronização, são discutidos posteriormente neste capítulo (ver *Cocção: expansão (extrusão)* e *Cocção: micronização*). A proteína da cevada é de qualidade nutricional ligeiramente menor que a da aveia, sendo relativamente deficiente em lisina, e o conteúdo de óleo é bem baixo, geralmente menor que 20g/kg.

Algumas variedades de cevada descascada ou sem casca, muito pobres em fibra, têm sido cruzadas. São comparáveis às aveias descascadas das quais a casca foi removida por processamento, novamente produzindo um produto de amido, rico em energia, pobre em fibras, mas seu preço raramente justifica seu uso na alimentação eqüina.

*Trigo (*Triticum aestivum*)*

Os grãos de trigo (ver Fig. 5.4) são livres de casca e relativamente pequenos, de forma que podem escapar da mastigação se fornecidos inteiros. Por isso, o trigo deve ser esmagado, grosseiramente moído, ou transformado em flocos antes de ser usado. As duas proteínas endospérmicas (conhecidas coletivamente como glúten) são deficientes em lisina e podem formar uma massa pastosa impenetrável (semelhante ao grão de centeio) aos líquidos digestivos, especialmente quando o trigo é finamente moído. No estado não cozido, o trigo deve formar menos da metade da fração de grãos da dieta. Além disso, como o amido do endosperma constitui 85% do grão, o consumo excessivo pode causar distúrbios digestórios, particularmente se o período de adaptação for curto. O farelo e o gérmen compõem, respectivamente, cerca de 13 e 25% do grão.

Triticale

O triticale é um híbrido resultante do cruzamento do trigo (*Triticum*) com o centeio (*Secale*). Contém mais proteína que a cevada, mas em quantidades variáveis (100 a 200g/kg) deficientes no aminoácido triptofano (1,5g/kg de cereal) e mais ricas em lisina do que a proteína do trigo. Diz-se que contém maiores concentrações de inibidores de tripsina e resorcinas de alquila do que o trigo ou a cevada. Na forma moída, deve ter um valor de alimentação para eqüinos ligeiramente maior do que a cevada. O triticale *cultivar Madonna* tem maior digestibilidade no intestino delgado, comparado ao grão de trigo, levando a um menor fluxo cecal de amido (Brown *et al.*, 2001). Algumas variedades estão sujeitas à infecção de *ergot* e as amostras devem ser examinadas para garantir que não existam quantidades significativas presentes.

Milho (Zea mays)

O milho é o maior dos grãos cereais e é aceitável em qualquer forma para a alimentação de eqüinos. Freqüentemente, porém, quando os grãos são muito duros, devem ser quebrados, em especial para eqüinos com dentição ruim. O milho contém duas vezes a energia por unidade de volume de aveia, mas a aveia tem uma maior digestibilidade em intestino delgado, de forma que o índice glicêmico das aveias inteiras é maior que o do milho quebrado (Pagan *et al.*, 1999a). Uma porção considerável de amido de milho é fermentada na região posterior intestinal quando grandes quantidades são fornecidas, a não ser que o grão seja cozido (ver Cap. 1 e Fig. 6.10, Cap. 6). A resposta glicêmica ao milho floculado é maior que para o milho quebrado e o moído (Hockstra *et al.*, 1999), indicando que a cocção melhora a digestibilidade no intestino delgado.

O chamado aquecimento de cereais geralmente resulta da rápida assimilação de seus produtos de digestão e de sua rápida fermentação pelos microrganismos intestinais (com uma queda no pH cecal). Isso causa um aumento abrupto no calor da fermentação e um aumento na concentração de glicose e AGV no sangue, estimulando a velocidade metabólica a uma extensão maior do que a que ocorre após uma refeição com feno. A pré-cocção dos cereais diminui o componente fermentativo desse efeito. Os grãos de milho contêm 650g de amido/kg, mas somente 80 a 100g de proteína bruta. A proteína do endosperma, zeína, é deficiente em triptofano e, em menor extensão, em lisina, mas a proteína do gérmen, como o gérmen de outros cereais, é de melhor qualidade nutricional.

As variedades amarela e branca do milho são produzidas, mas os tipos para a alimentação de rebanhos são predominantemente amarelos e contêm os pigmentos de xantofila, criptoxantina, um precursor da vitamina A, e zeaxantina. Pouco freqüentemente, algum milho importado para o Reino Unido tem mais de dois anos, quando representa uma fonte pobre de vitamina A.

Grãos de Sorgo (Sorghum vulgare subglabrescens)

O sorgo é o principal grão dos alimentos da África e partes da Índia e China, onde crescem em terras muito secas para o milho. É também o principal alimento de animais em áreas secas no meio-oeste dos Estados Unidos. A semente não tem casca, como o milho e o trigo, mas tem um formato mais esférico e é menor que o trigo. O conteúdo de proteína do grão é variável (80 a 200g/kg). O conteúdo de lisina da proteína é bem baixo e o conteúdo de óleo do grão é menor que o de milho. Em razão do seu tamanho, o grão deve ser sempre comprimido, quebrado, moído grosseiramente, ou transformado em flocos antes de ser fornecido aos eqüinos. Isso rompe o farelo ceroso que cobre o endosperma. Se finamente moído, pode se tornar pastoso, sendo preferível a laminação. É um cereal rico em energia

978-85-7241-725-9

e, por isso, para evitar distúrbios digestivos deve preferencialmente formar somente uma porção do consumo de cereais.

Muitas variedades de sorgo crescem, incluindo algumas para uso em forrageiras. Os grãos variam em coloração de branco a castanho escurecido. As variedades dos grãos de sorgo que contêm somente baixas concentrações de tanino são amplamente usadas como alimentos de eqüinos. As variedades castanhas, ou arroxeadas, contêm quantidades significativas de taninos e as variedades de grãos brancos, ou *milo*, são os tipos que devem ser usados (ver Fig. 5.3). O tanino pode causar cólica em eqüinos.

*Arroz (*Oryza sativa*)*

O grão de arroz é revestido por uma casca fibrosa espessa que é facilmente removida, mas constitui cerca de 20% do peso total. A casca é rica em sílica e quando removida do grão é inadequada para alimentação eqüina porque as extremidades pontudas podem causar irritação. O arroz em casca, que é o grão antes da remoção da casca, é mais adequado como um alimento para eqüinos. A proteína do arroz é uma fonte razoável de lisina.

*Milhete (*Setaria *spp.,* Panicum miliaceum*)*

O nome milhete é aplicado a uma variedade de espécies de gramíneas. As sementes têm um elevado conteúdo de energia, são o elemento palatável da dieta de várias pessoas e tipicamente contêm 110g/kg de proteína e baixo conteúdo de lisina, 50 a 90g/kg de fibra bruta e 25 a 35g/kg de óleo. São livres de toxinas, exceto as cascas de sementes imaturas de *Paspalum scrobiculatum.* Porém, o milhete não está prontamente disponível na Europa e os grupos que estão podem ter sido rejeitados para o consumo humano por causa de mofo ou submisturas. O alimento é pequeno e a casca não é removida durante a colheita normal. Requer a moagem grosseira, ou esmagamento, para a alimentação de eqüinos e seu valor alimentar é de certa forma similar ao da aveia.

Processamento dos Grãos Cereais

Procedimentos específicos para o processamento de cada uma das espécies de grãos cereais já foram traçados. Nos casos em que os cereais forem mecanicamente laminados, o processo deveria ser triturar grosseiramente ou compactar, ao invés do esmagamento completo do material não cozido, caso contrário a estabilidade química do produto será colocada em risco, nenhum aumento na digestibilidade será conseguido e maiores custos de processamento serão embutidos. Um argumento similar pode ser sugerido para a moagem grossa, ao contrário da fina. Mais ainda, o endosperma do cereal finamente moído é farinhento, não palatável, coberto de pó, menos estável e pode causar distúrbios digestivos. Alguns outros alimentos, como o farelo, podem ocasionalmente se aglomerar e bloquear o esôfago se fornecidos secos e, por isso, são normalmente umedecidos ou misturados com feno cortado ou fornecidos com aveia. Os grãos cereais, ou grânulos ricos em energia, devem ser distribuídos entre as várias refeições diárias o quanto for possível para minimizar o risco de cólica.

(1) Cocção: Expansão (Extrusão)

Cereais devem ser cozidos somente com água na tentativa de minimizar o risco do calor danificar as proteínas e os óleos. Os procedimentos de peletização e expansão a vapor

978-85-7241-725-9

atingem esse objetivo e, em particular para materiais ricos em energia, já foi demonstrado melhorarem a digestibilidade de matéria seca, matéria orgânica, amido e extrato livre de nitrogênio dos cereais e grânulos, sem interferir com a digestibilidade da proteína bruta (ver Cap. 1). A digestibilidade da fração de fibra bruta, porém, ou não é afetada ou é somente ligeiramente reduzida se o material alimentar for moído antes da manipulação. Essa fração representa somente uma porção relativamente pequena dos produtos ricos em energia. O processo de expansão se fia nos efeitos de cocção do vapor superaquecido, injetado dentro de uma pasta fluida comprimida contra uma face de corte através de uma espiral e a subseqüente queda rápida na pressão durante a extrusão. O material é submetido a uma temperatura de cerca de 120°C por cerca de 1min. Os custos do processamento, que constituem mais de 10% do valor do produto, são difíceis de justificar, exceto em rebanhos jovens e eqüinos sob regras de competição. É difícil quantificar algumas das vantagens indiretas, as quais, dependendo do processo, podem incluir o reduzido espaço de estocagem, a estabilidade aumentada do produto, a palatabilidade elevada, a destruição de toxinas naturais, os insetos e patógenos bacterianos e a prevenção de concentrações ricas em amido no intestino grosso. A última pode ser de prima importância.

(2) Cocção: Micronização

Outros processos de cocção incluem a floculação tradicional do milho durante a qual o grão é passado através de laminadores aquecidos, a torrefação das sementes oleaginosas durante a extração industrial do óleo e a micronização dos cereais e sementes de proteínas vegetais. Para a micronização, um cinturão em movimento carrega uma fina e igual camada de grãos cereais horizontalmente por baixo de uma série de maçaricos de cerâmica que emitem irradiação infravermelha em uma faixa de ondas de 2 a 6μm. Isso resulta em um rápido aquecimento interno do grão e uma elevação na pressão do vapor de água, durante o que o grão de amido se dilata, se quebra e se gelatiniza. O produto, então, é usualmente passado através de laminadores em formato helicoidal e de um resfriador para um ciclone. O material cru atinge temperaturas variando de 150 a 185°C em 30 a 70s – para cada material cru específico existem valores ótimos dentro dessas oscilações. Esses produtos são freqüentemente incluídos nas misturas grossas para eqüinos; o processo aumenta a digestibilidade e, por exemplo, no caso dos grãos de soja, irá inativar as antiproteases e outros fatores tóxicos.

Uma elevada digestibilidade do amido no intestino delgado é importante para evitar cólica e doenças metabólicas relacionadas. McLean *et al.* (1998a) incubaram bolsas de poliéster monofilamentar contendo cevada não processada, cevada micronizada e cevada extrusada no ceco de pôneis que receberam feno de gramínea *ad libitum*. A taxa de degradação inicial do amido da cevada micronizada foi maior do que a da cevada não processada, ou do que a da cevada extrusada, e por 40h a degradação da matéria seca do material extrusado foi ligeiramente mais fraca que para o material não processado. Os resultados podem indicar uma preferência pela micronização em relação à extrusão, mas a degradação microbiana aumentada não necessariamente implica na melhor digestão no intestino delgado e a rápida degradação bacteriana tem probabilidade de promover a acidose.

Subseqüentemente, McLean *et al.* (1998b) mensuraram a relação acetato:propionato dos AGV no líquido cecal de pôneis recebendo cevada micronizada, extrusada, ou laminada, ou cubos de feno. A relação diminuiu na ordem cubos de feno > cevada micronizada >

978-85-7241-725-9

cevada extrusada > cevada laminada. Isso indicou que a digestão do amido pré-cecal foi maior com a cevada micronizada do que com a extrusada ou laminada.

(3) Acidificação

O tratamento alcalino das forrageiras já foi brevemente descrito (ver *Tratamento alcalino das forragens*, anteriormente). O tratamento de grãos de cereais ricos em umidade com ácido propiônico obteve certo nível de popularidade durante a colheita em climas rigorosos. O ácido atua como inibidor do bolor e preservativo. O grão tratado dessa forma fica adequado à alimentação de eqüinos de maneira apenas marginal, em parte em razão da sua acidez e, mais especialmente, da presença freqüente de porções de bolor no silo. O grão pode se tornar infectado pelo fungo *Fusarium* que produz a toxina zearalenona, conhecida por causar "comportamento prostrado" em todos os animais e infertilidade em animais de reprodução (ver também Cap. 10). Além disso, os cereais ricos em umidade são deficientes em alfa-tocoferol, de forma que a suplementação com formas sintéticas de vitamina E em um nível de 30mg/kg de alimento é essencial.

Cereais como Suplementos ao Feno

C. Drogoul (comunicação pessoal) forneceu a pôneis feno de grama azul cortado e cevada laminada nas seguintes proporções: 100% de feno:nada de cevada, 70:30 e 50:50, em taxas de manutenção de energia, com a cevada fornecida antes do feno. Conforme a proporção de cevada aumentou, o tempo médio de retenção se elevou, mas a digestibilidade de FDN e FDA diminuiu, provavelmente indicando que 30% ou mais de cevada causou presença de amido na região posterior do intestino e a supressão parcial de bactérias celulolíticas (ver Cap. 2).

Subprodutos de Cereais

O uso industrial dos grãos cereais causa a produção de dois principais tipos de subprodutos:

- Os derivados das indústrias de moagem (casca e gérmen das sementes).
- Os derivados das indústrias de bebidas fermentadas e destiladas (principalmente grãos consumidos, resíduos de grãos germinados e leveduras secas).

Subprodutos da Moagem de Trigo, Aveia e Centeio

Existem três subprodutos da aveia: casca; corpo farinhoso constituído de pêlos da aveia entre o grão e a casca; farelos da semente compostos pela casca e o endosperma de pequenas sementes. A casca da aveia tem um conteúdo de fibra bruta de 330 a 360g/kg com uma digestibilidade um pouco melhor do que a da palha da aveia. Uma combinação de cascas e corpo farinhoso de aveia em uma proporção aproximada de 4:1 fornece o equivalente ao valor nutritivo da aveia. Cada um desses subprodutos pode ser fornecido aos eqüinos quando apropriadamente processados e incluídos em alimentos balanceados na proporção de até 20% de dietas de baixa energia.

Sem dúvida, o principal subproduto da moagem fornecido aos eqüinos em países do ocidente são aqueles derivados da moagem do trigo. As partes não aproveitadas do trigo são gérmen, farelo, farinha grossa e farinha fina, que compreendem cerca de 28% do peso total do grão e coletivamente são chamados de alimentos de trigo, apesar de em alguns produtos uma proporção do gérmen ser comercializada em separado. O gérmen contém 220 a 320g de proteína bruta/kg e é uma rica fonte de alfa-tocoferol e tiamina. Esse subproduto em particular é muito caro para uso geral, mas pode ter valor para animais doentes. O farelo é derivado do pericarpo, da testa e da camada de aleurona que envolvem o endosperma, com algum deste aderido. Normalmente contém 85 a 110g de fibra bruta/kg e 140 a 160g de proteína bruta. É vendido como farelo gigante, grosso ou fino de acordo com o tamanho, ou como fração inteira de "farelo de fluxo contínuo". Essas graduações são semelhantes na composição química, apesar das variedades maiores floculadas conterem um pouco mais de água.

O farelo é tipicamente caro pelos nutrientes que provê, mas pode formar, como uma sopa, um veículo mais palatável para a administração oral de drogas e tem a capacidade de absorver muito mais do que seu peso de água. Assim, possui ação laxativa no trato intestinal. O farelo em particular, mas também outros subprodutos da moagem do trigo, é fonte rica em fósforo orgânico, pois contém aproximadamente 10g/kg, ou ligeiramente mais, dos quais 90% estão na forma de sais de fitato. Como o farelo é deficiente em cálcio e como o fitato deprime a utilização de cálcio e zinco da dieta, o uso de grandes quantidades acelera o início de anormalidades ósseas em eqüinos jovens e adultos.

As moagens grossas são semelhantes ao farelo, mas contêm de certa forma mais endosperma e por isso, quimicamente, contêm somente 60 a 85g de fibra bruta/kg e cerca da mesma quantidade de proteína bruta. As moagens mais finas contêm igualmente mais endosperma do que a grossa e, em conseqüência, somente 25 a 60g de fibra bruta. Quando ajustes são feitos quanto ao desequilíbrio em minerais, os subprodutos do trigo são alimentos seguros como suplementos para as rações de eqüinos e pôneis, além de serem fontes relativamente ricas em algumas vitaminas hidrossolúveis.

978-85-7241-725-9

Alimentos da Aveia

Durante a preparação comercial das refeições à base de aveia para o consumo humano, as cascas e as sementes (as cascas e parte do endosperma de pequenos grãos) são removidas. Essas cascas e pêlos são combinados em uma relação de 4:1 para formar os alimentos de aveia que no Reino Unido, por definição legal, não contêm mais que 270g de fibra bruta/kg. O alimento de aveia é um alimento seguro, usado nas misturas para reduzir a concentração de energia dos cereais ricos em amido nas dietas de eqüinos que não estão em atividade na "lista leve". As cascas da aveia são ricas, mas de forma variável, no conteúdo de lignina. Um estudo demonstrou que isto varia de 9 a 61g/kg entre as variedades mundiais. O material cru é volumoso e não flui facilmente, assim é comercializada com freqüência em forma peletizada pelos produtores.

Farelo do Centeio

O farelo de centeio é de aceitabilidade limitada por eqüinos.

Subprodutos do Milho

Os subprodutos resultantes da produção industrial de glicose e amido derivados do milho incluem a proteína glúten, uma pequena quantidade de farelo e gérmen. Esses subprodutos são similares aos análogos dos subprodutos do trigo e freqüentemente todos os três são associados para a venda como alimentos do glúten de milho. Apesar da proteína ser de baixa qualidade nutricional, o alimento é bem adequado como suplemento para as rações eqüinas, pois é uma boa fonte de algumas vitaminas hidrossolúveis.

Farinha à Base de Gérmen de Milho

O gérmen de milho é removido do endosperma durante o processo de extração do amido do milho. Muito do óleo do milho é então removido do gérmen, deixando este ao qual podem ser adicionados outros produtos não aproveitados do milho, farelo e glúten. A composição é por isso variável, dependendo dos detalhes do procedimento de produção. O óleo residual é poliinsaturado e assim está sujeito à peroxidação. É um alimento palatável, a proteína tem um balanço de aminoácidos razoavelmente bom e não existem fatores tóxicos presentes em um produto bem produzido e estocado.

Alimentos à Base de Glúten de Milho

O glúten do milho é outro subproduto da indústria do amido de milho. É a proteína do milho, glúten, junto com farelo do milho, gérmen extraído e resíduos secos das soluções infundidas. O produto é rico em xantofilas, aproximadamente 20mg/kg, fornecendo uma coloração amarela brilhante. O glúten, livre de outros subprodutos, contém mais de 600g de proteína/kg e está disponível como um produto registrado, Prairie Meal®; mas material típico contém 180 a 230g de proteína/kg, 70 a 80g de fibra bruta/kg e somente 6 a 7g de lisina/kg, dependendo das quantidades de farelo e gérmen remanescentes. O alimento é palatável, livre de toxinas e um constituinte útil das misturas de alimentos para eqüinos.

978-85-7241-725-9

Farelo do Arroz

A qualidade do farelo de arroz depende do quão eficientemente as cascas silicosas foram removidas antes de se destacarem do grão. O farelo da moagem de primeiro estágio consiste principalmente da casca (pericarpo e testa), gérmen e parte da camada de aleurona. Esses componentes não são completamente removidos e o subproduto remanescente (moagem de segundo estágio) constitui o polimento do arroz, que também contém algum endosperma. Os subprodutos da moagem de primeiro e segundo estágios são algumas vezes associados para formar a quirera do arroz.

Grandes quantidades de farinha de arroz, ou farelo de arroz, são produzidas mundialmente. Esse subproduto consiste em casca, camada de aleurona, gérmen e parte do endosperma do grão de arroz. Inevitavelmente, parte da casca estará presente, mas isso deve ser mínimo no material preferido. O farelo tem uma composição de 90 a 210g de fibra bruta/kg, 100 a 180g de proteína bruta/kg e 110 a 170g de material lipídico composto de uma gordura muito insaturada. Essa gordura se torna rançosa rapidamente e é por isso extraída, deixando um produto muito mais fácil de manter a qualidade. Porém, o farelo de arroz estabilizado está disponível.

O farelo de arroz extraído é amplamente disponibilizado e é um bom alimento suplementar para eqüinos quando usado como componente de ração misturada. O subproduto extraído tem uma composição de cerca de 15g de óleo, 130g de proteína bruta e 120g de fibra bruta/kg. Porém, com freqüência, tanto quanto 60g de sílica/kg estão presentes e o conteúdo de cinzas do farelo é variável e oscila de 100 até 240g/kg, refletindo a quantidade de casca que ainda permanece. O farelo de arroz extraído é também uma fonte rica e variada de fósforo (11 a 22g/kg) muito do qual é fitato-P. Cuidado deve ser tomado para garantir que as rações nas quais é usado sejam apropriadamente balanceadas para os minerais. Se farelo de arroz de boa qualidade for obtido, 150g/kg podem ser incluídos nos alimentos concentrados balanceados. Todavia, várias fontes do oriente enviam produtos ao ocidente já seriamente contaminados.

Subprodutos da Cervejaria

Três principais subprodutos são derivados da cervejaria: cascas de malte, grãos cervejeiros e leveduras cervejeiras. Quando a cevada é germinada com o objetivo de hidrolisar o amido, os brotos do malte resultantes, que incluem a radícula embrionária (raiz) e a plúmula (pedúnculo), permanecem após o processo de maltagem. São removidos e secos para formar as cascas do malte. O remanescente do material é macerado para remover açúcares, deixando os grãos que podem ser dispostos como um subproduto úmido ou seco e vendido como grãos cervejeiros secos.

Cascas do Malte (Brotos do Malte)

As cascas do malte são os brotos e a radícula secos do grão de cevada germinada. O material contém 12 a 30g de óleo e 140g de fibra bruta/kg. O conteúdo de proteína bruta é tipicamente de 240g/kg, mas é muito variável e representada por uma proporção de N não protéico. O conteúdo de lisina é tipicamente de 12g/kg. O subproduto não é muito palatável, é empoeirado e aumenta de tamanho com a umidade, estimulando o peristaltismo, mas pode conter bolor se não for completamente seco em um forno. Uma taxa de inclusão de material bom de até 50g/kg nos alimentos usados para eqüinos é satisfatória, mas não deve ser fornecido seco por si só.

Grãos Cervejeiros Secos

Os grãos residuais após a remoção do mosto podem incluir resíduos de milho e arroz em adição aos da cevada, o principal constituinte. O subproduto seco contém 180 a 250g de proteína bruta e 140 a 170g de fibra bruta/kg e por isso forma um adjunto útil para alimentos mistos de eqüinos.

Levedura Cervejeira Seca

O subproduto mais desejado e caro da cervejaria é, claro, a levedura, que na forma seca contém 420g de proteína de alta qualidade/kg e é uma rica fonte de uma variedade de vitaminas hidrossolúveis e de fósforo. Essa levedura é freqüentemente fornecida aos eqüinos em condições ruins em uma taxa de 30 a 50g por dia, mas é muito cara para a alimentação regular (ver também *Probióticos*, adiante).

Subprodutos da Destilagem

Os principais resíduos da indústria de destilagem de uísque são os grãos e os solúveis. Os grãos na indústria do malte-uísque consistem somente nos resíduos da cevada, ao passo que os resíduos dos grãos de uísque podem também incluir milho, trigo, aveia e arroz. Uma proporção de grãos é comercializada úmida, mas quantidades significativas são secas.

Grãos Secos ou Leves da Destilaria

O grão seco ou leve da destilaria é o resíduo fibroso da cevada e de outros grãos (*blended whisky* ou mistura de duas ou mais qualidades de uísque) que permanece após a eliminação

978-85-7241-725-9

dos açúcares derivados da hidrólise do amido e usados para a fermentação do álcool. Para a produção do uísque, o álcool é destilado, deixando a sobra líquida do processo da produção do malte do uísque e a sobra da lavagem da produção do grão de uísque. Esse subproduto é apropriado para a inclusão nos alimentos eqüinos.

978-85-7241-725-9

Solúveis de Destilaria

Após a destilação do álcool, o líquido gasto é *spray-dried* (o material é conduzido até uma câmara quente onde é aspergido, ocorrendo a secagem pela entrada de ar quente) para produzir um pó castanho claro conhecido como solúveis da destilaria, bem adequados para o uso em alimentos mistos. Freqüentemente, os solúveis secos são adicionados de volta aos grãos secos e comercializados como grãos secos de destilaria com os solúveis, conhecidos como grãos escuros.

Grãos Escuros de Destilaria

A sobra do processo de destilação (ou líquido da sobra da destilação de milho e outros grãos) contém carboidratos não fermentados e produtos do metabolismo das leveduras, como proteínas e vitaminas. Nos casos em que o milho é usado para a produção de álcool, esse líquido contém óleo de milho e após a evaporação da água e a adição de óxido de cálcio, o resíduo é *spray-dried.* Com os grãos, o resíduo produz os grãos escuros de destilaria (DDS) ou grãos secos de destilaria com solúveis. Esse subproduto em pequenas quantidades é um suplemento valioso para alimentos mistos de eqüinos e evidência americana sugere que os grãos secos de milho com solúveis estimulam a digestão da celulose por microrganismos no ceco eqüino.

O DDS do malte do uísque contém cerca de 270g de carboidrato digerível/kg e 70g de extrato etéreo/kg, ao passo que o DDS do grão do milho contém cerca de 180g de carboidrato digerível/kg e 110g de extrato etéreo/kg. O conteúdo de fibra bruta do DDS é de 100 a 130g/kg, de lipídeos é de 100 a 120g/kg, de proteína bruta de 260 a 280g/kg e de lisina é de 8g/kg. Os subprodutos do grão para uísque são geralmente mais digeríveis, mas ambos os subprodutos de DDS são pobres em sódio, potássio e cálcio. Ambos são livres de constituintes tóxicos e ricos em cobre, mas de forma variada, com o DDS do malte contendo cerca de 40mg/kg e o DDS do grão contendo 80mg/kg, ambos adequados à inclusão em alimentos de eqüinos.

Refugo do Grão de Cereal

Os refugos do grão de cereal são resíduos da preparação, estocagem e tratamento dos grãos cereais (cevada, trigo, milho, sorgo e soja) e seus produtos. São extremamente variáveis em qualidade e incluem grãos quebrados, debulhos, sementes de plantas daninhas, poeira e, conseqüentemente, bolor. As micotoxinas podem estar presentes. Cada porção pode diferir e seu uso deve ser na forma peletizada e estritamente limitada. O conteúdo de cinzas varia de 20 a 180g/kg. Proporções maiores de cinzas indicam maior contaminação pelo solo e a presença de grãos quebrados contribui com uma taxa acelerada de formação de óleos cereais rançosos, particularmente importante com relação ao milho.

Debulhos e Debulho com Melaço

Os debulhos são formados pela casca, ou glumas, arestas e outros materiais fibrosos de desgaste derivados da colheita do grão. É altamente lignificado e por isso não é bem fermentado por microrganismos intestinais, mas o debulho da aveia, que é o melhor, é mais bem utilizado do que somente a palha. O derivado da colheita da cevada contém maiores quantidades de arestas de cevada, as quais têm extremidades serrilhadas e podem causar alguma irritação. Todavia, é um material seguro para diluir grãos cereais de energia densa e é freqüentemente comercializado misturado com melaço em uma concentração de cerca de 500g/kg. Esse produto é palatável para eqüinos e supera qualquer sujeira do debulho. Alguns produtos com melaço também incluem 20g/kg de calcário, como fonte de cálcio, mas deve se ter em mente que esses produtos são deficientes em fósforo. Alguns debulhos comercializados para eqüinos baseiam-se em feno de capim cortado, 2cm de comprimento, misturados com melaço e calcário.

Palha Tratada com Hidróxido de Sódio

A palha tratada com hidróxido de sódio (NaOH) é um adjuvante de alimentos mistos de eqüinos e provê uma útil fonte de fibra palatável. Deve ser reconhecido que o tratamento com NaOH dos grãos cereais, ou de outros materiais que sejam fonte de vitamina E, destruirá a vitamina. Nos casos em que o alimento for também deficiente em selênio, a miopatia degenerativa nutricional poderá ocorrer.

Hidropônicas

A prática de germinar sementes de cevada em bandejas iluminadas sob condições úmidas produz um alimento de alta qualidade com plantas de crescimento rápido. Porém, o custo por unidade de matéria seca em particular, em razão da inclusão de uma taxa realista de depreciação do equipamento capital e do elevado desempenho de mão de obra, torna a prática difícil de se justificar economicamente. Os grãos de cevada não devem ter passado através de um secador de grãos, que poderia danificar gravemente sua capacidade de germinação, e nem terem sido tratados com preparações à base de mercúrio para sementes. Devem ser brilhantes e livres de grãos quebrados. O intervalo de tempo da germinação para o consumo deve ser minimizado pelo estabelecimento de condições ótimas para o crescimento de 20h de luz para cada 24h e uma temperatura ambiente de 19 a 20°C. O crescimento lento aumenta a probabilidade de mofo e seus riscos acompanhantes. Um desenvolvimento de esporos de fungos no ambiente precisa ser evitado por meio de higiene rotineira. Cerca de três quartos do produto são umidade e por isso o conteúdo de ED é de somente 2,5MJ/kg apesar de sua alta digestibilidade (Quadro 5.1). Em comparação com as gramíneas de pasto, a cevada hidropônica tem um conteúdo muito baixo de cálcio e potássio, ao passo que o conteúdo de fósforo é semelhante. As relações Ca:P são por isso bem diferentes das encontradas nas gramíneas.

Quadro 5.1 – Valores analíticos típicos da cevada hidropônica (g/kg de matéria seca)

Proteína bruta: 120-170	Cálcio: 1,1-1,3
Fibra bruta: 80-155	Magnésio: 1,5-2
Cinzas: 27-42	Potássio: 4,6-4,8
Carboidratos digestíveis: 550-740	Fósforo: 4,4-5,5

OUTROS INGREDIENTES MENORES E SUBPRODUTOS

Farinha de Semente de Alfarroba (Ceratomia siliqua) *e Feijão-Vagem Africano* (Parkia filicoidea)

A árvore alfarroba (*Ceratomia siliqua*) cresce nos países do Mediterrâneo. Suas vagens caem da árvore no outono e são colhidas. As sementes duras são envolvidas em vagens espessas e polpudas em maturação, inadequadas para moagem em razão de seu conteúdo alto de umidade. São dobradas e quebradas e as sementes saem, sendo usadas na indústria de confecção, deixando os pedaços da vagem que são distribuídos para os produtores de alimentos para animais. Esses pedaços de coloração escura são muito doces, contendo 400 a 450g de sacarose, 35g de proteína bruta, cerca de 70g de fibra bruta e 160 a 240g de umidade/kg. Não é recomendado o uso de porções contendo mais de 200g de umidade/kg. As vagens também contêm um pouco de ácido tânico, mas as melhores fontes são um alimento útil para inclusão em misturas grossas. As principais fontes da Europa são Espanha, Portugal e Chipre e a melhor qualidade pode ter origem no último.

As vagens do feijão-vagem do oeste da África, da árvore *Parkia filicoidea*, contêm sementes fibrosas, doces e castanho-escuras, vagens fibrosas livres de químicos indesejáveis. A vagem e a semente, contendo cerca de 300g de sacarose/kg, são mais secas do que as da região do Mediterrâneo e assim podem ser moídas, ter o volume manipulado e ser usadas nas rações de ruminantes e eqüinos.

978-85-7241-725-9

Farinha de Biscoito

Os dejetos da padaria são variados e ricos em conteúdo de energia, em razão da ampla variedade de conteúdo de gordura (5 a 280g/kg) e digestibilidade rica em energia. Em adição às farinhas de trigo e outras farinhas, os restos contêm açúcar e sal, o que não é desvantagem para eqüinos. A rancidez e a umidade são problemas típicos e um assunto contínuo para as *Rules of Racing and of Competition* é a inclusão de produtos do chocolate nos restos. No passado, isso era com freqüência a fonte de teobromina detectada na urina.

Melaços

A cristalização e a separação da sacarose dos extratos de água da beterraba (*Beta vulgaris saccharifera*) e da cana-de-açúcar (*Saccharum officinarum*) deixam um líquido escuro e espesso, denominado melaço, que contém cerca de 750g de MS/kg, dos quais cerca de 500g consistem em açúcares. A proteína bruta no melaço é quase que inteiramente nitrogênio não protéico e de valor mínimo na alimentação de eqüinos. No melaço da beterraba, uma proporção disso está na forma da perigosa amina betaína (um substituto da colina), a qual é responsável pelo aroma de peixe, de certa forma desagradável, associado com aquela forma de melaço, mas os melaços da cana têm um odor muito agradável. O gosto doce de ambas as formas é atraente para eqüinos quando usado em alimentos mistos em um nível de até 100g/kg de alimento e nessas proporções o melaço pode atuar como um agente relativamente eficiente de ligação na confecção dos grânulos. O melaço da cana contém 5 a 11g de cálcio/kg e o conteúdo de potássio varia de 20 a 40g/kg no melaço da cana e de 55 a 65g/kg no melaço da beterraba. O melaço da beterraba é razoavelmente rico em ácido pantotênico e ambos contêm cerca de 16mg de niacina/kg.

Polpa de Beterraba com e sem Melaço (Beta vulgaris var. saccharifera)

O resíduo do refino da extração da sacarose contida na raiz da beterraba é um produto úmido contendo 750 a 900g de água/kg. Isso poderia ser ensilado para a alimentação eqüina, mas é raramente usado dessa maneira. A maior parte da polpa da beterraba é seca e comercializada como polpa de beterraba seca, ou misturada com melaço para formar a polpa de beterraba com melaço, fornecendo açúcar, pectina e betaína e vendida normalmente em forma de cubo. A polpa de beterraba em pedaços contendo 10% de melaço e as aveias inteiras produzem respostas glicêmicas semelhantes. A resposta é menor, mas considerável, com a polpa embebida ou a polpa de beterraba expandida (Coenen *et al.*, 2003b), na ausência de melaço, em razão da presença de açúcar residual na polpa. As áreas sob a curva de resposta de glicose como percentual daquelas para a aveia foram 92 para a polpa com melaço e 72 para a polpa embebida sem melaço (Groff *et al.*, 2001).

Hyslop *et al.* (1998c) forneceram a pôneis Shetland adultos 2kg de MS/dia de feno de capim colhido e acesso *ad libitum* à polpa de beterraba embebida em melaço e não embebida. O consumo total de matéria seca foi menor do que para os pôneis que receberam somente o feno, apesar do consumo de MS prover 15% a mais de ED do que foi requerido para a manutenção. Mais polpa sem melaço foi consumida do que a com melaço e o material sem melaço produziu maiores valores de digestibilidade de MS, PB e FDN. Mais ainda, a substituição parcial de aveias por polpa de beterraba sem melaço, nas concentrações de 152g e 108g/kg de MS, teve pouco efeito na digestibilidade de energia (Lindberg e Karlsson, 2001), apesar das fontes de energia diferirem metabolicamente. A polpa de beterraba tem uma digestibilidade aparentemente alta e parece limitar o consumo total de alimento, mas o melaço parece reduzir a digestibilidade da fibra.

Os cubos secos não devem ser fornecidos aos eqüinos por si só, sem serem embebidos, pois na forma seca podem causar sufocação em alguns animais (ver Cap. 11) e se a polpa de beterraba seca constituir uma elevada proporção da mistura de concentrado, então grandes quantidades de líquido livre são absorvidas pela massa no estômago, podendo resultar em cólica. O carboidrato que contêm é rico em pectinas, mas também em celulose e hemicelulose, que são fermentadas pela flora do intestino grosso do eqüino. A sacarose residual presente é digerida no intestino delgado. Misturada a outros alimentos, a forma seca é usada de maneira bem sucedida em misturas grossas; maiores quantidades, embebidas, atuam como um útil substituinte de cereais. Possui uma composição uniforme, é livre de toxinas e tem muito menos probabilidade de causar laminite do que quantidades iguais de cereais (ver *Controle da laminite*, Cap. 2). Contém mais cálcio que os cereais, em uma média de 6g de cálcio/kg, e menos de 1g de fósforo/kg, mas é uma fonte pobre de algumas vitaminas, em comparação com os cereais. O conteúdo de proteína e a sua qualidade são similares aos dos cereais. A uréia é algumas vezes adicionada à polpa de beterraba. Isso não tem valor para eqüinos, mas não causa danos naqueles com completo funcionamento renal. Não existem químicos naturais indesejáveis na polpa de beterraba.

978-85-7241-725-9

Alfafa Seca (Alfafa Desidratada)

Apesar de não ser um subproduto, mas uma forrageira útil, a alfafa seca é mencionada aqui em razão dos vários efeitos indiretos que são atribuídos a ela, possivelmente causados por fatores não identificados. Seu uso na refeição estimula a digestão da celulose pelos microrganismos eqüinos e melhora a digestão de energia total dos alimentos. Um relato do leste europeu sugere que o feno de alfafa pode ter um valor de proteção no desenvolvimento da inflamação glandular e pode estimular a produção de células brancas (linfócitos) e hemácias (eritrócitos) em potros (Romić, 1978). A alfafa peletizada é melhor fonte de nutrientes do que o feno de gramíneas ou a alfafa curada ao sol (exceto para a vitamina D_2) e os oxalatos que contém não dificultam a digestibilidade de cálcio ou magnésio.

A secagem ocorre em temperaturas muito elevadas, suficientes para inativar esporos de fungos. Isso prolonga sua meia-vida, inibe o crescimento de fungos durante a estocagem e assim reduz a probabilidade de respostas respiratórias adversas. A peletização da alfafa leva ao consumo aumentado e seu volume relativo evita um rápido acúmulo de amido altamente fermentável no estômago, permitindo a sua penetração pelos líquidos gástricos, garantindo uma queda no pH gástrico. Os eqüinos alimentados com alfafa seca parecem produzir melhor tecido córneo nos cascos do que os que recebem feno de gramíneas. A explicação pode ser que a alfafa fornece consideravelmente mais aminoácidos contendo enxofre e cálcio do que o que é fornecido pelo feno de gramíneas.

As folhas da alfafa seca contêm vários pigmentos verdes além da clorofila. Foi demonstrado que um desses, o feoforbídeo-alfa, causa a fotossensibilização expressa por lesões de pele em ratos albinos. A exposição à luz em distâncias visíveis é suficiente para causar as lesões em ratos e outros animais brancos, que recebem concentrado de proteínas da folha da alfafa. O feoforbídeo-alfa é formado pela quebra da clorofila sob a influência da clorofilase durante o processamento. Existe maior atividade dessa enzima em forrageiras leguminosas do que em gramíneas, o que pode justificar a ausência de dermatite associada com produtos de gramíneas verdes.

978-85-7241-725-9

Cenouras (*Daucus carota*)

As raízes da cenoura são muito palatáveis para eqüinos e não contêm químicos indesejáveis, desde que não estejam mofadas. Eqüinos não acostumados ao seu consumo podem engolir sem mastigar e sufocarem-se e nesses casos é desejável que sejam fatiadas. Têm conteúdo de matéria seca de 110 a 130g/kg e um valor de energia bem similar ao da aveia por unidade de MS. As variedades de coloração laranja são ricas em betacaroteno, contendo 100 a 140mg de caroteno/kg; 85% estão presentes como beta-isômero. Este é parcialmente convertido em vitamina A pelo eqüino. Grande consumo de cenouras e por isso da pró-vitamina pode causar a intoxicação no ser humano. Foi demonstrado por alguns pesquisadores que o betacaroteno melhora a fertilidade em éguas privadas de uma fonte dietética (Ahlswede e Konermann, 1980; Ferraro e Cote, 1984; van der Holst *et al.*, 1984) (ver Cap. 4).

Batatas (*Solanum tuberosum*)

Batatas pequenas e danificadas são algumas vezes fornecidas como alimentos para gado. Porém, as batatas verdes e as batatas com brotos contêm o alcalóide solanina, que é extremamente perigoso para eqüinos. As batatas danificadas e aquelas começando a se decompor são igualmente perigosas e existem vários relatos de fatalidade. As batatas pequenas podem também causar sufocação. Não é recomendado que a alimentação com restos de batatas seja praticada com eqüinos. Mais ainda, Meyer *et al.* (1995) reportaram que a digestibilidade pré-cecal das batatas ou da mandioca foi menor do que 10%, comparada com 80 a 90% do amido da aveia.

Polpa Cítrica (Citrus spp. e Ananassa sativa)

A extração de líquido de laranjas, limões, tangerinas, limas e abacaxis (*Ananassa sativa*) deixa um resíduo de polpa (casca, medula e semente) que é seco e peletizado, freqüentemente após a adição de calcário para neutralizar o ácido e ajudar na remoção de umidade (o conteúdo médio de cálcio é de 12g/kg). O produto é pobre em proteína e fósforo, rico em fibra fermentável (principalmente pectinas), limpo e uma útil adição para o alimento de eqüinos, apesar da palatabilidade ser variada. O conteúdo de óleo pode variar de 10 a 70g/kg e o de fibra crua é de 130g/kg. Um nível de fibra alto tende a indicar a presença de sementes cítricas que contêm concentrações relativamente elevadas de limonina, um composto metabolicamente interessante na medicina humana que é tóxico em altas concentrações para suínos e aves. O limiar tóxico em eqüinos não foi determinado, mas as taxas de inclusão da polpa em concentrados de até 50g/kg devem ser bem seguras nos casos em que as sementes estiverem presentes e de até 150g/kg quando escassas ou ausentes. A polpa tratada com amônia não é recomendada.

Polpa de Oliva (Olea europaea, O. sativa)

A polpa e a pele de frutas da oliveira, após a espremedura ou extração do óleo, são secas e peletizadas. Nos casos em que a espremedura for usada, a polpa pode conter 260g de fibra bruta/kg e 100 a 180g de óleo/kg, que pode ser rançoso e leva ao aumento da demanda de vitamina E. Para a extração, dissulfeto de carbono, tricloroetileno, ou benzeno são usados e resíduos solventes insatisfatórios podem estar presentes. O produto é equivalente a uma forragem ruim. A torta prensada contendo as sementes causa problemas digestivos e a digestibilidade geralmente é somente moderada. Os conteúdos de cálcio e fósforo são de 10 e 2g/kg, respectivamente; a proteína (100g/kg) é de baixa qualidade e baixa digestibilidade. Algumas porções têm sido de valor reconhecido para eqüinos quando incluídas na dieta até 100g/kg, mas a variabilidade do produto não se presta a qualquer recomendação generalizada.

978-85-7241-725-9

Cascas do Algodão (Gossypium spp.)

As cascas do algodão, nas quais algumas fibras estão aderidas, são livres de gossipol e resultam da descorticação da semente. As cascas do algodão produzem consumo de alimento e velocidade de crescimento semelhantes aos do capim-bermuda quando cada um é usado como única fonte de forrageira nas rações de eqüinos jovens (Heusner *et al.*, 2001).

Cascas de Soja (Glycine max)

As cascas de soja são ricas em pectina e outras fibras solúveis (131g/kg PB, 606g/kg FDN, 437g/kg FDA). Booth *et al.* (2003) substituíram até 75% do feno de *bromegrass*-alfafa pelas cascas de soja sem perda da aceitabilidade. O conseqüente aumento na fibra solúvel da dieta causou elevações na produção cecal total de AGV e na proporção de propionato nos AGV, mas reduziu a proporção de butirato e do pH cecal de 7 para 6,45.

Mandioca (Manihot esculenta)

A mandioca é um arbusto herbáceo de áreas tropicais e subtropicais. Os tubérculos provêem um alimento humano e para o rebanho bovino inferior aos cereais e pobre em proteína.

As raízes contêm um glicosídeo, linamarina, que libera ácido cianídrico (HCN) por meio da hidrólise enzimática. Um alimento à base de raiz seca, da qual parte do amido usualmente tem sido extraída, está amplamente disponível para vários países do ocidente. Deve conter um mínimo de 620g de amido/kg, um máximo de 50g de fibra/kg e 30g de sílica/kg (principalmente de solo aderente). Também contêm um resíduo do glicosídeo e HCN de forma que seu valor para eqüinos é limitado.

SUPLEMENTOS DE GORDURA

978-85-7241-725-9

Existe um interesse aumentado na suplementação de alimentos para eqüinos com gorduras ou óleos comestíveis (ver Cap. 9). Boas fontes de óleos e gorduras comestíveis e bem digestíveis apresentam efeitos calmantes em eqüinos excitados. Esse efeito pode ser prejudicado pela lecitina que os óleos contêm (Holland *et al.*, 1996). A colina, que é encontrada na lecitina, é um componente do neurotransmissor acetilcolina encontrado nos gânglios simpáticos e parassimpáticos e na junção neuromuscular.

Nos casos em que óleos e gorduras forem subprodutos da produção de alimentos humanos, ou de processos industriais, a sua qualidade pode ser extremamente variável. Na tentativa de estabelecer o valor alimentar de uma porção, a composição do ácido graxo é freqüentemente procurada. Em geral, isso é inadequado e por isso é oportuno nesse ponto fornecer alguma descrição de gorduras e de procedimentos analíticos usados em sua definição.

A gordura bruta consiste em triacilgliceróis (três resíduos de ácidos graxos combinados com o glicerol, Fig. 5.5); álcoois de cadeia longa (alifáticos), como encontrados em graxas; colina; fosfato; esteróis (álcoois cíclicos), tais como colesterol; umidade; e ácidos graxos oxidados, polimerizados e cíclicos. Uma gordura típica do alimento (material solúvel em um solvente lipídico, por exemplo, etanol, petróleo e dietil-éter) tem a composição fornecida na Tabela 5.6. O Quadro 5.2 fornece as características do perfil do ácido graxo na cromatografia líquido-gasosa (GLC) de gorduras adequadas como suplementos de alimentos para eqüinos.

Somente o glicerol e os ácidos graxos têm um valor confiável de energia. Para se determinar a composição de ácidos graxos da gordura, deve-se hidrolisá-la por saponificação, produzindo os sais de sódio ou potássio dos ácidos graxos e glicerol livre. Os insaponificáveis (insolúveis em água, mas solúveis em solventes à base de gordura) incluem os hidrocarbonos, álcoois alifáticos, colesterol e fitosteróis. Esses insaponificáveis, juntamente com os ácidos graxos cíclicos e polimerizados de alto peso molecular, não são separados entre si de uma coluna com os ácidos graxos durante a análise de GLC e assim *não são registrados no perfil padrão de ácidos graxos da gordura.* O valor de cada ácido graxo nessa análise é fornecido como uma porcentagem da soma total dos ácidos graxos extraídos e os valores podem por isso parecer bem normais para as gorduras contendo ácidos graxos não extraídos danificados, pois os ácidos graxos totais somarão 100%. Observe que isso é o percentual do total extraído de ácidos graxos e não o total de suplemento de gordura adquirido. O autor examinou gordura alimentar com menos de 400g de ácidos graxos utilizáveis/kg de gordura (menos de 200g/kg de suplemento de gordura, pois a maior parte da gordura é vendida em uma base neutra). Se um marcador interno de um ácido graxo incomum, por exemplo, um ácido graxo de número ímpar como C17, for incluído na análise, uma estimativa pode ser feita da verdadeira proporção dos ácidos graxos utilizáveis na gordura total.

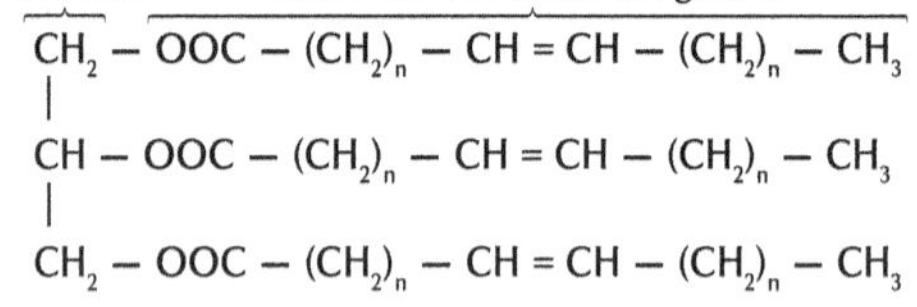

Sob forte aquecimento das gorduras, comumente com os ácidos graxos insaturados presentes, estes monômeros podem se combinar por meio do rearranjo das ligações, formando novas pontes duplas carbono-carbono, resultando em dímeros e trímeros indigestíveis.

Polimerização das gorduras

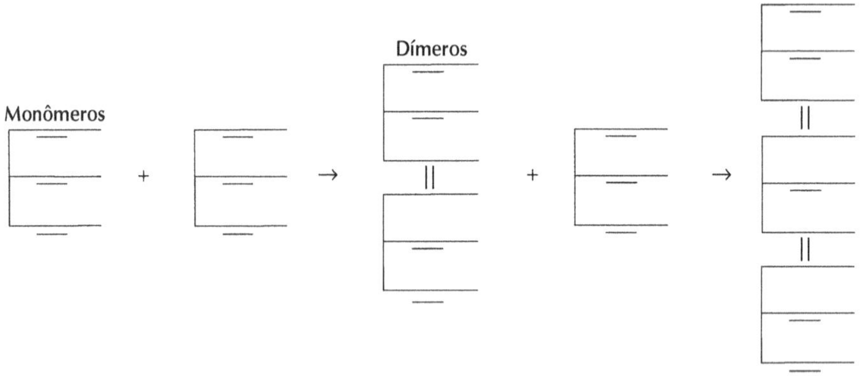

Figura 5.5 – Uma molécula de triacilglicerol (simplificada para mostrar uma ligação insaturada em cada um dos ácidos graxos).

978-85-7241-725-9

A polimerização e ciclização dos ácidos graxos ocorrem durante o excessivo aquecimento da gordura (decomposição térmica) (ver Fig. 5.5). A gordura que é aquecida ao ar também sofre a decomposição oxidativa e a extensão disso tende a estar correlacionada à extensão da polimerização. Uma indicação da existência da oxidação pode algumas vezes ser obtida pela mensuração do valor peróxido da gordura, uma medida da oxidação das pontes duplas nos ácidos graxos insaturados, com probabilidade de ser mais extensa nos

Tabela 5.6 – Composição de gordura alimentar típica e limites desejáveis (g/kg).

	Típica	Máximo desejável
Umidade e outras impurezas	8	10
Insaponificáveis	20	30
Glicerol	25	
Ácido graxo total	870	
Ácido graxo livre	60	60
Ácido graxo oxidado	20	25
Ácido graxo polimerizado, oxidado	77	0
Polietileno	–	0,2
Total	1.080	

Quadro 5.2 – Perfil desejável na cromatografia líquido-gasosa dos ácidos graxos em gorduras usadas como suplementos (g/kg de gordura)

Ácidos graxos saturados: 300
- ácido esteárico (C18:0): 100, máximo
- ácido palmítico (C16:0): 200

Ácidos graxos monoinsaturados: 500-600
- ácido palmitoléico, ácido oléico (C16:1, C18:1): 500-600

Ácidos graxos poliinsaturados: 250
- ácido linoléico, ácido linolênico (C18:2; C18:3): 200, máximo
- ácido araquidônico mais outros, por exemplo, ácido eicosapentanóico (todos em gorduras animais) (C20:4 +): 50, máximo

Conteúdo percentual total de ácidos graxos pelo marcador interno: 800, mínimo

óleos poliinsaturados desprotegidos por antioxidantes. Deve-se suspeitar de valores em excesso de 20mEq/kg de óleo. Os baixos valores de peróxido, por outro lado, não indicam uma ausência de danos, pois a peroxidação é um estágio primário na deterioração da qualidade da gordura. A decomposição secundária inclui a formação dos derivados carbonil-, hidroxi- e epóxi-, os quais também são de pouco valor. A gordura pode ter se tornado hidrolisada, liberando ácidos graxos livres, daí o valor de determinar os ácidos graxos livres no material cru que não deveria conter tais ácidos (gordura comestível hidrolisada contendo 50% de ácidos graxos livres é também comercializada. É um produto muito satisfatório). Os ácidos graxos saturados podem ficar rançosos somente após a hidrólise, como na manteiga, indicando a deterioração pela formação de cetona.

A importância de usar um marcador interno na análise dos ácidos graxos deveria ser evidente. Se tal análise fornecer um valor de 18% para, digamos, o ácido graxo C16 como um percentual de ácido graxo extraído em um produto que é vendido como 50% de gordura em uma base não gordurosa, então a quantidade real do ácido graxo C16 presente no produto é somente de 3,6%, existindo somente 400g de ácidos graxos utilizáveis/kg no produto referido. Bases típicas usadas na preparação dos *premixes* de gordura incluem as extrações de palmiste, palha grossa, farinha de madeira e vermiculita, um silicato hidratado.

Os ácidos graxos danificados nas gorduras podem ter valor negativo, precipitando uma deficiência de vitamina E e podendo causar desordens digestivas e outros problemas. Os óleos das sobras notórios por causar problemas desse tipo são resíduos da destilação de ácidos de óleos, especialmente os resíduos da destilação ácida de peixes. Outros subprodutos indesejáveis são o "óleo laminado" da indústria do aço e deposição de estanho, o óleo de bacalhau oxidado, obtido de couro tostado, e o óleo vegetal recuperado (RVO) de mercados de frituras de alimentos. As gorduras de sobras podem estar contaminadas com metais pesados, pesticidas, ou polietileno. A taxa de deterioração de uma gordura será acelerada pela contaminação com cobre, por exemplo, e será retardada pela presença de antioxidantes (sintéticos ou naturais). A maioria das sementes oleaginosas é altamente insaturada, mas se for fresca é geralmente fonte rica em antioxidantes alfa-tocoferol (por exemplo, óleo de soja). Os óleos marinhos deterioram mais rapidamente do que o óleo de coco, por exemplo, como conseqüência da diferença no grau de insaturação.

978-85-7241-725-9

Tabela 5.7 – O efeito da composição de gordura bruta e extrato livre de nitrogênio de dietas completas na digestibilidade aparente total da porcentagem de consumo de carboidratos estruturais no trato intestinal (Jansen *et al.*, 2002).

	Óleo de soja	Amido de milho	Glicose
Gordura bruta, g/kg de MS	148	20	20
NFE, g/kg de MS	493	668	646
Digestibilidade da fibra bruta, %	56,6	70,7	71
Digestibilidade da FDN, %	64,4	73,8	74,4
Digestibilidade da FDA, %	55	68,3	68,4
Digestibilidade da celulose, %	55,6	72,5	72,1

FDA = fibra em detergente ácido; FDN = fibra em detergente neutro; MS = matéria seca; NFE = extrato livre de nitrogênio.

As gorduras com elevada qualidade, se altamente saturadas ou poliinsaturadas, têm um papel valioso na nutrição de eqüinos em estábulos e é imperativo que a qualidade do suplemento de gordura seja garantida para que esse valor seja atingido. O óleo comestível provavelmente reduz a velocidade de fluxo da ingesta a partir do estômago, pois a adição de 10% de óleo de milho diminui dramaticamente o índice glicêmico do alimento doce (com melaço) (Pagan *et al.*, 1999a). Mais ainda, de acordo com algumas evidências, óleos vegetais de alta qualidade e gordura animal não afetam de forma adversa a digestibilidade da fibra (Bush *et al.*, 2001; Kronfeld *et al.*, 2002) e são completamente digestíveis, produzindo um valor de ED de 38MJ/kg. Todavia, podem deprimir a digestibilidade protéica (Kronfeld *et al.*, 2002).

Por outro lado, com as altas taxas de inclusão, Jansen *et al.* (2000) reportaram que 150g de óleo de soja/kg de dieta, substituídos por quantidades isoenergéticas de amido de milho, reduziram as digestibilidades aparentes de fibra bruta, FDN e FDA em 8%, 6,2% e 8,3%, respectivamente. Jansen *et al.* (2002) subseqüentemente concluíram que essa taxa de inclusão excessiva aumentou a quantidade de gordura entrando no intestino grosso e seu efeito inibidor específico sobre a fermentação microbiana causou uma depressão na digestibilidade de fibras (Tabela 5.7). Evidências também indicam que nenhuma absorção de gordura ocorre no intestino grosso de eqüinos (Swinney *et al.*, 1995), de forma que a digestibilidade da gordura seria reduzida, obrigando um limite prático na taxa de inclusão. A suplementação de gordura até 100g/kg da dieta é bem utilizada, aumenta o valor de energia dos alimentos, facilita a peletização de alimentos fibrosos e reduz a poeira do produto.

Ácidos Graxos Poliinsaturados

Os óleos constituintes da maioria das sementes e grãos cereais são ricos em ácidos graxos poliinsaturados n-6. As fontes incluem óleo de milho, de semente de girassol e, mais recentemente e similar ao girassol, óleo de semente de uva e mesmo o de aveia (Taylor *et al.*, 2003), ao passo que somente alguns, incluindo óleo de soja, de linhaça e de colza, contêm quaisquer quantidades significativas de ácidos graxos poliinsaturados n-3. Essas duas séries são diferenciadas pela posição da primeira ligação dupla na cadeia de carbono, a qual, no caso da série n-6, é de seis carbonos a partir do grupo metil terminal. Os óleos de peixe são ricos em membros maiores (isto é, cadeias mais longas e mais insaturadas) do grupo n-3. O ácido linoléico (C18 n-2) da série n-6 nos óleos das sementes é alongado e dessaturado

978-85-7241-725-9

durante o metabolismo em ácido araquidônico (C20:4 n-6), o qual é precursor das prostaglandinas eicosanóides inflamatórias.

Eqüinos em trabalho intenso recebem uma dieta grande baseada em cereais, em que a gordura é rica em poliinsaturados n-6. Por outro lado, o eqüino de pastejo recebe uma dieta na qual os óleos derivam de folhas, que por uma feliz sorte podem conter uma proporção muito mais rica de membros menores da série n-3. A competição é proporcionada por esses nutrientes n-3 durante o alongamento, a dessaturação e o metabolismo da cicloxigenase da série n-6 e assim a síntese dos intermediários inflamatórios é parcialmente suprimida.

De fato, existem muitas evidências no campo humano de que o óleo do fígado do bacalhau reduz as reações inflamatórias na doença articular. Evidências comparáveis apontam na direção de que respostas similares podem ser esperadas em eqüinos. Recentemente, técnicas foram desenvolvidas para reter a relação ômega 6:ômega 3 em 6:1 no óleo de soja e, quando adicionado à dieta de eqüinos em exercício intenso na taxa de 100g/kg, comparado ao óleo de milho, demonstrou reduzir a resposta inflamatória, mensurada pelo aumento do fibrinogênio sangüíneo, uma proteína de fase aguda (Wilson *et al.*, 2003). Assim, os eqüinos em atividade estão sujeitos a doenças inflamatórias e a suplementação de suas dietas com óleos ricos em ácidos graxos n-3 pode reduzir a extensão das doenças locomotoras dolorosas. Uma precaução, porém: os ácidos graxos n-3 de óleo de peixe são mais insaturados do que os óleos da série n-6 e qualquer uso aumentado das fontes n-3 deve ser acompanhado por um aumento da suplementação de vitamina E.

978-85-7241-725-9

CONCENTRADOS PROTÉICOS

Proteínas Vegetais

As fontes mais ricas em proteínas vegetais dadas a eqüinos e pôneis como alimento são os resíduos de sementes oleaginosas, mas outras fontes incluem ervilhas forrageiras, feijões, leveduras e, no futuro, possivelmente novas fontes de proteína microbiana e, finalmente, forrageiras secas de alta qualidade, particularmente alfafa, sementes de soja, linhaça, algodão e, até certo ponto, girassol após o processamento são amplamente usados. Amendoim não pode ser recomendado por causa de sua freqüente contaminação com uma toxina (aflatoxina, também encontrada em alguns outros alimentos) do fungo *Aspergillus flavus*, à qual o eqüino é relativamente sensível.

Dois procedimentos alternativos são adotados para a extração do óleo de sementes oleaginosas, ambos podendo ser precedidos pela remoção de uma cobertura espessa por meio de um processo conhecido como descascamento, conforme praticado com as sementes de algodão e girassol. As refeições não descascadas contêm muito mais fibras. Nos casos em que o óleo for removido por pressão, isso é precedido pela cocção a 104°C por 15 a 20min, após o que a temperatura é aumentada brevemente para 110 a 115°C. Então a pressão é atingida ao passar as sementes através de um cilindro perfurado horizontal, no qual uma rosca revolve e o óleo é parcialmente pressionado para fora, deixando um resíduo contendo talvez 35g de gordura/kg. As tortas prensadas, por isso, têm a vantagem de incorporar mais gordura do que as farinhas derivadas do processo de extração química mais eficiente. Porém, as temperaturas atingidas durante a compressão podem danificar a proteína, a qual geralmente tem um valor biológico mais baixo (ver *Glossário*) do que a resultante da extração com solventes. Nesse último procedimento, somente material com menos de 350g de óleo/kg é adequado, de forma que os alimentos são primeiro sujeitos a uma rosca modificada, menos extrema em seus efeitos do que o processo de prensagem. As sementes são então floculadas e o solvente, em geral o hexano, é coado através, efetivamente removendo o óleo. Os resíduos do solvente são evaporados por aquecimento ou tostagem, o que pode beneficiar alguns alimentos ao destruir toxinas naturais.

Os farelos de sementes oleaginosas são fontes muito mais ricas de proteína do que são os cereais e seu equilíbrio de aminoácidos é superior. Porém, o farelo de linhaça é uma fonte mais pobre de lisina do que a soja, considerada a melhor qualidade dessas proteínas. As sementes de girassol são ricas em aminoácidos com enxofre, cistina e metionina, apesar de ser raro na dieta de eqüinos o limite com relação a esses aminoácidos. Os farelos de sementes oleaginosas são também fontes relativamente confiáveis de algumas vitaminas B e de fósforo, mas contêm pouco cálcio.

Farelo de Soja (*Glycine max*)

A soja crua contém fatores alergênicos, bociógenos e anticoagulantes em adição aos inibidores da protease. A correta tostadura e cocção dos grãos, como na micronização e nos procedimentos bem regulados de extração de óleo, destroem esses fatores sem diminuir a qualidade protéica (na verdade, o valor dos aminoácidos é radicalmente influenciado pela variação do tratamento de calor; ver *Farelos de algodão (*Gossypium *spp.)*, adiante). Por isso, produtos cozidos confiáveis podem ser usados como única fonte de uma proteína suplementar na alimentação eqüina.

O farelo de soja extraído com hexano padrão contém 440g de proteína bruta/kg. Farelos sem casca de qualidade uniformemente alta contendo 480 a 490g de proteína bruta são também de disponibilidade comercial geral. Esses farelos contêm menos que 10g de óleo/kg. A farinha de soja completa em gordura e os flocos de soja cozidos são muito mais caros, mas o último é amplamente usado em misturas grossas e ambos contêm 180 a 190g de gordura e 360 a 400g de proteína bruta/kg. A composição precisa variar com o nível de fibra bruta, que oscila de 15 a 55g/kg.

Linhaças e Farelo de Linhaça (*Linum usitatissimum*)

A linhaça é única até agora por conter uma mucilagem relativamente indigestível em concentrações entre 30 e 100g/kg. Pode absorver grandes quantidades de água, produzindo uma sopa espessa durante a sua cocção tradicional e sua ação de lubrificação regula a excreção fecal e algumas vezes supera a constipação sem causar relaxamento. A cocção da linhaça também destrói a enzima linase, a qual, após embebição, poderia de outra forma liberar HCN de um glicosídeo nas sementes, na presença de água, envenenando o cavalo. Essa ação implica que as sementes devem ser adicionadas à água fervente, ao invés da água fria a ser depois fervida, caso contrário, a atividade enzimática poderá ser iniciada. Porém, o HCN é volátil e uma proporção qualquer deste já presente será expelida com a subseqüente fervura. Misturas de linhaça cozida são altamente consideradas por melhorarem a condição de pelagem de eqüinos à venda. As linhaças não devem ser fornecidas secas por causa de sua propensão a absorver água, apesar da linase contida ser rapidamente inativada pelas secreções gástricas.

A remoção em baixa temperatura do óleo durante a produção do farelo de linhaça implica na possibilidade de o produto ser tóxico se fornecido como uma sopa, pois a linase pode

978-85-7241-725-9

não ter sido inativada e o HCN pode ser liberado. Em comparação, a remoção do óleo pelo processo de prensagem normalmente produz calor suficiente para fazer uma torta segura, sendo esta fornecida úmida ou seca. As leis do Reino Unido estipulam que a torta ou farelo de linhaça precisam conter menos do que 350mg de HCN/kg, apesar de não considerar qualquer atividade da linase que possa estar presente.

978-85-7241-725-9

Farelos de Coco (copra) (*Cocos nucifera*)

A carne fresca do coco contém quantidades variadas de óleo (50 a 70g/kg) dependendo da eficiência da extração. O óleo é formado por ácidos graxos de cadeia média altamente saturados e assim é menos sujeito ao desenvolvimento de gordura rançosa do que outros óleos vegetais. O farelo é propenso a absorver umidade e bolor, a não ser que a estocagem a longo prazo seja evitada e um ambiente de baixa umidade seja obtido. Contém uma quantidade de proteína semelhante à encontrada nas ervilhas forrageiras, mas de menor valor biológico (ver *Glossário*). O farelo tipicamente contém 220g de proteína, somente 6g de lisina e 125g de fibra bruta/kg. É palatável e não contém fatores tóxicos.

Farelos de Algodão (*Gossypium* spp.)

O farelo de algodão é um subproduto da produção de algodão e óleo e tende a ser seco e empoeirado, tendo ação de certa forma constipante (promove constipação). A torta não descascada contém 200 a 250g de fibra bruta/kg. Se as cascas forem separadas da semente, o conteúdo de fibra cai pela metade. O óleo é removido tanto por prensagem hidráulica quanto por método de extração com solventes. As glândulas dentro do embrião da semente contêm um pigmento amarelo tóxico, o gossipol, que no algodão cru pode estar em uma concentração entre 0,3 e 20g/kg de MS. O aquecimento durante o processamento inativa parcialmente a toxina no material cru, mas em temperaturas excessivas o gossipol se liga à lisina, diminuindo a qualidade protéica. O processo de ligação inativa parcialmente a toxina. Porém, relata-se que mesmo a forma ligada reduz a absorção intestinal de ferro, parcialmente neutralizada pela suplementação adicional de ferro. O gossipol livre pode estar em uma concentração de 1g/kg nos farelos por prensagem e de 5g/kg em farelos extraídos por solventes. Os alimentos mistos contendo mais de 60mg de gossipol livre/kg são insatisfatórios para eqüinos. Por isso, somente produtos de variedades livres da glândula são adequados para a alimentação eqüina e são raros na Europa. Os ácidos graxos ciclopropenos também estão presentes em sementes de algodão, mas em concentrações menores nas variedades sem glândulas, apesar da quantidade ser proporcional ao resíduo de óleo no farelo. Assim, farelos extraídos de variedades sem glândulas devem ser procurados, apesar da limitação imposta pelo Feeding Stuffs Regulations sobre o conteúdo de gossipol livre de farelos vendidos no Reino Unido ser de 1,2g/kg. Farelos de algodão de boa qualidade são palatáveis e podem conter 40% de proteína e 15g de lisina/kg.

Mais ainda, Gibbs *et al.* (1996) reportaram que a digestibilidade de N pré-cecal de uma amostra examinada de farelo de algodão extraído com solvente somou 81,2% em comparação com somente 57,1% das amostras de farelo de soja. A diferença pode estar no tratamento de aquecimento excessivo, ou inadequado, da soja. Apesar das digestibilidades de N no trato GI terem sido similares para ambas as amostras, o valor de aminoácidos das proteínas dietéticas depende da extensão na qual a digestão pré-cecal ocorre (ver Cap. 1).

Farelo de Semente de Girassol (*Helianthus annuus*)

Os girassóis são cultivados pelo óleo de suas sementes. O conteúdo de óleo do resíduo do farelo é maior se o óleo tiver sido removido por pressão hidráulica ao invés de extração. Porém, o óleo no resíduo é instável. A fibra é pobremente utilizada e o conteúdo de fibra do farelo é muito menor se as sementes tiverem sido parcialmente descascadas, oscilando assim de 50 até 350g/kg. A proteína é de alta qualidade, rica em aminoácidos contendo enxofre (o dobro da proteína da soja), mas variável em quantidade (de 240g de proteína/kg na torta prensada até 500g/kg em algumas amostras de farelo extraído descascado). Os conteúdos de metionina e lisina do farelo são, respectivamente, 5 a 14 e 9 a 22g/kg e o farelo é uma boa fonte protéica para eqüinos, não contendo substâncias indesejáveis significativas, mas pode não ser palatável em grandes quantidades.

Farelo de Palmiste (*Elaeis guineensis*)

Os farelos prensados e extraídos estão disponíveis, mas não são amplamente usados para alimentação eqüina em razão da baixa palatabilidade. Os conteúdos de proteína e fibra bruta são em geral de 160g/kg; a proteína é relativamente empobrecida de lisina (40g/kg de proteína). Todavia, os farelos são livres de químicos indesejáveis.

Farelo de Amendoim (*Arachis hypogaea*)

O farelo de amendoim é produzido após a remoção do óleo pelos processos de prensa e extração. O primeiro deixa um resíduo maior de óleo poliinsaturado. O conteúdo de proteína do farelo é ligeiramente maior do que os 44% do farelo padrão de soja e oscila de 470 a 480g/kg. O farelo de amendoim é muito palatável e não contém substâncias indesejáveis, excetuando-se a contaminação freqüente com a hepatotoxina denominada aflatoxina, derivada do fungo *Aspergillus flavus*. O eqüino está sujeito a uma grave aflatoxicose e em razão de um histórico de lesão grave entre o rebanho, o uso desse subproduto na Europa foi severamente restringido pela legislação da União Européia. Se esse problema for resolvido, então o farelo de amendoim poderá ser uma útil contribuição para a nutrição eqüina.

Farelo de Colza (*Brassica napus, B. campestris*)

A colza é um membro do gênero *Brassica* na família Cruciferae e é cultivada pelo óleo em suas sementes. Existe uma grande produção mundial de colza; variedades de duas espécies são cultivadas – *Brassica napus* e *Brassica campestris*. A produção do oeste europeu aumentou rapidamente em razão do estímulo pela União Européia. Uma desvantagem da colza no passado era o conteúdo de ácido erúcico no óleo residual e de glicosinolatos no farelo. Os glicosinolatos, presentes na colza não aquecida e amplamente distribuídos entre as Cruciferae, são bociógenos quando hidrolisados durante a digestão pela enzima mirosinase, presente tanto nas sementes não aquecidas quanto nos microrganismos intestinais. Os bociógenos ativos liberados são isotiocianatos e oxazolidinetionas (goitrina) (ver *Bociógenos*, adiante). Apesar da qualidade da proteína do farelo de colza ser boa e apesar do tratamento com calor diminuir o perigo ao destruir a mirosinase, a enzima intestinal pode ainda liberar quantidades de substâncias tireoativas e assim somente pequenas quantidades de farelo de origem desconhecida são adequadas para a alimentação de eqüinos e vários outros animais.

Esse problema leva os produtores da planta no Canadá a selecionarem variedades de *B. campestris* pobres tanto no ácido erúcico quanto em glicosinolatos (menos que 3g/kg de semente), conhecidas como variedades "duplo-baixo" e vendidas como farelo de canola. Variedades comparáveis estão amplamente disponibilizadas na Europa, levando ao seu cultivo rotineiro. As melhores variedades são uma boa fonte de proteínas para eqüinos, mas o uso deve ser restrito a 200g/kg de concentrados. O conteúdo de proteína do farelo oscila de 340 a 390g/kg e a proteína contém 60 a 64g de lisina/kg e assim o farelo pode substituir a soja em uma base equivalente de proteínas. Muitas variedades de colza contêm taninos que reduzem a digestibilidade, limitando sua utilidade e possivelmente contribuindo para um valor de proteína ligeiramente menor do farelo em comparação com o da soja, de acordo com vários relatos (revisão de Aherne e Kennelly, 1983). Uma discussão adicional dessas toxinas é fornecida posteriormente neste capítulo (ver *Taninos condensados*, adiante).

Farelo de Tremoço (*Lupinus albus, L. angustifolius, L. luteus*)

O farelo de tremoço tem duas desvantagens para a alimentação eqüina. Existem três espécies cultivadas que têm flores brancas, azuis e amarelas e um número de variedades dentro de cada espécie, que são variavelmente doces ou amargas. As amargas contêm quantidades significativas de alcalóides tóxicos e o conteúdo de extrato etéreo é variável (40 a 120g/kg) e propenso a ficar rançoso. O conteúdo de fibra bruta é elevado e variável (80 a 160g/kg), mas relativamente bem utilizado pelo eqüino, e os conteúdos de proteína e lisina variam de 250 a acima de 400g/kg e de 14 até 23g/kg, respectivamente. As sementes são pequenas e precisam ser moídas, ou esmagadas para o uso. Somente as variedades doces devem ser usadas e limitadas a 50g/kg de concentrado.

Farelo de Semente de Gergelim (*Sesamum indicum, S. orientale*)

O óleo da semente de gergelim é uma fonte de ácidos graxos poliinsaturados instáveis e assim somente o farelo extraído, e não prensado, deve ser usado, contendo 440g de proteína bruta/kg, rica em metionina, mas deficiente em lisina. O farelo é também rico em P, principalmente presente como fitato. As cascas contêm oxalatos, de forma que somente o farelo descascado é adequado.

Ervilhas Forrageiras (*Pisum sativum, P. arvense*), Floradas Brancas e Arroxeadas

A ervilha forrageira contém menos proteína do que o feijão de fava, mas o valor biológico (ver *Glossário*) para eqüinos é equivalente ao da proteína da soja. As sementes leguminosas geralmente contêm fatores antinutritivos, apesar do conteúdo nas variedades modernas de ervilha forrageira ser baixo. Algumas variedades mais antigas podem conter inibidor de tripsina e fitoemaglutininas, as quais são parcialmente inativadas pelo aquecimento. A autoclavagem por 5min a 121°C destrói completamente os inibidores de tripsina e hemaglutininas. Os inibidores de tripsina são estáveis a 80°C ou menos. A embebição por 18h remove 65% da atividade da hemaglutinina. O conteúdo de inibidor da tripsina das ervilhas é similar ao da fava, mas somente 10% do encontrado na soja. As ervilhas também contêm inibidores de quimotripsina e amilase, apesar do conteúdo da última ser muito baixo e a destruição pelo aquecimento ser semelhante à do inibidor da tripsina.

978-85-7241-725-9

O conteúdo de oxalato das ervilhas forrageiras é de cerca de 7g/kg, o de ácido fítico de 5 a 8g/kg e o tanino (compostos polifenólicos) de 0,2 a 0,4g/kg. Os taninos, principalmente na testa (cobertura da semente), se ligam às enzimas e outras proteínas formando complexos insolúveis, reduzindo a digestibilidade. A cocção prolongada é uma boa garantia (ver *Tóxicos naturais e contaminantes nos alimentos*, adiante). Os processos de expansão (a extensão da cocção varia entre os tipos de máquinas) e micronização adotados para as ervilhas incluídas em misturas grossas e outros alimentos compostos são adequados para se obter uma melhora significativa no valor nutritivo. Todavia, as ervilhas forrageiras são uma fonte muito útil de proteína para cavalos.

Feijão de Favas (*Vicia faba*), Feijões de Inverno (*Feijão de Porco*) e Feijões de Primavera (*Carrapatos e Eqüinos*)

Dentro da família dos feijões (Leguminosae ou Fabaceae), dois gêneros, *Vicia* e *Phaseolus*, são cultivados em todo mundo e vários são importantes em culturas de alimentos. As variedades de inverno e primavera do feijão de favas cultivadas no Reino Unido são membros das espécies *Vicia faba*, todas seguras para alimentação de eqüinos, especialmente após a cocção. O feijão de fava de inverno (feijão de porco) contém uma média de 230g de proteína bruta e 78g de fibra bruta/kg e o feijão de primavera contém 270g de proteína bruta e 68g de fibra bruta/kg. Quantidades de gordura em ambas as variedades são baixas, cerca de 13g/kg; como a maioria das outras sementes, são ricas em fósforo, mas pobres em cálcio e magnésio. A proteína do feijão de fava é de alta qualidade, pois é uma fonte valiosa de lisina. O feijão é normalmente quebrado, ou moído grossamente, mas pode ser fornecido inteiro para eqüinos adultos com dentes sadios. Os taninos condensados polifenólicos solúveis em água nas cascas interagem com as proteínas dietéticas e endógenas nos intestinos, aumentando as perdas fecais de ambas as fontes protéicas. As elevadas concentrações dos taninos condensados deprimem o apetite; porém, a extensão em que isso ocorre no eqüino não foi determinada.

Phaseolus e algumas outras Espécies Leguminosas

Existem importações de feijões pertencentes ao gênero *Phaseolus*, especialmente o feijão de lima (*P. lunatus*) e o feijão comum (formato de rim) (*P. vulgaris*). Os feijões comuns são normalmente refugados por eqüinos a não ser que sejam cozidos; se forçados, causarão cólica. Todos esses feijões precisam ser cozidos (calor úmido) antes da alimentação porque contêm vários fatores tóxicos, incluindo antiproteases e lecitinas, que causarão diarréia, e vários feijões do gênero *Phaseolus* também contêm um glicosídeo cianógeno idêntico ao da linhaça. Outros feijões disponíveis em partes do mundo incluem lablabe (*Dolichos lablab*), feijão de porco (*Dolichos biflorus*), feijão verde e preto (*P. aureus*, *P. mungo*) e grão-de-bico (*Cicer arietinum*), os quais são amplamente usados na Ásia, e lentilhas (*Lens* spp.) das quais a Índia é o principal produtor. Diz-se que um tipo de lentilha induz o envelhecimento em cavalos de corrida e caçadores se fornecida em excesso. O chícharo (*Lathyrus sativus*), importado durante uma época como alimento animal, e alguns outros membros do mesmo gênero causam o latirismo [ver *Latirismo causado pelo beta(gama-L-glutamil) aminopropionitrila e ácido L-alfa,gama-diaminobutírico*, adiante]. O eqüino é particularmente, e de forma característica, afetado. Se feijões ou ervilhas de origem desconhecida forem usados para alimentar eqüinos, a cocção prolongada fornecerá uma medida de segurança contra várias dessas toxinas.

Lentilhas e Ervilhas Amarelas (*Lens esculenta, L. culinaris*)

As lentilhas são culturas leguminosas importantes e palatáveis, produzindo sementes contendo proteínas de boa qualidade (proteína 260g/kg, lisina 70g/kg de proteína) para o consumo humano. Podem conter pequenas quantidades de inibidores de tripsina e hemaglutininas e, por serem exigidas para o uso em humanos, as porções disponíveis como alimento de animais podem estar contaminadas com bolores e micotoxinas. Tais porções devem ser evitadas. O farelo de lentilha pode ser obtido como um subproduto da sua preparação para o consumo humano.

Proteínas Animais

978-85-7241-725-9

Existem somente duas fontes protéicas de alta qualidade adequadas como alimentos de eqüinos – farinha de peixe branco e produtos da proteína do leite. São reservadas quase que inteiramente para potros, tanto como suplementos no cocho quanto como substitutos do leite. Pequenas quantidades são ocasionalmente fornecidas para eqüinos adultos em condições ruins, mas grandes quantidades de leite desnatado em pó podem causar diarréia em razão da presença de lactose (ver Cap. 1).

Farinhas de Peixe

Dois tipos de farinha de peixe são reconhecidos pela lei britânica, dos quais o primeiro é um produto da secagem e moagem do peixe ou de restos de peixe, de uma variedade de espécies. O segundo, comercializado como farinha de peixe branco, é um produto contendo não mais que 4% de sal e obtido por meio da secagem e moagem do peixe branco ou de restos de peixe branco, sem adição de qualquer outra substância. É uma rica fonte de proteína de qualidade porque contém lisina em abundância e é adequada, mas não essencial, para a dieta de potros jovens. É rico em minerais (cerca de 80g de cálcio e 35g de fósforo/kg), oligoelementos minerais (especialmente manganês, ferro e iodo) e várias vitaminas hidrossolúveis, incluindo a vitamina B_{12}. Essa vitamina é encontrada naturalmente somente em produtos animais e bactérias. O requerimento dietético dos potros desmamados jovens para vitaminas pode ser atingido com a inclusão de farinha de peixe, ou fontes sintéticas, em sua dieta. O potro lactente deveria, entretanto, receber muito no leite da mãe. Cerca de 5 ou 10% de farinha de peixe branco em um cocho, ou substituto do leite, são bem satisfatórios para os potros. Durante o processamento, os restos do peixe são secos por um de dois processos. O primeiro e mais desejável é a secagem a vapor, sob pressão reduzida, ou sem aplicação de vácuo. O outro procedimento tem base na secagem pelo calor, quando as temperaturas atingidas podem diminuir a digestibilidade da proteína e o conteúdo de lisina disponível.

As farinhas de peixe de origem desconhecida podem ser contaminadas com organismos patogênicos, em particular com espécies de *Salmonella* ou outros organismos entéricos que causam diarréia. Farinha de peixe de boa qualidade, porém, deve ser um alimento seguro. Farinha de carne, carne, farinha de ossos e farinha de ossos não esterilizada não devem ser consideradas para o uso na alimentação de eqüinos porque várias amostras estão contaminadas com *Salmonella* e outros patógenos transmissíveis, incluindo a encefalopatia espongiforme bovina (BSE), ou são embarcados em bolsas contaminadas. O problema de infecção do rebanho de montaria, uma vez contaminado, é considerável.

978-85-7241-725-9

Leite de Vaca

Se o leite líquido for usado para a alimentação de potros jovens, deve ser diluído com 15 a 20% de água limpa e fornecido em pequenas quantidades em várias refeições tanto quanto for conveniente. O leite líquido de vaca, em média, contém 125g de MS, 37g de gordura, 33g de proteína e 47g de lactose/kg. Contém pouco magnésio e é deficiente em ferro, fonte que deveria ser provida ao potro jovem (ao nascimento, o fígado do potro atua como um reservatório de ferro para o neonato). O leite completo é rico em vitamina A e provê quantidades úteis de vitamina B_{12}, tiamina e riboflavina. As proteínas do leite contêm lisina em abundância.

O leite desnatado seco é amplamente disponibilizado e vendido comercialmente como componente de substitutos do leite e suplementos eqüinos. Como seu nome implica, contém muito pouca gordura e por isso praticamente nenhuma das vitaminas lipossolúveis. Porém, a qualidade da proteína se aproxima daquela do produto líquido se a secagem for realizada por processo de aspersão (atomização). A secagem por cilindros sujeita o leite a temperaturas maiores, o que resulta em alguma perda da disponibilidade da lisina e em grandes quantidades esse produto pode causar a diarréia. Qualquer quantidade significativa de leite desnatado seco não deve ser fornecida a eqüinos com mais de três anos de idade em razão de sua deficiência na enzima lactase (beta-galactosidase) que digere a lactose.

O leite desnatado seco por aspersão é um suplemento útil para os alimentos de jovens potros se a mãe estiver provendo quantidades inadequadas de leite para manter o crescimento normal. As concentrações de 10 a 15% da dieta seca provaram ser satisfatórias. Por outro lado, o uso do alimento em cochos para potros que se aproximam do desmame pode ser menos satisfatório se o principal objetivo for estimular o desenvolvimento de uma capacidade de digestão de alimentos para eqüinos a serem fornecidos após o desmame. Assim, alimentos satisfatórios de cocho para uso em circunstâncias normais podem ser providos como grânulos ricos em nutrientes.

Proteínas Unicelulares

Leveduras (*Saccharomyces cerevisiae, S. carlsbergensis*)

As leveduras contêm proteínas com bom equilíbrio de aminoácidos. Porém, uma maior proporção de N em organismos unicelulares (bactéria em particular e leveduras), comparada com as células das plantas, é formada de ácidos nucléicos (50 a 120g/kg de MS em leveduras e 80 a 160g/kg de MS nas bactérias). Ao passo que algumas bases purina e pirimidina nesses ácidos podem ser usadas para a biossíntese de ácidos nucléicos, grandes quantidades de ácido úrico, o produto final do catabolismo do ácido nucléico, são excretadas na urina. As taxas de inclusão dietética de até 50 a 75g/kg de alimento são economicamente exeqüíveis somente para potros.

Os conteúdos de proteína bruta e gordura oscilam, respectivamente, de 400 a 450g/kg e 25 a 55g/kg. As leveduras são prontamente digeridas e são uma fonte rica em vitaminas do complexo B, com exceção da vitamina B_{12}. Essa vitamina é sintetizada quase que exclusivamente por bactérias. Foi demonstrado que a cultura de leveduras vivas promove a digestão de fibras e a taxa de crescimento em eqüinos jovens quando incluídas na dieta em uma concentração de somente 1kg/tonelada (ver *Probióticos*, adiante).

Culturas Bacterianas

Os conteúdos de proteína bruta e gordura das culturas bacterianas oscilam, respectivamente, de 340 a 720g/kg e 20 a 210g/kg, mas em geral seu uso como fonte dietética de proteína não é justificado (ver *Probióticos*, adiante).

PREBIÓTICOS

Substâncias adicionadas à dieta que preferencialmente estimulam o crescimento de microrganismos benéficos na região posterior do intestino foram denominadas de *prebióticos*. Incluem fibras rapidamente fermentáveis fruto-, galacto- e mananoligossacarídeos (ver também Cap.11). Quando 10g/dia de mananoligossacarídeo foi fornecido para éguas gestantes a partir de 56 dias antes do parto, houve um aumento marginal no colostro das concentrações de imunoglobulina G (IgG), imunoglobulina M (IgM) e imunoglobulina A (IgA) (Spearman *et al.*, 2003). De acordo com isso, potros mantidos no pasto contendo legumes e gramíneas misturados e recebendo uma dieta suplementar rica em gordura e fibra, em comparação com dieta rica em açúcar e amido, tanto antes quanto após o desmame, produziram maiores concentrações plasmáticas de IgA, IgG e alfa-tocoferol, maior pH fecal e menores concentrações fecais de ácido butírico e ácido valérico (Swanson *et al.*, 2003). Essa observação é, todavia, surpreendente, pois as gramíneas do pasto são variavelmente ricas em fruto-oligossacarídeos.

PROBIÓTICOS

Nas últimas duas décadas, houve um interesse aumentado na inclusão de probióticos nas dietas de eqüinos. Probióticos, ou substâncias "para a vida", podem ser definidos como microrganismos vivos e seus produtos que, quando administrados em quantidades adequadas, conferem um benefício para a saúde do hospedeiro, principalmente por meio de sua influência sobre a flora microbiana do trato GI. Sob a legislação da União Européia, somente cepas de culturas registradas podem ser usadas para a alimentação de animais. A cepa do microrganismo precisa ser identificada de acordo com um código internacional reconhecido, incluindo: número depositado da cepa; número de unidades formadoras de colônia (UFC') (expresso como UFC/kg, mensurado por um método aceitável); o período durante o qual as UFC' permanecerão presentes; e as características dos microrganismos que podem ter se originado durante o preparo.

978-85-7241-725-9

Fungos

Os organismos predominantemente usados em culturas probióticas são certas espécies de bactérias gram-positivas produtoras de ácido láctico e várias espécies de fungos. Os fungos são comumente cepas de *Saccharomyces cerevisiae* (leveduras de pão e cerveja), *Aspergillus oryzae* e *Torulopsis* spp. Estudos de Glade e Sist (1990), nos quais o *A. oryzae* foi adicionado a culturas cecais *in vitro*, indicaram que não alteram os produtos da fermentação ou o pH. Foi demonstrado que o consumo de culturas vivas de *S. cerevisiae* (*Collection nº* NCYC 1026) (10 a 20g/dia por eqüino de uma cultura de 10^9 de UFC/g), especialmente por eqüinos jovens em crescimento, estimula o crescimento microbiano da região posterior do intestino, melhorando a fermentação dietética das fibras (e assim as digestibilidades aparentes de pectinas, hemicelulose, celulose e proteína bruta). Porém, a digestão aparente de PB e Mg foi aumentada em eqüinos adultos somente quando a cultura foi adicionada à dieta em 5g/kg, mas não com 10g/kg (Switzer *et al.*, 2003). Com consumos de 10 a 20g/dia, foi demonstrada uma redução da perda endógena de N fecal (metabólico), aumento da retenção de N e aumento das concentrações plasmáticas em potros de arginina, glutamina, glicina, isoleucina, leucina, metionina e valina, ao passo que as concentrações de amônia, hidroxiprolina e 3-metil-histidina foram reduzidas (Glade e Sist, 1990).

A adição de 10g de cultura de *S. cerevisiae* no alimento diário de eqüinos, rotineiramente recebendo sobrecarga de amido, aumentou a contagem de leveduras viáveis na região posterior intestinal e modificou dentro do lúmen o pH, as concentrações de ácido láctico e amônia e as porcentagens molares de acetato e butirato, de forma que as alterações indesejáveis trazidas pela sobrecarga foram limitadas (Medina *et al.*, 2002). Ainda, alterações na composição do ambiente digestivo freqüentemente têm uma interpretação não clara. Adições similares diminuíram o conteúdo de acetato cecal resultante tanto de uma dieta rica em fibra quanto de uma rica em amido, mas aumentou o conteúdo de ácido láctico cecal somente com uma dieta rica em fibra e não com uma rica em amido (Krusic *et al.*, 2001).

Uma suplementação diária de 10g de leveduras vivas secas (Hill e Gutsell, 1998) aumentou a absorção de Ca e P, potencialmente como resultado da atividade aumentada de fitase na região posterior intestinal e aumentou a digestibilidade aparente da FDN, implicando no aumento pela levedura da extensão de fermentação da hemicelulose no intestino posterior, ao estimular o crescimento de bactérias celulolíticas (Medina *et al.*, 2001). Por outro lado, Yocum e Alston-Mills (2002) observaram que *Kluyveromyces marxianus* ou *S. cerevisiae* fornecidos diariamente a partir de 14 dias antes do parto até o dia 42 da lactação reduziram o conteúdo de lactose do leite.

Um aspecto crucial do assunto é se as culturas mortas de fungos, ou de bactérias, retêm algum dos atributos úteis das culturas vivas. Evidências de pesquisas em ruminantes indicam que o *S. cerevisiae* (*Collection nº* NCYC 1026) protege as bactérias ruminais anaeróbicas ao aumentar a taxa de desaparecimento de oxigênio, indicando que as culturas viáveis são necessárias para essa atividade respiratória. Sob as legislações da União Européia, somente cepas de culturas registradas podem ser usadas como alimentação viva para os animais.

978-85-7241-725-9

Bactérias

As espécies de bactérias empregadas são os organismos gram-positivos e assim resistem à lisozima. Fermentam a glicose e um número variado de outros açúcares com a formação de ácidos orgânicos, principalmente os ácidos láctico e acético, e por isso resistem a um pH ambiente relativamente baixo. Uma cultura de *Lactobacillus acidophilus* não aumentou a taxa de degradação do lactato no ceco (Booth *et al.*, 2001) (*L. acidophilus* fermenta vários açúcares para formar ácido DL-láctico) e assim é questionável se o seu uso e de bactérias relacionadas é justificado para eqüinos. As espécies são geralmente do gênero *Lactobacillus* e *Streptococcus*, apesar de espécies relacionadas, incluindo *Pediococcus* spp., serem usadas. Algumas outras espécies empregadas podem ter desvantagens, incluindo baixa viabilidade na estocagem ou no trato GI. Os lactobacilos são provavelmente todos benignos, ao passo que várias espécies de *Streptococcus* são parasitas para homem e animais e alguns são altamente patogênicos. Assim, culturas de espécies selecionadas precisam ser puras.

A viabilidade das espécies dentro dos gêneros comumente usados varia enormemente entre as cepas. As culturas devem ser preservadas primeiro por liofilização, método preferido em que a água é removida por sublimação. Com o objetivo de estender a meia-vida, os fabricantes encapsulam os organismos de forma que possam resistir mais prontamente em ambientes agressivos. O tipo de cepa selecionada para o eqüino deve sobreviver e se multiplicar no trato GI desses animais. Isso pressupõe que a viabilidade é essencial e, neste ponto, é apropriado lembrar das características que uma cultura útil de uma cepa deve provavelmente possuir:

- Deve ser incapaz de causar doença ou elevar a concentração cecal de ácido láctico.
- Deve conter 10^8 a 10^9 organismos viáveis/g após 12 meses de estocagem.
- Deve ter a especificidade correta pelo hospedeiro, conter enzimas úteis e certas substâncias antibacterianas e, se necessário, a cepa deve ser capaz de deslocar bactérias produtoras de ácido láctico que ocorrem naturalmente no intestino.
- Deve ser gram-positiva e assim resistir ao suco gástrico, tanto ao seu baixo pH quanto às enzimas que contém. Os lactobacilos são geralmente resistentes à acidez encontrada no estômago, apesar do grau de resistência variar de cepa para cepa. Uma das enzimas contra a qual os organismos precisam resistir é a lisozima. As bactérias gram-positivas produtoras de ácido láctico têm uma maior resistência à lise por essa enzima do que os coliformes gram-negativos. Os organismos gram-positivos são também mais resistentes aos efeitos adversos do congelamento de liofilização.
- Deve ser tolerante à bile e testada em ágar de seleção de *Lactobacillus* (LBS) contendo 0,15% de bile de boi (*oxgall*) (várias bactérias penetrando no duodeno são destruídas pela bile ali secretada; os sais biliares reduzem a tensão de superfície e provavelmente emulsificam os lipídeos na membrana celular bacteriana). A maioria das cepas de *L. bulgaricus* e *L. lactis* possui baixa tolerância à bile, apesar de sua freqüente inclusão em culturas probióticas.

978-85-7241-725-9

Lactobacillus plantarum e *Bifidobacterium bifidum* são duas espécies freqüentemente usadas, mas a maioria das cepas falha em atingir os critérios anteriores de forma adequada.

As possíveis funções dos probióticos são:

- Atuar como fonte de enzimas no trato GI (o iogurte pode aumentar a digestão da lactose em humanos, mesmo que a bactéria não sobreviva e/ou cresça nos intestinos; os lactobacilos contêm uma beta-galactosidase intracelular, que é assim protegida durante sua passagem através do estômago, mas os sais biliares alteram a permeabilidade da membrana da célula bacteriana, permitindo o ingresso de lactose e o acesso para a enzima; se a bactéria cresce no intestino, produzirá quantidades adicionais grandes de enzima).
- Inibir o crescimento de patógenos intestinais (várias bactérias produtoras de ácido láctico têm a capacidade de produzir bacteriocinas, compostos semelhantes aos antibióticos que são ativos contra espécies intimamente relacionadas; os patógenos entéricos requerem sua inserção nas células do epitélio intestinal para a sua patogenicidade; a pré-colonização e a inserção nas mesmas células pelas bactérias probióticas reduz seu potencial patogênico, que pode ocorrer em momentos de estresse).
- Assimilar colesterol.

Não é conhecido como essas funções podem aumentar a performance do eqüino. A seleção objetiva de espécies e cepas de fungos e bactérias no futuro dependerá do conhecimento de como funcionam os probióticos.

Enzimas (Bacterianas e Fúngicas)

Referências sobre enzimas foram feitas em *Bactérias*, anteriormente. As enzimas são proteínas e, por isso, podem ser desnaturadas. Aquelas contidas dentro das células microbianas podem estar protegidas da destruição na estocagem ou, mais particularmente, no caso daquelas que funcionam em um pH neutro ou alcalino, da destruição pelo ambiente ácido do estômago. Como as enzimas possuem um pH ótimo para sua atividade, é essencial que este ótimo para uma enzima em particular coincida com aquele encontrado na localização intestinal de sua atividade prevista. É improvável que eqüinos adultos respondam à suplementação com enzimas ativas. Morris-Stoker *et al.* (2001) não detectaram efeitos da suplementação de fitase na disponibilidade mineral quando foi fornecida a eqüinos castrados adultos, ao passo que foi relatada resposta em jovens de várias espécies.

978-85-7241-725-9

Sob a legislação da União Européia e na Tabela 4 do UK Feeding Stuffs Regulations 2000, as enzimas podem ser usadas se não forem excluídas da aplicação do Additives Directive pelo artigo 22. Nota: foi demonstrado que a adição de fitase a uma dieta deficiente em fósforo para perus melhorou suas características ósseas. O Statutory Statement sobre produtos de alimentação animal cita que os recipientes devem incluir as seguintes informações:

- Os nomes dos constituintes ativos de acordo com suas atividades enzimáticas.
- O número de identificação da International Union of Biochemistry, isto é, o número da União Européia.
- As unidades de atividade (expressas como unidades de atividade por quilograma, ou unidades de atividade por litro), se puderem ser mensuradas por um método aceitável.
- Uma indicação do período durante o qual as unidades de atividade permanecerão presentes.
- Uma indicação de quaisquer características significativas da enzima que possam se originar durante o preparo, conforme especificado na autorização comercial.
- O número de registro EC.

SUPLEMENTOS VITAMÍNICOS E MINERAIS NA DIETA

Uma mistura simples de cereais, uma fonte de proteína concentrada como farelo de fava ou soja, e feno podem ser adequados em termos de energia e aminoácidos para atingir as necessidades de um eqüino, mas é provável que sejam inadequados em certos minerais, oligoelementos minerais e vitaminas para a performance ótima, particularmente a longo prazo. Alguns materiais crus são relativamente fontes ricas, especialmente de vitaminas hidrossolúveis, o que torna a suplementação desnecessária, mas é provável que tal suplementação seja perigosa. Os conteúdos de minerais e oligoelementos minerais naturais de forrageiras e alimentos concentrados tendem a ser variáveis e dependem de fonte e qualidade. A ótima suplementação é por isso difícil de se atingir sem análise química.

Se os suplementos forem providos, o consumo diário total de cada nutriente deve cair dentro dos limites impostos para cada um nos Capítulos 3 e 4. Se os suplementos forem fornecidos em adição a um alimento combinado, as quantidades de ambas as fontes devem, é claro, ser somadas. Os riscos de excesso são reais para as vitaminas lipossolúveis, com exceção do alfa-tocoferol, e para vários oligoelementos minerais. Os elementos que têm notoriamente causado problemas são selênio e iodo. A razão para isso é que os níveis mínimos adequados e as concentrações limiares tóxicas são relativamente próximos e alguns alimentos naturais são fontes ricas. Mais ainda, para o iodo, os sinais clínicos de excesso são semelhantes àqueles de deficiência (ver Caps. 3 e 12 quanto aos métodos diagnósticos). O consumo excessivo dos macrominerais é raramente letal, mas taxas inadequadas de consumo podem certamente contribuir para a baixa performance.

Substâncias Semelhantes a Vitaminas, Estimulantes Metabólicos e Auxiliares da Saúde Gastrointestinal

Vários suplementos contêm itens que não são estritamente nutrientes, mas que têm algum valor fisiológico para o eqüino. Cuidado deve ser tomado, nos casos em que for essencial, para que isso não infrinja regras de competição e corrida.

L-carnitina (Ácido Beta-hidroxi-gama-trimetilaminobutírico)

Um nutriente condicionalmente essencial, a L-carnitina está presente em quantidades substanciais nas dietas formadas de produtos animais, mas é escassa nos alimentos derivados de plantas e, assim, escassa nos alimentos eqüinos. É sintetizada a partir de lisina e metionina. A carnitina facilita o transporte de ácidos graxos de cadeia longa através das membranas mitocondriais internas e pode regular a acetil-CoA:CoA tamponando o excesso de unidades acetil durante o exercício intenso. Os suplementos de 10g de L-carnitina fornecidos duas vezes ao dia por dois meses duplicaram a concentração plasmática de carnitina dos *Thoroughbred* (TB), mas não houve nem conteúdo aumentado ou perda da carnitina total da musculatura glútea média associada com o exercício intenso. Porém, um suplemento dessa quantidade fornecido a éguas de reprodução aumentou o conteúdo de carnitina em seus plasmas e no plasma dos potros (Benamou e Harris, 1993). O potro jovem, como o ser humano neonato, pode ter uma reduzida capacidade de biossíntese de carnitina, justificando as concentrações plasmáticas totais de cerca de um terço das encontradas em adultos. Alguns seres humanos com claudicação de perna e angina demonstraram melhora na tolerância ao exercício após a suplementação com carnitina. O efeito da suplementação dietética de gordura nas necessidades de carnitina não foi examinado, mas é uma dúvida se a função da carnitina pode ser aumentada, exceto em raros indivíduos que têm baixa capacidade de biossíntese. Eqüinos adultos sadios provavelmente sintetizam quantidades adequadas a partir da lisina e S-adenosil-metionina.

Carnosina (Beta-alanil-L-histidina)

A carnosina é encontrada em altas concentrações na musculatura esquelética e cardíaca dos eqüinos e é um tampo físico-químico principal. O conteúdo de carnosina do músculo é positivamente correlacionado à proporção de fibras glicolíticas de rápida contração. É um dipeptídeo de beta-alanina e L-histidina. Porém, Kavazis *et al.* (2003) foram incapazes de demonstrar qualquer redução na taxa de fadiga do músculo esquelético de ratos resultante da suplementação dietética com beta-alanina e L-histidina.

978-85-7241-725-9

Glicose

O eqüino tem a capacidade de estocar grandes quantidades de glicogênio nos músculos. Concentrações em eqüinos bem treinados e bem alimentados são de 600 a 700mmol de unidades glicosil/kg de MS muscular. Tentativas foram feitas para acelerar as taxas de repleção glicogênica após o exercício prolongado por meio do uso intravenoso ou oral de glicose ou de polímeros de glicose, mas sem efeito.

Creatina

Creatina foi, talvez, o suplemento mais amplamente usado por esportistas humanos em 1999, pois pode aumentar o fosfato de creatina muscular e melhorar a performance para exercícios de alta intensidade e curto prazo (Maughan, 1999). Foi proposto que a creatina suplementar pode aumentar a retenção de água e o volume plasmático de eqüinos, mas Schuback *et al.* (2000) reportaram que 25g de creatina monoidrato fornecidos duas vezes ao dia não tiveram efeito sobre a performance máxima em esteira de trotadores da raça *Standardbred* americano, conforme expresso pela atividade metabólica muscular e pelo volume sangüíneo total.

N,N-dimetilglicina

978-85-7241-725-9

N,N-dimetilglicina (DMG) é um composto intermediário no metabolismo da betaína para a sarcosina. No processo existe a transferência de um grupamento metil para a homocisteína com a formação da metionina. Existem evidências de que a suplementação com DMG pode retardar o início da fadiga induzida pelo ácido láctico. Eqüinos adultos, condicionados e exercitados, suplementados com 1,6mg de DMG/kg de PC, falharam em mostrar aumentos típicos da concentração de ácido láctico sangüíneo (ver Cap. 9). Evidências adicionais com a trimetilglicina também demonstraram que a oxidação do lactato pós-exercício foi acelerada em eqüinos não treinados, mas não em eqüinos treinados. Entretanto, existe uma necessidade de mais evidências confirmativas.

Dimetilsulfona ($DMSO_2$), Metil Sulfonil Metano (MSM)

A dimetilsulfona, metil sulfonil metano ($DMSO_2$, MSM), é incluída em vários suplementos alimentares de eqüinos. É um composto sulfúrico de ocorrência natural tanto na flora quanto na fauna, que demonstrou prover enxofre biologicamente disponível no metabolismo de aminoácidos S, e pode ser um importante componente do ciclo natural do enxofre. MSM é o produto da oxidação de vários componentes naturais e sintéticos e é um importante composto odorífero no leite. Tem a fórmula $2(CH_3)SO_2$. Em animais de laboratório com artrite crônica espontânea, o MSM demonstrou diminuir as alterações destrutivas nas articulações quando fornecida em dose relativamente grande, mas bem segura (para uma discussão sobre a suplementação com glicosamina, MSM e sulfato de condroitina, ver Cap. 8).

Hesperidina

Um grupo muito grande de compostos (vários milhares), diferente dos carotenóides, existe nas plantas com pigmentos vermelhos, azuis, ou amarelos. São referidos como *bioflavonóides* e são polifenólicos. Os flavonóides incluem catequinas, proantocianidinas (taninos condensados) e flavanonas (flavononas reduzidas). Sem dúvida, muito deve ser aprendido sobre a significância fascinante de alguns desses compostos durante a próxima década. Alguns potencializam a atividade antiescorbútica do ácido ascórbico. A hesperidina é um flavonóide aglicona que foi descrito ao reduzir a fragilidade capilar e/ou permeabilidade. Pode "economizar" a vitamina C possivelmente ao quelar os cátions de metais divalentes (Cu^{2+}, Fe^{2+}), servindo assim uma função antioxidante. Porém, a função é uma especulação e, por exemplo, não foi testado, até o conhecimento do autor, se a hesperidina reduz a freqüência de sangramento pós-exercício.

978-85-7241-725-9

Echinacea angustifolia

O'Neill *et al.* (2002) forneceram a eqüinos sadios um extrato de raiz em pó de equinacosídeos de *Echinacea angustifolia* (Compositae, nome comum, flor-de-cone, encontrada o leste dos Estados Unidos), 1g duas vezes por dia, em seus alimentos. Isso aumentou a capacidade fagocítica de neutrófilos, estimulou sua migração a partir da circulação periférica e aumentou a contagem de linfócitos periféricos. Também aumentou o tamanho (aumento patológico no volume corpuscular [VC], ocorre na toxicidade pelo álcool em seres humanos) e a concentração de hemácias periféricas, concentração de hemoglobina e hematócritos. Os autores concluíram que a *Echinacea* estimulou a imunocompetência e atua como agente hematínico.

Aminoácidos e Saúde

Recentemente, tem havido interesse na suplementação oral com aminoácidos de cadeia longa e com arginina ou glutamina, tanto de pacientes pós-trauma como de atletas de longa distância exauridos, para superar a leucopenia e a imunodepressão associada com estresse. A glutamina é um importante combustível para algumas células do sistema imune e a suplementação pode melhorar a imunidade mediada por células e a imunidade de mucosa por meio da modulação da resposta inflamatória e da preservação dos níveis respiratório e intestinal de IgA. Apesar de existir alguma evidência no homem que indica que a glutamina tem um papel na imunodepressão relacionada com traumas e queimaduras, pode não ter um papel mecânico na imunodepressão induzida pelo exercício. Recentemente, foi demonstrado que o consumo de arginina e glutamina aumenta a produção de espécies de radical oxigênio por neutrófilos em ratos estressados via óxido nítrico (NO) e a geração de poliamina (Moinard *et al.*, 2003). O mecanismo pelo qual melhoram a imunidade pode estar relacionado a esse estímulo do metabolismo oxidativo. Nenhuma evidência em eqüinos encontra-se atualmente disponível (ver também *Amônia e o veículo alanina* e *Assimilação de proteínas*, Cap.9).

Argila de Pisoeiro (Montmorillonita de Sódio, Bentonita de Sódio)

A argila de pisoeiro, ou bentonita, é um pó cinza-esbranquiçado fino que consiste principalmente em montmorillonita, um silicato de alumínio hidratado nativo, com o qual calcita (carbonato de cálcio), magnésio e ferro finamente divididos podem estar associados. A argila de pisoeiro é um adsorvente que pode absorver os gases produzidos no trato GI. Adsorve água, aumentando em cerca de doze vezes o volume do pó seco. Uma mistura de 20g/L de água tem um pH de 9 a 10 e possui alguma capacidade tampão no trato GI, reduzindo uma rápida diminuição no pH durante a sobrecarga de amido (ver Cap. 11). Pode também atuar como um ligante de péletes. A bentonita está normalmente disponível na indústria alimentar como o sal de sódio.

Auxílio Ergonômico

Bicarbonato de Sódio

O ácido láctico se acumula nos músculos esqueléticos e líquidos corpóreos durante e após o exercício de alta intensidade. No pH do tecido muscular normal, o ácido láctico é altamente dissociado em lactato e íons H^+. Esses íons se acumulam, reduzindo o pH e reduzindo a atividade das enzimas glicolíticas, provavelmente prejudicando o processo de contração dos músculos em atividade, o que é expresso como fadiga. Os íons H^+ são tamponados pelo sistema de tampão bicarbonato:

$$H^+ + HCO_3^- \rightarrow H_2CO_3 \rightarrow CO_2 + H_2O$$

O CO_2 é exalado, eliminando os íons H^+. A suplementação de eqüinos com bicarbonato de sódio a uma taxa de cerca de 0,4g/kg de PC em 1L de água aproximadamente três horas antes de uma corrida com mais de dois minutos de duração (menos de 1.500m) demonstrou aumentar o pH e o lactato sangüíneo venoso, indicando uma capacidade de tamponamento melhorada durante a acidose metabólica (ver Cap. 9).

ESTOCAGEM DE ALIMENTOS

Alguns nutrientes orgânicos e não nutrientes em forrageiras, cereais e alimentos combinados deterioram durante a estocagem. Pigmentos prontamente oxidados, instáveis, gorduras insaturadas e substâncias lipossolúveis são destruídos em velocidades diferenciadas, dependendo de seu grau de proteção, condições ambientais, propensão à oxidação e presença ou ausência de substâncias aceleradoras. Os efeitos imediatos incluem uma redução na aceitabilidade do alimento pelo eqüino, talvez um dos mais perspicazes dentre os animais domésticos em relação à seleção de sua comida.

Todas as vitaminas lipossolúveis presentes naturalmente no alimento – vitaminas A, D, E e K – estão sujeitas à oxidação, junto com os ácidos graxos insaturados e poliinsaturados. A rancidez dos últimos reduz a aceitação, apesar de alguma estabilidade ser concedida por antioxidantes naturais e sintéticos permitidos, que estão respectivamente presentes ou são usados em alimentos mistos. As fontes sintéticas adicionadas de vitaminas A e E são muito mais estáveis do que suas contrapartes naturais, mas contribuem muito pouco com a atividade antioxidante. As vitaminas B hidrossolúveis cruciais são razoavelmente resistentes à destruição durante a estocagem normal, apesar da riboflavina no alimento ser perdida se for exposta à luz. Recomendações fornecidas nos rótulos de alimentos e suplementos registrados devem ser seguidas.

Vários fatores são atributos essenciais de boas lojas de alimentos e silos de grãos, como temperatura ambiente uniforme e baixa, baixa umidade, boa ventilação, ausência de luz solar direta e ausência de infestações por roedores, pássaros, insetos e ácaros. Essas características sugerem que as lojas de alimentos e de grãos devem ser isoladas e sem janelas, mas devem ser bem ventiladas e tanto limpas como fáceis de serem limpas. Os materiais de construção devem ser à prova de roedores, alimentos volumosos devem estar erguidos do solo e ser acessíveis por todos os lados e os tetos devem ser livres de vazamentos. As caixas galvanizadas são geralmente preferidas às de plástico, que podem ser roídas por roedores,

978-85-7241-725-9

mas as caixas de metal podem estar mais sujeitas à condensação pela umidade na superfície interna se os alimentos que contêm apresentarem excessivo conteúdo de umidade (um máximo de 120g de umidade/kg de alimento deve ser assegurado). Assim, a escolha do recipiente deve ser feita com base no nível de proteção geral, se for provável a infestação por ratos, se todos os lados das caixas plásticas propostas puderem ser atingidos e se uma temperatura uniforme puder ser mantida por 24h. A uniformidade desse último reduz o risco de as temperaturas atingirem o ponto de formação de água durante sua oscilação.

Um estudo irlandês demonstrou que 14% de amostras de aveia da Irlanda e do Canadá foram gravemente contaminadas com fungos, apesar das amostras irlandesas conterem ligeiramente mais umidade (MacCarthy *et al.*, 1976). Esses fungos cresceram durante a maturação da lavoura no campo e normalmente têm um papel mínimo na estabilidade do alimento. Porém, altas concentrações podem afetar a aceitabilidade do eqüino e a invasão por fungos diminui a estabilidade dos cereais durante a estocagem. As espécies de *Fusarium* e algumas outras podem produzir toxinas que subseqüentemente afetam a fertilidade ou outros aspectos da saúde animal.

Os fungos de estocagem são outro assunto; essas espécies podem crescer em ambientes com umidade relativamente baixa e alta pressão osmótica, no que se conhece tecnicamente como condições de atividade de pouca água. Mesmo nesse ambiente, aquecimento, bolor, endurecimento, ausência de aceitabilidade e eventualmente deterioração de grãos, sementes oleaginosas e alimentos mistos estocados podem ocorrer. As espécies de *Aspergillus* e *Penicillium* são as principais culpadas e todo o alimento estocado, se existir um conteúdo de umidade que permita a atividade da água de 0,73 a 0,78 em temperaturas de 5 a 40°C, pode ser invadido pelo *A. glaucus*. Porém, *Chrysosporium inops* se espalhará em conteúdo de umidade tão baixo quanto 150 a 160g/kg. A maioria dos fungos de estocagem tem temperaturas mínimas para crescimento de 0 a 5°C, crescem otimamente a 25 a 30°C e não crescem em temperaturas acima de 40 a 45°C. Porém, *A. candidus* e *A. flavus* (produtores de aflatoxinas) crescem vigorosamente a 50 a 55°C e o *Penicillium* cresce lentamente em temperaturas abaixo de -2°C.

As caixas isoladas e os sacos à prova de água sujeitos a variações da temperatura ambiente são particularmente propensos à condensação pela umidade nas superfícies internas, mesmo quando o conteúdo médio de umidade do produto é baixo. É claro, a probabilidade de isso ocorrer aumenta com níveis médios maiores de umidade. Uma vez que o crescimento do bolor é iniciado, isso gera a água metabólica e um círculo vicioso é estabelecido.

Insetos, como por exemplo, gorgulho de grãos, besouros e ácaros de farinhas, não somente aceleram a deterioração do alimento e do grão, mas também geram tanto calor quanto água metabólica e são vetores de esporos de fungos. Grãos estocados de forma ruim e sujos podem ser oportunos para o sombreamento dos ovos e a multiplicação desses insetos e ácaros. Os ácaros se multiplicarão em níveis de umidade tão baixos quanto 125g/kg e temperatura de 4°C. Os insetos requerem combinações ligeiramente maiores de temperatura e umidade. A limpeza e a fumigação dos alimentos estocados por muito tempo e das lojas de alimentos são, por isso, desejáveis. A higiene e a estocagem do alimento e do grão em baixas temperaturas e em condição seca, sem bolsões de alta umidade, são a maior garantia da manutenção da qualidade do alimento em longo prazo.

Gorgulhos e besouros podem ser vistos a olho nu. Os ácaros são extremamente pequenos, mas sua presença pode ser detectada nos alimentos por meio da observação por um minuto,

978-85-7241-725-9

durante o qual o movimento de finas partículas de alimento deve ser evidente. Existe um odor azedo característico da infestação por ácaros, ao passo que com a umidade podem ser prontamente detectados a descoloração do grão, a poeira e um odor de fungos.

A infestação por roedores não somente causa uma perda do alimento, mas também os excrementos de ratos e camundongos levam o risco de doenças entéricas aos eqüinos, principalmente salmonelose, mas também outros patógenos, incluindo o bacilo de Tyzzer (*Clostridium piliformis*). Essa bactéria é carregada no trato GI de várias espécies selvagens, por exemplo, roedores e lagomorfos (ver Cap. 11).

Inibidores de umidade, como propionato de cálcio, ácido propiônico, ácido sórbico e hidroxiquinolina, são recomendados, mas raramente são efetivos somente para a cobertura dos grãos e são relativamente ineficientes quando incluídos em alimentos mistos. O ácido propiônico é mais eficiente do que o sal de cálcio.

TÓXICOS NATURAIS E CONTAMINANTES NOS ALIMENTOS

O alimento é algumas vezes ingenuamente considerado como parcela dos nutrientes, tanto essenciais quanto não essenciais. Uma consideração mais próxima da verdade aceita que os alimentos naturais também contêm materiais que tanto podem ser inertes como podem influenciar o metabolismo de outros constituintes dietéticos e substâncias com valor nutricional, mas que podem estar presentes em concentrações tóxicas. Vários alimentos naturais também contêm substâncias em concentrações tóxicas com nenhum valor nutritivo. Várias dessas substâncias potencialmente perigosas são produzidas naturalmente, pelas próprias plantas ou por organismos que as infestam ou a seus produtos. Finalmente, existem contaminantes que resultam da intervenção e da atividade humana. O Quadro 5.3 fornece uma classificação arbitrária para indicar a extensão do problema, ainda que o agrupamento e a distinção trabalhados não tenham significado absoluto (ver Cap. 10).

978-85-7241-725-9

Tóxicos Produzidos por Plantas

Os tóxicos com probabilidade de serem consumidos por eqüinos pastando serão discutidos no Capítulo 10. Aqui, nossa preocupação é com as substâncias presentes nas sementes usadas como alimentos.

Taninos Condensados

Os taninos condensados compreendem um grupo diverso de compostos polifenólicos hidrossolúveis. Estão contidos em grãos de sorgo, lentilhas e várias outras sementes leguminosas. As ervilhas e as favas, por exemplo, tendem a conter quantidades significativas de taninos condensados, especialmente onde a cobertura da semente é preta (nem sempre uma orientação confiável) ou onde as favas são floradas coloridas. Não são tóxicos, mas deprimem o apetite, reduzem a digestibilidade de proteínas e carboidratos de uma forma dependente do pH, se estiverem presentes em uma concentração suficiente, e reagem com eles. A autoclavagem ou a cocção por pressão destroem esses taninos, mas o tratamento prolongado é requerido em temperaturas menores. A reação nos intestinos ocorre tanto com as proteínas endógenas como com as dietéticas (por exemplo, reduzindo ligeiramente a atividade da tripsina no íleo), aumentando sua perda fecal. A embebição de alguns feijões antes da cocção pode reduzir a digestibilidade posterior, pois parece que os taninos podem

978-85-7241-725-9

Quadro 5.3 – Classificação de tóxicos de ocorrência natural e contaminantes tóxicos de alimentos usados para eqüinos

(1) *Tóxicos de ocorrência natural*
- (a) Derivados de proteínas ou aminoácidos
  - Lecitina (hemaglutininas)
  - Inibidores de tripsina
  - Latirógenos
  - Nitratos/nitritos
- (b) Glicosídeos
  - Bociógenos
  - Cianógenos
- (c) Miscelânea
  - Taninos (polifenólicos), saponinas
  - Gossipol
  - Fitina, ácido oxálico
  - Vários fatores antivitamínicos
- (d) Arbustos e ervas venenosas (principalmente alcalóides)

(2) *Fungos e bactérias patogênicas se desenvolvendo em razão de colheita, manuseio e estocagem ruins*
- (a) Esporos causando alergias respiratórias
  - *Aspergillus fumigatus*
  - *Micropolyspora faeni*
- (b) Micotoxinas produzidas por fungos
  - Hepatotoxinas, fumonisinas
  - Hormonais
  - Outras
- (c) Bactérias patogênicas ou suas toxinas
  - *Salmonella* spp. patogênica
  - Toxina do *Clostridium botulinum*
- (d) Fungos endofíticos nas gramíneas
  - *Acremonium coenophialum*
  - *A. lolii*

(3) *Alérgenos dietéticos absorvidos pelos intestinos*

(4) *Contaminação dietética durante o preparo*
- Antibióticos tóxicos
- Narcóticos
- Resíduos de pesticidas e herbicidas
- Nutrientes com margem estreita de segurança
- Metais pesados improváveis de terem valor nutricional
- Produtos da quebra de constituintes alimentares

se difundir da cobertura da semente para dentro dela, onde reagem com as proteínas. Se esses polifenólicos forem absorvidos, sua desintoxicação subseqüente envolve a metilação. Isso pode diminuir o valor protéico de uma dieta de potros, por exemplo, se limitar o conteúdo de metionina.

Esse enorme grupo de compostos está sob intensa avaliação no presente, pois a configuração espacial dos grupamentos hidroxil fenólicos em alguns isoflavonóides pode conferir atividade estrogênica, que afeta a fertilidade de animais domésticos e do homem. Mais ainda, acredita-se que a atividade antioxidante dos polifenólicos no chá verde e em uvas vermelhas reduza o desenvolvimento aterosclerótico.

978-85-7241-725-9

Atividade da Lipoxigenase

As lentilhas grandes e outros grãos de leguminosas ficam rançosos rapidamente após a sua quebra. Os ácidos graxos poliinsaturados são particularmente suscetíveis à oxidação e a enzima responsável é a lipoxigenase. O tratamento pelo calor antes da moagem para destruir a enzima é uma medida preventiva eficiente.

Antiproteases (Inibidores de Tripsina ou de Protease) e Lecitinas

Dois grupos amplamente distribuídos de compostos são conhecidos como inibidores das enzimas digestivas e lecitinas (previamente conhecidas como hemaglutininas). O composto específico, sua toxicidade e suscetibilidade para destruição pelo calor variam entre as espécies de plantas dentro das quais são encontrados. As plantas produtoras de inibidores de tripsina e lecitina incluem favas, feijões pretos e comuns, feijão branco ou feijão de lima. Faveira, vigna (*Phaseolus aconitifolius*), certos grãos de leguminosas (também contendo inibidores de amilase), amendoim (*Arachis hypogaea*), soja e gérmen de arroz também contêm essas substâncias. A maioria do farelo de arroz fornecido aos eqüinos tem o gérmen removido, apesar de alguma atividade residual ser normalmente encontrada.

Os inibidores de tripsina deprimem a digestão protéica, mas as lecitinas em sementes leguminosas comumente consumidas são consideradas como mais perigosas porque destroem as bordas em escova das vilosidades do intestino delgado, impedindo a absorção de nutrientes, mas aparentemente permitem a absorção de certas substâncias tóxicas. Estimulam a hipertrofia e a hiperplasia do pâncreas e, a partir das evidências de McGuinness *et al.* (1980), podem eventualmente causar nódulos adenomatosos e câncer pancreático de glândulas exócrinas. Em concentração elevada, induzem a rápida depleção dos lipídeos e glicogênio musculares em animais de laboratório. O catabolismo tecidual e o nitrogênio urinário são aumentados e assim o crescimento no rebanho jovem pode ser reduzido.

A atividade de ambos os grupos de substâncias é destruída pelo tratamento com aquecimento a vapor. Por exemplo, a atividade do inibidor de tripsina de favas é reduzida em 80 a 85% durante o aquecimento a vapor a 100°C por 2min e em cerca de 90% durante o tratamento por 5min. Porém, as atividades do inibidor de tripsina e lecitina dos feijões comuns são muito estáveis porque o tratamento por duas horas a 93°C é necessário para a adequada destruição. Por isso, os feijões comuns são em geral inadequados para o processamento não industrial e não devem normalmente ser fornecidos aos eqüinos.

Latirismo Causado pelo Beta(Gama-L-glutamil) Aminopropionitrila e Ácido L-alfa,gama-diaminobutírico

Os beta(gama-L-glutamil) aminopropionitrila e ácido L-alfa,gama-diaminobutírico estão presentes em várias espécies de *Lathyrus*. O eqüino é particularmente sujeito à intoxicação. O chícharo, após longos períodos de alimentação, causa uma condição conhecida como latirismo, exemplificado no eqüino como paralisia repentina e transitória da laringe com a quase sufocação ocorrida no exercício. Isso está associado com uma alteração degenerativa nos nervos e músculos da região e profunda inflamação de fígado e baço. Outras espécies intimamente relacionadas, incluindo a ervilha-de-cheiro (*Lathyrus odoratus*), *latirus* (*L. hirsutus*), ervilha pequena (*L. pusillus*) e chícharo selvagem (*L. sylvestris*), podem também causar latirismo. Apesar da planta inteira conter a toxina, as sementes parecem ser a fonte mais potente e é somente destruída em parte pelo calor.

Bociógenos

A atividade dos bociógenos é causada pelas goitrinas, que se originam dos glicosinolatos encontrados em vários membros da família Cruciferae, incluindo couves, colzas e mostardas. As goitrinas são liberadas por enzimas contidas dentro da planta e a destruição dessas enzimas pelo tratamento com calor em grande extensão elimina o perigo em potencial. O efeito das goitrinas não é neutralizado por iodo adicional na dieta, mas o metabolismo enzimático adicional de certas goitrinas pode liberar isotiocianatos e tiocianatos. O efeito antitireóideo dessas substâncias em eqüinos jovens, em particular, pode ser superado por meio do iodo dietético (ver Cap. 3). As enzimas são destruídas pelo tratamento adequado com calor. Diz-se que o efeito ligeiramente antitireóideo da soja não cozida é sobrepujado pelo iodo adicional.

Glicosídeos Cianógenos e Ácido Cianídrico

Os glicosídeos cianógenos liberam ácido cianídrico (HCN) em sementes em embebição. Os alimentos contendo esses glicosídeos HCN devem ser fornecidos em pequenas quantidades e secos. Quantidades maiores requerem o pré-aquecimento a uma temperatura suficiente (adicionando água fervente) para destruir a enzima que libera o HCN. O glicosídeo no *Phaseolus lunatus* permanece estável à cocção. A vicina é o glicosídeo pirimidina na *Vicia faba*, responsável pela anemia hemolítica do favismo em sujeitos deficientes em glicose-6-fosfato desidrogenase, mas em geral o favismo não é reconhecido em eqüinos. Os glicosídeos, derivados das alfa-hidroxinitrilas, presentes em feijão de lima, folhas de sorgo, linhaça e tapioca (*Manihot esculenta*), geram HCN quando ativados por enzimas específicas que as plantas contêm. O HCN pode causar falha respiratória pela inibição do citocromo-c oxidase (EC 1.9.3.1). Novamente, como o veneno é liberado pela atividade enzimática, o tratamento com calor irá garantir a segurança, se o tempo prolongado de estocagem de sementes úmidas ou raízes de tapioca não tiver causado acúmulo de HCN, por exemplo. A supressão da atividade enzimática é outra razão para a importância da estocagem seca de certos alimentos não cozidos. O HCN pode também reagir com qualquer tiossulfato presente, produzindo tiocianato, o qual por si só é responsável pelo aumento de volume da tireóide após alimentação prolongada.

978-85-7241-725-9

Gossipol

O gossipol, ocorrendo em várias cepas de algodão, é a razão pela qual o alimento não é amplamente usado por eqüinos. Tanto em sua forma ligante quanto na livre, o pigmento gossipol reage, incompletamente, com a proteína do algodão para reduzir o apetite e a digestibilidade protéica e por isso reduz a eficiência da utilização de aminoácidos; mas sua toxicidade pode resultar na morte causada aparentemente por falência circulatória. O pigmento também reage com o ferro dietético, precipitando-o dentro dos intestinos. Adições razoavelmente grandes de ferro suplementar na dieta irão promover, então, precipitação adicional, a qual parcialmente suprime os efeitos adversos do gossipol.

Antivitaminas

Vários fatores antivitamínicos estão presentes em alimentos animais e vegetais, mas a maioria é insignificante para eqüinos. Uma tiaminase presente no broto de samambaia (*Pteridium aquilinum)* é causa de envenenamento pela samambaia, neutralizada com largas doses de tiamina, e o fator antivitamina E presente no feijão comum cru é parcialmente destruído pela cocção. As sulfonamidas têm uma ação antimicrobiana e deprimem a síntese intestinal de vitamina K.

Fitinas e Oxalatos

Altos níveis de ácido fítico, ou seus sais, presentes em vários produtos de sementes vegetais, quando consumidos em grandes quantidades irão interferir com a disponibilidade de cálcio e vários oligoelementos minerais, particularmente o zinco. Relatou-se que os oxalatos detectáveis em várias plantas e presentes em elevadas concentrações em certas espécies tropicais de gramíneas foram responsáveis por matarem bovinos e causarem claudicação em eqüinos, em razão da precipitação do cálcio (ver Cap. 10).

Nitratos

A forragem verde contendo mais de 5g de nitrato/kg de MS fornecida sozinha pode causar distúrbios digestivos e anormalidades respiratórias e circulatórias. O rápido crescimento do pasto após muita chuva e uso excessivo de fertilizantes à base de nitrogênio pode causar a elevada concentração de nitratos nas pastagens e contaminação dos suprimentos de água pela lixiviação dos solos. Apesar dos nitratos serem somente ligeiramente tóxicos, podem ser reduzidos a nitritos antes ou após o consumo. Níveis elevados de nitritos podem se acumular nas plantas após tratamento com herbicidas e durante o preparo do feno de aveia em razão da redução do nitrato estimulada pelo clima rigoroso. No corpo, os nitritos convertem a hemoglobina sangüínea em metaemoglobina, a qual é incapaz de atuar como um carreador de oxigênio. Por isso, grande consumo causa a morte. Suínos são provavelmente mais suscetíveis que eqüinos, os quais parecem reagir de maneira similar aos ruminantes.

Alcalóides

Na África do Sul, na América e na Austrália, foi comprovado que várias espécies da leguminosa *Crotalaria* (da qual uma das espécies causa a doença do eqüino de Kimberley) são muito venenosas em eqüinos. As lesões são induzidas no fígado por alcalóides de pirrolizidina similares àqueles encontrados na erva-de-santiago (tasneira) (*Senecio*). Os alcalóides são considerados no Capítulo 10 em manejo de pastagens. Outros detalhes são encontrados na Tabela 10.16, no Capítulo 10. As batatas verdes (*Solanum tuberosum*) contêm o alcalóide solanina. Eqüinos são mortos ao ingerirem quantidades de batatas que não afetam ruminantes, mesmo quando os tubérculos não estão aparentemente verdes.

Fungos

Os efeitos dos fungos são de dois tipos:

- Certos esporos de fungos em grande número em forrageiras colhidas e estocadas de forma ruim e em cereais podem causar uma reação respiratória (alergia) quando inalados por eqüinos sensíveis (ver Cap. 11).
- Várias espécies de fungos em condições apropriadas de temperatura e umidade produzem toxinas que têm uma variedade de efeitos metabólicos.

Micotoxicoses

Fumonisinas

O *Fusarium moniliforme* (tipo compatível A, do *F. moniliforme*), ou o *F. proliferatum*, geralmente crescendo no milho antes da colheita, produzem fumonisinas hidrossolúveis e possivelmente outras toxinas. Essas toxinas causam danos ao fígado eqüino, observado no exame patológico como pequeno, firme e amarelo, com necrose e fibrose centrolobular (Thiel *et al.*, 1992). A doença em eqüinos, asininos e muares é também especificamente caracterizada por lesões necróticas de liquefação na substância branca dos hemisférios cerebrais (leucoencefalomalácia eqüina, LEM), causando cegueira, ao passo que no homem ocorre o câncer de esôfago (Bryden, 1995, 1998). O tipo compatível de *F. moniliforme* encontrado no sorgo não produz fumonisinas (Bryden, 1998, comunicação pessoal). As fumonisinas têm uma relação estrutural com a base esfingóide, esfingosina, e assim interrompem o metabolismo esfingolipídico no sistema nervoso central com uma elevação na esfinganina sérica. Das seis fumonisinas, acredita-se que FB_{1a} e FB_2 sejam as únicas toxinas eqüinas significativas. O tempo para o desenvolvimento dos sinais clínicos depende da dose, mas pode ser dentro de oito dias, incluindo apatia, aparência sonolenta com língua protraída, relutância a se mover para trás, movimentos em círculos sem propósito e ataxia (Nelson *et al.*, 1993).

O *F. moniliforme* é um colonizador agressivo do milho pré e pós-maturidade (Bryden *et al.*, 1998), especialmente aquele infestado por gorgulhos (Smalley, 1992). FB_1 é a principal fitotoxina (Lamprecht *et al.*, 1994), mas não tão gravemente (Gilchrist *et al.*, 1992). O fungo pode colonizar, reproduzir e produzir toxinas em uma ampla variedade de produtos de plantas maduras, *debris* de plantas e na semente de milho autoclavada quando incubada a 20 a 22°C (Marijanovic *et al.*, 1991; Nelson *et al.*, 1993), ou quando crescem no arroz autoclavado por 28 dias a 22 a 26°C (Mirocha *et al.*, 1992). É um parasita facultativo (Gilchrist *et al.*, 1995) e pode ser descrito como um endófito (Bryden, comunicação pessoal; Marasas *et al.*, 1988a). De 675 sementes de milho visualmente normais, 60% estavam infectados com o *F. moniliforme* e somente sete amostras foram negativas para FB de 100 amostras de milho australiano normal para alimento humano e animal (Bryden *et al.*, 1998). Quase metade dessas amostras de alimentos animais continha níveis de FB de 5mg/kg e acima (média de 7,8 EP 1,01mg/kg). A maior concentração registrada por Bryden, 40,6mg/kg, foi detectada no milho usado para alimento de eqüinos, causando a LEM, e 84% das amostras australianas tanto do campo como de estocagem foram encontrados infectados com *F. moniliforme* (Pitt e Hocking, 1996). A fumonisina B_1 tem distribuição mundial. A variação de conteúdo das amostras de grão de milho de Iowa foi de 2,5 a 3,5mg/kg e na África do Sul foi de 0,4 a 1,8mg/kg.

978-85-7241-725-9

Concentrações alimentares de fumonisina B_1 e B_2 tão inferiores, respectivamente, quanto 1,3 e 0,1mg/kg de alimento foram associadas com LEM (Thiel *et al.*, 1992). O consumo de fumonisina em quantidade tão baixa quanto 0,6mg/kg de PC/dia (aproximadamente 20mg/kg de alimento seco ao ar) causou efeitos patológicos nos eqüinos (Thiel *et al.*, 1992), apesar da maioria dos casos de LEM ser associada com concentrações maiores que 500mg/kg. Uma dose intravenosa diária por sete dias de 0,125mg de fumonisina B_1 por kg de PC causou sinais neurotóxicos em um eqüino no oitavo dia. Doses orais de 1,25 a 4mg de FB_1 por kg de PC (aproximadamente o equivalente a 40 a 130mg/kg de alimento) causaram efeitos patológicos em eqüinos (Kellerman *et al.*, 1990). Na autópsia, as lesões incluíram edema do cérebro e necrose simétrica bilateral na medula oblonga (Marasas *et al.*, 1988b).

Cólica e Micotoxinas

Várias micotoxinas foram examinadas pela sua propensão a causar cólica. Nas concentrações encontradas em alimentos contaminados, somente a toxina T_2, em concentrações maiores que 50µg/kg de alimento, e a zearalenona, em concentrações maiores que 70µg/kg de alimento, causaram cólica em eqüinos. O autor presenciou vários casos de cólica por compactação e morte entre eqüinos da raça árabe consumindo feno de timótio ligeiramente mofado que, por outro lado, era de boa qualidade. Nenhuma cólica foi observada com aflatoxina, desoxinivalenol, ou fumonisina B_1.

Ergotamina, Ergometrina

Existem numerosas referências históricas às conseqüências do consumo de *ergot* do centeio, citando-se abortamentos e outros efeitos de vasoconstrição. O fungo relacionado, *Claviceps purpurea*, também infecta o azevém e algumas outras gramíneas e assim, em elevadas concentrações, pode ser um perigo no pasto e no feno.

Aflatoxinas

Vários relatos, especialmente da Tailândia e dos Estados Unidos, registram mortes, ou lesões cerebrais, de coração e particularmente hepáticas e enterite hemolítica em eqüinos recebendo aflatoxinas produzidas pelo *Aspergillus flavus* em níveis menores que 1mg/kg de cereais, amendoins e mesmo feno contaminados. Eqüinos e pôneis parecem ser mais suscetíveis à aflatoxicose aguda do que suínos, ovinos e bezerros, pois o consumo diário de 0,075 e 0,15mg de aflatoxina B_1/kg de PC é letal para pôneis de 36 a 39 dias e de 25 a 32 dias, respectivamente (Cysewski *et al.*, 1982).

Zearalenona

A toxina zearalenona, produzida pelas espécies de *Fusarium*, causa vulvovaginite e falha reprodutiva em fêmeas de várias espécies domésticas. Ao passo que a aflatoxina em geral se desenvolve durante a estocagem, essa toxina pode se desenvolver antes da colheita. Apesar de nenhum relato dos efeitos em eqüinos ser conhecido [ver *Disautonomia eqüina (doença das gramíneas)*, Cap. 10], pode causar irregularidade reprodutiva nessa espécie. Várias outras toxinas fúngicas com uma ampla variedade de efeitos e relevância também existem (também ver *Zearalenona*, Cap. 10).

Alérgenos Dietéticos (outros além dos Esporos de Fungos)

Os alérgenos não são contaminantes, mas certos eqüinos podem reagir aos constituintes protéicos normais dos alimentos (Fig. 5.6). Os efeitos, que incluem lesões respiratórias e de pele, são normalmente superados, de acordo com a experiência do autor, com a remoção da fonte prejudicial da dieta. Problemas de reação cruzada em que as fontes relacionadas de proteínas produzem reações similares podem, porém, causar problemas de interpretação.

As células epiteliais intestinais humanas obtêm e processam os antígenos alimentares (Heyman, 2001). Dentre os metabólitos peptídicos gerados durante o transporte transepitelial dos antígenos luminais, alguns têm uma massa molecular compatível com um ligante para

978-85-7241-725-9

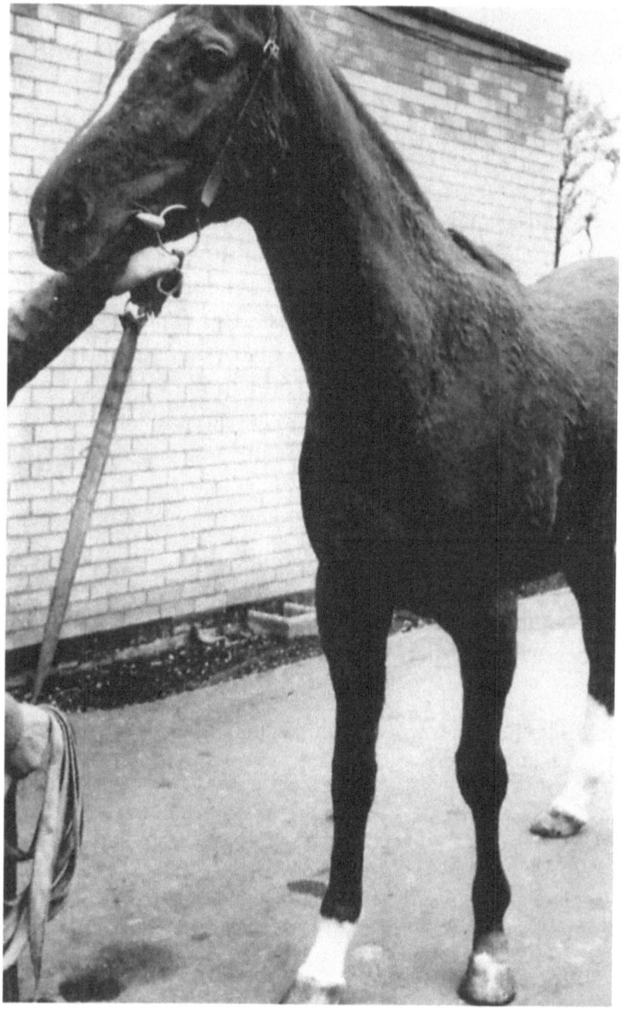

Figura 5.6 – Um eqüino castrado *Thoroughbred* de dois anos de idade com "inchaços" generalizados na cabeça, no pescoço, nos ombros, nas costelas e nos flancos. Uma reação alérgica a farelo e aveia foi detectada no soro sangüíneo. O eqüino se recuperou durante vários meses, quando sua alimentação consistiu de uma dieta em cubos rica em fibras, pobre em cereais e com água *ad libitum*.

moléculas de restrição (complexo de histocompatibilidade principal). Essas moléculas podem ser reguladas para cima nos enterócitos, especialmente em condições inflamatórias, tais como gastroenterite. Os fatores nutricionais podem influenciar as propriedades dessa barreira epitelial e a resposta imune perante os antígenos luminais. Em particular, Sanderson (2001) indicou que as modificações na dieta podem alterar a expressão de genes no epitélio intestinal codificantes de proteínas que sinalizam para o sistema imune da mucosa. O epitélio atua, portanto, como um transdutor de sinais em monocamada entre o conteúdo do intestino e o sistema imune da mucosa.

Contaminação com Metais Pesados e Minerais nos Pastos

As concentrações dietéticas toleráveis máximas aproximadas de metais pesados e alguns outros elementos (influenciadas pelas concentrações de minerais essenciais e oligoelementos minerais) estão demonstradas na Tabela 5.8 (ver Frape, 1996, 2002b).

O alumínio dietético em excesso de 1.500mg/kg causa uma redução na absorção de P e um aumento no requerimento deste em ruminantes e eqüinos, ao passo que, por quatro semanas, as dietas contendo 930mg de Al/kg apresentaram um efeito desprezível na digestibilidade de nutrientes e no metabolismo de minerais em TB adultos (Roose *et al.*, 2001).

Chumbo é uma das causas mais comuns de envenenamento em bovinos, ovinos e eqüinos. Sinais de toxicidade são mais freqüentes em eqüinos jovens e incluem ausência de apetite, rigidez muscular e fraqueza, diarréia e, na forma aguda, paralisia faríngea e regurgitação de alimento e água. O chumbo se acumula nos ossos e tão pouco quanto 80mg/kg na dieta podem eventualmente causar sinais tóxicos, os quais são algumas vezes precipitados por outros estresses. Os alimentos naturais com 1 a 5mg de chumbo/kg não causam problemas. A dose letal aguda é de 1 a 1,8g/kg de PC como acetato ou carbonato de chumbo. A dose letal crônica depende de vários fatores, mas diz-se que fica na média de 12mg de chumbo/kg de PC diariamente por 300 dias.

978-85-7241-725-9

A contaminação do pasto com chumbo, cádmio e arsênio – derivados de atividades em minas, depósitos de entulhos ou lama, poeira de aviação e erosão pela água, até mesmo de baterias de carro e projéteis de chumbo – são riscos locais. Onde o pasto for denso, sem dúvidas o maior problema se origina da contaminação de superfície das plantas, mas onde o pasto for escasso, o solo rico nesses metais pesados, ou contaminado por eles, pode ser consumido em

Tabela 5.8 – Concentrações dietéticas máximas toleráveis aproximadas de metais pesados.

	mg/kg de MS de alimento
Arsênio (As)	2
Cádmio (Cd)	10
Flúor (F)	50
Iodo (I)	1
Chumbo (Pb)	20
Mercúrio (Hg)	0,2
Molibdênio (Mb)	200 (excluindo qualquer possível interação com a disponibilidade do cobre)
Selênio (Se)	2
Alumínio (Al)	950

quantidades suficientes para causar o problema. O projétil de chumbo é de certa forma perigoso para eqüinos, porque encostam na grama, mas o consumo pode ser maior do que o estimado no geral, seguido de alguma solução no estômago. Onde as gramíneas são ensiladas, o projétil envolvido parcialmente dissolve-se durante a fermentação e níveis altamente tóxicos de 3.800mg de chumbo solúvel/kg de MS foram detectados na Inglaterra pelo autor (Frape e Pringle, 1984). Ao passo que o chumbo parece principalmente contaminar as superfícies das plantas, o cádmio é prontamente absorvido e acumulado de solos ricos nesse elemento. Das espécies mais comuns no pasto, a margarida (*Bellis*) acumula 60 a 80mg de cádmio/kg (30 vezes mais do que nas gramíneas) a partir de solos contaminados (Matthews e Thornton, 1982).

Os pastos na direção do vento proveniente de obras com aço e tijolos podem acumular concentrações anormalmente elevadas de flúor. O eqüino é provavelmente menos sujeito à fluorose do que bovinos e ovinos, mas lesões em ossos e dentes foram induzidas por esse elemento. Porém, irá tolerar 50mg/kg de alimento por períodos prolongados. O envenenamento pelo mercúrio representado por cólica e diarréia se origina em eqüinos como conseqüência do uso errado de sementes com cascas como alimento. Chances de exposição de outras fontes são improváveis.

Os oligoelementos minerais requeridos (ver Cap. 3) – iodo, selênio e molibdênio – podem ser consumidos em quantidades tóxicas após acúmulo natural em materiais vegetais. Algas podem ser uma fonte de iodo em excesso e certas plantas acumuladoras estocam grandes quantidades de selênio de solos ricos neste elemento. Quando essas plantas morrem, afirma-se que por sua vez depositam selênio em uma forma prontamente absorvida pelas plantas vizinhas. Várias áreas ricas em selênio são raramente cobertas e o consumo de solo rico neste elemento é outra fonte de risco. O molibdênio é prontamente absorvido pela maioria das plantas a partir de solos contendo quantidades excessivas. A ingestão de solo rico em ferro e enxofre é conhecida por reduzir a absorção de cobre em animais de pastejo. A estação do ano e a extensão da drenagem do solo podem influenciar o acúmulo de vários metais nas folhagens. Com freqüência, as concentrações tendem a ser maiores durante os meses de inverno (ver Caps. 3 e 10).

Resíduos de Pesticidas

Vários alimentos normais contêm traços de resíduos de pesticidas, mas, com exceção da contaminação grosseira por negligência, as quantidades normalmente detectadas são insuficientes para causar qualquer problema em eqüinos (após o tratamento com herbicidas, os pastos ficam sem animais por duas semanas antes do pastejo ser permitido). O rodenticida fosfeto de zinco (agora raramente usado) era conhecido por ser consumido em quantidades letais por eqüinos, podendo liberar e ejetar do estômago fosfina venenosa (PH_3). Se houver suspeita desse veneno, uma sonda nasogástrica deve ser usada somente ao ar livre. A dose letal aguda em eqüinos é de 20 a 40mg/kg de PC ou cerca de 15g para um eqüino (cerca de 5 a 10g para um pônei).

978-85-7241-725-9

Etilenoglicol

Swor *et al.* (2002) trataram de forma bem sucedida um eqüino castrado que havia consumido etilenoglicol (EG) e apresentado taquicardia e desconforto. A toxicidade do EG é atribuída aos seus produtos de oxidação, por meio da ação de álcool desidrogenase (EC 1.1.1.1) (ADH).

ADH tem uma maior afinidade pelo etanol do que o EG e, assim, pela administração intravenosa precoce de uma solução a 20% de etanol a 2,5mL/kg de PC, o metabolismo do EG é contido, causando sua excreção renal inalterada. Infusões intermitentes foram continuadas por 32h para manter um nível sangüíneo terapêutico de etanol, após o que o eqüino foi liberado sem seqüelas adversas. Uma alternativa recente para a terapia com etanol no homem é a administração de fomepizol, ou 4-metilpirazol (Antizol®) (Brent, 2001). Como o etanol, o fomepizol inibe a álcool desidrogenase, sem produzir efeitos adversos graves, apesar de nenhuma evidência de sua aplicação na toxicose eqüina ter sido publicada até a presente data.

ADITIVOS ALIMENTARES

Drogas Aditivas em Alimentos de Animais Domésticos

Várias drogas são usadas nos alimentos de animais de fazenda para promover crescimento, combater diarréia e infecção parasitária e influenciar a carcaça. A maioria dessas drogas tem pouco, se algum, efeito desfavorável em eqüinos quando presentes na dieta em níveis normais de alimentos ou quando os eqüinos erroneamente recebem alimentos contendo antibióticos direcionados para outras espécies. Dosagens elevadas são um assunto diverso. Apesar do sulfato de framicetina ser algumas vezes útil nos casos de flatulência ou cólica fermentativa, o uso persistente de alguns antibióticos, especialmente a oxitetraciclina, pode causar um grave dano à flora intestinal, possivelmente incluindo um excesso de crescimento fúngico, precipitando a diarréia aguda e intratável, a letargia e a ausência de apetite. Duas outras drogas (monensina e lincomicina), em particular a monensina, podem ter graves efeitos tóxicos em eqüinos quando fornecidas em taxas normais nos alimentos.

978-85-7241-725-9

Antibióticos Ionóforos

Os ionóforos são antibióticos carboxílicos de poliéter fornecidos a aves para o controle de coccidiose e a ruminantes para melhorar a utilização de alimentos. Existem atualmente seis desses ionóforos carboxílicos: monensina, lasalocida, salinomicina, narasina, maduramicina e laidlomicina. Visto que o eqüino está sujeito à intoxicação por cada um desses em níveis alimentares, existe uma concentração limiar dietética abaixo da qual nenhum efeito adverso foi observado. Acima desse nível, podem ocorrer cólica grave, sudorese, tremores e ocasionalmente hematúria. Informações confiáveis e quantitativas sobre eqüinos, porém, não estão disponíveis para todos esses químicos (Tabela 5.9).

Monensina Sódica

A monensina é fornecida a bovinos de corte para promover crescimento e a aves como um coccidiostático. O alimento das aves contendo 100mg de monensina/kg, nível alimentar normal, tem graves efeitos tóxicos quando fornecido para eqüinos. Em um nível de 30mg/kg no alimento, os eqüinos apresentam apetite reduzido e inquietação, apesar de Matsuoka *et al.* (1996) indicarem que eqüinos podem tolerar a maior taxa de uso para bovinos de 33mg/kg de alimento. No nível de 100mg/kg (cerca de 2,5mg/kg de PC), em uma dieta fornecida continuamente, é letal em questão de dois a quatro dias para cerca da metade dos indivíduos. Eqüinos apresentam sinais, na experiência do autor, de anorexia, fraqueza de posteriores, sudorese profusa, taquicardia, ocasionalmente tremores musculares, poliúria, mioglobinúria

978-85-7241-725-9

Tabela 5.9 – Toxicidade de antibióticos ionóforos.

Antibiótico	Taxa de uso do químico ativo (mg/kg de MS de alimento)	Dose oral letal eqüina (LD_{50}) (mg/kg de PC)[1]
Salinomicina	60	Aproximadamente 0,6
Narasina	70	Aproximadamente 0,7
Monensina	100-120	1,38-3[2]
Lasalocida	30-50	21,5

[1] Dose letal em ratos é cerca de dez vezes maior.
[2] Matsuoka *et al.* (1996) encontraram uma LD_{50} de 1,38mg/kg de PC para uma única dose por alimentação via sonda usando monensina micelial.
LD_{50} = dose letal média; MS = matéria seca; PC = peso corpóreo.

(urina castanho escura), elevado potássio urinário, elevados níveis séricos de enzimas musculares, progressiva ataxia e decúbito. O exame pós-morte demonstra degeneração de miocárdio e a monensina pode normalmente ser confirmada pela análise do conteúdo estomacal. Nos estágios iniciais da toxicidade, a recuperação pode com freqüência ser obtida com a remoção do alimento contaminado e a administração de óleo mineral ao eqüino, apesar do animal poder sofrer lesão cardíaca permanente com risco aumentado durante esforços físicos acentuados.

Lincomicina

A lincomicina é uma droga antibacteriana algumas vezes incluída em alimentos de suínos. É menos tóxica do que a monensina em eqüinos, mas níveis de dosagem acima de 80µg/kg de PC diariamente (5mg/kg de alimento total continuamente) geraram sinais metabólicos de toxicidade e evidência de lesão hepática, observados pelo autor.

SUBSTÂNCIAS PROIBIDAS

A lista de drogas condenadas ou substâncias proibidas inclui uma proporção muito alta de drogas permitidas em alimentos de rebanhos bovinos pela legislação da União Européia e a detecção de qualquer uma dessas, ou seus metabólitos reconhecidos, na urina, no sangue, na saliva, ou no suor causará a desqualificação de um eqüino sujeito às *Rules of Racing* (Regras de Corridas). Assim, à parte as drogas que poderiam ser usadas diretamente em eqüinos, qualquer antibiótico, promotor de crescimento, ou outra droga usada para a alimentação de aves, suínos, ou ruminantes não devem ser detectados nos líquidos mencionados anteriormente. Das drogas proibidas, é improvável que a maioria esteja presente nos alimentos. Porém, algumas drogas atuando no sistema cardiovascular, alguns antibióticos e um ou dois agentes anabolizantes foram detectados em ingredientes alimentares contaminados – aveia, farelo de soja, farelos – e em aditivos alimentares, ou podem estar presentes em alimentos para outras classes de animais erroneamente fornecidos aos eqüinos. Na prática, os que causam maiores preocupações são os alcalóides de xantina – teobromina, cafeína e seu metabólito teofilina.

A cafeína está presente no chá, no café, em subprodutos do café, na noz de cola, no cacau e em sua casca, a qual está disponível como subproduto, e em folhas de mate. O pó do chá contém tanto quanto 1,5 a 3,5% de cafeína, ao passo que o subproduto do café, como normalmente disponível, contém somente 200mg de cafeína/kg. Pequenas quantidades de teofilina são encontradas no chá, mas tanto quanto 1,5 a 3% de teobromina estão tipicamente presentes nos grãos de cacau e seus restos (a casca) contêm tanto quanto 0,7 a 1,2%. Há teobromina também na noz de cola e no chá. O comércio internacional disseminado de grãos de café e cacau e de seus subprodutos constitui um risco formidável pela sua contaminação nos meios de transporte, desde navios em um extremo até sacos de cânhamo em outro. Esses meios, por sua vez, colocam em risco cereais, grãos de leguminosas e outros materiais crus movimentados de um lado para o outro, causando infrações das *Rules of Racing* pelo consumo inadvertido de porções contaminadas desses alimentos. A contaminação grosseira e seu controle em alimentos animais foram discutidos em um código de prática publicado pelo United Kingdom Agricultural Supply Trade Association (UKASTA) (1984).

Após uma dose oral de cafeína, cerca de 1% aparece inalterado na urina, com sua excreção quase completa após três dias. Cerca de 60% da cafeína são excretados na urina como metabólitos, incluindo teofilina e teobromina. Traços da última podem continuar a ser excretados por até dez dias, ao passo que a excreção de teofilina é virtualmente completada após quatro a cinco dias. Assim, o uso não intencional desses alcalóides, ou de restos de café e cacau contendo-os, pode resultar em sua detecção na urina por até dez dias e a cafeína, mais ainda, é demonstrável na urina dentro de uma hora após a dose oral. Por isso, muito cuidado precisa ser tomado na alimentação de eqüinos de corrida e competição durante tal período. As extensões das curvas de excreção de várias outras drogas na urina foram determinadas, mas certamente não aquelas de todos os antibióticos similarmente excretados.

Tanto a cafeína como a teobromina são prontamente absorvidas pelo trato intestinal e logo provocam seus efeitos de estimulação cardíaca e respiratória e de diurese. Porém, testes demonstraram que afetam a velocidade do cavalo somente quando são usadas em doses elevadas. Experimentos demonstraram que a teobromina pode ser detectada na urina de eqüinos TB ao receberem tão pouco quanto 1mg de teobromina (na forma de cascas de cacau)/kg de cubos para eqüinos de corrida e 7kg daqueles cubos fornecidos diariamente, divididos em duas refeições. O nível limiar para a teobromina na urina, aceito pela Stewards of the Jockey Club, é 2μg/mL de urina, quando a cromatografia líquida de alta performance (CLAP) é usada na análise (Haywood *et al.*, 1990).

Três outros compostos proibidos naturalmente presentes no tecido de plantas são: hioscina, existente no estramônio (encontrado nos campos de soja); hordeína, na cevada em germinação, na alfafa e no alpiste (*Phalaris canariensis*); e morfina, presente nas sementes e cápsulas de sementes de papoula (*Papaver somniferum*).

Hormônio do Crescimento

Existe um uso crescente do hormônio do crescimento exógeno de bovinos em haras de TB. Esse hormônio aumenta a extensão da "musculatura dupla" e a velocidade do crescimento com pouco efeito na altura final. Algumas evidências do autor sugerem que também pode elevar o risco de desenvolvimento de doença ortopédica.

QUESTÕES PARA ESTUDO

1. Como você modificaria um estábulo existente quanto à alimentação com feno para silagem pré-seca?

978-85-7241-725-9

2. Quais fatores devem ser considerados quando é proposta a introdução de gordura em um sistema de arraçoamento?
3. Várias técnicas de processamento de alimentos foram introduzidas durante as últimas duas a três décadas. Alguma foi de valor particular para os alimentos usados em eqüinos? Se sim, qual e por quê?
4. Se os probióticos forem introduzidos, quais avaliações devem ser feitas em relação: (a) ao produto e (b) ao sistema alimentar para seu uso?

978-85-7241-725-9

LEITURA COMPLEMENTAR

Haywood, P. E., Teale, P. & Moss, M. S. (1990) The excretion of theobromine in Thoroughbred racehorses after feeding compounded cubes containing cocoa husk – establishment of a threshold value in horse urine. *Equine Veterinary Journal,* **22**, 244-6.

McDonald, P., Edwards, R. A. & Greenhalgh, J. F. D. (1981) *Animal Nutrition.* Longman, London and New York.

Moss, M. S. & Haywood, P. E. (1984) Survey of positive results from race-course antidoping samples received at Racecourse Security Services Laboratories. *Equine Veterinary Journal,* **16**, 39-42.

United Kingdom Agricultural Supply Trade Association (1984) *Code of Practice for Cross-contamination in Animal Feeding Stuffs Manufacture.* Amended Code, June 1984. UKASTA, London.

CAPÍTULO 6

Estimando os Requerimentos de Nutrientes

Que boa receita você tem para um cavalo, que teve uma indigestão proveniente da forragem seca. Isso ocorre comumente em tais eqüinos, pois são comedores insaciáveis e por isso é um requisito que recebam uma dieta, especialmente se têm muito repouso e muito pouco exercício.

T. De Gray, 1639

A formulação de dietas adequadas requer conhecimento de três tipos de informações:

1. O requerimento do eqüino para cada nutriente e energia, afetado principalmente por seu tamanho e função.
2. A composição de nutrientes de cada alimento apropriado disponível.
3. A capacidade do eqüino em se alimentar.

Tabelas foram originadas para prover a informação necessária para (1) e (2) e alguma discussão é apropriada primeiro em relação a (3).

RELAÇÃO ENTRE CAPACIDADE DE SE ALIMENTAR E PESO CORPÓREO

Os requerimentos diários de eqüinos e pôneis foram estimados em termos das quantidades de cada nutriente – minerais, oligoelementos minerais, vitaminas e aminoácidos (ou, de forma mais realista, proteína) – requeridas por dia para as várias funções de manutenção, crescimento, lactação e assim por diante. O veículo normal para esses nutrientes é o alimento diário e, se um eqüino em particular tiver que consumir duas vezes mais comida do que outro para preencher as mesmas funções, então é razoável supor que a concentração de nutrientes na dieta do primeiro animal necessite ser somente metade da dieta do segundo. Assim, na tentativa de fazer afirmações úteis em relação à composição dietética e facilitar o cálculo das dietas adequadas, é necessário prognosticar de forma confiável o apetite de um eqüino ou grupo de eqüinos pelo alimento, ou mais especificamente prognosticar o apetite pela matéria seca. O apetite e a capacidade dos eqüinos por alimentos aceitáveis são regulados por cinco fatores dominantes e relacionados:

978-85-7241-725-9

1. O volume das diferentes partes do trato intestinal.
2. A velocidade de passagem da ingesta.
3. A concentração de certos produtos de digestão no intestino.
4. As demandas de energia do eqüino.
5. A densidade da energia e sua forma química no alimento.

Ao que parece, (3) controla o tamanho da refeição, (2) será modulado pela forma física do alimento e (1) é controlado pelo tamanho corpóreo do animal, mas em certa extensão é modificado pela raça e pela adaptação.

As deficiências mais comuns e facilmente corrigidas em misturas alimentares preparadas em casa são aquelas de cálcio, fósforo, proteína, sal e possivelmente vitamina A. Porém, além da água, a necessidade fundamental, imediata e em longo prazo do eqüino é uma fonte digestível de energia dietética. De forma ideal, em situações moderadas de trabalho ou produtividade, as demandas energéticas devem ser imediatamente atingidas pelo apetite e capacidade do eqüino em se alimentar. Não somente a capacidade, mas também o requerimento de energia para uma variedade de funções estão intimamente associados com o peso corpóreo, apesar do seu peso variar dia a dia de acordo com a quantidade de suprimento intestinal. Por isso, um meio de estimar o peso é fundamental para qualquer sistema de arraçoamento.

Na ausência de meios de pesar eqüinos, a forma mais confiável inclui a mensuração da cintura torácica na região do coração após a expiração (Fig. 6.1). Como a conformação muda com a idade e difere entre as raças, a mensuração somente da cintura fornece apenas uma estimativa aproximada. Alguma melhora nisso é obtida por meio da inclusão do comprimento do eqüino a partir do ponto do ombro até o ponto da região traseira da garupa (ver Fig. 6.1). Se o comprimento for incluído, então a equação fornecida em *Mensuração do gasto de energia em manutenção e exercício*, adiante, provê a relação apropriada.

Para várias pessoas, a altura da cernelha é um índice mais familiar de tamanho. A Figura 6.2 mostra sua relação aproximada com o peso corpóreo de vários tipos de eqüino e pôneis e a Figura 6.3 delineia as modificações na altura da cernelha em razão da idade durante o crescimento normal. Necessidades diárias médias sugeridas para eqüinos de diferentes pesos vivos estão indicadas na Figura 6.4. Os valores de capacidade média para eqüinos fornecidos na Figura 6.4 estão de acordo com os valores publicados para eqüinos adultos, que são aproximadamente 10% maiores que os valores de consumo voluntário de 28 a 29g/kg de peso corpóreo (PC) para uma dieta mista de potros árabes e Quarto de Milha com cinco a oito meses de idade (Turcott *et al.*, 2003). As necessidades fornecidas para eqüinos inativos devem ser menores que aquelas demonstradas, ao passo que éguas em lactação consomem

978-85-7241-725-9

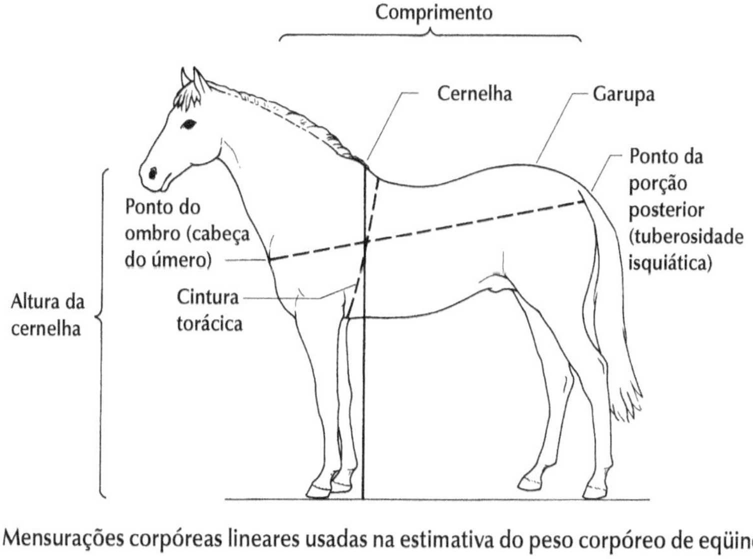

Figura 6.1 – Mensurações corpóreas lineares usadas na estimativa do peso corpóreo de eqüinos e pôneis.

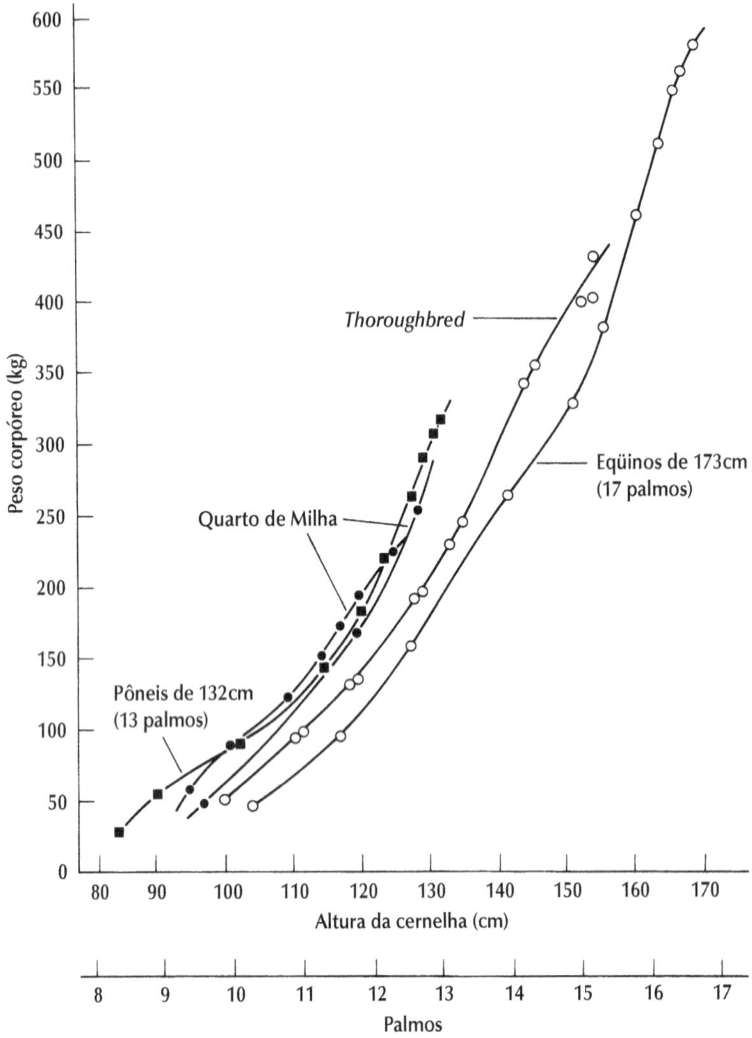

Figura 6.2 – Relação entre o peso corpóreo e a altura da cernelha em eqüinos e pôneis com crescimento normal (1 palmo = 10,16cm). Observe que eqüinos e pôneis atingem a altura adulta antes do peso adulto, de forma que as curvas precisam ser côncavas para cima conforme a maturidade se aproxima (*extremidade superior da curva*). Além disso, como as curvas não são coincidentes, a cernelha não é geralmente um bom preditor do peso corpóreo (informações de Green, 1961, 1969; Hintz, 1980a; Knight e Tyznik, 1985; R. W. W. Ellis e R. A. Jones, 1984, comunicações pessoais).

978-85-7241-725-9

mais alimento. Além disso, animais em trabalho intenso, tais como *Thoroughbred* (TB) em treinamento avançado para corridas, serão autorizados a consumir quantidades próximas de sua capacidade, apesar de seu apetite poder se reduzir quando o exercício vigoroso for praticado rotineiramente. Observações nos Estados Unidos demonstraram que entre sete estábulos de corrida, a média de consumo diário de concentrado por animais de três a quatro anos de idade foi de 6,16kg (4,9 a 7,5kg) e a de feno foi de 9,37kg (6,4 a 11,9kg) (Glade, 1983a). Observações comparáveis pelo autor entre animais de dois a quatro anos de idade em

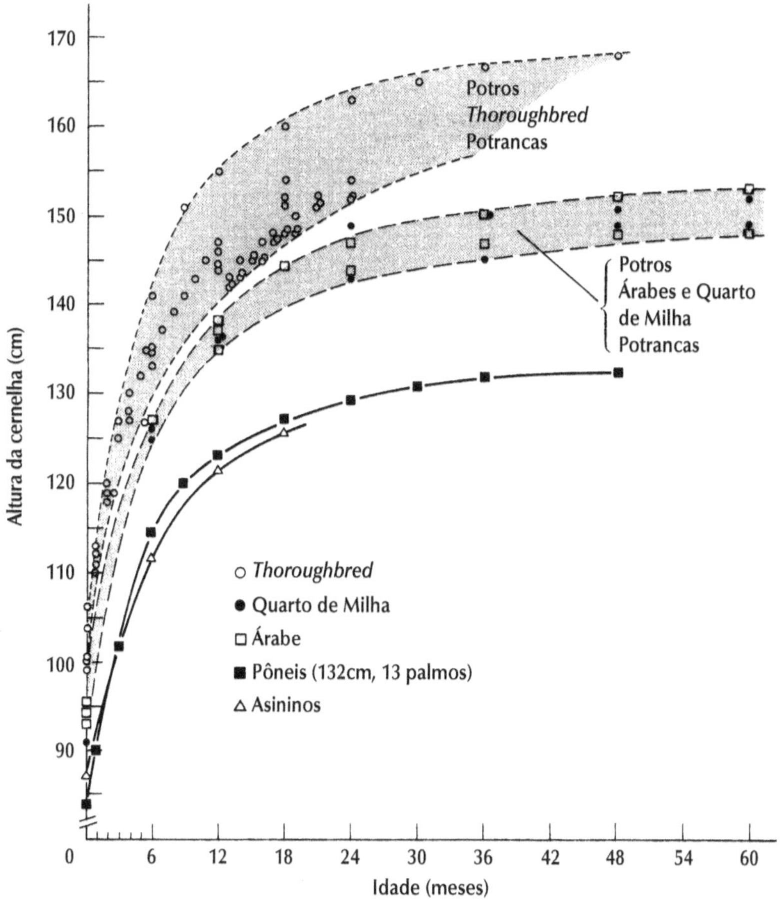

Figura 6.3 – Alturas esperadas de cernelha de eqüinos e pôneis com crescimento normal em várias idades (1 palmo = 10,16cm) (informações de Green, 1961, 1969; Hintz, 1980a; Knight e Tyznik, 1985; R. W. W. Ellis e R. A. Jones, 1984, comunicações pessoais).

Newmarket demonstraram que o consumo de concentrado apresentou uma média de 8,15kg e o de forragem foi de 5,5kg diariamente por eqüino. O menor consumo de forrageiras no Reino Unido pode refletir a qualidade nutricional geralmente pior desse alimento conforme suprido aos eqüinos. No estudo americano, os eqüinos tinham um peso corpóreo estimado em uma média de 496kg e os do Reino Unido tinham cerca de 480kg.

Mensuração do Gasto de Energia em Manutenção e Exercício

O gasto de energia para manutenção é eventualmente expresso como calor desenvolvido em uma temperatura corpórea constante, mas o gasto para a produção supre o exercício realizado e os derivados úteis, como crescimento, leite, produtos de concepção, etc. O calor desenvolvido pode ser mensurado por *calorimetria direta*, mas os gastos de energia para manutenção e para o trabalho são mais simplesmente mensurados por *calorimetria*

978-85-7241-725-9

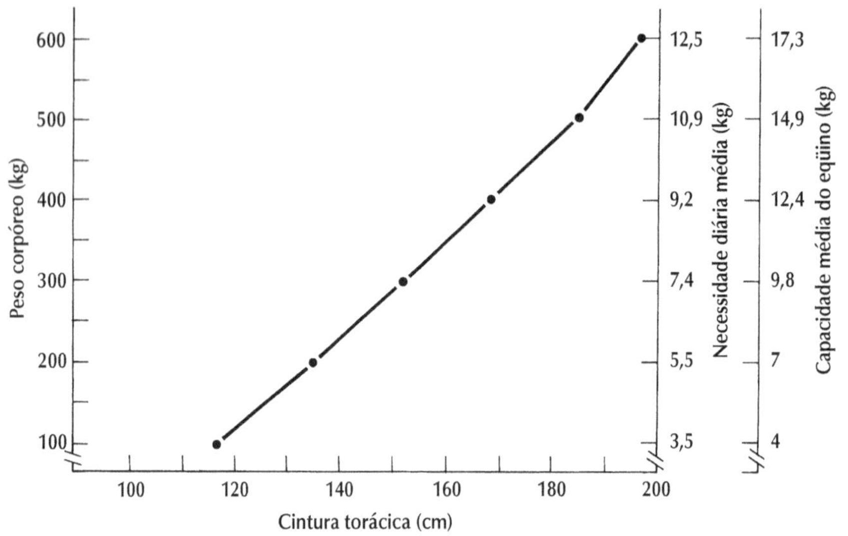

Figura 6.4 – Relação para eqüinos e pôneis entre a cintura torácica e o peso vivo médio, capacidade diária média para concentrados e forrageiras e a necessidade média de concentrados e forrageiras (12% de umidade).

978-85-7241-725-9

indireta. Esse método tem sido amplamente aplicado nas pesquisas de nutrição eqüina e assim é apropriado resumir aqui, de forma breve, as características críticas do método.

Como o Requerimento de Energia de Manutenção é Determinado?

A mensuração da atividade inerente dos órgãos e tecidos do eqüino, independentemente de exercício e outros fatores externos, é uma medida em condições basais e é chamada de mensuração da *taxa metabólica basal* (TMB). Durante essas condições, corpo está em absoluto repouso. A ação dinâmica específica dos processos digestivos está ausente e a temperatura e o movimento do ar são tais que a sudorese é mínima e o sistema nervoso simpático não é ativado para ajudar a manter a temperatura corpórea. Por motivos práticos, é mais apropriado medir o gasto de energia de manutenção quando a alimentação está adequada para permitir a manutenção do peso corpóreo, quando o movimento é aquele em estação e em passos lentos sem um cavaleiro.

Esses requerimentos de manutenção são uma função do peso corpóreo. Este precisa ser obtido pesando-se o cavalo ou estimando-o a partir de mensurações lineares conforme segue (Carroll e Huntington, 1988):

$$\text{Peso corpóreo (kg)} = \frac{\text{cintura torácica (cm)}^2 \times \text{comprimento (cm)}}{11.877}$$

Carroll e Huntington examinaram o efeito do escore corporal (máximo 5) na precisão da predição do peso corpóreo. Observaram uma diferença significativa na melhor constante (valor denominador) da equação anterior entre animais com escore de condição de:

2,5 ou menos, para os quais o denominador é de $12.265 cm^3/kg$

e aqueles para os quais o escore é:

≥ 3, para os quais o denominador é de $11.706 cm^3/kg$.

978-85-7241-725-9

Esses valores de denominador podem ser usados para substituir "11.877" para melhorar a estimativa do peso corpóreo, se o escore de condição for determinado. A idade afeta a conformação e também o denominador preferido. Wilson *et al.* (2003) deduziram uma constante de 10.080cm para eqüinos em desmame. Staniar *et al.* (2003), com um estudo cuidadoso em TB do nascimento até 17 meses, ajustaram um modelo descontínuo ligeiramente manipulado, com diferentes coeficientes. Isso deduziu volumes corpóreos V_{t+1} a partir da cernelha (C), da circunferência do carpo (Ca), do comprimento do membro dianteiro (MD) e do comprimento corpóreo (CC):

$$V_{t+1} = [(C^2CC) + (Ca^2MD)]/4\pi$$

Em que $V_{t+1} < 0{,}27 m^3$, PC (kg) = $1.093\ V_{t+1}$

Em que $V_{t+1} \geq 0{,}27\ m^3$, PC (kg) = $984\ V_{t+1} + 24$

Estimativas Iniciais das Necessidades Energéticas

Durante os anos de 1880, Müntz e Grandeau em Paris e Wolff *et al.* em Hohenheim e, durante os anos de 1930, Ehrenberg e seus colaboradores em Breslau, todos mensuraram os requerimentos de energia de eqüinos para manutenção e trabalho por meio da alimentação com rações definidas e registros das modificações no peso corpóreo. Em 1911, essas informações foram suplementadas com os experimentos respiratórios extensos de Zuntz em Berlim e de Hagemann em Bonn e, subseqüentemente, em 1931 por Fingerling em Mökkern (Klingeberg-Kraus, 2001) e por Brody (1945) no Missouri, que registrou os resultados em seu texto clássico *Bioenergetics and Growth.*

Dois Métodos Gerais de Estimativa do Calor Produzido na Manutenção

Na ausência de trabalho realizado ou outras produções úteis, por exemplo, leite ou ganho de peso, toda a atividade metabólica de manutenção resulta em calor desenvolvido. Isso é mensurado por calorimetria direta pela absorção do calor em um invólucro de água e pela coleta da umidade expirada. De forma alternativa, a calorimetria indireta requer mensurações das trocas respiratórias e da excreção urinária de N, quando as reações não forem nem endotérmicas, nem parcialmente anaeróbicas e o equivalente de energia do O_2 for conhecido.

Calorimetria Indireta

A calorimetria indireta foi usada primeiro por Lavoisier e Laplace. Baseia-se no fato de o consumo de O_2 e a produção de CO_2 estarem normalmente bem correlacionados à produção de calor, conforme ilustrado pela equação de oxidação para uma molécula de um grama, mol, de carboidrato:

$C_6H_{12}O_6 + 6CO_2 = 6CO_2 + 6H_2O + 2.837$ (kJ)
180 g 134,41 134,41 (t.p.p.)*
1L = 1dm^3 ou 10^{-3}m^3

Assim, o consumo de 6mols (6 × 22,4 = 134,4L) de O_2 na oxidação de 1mol de hexose produz 2.837kJ (ou 11 O_2 produzem a partir da oxidação do carboidrato 21,1kJ). Similarmente, com a oxidação de gorduras mistas, são gerados 19,6kJ por litro de O_2 e a partir da oxidação de proteínas mistas, 20,2kJ por litro de O_2 consumido. Como o equivalente de calor do O_2 consumido varia com a natureza do substrato oxidado, é necessário conhecer a composição da mistura combustível (carboidrato, gordura, proteína) oxidada. A quantidade de proteína oxidada é calculada a partir do N excretado, presumindo que a proteína contenha 16% de N e que todo o N urinário se origine de proteínas. Assim, proteína aproximadamente = N × 6,25.

A quantidade relativa de gordura e carboidrato oxidado é determinada a partir do quociente respiratório (QR) não protéico, isto é, mols de CO_2 produzidos para mols de O_2 consumidos. Para carboidratos é:

$$6CO_2/6O_2 = 1,00$$

O QR para gorduras mistas é de 0,71 (para gorduras de cadeia curta, o QR está mais próximo de 0,8 e para gorduras de cadeia longa, está mais próximo de 0,7) e para as proteínas mistas é de aproximadamente 0,81.

O QR não tem a relevância rigorosa indicada anteriormente, pois grandes quantidades de CO_2 são produzidas pelo trato gastrointestinal (GI) por meio da fermentação bacteriana anaeróbica e da liberação de CO_2 a partir de bicarbonatos (deve ser observado que o calor da fermentação bacteriana, como em ruminantes, pode ajudar a compensar as perdas de calor em climas frios e assim o eqüino pode evitar uma resposta de tremores na manutenção). O excesso de CO_2 pode também ser liberado em condições de acidose e excesso de ventilação e o CO_2 pode ser estocado durante a alcalose. Assim, a taxa de consumo de O_2 é a melhor medida da produção de calor. Além disso, o equivalente de energia do CO_2 tem uma variação relativamente ampla, ao passo que a variação para o O_2 é relativamente mais estreita sobre a possível variação do QR. Finalmente, o QR da proteína corresponde ao valor médio de energia de O_2, 20,2kJ/L. A partir desses argumentos, a conclusão a que se chega é que em condições normais o método prático de mensuração do metabolismo energético requer conhecimento somente da taxa do consumo de O_2, corrigida por condições padronizadas. A produção de calor é calculada ao presumir o valor de 20,2kJ/L de energia equivalente para O_2. Isso corresponde ao QR de 0,82 de acordo com a evidência da Tabela 6.1.

978-85-7241-725-9

Informação suplementar:

- Volumes molares de O_2, N_2, CO_2, CH_4, H_2 = 22,41L.
- Calor da combustão: CH_4 = 39,54kJ/L.
- H_2 = 12,76kJ/L.

* Temperatura e pressão padrões são condições que o volume de gás seco assume a 0°C e 760mm de pressão.

Tabela 6.1 – Constantes em temperatura e pressão padrões (t.p.p.) para proteína, gordura e carboidrato quando oxidados no corpo do animal (Brouwer, 1965).

	Carbono (%)	Consumido na oxidação de 1g		Liberados na oxidação de 1g			Quociente respiratório (QR)
		O_2 g	O_2 L	CO_2 g	CO_2 L	Calor kJ	
Proteína*	52	1,366	0,957	1,52	0,774	18,4	0,809
Gorduras**	76,7	2,875	2,013	2,81	1,431	39,7	0,711
Amido	44,45	1,184	0,829	1,629	0,829	17,6	1
Sacarose	42,11	1,122	0,786	1,543	0,786	16,6	1
Glicose	40	1,066	0,746	1,466	0,746	15,6	1

* A composição aproximada de proteína é: 16% de N; 52% de C; 23,8kJ/g.

** Assume-se que as gorduras contenham somente uma pequena proporção de ácidos graxos de cadeia curta.

Da Tabela 6.1. Os valores a seguir:

- Proteína (g) = 6,25 × N g.
- Carbono (C) em proteínas (g) = 3,25 N g.
- Gordura (g) = 1,304 × C g.

Usando as constantes fornecidas na Tabela 6.1, o equilíbrio de energia (E) pode ser calculado a partir do equilíbrio de C (g) e do equilíbrio de N (g):

$$E\ (kJ) = 51{,}831C - 19{,}4N$$

Produção de Calor Determinada a Partir da Mensuração das Trocas Gasosas (O_2, CO_2 e CH_4)

A produção de calor (pc kJ) a partir do volume líquido de oxigênio consumido (O l) em t.p.p., o volume de dióxido de carbono (DC l) produzido em t.p.p., a produção de metano (M l) em t.p.p. e a massa de nitrogênio na urina (N g) podem ser expressos como:

$$pc\ (kJ) = 16{,}18O + 5{,}02DC - 2{,}17M - 5{,}99N \quad (1)$$

(Inclui o dióxido de carbono ocorrendo na urina como CO_2 livre e como carbonato.)

CO_2 e O_2 são determinados no fluxo e na pressão do ar que entra e sai. A variação na concentração é CO_2: 0,39 a 1,003% e O_2: 19,981 a 20,589%. O conteúdo de carbono do alimento, das fezes e da urina é determinado. A contribuição da urina para o balanço de N é de somente cerca de 1/10 daquela das fezes, mas o coeficiente de variação percentual para urina é dez vezes maior que o das fezes (Thorbeck *et al.*, 1965) [para a determinação do calor de combustão da urina é necessário usar a urina acidificada com H_2SO_4, não em grande excesso desnecessário, na tentativa de evitar a perda do carbono, o qual precisa ser obtido na contagem (Nijkamp, 1965); o HCl não deve ser usado]. Mais ainda, nos experimentos de respiração o CO_2 quimicamente ligado precisa ser determinado para o cálculo da sua produção total.

978-85-7241-725-9

Produção de Calor Determinada a Partir da Mensuração somente das Trocas de O_2

Em experimentos nos quais o consumo de O_2 somente é determinado, a produção de calor pode ser estimada com exatidão suficiente na suposição de que o equivalente de calor do oxigênio seja de 20kJ/L. Esse equivalente de calor implica que o QR seja de 0,75 na escala de Brouwer (1965). O valor para o equivalente de calor quando o QR for 0,81 é de 20,24, mas ao redor de 20 é considerado admissível.

978-85-7241-725-9

$$pc\ (kJ) = 20O\ (L) \qquad (2)$$

CONCENTRADOS E FORRAGEIRAS

Todos os eqüinos devem receber alguma forma de forrageiras compridas, tais como gramíneas frescas, feno, ou silagem. Uma proporção disso pode ser substituída por vegetais verdes suculentos ou raízes e polpa de beterraba embebida. O feno ou a gramínea podem representar a ração total de eqüinos inativos e usualmente formam pelo menos metade da ração. Por isso, a porção de concentrados do alimento diário pode variar desde nada até 50% e somente em circunstâncias excepcionais ou nas mãos de tratadores experientes deve ser aumentada em uma proporção de três quartos da necessidade diária de alimento seco.

Os alimentos concentrados, tais como cereais, subprodutos de cereais, farelos de sementes oleaginosas e semelhantes, são tradicionalmente fornecidos por baldes, ou seja, por volume. A energia e os nutrientes que esses alimentos provêem são, é claro, muito mais intimamente associados com seu peso do que seu volume e os recipientes para alimentação devem ser calibrados para mostrar o volume ocupado por unidade de peso de cada tipo de alimento. A Tabela 5.5 (Cap. 5) contém os valores de conversão médios para cereais, apesar de que será considerado que o peso do recipiente de cereais varia de estação para estação e de cultura para cultura, de acordo com o quão bem eles cresceram. O conteúdo de energia por quilograma de cada tipo de concentrado também difere. Idealmente, por isso, os recipientes de alimentos devem ser calibrados para indicar volume, fornecendo múltiplos de 2MJ de energia digestível (ED) (ou, de forma alternativa, 1MJ energia metabolizável [EM]), para cada tipo em uso.

ENERGIA DO ALIMENTO

A energia bruta de um alimento é o calor produzido quando ele está sujeito à completa combustão em uma atmosfera de oxigênio. Obviamente, toda essa energia mensurada como calor não está disponível para o animal, porque uma porção do alimento permanece não digerida e é eliminada nas fezes. Além disso, uma quantidade relativamente desconhecida é perdida pelo eqüino como gases metano e hidrogênio, principalmente pela passagem através do ânus, mas também pela absorção para dentro do sangue e pela exalação. Dos produtos da digestão e fermentação que são absorvidos, uma proporção de aminoácidos é desaminada e o nitrogênio é incorporado na uréia. Muito disso é excretado na urina.

A energia bruta de um alimento, menos o conteúdo de energia das fezes atribuído a elas, é a energia digestível (ED). Subtraindo o conteúdo de energia dos gases dissipados combustíveis gerados e a urina excretada, tem-se a energia metabolizável (EM). Esta é o resíduo de

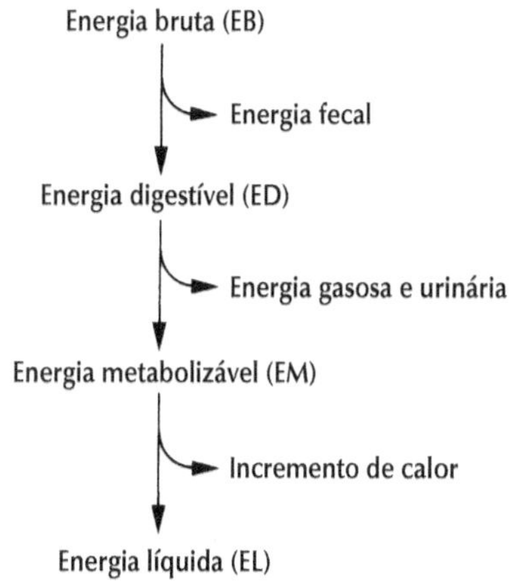

Figura 6.5 – Divisão da energia dietética.

energia alimentar que está disponível para o corpo para seus vários processos de reparo tecidual, funcionamento de órgãos, trabalho físico dos músculos esqueléticos, crescimento e produção de leite. A eficiência da utilização da EM depende da forma química precisa dos nutrientes derivados da dieta e em quais dessas funções será usada. A eficiência é mensurada tanto pela quantidade de produto útil quanto pela quantidade de calor eliminado dissipado. A EM menos esse incremento de calor atribuído ao alimento é a energia líquida (EL) (incremento de calor é o calor perdido de um animal nutrido em excesso daquele perdido por um animal em jejum). O esquema está resumido na Figura 6.5. A EL é usada para manutenção, crescimento, trabalho, reprodução, etc.

Quando as demandas de energia são grandes, os alimentos concentrados, como grãos cereais, precisam formar parte da dieta se essas demandas devem ser atingidas, simplesmente porque o eqüino pode consumir maiores quantidades de matéria seca diariamente quando os cereais são incluídos e contêm mais EM por quilograma de matéria seca. Opostamente, um eqüino sem atividade física tem requerimentos energéticos relativamente baixos, ainda que seu apetite deva ser saciado. Como o eqüino pode consumir diariamente quantidades menores por peso de alimentos fibrosos volumosos do que concentrados, então é mais provável que seu apetite seja saciado com menores quantidades de energia quando os alimentos fibrosos forem usados. Esse eqüino inativo é um animal normalmente ativo, em estábulo, que se encontra não trabalhando, descrito como tendo requerimentos de energia somente para manutenção, ou seja, causando uma modificação zero no peso corpóreo ou, mais precisamente, uma alteração zero no conteúdo de energia corpórea.

Avaliação do National Research Council (1989) das Necessidades de Manutenção de Eqüinos Adultos

Os requerimentos energéticos para manutenção para cada 100kg de peso corpóreo diminuem ligeiramente com o aumento desse peso, de forma que em relação ao tamanho corpóreo, eqüinos maiores requerem ligeiramente menos comida para a manutenção do que pôneis em condições semelhantes. Isso pode explicar o primeiro termo nas equações a seguir e, para compensar isso, pôneis podem desenvolver uma maior pança ou parecerem mais barrigudos. A relação entre o PC e os requerimentos de ED para a manutenção é demonstrada na

978-85-7241-725-9

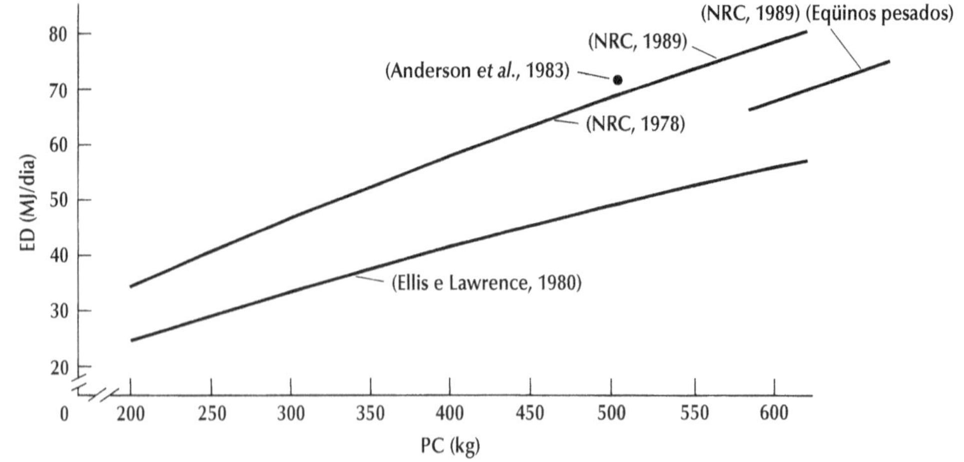

Figura 6.6 – Relação aproximada de quilogramas de peso corpóreo (PC) com os requerimentos de energia digestível (ED) diários para manutenção de acordo com quatro fontes: para PC de 600kg ou menos, ED (MJ/dia) = 5,9 + 0,13PC (NRC, 1989), para PC > 600kg, ED (MJ/dia) = 7,61 + 0,1602PC - 0,000063 $(PC)^2$ (NRC, 1989); ED (kJ/dia) = $649PC^{0,75} \cong 0,649PC^{0,75}$MJ/dia (NRC, 1978); ED (kJ/dia) = $465PC^{0,75} \cong 0,465PC^{0,75}$MJ/dia (Ellis e Lawrence, 1980). NRC = National Research Council.

Figura 6.6. Duas dessas curvas são originadas de igualdades formuladas pelo National Research Council (NRC) (1989):

$$\text{ED (MJ/dia)} = 5{,}9 + 0{,}13\text{PC} \quad (3)$$

978-85-7241-725-9

Em que PC é o peso corpóreo (kg) de um eqüino normal não trabalhando, pesando 600kg ou menos. A pesquisa no Texas Agricultural Experiment Station indicou que eqüinos de apartação, trabalhando em um ambiente quente, gastam 10 a 20% mais energia do que seria previsto (Webb *et al.*, 1990).

Pesquisadores no Texas (Potter *et al.*, 1987) observaram que o requerimento de energia de eqüinos pesados (675 a 839kg) belgas e Percheron foi 10 a 20% menor do que o previsto por Pagan e Hintz (1986a). A diferença foi atribuída à menor atividade dos eqüinos pesados e às menores taxas de aceleração e desaceleração durante o trabalho voluntário. Assim, o NRC (1989) fez um ajuste para eqüinos pesados:

$$\text{ED (MJ/dia)} = 7{,}61 + 0{,}1602\text{PC} - 0{,}000063\text{PC}^2 \quad (4)$$

Em que PC é o peso corpóreo (kg) dos eqüinos com mais de 600kg, pois, de certa forma, empenham-se em menos atividades voluntárias (explicando parcialmente o termo quadrático negativo na equação).

Necessidades de Manutenção de Eqüinos em Crescimento

Os requerimentos de manutenção diária de eqüinos em crescimento, determinados pela extrapolação das informações de crescimento para o ganho zero, foram encontrados como sendo 158kJ de ED/kg de PC e 148kJ de ED/kg de PC para eqüinos com alimentação limitada e *ad libitum*, respectivamente (Cymbaluk *et al.*, 1989a) (no mesmo estudo, 24 a 83g de ganho de PC/MJ de ED foram obtidos acima da manutenção). Isso é cerca de um quarto da eficiência de aves e suínos. Os valores de 148 a 158kJ concordam com a equação (3) para animais de 200 a 300kg de PC, mas claramente podem ser aplicados somente para animais dentro da variação de PC estudada por Cymbaluk *et al.* Eqüinos diferem individualmente em suas necessidades em todas essas médias. Eventualmente, alguns se tornam gordos quando submetidos a um regime sob o qual outros perderiam condição.

Produção de Calor e Eficiência do Uso da Energia Metabolizável

Um eqüino fora de atividade física em nível de manutenção de consumo e gasto de energia essencialmente não trabalha em seu ambiente, de forma que a EL gasta na manutenção (m) é enfim degradada em calor:

$$EM_m = EL + IC = \text{produção de calor na manutenção} \quad (5)$$

978-85-7241-725-9

Em que IC é o incremento de calor ou calor gasto. O fato de que a temperatura do corpo do eqüino seja normalmente maior do que a do ambiente, para o qual o calor está continuamente sendo perdido, é a expressão dessa situação. A exposição a climas frios ou úmidos e com ventos acelera a taxa metabólica de forma que a taxa de produção de calor acompanhe a taxa de perda de calor na tentativa de manter uma temperatura corpórea estável, ou seja, os requerimentos energéticos para a promoção da manutenção se elevam.

Inversamente, em climas quentes, em que a temperatura ambiente é maior do que a do eqüino, o calor produzido ainda precisa ser dissipado. Isso é feito principalmente pela evaporação do suor e da água dos pulmões, mas também por meio de uma elevação na temperatura corpórea. Um estresse fisiológico é induzido. Assim, em um ambiente a produção de calor é um benefício e em outros é um obstáculo. Trabalhos de pesquisa no Texas Agricultural Experiment Station (revisados por Hiney e Potter, 1986) indicaram que eqüinos de apartação, trabalhando em ambiente quente, gastaram 10 a 20% mais energia do que seria previsto pelas equações de Pagan e Hintz (1986b). Suas temperaturas retais freqüentemente atingiam 41°C e pode se assumir que, como a taxa metabólica é uma função da temperatura corpórea, isso foi uma causa do maior requerimento.

Pode a produção de calor ser manipulada para se obter uma vantagem para o eqüino? O calor gasto (CG) é uma medida da eficiência de utilização da EM do alimento e é conhecido por variar entre tipos de alimentos. Se a EL disponível representa 80% da EM (EL/EM = 0,8), então os 20% restantes são CG. Quando alimentos são selecionados para o uso, suas diferenças no CG devem idealmente ser consideradas no contexto de clima e propósito para o qual o eqüino é mantido. A necessidade dessas diferenças é a base da justificativa do sistema de energia líquida (sistema EL) francês (Institut National de la Recherche Agronomique [INRA]), discutido posteriormente neste capítulo (ver *Sistema de energia líquida*, introduzido pela França por meio do INRA, 1984, atualizado em 1990).

Algumas estimativas da provável eficiência da utilização de EM pelo eqüino estão fornecidas na Tabela 6.1 e na Figura 6.7. Os valores de eficiência (valores *k*) na Tabela 6.2 subtraídos de 1 mostram a proporção de energia perdida como calor gasto quando o alimento é usado para manutenção ou deposição de gordura. Assim, 30% da energia do feno de grama azul seriam perdidos como calor gasto por eqüinos em manutenção, ao passo que

Tabela 6.2 – Eficiência estimada da utilização pelo eqüino da energia metabolizável (EL/EM), ou *k*, para as várias fontes energéticas.

	Para manutenção* (k_m)	Para deposição de gordura (k_f)
Proteínas mistas	0,7	0,6
Feno de grama azul	0,7	0,32
Feno de alfafa	0,82	0,58
Aveia	0,83	0,68
Cevada	0,85	0,77
Gordura	0,97	0,85

* Estes valores são maiores do que aqueles para engorda, principalmente porque o uso desses nutrientes para esse propósito poupa a quebra de gordura corpórea.
EL = energia líquida.

somente 15% da EM da cevada seriam similarmente perdidos (observe que a energia utilizada é enfim degradada em calor também, mas mais feno seria requerido para manutenção). Durante o inverno, feno farto de grama azul pode ser um alimento mais apropriado do que no verão, ou do que a cevada, pois maior CG do feno pode contribuir com a manutenção da temperatura corpórea quando o clima for frio.

A partição da energia bruta (EB) de quatro alimentos é descrita em histogramas na Figura 6.7. Deve estar claro que o *k* representa, na maior parte, a eficiência da formação de glicogênio e de depósitos de gordura. A eficiência de utilização dessas fontes pelos músculos é aproximadamente de 0,35 a 0,45. O conceito de trabalho medido para corridas de galope, etc., é ilusório, pois a eficiência verdadeira pode ser mensurada somente como uma diferença na energia gasta entre exercício no nível e aquele em um gradiente, não em uma região de movimento inclinado. Quando um eqüino se movimenta em um gradiente, o trabalho é feito contra a força da gravidade, ao passo que em um movimento inclinado o eqüino não avança, permanece no mesmo nível. Porém, é conhecido que, por outras razões, um eqüino gasta mais energia correndo em uma região inclinada do que em uma horizontal na mesma velocidade. Robert *et al.* (2000) demonstraram que a atividade eletromiográfica dos músculos do membro posterior durante um trote aumentou com o declive elevado da esteira em inclinações de 0%, 3% e 6%, implicando uma carga de trabalho maior.

O valor de *k* inclui uma compensação para os custos de energia de ingestão e digestão, que é a energia gasta no ato de comer, digerir e fermentar o alimento, em adição às diferenças entre nutrientes na eficiência sistêmica de seu metabolismo na síntese de adenosina trifosfato (ATP), tecidual, leite, etc. (ver Apêndice C para cálculo de k_m de manutenção). Nota: feno quase duas vezes e meia mais duro é requerido para a manutenção do que seria requerido de cevada, assim quase 25% mais calor é produzido na manutenção em uma dieta de feno.

As costelas tanto de eqüinos em reprodução quanto dos que se encontram em atividade física não podem ser vistas, mas podem ser palpadas com pouca gordura entre elas e a pele. A aclimatização para climas frios não necessita de excessiva deposição de gordura, mas deve permitir tempo suficiente para os pêlos crescerem. Por isso, os eqüinos devem ser providos com uma proteção que os proteja de chuva, neve e o pior dos ventos. Em outras palavras, três laterais e um teto provêem proteção suficiente em todas as estações para animais adultos alimentados adequadamente (o autor manteve eqüinos dessa maneira e de forma bem sucedida em temperaturas inferiores a -30°C). Uma longa cobertura de pêlos,

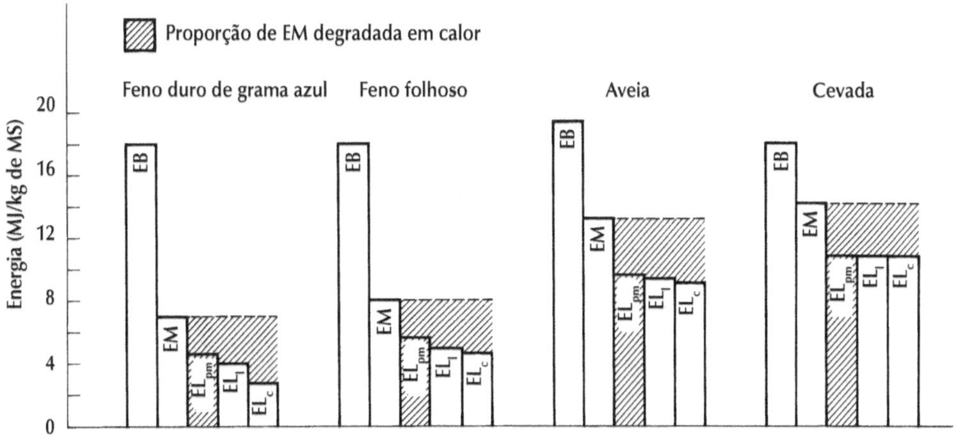

Figura 6.7 – Eficiência de utilização média estimada da energia bruta (EB) de alimentos para vários propósitos de produção: EL_{pm} = energia líquida para manutenção, ou trabalho, que pode na prática ser aproximadamente o mesmo; EL_l = energia líquida para lactação; EL_c = energia líquida para crescimento. EM = energia metabolizável; MS = matéria seca.
Eficiência de utilização da EB como fonte de EM = EM/EB = q
Eficiência da utilização da EM como fonte de EL = EL/EM = k
EL/EB = qk

se secos, e uma módica gordura subcutânea são excelentes isolantes para eqüinos recebendo uma vasta dieta de forragens, de forma que a taxa de produção de calor gasto sem tremores, uma função de (1-k), se iguala à taxa de perda de calor. Na primavera, quando os eqüinos são trazidos para dentro, o trato diário e 57 a 114g de óleo adicionado à ração a cada dia deve acelerar a muda dos pêlos do inverno.

978-85-7241-725-9

Joyce e Blaxter (1965) determinaram a perda de calor para o ambiente de ovinos, mensurando as propriedades isolantes da pele e da lã. O isolamento externo (I_E) do ovino é a resistência do calor em fluir da superfície da pele para o ambiente, dependendo particularmente da diferença de temperatura entre a pele e o ar e do comprimento da lã. Foi demonstrado que o isolamento externo do ovino está linearmente relacionado ao comprimento da lã (Joyce e Blaxter, 1965). A situação no eqüino é de certa forma semelhante. Booth *et al.* (1998) usaram a calorimetria indireta para determinar se a embebição completa da cobertura de pêlos do inverno de dois garanhões adultos pôneis Shetland de 178 e 200kg de PC com água a 5,26°C causava uma modificação na taxa de produção de calor. Foram colocados em estábulo a uma temperatura ambiente de 2 a 9,5°C em um abrigo com uma lateral aberta e receberam feno de grama azul em níveis de manutenção. A temperatura da pele diminuiu, mas não a temperatura retal, e a produção de calor não aumentou por 3h (ver Cap. 10). Na ausência de abrigos, o movimento do ar ambiente pode aumentar e assim aumentará a taxa de perda de calor.

Necessidades de Produção

As mensurações de Anderson *et al.* (1983) fornecidas na Tabela 6.3 indicam as necessidades energéticas para manutenção mais o trabalho de resistência. A Figura 6.8 fornece os requerimentos de ED de eqüinos de vários pesos na manutenção e quando submetidos à atividade física em uma variedade de intensidades, com a atividade intensa causando maior aumento na demanda de energia. O IC excessivo, ou calor gasto, em eqüinos trabalhando é

978-85-7241-725-9

Tabela 6.3 – Demandas de energia digestível (ED) para manutenção mais trabalho em declive de 90° em velocidades de resistência (135 batimentos cardíacos/min, 155m/min)[1].

Peso corpóreo (kg)[2]	400	500	600
Distância percorrida (km)	*ED por dia (MJ)*		
1	68	79	90
2	76	88	100
4	89	103	117
6	99	114	127
8	107	121	133
Apetite aproximado	108-113	125-130	140-145

[1] Com base na equação quadrática relacionando os requerimentos de energia ao peso corpóreo e ao trabalho em Quartos de Milha (Anderson *et al.*, 1981, 1983).

[2] Peso corpóreo médio de 503kg.

um estorvo e uma causa contribuinte de sudorese desnecessária, indicando um importante atributo dos alimentos concentrados, em adição àquele de atingir as elevadas demandas energéticas de animais em atividade. Essas demandas de alta produtividade, também exemplificadas pelo pico de lactação, são atingidas a partir de duas fontes principais:

1. A quebra da gordura corpórea.
2. Energia alimentar aumentada.

A informação na Tabela 6.2 demonstra que em animais em crescimento/engorda, 68% da EM do feno de grama azul e 40% da EM de proteínas mistas são perdidos como calor gasto, ao passo que somente 23% do grão de cevada e 15% da EM de gorduras são similarmente perdidos na engorda. O chamado efeito de aquecimento de cereais e de outros concentrados reflete um aumento mais rápido na glicose sangüínea e na taxa metabólica após uma grande refeição e sensação associada de vigor nas raças "de sangue quente" (ver Caps. 5 e 9). Na Figura 6.9, estão demonstradas as interações entre o IC dos alimentos, a temperatura ambiente e a produção do calor corpóreo e temperaturas críticas.

Distribuição da Energia Alimentar

O exame visual do alimento nada revela sobre seu conteúdo de EM, mas o alimento pode ser pesado. Felizmente, o conteúdo de energia bruta (EB) da maioria dos alimentos eqüinos está imediatamente acima de 18MJ/kg de matéria seca (MS). Essa afirmação não é verdade para alimentos contendo muito mais do que 80g de cinzas/kg ou 35g de óleo/kg. Por exemplo, aveias na média podem conter 45g de óleo e 19,4MJ de EB/kg de MS. A Figura 6.7 demonstra como a EB das amostras de quatro diferentes alimentos poderia ser usada para crescimento ou trabalhos prolongados intensos e as informações fornecem uma comparação relevante e objetiva das forragens com cereais. O coeficiente q representa a eficiência aproximada pela qual a EB de cada alimento é usada como fonte de EM e como o coeficiente k representa a eficiência pela qual essa EM é usada para funções de manutenção, crescimento, etc., $q \times k$ = EL/EB, ou a eficiência total de utilização de 18MJ para a função produtiva.

Observe que $q \times k$ do feno duro de grama azul para o crescimento (principalmente deposição de gordura) é de 0,12, ao passo que o equivalente para cevada é de 0,59, um

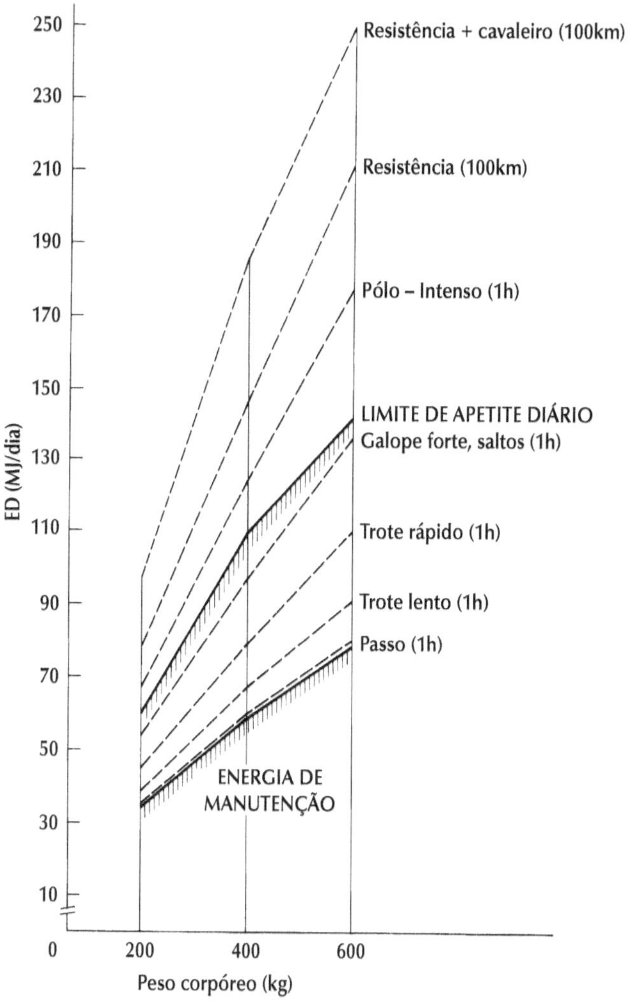

Figura 6.8 – Demandas de energia digestível (ED) de manutenção e trabalho diários em elevação constante em relação ao apetite dos eqüinos de três pesos corpóreos (efeito de um cavaleiro de 67kg em eqüinos de 400 e 600kg e de um cavaleiro de 33kg em um eqüino de 200kg prestados somente para provas de resistência).

978-85-7241-725-9

valor 4,9 × 0,12. A EL no feno de grama azul para o crescimento e provavelmente para trabalhos prolongados é somente um quarto daquela encontrada em dois cereais, apesar de uma similaridade em suas EB. Em termos de energia, que é MJ/kg de alimento, as perdas na utilização da EM a partir de feno e cereais não são muito diferentes (ver Fig. 6.7), mas os valores de *k* são (Fig. 6.10), porque os valores de EM (MJ/kg) diferem amplamente.

É reconhecido que as forragens são requeridas por eqüinos e pôneis, particularmente em uma forma comprida, na tentativa de manter a saúde metabólica geral e uma sensação de bem-estar. Porém, existem lições a serem aprendidas dos cálculos anteriores? Primeiro, forrageiras de baixa qualidade podem ser uma compra cara se formarem a parte principal da ração de animais em crescimento ou em trabalho intenso. Segundo, animais em atividades

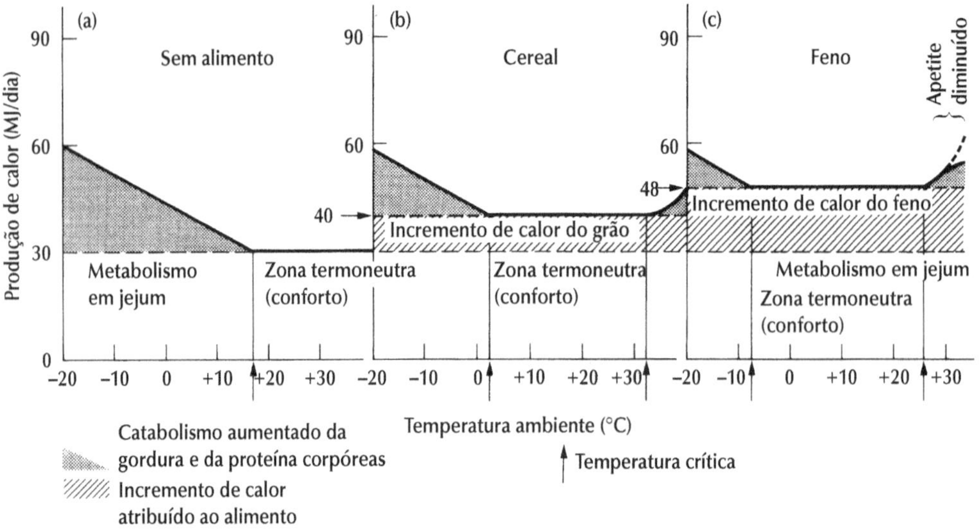

Figura 6.9 – Interações entre o incremento de calor dos alimentos, a temperatura ambiente, a produção de calor e a temperatura crítica. As informações são aproximadas; assumem movimento mínimo de ar e não são baseadas em experimentos diretos. (*a*) Eqüinos em jejum (também com ligeiramente menos gordura subcutânea); (*b*) eqüino alimentado com 3,5 a 4kg de grãos provendo 40MJ de energia metabolizável (EM) e 30MJ de energia líquida (EL) (nível de manutenção); (*c*) eqüino alimentado com 5 a 6kg de feno provendo 48MJ de EM e 30MJ de EL (nível de manutenção).

intensas podem perder condição se forrageiras de baixa qualidade formarem uma porção principal em suas dietas. Finalmente, eqüinos inativos podem acumular gordura indesejável se muito cereal for incluído em sua dieta.

A informação disponível sobre o conteúdo de EM de alimentos para eqüinos e sobre sua EL para as várias funções é limitada (mas valores estimados para a manutenção são providos pelo INRA e informações selecionadas são fornecidas no Apêndice C, expressos como *unité fourragère cheval* (UFC"), unidades de alimentos para eqüinos). A grande diferença na eficiência da utilização de ED para atividade produtiva entre forrageiras e alimentos concentrados levou Martin-Rosset *et al.* (1994) a desenvolverem o sistema EL da UFC" (ver *Sistema de energia líquida,* adiante, introduzido na França pelo INRA, 1984, atualizado em 1990). Para uso adequado do sistema de energia digestível (sistema ED), é necessário seguir certas regras (ver *Formulação de ração usando os sistemas de energia digestível líquida*, adiante) e usar as informações de ED providas no Apêndice C.

ENERGIA DIGESTÍVEL, REQUERIMENTOS DE PROTEÍNAS E MINERAIS COM BASE NAS RECOMENDAÇÕES DO NATIONAL RESEARCH COUNCIL

Reprodução e Lactação

Os requerimentos dietéticos da égua em reprodução podem ser arbitrariamente divididos para:

978-85-7241-725-9

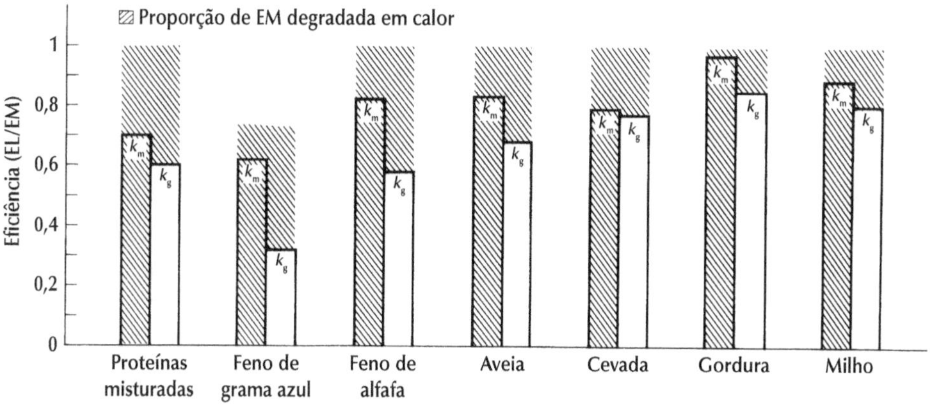

Figura 6.10 – Eficiência estimada da utilização de energia metabolizável (EM) (energia líquida [EL]/EM), ou *k*, para várias fontes de energia: k_m = EL/EM para manutenção; k_g = EL/EM para deposição de gordura (posterior crescimento) (os valores de manutenção são maiores do que aqueles para engorda, principalmente porque a quebra da gordura corpórea é poupada pelo uso desses alimentos na manutenção).

978-85-7241-725-9

1. Os primeiros oito meses de gestação.
2. Os últimos três meses de gestação.
3. Lactação (esta pode coincidir com 0 a 4 meses de gestação).

A duração da gestação para a maioria dos TB está em um intervalo de 335 a 345 dias e para outras raças entre 322 a 345 dias. Lactações de 110 a 130 dias são típicas de vários sistemas de criação, apesar da égua não gestante produzir leite por um tempo muito maior se lhe for dada a oportunidade.

Energia

Os primeiros oito meses de gestação não têm impacto prático nas necessidades nutricionais – ou seja, não elevam os requerimentos acima daqueles da égua infértil, nem aumentam os requerimentos já altos da égua em lactação. Assim, após o desmame, esses requerimentos de energia da égua se aproximam daqueles de manutenção até os oito meses de gestação se completarem. A maioria do crescimento fetal ocorre durante os últimos 90 dias de gestação. Mesmo assim, o desvio de nutrientes imposto então para manter o crescimento normal de feto e placenta é muito menor que o da lactação. O conteúdo aproximado de energia do feto e os outros produtos da concepção a termo, comparado com o conteúdo de energia do leite da égua em uma lactação de quatro meses, está fornecido na Tabela 6.4. Ao assumir que todo o crescimento fetal ocorre durante os últimos 90 dias, a ED aproximada requerida diariamente acima da manutenção para atingir essas necessidades pode então ser calculada (Tabela 6.5) para comparação com as demandas muito maiores da produção de leite.

Como o feto ocupa uma proporção grande da cavidade abdominal da égua, sua capacidade para alimentos volumosos declina durante o período em que os requerimentos de nutrientes aumentam. Isso pode corresponder a um aumento na qualidade da pastagem (ver Cap. 10), mas se as éguas recebem feno e concentrados a qualidade da forrageira deve ser melhorada durante os últimos três meses de gestação. Os requerimentos de energia e nutrientes da égua

Tabela 6.4 – Conteúdo de energia aproximada do feto e outros produtos da concepção a termo comparado com o conteúdo de energia do leite da égua durante quatro meses de lactação.

Peso da égua (kg)	200	400	500	600
Produtos da concepção a termo (MJ)	110	200	240	270
Lactação de 17 semanas (MJ)	1.700	2.840	3.400	3.900

978-85-7241-725-9

em reprodução (Tabela 6.6) aumentam do período (1) para o (2) e do (2) para o (3) do ciclo fornecido anteriormente [observe que se a égua estiver em lactação durante parte do período (1) seus requerimentos então excederão aqueles do período (2)]. Porém, os valores são médias e as quantidades de alimentos e, portanto, de ED fornecidos para éguas gestantes individualmente devem ser ajustados para evitar tanto a obesidade quanto a condição ruim (ver Cap. 7).

Durante o 11º mês, o requerimento de ED é equivalente a uma mistura 0,33:0,66 de aveia e feno de quase 10kg diários. Parte da demanda no 11º mês é para sustentar o desenvolvimento do úbere. Na média, esses valores diferem pouco das recomendações de taxas basais da Tabela 6.6. Estudos de alimentação não estabeleceram se o peso ao nascimento do potro é geralmente influenciado pelos desvios daquelas taxas.

Uma investigação (Goater *et al.*, 1981) demonstrou um aumento de 1,5kg no peso ao nascimento e de 0,24kg no ganho de peso diário durante os primeiros 30 dias de vida como resultado do fornecimento à égua com 120% das taxas de gestação do NRC (1978). Outros experimentos, nos quais éguas Quarto de Milha e TB tiveram restrição de 55% e éguas árabes de 85% das taxas, causaram a perda de peso das éguas gestantes sem afetar o peso ao nascimento do potro em comparação com as éguas que receberam as taxas recomendadas. Claramente, as éguas sadias possuíam a capacidade de se adaptarem sem o potro incorrer em qualquer desvantagem significativa.

Proteínas e Minerais

Os nutrientes mais críticos para éguas em reprodução recebendo alimentos tradicionais são proteínas, Ca e P. Éguas mantidas durante os últimos 90 dias de gestação inteiramente em pastos de qualidade razoavelmente boa ou com forragens conservadas de boa qualidade contendo 30 a 40% de trevo folhoso, alfafa ou esparzeta não requerem outra fonte de Ca e, se a forragem contiver 10% de proteína por unidade de matéria seca, nenhum suplemento protéico.

Um aumento na demanda fisiológica de Ca causa uma diminuição nas concentrações séricas de Ca total e Ca ionizado e um estímulo para a secreção de paratormônio (PTH). Isso ocorre em éguas periparturientes durante a secreção mamária de Ca, quando o Ca total sérico demonstrou diminuir de 3,1 para 2,7mmol/L (12,5 a 11mg/dL) (Martin *et al.*, 1996a).

Tabela 6.5 – Energia digestível (ED) requerida diariamente para atingir as necessidades de crescimento fetal e lactação, mas excluindo os requerimentos de manutenção de energia da égua.

Peso da égua* (kg)	400	500
Produtos da concepção a termo (MJ)	5	6
Produção média de leite (MJ)	40	50

* O peso da égua deve aumentar em 15% durante a gestação, de forma que seus requerimentos de manutenção aumentam proporcionalmente.

978-85-7241-725-9

Tabela 6.6 – Requerimentos diários de energia digestível (ED) de eqüinos para várias funções e quantidades de feno e concentrados necessárias para prover a energia (com base nas recomendações do National Research Council, 1989).

Peso corpóreo (PC) adulto	200kg			400kg			500kg			600kg		
	ED (MJ)	Feno[1] (kg)	Mistura de concentrados[2] (kg)	ED (MJ)	Feno[1] (kg)	Mistura de concentrados[2] (kg)	ED (MJ)	Feno[1] (kg)	Mistura de concentrados[2] (kg)	ED (MJ)	Feno[1] (kg)	Mistura de concentrados[2] (kg)
Manutenção de eqüino adulto[3]	31	3,8	–	56,1	6,8	–	68,6	8,4	–	81,2	9,9	–
Éguas: últimos 90 dias de gestação	35,6	2,9	1,1	64,9	5,1	2	79,5	6,1	2,6	94,5	7,6	2,8
Éguas em lactação: primeiros 3 meses	64 (12)[4]	2,6	3,8	101,2 (18)[4]	4,7	5,5	122,2 (21)[4]	6	6,4	141 (23)[4]	7,2	7,2
Éguas em lactação: 3 meses até o desmame	51	3,4	2	82,4	5,9	3	102	7,5	3,6	120,9	8,7	4,3
Garanhão:												
reprodução	38,9	2,2	1,9	70,3	3,4	3,7	85,8	4,3	4,4	101,7	5,2	5,2
não reprodução	35	2,8	1,1	62	4,7	2	75	5,8	2,4	89	6,9	2,9
Desmame (6 meses de idade)	35	1	2,4	57,3	1,8	3,7	67,4	2,2	4,3	75,7	2,3	5
12 meses de idade (*yearling*)	39,7	2,2	1,9	68,2	3,6	3,4	84,1	4,4	4,2	100	5,1	5,1
18 meses de idade (*long yearling*)	37,5	3,1	1,1	69	5	2,5	87,9	6,2	3,2	104,6	7,5	3,8
Dois anos de idade:												
excluindo trabalho	33	2,7	1	64	4,6	2,3	78,7	5,8	2,8	98,3	6,9	3,7
manutenção mais 1h de trabalho moderado	47,7	2,5	2,4	90	4,6	4,6	110,1	4,8	6,2	135,1	5,3	8

[1] Feno contendo 8,2MJ de ED/kg e 88% de matéria seca (MS).

[2] Mistura de concentrados contendo 11,4MJ de ED/kg e 88% de MS. Quantidades de concentrado de até 1,5% de PC diariamente podem ser fornecidas se um mínimo de requerimento de forrageiras de 1kg/100kg de PC for provido.

[3] 2,3kg de alimento extra diariamente devem produzir 0,5 a 0,6kg de ganho.

[4] Pico presumido diário de produção de leite (kg).

A evidência indicou que o requerimento dietético das éguas com média de 510kg de PC no final da gestação foi mais próximo de 5,5g de Ca/kg de MS dietética (45g de Ca/dia) do que 3,5g de Ca/kg de MS quando o Ca foi originado de pastos de trevo-capim do campo e concentrados, um terço do Ca diário sendo originado do capim. Os requerimentos de P, porém, somam 3g/kg (0,3%) da dieta seca total. Isso seria provido por um bom pasto (ver Tabela 10.2, Cap. 10), mas como fenos de gramíneas e leguminosas fornecidos aos eqüinos no Reino Unido normalmente contêm menos do que 2g/kg (0,2%), um suplemento de fosfato dicálcico, ou farelo de trigo, será requerido. A discrepância seria atingida diariamente com um suplemento de 60g de fosfato dicálcico ou 1,5kg de farelo para eqüinos e 40g ou 1kg para pôneis, respectivamente. Se os fenos de gramíneas forem usados, como assumido na Tabela 6.6, proteínas suplementares serão requeridas. Se o feno contiver 7% da proteína e constituir 70% da dieta, embora a dieta como um todo deva conter 10% de proteína, então o concentrado precisa conter 16 a 17% de proteínas (o Apêndice A demonstra o tipo de cálculo necessário). Esse é o nível encontrado na maioria dos grânulos comercialmente preparados, que também devem prover o P necessário, as vitaminas e os oligoelementos minerais.

Pasto abundante de boa qualidade atingirá as necessidades de energia, proteína, Ca e P da lactação, mesmo que o mínimo de requerimento de proteína na dieta tenha aumentado para 125g/kg de alimento seco (12,5%). As respostas na produção de leite foram obtidas de éguas Quarto de Milha recebendo alimentos mistos contendo até 170g de proteína/kg. Porém, as proteínas de gramíneas e trevos são de alta qualidade e é improvável que respostas econômicas sejam obtidas elevando-se o nível de proteína da dieta de pastos de primavera. Se a densidade do rebanho for alta, ou o pasto de boa qualidade for moderadamente limitado, a suplementação pode ser provida por meio de grânulos de pôneis de proteína inferior (ver Tabela 7.1, Cap. 7), ou uma mistura desses com cereais. Se o pasto for mais escasso, um grânulo ou uma mistura equivalente contendo 16 a 17% de proteína devem ser fornecidos para as éguas em lactação. Qualquer forrageira conservada que for provida deve ser feno folhoso contendo uma mistura de trevo e gramínea, ou ser uma silagem pré-seca e bem conservada. No Reino Unido, tipicamente, os fenos de gramíneas de qualidade somente moderada são fornecidos quando o pasto está limitado. Contêm somente 40 a 80g de proteína bruta/kg e assim atingem as necessidades imediatas.

É improvável que ocorra a sobrecarga de alimentação de éguas em lactação com forrageiras, exceto que grandes quantidades de forrageiras ruins limitariam sua capacidade de receberem concentrados, causando uma diminuição na produção de leite. Quando fenos típicos de gramíneas são fornecidos, uma produção leiteira satisfatória é obtida somente se pelo menos 50% do alimento seco for provido como grânulo para o rebanho ou equivalente mistura protéica de 16 a 17%. Essa mistura pode ser baseada em aveias e cevada ou farelo de soja, ou um equivalente de concentrado protéico patenteado contendo 440g de proteína/kg. As éguas devem requerer 1,75kg de soja diariamente (12 a 14% do total de feno de gramíneas e ração com base em cereais). A razão pela qual uma mistura protéica de 16 a 17% é suficiente para eqüinos em lactação, assim como para o final da gestação, além de um maior requerimento protéico na lactação, é que as misturas formam mais da metade da ração na lactação para atingirem as maiores necessidades energéticas, ao passo que formam somente 30% da dieta pré-parto. A composição de aminoácidos do leite está fornecida no Capítulo 7, em *Lactação*, da qual Wickens *et al.* (2002) calcularam os requerimentos de aminoácidos, assumindo uma digestibilidade de 65%. Para uma lactação típica, esses requerimentos são aproxima-

978-85-7241-725-9

damente três vezes aquele de manutenção. A proteína do leite é mais rica em leucina, isoleucina, treonina e valina quando comparada com a proteína do músculo esquelético; e a partir da composição muscular, os autores calcularam o requerimento de manutenção para cada aminoácido. Porém, esses cálculos assumem disponibilidade e eficiências musculares de *turnover* similares para cada aminoácido, suposições provavelmente não justificadas.

Essa dieta de feno de gramíneas, cereais e soja precisa ser suplementada com uma mistura de minerais composta de 35g de fosfato dicálcico, 65g de calcário e 70g de cloreto de sódio, quando o consumo diário total de alimentos secos for de 14kg; proporcionalmente menos será requerido para rações menores. Uma mistura comercial de oligoelementos minerais e vitaminas deve também ser fornecida. A última deve incluir vitamina A para eqüinos sem acesso ao pasto. Se grandes quantidades de silagem ou silagem pré-seca forem usadas, vitaminas D e E suplementares também serão necessárias em níveis diários de 7.000UI e 250mg, respectivamente. Apesar do conteúdo de oligoelementos minerais do leite da égua (ver *Oligoelementos minerais*, Cap. 3), e por isso a adequação da dieta do potro, ser afetado pela suplementação da dieta da mãe, uma deficiência de água, energia, proteína, Ca ou P levará enfim a uma diminuição na produção de leite, sem alterar sua composição.

Crescimento do Potro

Conforme os eqüinos crescem, não aumentam simplesmente de peso e tamanho, mas também desencadeiam o que é chamado de desenvolvimento. Vários tecidos e órgãos do corpo crescem em diferentes velocidades. Em proporção ao tamanho corpóreo, a taxa de ganho de peso do corpo como um todo, se permitido pelo fornecimento de alimento, é muito maior nos mais jovens do que nos animais mais velhos. De fato, do período de amamentação em diante, a taxa de ganho para cada 100kg de PC declina continuamente, mas a taxa de crescimento dos ossos longos e músculos declina em uma velocidade ainda mais rápida. Uma proporção progressiva de ganho constitui gordura, a qual tem demandas muito maiores de energia alimentar. Essas tendências são fundamentais para uma formulação de requerimentos para proteínas, Ca e P em particular, que declinam de forma razoavelmente rápida como uma proporção na dieta total com o avançar da idade de potros e animais de 12 meses (ver Tabela 3.3, Cap. 3 e Tabela 6.7). Detalhes adicionais do crescimento da égua em reprodução e a forma em que devemos direcioná-lo são fornecidos nos Capítulos 7 e 8.

FORMULAÇÃO DE RAÇÃO USANDO OS SISTEMAS DE ENERGIA DIGESTÍVEL E LÍQUIDA

Ambos os sistemas ED e EL requerem o acúmulo de dois grupos de informações:

1. Conteúdo de nutrientes dos alimentos (Apêndice C).
2. Requerimentos de nutrientes dos eqüinos descritos nos *mesmos* termos conforme a alimentação (ver Tabela 6.6 para ED).

978-85-7241-725-9

Esses dois assuntos são abordados no texto e nas tabelas.

Necessidades Energéticas

O princípio que tem sido adotado no cálculo dos requerimentos diários para vários nutrientes é assumir que as necessidades de várias funções do eqüino são aditivas, isto é, um sistema

Tabela 6.7 – Concentração de nutrientes nas dietas para eqüinos e pôneis expressas em uma base de 90% de matéria seca (MS) (com base no National Research Council, 1989).

	Proteína bruta (g/kg)	Ca (g/kg)	P (g/kg)
Eqüinos e pôneis adultos para manutenção	72	3,2	2
Égua, últimos 90 dias de gestação	94	5,5	3
Égua em lactação, primeiros 3 meses	120	5,5	3
Éguas em lactação, 3 meses ao desmame	100	4	2,5
Alimento no cocho	160	8	5,5
Potro (3 meses de idade)	160	8	5,5
Desmame (6 meses de idade)	135	6	4,5
12 meses de idade (*yearling*)	115	5	3,5
18 meses de idade (*long yearling*)	105	4	3
Dois anos de idade, treinamento leve	95	4	2
Eqüinos adultos em atividade física, trabalho leve a intenso	95	3,2	2

fatorial foi usado, os fatores ou funções sendo manutenção, trabalho, crescimento, reprodução, etc. Essa abordagem não é precisamente apoiada por evidências biológicas, mas é a mais simples e os valores (coeficientes) podem ser modificados e os fatores aumentados conforme novas informações surgirem, ou conforme as atividades dos eqüinos forem estendidas. As necessidades energéticas diárias para:

978-85-7241-725-9

- Manutenção (m): são uma função do PC.
- Trabalho (t): função do PC, intensidade (I) e tempo (T) gasto.
- Crescimento (c): função do ganho de peso (GP) e PC relativo ao tamanho adulto.
- Gestação (g): função do PC da égua e estágio da gestação (E_g).
- Lactação (l): função do estágio da lactação (E_l) e produção por dia (P).

O arraçoamento (kg de alimento por dia) se baseia nas necessidades de energia e, no caso de uma égua gestante em lactação, os requerimentos de energia podem ser resumidos a partir de:

$$M\ (PC) + g\ (PC \times E_g) + l\ (E_l + P) = \text{necessidades energéticas (MJ/dia)} \qquad (6)$$

Quando divididas pelo conteúdo de energia do alimento (para aquele sistema de energia), fornecem o kg de alimento por dia. De forma alternativa, o apetite (definido como kg de alimento por dia) deve ser estimulado e então a densidade energética requerida da dieta calculada a partir de:

necessidades (MJ)/apetite (kg) = MJ/kg de dieta

As proporções de forrageiras e concentrados são então calculadas:

$$\text{MJ/kg de dieta} = x\ (\text{MJ/kg de forrageira}) + (1\text{-}x)\ (\text{MJ/kg de concentrado}) \qquad (7)$$

Em que x é a fração dietética ou proporção (tipicamente 0,6 a 0,7) de forrageiras e o remanescente da dieta (1-x) é de concentrados (por isso, tipicamente 0,4 a 0,3), ignorando a água. Isso fornece as proporções de forrageiras e concentrados, formando o apetite total (kg/dia).

Tabela 6.8 – Demandas de energia digestível (ED) de manutenção e trabalho em pista plana (com base no National Research Council, 1989).

Peso corpóreo (kg)	200	400	600
Capacidade aproximada de alimentação por dia (MJ de ED)	60	100	150
Requerimento de manutenção por dia (MJ de ED)	31	56	81
	Requerimentos energéticos para o trabalho acima da manutenção (MJ de ED)*		
Passo (1h)	0,4	0,8	1,3
Trote lento, um pouco de meio galope (1h)	4,2	8,4	12,5
Trote rápido, meio galope, algum salto (1h)	10,5	20,9	31,4
Meio galope, galope, saltos (1h)	25	50	75
Esforços extremos, corridas, pólo (1h)	36	72	108
Trote lento, um pouco de meio galope (10,4h, 100km) calculado a partir de cima	43,5	87	130,5

* 1kg de concentrado provê cerca de 12MJ de ED.

978-85-7241-725-9

A formulação de uma ração requer estimativas de:

1. Consumo de alimento seco diário total.
2. Conteúdo de energia dos alimentos.
3. Requerimentos energéticos diários (sistema ED, ver Tabelas 6.6 e 6.8).

Os dois sistemas de energia propostos para uso, suprindo a informação de (2) e (3), são o sistema de ED do NRC e o sistema de EL do INRA. A justificativa de cada um é:

- ED – a digestibilidade é o fator mais potente que segrega os alimentos, que por outro lado têm valores de EB similares.
- EL – forrageiras e concentrados podem ser claramente segregados de acordo com as eficiências (*k*) pelas quais a EM é utilizada para manutenção e propósitos produtivos.

Nota: os valores $q \times k$ irão diferir de certa forma de acordo com a função do eqüino, a manutenção, a engorda, a secreção de leite, etc., mas para simplificar a aplicação o sistema INRA assume que as eficiências (*k*) de EM para manutenção se aplicam a todas as funções. Mais ainda, os requerimentos de energia para o crescimento explicam somente 20% dos requerimentos energéticos totais do animal em crescimento (Vermorel e Martin-Rosset, 1997). Os 80% remanescentes são consumidos na manutenção. Na análise final, o valor prático de cada sistema depende de maneira importante da confiabilidade do seu sistema de avaliação alimentar (Apêndice C). Definições nutricionais específicas são ilusórias para forrageiras e alimentos suculentos. Todavia, o valor relativo dos dois sistemas na prática dependerá do desenvolvimento dessa avaliação.

Sistema de Energia Digestível

A ED requerida em MJ/dia dividida pelo consumo de alimento seco em kg/dia fornece MJ de ED por kg de alimento seco necessário. O conteúdo de ED de forrageiras e concentrados está fornecido no Apêndice C e suas proporções dietéticas requeridas podem então ser

Tabela 6.9 – Efeito de variações de densidades de energia requeridas (MJ de ED/kg de alimento liofilizado) no conteúdo de cereais da ração diária quando fenos de dois conteúdos energéticos estão disponíveis.

Densidade energética da ração requerida	Aveia (%)		Cevada (%)	
	7,2[1]	7,8[1,2]	7,2[1]	7,8[1,2]
7,5	7	0	5	0
8	19	5	14	4
8,5	30	19	23	14
9	42	32	32	24
9,5	54	46	41	34
10	65	60	50	44
10,5	77	73	59	54
11	88	86	68	64

[1] Conteúdo de energia do feno (MJ de ED/kg): 7,2MJ/kg, qualidade média; 7,8MJ/kg, qualidade boa.

[2] Pode-se supor que o feno contenha 86% de MS e se a silagem pré-seca de 45% de MS for usada, pode ser substituída pelo feno de 7,8MJ de ED em proporções de 1,8 a 1,9kg de silagem pré-seca para cada 1kg de feno. De forma semelhante, 1,6 a 1,7kg de silagem pré-seca de 50% de MS poderiam ser usados.

ED = energia digestível; MS = matéria seca.

grosseiramente calculadas com a equação (7) anterior, exemplos fornecidos no Apêndice A. A equação (7) foi usada para originar as proporções na Tabela 6.9. Quanto maior a intensidade da atividade física, maior a proporção dos cereais requeridos. Conforme aumenta a velocidade do cavalo, a energia gasta aumenta abruptamente em questão de horas (ver Tabela 6.8). Assim, os tipos de problemas encontrados podem ser bem diferentes em eqüinos sob atividade física extenuante em comparação com aqueles solicitados a responderem de forma mais ociosa. Além disso, comparados a pôneis, eqüinos grandes tendem a requerer uma proporção maior de concentrados na ração quando ambos estão sujeitos a trabalho pesado.

As recomendações nas Tabelas 6.6 e 6.9 têm a probabilidade de estarem erradas, de certa forma, nos casos em que as densidades energéticas baixas forem requeridas por eqüinos em atividade. Naquelas situações, os requerimentos energéticos de alimentos têm mais probabilidade de serem subestimados e assim o sistema francês de EL é discutido a seguir.

Sistema de Energia Líquida

O sistema EL foi introduzido na França pelo INRA em 1984 e foi atualizado em 1990.

Energia

O sistema EL primeiro provê o conteúdo de EL dos alimentos para manutenção. Os valores dos alimentos nesse esquema são expressos em unidades de alimentos para eqüinos, sem unidade métrica (UFC"), isto é, relativo a um valor de referência de 1 para cevada, em que 1kg de cevada padrão tem um valor de EL de 9,414MJ (assumindo que a cevada contenha 140g de umidade/kg). Assim:

$$1\text{UFC''} = 9{,}414\text{MJ de EL} \qquad (8)$$

978-85-7241-725-9

Nas Tabelas do INRA e no Apêndice C, UFC" são fornecidas por quilograma de MS, de forma que os valores de UFC" são: cevada 1,16, milho 1,33, etc. (isto é, cada valor determinado de UFC" é dividido pelo seu conteúdo fracionado de MS). Para a cevada, com 86% de MS, o valor é 1/0,86 = 1,16.

978-85-7241-725-9

Valor Energético do Alimento

O conteúdo de EL dos alimentos para *manutenção* é calculado a partir de seu conteúdo de EM e os coeficientes de suas respectivas eficiências de utilização para manutenção:

$$EL = EB \times dE \times EM/ED \times k_m \quad (9)$$

Em que dE é a digestibilidade calculada a partir da digestibilidade da matéria orgânica (MO) e k_m é a EL/EM para manutenção.

A UFC" de um alimento é seu valor de EL relativo àquele da cevada padrão:

UFC" = (EM.k_m)/9,414 (como para equação 8)

Em que a EL da cevada é 9,414MJ/kg e a EM está em unidades de MJ/kg (UFC" não tem unidade de medida).

A manutenção foi escolhida por representar 50 a 90% do gasto de energia dos eqüinos e os valores alimentares de EL para manutenção são considerados pelo INRA como equivalentes àqueles para atividade física, ou trabalho, uma função comum eqüina (isto é, $k_m \cong k_t$). A EL para manutenção e atividade é gasta principalmente na síntese de ATP. Ao usar o sistema, devem-se aplicar os valores do INRA *e* de requerimento.

Os valores de UFC" foram escolhidos como base da formulação alimentar por duas razões principais: primeiro, são aproximadamente aditivos, isto é, combinações diferentes de alimentos produzindo o mesmo UFC" total devem ter o mesmo efeito produtivo, ou o valor de UFC" de um alimento não é influenciado por outros alimentos com os quais possa ser combinado. Martin-Rosset e Dulphy (1987) demonstraram que, no eqüino, a digestibilidade do alimento também não foi influenciada pelo nível de alimentação e que a digestibilidade da forragem não foi afetada pela adição de concentrados à ração, ao contrário dos efeitos em ovinos (a variável que foi mais influenciada na discriminação dos alimentos é a dE, a qual é considerada nos sistemas de alimentação ED e EL).

A segunda, e mais importante, razão para a seleção da EL é que o k_m desenha uma clara distinção entre os valores produtivos de forrageiras e concentrados. Os custos de energia de mastigação e propulsão da digesta através do trato GI e o aquecimento da fermentação das forrageiras no trato intestinal posterior são maiores do que o aquecimento pela ingestão e digestão de amido. Além disso, a eficiência de utilização dos ácidos graxos voláteis (AGV) derivados da fermentação das forragens é menor do que a eficiência do metabolismo da glicose a partir do amido. Esses custos e eficiências afetam o valor de k_m. Em outras palavras, a formulação de alimentos mistos a partir dos valores de ED de seus ingredientes constituintes, com o objetivo de originar uma variedade de misturas com os mesmos valores energéticos produtivos, exagera o valor das forragens.

O valor de k_m da cevada padrão é 0,79 e o de um feno de gramínea médio é 0,62. As seguintes comparações (Tabela 6.10) entre concentrados e forrageiras com base na MS

Tabela 6.10 – Comparação dos valores de energia digestível (ED) e energia líquida (EL) para concentrados (C) e forrageiras (F) por unidade de matéria seca (MS).

	ED (MJ/kg)	UFC"
Cevada (C)	15,2	1,163
Milho (C)	16,1	1,35
Aveia (C)	13,4	1,01
Silagem de milho (F)	11,2	0,88
Feno de gramíneas (F)	7,3	0,53
Palha de cevada (F)	6,8	0,28
Razão F/C	0,566	0,48

UFC" = *unité fourragère cheval.*

978-85-7241-725-9

exemplificarão a questão. As razões das médias indicam que, em relação aos valores concentrados, o sistema ED supervaloriza essas forrageiras em 15% para propósitos produtivos. Porém, os grandes efeitos ocorrem somente com materiais no extremo, isto é, palha de milho e cevada, caso contrário, a tendência introduzida pelo sistema ED (ingestão somente) é pequena (Tabela 6.11). O INRA forneceu informações para sustentar a adoção do sistema UFC" e as conclusões por eles delineadas estão de acordo com as propostas evidenciadas por Frape e Tuck (1977).

Custos de Energia de Alimentação

Mastigação, ingestão e digestão do alimento envolvem atividade muscular. Além disso, existe um aumento, acima da taxa de jejum, na taxa metabólica geral. Vernet *et al.* (1995), usando calorimetria indireta nas câmaras respiratórias, mensuraram a energia gasta por eqüinos de esporte durante a ingestão de alimentos de diferentes tipos. Esses alimentos foram mensurados ao nível de 1,26 vezes o requerimento de energia na manutenção, quando as demandas energéticas de manutenção foram aumentadas em uma média de 38,8% durante a alimentação com farelo misto e a produção de calor (manutenção) aumentou em 75 a 95% durante uma refeição de palha ou feno (Vermorel e Martin-Rosset, 1997). Para alimentos únicos, os custos de energia de alimentação por kg de MS consumida são fornecidos na Tabela 6.11.

O custo energético da alimentação é principalmente explicado pela energia gasta na mastigação. Uma quantidade adicional é contribuída pela ativação cefálica dos sistemas nervosos simpático e parassimpático. Em outras palavras, a visão e o odor do alimento esti-

Tabela 6.11 – Custos energéticos de alimentação como proporção do valor de energia metabolizável (EM) do alimento individual mensurado na condição de 1,26 vezes a manutenção (Vernet *et al.*, 1995).

	Proporção de EM/kg de MS de alimento gasto na alimentação
Milho peletizado	0,01
Polpa de beterraba peletizada	0,042
Feno longo	0,102
Palha de trigo	0,285

MS = matéria seca.

mulam uma resposta fisiológica de todo o trato GI e de alguns outros órgãos. As mensurações de Vernet *et al.* incluíram somente os incrementos no gasto durante a alimentação real e assim excluíram muito, por exemplo, do IC da fermentação bacteriana. As informações indicam que com alimentos de baixa qualidade, tais como palhas, mais de um quarto da EM contribuída é perdida durante o processo de condução do alimento até o estômago. Para alimentos mistos, os custos energéticos de alimentação são 6 a 10% da EM (Vermorel *et al.*, 1997) e, apesar do eqüino gastar uma quantidade de energia similar à usada por ruminantes por minuto, gasta duas ou três vezes mais que o ruminante por kg de MS em razão de uma menor taxa de alimentação (Vermorel e Martin-Rosset, 1997).

Proteína

O esquema também explica o conteúdo de proteína bruta (CPB) dos alimentos e, no caso das forrageiras, reduzem-se em proporção ao conteúdo de nitrogênio não-protéico (NNP). A proteína útil é calculada a partir de quantidades estimadas de aminoácidos absorvidos do intestino delgado (mais aminoácidos absorvidos pelo intestino grosso) e essa proteína útil é denominada de *matiéres azotées digestibles corrigées* (MADC) (g/kg de MS) (ver valores de K das forragens – não confundir com o coeficiente *k* – em *Proteína e avaliação do nitrogênio absorvido pelo intestino grosso*, adiante).

REQUERIMENTOS DE ENERGIA E PROTEÍNA COM BASE NAS UNIDADES DE ALIMENTOS DO INSTITUT NATIONAL DE LA RECHERCHE AGRONOMIQUE, EXPRESSOS COMO *UNITÉ FOURRAGÈRE CHEVAL* E *MATIÈRES AZOTÉES DIGESTIBLES CORRIGÉES*

978-85-7241-725-9

A disponibilidade recomendada na UFC" para funções fisiológicas particulares foi determinada por um método fatorial, ou por experimentos em alimentação. Por isso, o esquema permite parcialmente valores de *k* diferenciados para manutenção, crescimento, lactação e trabalho (o INRA assume que o mesmo valor de *k* se aplica para manutenção de trabalho – ver *Valor energético do alimento*, anteriormente) para cada alimento. Assim, os valores de *k* dependem em parte da mistura particular de nutrientes, que é o substrato do metabolismo, isto é, AGV, gorduras, glicose e as proporções ou equilíbrios de aminoácidos (ver Apêndice C). Com relação a isso, a variação no *k* é maior para o crescimento do que para a manutenção. Produtos de forrageiras de qualidade ruim têm valor relativamente inferior para o crescimento do que para a manutenção. Apesar dos valores de *k* diferirem para funções diversas, os valores de UFC" diferirão menos por serem proporções sem unidade métrica.

Manutenção

O requerimento de manutenção de um eqüino sem atividade é:

0,038 UFC"/kg de $PC^{0,75}$

Ou 4UFC"/dia para um eqüino castrado pesando 500kg.

Assume-se que o requerimento de manutenção de eqüinos em atividade, em comparação a eqüinos em nível de manutenção de atividade e à "lista de folga", esteja aumentado em 5 a 15% e que o de garanhões esteja aumentado em 10 a 20%. A maior produção de calor de manutenção assumida para eqüinos em atividade resulta de uma maior taxa metabólica e pode explicar a diferença nas taxas reais de alimentação de eqüinos de corrida em comparação a suas necessidades calculadas na ED (ver Cap. 9).

Proteína para Manutenção de Eqüinos Adultos

A proteína dietética requerida para manutenção de eqüinos adultos pode ser de qualidade inferior à necessária para o crescimento e, assim, dentro de uma variedade de proteínas dietéticas fornecidas para eqüinos, nenhum ajuste é necessário para o equilíbrio de aminoácidos no requerimento proposto pelo INRA. O requerimento diário de proteína para a manutenção de um eqüino adulto é:

$$2{,}8\text{g de MADC/kg de PC}^{0,75} \qquad (10)$$

De forma que um eqüino de 500kg requer 295g de MADC diariamente.

Proteína para Manutenção Relacionada ao Consumo de Matéria Seca e Perdas Fecais de Nitrogênio Endógeno

O eqüino necessita de proteína, a qual é digerida, produzindo aminoácidos (e provavelmente dipeptídeos) que são absorvidos. A digestibilidade aparente de proteínas difere somente em uma pequena extensão entre as fontes. A digestibilidade aparente é expressa em:

$$\frac{(\text{consumo de N - N fecal})}{\text{consumo de N}}$$

Meyer (1983b) concluiu que a digestibilidade aparente de N pré-cecal foi 0,5 a 0,6. Como isso é "aparente", não torna disponível o N endógeno secretado dentro do lúmen do trato GI, ao passo que a digestibilidade verdadeira o faz. Os valores verdadeiros médios devem ser ligeiramente maiores que os indicados por essa variação e a digestibilidade protéica verdadeira no intestino delgado oscila de 0,45 a 0,8. A perda endógena de N fecal é proporcional ao peso corpóreo:

N endógeno diário = 52mg × kg $PC^{0,75}$ (Slade *et al.*, 1970)

Apesar de a perda endógena variar também com o nível de alimentação. Isso pode explicar a estimativa muito maior de Meyer (1983b) de 180mg de N/kg de $PC^{0,75}$, fornecendo:

$$\text{N endógeno = 3g de N/kg de consumo de MS} \qquad (11)$$

Em um consumo constante de MS, a digestibilidade aparente de N aumenta conforme o conteúdo de N da dieta é aumentado, porque a perda endógena forma uma proporção menor do N total. Também, a digestibilidade aparente, para a qual a perda de N endógeno é subtraída do N fecal, é semelhante para uma variedade de concentrações de N na dieta. Para a maioria

978-85-7241-725-9

das fontes protéicas, a digestibilidade verdadeira cai em um intervalo de valores entre 0,7 a 0,9 e não deve ser permitida nenhuma modificação na concentração de N na dieta.

As fontes protéicas que contêm fatores antinutritivos podem aumentar as secreções de proteínas endógenas. No suíno, a proteína do feijão de fava torrado, que pode ainda conter alguns fatores antinutritivos, causa uma absorção aparentemente negativa de N no intestino delgado (digestibilidade ileal de N), apesar da digestibilidade de proteína verdadeira ser razoável. Se isso fosse aplicado nos eqüinos, haveria duas conseqüências:

1. A mensuração da produção endógena de N usando as dietas sem proteína pode subestimar seriamente as secreções endógenas.
2. Se somente N sem aminoácidos fosse absorvido pelo intestino grosso, então os aminoácidos contidos nas secreções endógenas de proteínas passando pela válvula ileocecal seriam perdidos pelo eqüino e a estimulação para secreção pelos fatores antinutritivos comprometeria o valor do alimento.

Uma conseqüência disso é que a proteína da fava pode ter um valor de aminoácidos muito menor do que a proteína da ervilha forrageira, apesar das semelhantes digestibilidades aparentes de N e das não tão diferentes digestibilidades verdadeiras protéicas. Uma conclusão em relação aos eqüinos ainda não pode ser direcionada. Deve ser observado que a digestibilidade aparente de N reflete a absorção líquida do N a ser metabolizado pelo cavalo, ao passo que a digestibilidade verdadeira não e os requerimentos neste caso precisam também estar nos termos dos aminoácidos verdadeiramente digeridos. Por outro lado, o N aparentemente digerido superestima o N utilizável porque uma proporção principal daquele N absorvido pelo intestino posterior será NNP, do qual o eqüino não recebe benefício material.

978-85-7241-725-9

Nitrogênio Endógeno Urinário

Os eqüinos recebendo uma dieta sem N continuarão a perdê-lo na urina, por meio do metabolismo das proteínas teciduais. Isso é tido como uma perda mínima de N renal endógeno e foi provisoriamente calculada (Meyer, 1983b) como:

$$\text{N renal endógeno diário} = 165\text{mg de N} \times \text{kg de PC}^{0,75} \quad (12)$$

Existe a conservação renal do N em que a perda urinária endógena é mínima em eqüinos com dietas pobres em N e a quantidade aumenta com uma elevação na proteína dietética, ao passo que a perda de N fecal endógeno é relativamente constante com uma modificação no conteúdo de proteína na dieta.

Nitrogênio Endógeno Tegumentar

As perdas de N por pele e pêlos devem ser consideradas. Foi obtido (Meyer, 1983b) um valor médio de:

$$\text{N tegumentar endógeno} = 35\text{mg de N} \times \text{kg de PC}^{0,75} \quad (13)$$

Isso subestima ligeiramente a taxa de perda durante a tosa sazonal.

Nitrogênio Endógeno Total

Um valor total razoável de N endógeno a partir de três fontes de perda é:

N endógeno basal diário = 380mg de N $\times$ kg de $PC^{0,75}$ (14)

Isto é, 180 + 165 + 35, equivalente a 2,4g de proteína bruta.

O equilíbrio de N foi atingido durante testes de alimentação com cerca de 350mg de N digestível/kg de $PC^{0,75}$. Evidências indicam que os eqüinos prosperam melhor com algum acúmulo de reserva protéica. Por isso, em termos de proteína bruta (PB), o requerimento de manutenção (m) para proteína bruta digestível (PBD) é:

$PBD_{(m)}$ (g/dia) = 3,3g $\times$ kg $PC^{0,75}$ (15)

Isto é, PB = N $\times$ 6,25.

O requerimento de energia para manutenção de acordo com trabalhos alemães (Meyer, 1983b) é:

$ED_{(m)} = 0,6MJ \times kg\ PC^{0,75}$

De acordo com o valor do INRA de 0,038 UFC" ou 0,36MJ de EL x kg de $PC^{0,75}$. Assim, em relação à energia, o requerimento de manutenção é:

5,5g de PBD/MJ de ED

ou

9,2g de PBD/MJ de EL (16)

978-85-7241-725-9

Égua em Reprodução

Gestação

A quantidade de energia depositada nos produtos da concepção (feto + placenta + membranas fetais + úbere) é aproximadamente de:

- 8º mês, 0,636MJ/100kg de PC/dia; e
- 11º mês, 1,954MJ/100kg de PC/dia.

No 8º ao 9º, no 10º e no 11º meses de gestação, respectivamente, 14, 41 e 45% da energia total ao nascimento é depositada nesses produtos (ver Tabelas 6.6 e 6.12). O sistema INRA assume uma eficiência da utilização de EM (*k*) para a gestação de 0,25. Porém, a disponibilidade diária em UFC" é ajustada de acordo com a condição da égua, pois a subnutrição de uma égua em boas condições não tem influência adversa no peso ao nascimento do potro ou em sua taxa de crescimento. O efeito desse ajuste sobre a fertilidade no aquecimento do potro, etc., não foi ainda estabelecido.

Tabela 6.12 – Ganho de peso e composição do feto (Martin-Rosset *et al.*, 1994).

Mês	Ganho de peso (g/kg de peso ao nascimento)	Ganho de peso fetal, fração do peso ao nascimento	Conteúdo de EB (MJ/kg)*	Conteúdo protéico (g/kg)
8	190	0,18	4,18	115
9	190	0,2	4,6	130
10	300	0,3	4,94	153
11	310	0,31	5,36	171

* Do concepto (feto + membranas fetais + útero + úbere).
EB = energia bruta.

Lactação

As características médias do leite adotadas pelo sistema INRA estão fornecidas na Tabela 6.13 (ver Tabela 7.2, Cap. 7). A eficiência do uso de EM (*k*) assumida na estimativa dos requerimentos de alimentos é de 0,65.

Requerimentos Protéicos

Antes dos oito meses de gestação, o requerimento de proteína da égua não excede materialmente o da manutenção. O crescimento fetal, como uma fração do peso ao nascimento, aumenta a cada mês a partir do oitavo, quando é de cerca de 0,18 a 0,23 daquele do nascimento (ver Tabela 6.12). Nas raças pesando 500kg, o peso adulto:

978-85-7241-725-9

$$\text{Peso fetal (kg)} = 0{,}00067\ x^2 - 20 \qquad (17)$$

Em que x é o tempo em dias a partir da fertilização (Meyer, 1983b).

$$\text{Peso ao nascimento (kg)} = 0{,}45\ PC_m^{0,75} \qquad (18)$$

Em que PC_m é o peso da égua (kg) (Gotte, 1972, em Meyer, 1983b).

As equações 17 e 18 indicam que a taxa de crescimento fetal acelera-se no final da gestação e que o peso ao nascimento decorre do peso da égua, isto é, éguas menores parem potros pequenos. O peso médio ao nascimento de um potro oriundo de uma égua de 500kg é 47,6kg.

O conteúdo de proteína do feto também aumenta de 115g/kg no oitavo mês para 171g/kg ao nascimento (ver Tabela 6.12) e a retenção protéica nas membranas fetais, no útero e na glândula mamária é de cerca de 0,2 daquela no potro. A fração de proteína total (a) retida

Tabela 6.13 – Produção e composição do leite da égua (Martin-Rosset *et al.*, 1994).

Mês	Produção de leite (kg/100kg de PC)	Composição do leite	
		Energia (MJ/kg)	*Proteína (g/kg)*
1	3	2,41	24
2	2,5	2,09	24
3	2,5	2,09	24
4	2	1,99	21

PC = peso corpóreo.

978-85-7241-725-9

Tabela 6.14 – Requerimentos de proteína das éguas em reprodução (g de PBD/dia) (baseado em Meyer, 1983b). Estas estimativas diferem das tabelas da INRA (Anon, 1984).

Mês	Fração (a) de proteína total retida no potro ao nascimento	Peso corpóreo da égua (kg)		
		200	500	800
Gestação				
8º	0,14	227	451	641
9º	0,22	250	500	700
10º	0,23	260	528 *	740
11º	0,31	282	561	798
Últimos dias	0,1			
Lactação				
1º		585	1.163	1.655
3º		611	1.214	1.727
5º		468	931	1.324

* Por exemplo, este valor é a soma de 150g para o feto (equação 19) + 30g para as membranas, etc., (0,2 do feto) + 348g para égua (equação 15).

INRA = Institut National de la Recherche Agronomique; PBD = proteína bruta digestível.

no potro ao nascimento foi estimada (Meyer, 1983b), fornecendo o requerimento protéico diário adicional de uma égua gestante para o crescimento no potro *in utero*:

$$PBD\ (g/dia) = 6{,}15a\ (PC_m)^{0{,}75} \qquad (19)$$

Em que PC_m é o peso da égua (kg) (Tabela 6.14).

Assim, o requerimento protéico dietético da égua aumenta a partir do oitavo mês de gestação conforme aumenta a fração de proteína total (a).

A produção de leite das éguas aumenta até por volta do terceiro mês, ao passo que seu conteúdo de proteína diminui de cerca de 24g/kg de leite no primeiro mês para 21g/kg no quarto mês (ver Tabela 6.13). Meyer (1983b) assume que a eficiência de utilização da PBD para os produtos da concepção e síntese da proteína do leite é 0,5, levando às recomendações fornecidas na Tabela 6.14.

Requerimentos Protéicos do Institut National de la Recherche Agronomique para Gestação

Para o crescimento uterino, incluindo seu conteúdo, e o do úbere, a quantidade de proteína retida diariamente é de 5 e 21g/100kg de PC no 8º e 11º meses, respectivamente. O INRA assume uma eficiência metabólica para PBD de 0,5 a 0,55. Assim, a proteína concentrada extra requerida por uma égua de 500kg é de aproximadamente 45 a 50g com 8 meses e 190 a 210g com 11 meses (os valores da Tabela 6.15 menos os requerimentos de manutenção da égua; os valores nessa tabela foram atualizados de acordo com mais informações de 1990 do INRA). Esses valores são consideravelmente menores que os valores de Meyer (1983b).

Tabela 6.15 – Requerimentos energéticos (UFC″) e protéicos (MADC, g) diários dos eqüinos como proposto pelo Institut National de la Recherche Agronomique (INRA) [Anon, 1984; atualizado pelo INRA, Martin-Rosset (1990)]. Todos os dados entre parênteses são assumidos como ganho diário médio (kg).

Peso adulto (kg)	450		500		600	
	UFC″	*MADC*	*UFC″*	*MADC*	*UFC″*	*MADC*
Manutenção	3,9	275	4,2	295	4,8	340
Trabalho leve	6,6	450	6,9	470	7,5	510
Trabalho médio[1]	7,6	515	7,9	540	8,5	580
Trabalho intenso[2]	6,9	470	7,2	490	7,8	530
Égua, gestação						
mês 8	3,8	315[5]	4,1	340[5]	4,7	395[5]
meses 9-10	4,3	425	4,7	460	5,4	535
mês 11	4,4	445	4,8	485	5,5	565
Égua, lactação						
mês 1	8,2	865	8,9	950	10,5	1.125
mês 2	7	700	7,6	770	8,9	910
mês 3	7	700	7,6	770	8,9	910
Crescimento[3]						
6 meses	4,2 (0,7)	500	4,5 (0,75)	530	5,1 (0,85)	600
8-12 meses	5,1 (0,7)	560	5,5 (0,75)	590	6,2 (0,85)	660
20-24 meses	6,3 (0,4)	380	6,8 (0,45)	420	7,8 (0,55)	480
32-36 meses	5,9 (0,15)	300	6,5 (0,2)	330	7,6 (0,3)	390
Garanhão[4]						
repouso	5,8	400	6,1	420	6,3	440
reprodução	6,6-8	480-620	7-8,4	490-630	7-8,5	520-650

[1] 2h diárias.
[2] 1h diária.
[3] Baseada nas equações: UFC″ diária/kg de $PC^{0,75} = a + bG^{1,4}$ e MADC diário (g) = $a\ PC^{0,75} + bG$, em que a = coeficiente de manutenção, b = coeficiente de ganho, e G = ganho de peso corpóreo (kg/dia) (Tabela 6.16).
[4] Incluindo 0,5h de exercício médio diário.
[5] Estes valores concordam com Martin-Rosset *et al.* (1994) resultando de uma deposição de 5g/100g de PC e 0,5 a 0,55 de eficiência metabólica para proteínas em produtos da concepção.
MADC = *matières azotées digestibles corrigées* (ou *cheval*); PC = peso corpóreo; UFC″ = *unité fourragère cheval.*

Requerimentos Protéicos do Institut National de la Recherche Agronomique para Lactação

A composição média do leite está fornecida na Tabela 6.13. Assumindo uma eficiência metabólica para PBD de 0,55, são gerados requerimentos do INRA de 44, 38 e 36g de PBD/kg de leite nos meses de lactação 1, 2 a 3 e 4, respectivamente [também menores do que as estimativas de Meyer (1983b)]. Isso fornece um requerimento, incluindo manutenção, de 950g para uma égua de 500kg no primeiro mês, de acordo com os valores estipulados por Martin-Rosset *et al.* (1994), e concordando aproximadamente com os valores revisados fornecidos na Tabela 6.15.

Crescimento

A eficiência do uso de EM para o crescimento não foi estabelecida e dependerá tanto dos substratos energéticos como das proporções de gordura e proteína assentadas (o índice do segundo

978-85-7241-725-9

Tabela 6.16 – Coeficientes do Institut National de la Recherche Agronomique (INRA) usados na estimativa dos requerimentos para o crescimento de raças leves: UFC" diário/kg de $PC^{0,75} = a + bG^{1,4}$, e MADC diário (g) = $a\ PC^{0,75} + bG$.

Idade (meses)	UFC"		MADC	
	a	*b*	*a*	*b*
6-12	0,0602	0,0183	3,5	450
18-24	0,0594	0,0252	2,8	270
30-36	0,0594	0,0252	2,8	270

a = coeficiente dos requerimentos de manutenção; b = coeficiente de ganho; G = ganho médio de peso (kg/dia); MADC = *matières azotées digestibles corrigées* (*ou cheval*); PC = peso corpóreo; UFC" = *unité fourragère cheval.*

termo na equação 20 provavelmente se origina do aumento na deposição de gordura resultante das taxas de crescimento mais rápidas). A manutenção responde por 60%, ou mais, da energia gasta, dependendo principalmente da taxa de crescimento permitida. Os requerimentos totais são admitidos por encaixarem-se na seguinte relação:

$$\text{UFC''/kg de } PC^{0,75}\text{/dia} = a + bG^{1,4} \qquad (20)$$

Em que a = coeficiente do requerimento de manutenção, b = coeficiente de ganho e G = ganho de peso médio (kg/dia) (Tabela 6.16).

Assumindo um ganho de 1kg com 250kg de PC, requerimento = 5,5 UFC"
(manutenção 3,6 + ganho 1,9)
Assumindo um ganho de 1kg com 350kg de PC, requerimento = 7UFC"
(manutenção 4,7 + ganho 2,3)
Assumindo um ganho de 0,5kg com 300kg de PC, requerimento = 5UFC"
(manutenção 4,2 + ganho 0,8)

A economia pode ser obtida ao se permitir uma taxa de crescimento mais lenta no inverno com alimentos mistos, seguida pelo crescimento compensatório acelerado no pasto na primavera (ver Cap. 8).

Os requerimentos protéicos para o crescimento são calculados de forma semelhante.

Requerimentos do Institut National de la Recherche Agronomique para o Crescimento: Proteínas para Potros em Crescimento

A taxa de ganho de peso corpóreo, como uma fração do peso adulto, declina progressivamente com o aumento da idade. Concomitantemente, o conteúdo protéico daquele ganho diminui e o conteúdo de gordura aumenta conforme a idade avança. O conteúdo protéico de cada quilograma ganho diminui de 197g com três a seis meses para cerca de 170g com dois anos de idade em eqüinos de 500kg de peso adulto. Raças com menor peso adulto crescem mais rápido, em relação ao seu tamanho, e atingem quase o peso de adultos em uma idade mais jovem do que as raças maiores. Com essas considerações para o crescimento em mente, as recomendações para PBD propostas por Meyer (1983b) são fornecidas na Tabela 6.17 (ver Tabela 6.15 para as recomendações do INRA).

Tabela 6.17 – Recomendações de proteínas brutas digestíveis (PBD, g/dia)* para potros em crescimento, em taxas de crescimento moderado e rápido (segundo Meyer, 1983b).

Idade (meses)	Peso do animal adulto (kg) e taxas de crescimento									
	200		*500*		*500*		*800*		*800*	
			Moderado		Rápido		Moderado		Rápido	
	PC médio (kg)	PBD (g)	PC médio (kg)	PBD (g)	PC médio (kg)	PBD (g)	PC médio (kg)	PBD (g)	PC médio (kg)	PBD (g)
3-6	85	290	170	503	175	544	232	635	292	870
7-12	130	260	258	474	288	546	360	695	444	736
13-18	160	225	333	461	365	493	500	731	548	621
19-24	175	230	388	454	425	488	612	688	612	622

* Assumir como requerimentos de manutenção 4,5g PBD/kg de $PC^{0,75}$ com 3 a 6 meses, diminuindo para 4,1g PBD/kg de $PC^{0,75}$ com 19 a 24 meses de idade.

PC = peso corpóreo.

Requerimentos Protéicos do Institut National de la Recherche Agronomique para Manutenção de Eqüinos em Crescimento

A eficiência metabólica da PBD para o crescimento é estabelecida em 0,45 e, como a taxa de renovação de aminoácidos em eqüinos em crescimento é maior do que em adultos, o requerimento de manutenção para a MADC é maior durante o crescimento:

Requerimento de manutenção da MADC de eqüinos em crescimento = 3,5g/dia/kg $PC^{0,75}$ [2,8g da MADC/dia/kg $PC^{0,75}$, para adultos]. (21)

Requerimentos de Lisina do Institut National de la Recherche Agronomique para Eqüinos em Crescimento

A lisina é o aminoácido limitante para o crescimento na maioria das dietas convencionais. O requerimento de lisina para eqüinos em crescimento é fixado em 6g/kg de MS dietética com 6 meses e 4g/kg de MS dietética com 12 meses de idade.

Trabalho

Requerimentos Protéicos do Institut National de la Recherche Agronomique Relacionados ao Requerimento de Energia

Para o trabalho, as recomendações do INRA afirmam que as necessidades protéicas são menos proporcionais em relação às necessidades energéticas, ao passo que o NRC (1989) assume que as necessidades protéicas são diretamente proporcionais às necessidades energéticas para manutenção e toda quantidade de trabalho. Todavia, para simplificar, o INRA recomenda que o trabalho de um eqüino adulto acima da manutenção requeira 60 a 65g de MADC/UFC", isto é, necessidades protéicas proporcionais às de energia (ver Tabela 6.15), mas os eqüinos em crescimento em trabalho irão requerer mais proteína (ver Cap. 9, em que os requerimentos são considerados independentemente do equilíbrio de N).

Tabela 6.18 – Recomendações de proteínas brutas digestíveis (PBD) $kg/PC^{0,75}$ em eqüinos em atividade (Meyer, 1983b).

	Trabalho leve	Trabalho moderado	Trabalho intenso
Consumo de MS (g)	70	80	100
Perdas fecais de N (mg)	210	240	300
Perdas de N no suor (mg)	12	30	50-145
Requerimento de PBD (g)	3,7	4,1	5,3
Requerimento de ED (MJ)	0,68	0,83	1
PBD/MJ de ED (g/MJ)	5,4	4,9	5,3

ED = energia digestível; MS = matéria seca; PC = peso corpóreo.

A proteína não é desperdiçada quando a energia química no músculo é transformada em energia cinética. A energia para o trabalho se origina principalmente de glicogênio e ácidos graxos livres. Porém, em trabalhos intensos prolongados, a concentração de uréia sangüínea aumenta como conseqüência do catabolismo protéico. Por isso, geralmente considera-se que os requerimentos protéicos (Tabela 6.18) aumentem acima das necessidades de manutenção para atingir o balanço de N em eqüinos em atividade, favorecendo:

- Anabolismo protéico muscular.
- Perdas de N no suor de 1,4g de N/L (apesar das perdas urinárias diminuírem).
- Consumo alimentar aumentado que eleva o N fecal endógeno.
- Algum catabolismo protéico muscular no trabalho intenso (o ciclo da adenina nucleotídeo aumenta no exercício, aumentando a excreção de ácido úrico; ver Cap. 9).

Assim, a partir da Tabela 6.18, os requerimentos de proteína para o trabalho são tidos como sendo 5,5g de PBD/MJ de ED, na equação (16) para manutenção.

978-85-7241-725-9

VALORES ALIMENTARES DE PROTEÍNAS, MINERAIS E MICRONUTRIENTES CONFORME DETERMINADO PELO SISTEMA INSTITUT NATIONAL DE LA RECHERCHE AGRONOMIQUE

Proteína e Avaliação do Nitrogênio Absorvido pelo Intestino Grosso

O valor protéico dos alimentos é expresso em g de PBD/kg de MS, ou seja, a PB dietética multiplicada pelo coeficiente de digestibilidade aparente. Uma proporção da PB é convertida em proteína bacteriana e o eqüino se beneficia somente dos aminoácidos que são absorvidos, mas tanto de origem bacteriana quanto dietética. A proporção de N da PBD que é N de aminoácidos é menor em forrageiras verdes e especialmente em silagens, em comparação com soja e outras proteínas concentradas. Essa observação é refletida no coeficiente K, por meio do qual a PBD de forrageiras é multiplicada para fornecer a MADC (matéria digestível de N corrigida), que é:

978-85-7241-725-9

K = 0,9 para forrageiras verdes
K = 0,85 para fenos e forrageiras desidratadas
K = 0,8 para palhas e debulhos
K = 0,7 para silagens de gramíneas boas
Em comparação com:
K = 1 para soja, cereais, etc.

$$PBD \times K = MADC \text{ (g/kg de MS)} \quad (22)$$

A absorção dos aminoácidos ocorre quase que totalmente no intestino delgado. A absorção pelo intestino grosso de aminoácidos liberados das proteínas de forrageiras e bacterianas pode ser relevante para eqüinos recebendo dietas de forragens de baixa qualidade, adequadas em energia fermentável e suplementadas com NNP. Porém, as propostas do INRA (Tisserand e Martin-Rosset, 1996) afirmam que os aminoácidos sintetizados dentro do intestino grosso não contribuem de forma material com o suprimento de aminoácidos do eqüino. Assim a absorção de aminoácidos pelo intestino posterior não tem probabilidade de ser um fator significativo para a maioria das dietas. Essas conclusões são congruentes com evidências de outras fontes referidas nos Capítulos 1 e 2.

A resolução do assunto relacionado à absorção de aminoácidos pelo intestino grosso é de relevância prática. A síntese de aminoácidos bacterianos no intestino posterior é considerável e 50 a 60% do N fecal no eqüino são explicados pela proteína microbiana (Tisserand e Martin-Rosset, 1996). Cuddeford *et al.* (1992) reportaram que o coeficiente da digestibilidade aparente da proteína bruta para alfafa seca em altas temperaturas foi 0,74 em comparação com um valor de 0,36 para o feno de timótio curado no campo e cortado na florescência completa (a alfafa teve duas vezes mais a digestibilidade de N do timótio).

Gibbs *et al.* (1988) demonstraram que a digestibilidade pré-cecal de N do feno de alfafa rica em proteína foi três vezes maior que a do capim-bermuda (ao contrário da informação com alfafa curada ao sol de Klendshoj *et al.*, 1979, na Tabela 6.19) e a alfafa causou uma maior retenção de N. Porém, a absorção líquida de N pelo intestino grosso não difere e a digestibilidade geral do N da alfafa foi somente 29% maior que a do feno de capim-bermuda.

Tabela 6.19 – Digestibilidade verdadeira do nitrogênio (g de N/kg de consumo de N) no trato digestivo de pôneis de misturas de dois ingredientes provendo quantidades iguais de proteína bruta (PB) e de fenos (Klendshoj *et al.*, 1979) em Martin-Rosset *et al.* (1994).

	Consumo de PB (g/kg)	Intestino delgado	Intestino grosso
Feno de capim-bermuda + aveias texturizadas	122	690	130
Feno de capim-bermuda + aveias micronizadas	122	580	320
Feno de capim-bermuda + farelo de soja	122	730	130
Feno de capim-bermuda	117	360	370
Feno de alfafa	150	220	570
Feno de alfafa	181	380	460

Tabela 6.20 – Coeficientes de digestibilidade verdadeira da proteína bruta (PB) (g) de aminoácidos e MADC (g) absorvidos no intestino (Jarridge e Tisserand, 1984).

	Consumo (g)		Intestino delgado	Intestino grosso		Digestão, trato total (g)	
	PB	*Amino-ácidos*	*Digestibilidade verdadeira*[1]	*Entrada*[1] *(g)*	*Digestibilidade verdadeira*[1]	*PBD*	*MADC*
Concentrados	180	171	0,85	26	0,9	148	147
Gramíneas de primavera	180	162	0,7	49	0,8	128	117
Cevada-milho	110	105	0,85	16	0,9	90	90
Feno de gramíneas	110	99	0,5	49	0,75	65	54[2]
Silagem de gramíneas	110	82	0,5	41	0,75	65	44[2]

[1] De aminoácidos.

[2] Ver valores de K em *Proteína e Avaliação do Nitrogênio Absorvido pelo Intestino Grosso*, anteriormente, para feno de gramíneas: 65 × 0,85 = 54, para silagem: 65 × 0,70 = 44, permitindo assim o conteúdo de NNP da digestibilidade verdadeira do intestino grosso de 0,75.

MADC = *matières azotées digestibles corrigées* (ou *cheval*); NNP = nitrogênio não-protéico; PBD = proteína bruta digestível.

De acordo com Schmidt *et al.* (1982) uma quantidade de N equivalente a 25 a 30% do consumo dietético flui do íleo para o ceco, independentemente do nível ou do tipo de alimentação. O ponto importante é que se quase todo o N absorvido pelo intestino grosso for enfim perdido na urina, então as diferenças verdadeiras no valor de proteína entre a alfafa e o timótio, encontradas por Cuddeford *et al.*, foram muito maiores do que duas vezes. Algumas evidências indicam que um máximo de 10 a 12% do *pool* plasmático de aminoácidos é de origem microbiana e se origina do intestino posterior. Assim, o intervalo de variação nos coeficientes de retenção de N é muito mais amplo que o da digestibilidade verdadeira. Dito de forma diferente, se o coeficiente de digestibilidade verdadeira for baixo, o coeficiente de retenção potencial será muito menor, ao passo que com os coeficientes de digestibilidade verdadeira elevados existe um menor decréscimo no coeficiente de retenção potencial (a retenção verdadeira depende das necessidades teciduais).

978-85-7241-725-9

Observe-se que na Tabela 6.20 o coeficiente de absorção verdadeira de aminoácidos para os concentrados e para cevada-milho foi o mesmo, isto é, 0,85, (147 ÷ 171 *versus* 90 ÷ 105); porém, o equilíbrio de aminoácidos dos cereais tem probabilidade de ser mais pobre, assim, nesse caso a retenção potencial de N para o crescimento deveria ser menor para os cereais.

Cálcio

A biodisponibilidade, ou digestibilidade verdadeira, do Ca dietético varia consideravelmente (ver Cap. 3). Os fatores principais controlando isso são:

- Quantidade de Ca na dieta (0,7 do consumo de requerimento até 0,46 em várias vezes o requerimento).
- Quantidade de P na dieta (10g de P adicionado/kg de dieta contendo 4g de Ca/kg de digestibilidade verdadeira de Ca reduzida de 0,68 para 0,43).
- Condição de vitamina D (de menos relevância no cavalo do que em algumas outras espécies domésticas).
- Oxalato e fitatos na dieta (Ca:oxalato < 0,5 causa hiperparatireoidismo nutricional secundário (HPNS); fitatos se ligam ao Ca. Gramíneas ricas em oxalato implicadas incluem: *napier*,

tanzânia, *buffel*, pangola, *green panic*, angola, *kikuyu*, setária e provavelmente algumas espécies de milhetos. A alfafa contém ácido oxálico, mas tem uma elevada disponibilidade de Ca).
- Idade do animal.

A principal parte do Ca na dieta fornecida para eqüinos em crescimento é direcionada para a calcificação óssea. Trabalho de Lawrence *et al.* (1994) indicou que apesar da máxima mineralização óssea ter sido atingida com seis anos de idade, 76% do máximo foi obtido com um ano. Como o crescimento ósseo é mais rápido no primeiro ano de vida, a demanda pelo Ca dietético é muito pronunciada durante esse período. Existe alguma especulação de que os eqüinos predispostos a miopatias associadas com o exercício (ver Cap. 11) têm uma falha temporária em sua capacidade de controlar as concentrações de Ca intracelular. Porém, não existe evidência de que a suplementação do Ca dietético, acima do requerimento da dieta, tenha uma influência profilática no risco de miopatias.

Fósforo

A biodisponibilidade do P de plantas varia com a proporção presente como fitato. O P do fitato é digerido pela fitase (EC 3.1.3.8) presente no intestino, principalmente, ou inteiramente, como fitase microbiana. A digestibilidade varia entre 0,25 e 0,35. Foi demonstrado que a adição de culturas de leveduras na dieta aumenta o uso do P do fitato, presumivelmente ao estimular a atividade microbiana no intestino posterior. O excesso de P na dieta interfere com a utilização de Ca. Savage (1991) e Savage *et al.* (1993b) observaram que as dietas contendo quatro vezes mais o requerimento estimado pelo NRC (1989) de P para potros em crescimento, mas não o requerimento para Ca, causaram lesões de discondroplasia (osteocondrite dissecante [OCD]), sem sinais de HPNS (ver Cap. 8). A porosidade óssea cortical foi aumentada em potros em crescimento por meio de dieta rica em P e a extensão das superfícies cobertas com osteóide dos ossos esponjosos diminuiu com o tempo, além de uma depressão na taxa de crescimento. Por outro lado, uma dieta contendo mais de três vezes o requerimento estimado pelo NRC (1989) para o Ca não apresentou efeito adverso.

Sódio, Potássio, Magnésio, Oligoelementos Minerais e Vitaminas

A Tabela 6.21 fornece os requerimentos de vitaminas, oligoelementos minerais, sódio, potássio e magnésio, suplementos que deveriam ser desnecessários se um alimento misto preparado comercialmente fosse usado em taxas recomendadas. Nos casos em que os alimentos combinados não forem fornecidos, uma mistura adequada de oligoelementos minerais e vitaminas deve ser usada, porque em altas concentrações tais nutrientes são tóxicos e o proprietário de eqüinos normais provavelmente não terá meios de manusear e pesar apropriadamente. Algumas vezes, os alimentos combinados para formarem a porção concentrada inteira da ração são usados como suplementos para aveia, diluindo assim seus efeitos no que concerne a proteínas, minerais, vitaminas e oligoelementos minerais. Assim, um pélete provendo 4.000UI de vitamina A/kg, misturado 50:50 com cereais e fornecido 50:50 com feno duro, proverá aproximadamente 1.000UI de vitamina A/kg de dieta total. A diluição desse tipo é freqüentemente uma causa de relação incorreta de Ca:P nas rações.

Eletrólitos

Uma discussão sobre os eletrólitos – sódio, potássio e cloreto – está presente no Capítulo 9, em que os problemas de treinamento intenso são tratados. As necessidades de potássio e

978-85-7241-725-9

Tabela 6.21 – Minerais e vitaminas por quilograma de dieta adequados para eqüinos (com base no National Research Council [NRC], 1978).

	Níveis adequados	
	Manutenção de eqüinos adultos	*Égua, últimos 90 dias de gestação, e eqüinos em lactação e crescimento*
Sódio (g)	3,5	3,5
Potássio (g)	4	5
Magnésio (g)	0,9	1
Enxofre (g)	1,5	1,5
Ferro (mg)	40	50
Zinco (mg)	60	80
Manganês (mg)	40	40
Cobre (mg)	15	30
Iodo (mg)	0,1	0,2
Cobalto (mg)	0,1	0,1
Selênio (mg)	0,2	0,2
Colecalciferol (vitamina D) (µg)[1]	10 (400UI)	10 (400UI)
Retinol (vitamina A) (mg)[2]	1,5 (5.000UI)	2 (6.666UI)
D-alfa-tocoferol (vitamina E) (mg)[3]	30	30
Tiamina (mg)	3	3
Riboflavina (mg)	2,2	2,2
Ácido pantotênico (mg)	12	12
Biotina disponível (mg)	0,2	0,2
Ácido fólico (mg)	1	1

[1] 1UI é igual à biopotência de 0,025µg de colecalciferol (vitamina D_3) ou ergocalciferol (vitamina D_2).

[2] 1UI é igual à biopotência de 0,3µg de retinol (álcool de vitamina A). O caroteno das gramíneas tem 0,025 do valor da vitamina A com base no peso.

[3] 1UI de vitamina E é a biopotência de 1mg de acetato de DL-alfa-tocoferol. Se 50g de gordura suplementada de composição média forem adicionados por kg de alimento, o requerimento aumentará para 45 a 50mg de alfa-tocoferol/kg, equivalente a 79 a 88mg de acetato de DL-alfa-tocoferil. Ver Capítulo 4 para eqüinos em atividade.

978-85-7241-725-9

magnésio da atividade normal devem ser automaticamente atingidas se forrageiras de boa qualidade estiverem disponíveis. As necessidades de sódio (ver Tabela 6.21) podem ser atingidas ao se prover NaCl (sal comum), simplesmente ignorando a contribuição feita pelos ingredientes naturais. O sódio compreende 40% do NaCl, de forma que a oferta de NaCl deve ser de duas vezes e meia a oferta do sódio, isto é, 8,75g de sal/kg provêem 3,5g de sódio. A fim de que o consumo excessivo de sal seja satisfatoriamente contrabalanceado, deve haver sempre água limpa disponível para beberagem, livre de contaminação com sais (Tabela 6.22), com exceção das restrições a seu uso discutidas no Capítulo 4.

Oligoelementos Minerais

As necessidades dietéticas para os oligoelementos minerais, distintas daquelas dos minerais e eletrólitos, não se modificam de forma considerável por unidade de alimento com uma alteração na função do animal a partir do crescimento até o trabalho, ou para as várias fases da reprodução. A secreção do iodo no leite da égua pode aumentar ligeiramente suas necessidades basais por ele, mas a margem fornecida na Tabela 6.21 deve satisfazer todas as necessidades. A diferença entre essa necessidade e o nível tóxico (a margem de segurança) existente para

Tabela 6.22 – Características de uma boa fonte de água.

	mg/L
Amônia (albuminóide)	< 1
Valor de permanganato (15min)	< 2
Nitrito, N	< 1,5
Nitrato, N	< 1
Cálcio	50-170
Chumbo	< 0,05
Cádmio	< 0,05
ph 6,8-7,8	
Sólidos dissolvidos totais	< 1.000

978-85-7241-725-9

selênio e iodo (elementos para os quais a diferença em quantidades absolutas é provavelmente mínima) é adequada nas mãos de indivíduos responsáveis. Porém, é imprudente e potencialmente perigoso para o proprietário do eqüino manipular formas puras de oligoelementos minerais.

Vitaminas

As necessidades dietéticas de vitaminas lipossolúveis A, D e E por unidade de alimento concentrado (ver Tabela 6.21) novamente não variam muito por unidade com uma modificação na função do indivíduo, tendo-se em mente também a capacidade do cavalo de estocá-las. Uma nova avaliação da situação seria necessária se houvesse qualquer mudança radical nos materiais crus básicos tradicionalmente usados para alimentação dos eqüinos, por exemplo, de grãos cereais secos para raízes vegetais, ou para cereais conservados ricos em umidade, a eliminação de pasto conservado e assim por diante. Um exemplo disso é fornecido para a vitamina E e éguas em reprodução (Cap. 4). O Apêndice B fornece exemplos de erros dietéticos encontrados pelo autor na prática. Tais erros ocultam a ampla variedade de atributos dietéticos.

FORMULAÇÃO SIMPLES DE RAÇÃO

Os principais componentes químicos da dieta de um eqüino em estábulo estão descritos na Figura 6.11. As quantidades de proteína, cálcio e fósforo necessárias por quilograma de ração são fornecidas na Tabela 6.7 e os níveis de mistura concentrado-feno podem ser calculados ao se multiplicar seus conteúdos protéicos (g/kg), etc., (ver Apêndice C) por suas proporções e somas. Assim, para feno duro e aveias:

55g × 0,6 + 96g × 0,4 = 71,4g de proteína/kg de mistura

Se o requerimento de proteína for de 100g/kg, então a discrepância de 28,6g pode ser melhorada com a substituição de algum farelo de soja (outras fontes adequadas de proteína podem ser substituídas em proporção inversa ao seu conteúdo de lisina) por um pouco de aveia, mas atribuindo a soja (ou outra proteína) com um conteúdo protéico que é a diferença entre seu conteúdo e o da aveia, isto é:

440g – 96g = 345g de proteína (ver Apêndice C)

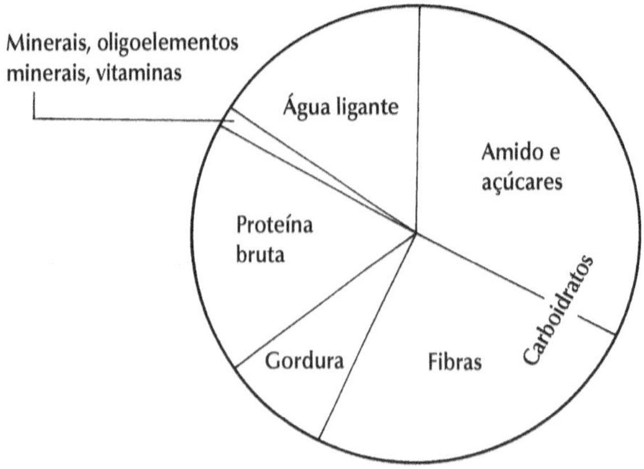

Figura 6.11 – Componentes principais por peso da dieta de um eqüino em estábulo (excluindo a água de beberagem).

978-85-7241-725-9

Então a proporção de soja a ser incluída e a de aveia a ser removida por quilograma é:

28,6/345 = 0,083, isto é 8,3% ou 83g/kg de alimento

Para simplificar, os efeitos dessa substituição no conteúdo de energia, cálcio e fósforo da mistura podem ser ignorados. Um cálculo similar usando o Apêndice C, detalhado no Apêndice A, pode ser adotado para o cálcio e o fósforo, mas os déficits podem ser melhorados com a adição de pó de calcário e/ou fosfato dicálcico, sem fazer qualquer substituição como para soja/aveia. Uma fonte de cálcio desse tipo será normalmente essencial a não ser que grandes quantidades de alfafa, ou outra forrageira leguminosa, sejam providas.

Um valor aproximado para o conteúdo de ED de um alimento poderia ser originado a partir de sua composição próxima, usando a equação derivada de Pagan (1997):

ED MJ/kg = (0,0886 + 0,51 PB - 0,392 FDA [fibra em detergente ácido] – 0,16 hemicelulose + 1,974 gordura + 0,851 CNE [carboidrato não-estrutural] – 1,1 cinzas) g/kg de MS, $R^2 = 0,88$ (23)

fibra em detergente neutro (FDN) = hemicelulose + FDA

As relações derivadas pelo autor incorporam os valores de CNE e FDN (ver Capítulo 2):

ED kJ/kg de MS = (17,5 PB + 36,5 EE[extrato etéreo] + 17,6 CNE + 6,6 FDN) g/kg, para dietas em que a fibra bruta (FB) da dieta é 110 a 130g/kg de MS (24)

Relações comparáveis foram originadas de outros valores de FB.

Comparação dos Sistemas de Energia Digestível e Líquida para a Formulação de Rações

As comparações exatas entre os sistemas ED e EL não são possíveis a partir de informações tabuladas porque uma descrição definitiva não foi provida para os alimentos selecionados, portanto, uma identidade suposta da composição alimentar entre os sistemas pode não ser garantida. Mais ainda, a hipótese feita pelo autor de que o feno e a cevada têm o mesmo efeito na capacidade de alimentação não é justificada, mas foi necessária para uma simples comparação a ser feita na Tabela 6.23. Várias conclusões gerais são obtidas:

- A seleção esperada contra o feno ruim pelo sistema EL não se materializou.
- O sistema de ED do NRC (1989) em geral parece assumir maiores requerimentos tanto de energia quanto de proteína para as funções examinadas e isso contrabalanceia um valor relativamente maior de energia usável no feno apontada pela ED.

Tabela 6.23 – Aplicação dos sistemas de energia digestível (ED) (NRC) e de energia líquida (EL) (INRA) (kg/dia) para a formulação de rações simples diárias baseadas em feno de gramínea moderadamente ruim, grão de cevada e farelo de soja extraído. Os valores médios de requerimento de um eqüino com 500kg quando adulto, somente para energia e proteína, são usados com consumos alimentares (kg de MS/dia; NRC, 1978). Alguns dos valores finais são impraticáveis. Porém, o propósito da tabela é comparar os resultados para funções similares. Ver Tabela 6.24 para os valores analíticos supostos dos alimentos usados.

Crescimento (consumo/dia, kg)		Sistema ED	Sistema EL	Exercício (consumo/dia, kg)		Sistema ED	Sistema EL
Potro no desmame (4,2)	Feno	0,33	–	Leve (12)	Feno	11,6	9,36
	Cevada	3,18	–		Cevada	0,4	2,64
	Soja	0,69	–		Soja	–	–
Potro							
6 meses (5)	Feno	0,93	1,05	Moderado (12)	Feno	9,48	8,03
	Cevada	3,35	3,59		Cevada	2,52	3,97
	Soja	0,72	0,36		Soja	–	–
12 meses (6)	Feno	0,71	1,92	Demorado (12)	Feno	5,25	8,96
	Cevada	4,61	3,68		Cevada	6,39	3,04
	Soja	0,68	0,4		Soja	0,36	–
18 meses (6,5)	Feno	0,07	0,99	Leve (10)	Feno	7,9	6,27
	Cevada	5,58	5,51		Cevada	2,1	3,73
	Soja	0,85	–		Soja	–	–
24 meses (6,6)	Feno	0,56	1,14	Moderado (10)	Feno	5,79	4,93
	Cevada	5,4	5,46		Cevada	4,21	5,07
	Soja	0,64	–		Soja	–	–
Égua:							
manutenção (7,45)	Feno	5,3	5,92	Demorado (10)	Feno	1,55	5,87
	Cevada	2,15	1,53		Cevada	7,79	4,13
	Soja	–	–		Soja	0,66	–
gestação	Feno	4,04	5,02				
últimos 90 dias (7,35)	Cevada	3,01	2,16				
	Soja	0,31	0,17				
lactação	Feno	4,06	4,85				
0-3 meses (10,1)	Cevada	4,93	4,8				
	Soja	1,11	0,45				
3-6 meses (9,35)	Feno	4,74	4,3				
	Cevada	4,22	4,66				
	Soja	0,39	0,39				
Garanhão (10)	Feno	7,91	5,2				
	Cevada	2,09	4,8				
	Soja	–	–				

MS = matéria seca; NRC = National Research Council; INRA = Institut National de la Recherche Agronomique.

978-85-7241-725-9

Tabela 6.24 – Valores analíticos estimados dos alimentos usados para comparar os sistemas de energia digestível (ED) e energia líquida (EL) na Tabela 6.23.

	ED (MJ/kg de MS)	PB (g/kg)	UFC″ (por kg)	MADC (g/kg)
Feno	6,88	82	0,41	40
Cevada	14,98	110	1,16	92
Farelo de soja	14,73	499	1,06	437

MADC = *matières azotées digestibles corrigées* (ou *cheval*); MS = matéria seca; PB = proteína bruta; UFC″ = *unité fourragère cheval*.

- Uma alteração no consumo suposto de alimento de eqüinos teve um grande efeito na composição da mistura selecionada por ambos os sistemas.

O sistema EL deveria, enfim, provocar a economia na seleção das forrageiras para eqüinos, pois o trabalho analítico aumenta o fundo de informações em materiais crus. Essas informações devem prever a extensão da digestibilidade pré-cecal e a produção de energia durante a digestão microbiana. A complexidade relativa do sistema EL indica que ajustes para uma variedade de práticas de criação podem ser acomodados. Porém, a comparação direta de dois sistemas sob várias práticas ambientais é requerida para determinar seus efeitos comparativos sobre trabalho, lactação, gestação, crescimento, saúde, etc.

A EM de um alimento é sua ED menos a energia associada perdida na urina e aquela perdida pelos intestinos como gases combustíveis (principalmente hidrogênio e metano). Na média, algo menos que 20% da energia aparentemente digerida são perdidos pelo eqüino por meio da excreção na urina e pela expulsão como metano. Vermorel *et al.* (1997) estimaram que, com dietas normais, os eqüinos perdem cerca de 4,2% de EB das dietas (8% de ED) na urina, mas obviamente quantidades maiores são perdidas com dietas ricas em proteínas metabolizadas como fontes energéticas. A perda de energia do metano, em razão da atividade de bactérias celulolíticas e metanogênicas *Archaea methanogenesis*, corresponde a 1,95EP 0,45% da EB em eqüinos (Vermorel *et al.*, 1997) e pode-se supor que uma perda de energia correspondendo a cerca de 30 a 65% daquela perdida como metano ocorre como calor da fermentação (Webster *et al.*, 1975). Essas perdas diferem entre os alimentos e as perdas durante o metabolismo intermediário nos tecidos diferem entre os nutrientes, glicose, AGV, etc. A relação EM:ED é aproximadamente 0,85 para os fenos de gramíneas e 0,9 para dietas mistas em eqüinos (Vermorel *et al.*, 1997) e os valores de *km %* variam de cerca de 60 a 80 entre os alimentos no eqüino (Vermorel e Martin-Rosset, 1997). Assim, a eficiência do uso da ED para a manutenção varia em um intervalo de valores de aproximadamente 50 a 70% no eqüino. O valor prático de um sistema EL para substituir o sistema ED depende substancialmente dessa variação sendo estimada de forma confiável entre os alimentos disponíveis a preços econômicos.

978-85-7241-725-9

Computadores e Formulação de Dietas

(Esta seção foi escrita com a ajuda de John C. Dickins)

Durante os últimos 30 anos, computadores com um conjunto de programas de poder elevado têm sido usados na formulação de misturas comerciais de alimentos. Programas de menor complexidade também estão disponíveis para o uso em computadores pessoais. Para esse desenvolvimento ser verdadeiramente bem sucedido é requisito que várias necessidades sejam conhecidas. São elas:

1. Os requerimentos de nutrientes do animal são razoavelmente bem estabelecidos.
2. O conteúdo de nutrientes e o custo de uma ampla variedade de materiais alimentares disponíveis são conhecidos e o conteúdo de nutrientes se aplica na partida de cada material disponível para o usuário comum.
3. As necessidades e as características nutritivas e não nutritivas das forrageiras a serem usadas são acomodadas em qualquer formulação. [subtraindo-se o conteúdo de nutriente da porção forrageira da ração do requerimento total (por quilograma de alimento total), obtém-se o remanescente que fornece o conteúdo requerido de nutriente da porção concentrada]. Esse procedimento faz suposições relacionadas ao apetite do cavalo (kg de MS/dia) discutido anteriormente (ver *Relação entre capacidade de se alimentar e peso corpóreo* e *Necessidades energéticas*, anteriormente, e *Apetite*, adiante).
4. As características físicas, químicas não nutritivas e microbiológicas de todos os alimentos de interesse são conhecidas.
5. Os efeitos das características nos dois tópicos anteriores, em cada classe de eqüinos, são entendidos e reconhecidos durante a formulação.

Nos casos em que essa informação for abrangente, é possível gerar fórmulas de misturas que devem ser seguras, adequadas nutricionalmente, aceitáveis para um eqüino médio e econômicas para o uso.

978-85-7241-725-9

Princípios da Formulação de Alimentos de Custo Mínimo

O número de características químicas de cada material alimentar que é acomodado em um programa de formulação depende de seu poder. O mais simples considera a quantificação de proteína (g/kg) e energia (MJ de ED, ou MJ de EL) e os mais abrangentes incluem as variações de aminoácidos essenciais e resíduos de ácidos graxos voláteis, minerais, oligoelementos minerais, vitaminas, óleo, fibra (bruta, em detergente neutro, dietética, etc.) e cinzas. Algumas dessas características provêem informação nutricional limitada, mas sua declaração pode ser um requerimento determinado por estatuto nos rótulos dos produtos dentro da União Européia (ver Cap. 5). A técnica de cálculo é tipicamente conhecida como "programação linear", pois pressupõe-se que cada quantidade adicional de um nutriente contribuída por um ingrediente, substituindo-se por outro nutriente de um ingrediente, cause uma resposta quantitativa semelhante.

Modelos não lineares, mais complexos, de formulação de alimentos (por exemplo, programação de número inteiro e quadrática) são também acomodados em pacotes para computadores, permitindo, por exemplo, o cálculo de uma fórmula em unidades inteiras de ingrediente. O termo "custo mínimo" é usado, pois o computador calcula uma mistura de baixo custo, compatível com os níveis de nutrientes da formulação que não são menos do que os requerimentos mínimos mais as margens de segurança, isto é, restrições mínimas de nutrientes. As margens de segurança permitem uma variação nos requerimentos de animais individuais e desvios na composição de nutrientes em relação àqueles presumidos. Os níveis máximos e mínimos das formulações para vários ingredientes são também estabelecidos como restrições de ingredientes por razões que serão listadas a seguir.

Os requerimentos da formulação, expressos em termos de nutrientes e restrições de ingredientes, tomam a forma de um grupo de desigualdades. Por exemplo, se x_1, x_2...x_n

representa as quantidades (g/100g) de diferentes ingredientes na mistura com conteúdos de proteína a_1, a_2...a_n (g/100g), então a desigualdade:

$$a_1x_1 + a_2x_2 + \ldots a_nx_n \geq b \qquad (25)$$

expressa o requerimento no qual o conteúdo de proteína do alimento não deveria ser menor que b. Em adição a tais restrições, uma combinação linear similar de x_i, com coeficientes de custo no lugar dos valores analíticos, representa o custo total a ser minimizado. A solução provê um grupo de x_i (a formulação) que satisfaz as restrições com custo mínimo.

978-85-7241-725-9

Os fabricantes de alimentos mantêm, e regularmente atualizam, uma base de dados de informações analíticas e de custo sobre uma ampla variedade de ingredientes potenciais junto com um grupo de nutrientes e ingredientes máximos e mínimos para cada tipo de alimento. As formulações de custo mínimo são então automaticamente produzidas a partir dessa informação, de forma periódica, conforme requerido. A computação também produz outros valores que servem de orientação sobre a sensibilidade da fórmula a pequenas modificações nas restrições, ou custos.

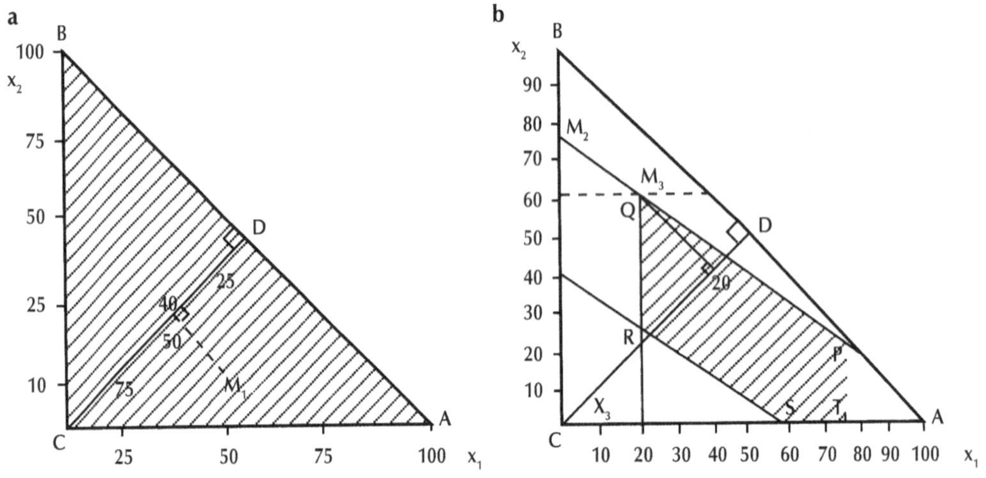

▨ Região de misturas dietéticas permitidas
— Limites de restrição de proteínas (%) em (b).
---- Limites de restrição de ingredientes (%) em (b)

Custo dos ingredientes protéicos (%)

	Proteína (%)	£/1.000 kg
Farelo, x_1	15	150
Cevada, x_2	10	125
Feijões, x_3	25	175

Limites de restrições de ingredientes (%)

	Mínimo	Máximo
Farelo, x_1	20	75
Cevada, x_2	-	60
Feijões, x_3	-	-

Mistura protéica (%)

	Mínimo	Máximo
Mistura	14	19

M_1: x_1 = 50%, x_2 = 10%, x_3 = 40%

M_2: x_1 = 0%, x_2 = 73%, x_3 = 27%

M_3: x_1 = 20%, x_2 = 60%, x_3 = 20%

Direção do custo reduzido da mistura. Neste exemplo, com os feijões custando £175/1.000kg, inclinação = –0,5.

Figura 6.12 – Derivação de uma mistura de custo mínimo hipotética de três ingredientes com restrições de ingredientes e proteínas.

Exemplo Gráfico da Programação Linear

O método de programação linear para calcular uma formulação de custo mínimo pode ser ilustrado graficamente para três ingredientes, conforme demonstrado na Figura 6.12, ao passo que o computador pode trabalhar 30 ou mais ingredientes em potencial (uma forma alternativa simplificada de formulação de ração é fornecida no Apêndice A). Os dois eixos nos ângulos direitos representam as porcentagens dos dois primeiros ingredientes (x_1 e x_2) na dieta. A porcentagem do terceiro ingrediente (x_3) na dieta é então determinada, já que todas as taxas de inclusão precisam somar 100.

Cada ponto dentro do triângulo (a) ABC representa uma formulação em particular, já que as porcentagens dos ingredientes x_1 e x_2 determinam a porcentagem do ingrediente x_3. As taxas de inclusão negativas são impossíveis, portanto, dietas admissíveis são restritas à região definida pelo triângulo ABC (área demarcada), em que a linha AB representa as misturas de 100% do ingrediente x_1 e 0% do ingrediente x_2 até 100% do ingrediente x_2 e 0% do ingrediente x_1, excluindo o ingrediente x_3. O ponto C represe°nta 100% do ingrediente x_3 e no ponto D a mistura deveria conter 50% de cada um dos ingredientes x_1 e x_2 e 0% do ingrediente x_3. Como indicado, uma mistura no ponto M_1 deveria conter 40% do ingrediente x_3 e 50% e 10%, respectivamente de cada um dos dois outros ingredientes. Várias dessas misturas seriam completamente inaceitáveis; assim, as restrições de ingredientes e nutrientes são fixadas. As razões para tais restrições incluem:

- Um ingrediente em particular pode conter um nutriente essencial que não é suprido no programa e assim a inclusão do ingrediente em um nível mínimo pré-determinado pode ser necessária.
- Quantidades excessivas de alguns ingredientes, por exemplo, melaços, podem reduzir a aceitabilidade do produto pelo eqüino, ou podem causar um distúrbio digestivo. Esse distúrbio pode resultar de concentrações inaceitáveis de substâncias antinutritivas, tais como antiproteases e glicosinolatos (Cap. 5), ou de concentrações excessivas de alguns nutrientes.
- A velocidade e a qualidade do preparo podem ser facilitadas, por exemplo, pela inclusão de quantidades mínimas de gorduras e ligantes de péletes ou exclusão de grandes quantidades de ingredientes abrasivos.
- A provisão de quantidades moderadas de cada um dos vários ingredientes, ao invés de grandes quantidades de um ingrediente, é normalmente preferida. Essa política deve reduzir o risco de problemas que se originam quando existem desvios na composição e qualidade dos ingredientes em comparação com os valores atribuídos a eles no programa.

Uma restrição analítica linear, ou ingrediente, na dieta é representada por uma linha reta no gráfico (b) (ver Fig. 6.12), de forma que as dietas satisfazendo a restrição precisam estar de um lado da linha. Nesse diagrama, PQ e RS são restrições para a proteína na dieta em uma variação de 14 a 19% e TP e QR são limitações da inclusão de farelo em uma variação de 20 a 75%. As dietas exeqüíveis precisam por isso estar dentro da região PQRST. A restrição da cevada a um máximo de 60% não afeta o resultado nesse exemplo.

As dietas de custo igual estão ao longo das linhas paralelas. Na Figura 6.12, os custos supostos fornecem uma linha com inclinação negativa de 0,5. Ao mover a linha na direção das setas, reduzindo assim os custos, encontramos a dieta de custo mínimo, que estará na delimitação da região exeqüível, normalmente um vértice. Se nenhuma restrição de ingre-

978-85-7241-725-9

dientes tiver sido aplicada, a mistura M_2, contendo 73% do ingrediente x_2 e 27% do ingrediente x_3, deverá ser obtida. Como resultado da aplicação de quatro restrições, a mistura de custo mínimo é aquela de M_3 no ponto Q, com as proporções, respectivamente, de 20%, 60% e 20% dos ingredientes x_1, x_2 e x_3.

A Figura 6.12 também demonstra que, nesse exemplo, as restrições críticas determinando a posição do ótimo são as linhas PQ (requerimento protéico mínimo) e RQ (requerimento de farelo mínimo), ao passo que o resultado não seria afetado pela alteração da posição dos máximos de farelo de proteína. O aumento do custo de feijões para £250/1.000kg deveria reduzir a inclinação da linha de custo (tornando-a mais negativa) para –0,8 e assim mudando o ótimo de M_3 para P. Conforme o custo do feijão aumenta além de £200, a composição de custo mínimo abruptamente desvia-se daquela em M_3 para aquela no ponto P. Na prática, qualquer grande alteração deveria ser introduzida em várias etapas pequenas e discretas, em intervalos de tempo, para evitar possíveis implicações em relação à saúde do cavalo. O formulador profissional conhecerá o tamanho máximo aceitável de cada etapa para substituições particulares de ingredientes.

Em conclusão, a prática da programação linear melhorou a confiabilidade e os custos das dietas comerciais. Permitiu que as formulações refletissem economicamente as evidências científicas recentemente estabelecidas, com risco mínimo.

Procedimento para Calcular Dietas pelos Sistemas de Energia Digestível e Líquida

A seqüência de cálculo necessária para preparar uma dieta simples usando os sistemas NRC ED e INRA EL está fornecida na Tabela 6.25.

978-85-7241-725-9

Tabela 6.25 – Procedimento para o cálculo da composição de ingredientes de uma ração única usando os sistemas National Research Council (NRC) e Institut National de la Recheche Agronomique (INRA).

Cálculo	Sistema NRC ED	Sistema INRA EL
(1) Avaliar a capacidade de alimentação diária do eqüino	kg/dia, Figura 6.4	kg/dia, Figura 6.4
(2) Avaliar o requerimento de energia diária do eqüino	ED/dia, Tabela 6.6	UFC″/dia, Tabela 6.15
(3) Dividir (2) por (1)	ED/kg	UFC″/kg
(4) Calcular as proporções de forragens:cereais	Apêndices A e C	Apêndices A e C
(5) Avaliar os requerimentos protéicos por kg de alimento ou por dia	Tabela 6.7, PB	Tabela 6.15, MADC*
(6) Avaliar as necessidades de Ca e P por kg de alimento (90% de MS)	Tabela 6.7	Tabela 6.7
(7) Calcular proteína, Ca e P da mistura	Apêndices A e C	Apêndices A e C
(8) Calcular adições de soja, Ca e P necessárias	Apêndice A, Tabela 6.7	Apêndice A, Tabelas 6.7 e 3.2
(9) Estimar outras necessidades de minerais e vitaminas e adicionar	Tabela 6.21	Tabela 6.21

* Para a relação de PBD na MADC, ver a equação (22) e para obter a MADC/kg de alimento, dividir o requerimento diário de MADC pela capacidade de alimentação por dia (nota: MS e 90% de MS de alimento estimados).

ED = energia digestível; EL = energia líquida; MADC = *matières azotées digestibles corrigées* (ou *cheval*); MS = matéria seca; PB = proteína bruta; PBD = proteína bruta digestível; UFC″ = *unité fourragère cheval*.

APETITE

978-85-7241-725-9

Existe muito ainda a ser aprendido sobre os fatores que influenciam o apetite dos eqüinos, mas a relutância ou a impaciência em se alimentar podem ser avaliadas tanto pela quantidade de alimento seco consumido de forma consistente por dia quanto pelas quantidades consumidas em refeições únicas. A ingesta derivada de alimentos muito grossos, pobremente digeridos e de fibras longas, se presentes em quantidades significativas, ficará mais tempo retida no intestino grosso e reduzirá o consumo diário de MS. Apesar disso ser geralmente uma desvantagem, pode ocasionalmente ajudar a conter o apetite de animais obesos. A propensão de um eqüino em começar a comer alimentos produtores de energia também depende da ausência relativa de produtos da digestão, incluindo a glicose, no intestino delgado. Em uma extensão menor, as concentrações de glicose sangüínea têm uma parte pequena de participação.

Em condições de pastagem natural, os indivíduos se alimentarão durante talvez 15 ou 20 períodos ao longo do dia. Uma série de pequenas refeições reflete não somente a baixa capacidade do estômago, mas também, provavelmente de forma mais direta, o mecanismo de desligamento dos produtos de digestão no intestino delgado. Elevadas concentrações cecais dos AGV, especialmente o propionato, têm um efeito imediato, mas pequeno, de depressão no apetite estendendo o intervalo entre as refeições em pôneis alimentados *ad libitum* e reduzindo o tamanho da refeição no período, ainda que não mantenham o efeito por mais de 24h. Aumentos menores nos AGV cecais podem até mesmo estimular o apetite.

Apesar de vários fatores influenciarem a capacidade de alimentação, uma estimativa do apetite diário de animais médios sadios por feno folhoso e aveia pode ser fornecida (ver Fig. 6.4). No estábulo, os eqüinos são alimentados geralmente com baldes e o excesso de alimentação, ou a aparente perda de apetite, freqüentemente reflete a falta de reconhecimento por parte do tratador das diferenças no volume e na densidade de energia dos alimentos (ver Tabela 5.5, Cap. 5). Por exemplo, levando em consideração ambas essas características, vários dos melhores alimentos grosseiros atualmente disponíveis provêem 20% mais energia por balde do que um volume similar de aveias moídas. A falha por parte do eqüino em comer pode então simplesmente significar que foram fornecidos 20% mais de energia em seu alimento do que lhe é familiar, ou requer.

O alimento em condição física inaceitável e, principalmente, com aroma não familiar ou não atrativo, também será restritivo para o início da alimentação. Alimentos passados, que sofreram oxidação de vários de seus componentes orgânicos menos estáveis, não têm probabilidade de estimular um eqüino a comer. Ocasionalmente, temperos são usados para cobrir, ou camuflar, inadequações de aceitabilidade geral, mas seu uso não deve ser estimulado, pois os eqüinos podem se tornar "viciados" nesses aditivos.

Com freqüência, existem conversas fluentes sobre o apetite dos eqüinos por alimentos em particular, mas aparentemente têm um apetite verdadeiro somente por água, sal e fontes de energia e, se for dada a escolha, não selecionarão uma dieta balanceada. Assim, é necessário induzir os eqüinos a consumirem misturas mais apropriadas às suas necessidades. Algumas vezes a sede direciona um eqüino a consumir plantas suculentas venenosas, como fonte de umidade, em campos de outra forma áridos. Os apetites por água e sal estão inter-relacionados. A sede depende em considerável extensão da desidratação, ou da pressão osmótica aumentada dos líquidos corpóreos. Quando o sangue está hipertônico, os eqüinos irão beber normalmente; se muito sal for perdido pelo suor, o corpo pode estar desidratado, mas os líquidos estarão hipotônicos e a sede, então, será produzida com o fornecimento de sal. O apetite por sal varia entre os eqüinos – a privação causa um maior desejo em alguns do que em outros, apesar de uma essencialidade mais uniforme. Por outro lado, uma sede extrema provavelmente precede os apetites por sal e energia.

TAXA DE ALIMENTAÇÃO

Um consumo muito rápido de cereais e concentrados por eqüinos em estábulos é algumas vezes um problema que necessita de atenção. Apesar do consumo de feno longo ser um processo relativamente lento, os cereais e outros concentrados são normalmente ingeridos primeiro em uma refeição separada (existe o caso de induzir o consumo de forragem primeiro; ver Cap. 2), mas a forma na qual o concentrado é fornecido pode ter algum impacto na velocidade em que é consumido. Trabalhos alemães (Meyer *et al.*, 1975b) demonstraram que 1kg de alimento, na forma de grãos de aveia ou concentrado peletizado, tomou cerca de 10min para ser consumido por eqüinos pesando 450 a 550kg, mas o farelo levou mais tempo. O tempo de alimentação e o número de movimentos mastigatórios seriam, porém, aumentados em 3 a 100% se 10 a 20% da forrageira em pastas fosse adicionada à aveia ou ao concentrado. Misturas de farelo finamente moído levaram mais tempo para serem ingeridas do que grãos triturados ou alimento peletizado; a adição da forrageira cortada em misturas finas acelerou o consumo. A qualidade ruim retardou a velocidade de consumo, sugerindo um lugar para palha de cevada de boa qualidade ocupar o tempo de eqüinos ávidos.

Vários eqüinos desenvolveram vícios, tais como mastigar madeira, ingerir fezes (coprofagia) ou, menos freqüentemente, engolir ar (aerofagia) (ver Fig. 11.2, Cap. 11). Evidência recente indica que a mastigação de madeira, ou a aerofagia são responsáveis por inflamação e erosão gástricas. Tais eqüinos têm menor pH gástrico pós-prandial com variação de pH mais ampla do que é normalmente encontrado (Lillie *et al.*, 2003). A maior variação pode indicar uma capacidade de morder variável e, portanto, um fluxo variável de saliva. Demonstrou-se que a provisão de um suplemento antiácido estava associada com menos úlceras gástricas e uma redução no ato de aerofagia (Badnell-Waters *et al.*, 2003). O fastio em baias isoladas é um fator contribuinte para o início do vício e a provisão de feno comprido ou palha de boa qualidade ajuda a contornar isso, mas não elimina sua ocorrência (ver *Doenças relacionadas ao confinamento, Movimentos Contínuos*, Cap. 11).

Dentes saudáveis capacitam os eqüinos a moerem a forrageira em tamanhos de partículas pequenas, mas dentes com problemas, ou molares com pontas lesionando gengiva e língua (ver Fig. 1.1, Cap. 1) estimulam a mastigação às pressas, realizada de forma ruim, com as conseqüências de rápido consumo, engasgos e algumas vezes cólica. O tratamento dentário é claramente indicado, junto com o fornecimento de cereais grosseiramente moídos e frescos e forrageiras cortadas em comprimentos curtos. Podem ser fornecidos misturados juntos em um mingau úmido, que por sua vez pode reduzir os desperdícios. Porém, umedecer o alimento é em geral desnecessário, exceto quando grandes quantidades de farelo e polpa de beterraba são fornecidas, nos casos em que o tempo para absorção completa de água deve ser permitido de forma que seu volume verdadeiro seja imaginável. A linhaça também aumenta de tamanho consideravelmente na embebição e na fervura; a última, é claro, é recomendada, conforme descrito no Capítulo 5. Se os alimentos estiverem empoeirados, o ato de umedecer assenta a poeira, reduzindo assim a probabilidade de irritação do trato respiratório de indivíduos suscetíveis. Se os alimentos forem muito secos, os minerais, por exemplo, podem se deslocar para a base e não serem consumidos no cocho.

978-85-7241-725-9

PROCESSAMENTO DO ALIMENTO

Os métodos preferidos para o processamento de grãos cereais crus são moagem grossa, quebra, laminação, plissar (passar entre rolos ondulados), transformar em flocos e micronizar. O objetivo total de cada um é melhorar a digestibilidade e a aceitabilidade, mas os dois últimos podem acelerar o início da saciedade durante uma refeição. O processamento das aveias e cevadas é em geral difícil de justificar se os custos excederem 5% do custo do material cru, mas é necessário imediatamente antes da alimentação para os pequenos grãos de milho e trigo (ver discussão sobre laminite, Cap. 2). Os flocos ou a micronização tendem também a estender a meia-vida, destruir as substâncias antinutritivas mais instáveis ao calor e aumentar a proporção de amido digerido no intestino delgado se as taxas de consumo forem elevadas. Porém, a cocção normal é inadequada para a destruição de algumas toxinas fúngicas encontradas em lavouras deficientemente ceifadas (ver Cap. 5).

FREQÜÊNCIA E PONTUALIDADE DE ALIMENTAÇÃO

Os eqüinos, como a maioria dos outros animais, são criaturas de hábito e suas reações são em parte afetadas por um relógio interno. Assim, o sábio tratador fixa períodos regulares de alimentação, semana a semana. Com exercícios regulares, distúrbios metabólicos e acidentes podem ser evitados e danos às portas dos estábulos por mastigação e coices podem ser diminuídos. Desenhos de cochos de alimentos e cochos para água recomendados pelo Ministério da Agricultura francês estão demonstrados nas Figuras 6.13 e 6.14.

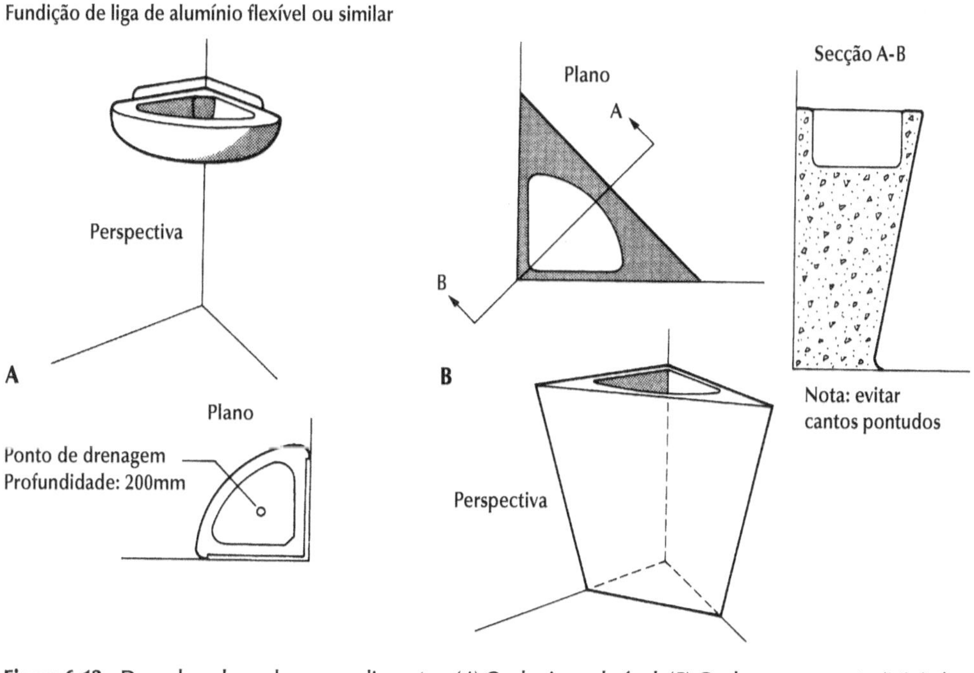

Figura 6.13 – Desenhos de cochos para alimentos. (*A*) Cocho inquebrável. (*B*) Cocho em concreto (Ministère de l'Agriculture, 1980).

978-85-7241-725-9

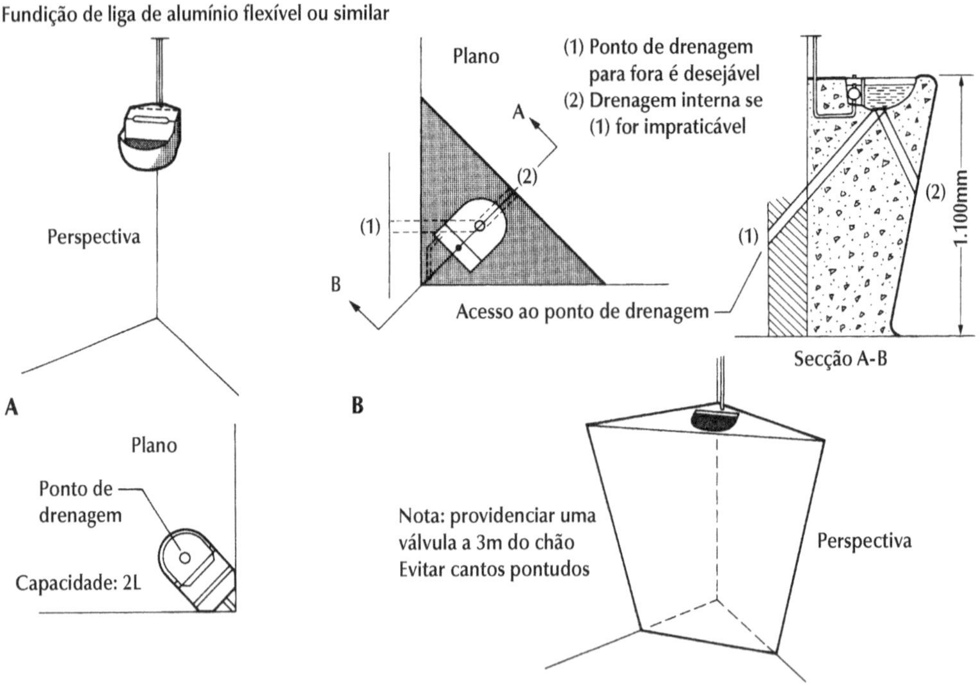

Figura 6.14 – Desenhos para cochos de água: (*A*) cocho de água inquebrável; (*B*) cocho de água em concreto (Ministère de l'Agriculture, 1980).

978-85-7241-725-9

CUSTOS DOS CEREAIS E SEU CONTEÚDO DE ENERGIA

Os cereais, mais particularmente as aveias, de baixo peso em *bushel* (medida de capacidade para cereais) provêem menos ED por quilograma do que os cereais de peso maior. Os distúrbios digestivos são minimizados quando se muda de um alimento ou tipo de cereal para outro, ao garantir que o consumo de ED, ou EL, não aumente simultaneamente. Um balde de uma amostra média de aveias pode prover somente 56% da ED de um balde similar de trigo médio (ver Tabela 5.5, Cap. 5). Como resultado de seu volume, as aveias tendem a ser um alimento mais seguro do que os outros cereais, embora não devam se originar diferenças referentes a isso se houver manejo cuidadoso e experiente dos alimentos. Portanto, ao avaliar o valor alimentar de vários cereais, deve-se levar em conta o preço de compra por unidade de ED ou EL (ver Apêndice C).

ALIMENTOS TRADICIONAIS

No passado, vários estábulos no Reino Unido forneciam aos seus eqüinos uma dieta baseada em feno de gramíneas, aveias e um pouco de linhaça cozida. Antes do advento do trator desenhado como enfardadeira, o feno era provavelmente feito para os eqüinos com maior cuidado do que hoje em dia, quando o eqüino em várias situações não mais reina supremo no direito a uma forrageira conservada e a privilégios de pastejo. Em termos de nutrientes, essa dieta agora deixa um pouco a desejar, mas o eqüino adulto tem alguma capacidade de se adaptar a defeitos culinários porque pode levar um período considerável de tempo até que um animal grande de não produção faça a depleção dos nutrientes essenciais. Vários desses nutrientes estão melhores quando os pastos de verão estão disponíveis; os nutrientes providos por pastos produtivos no verão servirão como um reservatório por dois meses do inverno seguinte, mas em geral não até a grama da primavera novamente renovar as perdas. A lactação da égua e o crescimento inicial do rebanho jovem fiam-se tradicionalmente quase que por inteiro na disponibilidade de pastos, com quaisquer deficiências logo sendo reveladas.

Uma dieta de aveia, feno e linhaça diverge da inclinação natural de um animal de pastejo, de forma que não existe uma boa razão para que outros alimentos igualmente estranhos não sejam usados se uma economia puder ser obtida e as deficiências retificadas. Agora existem melhores fontes protéicas do que a linhaça e existem óleos menos propensos à peroxidação que o óleo da linhaça, pois esses outros contêm concentrações muito menores de ácido linoléico e antioxidantes adicionados (ver a discussão sobre os ácidos graxos n-3 e n-6 em *Ácidos graxos poliinsaturados*, Cap. 5). As formas estabilizadas dos óleos de amendoim, soja, girassol, colza e milho estão amplamente disponíveis hoje. Ao compreender a necessidade por períodos prolongados de adaptação e ao reconhecer as diferenças no volume e na densidade de energia entre os vários cereais, o tratador cuidadoso tem uma ampla variedade de escolha de alimentos. A principal vantagem das aveias é para o novato em se alimentar. Essa vantagem poderia ser facilmente suplantada (com uma provável economia em custos por unidade de energia) pelo uso de uma variedade de cereais e subprodutos, mas os tratadores tradicionais conhecem pela longa experiência quantos baldes de aveia um eqüino em performance irá consumir sem refugar. Sem pesar cuidadosamente, as quantidades de misturas alternativas requeridas podem ser mal julgadas, podendo resultar em excesso de alimentação ou subalimentação.

978-85-7241-725-9

DIETAS COMPLETAS

Vários eqüinos e pôneis recebem dietas baseadas em grânulos combinados e feno comprido, ou silagem pré-seca. Em circunstâncias normais, esse feno deve ser preferido como uma fonte de fibra bruta se a qualidade for boa e o preço aceitável. Os alimentos compostos descritos como péletes completos são para o consumo de eqüinos adultos requeridos para trabalho moderado, nos casos em que nenhum outro alimento é fornecido. Esses péletes têm a vantagem de prover uma dieta razoavelmente balanceada, relativamente livre de sujeira, para eqüinos sujeitos a irritação e alergia respiratória. É provável que a ausência de longas fibras cause maior incidência de vícios, como mastigação de madeira e coprofagia, mas sem dúvida esses aborrecimentos são preferíveis à exacerbação de um problema respiratório. O arraçoamento é simplificado por volume e densidade constantes de energia do alimento e o espaço de estocagem é minimizado, mas alguns problemas de enfado requerem simplicidade para serem superados.

MEIA-VIDA DOS ALIMENTOS E CONTAMINANTES DE ALIMENTOS

A moagem dos cereais aumenta a área de superfície exposta à atmosfera e a deterioração acontece de forma contínua, somente retardada pela presença de antioxidantes naturais. O fato de estar passado diminui a aceitabilidade do alimento. A legislação permite a adição de quantidades limitadas de antioxidantes sintéticos aos produtos para o consumo de animais. Os mais comumente usados são o butilidroxianisol (BHA), butilidroxitolueno (BHT) e etoxiquin [a legislação da União Européia permite 15 químicos como antioxidantes a serem incluídos nos alimentos animais; Tabela 3, UK Statutory Instruments 2000, Nº 2481, The Feeding Stuffs Regulations 2000 e European Commission Regulations (EC) Nº 2316/98; Anon, 1995c]. Essas substâncias são seguras, têm o efeito de estender a meia-vida e a aceitabilidade dos alimentos e não causam infração das Rules of Racing.

Alguns nutrientes são particularmente suscetíveis à destruição pela luz. Assim, alimentos concentrados devem ser cobertos durante a estocagem, pois os produtos da destruição pela luz também são perigosos para a estabilidade de alguns outros nutrientes. O oxigênio atmosférico destrói gradativamente as vitaminas lipossolúveis e as gorduras insaturadas. Dentre as vitaminas hidrossolúveis mais críticas, a tiamina (vitamina B_1) e o ácido pantotênico são de certa forma mais instáveis. A perda desses nutrientes e de outros compostos instáveis diminui o valor dos alimentos. Porém, grãos inteiros não quebrados ou não moídos permanecem relativamente estáveis por vários anos com somente um ligeiro declínio no valor alimentar, apesar de isso pressupor boa estocagem, livre de pestes, níveis de umidade de menos de 135g/kg (quanto menor, melhor) e ausência de grãos quebrados e mofados. A descoloração dos grãos cereais pode indicar somente danos microbiológicos superficiais durante o amadurecimento, como observado quando se comparam aveias escocesas de boa qualidade com seus equivalentes de fontes canadenses ou australianas. Porém, a descoloração pode ser indício de danos internos mais profundos em razão da infecção fúngica, a qual prejudica seriamente o valor alimentar e a estabilidade na estocagem. Assim, grãos brilhantes e evidentes devem ser preferidos na ausência de outras informações. Aspectos adicionais da estocagem já foram discutidos no Capítulo 5.

978-85-7241-725-9

Os grãos de milho ou cereais inteiros que foram expostos a pesticidas tóxicos não devem ser usados para a alimentação de eqüinos, apesar de vários pesticidas deixarem resíduos bem pouco perigosos.

QUESTÕES PARA ESTUDO

1. Qual é a seqüência de ações e decisões a ser adotada para introduzir um sistema de arraçoamento e atingir os requerimentos nutricionais de um haras de reprodução e de um estábulo para eqüinos de montaria?
2. Quais são os méritos e deméritos dos dois sistemas de energia discutidos: o sistema NRC ED e o sistema INRA EL?
3. Quais devem ser as características de um armazém satisfatório de alimentos?

LEITURA COMPLEMENTAR

Martin, K. L., Hoffman, R. M., Kronfeld, D. S., Ley, W. B. & Warnick, L.D. (1996) Calcium decreases and parathyroid hormone increases in serum of periparturient mares. *Journal of Animal Science,* **74**, 834-9.

Martin-Rosset, W. (1990) *L'alimentation des chevaux, techniques et pratiques, pp.* 1-232 (Ed. committee), INRA 75007 Paris.

Martin-Rosset, W., Vermorel, M., Doreau, M., Tisserand, J. L. & Andrieu, J. (1994) The French horse feed evaluation systems and recommended allowances for energy and protein. *Livestock Production Science,* **40**, 37-56.

Meyer, H. (1983) Protein metabolism and protein requirement in horses. *Fourth International Symposium on Protein Metabolism and Nutrition,* Clermont-Ferrand, France, 5-9 September 1983, No. 16. INRA, Paris.

National Research Council (1978) *Nutrient Requirements of Domestic Animals.* Nº *6. Nutrient Requirements of Horses,* 4th ed. revised. National Academy of Sciences, Washington DC.

Vermorel, M. & Martin-Rosset, W. (1997) Concepts, scientific bases, structures and validation of the French horse net energy system (UFC). *Livestock Production Science,* **47**, 261-275.

CAPÍTULO 7

Alimentação de Éguas em Reprodução, Potros e Garanhões

Você deveria desmamar seus potros no início do inverno, quando começa o frio, que é próximo do dia de São Martinho (11/11) ou meio de novembro, e desmamá-los três dias antes da lua cheia, e suspender seus pescoços em um pedaço de corda distante sete ou oito polegadas da extremidade de um chifre de vaca para contê-los na ocasião, após a qual se deve trazê-los todos para seu estábulo, com suportes e manjedouras fixadas em altura bem baixa.

S. de Solleysel (1711)

CICLO ESTRAL E FERTILIDADE

A estação natural no Reino Unido para a máxima atividade reprodutiva tanto da égua como do garanhão é de abril até novembro, mas a estação reprodutiva pode ser desviada com a modificação artificial da duração da luz do dia e com a manipulação da dieta. Uma mudança geográfica para o hemisfério sul pode, é claro, ter efeitos comparáveis. Durante a estação, a égua normal expressa ciclos estrais consecutivos de aproximadamente 22 dias de duração; dentro de cada ciclo existe um período de estro de várias intensidades que duram uma média de seis dias. A fertilidade do estro é baixa no início da estação, mas a criação de grandes folículos que ovulam e geram corpos lúteos pode ser estimulada pelo prolongamento da luz do dia e ajuste dietético, pois a atividade reprodutiva de éguas e garanhões ocorre sob a influência da duração da luz do dia. Uma pesquisa em 1.393 éguas *Thoroughbred* (TB) em 22 haras em Newmarket, Reino Unido, revelou que as éguas foram cruzadas 1,88 vezes até ser diagnosticada a gestação com 15 dias após a ovulação. Das éguas cobertas, 89,7% permaneceram gestantes pelo dia 35 da gestação. Finalmente 82,7% das éguas pesquisadas pariram um potro vivo a termo (Morris e Allen, 2002).

978-85-7241-725-9

Períodos de escuridão são associados com uma elevação nas concentrações plasmáticas do hormônio melatonina, muito acima daquelas dos períodos diurnos, de forma que, durante o inverno, a melatonina é secretada por um período maior de tempo a cada dia (Domingue *et al.*, 1992). A atividade ovariana e o crescimento folicular ocorrem durante os meses do final da primavera e do verão em resposta ao aumento da duração da luz do dia, reduzindo a resposta de melatonina noturna e atuando em alguns ritmos biológicos endógenos. Os períodos seqüenciais de 16h de luz seguidos por 8h de escuridão são ótimos para induzir a atividade ovariana. Esse padrão sazonal, modulado pela luz, pode ser avançado por cerca de 21 dias pela estabulação. Assim, o prolongamento da luz do dia para 16h, o aumento no plano nutricional e possivelmente a elevação na temperatura ambiente durante os meses de frio (dezembro no hemisfério norte) estimularão o início dos ciclos normais duas a três semanas antes nos primeiros meses do ano.

Essa situação é compatível com a observação de que potros pôneis Welsh Mountain de dois anos de idade ingeriram quantidades maiores de uma dieta peletizada completa quando a duração da luz do dia foi prolongada para 16h (220lux) em comparação com 8h (220lux)

(Fuller *et al.*, 1998, 2001). As modificações cíclicas na taxa de crescimento de corpo e pelagem foram sincrônicas àquelas do consumo de alimentos. Porém, de forma interessante, essas três respostas físicas relacionadas foram retardadas em cinco a oito semanas após a modificação no comprimento do dia.

Parece que as respostas hormonais cíclicas em relação ao fotoperíodo sazonal ocorrem em ambos os sexos. Argo *et al.* (2001) determinaram que as alterações na pelagem (cobertura de pêlos), nas concentrações de prolactina plasmática, no hormônio folículo-estimulante (FSH) e na testosterona em potros pôneis no período pré-puberal estavam sob a influência dos mecanismos de fotoperíodo, mas que a liberação do hormônio luteinizante (LH) pode ser bloqueada pela imaturidade ou pela supressão ativa.

A elevada fertilidade tende a coincidir naturalmente com a intensidade das gramíneas ao final da primavera. Períodos estrais sucessivos serão de fertilidade elevada em éguas sadias, vazias, ou de primeira cobrição e indivíduos que estão aumentando de peso corpóreo têm mais probabilidade de conceber. Por isso, ao começar com um indivíduo magro em novembro e dezembro, é mais provável que esse objetivo seja atingido. Foi sugerido que forçar éguas falhadas em dezembro e janeiro aumenta a probabilidade de gêmeos, ainda que tal procedimento seja obrigatório se a concepção precoce for desejada.

O consumo energético é importante para ovulação e desenvolvimento embrionário, mas menos para o crescimento fetal (Meyer, 1998). Um suprimento energético excessivo pode favorecer gêmeos, ao passo que a restrição antes do parto pode induzir ao nascimento prematuro. Por outro lado, a restrição protéica parece ser importante somente com a extrema subnutrição da égua. As éguas com *scores* de condição corpórea (CC) de somente 3 a 3,5 (máximo: 10) durante o período anovulatório (outono e inverno) experimentaram anestro mais longo e profundo do que as de boa condição corpórea. Essa resposta foi acompanhada por menores concentrações plasmáticas de leptina, de fator de crescimento semelhante à insulina I (IGF-I) (ver Glossário) e de prolactina (Gentry *et al.*, 2002). Trabalho subseqüente desse grupo indicou que existe uma interação entre a secreção de leptina e a secreção dos hormônios insulina, T_3 e hormônio do crescimento (Cartmill *et al.*, 2003). Assim, as concentrações séricas de leptina são positivamente correlacionadas ao *score* corporal, mas não relacionadas ao nível de consumo alimentar (Buff *et al.*, 2002).

978-85-7241-725-9

Modificar a condição corpórea (CC) afeta a fertilidade. Quando a CC foi alterada de 7 em setembro para tanto 8 como 3 a 3,5 em janeiro, por meio de controle alimentar, Gentry *et al.* (2001), no Kentucky, observaram que um baixo *score* causou anestro profundo, ao passo que éguas com *score* elevado continuaram a ciclar. Um hormônio liberador de tirotropina (TRH) interage com o hormônio do crescimento (Pruett *et al.*, 2003) e um desafio de TRH causa uma elevação no hormônio tireóideo circulante em todos os eqüinos. Powell *et al.* (2003), porém, observaram uma resposta de prolactina em machos castrados perante o TRH somente em eqüinos recebendo grandes quantidades de concentrados. Gentry *et al.* (2001) reportaram uma maior resposta de prolactina perante o TRH e maior resposta do hormônio luteinizante (LH) quanto ao hormônio liberador de gonadotropinas (GnRH) por éguas em alta condição, apontando para um mecanismo para os efeitos na fertilidade.

A inclusão de gordura animal, rica em colesterol, à dieta de éguas gestantes pode também estimular os níveis circulantes de LH e a fertilidade ao prover um precursor dos hormônios esteróides (Hagstrom *et al.*, 1999). Em adição, os hormônios exógenos de várias origens têm sido usados amplamente para acelerar a ovulação (Hardy *et al.*, 2003). As dietas baseadas em amido, comparadas com aquelas ricas em gordura e fibra, devem causar reduzida sensibilidade à insulina em éguas falhadas e aumentam o risco de resistência à insulina evidente (Hoffman *et al.*, 2003a). Subseqüentemente, esse grupo (Hoffman *et al.*, 2003b) concluiu que manter uma condição corpórea ideal em animais castrados e evitar refeições ricas em açúcares e amido deve diminuir o risco de resistência à insulina. Ao contrário, para a reprodução, em que a demanda de glicose e as relações hormonais são diferentes, nenhuma diferença nos efeitos glicêmicos foi notada entre as dietas de fibra e gordura em comparação às de amido e açúcares (Williams *et al.*, 2001a, b).

A informação relativa ao controle potencial dos ciclos reprodutivos por meio da infusão de aminoácidos foi produzida por Sticker *et al.* (2001), em que a liberação de hormônio pituitário e pancreático foi influenciada. Os aminoácidos dicarboxílicos, ácidos aspártico e glutâmico, cada um fornecido na dose de 2,855mmol/kg de peso corpóreo (PC) em água, causaram a liberação do hormônio do crescimento; ao passo que os ácidos diamino-monocarboxílicos arginina e lisina, cada um na dose de 2,855mmol/kg de PC em água, causaram a liberação de prolactina e insulina. O agonista do receptor de glutamato N-metil-D,L-ácido aspártico (1mg/kg de PC em água) estimulou a liberação do hormônio de crescimento e gonadotropinas. Ainda não está claro se as gramíneas de primavera exercem uma influência hormonal por meio desse mecanismo. Todavia, é evidente que o fotoperíodo e a condição corpórea influenciam o início da ciclagem em éguas falhadas, mas a ótima composição e o conteúdo de energia da dieta em éguas de boa condição ainda devem ser estabelecidos.

A falta de restrição nas quantidades de alimentos consumidos parece possível se for amplamente formado por feno. Doreau *et al.* (1990) ofereceram a éguas gestantes das raças anglo-árabe e sela francesa consumos *ad libitum* de uma mistura de 90:10 de feno e concentrados por quatro semanas antes do parto até cinco semanas após este. O feno foi tanto de baixa quanto de alta qualidade. O consumo das misturas de baixa e alta qualidade antes e após o parto ficou na média de, respectivamente, 11,1 *versus* 12,4kg de matéria seca (MS) e 18,6 *versus* 21,1kg de MS. O *score* corpóreo das éguas recebendo a dieta de menor qualidade foi relativamente pior ao parto e a conseqüente deficiência de energia e a inadequada proteína (342g, 426g e 579g de MADC [*matières azotées digestibles corrigées* ou *cheval*], ver Cap. 6) durante os últimos meses de gestação, a primeira semana de lactação e as semanas dois a cinco de lactação, respectivamente, causaram piores taxas de crescimento dos potros até cinco semanas de idade sem influenciar o peso ao nascimento. Apesar de as éguas inicialmente apresentarem condições semelhantes, o resultado pode ter dependido em parte da extensão das reservas energéticas da égua gestante. Se as taxas de crescimento ligeiramente menores do potro foram aceitáveis, a performance adequada foi observada por Micol e Martin-Rosset (1995) em condições de pastejo em planaltos dentre éguas francesas de raças pesadas (700 a 800kg de PC), como Breton, Comtois e Ardennais, que podem perder 17 a 25% de seu peso corpóreo entre o desmame do potro e o parto seguinte. Dessas perdas, 12 a 14% são produtos de concepção e 5 a 10% perdas de massa corpórea, indicando que as reservas das éguas foram liberadamente incorporadas aos tecidos dos potros. Todavia, as éguas gestantes devem ser mantidas em forma, mas não obesas, pois isso reduz as dificuldades do parto e provê maior liberdade para controlar a secreção de leite por meio da alimentação durante a lactação.

O cio do potro ocorre dentro de 14 dias após o parto e cios subseqüentes ocorrem com intervalos de 22 dias em éguas não cobertas. A taxa recomendada de alimentação de éguas em

978-85-7241-725-9

lactação é fornecida na Tabela 6.6, Capítulo 6, ainda que não tenha sido claramente estabelecido se essa é a melhor taxa para a máxima fertilidade do cio do potro e subseqüentes períodos estrais. As éguas lactantes, todavia, têm maior tendência a reabsorver ovos fertilizados no primeiro estro. Isso poderia ser a razão para uma associação suposta entre o excesso de alimentação durante os últimos três meses de gestação e uma reduzida fertilidade subseqüente.

Infelizmente, a evidência experimental para sustentar essa afirmação é conflitante. Jordan (1982) notou que nenhuma redução ocorreu na taxa de concepção entre éguas pôneis perdendo 20% do peso corpóreo durante a gestação, mas com ganho de peso permitido durante a lactação. Heneke *et al.* (1981) reportaram que éguas nessa condição ao parto apresentaram reduzidas taxas de concepção, intervalos pós-parto mais compridos e mais ciclos por concepção. As taxas de concepção de éguas em boas condições ao parto, mas que perdem peso durante a lactação, foram tão boas quanto às das éguas em condição boa ou magra ao parto que mantiveram ou ganharam peso na lactação. Evidência nos Estados Unidos indica que as éguas parindo em uma condição gorda devem poder manter seus pesos, ao invés de perder, e que éguas magras devem ganhar peso durante a lactação na tentativa de maximizar a taxa de gestação com 90 dias pós-parto. Conclui-se que éguas magras devem ser alimentadas bem na lactação para estimular a fertilidade.

Experiência com vacas leiteiras poderia sugerir que se as éguas forem alimentadas muito liberadamente ao longo da gestação e receberem alimento inadequado durante a lactação, serão mais propensas a uma condição de fígado gordo, conhecida por reduzir a fertilidade nas vacas de leite. A observação de eqüinos e pôneis demonstra que vários estresses durante o final da gestação e início da lactação, acompanhados por dieta inadequada e empobrecida, predispõem a égua a um distúrbio metabólico extremo associado com perda de apetite, reações anormais, diarréia, hiperlipidemia e eventual morte. Isso representa uma quebra no metabolismo energético com o acúmulo de gordura hepática, como acontece em vacas leiteiras. Qualquer redução do peso imposta a éguas obesas gestantes deve, por isso, ocorrer antes dos últimos três meses e, de preferência, a gordura deve ser corrigida antes da reprodução ser incitada. Isso pode ser conseguido ao se fornecer à égua feno de boa qualidade, mas não alimento concentrado.

978-85-7241-725-9

GESTAÇÃO

O período de gestação da égua normalmente dura 335 a 345 dias, mas pode continuar por um ano. O período depende em parte do mês de cobrição. No hemisfério norte, as éguas de cobrição precoce (ou seja, aquelas concebendo antes do final de abril) em geral têm um período de gestação que excede 350 dias e de até 365 dias. As cobertas em maio normalmente parem após 340 a 360 dias e as cobertas em junho e julho geralmente parem após 320 a 350 dias. O fator crítico pode ser a duração do dia durante os últimos meses de gestação, pois quando o fotoperíodo foi artificialmente estendido para 16h no final da gestação de éguas Quarto de Milha (Hodge *et al.*, 1981), o período de gestação foi encurtado em 11 dias e o intervalo do parto até a primeira ovulação foi reduzido em 1,6 dias em comparação com éguas sujeitas à duração natural do dia.

Nos casos em que as dietas forem grosseiramente desbalanceadas em termos de proteínas e minerais, especialmente Ca e P, o potro será adversamente afetado ao nascimento, resultando também em reduzida produção de leite e infertilidade. Um consumo marginal de Ca retarda o crescimento fetal e a condição de iodo e selênio tem efeitos consideráveis

978-85-7241-725-9

na fertilidade da égua e viabilidade do potro (Meyer, 1998). Deficiência ou excesso de iodo ou selênio diminuem o desenvolvimento embrionário e a viabilidade do potro (observações do autor; ver *Oligoelementos minerais*, Cap. 3). Deficiência extrema e crônica de vitamina A pode prejudicar o desenvolvimento embrionário e o ciclo ovariano (Meyer, 1998) e relatos sobre os efeitos específicos do betacaroteno têm sido contraditórios.

Requerimentos de Proteínas e Energia

Afirmações definitivas sobre os requerimentos de proteínas e energia para éguas em reprodução ainda não são possíveis por duas razões:

1. Uma égua grande e bem alimentada tem reservas consideráveis de energia e proteína às quais pode recorrer durante a gestação se o consumo diário cair abaixo dos níveis recomendados.
2. Uma redução no consumo geralmente parece induzir economias no metabolismo, de forma que as deficiências são parcialmente compensadas.

Claramente, a égua é capaz de ajustes consideráveis para uma variedade de situações. Porém, em extremos, os excessos ou deficiências de energia reduzirão sua eficiência reprodutiva. Durante o inverno ou o verão, as costelas de uma égua não serão vistas, mas devem ser detectáveis pelo toque sem camada apreciável de gordura presente entre elas e a pele. A condição de égua obesa pode ser melhorada pela redução gradativa do componente cereal da ração, ao passo que a mistura de proteína e mineral é mantida em um nível previamente determinado de consumo. Meyer (1983b), em Hanover, concluiu que antes do parto a égua deveria estar 18% acima do peso normal para obter uma alta fertilidade após o parto.

As éguas gestantes são normalmente mantidas no pasto. Pesquisadores australianos (Gallagher e McMeniman, 1988) estabeleceram que os pastos de gramíneas/leguminosas no sudeste de Queensland poderiam sustentar os requerimentos nutricionais de éguas de reprodução TB ao proverem o consumo de energia digestível (ED) de 68 e 91,7MJ/dia (a última é aproximadamente 10% maior do que a recomendação do National Research Council [NRC] de 1989) e o consumo de N digerível de 91,2 e 138g/dia durante, respectivamente, a metade e o final da gestação.

Durante os períodos de consumo energético inadequado, a secreção de epinefrina aumenta a mobilização de gordura a partir das reservas corpóreas, causando um aumento das concentrações plasmáticas de ácidos graxos não esterificados (AGNE) no sangue. Em seres humanos normalmente alimentados sujeitos a receberem três refeições diariamente, a concentração plasmática de AGNE diminui após cada refeição e aumenta antes da refeição seguinte. No eqüino, o AGNE plasmático começa a aumentar, e continua, a partir de quatro horas após uma refeição à tarde em éguas adultas recebendo 50% de suas necessidades de proteína e energia para manutenção em duas refeições diárias e não naquelas recebendo 100% dessas necessidades (Sticker *et al.*, 1995). Assim, essa mensuração pode prover um meio útil de avaliar a condição energética do eqüino (ver Cap. 6 para os requerimentos de alimentos da égua gestante).

PARTO

Nas 24h antes do parto do potro, a égua deve ser alimentada levemente com feno de boa qualidade e uma mistura de cereais de baixa energia, incluindo farelo, ou grânulos comerciais para eqüinos e pôneis (10 a 11% de proteína, 3% de óleo, 14 a 15% de fibra bruta; Tabela 7.1), com acesso a quantidades restritas de água aquecida. O primeiro alimento após o parto pode efetivamente ser uma massa de farelo e a segunda pode incluir algum farelo com pequenas quantidades de grânulos comerciais de boa qualidade (16 a 17% de proteína, 3% de óleo, 8% de fibra bruta; ver Tabela 7.1), ou uma mistura protéica de cereais. As éguas obesas tendem a ser menos ativas e assim o tônus muscular mais fraco pode causar dificuldades de nascimento e expulsão atrasada da placenta, que deveria ser eliminada durante a primeira hora após o nascimento. A taxa de alimentação concentrada até o décimo dia deve ser restrita na tentativa de evitar secreção excessiva de leite e distúrbios digestivos no potro. Porém, quantidades inadequadas de energia podem contribuir com anormalidades metabólicas delineadas em *Ciclo estral e fertilidade*, anteriormente. As necessidades recomendadas estão fornecidas na Tabela 6.6, Capítulo 6.

Talvez 5% (Rossdale e Rickets, 1980) ou 10% (Jeffcott *et al.*, 1982c) dos potros possam ser perdidos em razão da mortalidade perinatal, incluindo natimortos e mortes pós-natal. Desses, um número significativamente maior é de machos. Apesar de a nutrição ser um fator vital, a relevância dessa estatística é totalmente desconhecida. O peso ao nascimento é um fator crucial na determinação da expectativa dos potros e, apesar da influência que a nutrição pode ter sobre isso, o tamanho da mãe é a influência controladora principal. Assim, um peso mínimo aceitável depende da raça e do propósito pretendido para o produto

Tabela 7.1 – Composição do substituto do leite de potros, mistura concentrada de haras e mistura de eqüinos e pôneis para serem fornecidos com feno e água.

Substituto do leite de potros (veja a nota de rodapé quanto à mistura[1])	(%)		Mistura do haras[2] (%)	Mistura de eqüinos e pôneis (%)
Glicose	20	Refeição de aveia	–	25
Gordura em pó (20%)	5	Aveias	46	33
		Farelo de trigo	15	20
Leite desnatado em pó *spray-dried*	40	Gramíneas ricas em proteínas (16% de proteína bruta)	15	10
Soro de leite em pó *spray-dried*	32,7	Farinha de soja extraída	15	4
Gordura de alto grau[3]	1	Melaço	5	5
Fosfato dicálcico	1	Gordura[3]	1	1
Cloreto de sódio	0,2	Calcário	1	0,9
Vitaminas/oligoelementos minerais[4]	0,1	Fosfato dicálcico	1,1	0,5
		Sal	0,75	0,5
		Vitaminas/oligoelementos minerais[4]	0,1	0,1
Total	100		100	100

[1] Disperso em água limpa em uma taxa de 175g/L (para dois dias após o colostro a 250g/L). Também pode ser peletizado e mesclado à mistura de haras como alimento de desmame para potros órfãos.

[2] Esta mistura é satisfatória como alimento de cocho e dieta pós-desmame. Porém, uma mistura especificamente para potros jovens desmamados a ser fornecida com feno de gramínea poderia conter de forma vantajosa um extra de 5% de farinha de soja substituindo os 5% de aveias.

[3] Sebo e banha de alta qualidade, incluindo agentes dispersivos. Óleo vegetal estabilizado poderia, de forma alternativa, ser adicionado no momento da mistura.

[4] Para prover vitaminas A, D_3, E, K_3, riboflavina, tiamina, ácido nicotínico, ácido pantotênico, ácido fólico, cianocobalamina, ferro, cobre, cobalto, manganês, zinco, iodo e selênio.

978-85-7241-725-9

individual. Em TB, uma rápida taxa de crescimento inicial é normalmente esperada e requerida para o trabalho em idade precoce. Para isso, os potros com menos de 35kg provavelmente não serão mantidos. Ao nascerem gêmeos, seu peso total se aproxima do de grandes nascimentos únicos, com uma média na região de 55kg para TB, inferindo que é prático manter somente o mais pesado dos dois.

978-85-7241-725-9

IMUNIDADE ADQUIRIDA EM POTROS

A égua precisa passar proteção passiva adequada para seu potro por meio do colostro e deve, por isso, estar adaptada à área de parto por pelo menos duas e preferencialmente quatro semanas antes do parto. Isso significa que ela irá conferir alguma imunidade em relação às cepas de microrganismos peculiares ao seu ambiente, por exemplo, os que causam diarréia, doença articular e septicemia. Os potros neonatos normalmente irão primeiro sugar dentro de 30 a 180min do nascimento. O colostro é rico em proteínas (particularmente imunoglobulinas), matéria seca e vitamina A. Se os potros forem privados de colostro, uma injeção de cerca de 300.000UI de vitamina A é apropriada. As imunoglobulinas não passam através da placenta da mãe e podem ser absorvidas de forma eficiente pela parede intestinal somente durante as primeiras 12 a 24h de vida. As principais causas de privação de colostro no potro são nascimento prematuro e sucção demorada, má absorção de intestino delgado, extravasamento prematuro do leite pelas tetas, ou morte da égua. As imunoglobulinas são concentradas pela égua em seu úbere dentro das últimas duas semanas de gestação, quando seu nível no soro cai. Existe, por isso, uma concentração seletiva dessa fração protéica na glândula mamária.

Se o potro estiver sugando normalmente, a concentração da fração de imunoglobulina no colostro 12 a 15h após o nascimento é somente de 10 a 20% do valor inicial. É sabido que o conteúdo protéico do colostro da égua está em torno de 19% durante os primeiros 30min após o parto, mas com 12h o nível cai para cerca de 3,8% e após oito dias atinge um nível razoavelmente constante de 2,2% (Ullrey *et al.*, 1966). O potro absorve gamaglobulinas como moléculas não degradadas intactas ao longo das primeiras 12h de vida. Ao nascimento, o potro não tem gamaglobulinas, mas em resposta ao colostro, sua gamaglobulina sérica se eleva em 12h para 8g/L de soro (Jeffcott, 1974b-d). Quantidades de anticorpos específicos assim adquiridos pelo sangue do potro declinam a partir das 24h de idade; com três semanas, os valores são a metade dos iniciais e com quatro meses o título de anticorpos providos pela mãe é escassamente detectado.

O próprio sistema do potro de preparo da imunidade ativa na forma de gamaglobulinas autógenas primeiro provê produtos detectáveis com duas semanas de idade no sangue de potros privados de colostro e com quatro semanas naqueles criados normalmente. Aos quatro meses de idade, as gamaglobulinas atingem as concentrações plasmáticas de adultos. Até essa idade, por isso, o potro é mais suscetível a infecções do que um adulto no mesmo ambiente, particularmente quando recebeu quantidade inadequada de colostro, ou colostro no momento errado.

Se a égua ejetou muito do seu colostro antes do parto, então será necessário fornecer o colostro de potro de outra égua, de preferência uma acostumada ao mesmo ambiente ou, falhando isso, o colostro de vaca, ao invés do leite. Fontes comerciais de colostro de vaca estão agora disponíveis (ver *Colostro bovino*, adiante). Após 18h, o colostro tem pouco valor imune sistêmico, apesar de ter alguns efeitos benéficos locais dentro do trato intestinal.

Um teste simples de campo foi desenvolvido, em que a turbidez do plasma é avaliada após a adição de sulfato de zinco; os resultados estão bem correlacionados às concentrações de globulinas séricas nos potros, indicando se anticorpos suficientes foram absorvidos no período neonatal. Esse assunto é discutido na seção sobre potros órfãos (*Plasma sangüíneo por dosagem parenteral ou oral*, adiante).

PROBLEMAS NEONATAIS

De forma geral, a higiene está fora do objetivo deste livro, ainda que a importância da limpeza da área de parto não possa ser superenfatizada. É essencial que o potro receba colostro para prover a ele alguma proteção (imunidade passiva) contra organismos potencialmente perigosos no ambiente. Todavia, o consumo de quantidades excessivas de leite pode sobrecarregar a capacidade digestiva do potro e o leite pode então se tornar um substrato para o rápido crescimento bacteriano nos intestinos. Essa situação pode precipitar a diarréia apesar do consumo de quantidades normais de colostro.

978-85-7241-725-9

A etiologia e o tratamento da diarréia de potros envolvem vários fatores (Urquhart, 1981). Aquela causada por consumo excessivo de leite e intolerância à lactose é tratada com a diminuição ou a interrupção do consumo de leite. O início da então chamada "diarréia do cio do potro" ocorre de sete a dez dias após o parto, freqüentemente coincidindo com o primeiro estro da égua, mas nenhuma correlação foi estabelecida entre essa forma de diarréia e sólidos totais, gordura, ou concentrações de cinzas, contagem bacteriana, ou atividade estrogênica do leite da égua. Existem dois problemas a respeito da alimentação do potro não relacionados a doenças bacterianas: icterícia hemolítica e eliminação do mecônio.

Icterícia Hemolítica

O sangue do potro difere imunologicamente do de sua mãe e em raras ocasiões o feto pode reagir com o sistema imune da mãe, causando a produção pela égua de isoanticorpos contra as hemácias do sangue do potro. Esses anticorpos são transmitidos pelo colostro e o potro lactente pode absorver o suficiente para iniciar uma considerável destruição das hemácias, precipitando anemia e icterícia, conhecida como *icterícia hemolítica*. Em casos graves, a urina do potro ficará descolorida com hemoglobina. Se um ataque leve for detectado antes da ocorrência da icterícia, não se deve permitir que o potro mame de sua mãe por 36h. Se a égua previamente produziu potros com essa condição, pode ainda carrear anticorpos similares. Nesse caso, o potro deve automaticamente receber colostro de outra égua em uma taxa de 500mL a cada 1 a 2h por três ou quatro refeições, seguidas por substituto do leite até 36h, quando pode retornar à sua mãe. Nesse meio tempo, a égua deve ser ordenhada com as mãos.

Se o problema for previsto, amostras de sangue podem ser obtidas do potro e permite-se às hemácias depositarem-se. A anormalidade causa a hemólise das hemácias (plasma róseo ao invés da cor límpida). Nessas circunstâncias, o potro pode estar gravemente anêmico e as hemácias da mãe podem ser lentamente infundidas para dentro de uma veia após a remoção do plasma e suspensão dessas células em salina fisiológica. De preferência, porém, a fonte de hemácias deve ser três ou quatro machos castrados que não receberam transfusões prévias, minimizando assim o risco de reações imunológicas.

Um procedimento simples foi proposto como meio de prevenir a lesão *antes* do colostro ser fornecido aos potros que são considerados de risco. Uma gota do sangue umbilical é misturada a quatro gotas de salina e cinco gotas do colostro da mãe em uma lâmina limpa de microscópio, procurando-se após vários minutos por reações de aglutinação.

Eliminação do Mecônio

Ao nascimento, muito do intestino grosso, incluindo o ceco e o reto, contém uma substância, o mecônio, que é normalmente eliminado por completo dentro dos primeiros dois a três dias de vida. A sucção usualmente desencadeia um reflexo que promove a defecação desse material. Se isso não ocorrer, a passagem normal de colostro e leite pode ficar bloqueada de forma que os gases formados durante sua fermentação causem distensão e dor ao potro. Este então pode parar de mamar, atuar de forma anormal, agachar, erguer sua cauda e flexionar seus jarretes em um esforço para eliminar o material desagradável, ou rolar de dor. Eventualmente, um excremento de leite amarelado atinge o reto, o mecônio é removido e os sintomas desaparecem.

O problema é tratado de forma conservativa por meio da administração de um lubrificante com uma sonda estomacal, mais um ou dois enemas de sabão e água, ou parafina líquida, e a injeção de drogas analgésicas. Se o potro parar de mamar por um período prolongado, deve receber um líquido de nutrientes via sonda estomacal, ou soluções intravenosas apropriadas. Alimentação intravenosa de glicose e solução eletrolítica isotônica (ver Tabela 9.1, Capítulo 9) é um procedimento para salvar a vida nos casos de enterite grave com conseqüente desidratação. Em circunstâncias normais, o potro irá comer uma quantidade das fezes da mãe. Ao fazer isso, introduz microrganismos benéficos em seu trato intestinal, que competem com os patógenos presentes no ambiente geral.

LACTAÇÃO

Em qualquer estágio da lactação, a composição do leite da égua é notavelmente similar entre as várias raças de eqüinos. A composição se altera rapidamente durante os primeiros dias de lactação e então de forma mais lenta (Figs. 7.1 a 7.4 e Tabelas 7.2 e 7.3). O leite contém cerca de 2MJ de energia bruta/kg. Oito éguas TB e duas *Standardbred* americano recebendo uma dieta de concentrados e feno demonstraram atingir produções de 16, 15 e 18kg por dia (3,1, 2,9 e 3,4% do peso corpóreo/dia ou 149, 139 e 163g/kg de $PC^{0,75}$), respectivamente, com 11, 25 e 39 dias após o parto (Oftedal *et al.*, 1983). Doreau *et al.* (1991) reportaram que, durante as semanas 0 a 5 de lactação, éguas primíparas anglo-árabes francesas, pesando 522kg após o parto, produziram menos leite e com menor conteúdo de gordura do que foi produzido por éguas multíparas (14,6 *versus* 16,6kg/dia e 16,5 *versus* 20,2g/kg, respectivamente). Essa diferença foi associada com um menor consumo de matéria seca durante a gestação e menores concentrações plasmáticas de AGNE durante a gestação e a lactação pelas éguas primíparas. Éguas de tração francesas (Breton, Comtois), pesando 726kg, produziram 20kg/dia na primeira semana, aumentando para 27,5kg/dia na oitava semana (Doreau *et al.*, 1992) (Tabela 7.4).

Produções de leite são marcadamente influenciadas pela capacidade inata da égua, por meio do consumo de alimento durante os últimos estágios da gestação e, de forma mais importante, pela disponibilidade de água (Tabela 7.5) e consumo de energia e nutrientes

978-85-7241-725-9

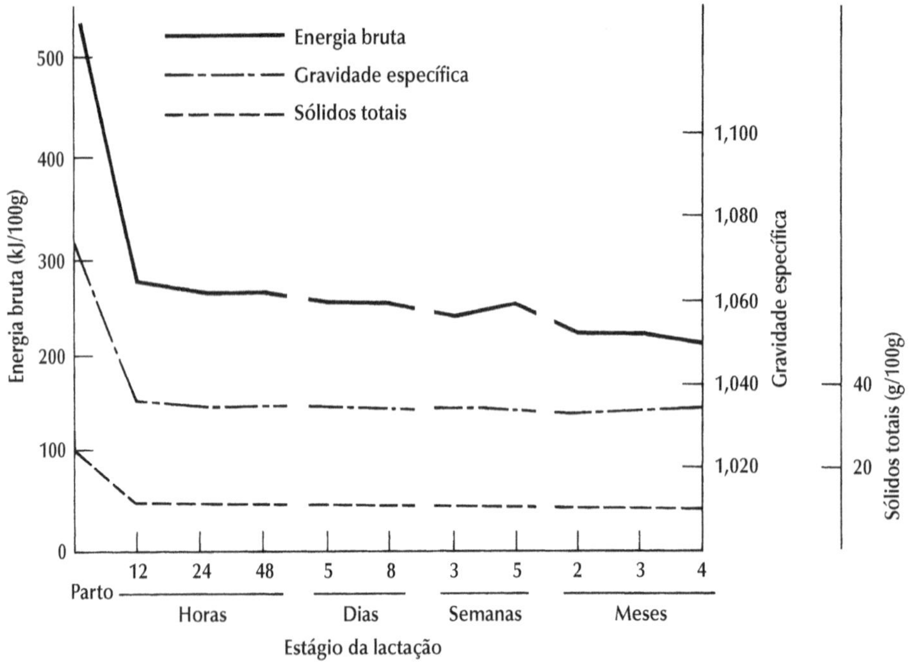

978-85-7241-725-9

Figura 7.1 – Alterações na gravidade específica e concentração de energia bruta e de sólidos totais no leite da égua nos vários estágios da lactação (segundo Ullrey *et al.*, 1966).

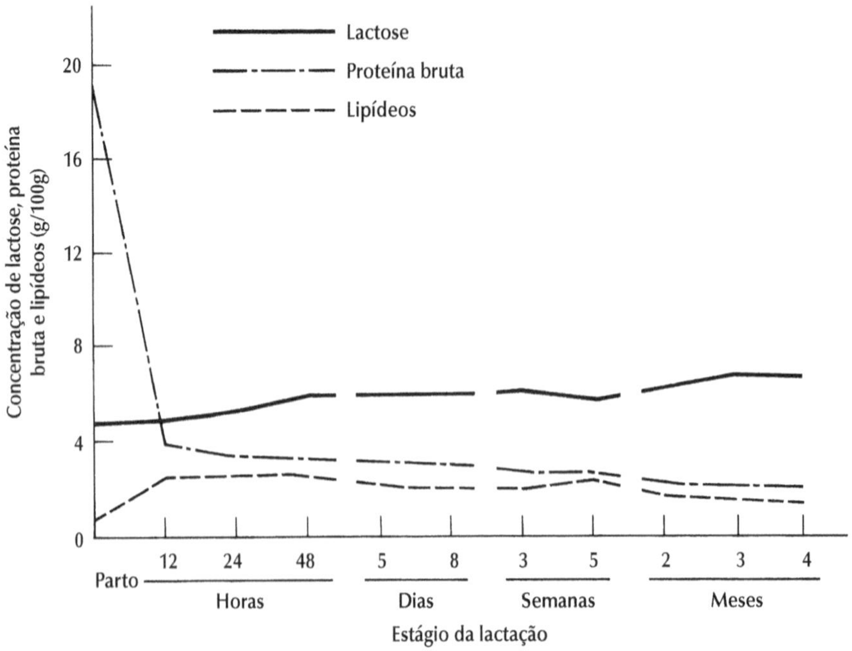

Figura 7.2 – Alterações na concentração de lactose, proteína bruta e lipídeos no leite da égua nos vários estágios da lactação (Ullrey *et al.*, 1966).

978-85-7241-725-9

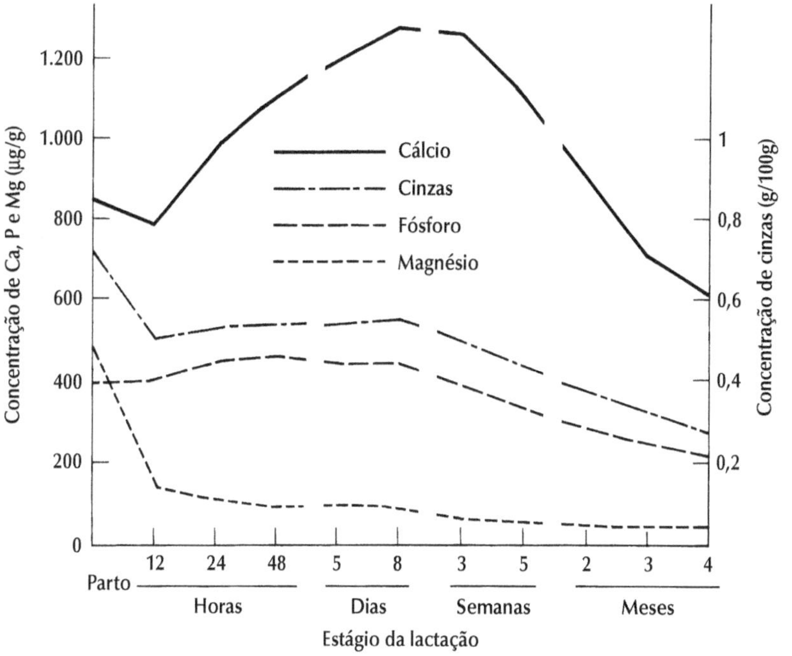

Figura 7.3 – Alterações na concentração de cinzas, cálcio, fósforo e magnésio no leite da égua nos vários estágios da lactação (Ullrey *et al.*, 1966).

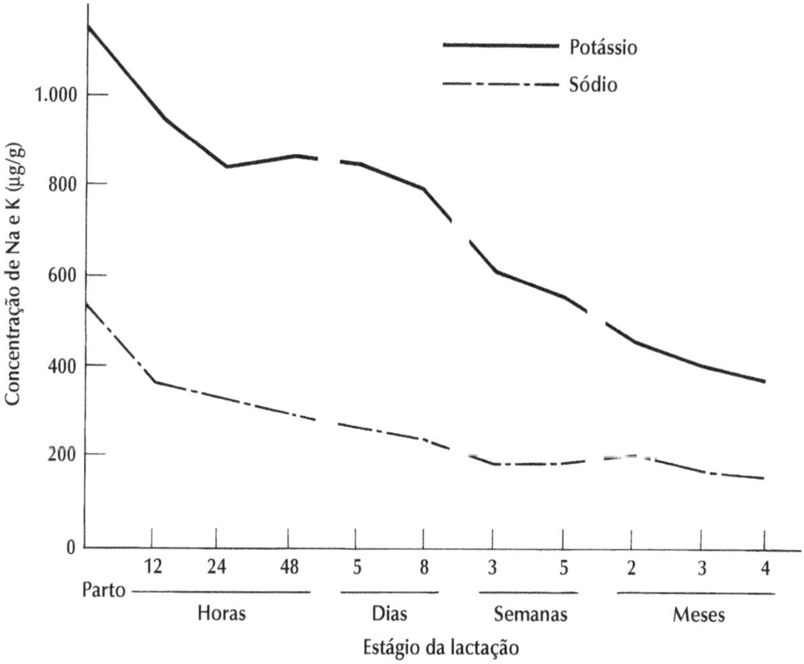

Figura 7.4 – Alterações na concentração de potássio e sódio no leite da égua nos vários estágios da lactação (Ullrey *et al.*, 1966).

Tabela 7.2 – Conteúdo de nutrientes do leite em éguas Quarto de Milha, *Thoroughbred* (TB), *Warmblooded Saddlebred* holandês e algumas outras raças (Bouwman e van der Schee, 1978; Gibbs *et al.*, 1982; Oftedal *et al.*, 1983; Schryver *et al.*, 1986; Doreau *et al.*, 1988; Saastamoinen *et al.*, 1990; Martin *et al.*, 1991).

	Holandesa e algumas outras raças			Quarto de milha	TB
	Inicial	*28 dias*	*196 dias*	*2-150 dias*	*24-54 dias*
Sólidos totais (g/kg)	130	100-112	105	105	105
Energia bruta (MJ/kg)	2,5	1,9-2,3	1,8-2	–	–
Gordura (g/kg)	27	11-13	7	13-12	13
Proteína (g/kg)	33	17-20	18	21-16	19
Cinzas (g/kg)	5,3	2	2,8	3	4
Cálcio (g/kg)	1,2	0,7	0,8	0,8-0,6	0,9
Fósforo (g/kg)	1	0,4	0,5	0,36-0,21	0,6
Lactose (g/kg)	58	66	66	–	69
Magnésio (mg/kg)	–	90	45	65-43	68
Potássio (mg/kg)	–	700	400	580-370	120
Sódio (mg/kg)	–	225	150	190-160	180
Cobre (mg/kg)	–	450	200	–	200
Zinco (µg/kg)	–	2.500	1.800	–	2.000

durante a lactação. Pesquisa experimental com éguas Quarto de Milha e TB demonstraram que uma redução no consumo de energia para 75% daquela recomendada para lactação pelo NRC (1978) não causou redução paralela no peso do potro com 75 dias (Banach e Evans, 1981a, b). Sem dúvidas, a égua vicejante tem uma capacidade considerável de se adaptar, dentro de limites, a uma dieta restrita.

Pode-se esperar que éguas pesando 400 a 550kg produzam de 5 a 15kg de leite diariamente durante as primeiras poucas semanas, de 10 a 20kg por dia no segundo e terceiro meses, caindo para 5 a 10kg no quinto mês; mas para produções normais supõe-se um amplo suprimento de água. Observações com eqüinos *Saddlebred* holandeses indicaram que a freqüência de mamadas foi de uma média de 103 vezes por dia na primeira semana, caindo para 35 vezes por dia na décima semana e em cada ocasião o potro mamou por 1,3 a 1,7min (é improvável que pequenas quantidades obtidas freqüentemente causem distúrbios digestivos). Ao nascimento, os potros pesavam 57kg na média e o peso dobrou nos primeiros 37 dias de vida.

Tabela 7.3 – A composição do leite da égua: aminoácidos* g/kg de leite (Wickens *et al.*, 2002).

	g/kg de leite		g/kg de leite
Arginina	1,17	Metionina	0,54
Histidina	0,56	Fenilalanina	0,9
Isoleucina	1,33	Treonina	1,22
Leucina	2,5	Valina	1,65
Lisina	1,7		

* Estes são considerados aminoácidos dietéticos indispensáveis, exceto pela omissão do triptofano.

978-85-7241-725-9

Tabela 7.4 – Produções típicas de leite (kg/dia) por éguas de vários pesos corpóreos da primeira à vigésima quinta semana de lactação

Semanas	1-2	4-5	5-12	20-25
Quarto de Milha (500kg)	10	14	10	-
TB, *Standardbred* americano (494kg)	12-16	14-16	18	-
Saddlebred holandês (600kg)	14	16	19	11
Francês de tração (*French draft*) (726kg)	20	25	27	-

TB = *Thoroughbred*

Potros lactentes TB e *Standardbred* americano demonstraram obter um conteúdo de matéria seca de leite diária equivalente a 3,1%, 2,1% e 2% de peso corpóreo com, respectivamente, 11, 25 e 39 dias de pós-parto, quando o ganho de peso ficou na média de 1,14kg por dia (Oftedal *et al.*, 1983). Consumos diários comparáveis de energia bruta foram de 39, 32 e 37MJ, respectivamente.

Efeitos de Energia, Proteína e Uréia Dietéticas na Produção de Leite

O consumo de energia pode ser voluntariamente modificado para afetar a produção e a composição do leite. O consumo voluntário de alimento de éguas de reprodução de raças de tração foi menor quando foram fornecidas quantidades iguais de feno de festuca alta e concentrados, em comparação com 95% de feno e 5% de concentrado (Doreau *et al.*, 1992), causando diferenças no conteúdo de proteína e de gordura e nos perfis de ácidos graxos do leite (Tabela 7.6). O leite da dieta rica em concentrados foi mais rico em ácidos C18:2 (n-6) e mais pobre em C18:3 (n-3) (alfa-linoléico). Assim, conteúdos aumentados de fibras e

Tabela 7.5 – Requerimentos de água pelo haras.

(a) Água provida pelo pasto (kg) por kg de matéria seca (MS) de forragens e necessidades mínimas (kg) de água total (incluindo forrageiras) por kg de MS de alimento consumido

Conteúdo de água por unidade de MS das forragens		Requerimento de água dos eqüinos por unidade de MS consumida	
Cultivo de primavera	4	Últimos 90 dias de gestação	3
Verão seco	2,5*	Primeiros 3 meses de lactação	4
Inverno moderado	3	Garanhão em reprodução	3
		Potro desmamado	3
		Égua falhada	2

* Quando "queimada" ou manchada, a proporção de água pode ser tão baixa quanto 0,15 a 0,3

(b) Requerimentos de água suplementares mínimos (L) para cada égua diariamente, assumindo produções médias de leite

Peso vivo da égua: (kg)	200	400	500
Últimos 90 dias de gestação[1]:			
no estábulo	12,7	22,3	26,4
no pasto[2]	0	0	0
Primeiros 3 meses de lactação:			
no estábulo	27,7	41,8	49,6
no pasto[2]	7,3	10,9	12,3

[1] As necessidades do garanhão em reprodução são similares às das éguas gestantes.

[2] Estas quantidades serão insuficientes para éguas sobre pastos ressecados em temperaturas ambientes excedendo 30°C, em que sombras devem ser providenciadas.

978-85-7241-725-9

Tabela 7.6 – Efeito das proporções de feno a concentrados em éguas de tração francesas (726kg) em lactação (Doreau *et al.*, 1992).

	Feno:concentrados 95:5	Feno:concentrados 50:50
ED (MJ/kg de dieta)	9,3	12,9
PBD (g/kg da dieta)	129	142
EL (UFC")*	0,65	0,89
MADC (g/kg de MS)	74	100
Consumo de alimento (kg de MS/dia)	22,9	21,4
Produção de leite, semana 4 (kg/dia)	23,4	26,4
Gordura, média das semanas 2 e 4 (g/kg de leite)	14,7	11,6
PB, média das semanas 2 e 4 (g/kg de leite)	26,3	24,4

* Ver no Cap. 6 o sistema francês do Institut National de la Recherche Agronomique (INRA).

ED = energia digestível; EL = energia líquida; MADC = *matières azotées digestibles corrigées* (ou *cheval*); MS = matéria seca; PBD = proteína bruta digestível; UFC" = *unité fourragère cheval.*

inadequados de energia dos alimentos podem elevar o conteúdo de gordura e proteína do leite, mas diminuir a produção. O efeito na gordura é similar ao observado em ruminantes.

A qualidade protéica dietética é conhecida por afetar o conteúdo de proteína do leite da égua. Glade e Luba (1987b) forneceram a éguas lactantes 1,55kg de proteína de qualidade moderada/500kg de PC diariamente, ou a mesma quantidade com metade como proteína de soja. Isso aumentou o conteúdo de proteína do leite com sete dias de 25,3 para 33,2g/L. Uma diferença persistiu até a quarta semana de lactação. A metionina e a lisina plasmáticas estavam em maiores concentrações nos potros mamando das éguas suplementadas com soja e suas alturas de cernelha com sete semanas foram maiores. O pasto ruim, por isso, seria beneficiado dos suplementos de proteínas e amido de alta qualidade. A suplementação com uréia das éguas recebendo dietas pobres em proteínas aumentou as concentrações de uréia no plasma e no leite e reduziu o consumo alimentar com efeitos adversos no consumo de leite e crescimento de seus potros (Martin *et al.*, 1991). A fonte energética da dieta e o consumo de aminoácidos dentro de limites normais influenciaram a produção de leite e a performance do potro, mas as evidências são insuficientes para a recomendação das modificações nos valores de requerimentos existentes.

978-85-7241-725-9

Composição Mineral do Leite

A composição mineral do leite de éguas TB foi mensurada por Schryver *et al.* (1986) (Tabela 7.7) e outros valores são fornecidos na Tabela 7.2. O conteúdo de matéria seca foi

Tabela 7.7 – Composição mineral do leite da égua – eletrólitos (mmol/L) e cobre (Cu) e zinco (Zn) (µmol/L) (Schryver *et al.*, 1986).

Semanas pós-parto	Ca	P	Mg	K	Na	Cu	Zn
1-2	33,3	29,2	4,64	17	9,4	12,1	44,4
3-4	27,9	22,6	3,66	13	7,5	7,5	35,2
5-6	23,1	19,5	2,96	10	8	6,8	30,6
7-8	21,6	19	2,47	11,5	6,5	5	29,1
9-14	20,7	18,2	2,18	9,8	6,4	2,7	27,5

observado diminuindo drasticamente de 12% na primeira semana para 10,8% na terceira e então mais lentamente para 10,2% nas semanas 15 a 17 de lactação no estudo de Schryver *et al.*, como demonstrado na Tabela 7.2.

Paresia Parturiente

Algumas vacas de alta produção sofrem de uma condição conhecida como febre do leite ou paresia parturiente, provavelmente causada por drenagem repentina do cálcio sangüíneo para o leite após o parto sem uma mobilização equivalente do cálcio ósseo. Um tratamento bem-sucedido requer o fornecimento para as vacas de uma dieta pobre em cálcio duas a quatro semanas antes do parto e então o fornecimento de uma dieta relativamente rica em cálcio durante a lactação. Uma dose regulada, mas alta, de vitamina D fornecida oito a dez dias antes do parto também se mostrou benéfica em alguns exemplos, mas a dose deve ser cuidadosamente calculada para evitar um excesso grosseiro e tóxico. Éguas de pôneis e eqüinos com um histórico de tetania (comparada com a paresia em ruminantes) associada com cálcio sangüíneo reduzido na lactação poderiam se beneficiar bem de uma dieta contendo 1,5 a 2g de Ca/kg e aproximadamente 3.000UI de vitamina D/kg ao longo das últimas duas semanas de gestação. É difícil prever o parto com suficiente precisão dez dias antes dele e por isso doses únicas de grandes quantidades de vitamina D naquele momento não podem ser recomendadas. A dieta, é claro, deve ser adequada em outros pontos e durante a lactação a dieta total de tais éguas deve conter 5 a 6g de Ca/kg. Eqüinos que apresentem essa forma de tetania devem receber lentamente gliconato de cálcio intravenoso ao mesmo tempo em que a ação cardíaca é continuamente monitorada.

978-85-7241-725-9

Comportamento de Pastejo e Beberagem no Período Pós-natal

Foi demonstrado (Crowell-Davis *et al.*, 1985) que éguas pôneis Welsh pastando gastam cerca de 70% de seu tempo se alimentando, ao passo que, excluindo-se a amamentação, os potros de uma semana de idade gastam 10%, aumentando para 50% com 21 semanas. Os potros tendem a comer quando suas mães foram alimentadas, em maior intensidade bem cedo na manhã e ao anoitecer. Geralmente, todo rebanho se move junto até as fontes de água e a freqüência disso aumentou com a elevação da temperatura ambiente para 35°C. Porém, os potros com menos de três semanas de idade não beberam e foi observado que a metade dos potros não bebeu antes de mamar (ver *Requerimentos de água*, Cap. 4).

A taxa de crescimento do potro lactente reflete a taxa de secreção de leite de sua mãe. Entre as influências ambientais na produção de leite, a qualidade do pasto e a livre disponibilidade de água são as principais. A alimentação suplementar das éguas lactantes, que ocorre no estábulo à noite ou no pasto, é outra influência. Fontes seguras de água são essenciais para éguas em lactação em climas quentes.

Valores da Bioquímica Sangüínea do Potro

As características sangüíneas normais do potro são fornecidas em vários textos e o assunto é referido no Capítulo 2. Os valores séricos na Tabela 7.8 indicam que o potro neonato é deficiente em globulinas e isso precisa ser retificado por meio do consumo de colostro antes de qualquer outro alimento. A atividade da fosfatase alcalina sérica diminui com a idade, provavelmente refletindo a relativa redução na taxa de crescimento ósseo com o aumento da idade, ou enfatizando que problemas no desenvolvimento ósseo apropriado

Tabela 7.8 – Concentrações de proteína (g/L), gordura neutra (g/L) e glicose (mmol/L) e atividade da fosfatase alcalina (FA) (Unidade King Armstrong) no soro sangüíneo de potros *Thoroughbred* (Sato *et al.*, 1978).

Dias do nascimento	Proteína total	Albumina	Globulinas	Gordura neutra	Glicose	FA
0	45,8	26,3	15,3	0,36	3,07	100
10	54,8	26,5	27,6	1,18	8,04	76
20	56,2	25,4	29,6	1,04	7,51	57
50	53,6	24,3	29,2	0,62	7,16	62
90	56	26,3	30	0,9	6,06	50
120	60,8	31,1	29,4	0,45	6,08	45

podem se estabelecer antes ou logo após o nascimento. A glicose e a gordura sangüíneas estão em baixas concentrações no nascimento, refletindo as baixas reservas energéticas no potro neonato e sua incapacidade de manter o calor corpóreo em um ambiente frio a não ser que colostro e leite sejam providenciados.

Alimentação no Cocho para o Potro

Potros começarão a beliscar o feno e concentrados com 10 a 21 dias de idade. Se o suprimento de leite da mãe, ou a quantidade de gramíneas, for inadequado, a provisão do cocho nesse momento pode bem capacitar uma taxa de crescimento normal. Porém, o principal objetivo da alimentação no cocho é acelerar a maturação anatômica e fisiológica do trato gastrointestinal (GI) do potro, de forma que, enfim, o desmame não estresse particularmente ou prejudique e sejam evitados distúrbios digestivos causados pela fermentação anormal da ingesta.

Se a égua secretar quantidades mínimas de leite, é recomendado um alimento no cocho com base em leite desnatado seco provido a partir de duas semanas de idade. A composição desse alimento deve ser modificada gradativamente para um grânulo de haras (16 a 17% de proteína, 3% de óleo, 8% de fibra), ou uma dieta para potros em crescimento (17 a 18% de proteína, 3% de óleo, 7% de fibra) (ver Tabelas 7.1 e 8.6, Cap. 8) a partir de 10 a 14 semanas de idade. O uso de péletes de leite como alimentos de cocho antes do desmame é contra-indicado, pois anula o objetivo principal.

Controle das Anormalidades de Crescimento

Os potros que estão crescendo bem com éguas ao pasto não têm necessidade particular para adição de alimento seco até dois meses antes do desmame, ou seja, dois a três meses de idade. Aqui as funções são compensar uma produção de leite diminuída da mãe, retificar os efeitos de um declínio na qualidade do pasto e, provavelmente de forma mais importante, acostumar o potro ao regime dietético esperado após o desmame. Assim, o alimento deve ser um concentrado do tipo fornecido na Tabela 7.1 e na Tabela 8.6, Capítulo 8, com o que o potro será mantido ao longo do inverno e da primavera subseqüentes.

Os alimentos suplementares de cocho devem ser restritos em quantidade a 0,5 a 0,75kg/100kg de PC. Tal restrição fornecerá uma medida de controle sobre a incidência de doenças associadas com o crescimento, incluindo epifisite e contratura de tendões (deformidades flexurais) (Fig. 7.5, *A* e *B*). Se existir evidência de qualquer uma delas, uma restrição da taxa de crescimento, imposta pelo corte de alimento suplementar e reduzindo o alimento

978-85-7241-725-9

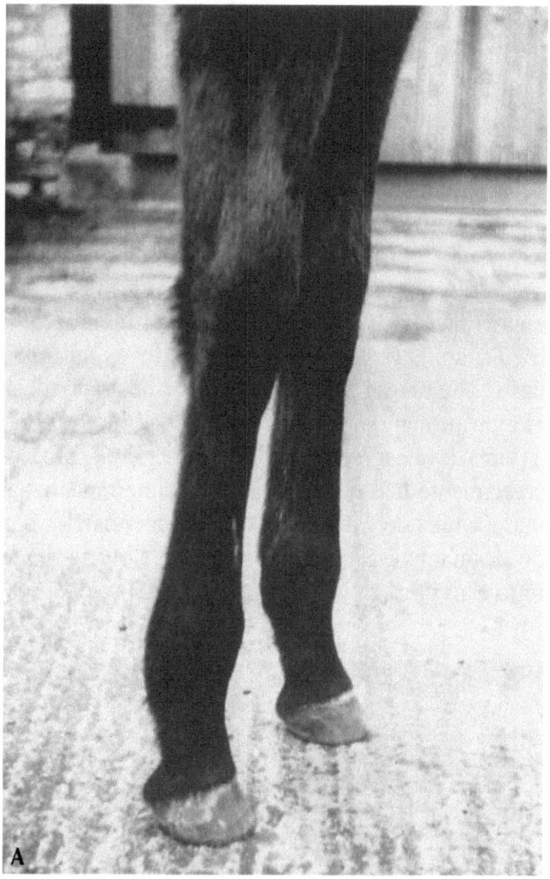

Figura 7.5 – Contratura crônica de tendões em um animal de 12 meses demonstrando as articulações do boleto aumentadas de tamanho e posição reta do membro. A melhora posterior foi obtida com a desmotomia do ligamento acessório do tendão flexor digital superficial (*check* superior). Antes da operação (*A*) e depois (*B*).

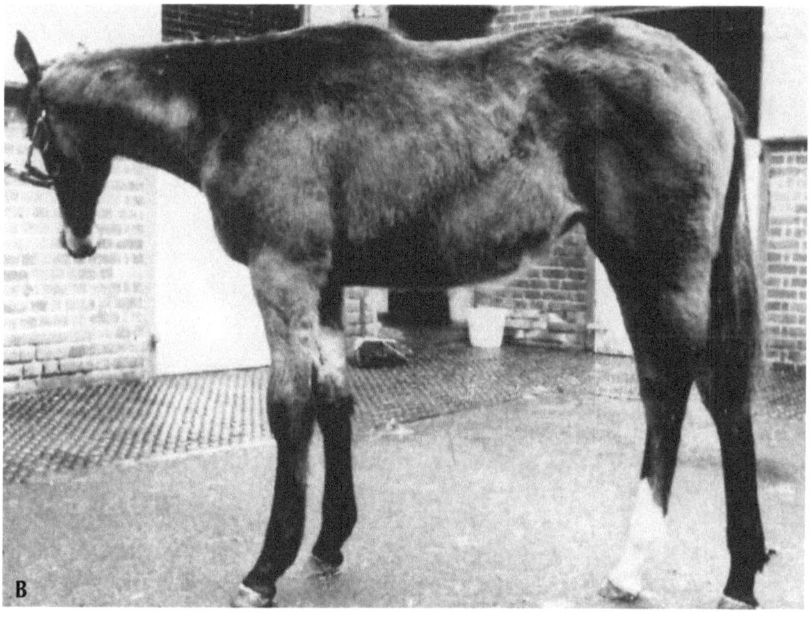

da égua por um período de três a quatro semanas, não deve prejudicar o tamanho adulto final se for cuidadosamente regulada. A extensão da restrição deve depender do quão sério o problema é. Potros que pisam alto em suas pinças ao nascimento devem ser exercitados regularmente e permitidos de crescerem a uma taxa submáxima se tentar-se conter a condição. Tendões abertamente contraídos ao nascimento são relativamente intratáveis e possivelmente resultam de mau posicionamento uterino. Se a terapia for possível, são usadas talas ou ferraduras com extensões e os potros são exercitados regularmente, com acesso restrito ao alimento até que a anormalidade seja corrigida (ver Cap. 8).

978-85-7241-725-9

O crescimento vertical de potros normais é muito rápido ao longo dos primeiros três a quatro meses de vida. O acesso a alimentos de cocho deve ser controlado por meio da regulação da largura da entrada ao invés de restringi-los pela altura. Potros de raças com pesos adultos de 550kg podem ser desmamados facilmente quando consomem perto de 1kg de alimento no cocho e 0,5kg de feno (ou gramínea equivalente) diariamente, quando o potro deve estar em um excesso de 140kg. Essas restrições normalmente garantem que o crescimento não recue durante a primeira semana pós-desmame e ao final da segunda semana a taxa de ganho será de pelo menos 1kg por dia no rebanho sadio. Vários dias antes do desmame é apropriado remover a oferta diária de concentrado da égua e o acesso ao feno e ao pasto deve também ser restringido.

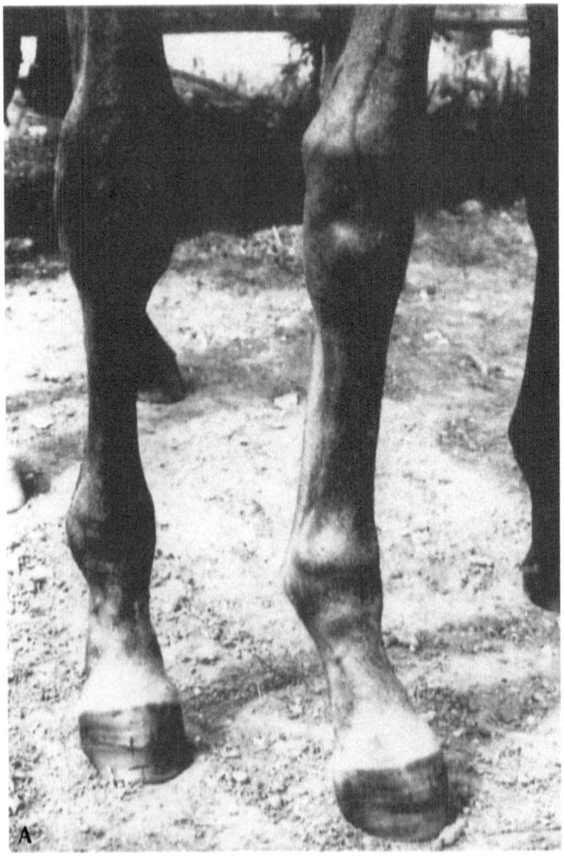

Figura 7.6 – Epifisite na extremidade distal do metacarpo e na extremidade proximal da falange proximal (boleto dos membros anteriores), (*A*) e (*B*); (*Continua*)

978-85-7241-725-9

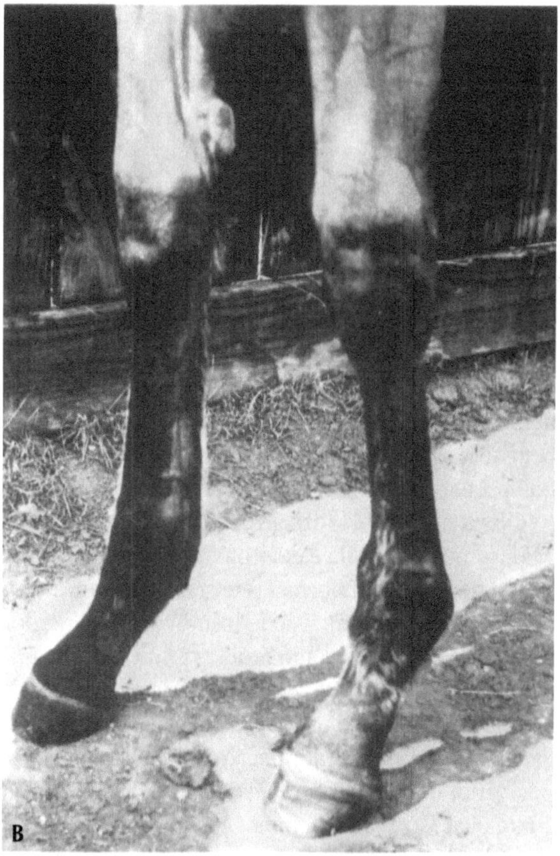

Figura 7.6 – (*Cont.*) Epifisite na extremidade distal do metacarpo e na extremidade proximal da falange proximal (boleto dos membros anteriores), (*A*) e (*B*); e esparavão do tarso (*C*) em potros (cortesia do Dr. Peter Rossdale, FRCVS).

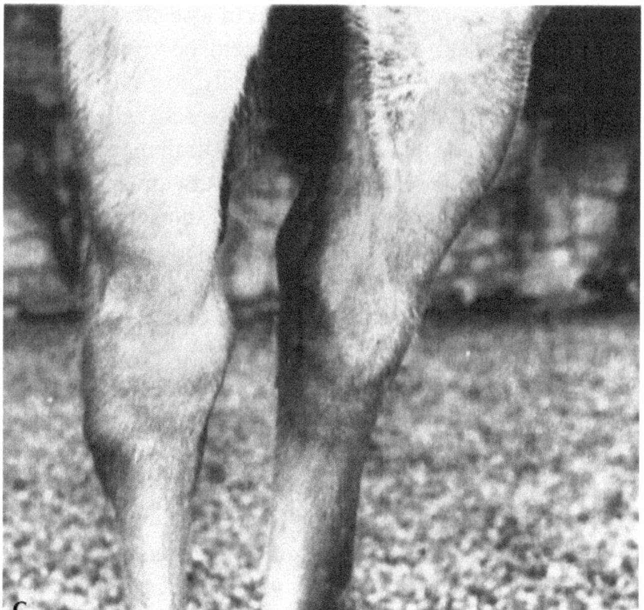

A epifisite (Fig. 7.6, *A* a *C*), provavelmente chamada de forma mais correta de metafisite, não é incomum em potros de ossos finos, maiores e de rápido crescimento de cruzamentos TB, *Saddlebred*, ou Quarto de Milha. É encontrada particularmente na articulação do boleto na extremidade distal do metacarpo e na articulação do "joelho" na extremidade distal do rádio. Nos casos em que for leve, o potro provavelmente terá atitude reta, mas se for grave, alimentos suplementares devem ser restritos a uma forrageira de boa qualidade, o consumo de leite deve ser limitado e o animal deve ficar na cocheira até o pior dos "inchaços" regredir. Uma restrição na velocidade de aumento de peso permite que a maturação da articulação continue sem o estresse por pressão excessiva sobre ela. Exercício leve precisa então ser realizado diariamente e o regime de alimentação normal é reinstalado de forma gradativa. O exercício pode, porém, causar lesão na epifisite grave e, neste caso, não deve ser usado analgésico. Problemas dessa natureza podem se originar em menos de uma semana e podem ser complicados pelas deformidades angulares em um membro junto com a epifisite no membro oposto. Tratamentos bem-sucedidos são parte da ação imediata. A atenção do criador aos cascos deve fazer com que pequenos desalinhamentos dos membros sejam corrigidos durante o crescimento.

Glade *et al.* (1984) desenvolveram uma explicação intrigante sobre a relação entre epifisite e consumo de energia e de proteína a cada refeição. Consumo excessivo suprime a hipertiroxemia pós-prandial normal (elevadas concentrações plasmáticas de hormônio tireóideo T_4), porque a secreção intensa de insulina estimula a formação de T_3 a partir de T_4, por sua vez inibindo o TSH (hormônio tiróido-estimulador) e assim a secreção de T_4. Como T_4 é requerido para a maturação óssea, o hipotireoidismo é conhecido por causar manifestações esqueléticas similares a epifisite e osteocondrite dissecante, ao passo que a insulina estimula a formação da cartilagem imatura. A afirmação de Glade requer investigação adicional da resposta de insulina pós-parto, pois somente 17% do carboidrato hidrolisável em uma dieta, fornecido na taxa de 1,6kg duas vezes ao dia, foram adequados para causar a máxima concentração pós-prandial de insulina e as respostas de glicose em TB de 12 meses de idade (Staniar *et al.*, 2002).

Cada uma dessas doenças é caracterizada por centros de crescimento com tamanho aumentado, falha da formação óssea a partir da cartilagem, necrose ocasional da cartilagem e formação de cistos. A solução parece estar não somente no controle de energia e proteína dietética e na correção dos erros na nutrição mineral e de oligoelementos minerais, mas também na elevação do número de alimentos diários e diminuição em seu tamanho individual. A extensão lógica disso pode ser a modificação para um sistema de desmame muito precoce e a alimentação de potros *ad libitum* com uma mistura completa descrita em *Mistura completa*, no Capítulo 8. Isso estimulará o mordiscar e evitará as grandes ondas pós-prandiais na glicose sangüínea e nos aminoácidos, que estimulam a secreção de insulina.

A vermifugação do potro não deve coincidir com o desmame, mas a primeira dose do anti-helmíntico pode ser fornecida com dois a três meses de idade ou, idealmente, com quatro meses de idade e daí com intervalos de seis semanas (ver Cap. 11).

978-85-7241-725-9

PROCEDIMENTO DE DESMAME

A alimentação restrita da égua limita a secreção de leite, mas após o desmame o úbere não deve ser ordenhado. Alguns criadores esfregam óleo canforado no úbere.

A ligação psicológica do potro à sua mãe é maior entre a segunda e a décima segunda semana de lactação com um pico ao redor da terceira semana, momento em que a separação causa maior agitação de ambos. O risco de lesão ao potro no desmame como resultado de excitação induzida pela separação é o principal fator a ser evitado. Em grandes haras de criação, três procedimentos alternativos são praticados.

1. Todas as éguas são removidas de um grupo de um ano de potros ao mesmo tempo.
2. Uma ou duas éguas são removidas em um momento, começando com a primeira que pariu, ou a égua mais dominante, e permitindo poucos dias decorridos para a seguinte ser removida.
3. Os potros são separados em períodos aumentados de tempo, de tal forma que os potros são permitidos a mamar três vezes por dia, duas e então somente uma vez em dias sucessivos, mantendo éguas e potros visíveis uns aos outros.

Os métodos (1) e (2) podem requerer acesso a outro haras para garantir que o rebanho desmamado esteja fora da vista, do som e do odor de suas mães. O método (2) pode fazer com que alguns potros sejam escoiceados quando procuram por leite em éguas mais agressivas. O último método retarda o procedimento de secagem, é mais trabalhoso e não sem riscos.

Porém, a não ser que existam outras circunstâncias atenuantes, recomenda-se que as éguas sejam abruptamente removidas de seus potros, começando com a égua que tem o potro maior e mais independente, ou com a égua mais dominante, a qual é provável que cause problemas a outros potros. Vários dias devem decorrer antes da égua dominante seguinte ser removida, deixando os potros em ambientes familiares fora da vista, do som e do odor de suas mães. É útil deixar uma égua seca calma com os potros e qualquer potro apresentando gripe ou outra condição debilitante não deve ser desmamado até readquirir saúde.

De início, os potros podem se tornar furiosos e é importante garantir que todos tenham companhia, que exista um amplo espaço para brincar, que o pasto tenha uma fonte de água limpa e uma área coberta e que a área coberta e as cercas sejam livres de pregos protuberantes, talas e arame solto. O pasto deve também ser de boa qualidade, sem infestação por vermes e livre de pedras e tocas de coelhos ou outros que possam causar lesões de membros.

978-85-7241-725-9

Desmame Precoce

Os procedimentos delineados para os desmames líquido e sólido de potros órfãos podem ser seguidos pelo desmame precoce dos potros, mas o procedimento é bem trabalhoso e também uma interrupção das atividades normais do haras de reprodução. Por isso, tanto do ponto de vista prático quanto do econômico, uma recomendação geral para o desmame precoce não pode ser fornecida. Todavia, existirão circunstâncias em que terá um valor prático.

Todos os potros desmamados precocemente precisam receber colostro durante o primeiro dia de vida, antes de receberem outro alimento. O desmame com três a cinco dias de idade, quando a égua não foi marcada no potro, e sob condições de higiene, é seguro. Uma separação de seis horas sem alimento normalmente elimina o descontentamento, mas no início causa taxa de crescimento menor que a de potros mamando em suas mães. As razões para isso são choque do desmame e menor consumo de MS do leite. Em sistemas tradicionais, esse menor consumo é causado por uma freqüência de refeições menor que a de potros lactentes. A compensação por meio de refeições maiores precipita a diarréia. Potros precocemente desmamados devem receber um mínimo de seis refeições de leite por dia. O leite deve conter cerca de 120 a 130g de MS/L. Oito a dez refeições por dia devem aumentar

Tabela 7.9 – Performance de potros *Thoroughbred* desmamados com cinco dias de idade (Pagan *et al.*, 1993a).

Idade (dias)	PC médio (kg)	Consumo de MS do leite (kg/dia)	Consumo de péletes (kg/dia)	Consumo de alimento grosso (kg/dia)	Consumo de MS total (kg/dia)
5-14	72	1,28	0,26	0	1,54
15-28	85	1,34	0,44	0	1,78
29-42	100	1,29	0,63	0	1,92
43-56	115	1,32	0,89	0,1	2,31
57-70	130	1,21	1	0,16	2,37
71-84	144	1,25	1,4	0,19	2,84
85-98	158	0,7	1,87	0,51	3,08
99-112	171	0	2,09	0,64	2,73
113-126	182	0	2,03	0,46	2,49
127-140	194	0	2,15	0,47	2,62
141-154	206	0	2,21	0,74	2,95
155-168	220	0	2,27	0,83	3,1

MS = matéria seca; PC = peso corpóreo.

a taxa de crescimento inicial sem perigo; porém, o retardo do crescimento inicial está sujeito a uma compensação parcial com seis meses de idade. Péletes secos, contendo leite desnatado em pó e outras fontes de proteínas de alta qualidade, podem ser oferecidos *ad libitum* durante esse período. O substituto do leite deve conter cerca de 25% de proteína e 16% de gordura em matéria seca. Algumas evidências sugerem que triacilgliceróis de cadeia média podem ser fontes úteis de gordura para potros com função digestiva comprometida. Gorduras neutras, como óleo de coco, que contêm ácidos graxos de cadeia média, são hidrolisadas mais rapidamente pela lípase pancreática. Qualquer gordura de cadeia média não hidrolisada é absorvida diretamente pela mucosa do intestino delgado. O alimento diário total deve apresentar idealmente uma média de 20 a 25% de proteína e 12 a 15% de gordura. Pagan *et al.* (1993a) relataram o desempenho de potros TB desmamados com cinco dias de idade (Tabela 7.9).

978-85-7241-725-9

ALIMENTAÇÃO DO POTRO ÓRFÃO

A criação artificial de potros relativamente pequenos não deve ser tentada de forma leve. TB de menos de 40kg são normalmente eliminados. Potros órfãos são privados do aquecimento da mãe e em clima frio devem ser cobertos com material acolchoado de pouco peso. Normalmente, uma égua ama-seca é desejável, mas nesse meio-tempo a alimentação artificial é necessária. A concentração inicial do leite fornecido deve ser de 22% de MS pelos primeiros dois dias, caindo 1% diariamente até uma concentração normal de 14 a 15% de MS ser atingida e mantida até o desmame. Se ocorrer diarréia, o leite pode ser diluído, ou preferencialmente substituído, durante um curto período de tempo por uma solução de glicose-eletrólitos, que provê sódio, potássio, cloreto, base orgânica e glicose em particular (ver Tabela 9.2, Cap. 9). Porém, todos os potros neonatos precisam receber uma fonte adequada de imunoglobulinas após o nascimento antes de receberem *qualquer outra* fonte orgânica.

COLOSTRO

O fornecimento ao neonato de imunoglobulinas do colostro é crucial para sua sobrevivência em ambientes normais. Se a égua for perdida após o primeiro dia, as perspectivas do potro sobrevivente são fortemente melhoradas se ele tiver mamado colostro suficiente. Se não for esse o caso, a manutenção de um banco de colostro congelado é um recurso e seu valor é aumentado se for originado de éguas de um ambiente microbiológico semelhante ao do vivenciado pelo potro.

A higiene na coleta do colostro é vital e o processo de preservação deve ser realizado por pessoas experientes para garantir que nenhuma contaminação bacteriana ocorra. Assim, quantidades mínimas, suficientes para cada refeição, devem ser estocadas em cada recipiente e descongeladas individualmente. O colostro deve ser consumido imediatamente ao seu aquecimento para evitar crescimento bacteriano indesejável. O potro deve receber cerca de 500mL de colostro por mamadeiras ou sonda nasogástrica a cada hora por três ou quatro refeições antes das 12h de vida. Se a concentração plasmática de imunoglobulinas puder ser mensurada e estiver em menos que 4g/L e o potro tiver menos de 12 a 15h de idade, então 2L de colostro, ou uma quantidade para elevar os níveis plasmáticos para 8g/L, devem ser administrados via sonda nasogástrica em etapas por várias horas. A privação de colostro em um ambiente normal inevitavelmente causa concentrações séricas muito baixas de imunoglobulina G (IgG) e septicemia com uma variedade de espécies bacterianas (Robinson *et al.*, 1993).

978-85-7241-725-9

O colostro eqüino é o ideal, ainda que o bovino tenha algum valor. Chong *et al.* (1991) criaram em isolamento 21 de 22 potros Welsh Mountain em período integral, sob condições livres de herpes-vírus eqüinos (HVE-1/4), mas sem o colostro da égua. Os potros receberam profilaxia antibiótica e colostro bovino durante o primeiro dia. Seguiu-se a isso um substituto do leite de égua até o desmame. Os potros permaneceram livres de infecção por HVE-1/4.

Avaliação do Colostro

A eficácia do colostro depende de seu conteúdo de IgG. No haras, o conteúdo de IgG pode ser aproximado usando um hidrômetro, desenhado para esse propósito, que relaciona a gravidade específica (GE) do colostro ao seu conteúdo de IgG. Evidências indicam que a estimativa é influenciada pela temperatura do líquido, que, por isso, precisa ser controlada para se obter uma informação confiável. O colostro com uma GE $\geq$ 1.085 (equivalente a mais de 7.000mg/dL de IgG) a 25°C é adequado para congelamento como fonte para potros privados de colostro adequado de suas mães. O colostro com uma concentração de IgG de GE > 1.03 (mais de 3.000mg/dL) a 25°C é considerado como adequado para ingestão direta a partir do úbere da égua dentro das primeiras 12h do nascimento, desde que nenhum leite tenha sido ingerido previamente. O nível de IgG do soro do potro deve exceder 800mg/dL entre 18h e 24h após o parto.

Colostro Bovino

Sachês de colostro bovino certificado em pó, rico em imunoglobulina A (IgA), IgG e imunoglobulina M (IgM), estão disponíveis comercialmente e estocam-se bem. Esse pó pode ser adicionado, de preferência, à água ou aos primeiros alimentos de glicose e água fornecidos aos potros neonatos. Esses outros alimentos *não* devem ser fornecidos *antes* do colostro. Um suprimento de reserva desse produto é uma boa garantia para a maioria dos haras.

Plasma Sangüíneo por Dosagem Parenteral ou Oral

Nos casos em que a concentração de imunoglobulinas no plasma do potro for menor que 400mg/dL e se o colostro não estiver disponível, pode-se usar o plasma sangüíneo, de preferência de um eqüino doador ou de égua não relacionada, os quais nunca tenham recebido uma transfusão de sangue e estejam na propriedade há algum tempo. A dose é de cerca de 20mL/kg de PC, intravenosa, por período de 1 a 2h, o que significa uma quantidade totalizando aproximadamente 1L por potro. Se o potro tremer, a velocidade de dosagem deve ser reduzida e logo se seguirá uma rápida recuperação. Essa dose deve aumentar o título de anticorpos em seu sangue para cerca de 30% do nível do doador. A dosagem oral com plasma ajuda nos casos de enterite, mas normalmente deve-se fazer de forma asséptica via intravenosa.

A terapia plasmática, fornecida por via intravenosa, pode ser indicada para os eqüinos de todas as idades. Pode ser necessária em potros excedendo 12 a 24h de idade que tenham recebido colostro e imunoglobulinas insuficientes. Também é freqüentemente indicada para potros sépticos, ou para eqüinos sofrendo considerável perda de sangue, caso em que a pressão sangüínea estará baixa. Por isso, um suprimento de plasma doador mantido a -20°C é uma fonte conveniente muito comum. O plasma congelado é normalmente descongelado em banho-maria a 37°C. É um processo lento e evidências recentes indicaram que o descongelamento cuidadoso em uma armação de degelo em um forno de microondas, alternando com curtos períodos de agitação até que nenhuma partícula de gelo permaneça, é um procedimento satisfatório e rápido. O processo, cuidadosamente realizado, não causa dano aparente às proteínas plasmáticas.

Taurina

O colostro contém elevada concentração do aminoácido não protéico taurina. O plasma sangüíneo de potros neonatos doentes contém baixas concentrações desse aminoácido, presumivelmente em razão do sistema metabólico não desenvolvido ser incapaz de sintetizar a taurina a partir de cisteína e cistina, como ocorre no adulto. Pode ser um caso para inclusão da taurina nas dietas com substituto de leite do potro e certamente é essencial incluí-la nos substitutos de colostro para potros que não o recebam naturalmente. Uma concentração dietética de 300mg/kg de MS dietética pode ser apropriada.

978-85-7241-725-9

Alimentação Enteral

O requerimento de alimentação freqüente em pequenas quantidades tem sido satisfatoriamente atingido com o fornecimento de soluções com poucos resíduos, contendo sódio e caseinato de cálcio, glicose e gordura, provendo 4,2kJ/mL por meio de sondas de alimentação enteral francesas 12 fixadas. Esse líquido é fornecido a cada quatro horas por fluxo de gravidade a uma taxa de 0,35mL/kg/min, alcançando as necessidades energéticas totais em quatro dias. Porém, se a cólica gasosa ocorrer, então um aumento no intervalo entre as refeições deve ajudar e a água de beberagem deve ser oferecida *ad libitum*. Ousey (1998) afirmou que potros sofrendo da síndrome do mau ajustamento neonatal atingiram, por kg de PC, um consumo enteral diário de leite de égua, ou substituto do leite, de somente 25% daquele atingido por potros sadios da mesma idade. Os não sadios apresentaram um balanço negativo de energia, apesar de sua menor atividade. Sua relação de consumo de energia metabolizável/energia bruta (EM/EB) foi menor do que a de potros sadios, indicando digestão prejudicada. Ousey concluiu que potros doentes devem ter um consumo mínimo de EB de 260 a 290kJ/kg de PC/dia e que o alimento enteral mínimo deve ser combinado à alimentação parenteral, pois a privação da alimentação enteral prejudica a função gastrointestinal.

978-85-7241-725-9

Os tubos de alimentação enteral são colocados com a ponta no esôfago distal e a porção exterior contida por sutura tipo *stent* nas narinas (um *stent* é um molde para contenção de enxerto no local, feito de massa de Stent; nesse caso, é um dispositivo para conter uma estrutura tubular). Um tubo de extensão é colocado na extremidade livre e fixado com proteção plástica a uma corda. O tubo é lavado com água e protegido quando não usado. Esse procedimento evita o risco de trauma à faringe causado pela freqüente intubação. Óleo mineral é algumas vezes adicionado a cada refeição, na taxa de 1 a 4mL, se houver constipação, apesar de que seu uso não deve persistir, pois interromperá a absorção de nutrientes lipossolúveis.

FREQÜÊNCIA E MÉTODO DE ALIMENTAÇÃO

A alimentação de leite com baldes é o método tradicional, apesar de que outras abordagens possam ser requeridas com potros comprometidos. O ditado que afirma "um pouco e sempre" se aplica vigorosamente a potros órfãos. Quantidades pequenas e freqüentes reduzem o risco de lesões digestivas e de hipoglicemia. Nos casos em que o potro for treinado para usar o balde, a cabeça deve ser abaixada em direção a ele com um dedo na boca – inicialmente isso pode requerer a ajuda de outra pessoa, mas logo o potro se adaptará ao procedimento. Todos os utensílios de alimentação devem ser limpos antes de cada refeição. O consumo de substituto de leite líquido, ou de uma mistura 50:50 de leite desnatado e leite integral de vaca, deve ser feito a uma taxa de 280mL a cada 1,5h, de forma que o consumo de energia diária responda por 9 a 10MJ de ED. Como substituto do leite de égua, Ousey (1998) considerou que o leite de cabra foi mais bem tolerado que o leite de vaca pelos potros neonatos, causando menores distúrbios digestivos. O requerimento de EB de potros neonatos sadios foi estimado como sendo 210kJ/kg de PC/dia, uma estimativa compatível com a fornecida anteriormente. A alimentação inicial pode ocorrer na melhor das hipóteses próximo a um eqüino atuando como chamariz, mas nunca na porta do estábulo, para evitar a associação disso com o alimento. Na tentativa de minimizar a afinidade com o homem, os potros órfãos não devem ser acariciados.

Leites líquidos são normalmente fornecidos à temperatura corpórea, mas podem igualmente ser fornecidos frios. Dentro de poucos dias, o consumo diário atingirá 9 a 18L e se for permitido ao potro beber livremente pode atingir 36L. Porém, o consumo de um potro grande deve ser restrito a um máximo de 18L e a qualquer evidência de diarréia a quantidade deve ser reduzida até o problema ser resolvido. Uma vez que os primeiros dias tenham passado, o líquido pode ser fornecido em quatro e depois três refeições por dia e qualquer excesso descartado.

Alimentadores automáticos de leite líquido de *design* francês foram aprovados de forma muito bem-sucedida em grandes haras para grupos de potros e evitaram problemas de humanização. São eletricamente operados; a água é aquecida e misturada ao substituto do leite em pó em uma taxa ajustável (ver Tabela 7.1). O líquido fresco é preparado para repor o usado conforme o potro bebe. As concentrações apropriadas de matéria seca sugeridas anteriormente em *Alimentação do potro órfão* devem ser incorporadas, pois soluções muito fracas ou muito concentradas podem precipitar quadros de frouxidão ou constipação. Novos potros são rapidamente treinados por potros experientes no mesmo local.

Péletes de cocho na forma de grânulos de rebanho ou mistura concentrada, junto com os péletes de leite e um pouco de feno folhoso da melhor qualidade, a partir dos sete dias de idade estimularão a alimentação seca. O acesso a fezes *frescas* de eqüinos adultos sadios que são vermifugados regularmente proverá bactérias de tipos apropriados para o povoamento do trato intestinal. Quaisquer ovos de estrôngilos ou ascarídeos nas fezes devem estar imaturos e por isso são de baixa infecciosidade, atravessando passivamente o trato GI do potro; mas as fezes do potro devem ser removidas regularmente. Se o progresso for normal, o leite líquido pode ser descontinuado a partir de 30 dias de idade e o consumo de alimento seco aumentará rapidamente. Nesse momento, o potro pode estar consumindo tanto quanto 2 a 3kg de alimento seco diariamente, apesar do consumo de feno ainda ser um tanto pequeno.

ADOÇÃO

A ama-seca menos problemática é com freqüência uma égua de sangue frio velha, especialmente de cruzamentos mestiços, ou mesmo uma cabra babá. O pior tipo é uma TB jovem descuidada. Indivíduos de futuro promissor devem ser avaliados quanto às doenças e seu leite deve ser examinado. O úbere e a cauda devem ser lavados por completo e desinfetados. A égua pode ser trazida para o estábulo encapuzada e desorientada por andar ao redor da área. Uma substância de forte odor, como óleo canforado, pode ser colocada no focinho e esfregada tanto no próprio potro da égua quanto no órfão. Quando esses dois são mantidos juntos por um período, a égua confunde seus sons.

Um cercado de adoção é um benefício para éguas amas-secas, permitindo que os potros mamem sem serem escoiceados. Deve ter instalações para alimentação e beberagem, mas deve-se permitir que égua saia para exercício em intervalos regulares. O cercado deve ter um portão em cada lado. As dimensões críticas são um comprimento de aproximadamente 250cm, uma largura de 65cm e uma abertura em ambos os lados de uma extremidade de 90 × 40cm, cuja menor extremidade é de 70cm a partir do chão para acesso dos potros ao úbere.

POTRO NEONATO DOENTE

Somando-se aos princípios de uma boa criação, existem vários assuntos importantes sobre as ações a serem realizadas para favorecer as perspectivas de potros neonatos não sadios.

A condição de imunoglobulinas deve ser mensurada. A concentração plasmática de IgG deve ser elevada a um mínimo de 8g/L, com a administração de aproximadamente 2L de colostro, originados de preferência da mãe. Isso deve ocorrer antes das 12h de vida. Para potros se aproximando de 24h de idade, ou para aqueles que estão septicêmicos ou hipotérmicos, 2 a 4L de plasma eqüino, contendo pelo menos 1,6g de globulinas/L, de um doador adequado, devem ser administrados assepticamente via intravenosa.

É provável que as reservas de energia estejam até mesmo menores que as de potros sadios. Os riscos de hipoglicemia e hipotermia são consideráveis. O potro deve ser mantido em uma baia aquecida e livre de correntes de ar e próximo de sua mãe.

Após a administração de colostro (a injeção de soro pode ser feita de maneira subseqüente a uma refeição de leite/dextrose, etc.), leite, de preferência derivado da mãe, deve ser fornecido oralmente (balde ou mamadeira), ou por uma sonda nasogástrica fixada, a cada 1 a 2h, de forma que o consumo em 24h seja de aproximadamente 20% do peso corpóreo do potro. Ao permanecer dentro do alcance do olfato da mãe, é mais provável que o potro seja aceito depois e, ao amamentar, a mãe regularmente não permite que seu leite seque. É provável, então, que amamente seu potro futuramente. A água de beberagem fresca deve estar disponível. Se o leite da mãe não estiver disponível, então leite de vaca com baixa gordura (2%), fortificado com 20g de dextrose/L, pode ser usado.

A urina do potro deve ser monitorada quanto à presença de glicose e amostras de sangue devem ser obtidas para se certificar da condição de glicose, triacilglicerol (TAG), amônia, uréia, potássio e hematócrito. Caso o TAG esteja elevado, pode ser indicação de má função hepática e o consumo de gordura deve permanecer baixo (com alguma ainda presente), até que não existam hiperglicemia e glicose urinária. Com a hiperglicemia, o consumo de dextrose por refeição deve ser reduzido para diminuir o nível de glicose urinária para menos de 1%, reduzindo o risco de lesão renal. Com a elevação de TAG e glicose plasmáticos, uma mistura de dextrose e frutose poderia substituir uma solução pura de dextrose e a freqüência de alimentação deve ser aumentada, com fornecimento de quantidades menores por refeição. A amônia plasmática aumentada deve ser combatida por meio da redução no consumo protéico do leite. Se o substituto do leite for usado, o leite precisa ser *spray-dried* (pó obtido por pulverização) e não *roller-dried* (pó obtido por laminação). A detecção de hematócrito elevado e/ou concentração plasmática elevada de albumina pode indicar desidratação, a qual deve ser compensada com solução de Ringer.

Se existir evidência de obstrução dos intestinos e ausência de motilidade intestinal (íleo adinâmico), compactação, ou má-absorção, então a nutrição parenteral total (NPT) será necessária. Poderia ser usada como adjunta (nutrição parenteral [NP]) a uma alimentação oral parcial, em que a capacidade digestiva é fraca. Para uma consideração completa dos problemas associados com a NP e a cateterização jugular, o leitor é direcionado para *The equine manual* (Higgins e Wright, 1995). Uma solução intravenosa de NPT por quatro dias é apresentada no Quadro 7.1. De forma alternativa, o suprimento vitamínico pode ser fornecido por meio de injeção estéril intraperitoneal ou subcutânea. O monitoramento deve ser conforme indicado anteriormente, incluindo o do balanço eletrolítico.

978-85-7241-725-9

Quadro 7.1 – Solução hipertônica intravenosa para nutrição parenteral total (NPT) de potros (2,7 a 3L/dia para um potro de 45kg)

- Solução de aminoácidos a 5%: 1.000mL
- Solução de dextrose a 50%: 500mL
- KCl: 30mEq
- $NaHCO_3$: 30mEq
- Preparação injetável de vitaminas: +*

* Preparação comercial de vitaminas lipo e hidrossolúveis.

A tromboflebite não é infreqüente e existem várias causas. Seu risco pode ser reduzido pela esterilidade completa e ausência de septicemia, uso de cateteres mais adequados, inclusão de heparina na solução e substituição de aproximadamente metade do requerimento de energia com emulsão lipídica (óleo de soja homogeneizado, por exemplo, Intralipid®, Kabi Pharmacia Ltd., Milton Keynes). O *clearance* lipídico deve ser monitorado e a suplementação de gordura deve ser evitada nos casos de falência hepática. O uso de lipídeos pode reduzir o risco de hiperglicemia e reduzirá a osmolalidade total da solução. Se houver proteinúria grave, o conteúdo de aminoácidos (especialmente glicina) da solução de nutrição parenteral deve ser reduzido até que o problema renal seja resolvido.

Tolerância ao Açúcar

A glicose pode ser usada por potros de todas as idades e a maltose é bem digerida e absorvida por potros de quatro dias de idade ou mais. A intolerância intestinal a alimentos específicos, incluindo lactose, ocorre em alguns potros e eqüinos mais velhos. Os potros neonatos normais são tolerantes tanto à lactose quanto à glicose, o que é determinado por uma elevação na glicose sangüínea após a administração oral desses açúcares [galactose, um componente da lactose, é um epímero da glicose e é rapidamente convertida em glicose pela UDP (uridina difosfato)-galactose-4-epimerase hepática]. Porém, os potros neonatos são intolerantes aos dissacarídeos maltose e sacarose, de forma que esses açúcares são inadequados para a inclusão nos substitutos do leite direcionados à alimentação de potros com menos de cinco a sete dias de idade.

Infecções e Higiene

Os patógenos respiratórios e os entéricos são as principais causas de morbidade em potros jovens. Browning *et al.* (1991) pesquisaram 326 potros diarréicos no Reino Unido e sul da Irlanda de 1987 a 1989. Observaram que os rotavírus do grupo A foram os principais patógenos em todos os grupos etários. Outros patógenos incluíram *Aeromonas hydrophilia,* ao passo que coronavírus, parvovírus, *Campylobacter* spp., *Salmonella* spp. e *Bacteroides fragilis* são prováveis patógenos menores nos países do ocidente. O rotavírus é uma causa predominante de enterite entre potros nos Estados Unidos. Ainda não foi determinado se a vacinação contra esse vírus pode ser uma defesa efetiva, mas desinfecção, higiene e práticas sadias de manejo continuarão a ser as medidas de controle principais contra a destruição provocada pela diarréia de potros.

Lesões Gástricas em Potros

As lesões gástricas entre potros que não demonstram sinais de doença gástrica são de ocorrência freqüente abaixo dos dez dias de idade, mas raras acima dos 70 dias de vida (Murray *et al.*, 1990). Como com eqüinos em treinamento, as lesões estão situadas de forma predominante na mucosa escamosa imediatamente adjacente ao *margo plicatus* ao longo da curvatura maior. Essas células escamosas são menos extensivamente protegidas pelo muco do que a mucosa glandular. As lesões foram observadas por Murray *et al.* ocorrendo com menor freqüência no fundo escamoso, no fundo glandular e na curvatura menor. As lesões foram mais prevalentes nos casos em que houve diarréia e foi sugerida a participação de patógenos gastrointestinais, como o rotavírus. Porém, o estresse ambiental com a secreção do hormônio da medula da adrenal, causando isquemia de mucosa, poderia também estar envolvido.

978-85-7241-725-9

GARANHÃO

O garanhão está sujeito às mesmas influências sazonais que afetam os ciclos reprodutivos da égua; sua fertilidade é maior no verão e menor do inverno. Um grande número de estudos foi realizado na Colorado State University para aumentar nosso conhecimento sobre os mecanismos que controlam o comportamento reprodutivo em éguas e garanhões. Referências às suas publicações deveriam ser feitas se informações detalhadas forem pesquisadas.

As modificações sazonais nas concentrações sangüíneas de hormônio luteinizante (LH), de hormônio folículo-estimulante (FSH) e de testosterona e as conseqüentes alterações no tamanho testicular, na produção de espermatozóides e na libido ocorrem em razão das alterações no fotoperíodo. A suplementação alimentar de melatonina em garanhões de julho a setembro na Louisiana causou uma redução nas concentrações plasmáticas dos hormônios pituitários prolactina e FSH sem influenciar a testosterona, indicando que a melatonina pode ter um papel inibitório na regulação hipotalâmica da pituitária (Storer *et al.*, 2003).

O recrudescimento da atividade reprodutiva, como na égua, é uma resposta ao aumento da duração da luz do dia. Assim, evidências sugerem que a fertilidade melhorada nos meses iniciais do ano pode ser obtida seguindo-se um regime similar ao proposto para éguas, em que a luz artificial e alimentos mais ricos são fornecidos ao final de dezembro e em janeiro. Em momento algum se deve permitir que o garanhão engorde e fibras mais ricas, mas alimentos balanceados, são bem satisfatórias fora da estação reprodutiva. Feno de pior qualidade suplementado com grânulos para eqüinos e pôneis deve então ser satisfatório e facilitará a imposição de um plano nutricional em ascensão conforme a estação reprodutiva se aproxima, quando os grânulos para haras, ou mistura concentrada equivalente com feno de boa qualidade, devem ser introduzidos (ver Tabela 7.1). Os requerimentos energéticos do garanhão aumentam durante a estação reprodutiva como conseqüência da atividade física elevada, em particular para manter seus galopes ou parado, ainda que o exercício físico seja importante para o animal em todas as estações.

Existe pouca evidência que sustente o uso de suplementos especiais para aumentar a fertilidade dos garanhões, mas uma dieta de 0,75 a 1,5kg de concentrados à base de cereais mais feno por 100kg de PC diariamente e água limpa (ver Tabela 7.5) devem ser suficientes.

Inseminação Artificial

Esse assunto está além do objetivo deste texto, mas alguma informação nutricional está disponível. Bruemmer *et al.* (2002) concluíram que se os espermatozóides do garanhão forem congelados e estocados por mais tempo do que 24h, sua capacidade fertilizante declina. Porém, se 2mm de piruvato e leite desnatado forem adicionados aos espermatozóides congelados, o estresse oxidativo será reduzido e a motilidade e fertilidade serão mantidas por 48h.

978-85-7241-725-9

QUESTÕES PARA ESTUDO

1. Quais pontos devem ser considerados ao se decidir a idade ótima de desmame para um haras e para um potro individual?
2. Ao fazer ajustes e provisões para potros privados de colostro, quais são os aspectos importantes a serem considerados?

3. Qual ação deve ser feita em uma diarréia ocorrendo:
   a. Em um potro mamando;
   b. Em um potro desmamado; e
   c. Quando existir um surto entre vários potros de idade semelhante?

LEITURA COMPLEMENTAR

Browning G. F., Chalmers, R. M., Snodgrass, D. R. *et al.* (1991) The prevalence of enteric pathogens in diarrhoeic Thoroughbred foals in Britain and Ireland. *Equine Veterinary Journal,* **23**, 405-9.

Chong, Y. C., Duffus, W. P. H., Field, H. J. *et al.* (1991) The raising of equine colostrum-deprived foals; maintenance and assessment of specific pathogen (EHV-1/4) free status. *Equine Veterinary Journal,* **23**,111-15.

Doreau, M., Boulot, S., Bauchart, D., Barlet, J.-P. e Martin-Rosset, W. (1992) Voluntary intake, milk production and plasma metabolites in nursing mares fed two different diets. *Journal of Nutrition,* **122**, 992-9.

Higgins, A. J. and Wright, I. M. (1995) *The Equine Manual.* W. B. Saunders, London.

Martin, R. G., McMeniman, N. P. and Dowsett, K. F. (1991) Effects of a protein deficient diet and urea supplementation on lactating mares. *Journal of Reproductive Fertility,* Suppl. **44**, 543-50.

Murray, M. J., Murray, C. M., Sweeney, H. J., Weld, J., Digby N. J. W. and Stoneham, S. J. (1990) Prevalence of gastric lesions in foals without signs of gastric disease: an endoscopic survey. *Equine Veterinary Journal,* **22**, 6-8.

Pagan, J. D., Jackson, S. G. and DeGregorio, R. M. (1993) The effect of early weaning on growth and development in Thoroughbred foals. *Proceedings of the 13th Equine Nutrition and Physiology Society,* University of Florida, Gainsville, 21-23 January 1993, pp. 76-9.

Rossdale P. D. e Ricketts S. W. (1980) *Equine Stud Farm Medicine,* 2nd edn. Cassell (Baillière Tindall), London.

978-85-7241-725-9

CAPÍTULO 8

Crescimento

Pois é fácil demonstrar que um eqüino pode sofrer de forma irreversível em sua forma e beleza exterior assim como em sua força ao subalimentá-lo quando jovem.

W. Gibson, 1726

Os padrões normais de crescimento, a qualidade do crescimento e a conformação no eqüino estão além do controle do haras em uma considerável extensão. Todavia, a reprodução e a dieta têm participações mensuráveis de modo crescente; conseqüentemente, suas contribuições sem dúvidas irão acelerar. Um ponto chave para essa inclusão é uma concordância dos objetivos que podem ser claramente caracterizados e mensurados.

CONFORMAÇÃO IDEAL

A seleção dos parceiros reprodutivos quanto à forma e ao tamanho vem, sem dúvidas, preocupando criadores desde que a criação de eqüinos domésticos começou. Porém, a forma de um eqüino requerida para maximizar seu desempenho no tipo de atividade para a qual ele foi concebido recebeu atenção objetiva insuficiente. A variabilidade na forma dentro de raças é considerável. Mawdsley (1993) encontrou uma ampla variação nos traços lineares em *Thoroughbred* (TB), provendo possível expansão para o aperfeiçoamento por meio dos testes de desempenho (variação no tipo de tecido para o trabalho é discutida no Cap. 9). Tendo em vista que o aperfeiçoamento é atingido para melhorar o potencial de desempenho e a meia-vida do trabalho dos potros, é necessário:

978-85-7241-725-9

- Que os objetivos mensuráveis estejam ajustados dentro das raças em idades específicas.
- Que testes de performance da progênie sejam conduzidos.
- Que correções sejam consideradas quanto às más formações pelo ferrador e outros.

Como o crescimento normal se desenvolve?

PESO AO NASCIMENTO E CRESCIMENTO INICIAL

O crescimento se dá por um processo de divisão celular e aumento de tamanho iniciado pela fertilização do ovo. As células se diferenciam, formando os vários tecidos embrionários. Logo após o nascimento, o número de células na maioria dos tecidos atingiu um máximo e o crescimento adicional ocorre pela hipertrofia (aumento de tamanho) das células individuais; mas em alguns tecidos, por exemplo, o tecido epitelial, a replicação celular continua ao longo da vida na tentativa de substituir as células que foram eliminadas, ou no tecido hepático para compensar a má função, por exemplo, nos casos em que a doença neoplásica está presente. Nem todos os tecidos, órgãos e estruturas aumentam de tamanho na mesma velocidade, de modo que durante o crescimento a forma do animal se modifica.

O potencial para uma máxima taxa de crescimento, mensurada em quilogramas de ganho de peso corpóreo diário, persiste até cerca de nove meses de idade no eqüino, período em que gradativamente declina e cessa conforme o tamanho e a forma adulta são atingidos. Porém, a velocidade total do crescimento mensurada em relação ao peso existente, isto é, digamos com 50 dias de idade (kg de ganho diário)$_{t50}$/(PC_{t50}), é inicialmente lenta (Fig. 8.1); acelera-se a um máximo antes do nascimento e então declina. No sétimo mês de gestação, meramente 17% do peso ao nascimento e somente 10 a 15% da matéria seca ao nascimento foram acumulados. Assim, o acréscimo da maior parte da energia e dos minerais presentes no nascimento ocorre durante os últimos meses de gestação.

Parcialmente pelo fato do número maduro de células em vários tecidos do adulto ter sido atingido ao nascimento ou logo após, o peso máximo adulto dos eqüinos e pôneis é, em uma ampla extensão, determinado pelo peso ao nascimento. De forma grosseira, o peso ao nascimento constitui 10% do peso adulto. Entre os TB, indivíduos pesando menos de cerca de 35kg ao nascimento são muito improváveis de atingirem 152cm (15 palmos) na vida adulta. Um estudo revelou que a proporção de potros com peso ao nascimento de menos de 40kg que verdadeiramente correram foi muito menor do que a proporção daqueles pesando mais do que 40kg (Platt, 1978). Os eqüinos oriundos de éguas pequenas com garanhões pequenos serão pequenos quando adultos, mas atingirão seu tamanho maduro ligeiramente mais cedo do que os produtos de progenitores grandes. As diferenças entre as raças na velocidade de obtenção do peso maduro serão maiores do que as diferenças na velocidade de obtenção da altura adulta.

978-85-7241-725-9

No momento em que o livro era escrito, estudos realizados na Thoroughbred Breeders' Association Equine Fertility Unit em Newmarket, no Royal Stables nos Emirados Árabes Unidos (EAU) e no The Sheikh Mohammed Camel Reproduction Laboratory, Dubai eventualmente lançariam muito mais luz no efeito do tamanho fetal sobre o tamanho adulto, estendendo a pesquisa original de John Hammond, em Cambridge, nos anos de 1940 e 1950. O trabalho nos EAU inclui cruzamentos em ambas as direções entre lhamas e camelos,

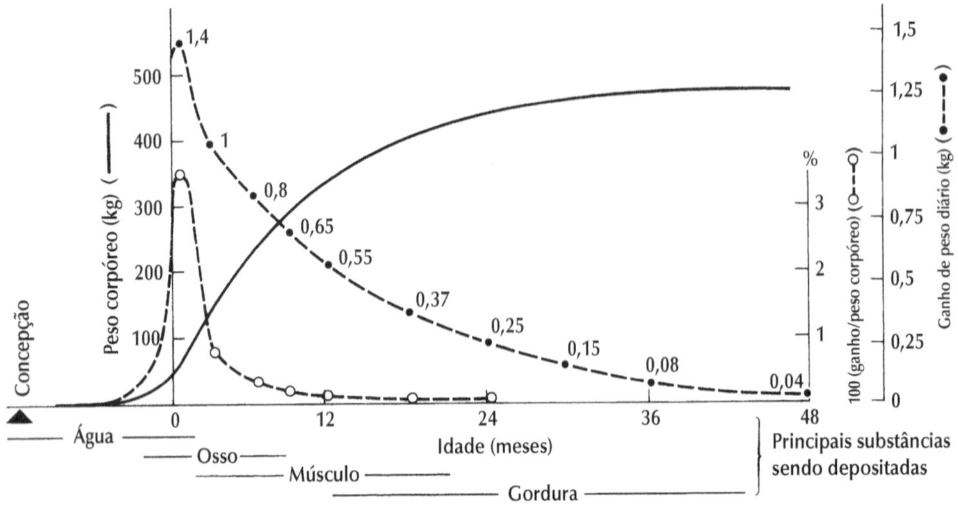

Figura 8.1 – Curva de crescimento normal para o eqüino (peso adulto do exemplo, 500kg).

Tabela 8.1 – Percentuais do peso corpóreo e da altura da cernelha de adultos, obtidos em diferentes idades em várias raças eqüinas (Hintz, 1980a).

Idade	6 meses		12 meses		18 meses	
	Peso (kg)	*Altura (cm)*	*Peso (kg)*	*Altura (cm)*	*Peso (kg)*	*Altura (cm)*
Pônei *Shetland*	52	86	73	94	83	97
Quarto de Milha	44	84	66	91	80	95
Anglo-Árabe	45	83	67	92	81	95
Árabe	46	84	66	91	80	95
Thoroughbred	46	84	66	90	80	95
Percheron	40	79	59	89	74	92

transferência de embriões e implantação em camelos de aluguel e implantação de embriões árabes em éguas de tração.

A Tabela 8.1 fornece informações sobre várias raças de eqüinos. Como regra geral, os potros atingem 60% de seu peso adulto, 90% de sua altura adulta e 95% de seu eventual crescimento ósseo com 12 meses de idade. No período do nascimento até a maturidade, os coeficientes de crescimento (a constante de velocidade para o crescimento de um tecido, ou estrutura, em relação àquela de todo o corpo vazio) dos três principais tecidos eqüinos por ordem crescente de magnitude são osso, músculo e gordura, implicando que o osso tem maturação mais precoce e a gordura mais tardia. Isso e a afirmação anterior de que a taxa de crescimento total declina a partir do nascimento (ganho de peso por unidade de peso vivo vazio) significa que a altura final é determinada em um estágio de vida bem inicial, que o crescimento inicial demanda dietas ricas em minerais, proteínas e vitaminas formadores dos ossos e que com o avançar da idade é requerida uma proporção cada vez maior de carboidratos da dieta. A rápida extensão precoce dos ossos longos dos membros, pronunciada em raças altas, torna-os mais sujeitos às deformações decorrentes da má nutrição inicial.

978-85-7241-725-9

Nutrição Inicial e Idade do Desmame

A nutrição do potro ao nascimento é afetada não somente pela alimentação da égua, mas também pela eficiência fisiológica do ambiente uterino. Isso pode, em certa extensão, ser afetado pela idade da égua, como indicado pelas informações na Tabela 8.2. Diferenças no peso ao nascimento ocorridas por desvios nutricionais na égua gestante podem, porém, ser

Tabela 8.2 – Efeito da idade de éguas *Thoroughbred* no peso corpóreo e na altura da cernelha de potros (Hintz, 1980a; informações com base em 1.992 potros).

Idade da égua (anos)	Idade do potro			
	30 dias		*540 dias*	
	Peso do potro (kg)	*Altura (cm)*	*Peso (kg)*	*Altura (cm)*
3-7	93	108	393,7	152,4
8-12	97,5	110,5	401,4	153,7
13-16	98	110,5	396,9	153
17-20	95,3	109,2	391	152,4

proporcionalmente reduzidas com ajustes nutricionais na vida pós-natal inicial. Apesar do peso ao nascimento ter impacto maior no tamanho final tanto por razões genéticas quanto ambientais, a idade do desmame, em condições de bom manejo, tem pouca influência. Potros desmamados após receberem colostro podem atingir velocidades de crescimento iguais àqueles desmamados com dois a quatro meses de idade. Estes, por sua vez, podem crescer mais rápido do que os potros desmamados com seis meses de idade. Por isso, a idade apropriada do desmame, para um haras em particular, se baseia na prática de manejo mais conveniente e confiável.

CRESCIMENTO TARDIO E ALTERAÇÕES DE CONFORMAÇÃO

Os pesos e alturas iniciais e finais diferem entre potros e potrancas (Tabela 8.3). As diferenças são pequenas e estudos limitados na Inglaterra (Green, 1969) falharam em detectar as diferenças sexuais nas mensurações lineares, ou qualquer uma entre potros nascidos precoce e tardiamente. Todavia, alguma evidência substancial sugere que os potros nascidos tardiamente na estação reprodutiva são mais pesados e mais altos do que os potros nascidos precocemente (Tabela 8.4), apesar de um período de gestação um pouco mais curto. Como previamente indicado (Cap. 7), a duração da gestação parece ser uma função da duração da luz do dia na gestação final. O peso ao nascimento e as subseqüentes velocidades de crescimento, conforme sugerido anteriormente neste capítulo, também dependem do tamanho adulto da raça. Micol e Martin-Rosset (1995) registraram que a velocidade de ganho de peso do nascimento até o desmame no pasto de raças francesas pesadas – Breton, Comtois e Ardennais – (700 a 800kg de peso corpóreo [PC] adulto) é de 1,3 a 1,7kg/dia. Mesmo sob as condições rudes de planalto, os potros ganham a uma velocidade de 1,3 a 1,5kg/dia.

No geral, as diferenças na taxa de crescimento após os períodos neonatal e pós-desmame têm pouca influência no crescimento subseqüente, ou em mensurações esqueléticas, em potros TB e Quarto de Milha (Peterson *et al.*, 2003), ou no tamanho adulto. Lawrence *et al.* (2003a) também estimaram que a variação na taxa de crescimento dentro da população de eqüinos Morgan teve pouco impacto em sua altura final. Apesar da altura máxima poder ser obtida logo após os 12 meses de idade, isso pode ser retardado sem redução na mensuração final ao diminuir-se ligeiramente a velocidade de alimentação. De maneira semelhante, 90% do peso adulto podem ser atingidos com 18 meses, mas retardado até os 24 meses com a mesma restrição. Na Figura 8.2 as modificações na altura da cernelha durante os primeiros 12 meses de potros de pôneis e de TB são comparadas. Apesar dos potros atingirem alturas muito diferentes, o padrão de crescimento é similar.

Tabela 8.3 – Efeito do sexo no crescimento de potros *Thoroughbred* (Hintz, 1980a; informações com base em 1.992 potros).

Idade (dias)	Peso corpóreo (kg)		Altura da cernelha (cm)	
	Potros	*Potrancas*	*Potros*	*Potrancas*
2	52,2	51,3	100,3	99,7
60	136,5	134,7	118,3	118,1
180	244,9	235,9	134,6	133
540	435,5	401,4	154,3	152,4

978-85-7241-725-9

978-85-7241-725-9

Tabela 8.4 – Efeito do mês de nascimento no peso corpóreo e na altura da cernelha de *Thoroughbreds* (Hintz, 1980a; informações com base em 1.992 potros).

Mês do nascimento	Idade			
	30 dias		*540 dias*	
	Peso (kg)	*Altura (cm)*	*Peso (kg)*	*Altura (cm)*
Fevereiro-Março	95,3	109,2	396,9	153,7
Abril	97,5	110,5	402,8	153,7
Maio	100,7	111,1	403,7	153,7

A altura da cernelha reflete largamente o crescimento linear dos ossos longos nos membros anteriores. Os ossos longos aumentam em diâmetro ou espessura ao longo de seu comprimento, mas nenhum aumento de comprimento ocorre na haste ou diáfise após o nascimento (Figs. 8.3 e 8.4). Aumentam em comprimento pelo crescimento em uma placa metafisária em ambas as extremidades, proximal e distal, do corpo. A velocidade de crescimento de cada extremidade é diferente. A Tabela 8.5 fornece os valores registrados para pôneis cruzados (Campbell e Lee, 1981). A correção das distorções no crescimento ósseo, decorrentes de práticas de má alimentação e outras causas, é possível durante a fase de crescimento rápido da extremidade em questão. Assim, para a região distal de rádio ou tíbia, tal correção poderia ser imposta em até 60 semanas de idade, ao passo que para distorção de boleto, condição razoavelmente comum, requer tratamento por três meses. Em ambos os casos, o crescimento restrito de modo temporário não influenciará, ou o fará apenas ligeiramente, o tamanho final (ver *Doença ortopédica do desenvolvimento*, adiante; também ver a seguir, Brauer *et al.*, 1999).

Nos últimos anos, determinou-se que a proteína específica do osso, osteocalcina, é uma indicadora da produção osteóide e sua concentração sérica está aumentada durante o cresci-

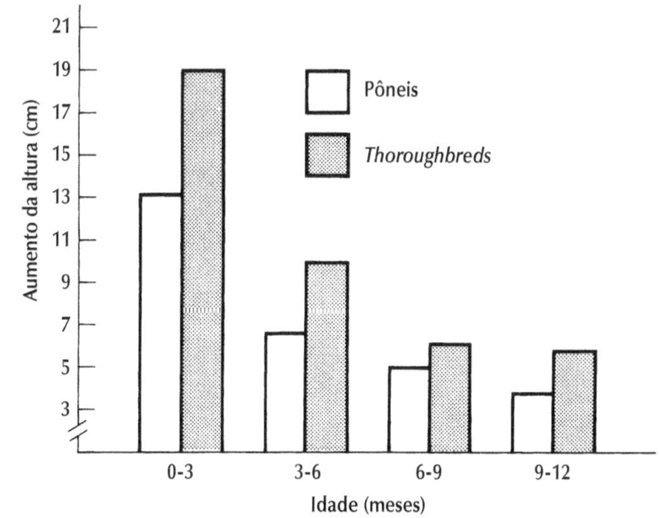

Figura 8.2 – Aumento da altura (cm) da cernelha de potros de pôneis e de *Thoroughbreds* (Campbell e Lee, 1981).

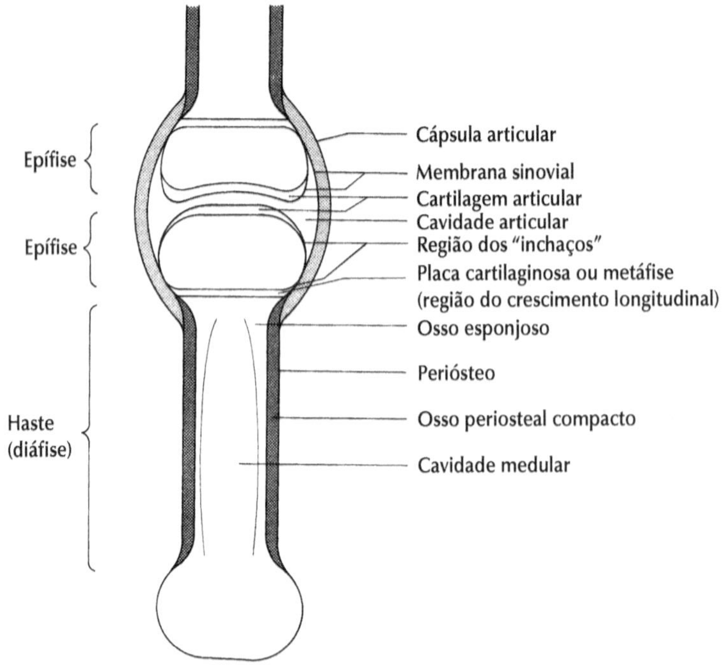

Figura 8.3 – Ossos longos e suas articulações no crescimento tardio (a cavidade articular foi expandida para melhorar a visualização). Observe as regiões de crescimento: cartilagem em ambas as extremidades da diáfise; cartilagem da epífise; e periósteo da haste.

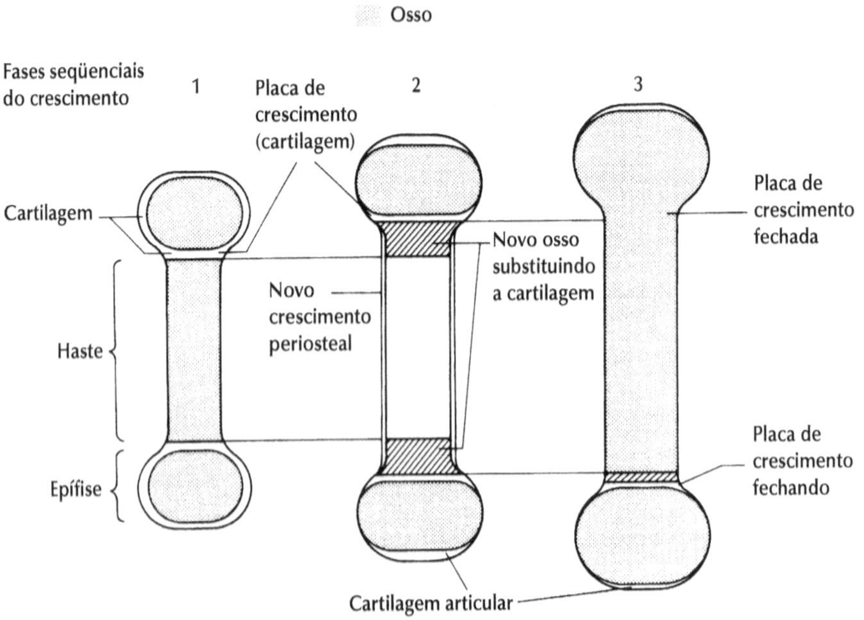

Figura 8.4 – Crescimento típico do osso longo, por exemplo, rádio ou tíbia (segundo Rossdale e Ricketts, 1980).

978-85-7241-725-9

978-85-7241-725-9

Tabela 8.5 – Crescimento dos ossos dos membros em três machos e três fêmeas de cruzamentos de pôneis (Campbell e Lee, 1981).

Osso	Comprimento do osso (cm)		Aumento em cada extremidade (%)		Idade no fechamento das placas de crescimento (semanas)	
	0-7 dias	*2 anos*	*Proximal*	*Distal*	*Proximal*	*Distal*
Fêmur	21,6	30,9	24	20	55	55
Tíbia	21,3	29,1	22	17	60	60
Rádio	20,7	28,1	12	24	54	69
Úmero	16	22,6	31	11	80	70
Metatarso	22,7	23,7	5	5	40-44	40-44
Metacarpo	18,4	19,4	5	5	40-44	40-44
Falange 1	5,9	6,6				
Falanges 2	2,3	2,5				
Falanges 3	5,6	6,2				

mento e a formação da matriz óssea. Essa concentração se eleva com o *turnover* ósseo aumentado (mobilização e formação) (outros marcadores bioquímicos de formação óssea incluem o propeptídeo carboxiterminal de colágeno tipo I e a isoenzima específica do osso da fosfatase alcalina; o telopeptídeo de ligação cruzada de colágeno do tipo I é um marcador da reabsorção óssea e o propeptídeo N-terminal do colágeno do tipo III é um marcador do *turnover* de tecidos moles, Price *et al.*, 2001). Apesar de se esperar que um equilíbrio dietético cátion-ânion (EDCA) baixo aumente a mobilização óssea (reabsorção) e a perda urinária de Ca, um efeito adverso no crescimento esquelético pode não ocorrer (ver adiante em *Minerais, oligoelementos minerais e doença ortopédica do desenvolvimento*; Cooper *et al.*, 1999a).

O eqüino adulto equilibrado de boa conformação tem uma altura de cernelha que equivale ao comprimento da ponta do ombro à ponta da anca (ver Fig. 6.1, Cap. 6). Ao contrário, um potro é mais alto do que comprido (Fig. 8.5), de modo que inevitavelmente trota de forma mais ampla atrás. As potrancas ao nascimento tendem a ser razoavelmente niveladas sobre o topo, mas podem ser 5cm maiores sobre a garupa do que sobre a cernelha com um ano e então equilibradas novamente com cinco anos. O comprimento de seus corpos tende a ser maior do que sua altura de cernelha. Os potros são geralmente maiores sobre a anca ao nascimento, mas nivelam com três anos. Alguns eqüinos que cresceram de forma ruim nos membros anteriores são menores sobre a cernelha do que sobre a garupa na maturidade e, como quase 60% do peso corpóreo são normalmente sustentados pelos membros anteriores, essa conformação incomum pode forçar peso adicional e estressar o quarto anterior, aumentando o risco de lesão.

Aumentos semelhantes da altura de cernelha e anca são encontrados em potros TB entre 14 e 588 dias de idade quando recebendo alimento nas taxas recomendadas. A altura da anca é cerca de 1cm maior do que a altura da cernelha ao longo desse período (Thompson, 1995). Cymbaluk *et al.* (1990) observaram que os eqüinos Quarto de Milha alimentados *ad libitum* comparados com os alimentados de forma limitada com 6 a 24 meses podem ter uma ligeira tendência a ganhar relativamente mais na massa posterior de corpo do que na massa anterior, mas a ganhar ligeiramente menos na altura da garupa do que na altura da cernelha. Assim, a conformação adulta poderia ser influenciada pela taxa de alimentação durante o crescimento e uma alimentação muito restrita pode restringir o desenvolvimento

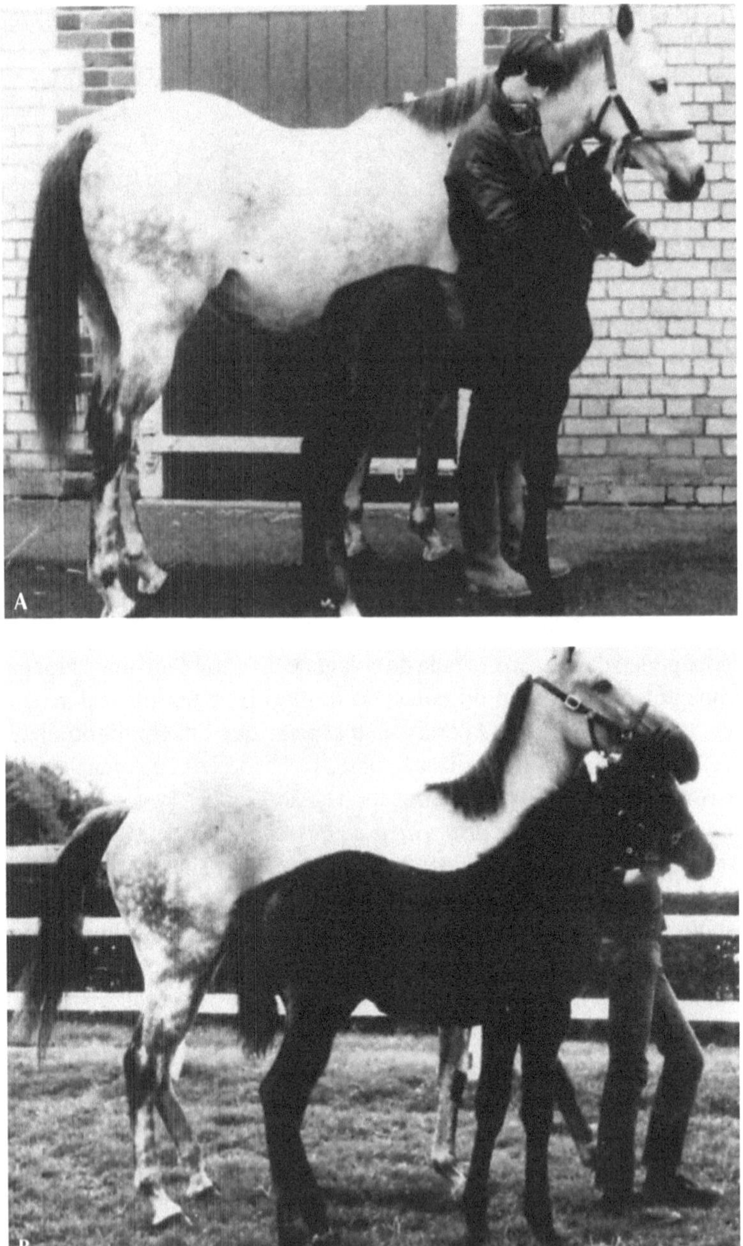

Figura 8.5 – Potro tordilho (51kg ao nascimento) originário de Vitiges do Castle Moon em Derisley Wood Stud, Newmarket: com 5 dias de idade (*A*) e com 82 dias de idade (*B*). Observe que a altura do jovem potro excede seu comprimento, uma característica que se modifica conforme as proporções adultas são atingidas. Por um período tão curto quanto o de 77 dias, o comprimento do potro aumentou consideravelmente, de forma que as proporções corpóreas já são mais próximas das de adultos. A altura da anca tende a aumentar mais rápido do que a da cernelha durante os primeiros meses, mas no *Thoroughbred* com três anos de idade a altura da cernelha acelera seu crescimento, por meio do crescimento diferencial dos ossos dos membros.

da central de força do quarto posterior. A extensão na qual ocorre o crescimento compensatório após 24 meses não é clara.

Quando alimentados deliberadamente, o crescimento de pôneis até os nove meses de idade pode aumentar para perto de 1,5kg/dia, apesar da velocidade ser reduzida pela metade aos 12 meses. Em condições de declive, em que os animais jovens podem receber pouco na forma de concentrados, o crescimento pode ser impressionantemente diminuído. Demonstrou-se que eqüinos Morgan no pasto estavam 23 e 46kg mais leves e 2,5cm mais baixos com cinco anos de idade do que seus contemporâneos no mesmo ambiente recebendo concentrados de cereais de forma suplementar (Dawson *et al.*, 1945). Com restrições somente moderadas, tais eqüinos podem atingir a altura adulta normal com cinco anos, ao passo que com alimentação mais liberal podem atingi-la com três anos (Kownacki, 1983). Pôneis fêmeas New Forest, alimentadas a partir dos seis meses de idade ao longo do inverno a uma taxa que somente mantinha o peso corpóreo, cresceram mais rápido durante o verão seguinte em pasto grosseiro do que suas contrapartes autorizadas a ganharem 0,4kg/dia no inverno (Ellis e Lawrence, 1978a, b, 1979, 1980). Apesar do peso corpóreo poder permanecer constante em tais circunstâncias de privação, partes do esqueleto crescem de maneiras diferentes, de forma que as potras limitadas nesse exemplo eram altas, magras e com corpo raso. Com um retardo no fechamento das placas de crescimento, essas diferenças são parcialmente corrigidas durante o crescimento tardio. O crescimento acelerado (ou crescimento do tipo *catch-up:* também designado recuperação do crescimento ou crescimento acelerado; caracteriza-se pela taxa de crescimento mais rápida que o esperado, ou seja, velocidade acelerada de crescimento, que ocorre após um período de crescimento lento ou ausente, permitindo recuperar a deficiência prévia) desse tipo não é sem risco entre as raças potencialmente altas e apesar das evidências contra as curvas de crescimento interrompidas serem pouca, uma curva de crescimento mais aplainada deve ser procurada para TB, cavalos de sela e semelhantes (ver Fig. 8.1).

Conclui-se que o crescimento compensatório ocorre em eqüinos com uma pequena influência na conformação final, mas a influência disso na extensão da vida ativa de trabalho está ainda longe de ser esclarecida. O tópico de anormalidades do crescimento é discutido em *Doença ortopédica do desenvolvimento*, adiante.

Alimentação Suplementar no Primeiro Inverno

Com acesso total aos bons pastos do verão, os animais de 12 meses não requerem alimentação suplementar (isto é, assumindo que o pasto não tenha deficiências de oligoelementos minerais específicos). A quantidade de alimentos suplementares necessária durante o inverno seguinte dependerá primeiro da qualidade e segundo da quantidade de pastagens disponíveis. Os pastos de inverno têm pouco valor como estímulo para o crescimento do rebanho jovem, mas proverão forrageira razoável para complementar os concentrados de cereais. Até a floração da primavera estar disponível, o rebanho nessa idade deve receber de 1,25 a 1,5kg de concentrados contendo 16% de proteína e adequados minerais e vitaminas para cada 100kg de PC, diariamente (ver Figs. 6.2 a 6.4, Cap. 6, quanto a altura e cíngulo equivalentes).

Quando o exercício é limitado pelo inverno, os grânulos ou outros alimentos concentrados devem ser fornecidos para o jovem rebanho em duas refeições diárias para evitar distúrbios intestinais que poderiam causar edema de membros. Os eqüinos em estábulo e

978-85-7241-725-9

desmamados podem receber livre acesso ao feno de boa qualidade e quando estiverem recebendo concentrados a uma taxa de 1,25 a 1,5% do PC, irão consumir feno ou outra matéria seca de forrageiras a uma taxa de cerca de 0,5 a 1,5% do PC. Usando feno de boa qualidade, Ott e Kivipetto (2003) observaram semelhantes taxas de crescimento (0,75kg/dia) e formação óssea entre eqüinos em desmame TB e Quarto de Milha, quando a relação de concentrado com feno era de 1:1 ou 1,7:1 no período do desmame até 112 a 224 dias de idade. Em um estudo em pôneis New Forest e Welsh, o requerimento de manutenção de potros machos atingiu 14 a 14,6MJ de energia digestível (ED)/100kg de PC, equivalente a 1,75kg de feno médio ou 1,1 a 1,2kg de grânulos médios por 100kg de PC (Ellis e Lawrence, 1980). Ao final do primeiro inverno, isto é, quando os eqüinos estão com 11 ou 12 meses de idade, potros e potras devem ser separados. O primeiro estro deve ocorrer antes de maio, a não ser que as condições de inverno e alimentação tenham piorado.

978-85-7241-725-9

Eqüinos de Dezoito Meses

A partir de 90% do peso de adulto, os eqüinos de 18 meses (durante seu segundo ano de vida quando 80 a 90% do peso adulto foram atingidos por raças leves de eqüinos) podem ser alimentados de forma mais econômica com rações de manutenção como para eqüinos adultos. Isso deve incluir feno de boa qualidade e um concentrado oferecido a uma taxa de 0,75 a 1% de PC e provendo cereais, uma fonte protéica concentrada, minerais e vitaminas. Porém, quando esses animais de crescimento mais lento tiverem acesso contínuo ao pasto de boa qualidade, não devem necessitar de outra fonte alimentar, a não ser uma mistura de oligoelementos minerais no caso de existir alguma deficiência específica.

Produção de Carne

As raças pesadas [Breton, Comtois e Ardennais (700 a 800kg de PC adulto)] são criadas na França para carne em sistemas ricos em forrageiras. Os sistemas incluem:

- Potros castrados com 18 meses e potras excedentes eliminadas com pesos acima de 700kg fora do pastos em sistemas mistos com bovinos.
- Após pastejo e terminação interna com 10 a 15 meses de idade (450 a 500kg) de PC com ganho contínuo de 1 a 1,4kg/dia.
- Eliminados suplementados com cereais no pasto ao final da estação de pastejo com 18 meses (550 a 580kg de PC).
- Com 22 a 24 meses (620 a 670kg de PC) após a terminação interna durante o segundo inverno.

A observação interessante foi feita por Micol e Martin-Rosset (1995), de que conforme a oferta de concentrado para eqüinos em terminação é aumentada, o consumo *ad libitum* de feno diminui em 1,26kg de matéria seca (MS) para cada 1kg de aumento em concentrado. Por outro lado, se a silagem de milho for fornecida (mais de 30% de MS), o consumo de MS de silagem diminui em 0,81kg para cada 1kg de aumento em concentrado, de forma que o consumo total aumenta. O concentrado melhora a aceitabilidade da silagem já que os eqüinos consomem 24g de MS/kg de PC diariamente de uma dieta com 100% de feno, mas somente 16g de MS/kg de PC por dia em uma dieta de 100% de silagem. O concentrado continha (g/kg): 900 de cevada e milho moído, 80 de farelo de soja e 20 de minerais e vitaminas. Foi fornecido em alguns estudos 50:50 com silagem de milho ou feno (Martin-Rosset e Dulphy, 1987).

EFEITOS DA COMPOSIÇÃO DA DIETA

Os requerimentos de nutrientes são tratados no Capítulo 6. Certos aspectos daqueles requerimentos que receberam interesse de pesquisadores nos últimos quinze anos são considerados aqui, especialmente quando podem afetar a qualidade do esqueleto e a mobilidade do eqüino.

978-85-7241-725-9

Proteína Dietética

O National Research Council (NRC) (1989) publicou os requerimentos de proteína dietética bruta para eqüinos em crescimento. As necessidades do eqüino são de proteínas que são digeridas, produzindo produtos que são absorvidos. A digestibilidade das proteínas difere em uma pequena extensão entre as fontes. A digestibilidade é normalmente expressa como digestibilidade aparente, que é:

$$\frac{(\text{consumo de N - N fecal})}{\text{consumo de N}}$$

Como a perda de N fecal endógeno é proporcional ao peso corpóreo e não ao consumo de N

$$52\text{mg de N} \times \text{kg de PC}^{0,75}$$

(Slade *et al.*, 1970), a digestibilidade aparente de N aumenta conforme se eleva o conteúdo de N da dieta. Por comparação, a digestibilidade verdadeira, para a qual a perda de N endógeno é subtraída do N fecal, é similar para uma variedade de concentrações de N dietético. Para a maioria das fontes protéicas, a digestibilidade verdadeira cai em um intervalo de 0,7 a 0,9 e para as fontes comuns fica em um intervalo de 0,75 a 0,85.

Conforme discutido anteriormente, a digestibilidade verdadeira de proteínas deve se referir àquela ocorrendo somente no intestino delgado, para excluir o N não protéico absorvido pelo intestino grosso. Dentro de limites práticos, a concentração dietética de proteínas não tem influência na proporção de aminoácidos absorvidos pelo intestino delgado. A digestibilidade de aminoácidos deve ser central nos métodos de formulação, pois as proteínas concentradas geralmente têm mais valor nesse aspecto do que as proteínas de forrageiras de mesma composição de aminoácidos.

Três dietas, contendo todos os nutrientes nas concentrações recomendadas pelo NRC (1978), exceto proteínas, foram comparadas em potros árabes, TB e *Standardbred* americano a partir dos quatro meses de idade (Schryver *et al.*, 1987). As concentrações dietéticas de proteína e lisina foram: 90, 140 e 200g/kg e 2,8, 7 e 12,6g/kg de MS da dieta, respectivamente. O menor consumo protéico diminuiu a taxa diária de ganho de peso e altura e ganho na circunferência da canela do membro anterior, ao passo que nenhuma diferença significativa existiu em resposta às outras duas dietas. Com nove meses de idade, os potros que receberam os 90g de proteína/kg de dieta foram modificados para 200g. Após mais 140 dias, não houve diferença significativa de peso corpóreo, altura, ou circunferência de canela entre os grupos. O NRC (1989) recomenda 131g de proteína/kg de dieta (90% de MS, isto é, 146g/kg de MS) a partir dos quatro a seis meses de idade. Os criadores têm limitado freqüentemente o conteúdo de proteína da dieta de potros desmamados para evitar o desenvolvimento de defeitos esqueléticos. Todavia, existe pouca evidência que o elevado consumo de proteína seja uma causa desse problema freqüente em várias raças (ver *Doença ortopédica do desenvolvimento*, adiante).

No experimento de Schryver *et al.*, a taxa de consumo de alimento, ganho de peso corpóreo, ganho de altura e aumento no cíngulo do osso da canela do membro anterior foram todos maiores com o maior consumo protéico, apesar de diferirem de forma não significativa a partir da dieta de 140g. Ofertas mais altas de proteína e lisina aumentam o cíngulo da canela, ao passo que o consumo protéico inadequado tende a produzir ossos mais esponjosos que são somente ligeiramente mais curtos. Porém, algumas evidências indicam que a densidade óssea é ligeiramente menor em potros permitidos a crescerem em sua taxa máxima e por isso a força óssea para um determinado tamanho corpóreo pode ficar ligeiramente comprometida por taxas de crescimento muito rápidas.

Com eqüinos em crescimento de todas as idades, é importante que a oferta de energia não seja excessiva em relação à oferta de proteína. Começando com 120 dias de idade, a pior condição corpórea foi observada nos potros recebendo 125% da necessidade de energia recomendada pelo NRC (1978), mas somente 100% da referente à proteína, em comparação com potros recebendo 100% ou 125% de ambas as necessidades de energia e proteína do NRC. Possivelmente, como resultado disso e outra evidência, a recomendação do NRC (1989) para a oferta de proteína de eqüinos de 12 meses é 20% maior do que a recomendação inicial, apesar de para desmamados uma recomendação similar ser fornecida. A maioria das evidências também indica que as taxas aumentadas de crescimento podem ser atingidas ao ser fornecida mais proteína dietética de qualidade média, do que a quantidade recomendada pelo NRC (1978). Por outro lado, a recomendação do Institut National de la Recherche Agronomique (INRA) (francês), fornecida como *matières azotées digestibles corrigées* (ou *cheval*) (MADC) (ver Cap. 6), é 66% do valor de proteína bruta do NRC (1989) com 6 meses e somente 54% com 12 meses. Muito aproximadamente, o valor de MADC deve ser 70% do valor de proteína bruta para ser equivalente. O fator crucial é qual proposta leva ao desenvolvimento final mais sadio do esqueleto.

Grace *et al.* (1998a) observaram que as fêmeas de 12 meses com um peso inicial de 300kg ganharam uma média de 0,75kg/dia em um pasto da Nova Zelândia contendo 201g de proteína bruta/kg de MS. Seu consumo médio de MS foi de 6,5 a 7,5kg/dia. O pasto continha 11,4MJ de ED/kg de MS, de forma que o consumo diário de ED foi de 81MJ de ED, considerado pelos autores como adequado. Existia, de fato, proteína de alta qualidade abundante em relação à energia digerível, ainda que a digestibilidade de aminoácidos tenha sido desconhecida.

Nos experimentos de Thompson *et al.* (1988), os consumos de energia, proteína, Ca e P relacionados às recomendações do NRC (1978) foram variados na dieta de potros em crescimento. Os resultados demonstraram que o Ca dietético inadequado causou aumentos menores no conteúdo mineral ósseo e no comprimento dos ossos longos. Consumos elevados de energia, ou de proteína, aumentaram a taxa de crescimento no comprimento de vários ossos, mas o consumo inadequado de proteína relacionado ao de energia comprometeu o desenvolvimento do osso cortical e causou menores aumentos na altura da cernelha. Assim, rápida velocidade de aumento no peso corpóreo causada pelo consumo excessivo de energia introduz um risco de inadequado desenvolvimento ósseo, em que o equilíbrio de nutrientes é incorreto, aumentando o risco de anormalidades de conformação e musculoesqueléticas (Thompson *et al.*, 1988; Cymbaluk *et al.*, 1990).

No experimento de Schryver *et al.* (1987), o metabolismo do Ca não foi adversamente afetado por elevado consumo protéico, mesmo com a dieta de 200g de proteína apresentando quase o dobro de enxofre (S) que a dieta de 90g de proteína. Outra evidência indica que um consumo protéico de 130% da recomendação do NRC (1978) para potros causa um aumento na excreção urinária de Ca e P. Esse é primariamente o resultado do consumo elevado de aminoácidos contendo S, causando uma diminuição do pH do filtrado tubular renal e uma conseqüente redução na reabsorção tubular renal de Ca e P (ver Caps. 9 e 11 e Apêndice D). A diferença entre os estudos no risco de perda urinária de Ca pode decorrer de:

1. Diferenças entre os estudos no equilíbrio ácido-base real das dietas.
2. A idade durante a mensuração. Existe um *turnover* mais rápido de sais de fosfato de cálcio amorfo, encontrados em maior abundância nos ossos de animais mais jovens, em comparação com o *turnover* de cristais de apatita mais estáveis que predominam nos ossos de animais mais velhos.

Existe por isso um risco teórico de calcificação óssea e a suplementação dietética com bicarbonato de sódio pode ser indicada com dietas ricas em proteína. O ótimo equilíbrio de aminoácidos dessas dietas é também indicado, pois proteínas excessivamente desbalanceadas poderiam exacerbar a perda urinária de Ca.

Aminoácidos Limitantes

O primeiro e o segundo aminoácido limitante da dieta para o crescimento de potros são a lisina e a treonina, quando fornecidos em uma dieta de milho e aveia, em quantidades iguais, mais soja, alfafa seca e feno de capim-bermuda (Graham *et al.*, 1994). Staniar *et al.* (2001) demonstraram que um suplemento de lisina e treonina, incluídas em taxas de 6g/kg e 4g/kg, respectivamente, em um concentrado com 9% de proteína fornecido a potros em crescimento, aumentou de forma surpreendente seu ganho de peso no pasto de inverno, em comparação com a resposta a um concentrado contendo 14% de proteína e 22% de farelo de soja.

Um consumo excessivo desses aminoácidos não compromete materialmente a reabsorção tubular de Ca. O requerimento de lisina, como proporção da dieta, diminui rapidamente com o avançar da idade, mas na raça Finnhorse excede 31g/dia até os dez meses e é importante para a hemoglobina sangüínea normal e a formação das células vermelhas do sangue (Saadtamoinen e Koskinen, 1993). Um desequilíbrio nos aminoácidos da dieta tem a probabilidade de aumentar as perdas urinárias de S em uma determinada taxa de retenção de N e por isso, como indicado anteriormente em *Proteínas dietéticas*, a proteína dietética de qualidade ruim excessiva pode comprometer o equilíbrio de Ca.

O pasto de verão geralmente contém mais proteína e de melhor qualidade do que a fornecida aos eqüinos no inverno. Evidências escandinavas indicam que existe uma queda nas concentrações da albumina plasmática se forem fornecidas proteínas dietéticas inadequadas aos potros durante seu primeiro inverno (Mäepää *et al.*, 1998a,b). De acordo com essa evidência, a proteína plasmática total caiu de 68g/L em novembro para 56g/L em abril e as reduções ocorreram na concentração plasmática de vários dos aminoácidos essenciais livres: isoleucina, leucina, lisina, fenilalanina, treonina e valina. Talvez de forma mais consistente sob essas condições, diminuições de lisina, metionina e valina plasmáticas foram reportadas (Saastamoinen e Koskinen, 1993). Essas reduções podem estar associadas com uma acentuada interrupção no padrão normal do crescimento até 12 meses de idade. Por outro lado, outros relatos indicam que o efeito da proteína dietética inadequada sobre a

978-85-7241-725-9

proteína total sérica é leve, ou ausente, em pôneis adultos (Reitnour e Slasburry, 1976) e entre os que estão em desmame, quando a taxa de crescimento foi influenciada (Godbee e Slade, 1981), apesar de Saastamoinen e Koskinen (1993) também observarem uma redução na concentração da hemoglobina sangüínea em seus potros no inverno.

Misturas Completas de Alimentos para Eqüinos em Crescimento

As misturas completas de concentrados e forrageiras cortadas são rotineiramente fornecidas *ad libitum* para bovinos em crescimento, mas sugerir que misturas similares sejam fornecidas para grupos de TB e eqüinos de outras raças em crescimento pode parecer uma afronta, ou pelo menos inapropriado. Quando um número de tais animais é criado junto ao longo do primeiro e até mesmo segundo mês de inverno, há muito para se recomendar tal procedimento. Requer funil de alimentação *ad libitum* coberto, já que ao garantir que o alimento esteja sempre presente, o risco de cólica ou de laminite não existe nos potros. As misturas completas de alimentos devem inicialmente conter um concentrado à base de cereais e feno cortado de boa qualidade em uma relação de 2:1, gradativamente caindo para 1:1 conforme a taxa de crescimento declina. O rebanho normalmente consumirá diariamente uma quantidade total de alimento seco equivalente a 3 a 3,5% de seu peso corpóreo. O preparo físico da mistura e o tamanho da partícula devem ser regulados de forma que nenhuma segregação entre o feno e o concentrado ocorra. O melaço é freqüentemente um bom material para incluir na mistura como ajuda na prevenção da segregação e alguma engenhosidade é necessária para garantir que nenhum entupimento ocorra nos funis. A evidência própria do autor (Frape, 1989) com tais misturas foi bastante estimulante, conforme avaliada por meio da conformação e do controle da doença ortopédica do desenvolvimento (DOD).

978-85-7241-725-9

Preparação para Venda

Os eqüinos TB de 12 meses são normalmente preparados para as vendas de outono ao serem excluídos do pasto. Uma dieta com base em 1,5kg de grânulos de haras de boa qualidade ou outro concentrado, mais 1 a 1,5kg de feno/100kg de PC é uma prática típica. As misturas concentradas tradicionais contêm 75 a 90% de aveia, mais farelo, farinha de soja, leite desnatado em pó e algumas vezes um *premix* de vitaminas e minerais. Porém, não existe razão particular pela qual esses eqüinos não devam ser providos com uma mistura completa de concentrados e feno cortado, como recomendado para o rebanho mais jovem, mas em uma relação de 1:1 de concentrado com feno. A Tabela 8.6 fornece as misturas propostas de alimentos para eqüinos em crescimento e a Tabela 8.7 fornece as taxas de alimentação (com base em 90% de MS). A composição dessas dietas está de acordo com os princípios do crescimento eqüino previamente propostos neste capítulo.

DOENÇA ORTOPÉDICA DO DESENVOLVIMENTO

Distúrbios do crescimento e desenvolvimento esquelético no eqüino foram incluídos no termo-chave doença ortopédica do desenvolvimento (DOD) (Jeffcott, 1991). As principais doenças incluídas são:

Tabela 8.6 – Misturas de alimentos para eqüinos em crescimento para prover com forrageiras ou feno de gramíneas cortadas, ou como suplemento ao pasto ruim.

	Misturas concentradas (%)		
	Potro desmamado	*12 meses*	*Pré-venda de eqüinos de 18 meses*
Aveia	41,1	44,7	59
Farelo de trigo	15	15	10
Gramíneas ricas em proteína	15	15	10
Farelo de soja extraído	18	15	10
Melaço	7,5	7,5	7,5
Gordura de valor alimentar	1	1	2
Calcário	1,2	0,7	0,5
Fosfato dicálcico	0,5	0,5	0,4
Sal	0,5	0,5	0,5
Vitaminas/oligoelementos minerais*	0,2	0,1	0,1
Total	100	100	100

* Ver Tabela 7.1, Capítulo 7.

- Discondroplasia (DCP) (ou osteocondrose [OC]). A osteocondrite dissecante (OCD) é uma condição semelhante, mas ocorre se a inflamação estiver presente e se tiver ocorrido separação de pedaço da cartilagem articular e do osso subjacente dentro da articulação. Assim, o osso subcondral tem uma participação na patogênese da lesão osteocondral e da osteoartrite (Kawcak *et al.*, 2001).
- Fisite (displasia fiseal ou epifisite).
- Deformidades angulares de membros e deformidade flexural (contratura de tendões).
- Anormalidades vertebrais (síndrome de wobbler [bambeira eqüina]; ver também *Vitamina E (Alfa-tocoferol)*, Cap. 4).

978-85-7241-725-9

As causas prováveis da DOD incluem:

- Mau posicionamento congênito e/ou má nutrição.
- Altas velocidades de crescimento pós-natal com dietas desequilibradas.

Tabela 8.7 – Ofertas diárias de alimentos (kg) para eqüinos em crescimento (500kg de peso adulto).

	Concentrados	Feno (trevo/gramíneas)
Potros (kg de PC)		
100 (4-5 semanas)	0,5	–
130-180	2,2-3,2	1,3-1,9
180-230	2,9-3,9	1,8-2,3
230-270	3,6-4,8	2,2-2,8
270-320	4-4,6	2,7-3,2
12 meses (kg de PC)		
310-360	3,5-4,5	3-3,7
360-410	3-4,2	3,6-4,1
410-460	3-3,8	4-4,5

PC = peso corpóreo.

- Trauma provavelmente biomecânico.
- Disfunção endócrina.
- Toxicidade, incluindo toxicose pelo iodo.
- Hereditariedade. Vários pesquisadores demonstraram isso em diversas raças (Sandgren, 1993). Ao passo que a maioria dos potros com sinais é eliminada, a maioria das potras é mantida. O índice reprodutivo está relacionado à DOD, ainda que garanhões com propensão a gerarem produtos afetados possam não mostrar os sinais neles próprios.

A DOD tem ampla distribuição e freqüência em eqüinos. Sinais radiográficos da doença articular nas articulações distais do tarso foram encontrados por Björnsdóttir *et al.* (2000) em 30,3% de eqüinos islandeses de montaria. A discondroplasia (DCP) é uma doença generalizada das articulações sinoviais em animais jovens que resulta de distúrbio da ossificação endocondral da cartilagem em crescimento, envolvendo o remodelamento ósseo secundário. Por isso, engloba as lesões nas regiões da placa de crescimento articular, epifisária e metafisária dos ossos longos. Quando afeta a cartilagem epifisária articular, pode resultar em sinovite.

Acredita-se que a condição comece como anormalidade do desenvolvimento e maturação dos condrócitos e se estende para uma alteração em sua secreção de matriz, culminando em ossificação endocondral alterada (DCP). As espécies reativas ao oxigênio são capazes de degradar vários componentes da articulação na presença de defesas antioxidantes insuficientes. Dimock *et al.* (2000) observaram maior conteúdo do resíduo de aminoácidos carbonil (cetona) e conteúdo antioxidante marginalmente maior de proteínas do líquido sinovial doente nas articulações dos membros. Ainda deve ser determinado se o nível maior de carbonil é precursor da lesão, pois a lesão oxidativa aumenta durante o processo da doença e pode acelerá-la. A condição antioxidante maior das articulações doentes pode somente refletir um aumento no conteúdo das proteínas de fase aguda durante resposta inflamatória.

Os condrócitos em proliferação produzem e secretam a matriz cartilaginosa extracelular dos proteoglicanos e colágeno do tipo II. Ao contrário do componente proteoglicano, o colágeno da cartilagem é conhecido por ter capacidade muito limitada de reparo, em razão da taxa de *turnover* extremamente baixa. Brama *et al.* (2000), usando TB de dois anos de idade, demonstraram que o exercício extremo causou alterações, especificamente na rede de colágeno da cartilagem articular do boleto (região proximal da primeira falange), incluindo acentuado declínio na ligação cruzada de hidroxilisilpiridinolina.

O cobre é um componente da enzima lisil oxidase, requerida no processo de ligação cruzada das proteínas. Dentre outras causas, uma deficiência dietética de cobre está associada com a falha das células endoteliais capilares de penetrarem na região distal da zona hipertrófica. Os condrócitos hipertróficos secretam:

- Enzimas metaloproteinases, incluindo a lisil oxidase.
- Fator de crescimento de fibroblasto básico (FCFB), o qual estimula a proliferação e a migração das células endoteliais e assim a angiogênese dessa região do feto.

A invasão capilar parece ser inibida por refeições com grandes carboidratos e a zona hipertrófica então falha em maturar.

978-85-7241-725-9

As lesões primárias da cartilagem retida podem ser suscetíveis à lesão adicional dentro da articulação, resultando em lesões secundárias de OC, ou osteocondrite dissecante. Assim, a região imatura se estende, os osteóides não se formam normalmente, a calcificação é falha e o osso é fraco. Linhas de fratura subcondral podem ser evidentes, fragmentos soltos de tecido aparecem na articulação (OCD) e a sinovite se desenvolve. Os fragmentos ósseos ocorrem particularmente na extremidade distal da tíbia (Jeffcott, 1991). Osteoartrose secundária nas articulações da espinha cervical causa a estenose do canal vertebral e sinais de ataxia (síndrome de wobbler [bambeira eqüina]).

Existem pontos de predileção particulares da DCP. São o ombro e o boleto no membro anterior, a soldra e o jarrete no membro posterior e a medula espinhal (Jeffcott, 1991). Durante a fase de amamentação, a incidência de DOD é ligeiramente maior em potros do que em potras e certas raças podem ser mais propensas, incluindo *Standardbred* americano, TB e Quarto de Milha, mas pode ser que uma varredura mais intensa tenha sido feita nessas raças. Acreditava-se que o pônei era isento do risco, mas estudos próprios do autor em Newmarket (observações não publicadas de D. Frape) demonstraram que isso não é verdade.

Os sinais clínicos podem, ou não, estar presentes, mas o estresse biomecânico pode precipitá-los. A discondroplasia causa rigidez articular, distensão articular (por exemplo, esparavão *bog*), deformidades angulares de membros e deformidade flexural. Os primeiros sinais ocorrem em várias idades: em potros muito jovens, logo após o desmame, ou eqüinos com 12 meses e animais mais velhos, particularmente com o início do treinamento. Porém, o pico de incidência parece ocorrer entre o desmame e o final de dezembro no hemisfério norte.

Consumo de Proteína, Carboidratos Solúveis e Energia Dietéticos e os Efeitos do Exercício

As dietas provendo quantidades excessivas de carboidratos solúveis (amido digerível) e energia total [129% das recomendações do NRC (1989)], fornecidas aos potros a partir dos 130 dias de idade, causaram lesões disseminadas de discondroplasia (Savage *et al.*, 1993a,b). Em ambos os estudos, parte do aumento de energia foi obtida com gordura extra e assim não se pode concluir que os efeitos adversos tenham sido somente, ou necessariamente, o resultado de uma resposta de insulina pós-prandial elevada (ver adiante).

O fator de crescimento semelhante à insulina I (IGF-I) também funciona na maturação e no crescimento normais da cartilagem articular. Níveis mais altos de IGF-I plasmático foram notados em potros TB recebendo suplemento de carboidratos solúveis no pasto, comparados àqueles recebendo suplemento de carboidratos lentamente fermentáveis e gordura. Staniar *et al.* (2001) sugeriram que o último suplemento pode ter reduzido o risco de DOD. Em comparação, Ropp *et al.* (2003) falharam em encontrar um efeito no crescimento em potros Quarto de Milha, ou em seu IGF-I sérico, quando receberam feno de *brome* com um concentrado contendo 103g de gordura e 240g de amido/kg, em comparação com 22,1g de gordura e 339g de amido/kg. Uma dieta suplementada com gordura, comparada com uma dieta de carboidratos, diminuiu a concentração plasmática de triacilglicerol em pôneis Shetland, em associação com um aumento na atividade plasmática da lípase lipoprotéica, ao passo que um teste de tolerância à glicose causou alta elevação na resposta de insulina em pôneis suplementados com gordura (Schmidt *et al.*, 2001) (ver adiante, *Gorduras e fibras na dieta*, quanto aos efeitos da gordura na absorção de Ca). Portanto, os efeitos da suplementação de gordura na DOD não são claros.

Um nível dietético de proteínas de 126% das recomendações do NRC (1989) não causou efeitos adversos significativos, em comparação com 100% daquelas recomendações (Savage *et al.*, 1993a). As dietas ricas em proteínas não parecem predispor os potros à discondroplasia. O autor aumentou a oferta protéica e a qualidade de uma dieta para potros em desmame, conduzindo uma elevação na taxa de crescimento e uma redução na evidência clínica de fisite e deformidades flexural e angular entre grupos sucessivos em três haras de TB (Frape, 1989). Os potros desmamados com três a quatro meses de idade receberam essa dieta *ad libitum* como uma mistura grossa diluída com 100g de melaço/kg. Glade (1986) postulou que os efeitos nutricionalmente induzidos no crescimento da cartilagem são mediados pelo sistema endócrino. Uma única refeição inicia a secreção de insulina e a resposta de T_4. Altas concentrações plasmáticas de insulina, resultantes do consumo de grandes quantidades de carboidratos produtores de glicose, podem inibir o hormônio do crescimento. A insulina aparentemente estimula um *clearance* inicial pós-prandial de T_4 e sua conversão em T_3. Powell *et al.* (2000) observaram que TB recebendo somente 70% de suas necessidades diárias de energia falharam em produzir uma resposta de T_3 ou T_4 perante o consumo de 1kg de aveia como refeição da manhã, resposta que ocorreu quando os TB receberam quantidades diárias adequadas de energia. O nível de consumo alimentar afeta as respostas hormonais pós-prandiais em adição às da insulina. A influência da restrição de alimentos em curto prazo pode ocorrer por meio de uma redução na taxa de consumo de glicose, especialmente em eqüinos adaptados a forrageiras ricas.

Glade sugeriu que a DCP tem similaridades com o hipotireoidismo (ver Cap. 3, *Iodo*) e a hipotireoidemia pós-prandial transitória episódica, produzida por uma refeição rica em carboidratos, poderia causar a DCP. A alimentação *ad libitum* no estudo do autor (Frape, 1989) foi planejada para excluir consumos elevados de carboidratos produtores de glicose durante qualquer hora do dia, de forma a evitar a hiperinsulinemia.

Os efeitos das dietas ricas em energia no desenvolvimento anormal das articulações parecem ser independentes de seus efeitos na taxa de crescimento, mas a freqüência e a gravidade das lesões são menores quando os potros são exercitados. Tal exercício é geralmente recomendado, exceto se lesões graves já existirem. Com energia dietética adequada, Raub *et al.* (1989) demonstraram que tão pouco quanto 20min de trote médio, cinco dias por semana, entre 147 e 255 dias de idade em TB e Quarto de Milha foram suficientes para aumentar a densidade radiográfica da face medial do terceiro metacarpiano e para aumentar a circunferência (o aumento na densidade pode simplesmente refletir um aumento na circunferência). Um aumento na força de quebra dos ossos deve então ser atingido. Vários estudos mais recentes confirmam o valor e os riscos dos exercícios nesse contexto. Bird *et al.* (2000) demonstraram que a introdução de exercícios (4km a 12m/s até 1km a 15m/s) em eqüinos TB de 24 meses de idade aumentou a taxa de síntese de proteoglicanos pelos condrócitos nas articulações dos membros.

Firth *et al.* (1999) examinaram o efeito do exercício sobre o espessamento trabecular (algumas vezes referido como osteosclerose) nos ossos cárpicos terceiro e radial. O exercício aumentou a densidade da arquitetura esponjosa subcondral nas regiões dos locais subjacentes da degradação cartilaginosa. Os autores consideraram que o início da osteogênese localizada do osso esponjoso não foi conseqüência de microfraturas, mas poderia ser puramente fisiológico, ocorrendo sem a perda da integridade do tecido ósseo. Essa resposta de rigidez hipertrófica reduz a capacidade de absorção de choque, induzindo a carga destrutiva da cartilagem articular sobrejacente. Os limites críticos e o tempo de exercício precisam ser determinados individualmente para os eqüinos.

Deformidades Angulares e Crescimento

Brauer *et al.* (1999) analisaram os desvios angulares intracárpicos dos membros eqüinos a partir de radiografias. Os eqüinos possuem um mecanismo natural de correção do crescimento que espontaneamente corrige várias deformidades nos potros nascidos com conformação anormal. A curva de crescimento fisário determina que, restrito a limites patológicos, as células da fise que são carregadas mais pesadamente crescem de forma mais rápida e as carregadas menos pesadamente crescem mais lentamente. Como o lado côncavo da fise é o mais pesadamente carregado, a aceleração do crescimento naquele lado do membro tende a alongá-lo até que não fique mais côncavo ou até que a carga na fise seja equilibrada junto do eixo do membro. Essa resposta ocorre somente nos casos em que exista carga dinâmica, se a pressão é aplicada e removida intermitentemente (isto é, com exercício e repouso). As cargas estáticas retardam o crescimento. Em limites patológicos (deformidade extrema), o crescimento pára e a angulação piora com o crescimento continuado no lado convexo da fise. A correção então requer operação e/ou casqueamento corretivo e manipulação com exercícios (Bramlage, 1999).

978-85-7241-725-9

Proteína Dietética Restrita

Existe uma tendência dos criadores de TB e vários outros em fornecerem a potros desmamados e eqüinos de 12 meses menos proteína dietética do que a recomendada pelo NRC (1989). O'Donohue (1991) observou que dos nutrientes por ele mensurados, a proteína dietética era a única para a qual a oferta diária de animais de 12 meses precoces (na direção do final do primeiro período de estabulação de inverno), em 46 fazendas irlandesas, foi em média menor do que a recomendada pelo NRC. O efeito disso seria a diminuição da taxa de crescimento, com o objetivo de reduzir o risco de DOD. Existe alguma evidência de que a DOD é mais prevalente em eqüinos com excesso de peso, apesar de haver a evidência produzida por nós e outros autores (revisado por Frape, 1989) de que isso pode ser causado por energia dietética excessiva e dietas pobremente balanceadas, por outro lado. O'Donohue observou que a suplementação com vitaminas e minerais em haras foi um caso de "tentativa e erro". As ofertas suplementares de vitaminas A e D oscilaram de 0 a 18 vezes as recomendações do NRC (1989). Todavia, os eqüinos de crescimento mais rápido podem ainda ser mais propensos à osteocondrose (Sandgren, 1993). Ainda no último estudo escandinavo, os eqüinos de crescimento mais rápido foram proporcionalmente mais pesados ao nascimento.

Prática de Alimentação Normal e Freqüência de Refeições

Uma conseqüência dos custos elevados de mão-de-obra é a diminuição do número de refeições por dia. Se alimentos ricos em energia são fornecidos em grandes quantidades, ou seja, uma vez ao dia, ao invés de quantidades menores em três refeições, então existe um risco elevado de DOD pelas respostas muito grandes de insulina. O'Donohue (1991) observou que a alimentação uma vez ao dia de eqüinos precoces de 12 meses foi ganhando popularidade, que havia uma tendência para a DOD ser mais prevalente onde a alimentação uma vez ao dia era praticada e que 67% dos 1.711 potros que examinou na Irlanda demonstraram alguns sinais da DOD, apesar de que somente 11,3% foram considerados como necessitando de tratamento (em comparação com 10 a 16% nos *Standardbred* escandinavos, Sandgren, 1993). Dos casos tratados, as deformidades angulares de membros e a displasia fisária constituíram juntas 72,9% do total. O'Donohue indicou, concordando com a experiência do autor na Inglaterra (observações não publicadas por D. Frape), que o pico de expressão clínica da DOD ocorreu entre o desmame e o final de dezembro durante a introdução dos alimentos concentrados. As lesões de OC foram detectadas entre o nascimento e três meses de idade (Sandgren, 1993), de forma que o estresse do desmame pode simplesmente exacerbar uma condição existente. Com os custos elevados da mão-de-obra, os sistemas de alimentação automático ou *ad libitum* para prover refeições mais freqüentes para o rebanho confinado poderiam ser um avanço bem-vindo, como o autor observou (Frape, 1989).

Minerais, Oligoelementos Minerais e Doença Ortopédica do Desenvolvimento

No Capítulo 3, discutindo a nutrição de Ca, P e oligoelementos minerais, apontou-se que o P dietético excessivo consistentemente produz lesões de discondroplasia, apesar dos sinais clínicos do hiperparatireoidismo nutricional secundário (HPNS) normalmente não ocorrerem quando o Ca adequado da dieta é provido. Savage *et al.* (1993b) forneceram aos potros com 130 dias de idade uma dieta provendo 388% das recomendações de P do NRC (1989), mas 100% das recomendações de Ca, e encontraram lesões graves de DCP sem sinais clínicos de HPNS. A incidência de DCP foi muito maior do que naqueles recebendo 342% das recomendações de Ca com 100% das de P, ou nos que receberam 100% de ambas as recomendações. A dieta rica em P teria um menor equilíbrio de cátion:ânion (ver Cap. 9 e Apêndice D) e pode por isso ter causado alguma acidose, a qual induz mobilização óssea de Ca. Uma diferença dietética cátion-ânion (DDCA) baixa e negativa causa acidose metabólica crônica e elevação plasmática no paratormônio (PTH), que estimula a conversão de 25-$(OH)D_3$ em 1,25-$(OH)_2D_3$ no rim. Este regula o transporte ativo de Ca através do intestino. Se eqüinos em crescimento estão recebendo Ca adequado na dieta, mas uma dieta de baixa DDCA, então o estímulo para a absorção intestinal de Ca pode compensar a perda urinária aumentada de Ca. Surpreendentemente, isso causou em eqüinos em crescimento um maior balanço positivo de Ca do que o que ocorre com uma dieta provendo as mesmas quantidades adequadas de Ca, mas com elevada DDCA (Cooper *et al.*, 1999b). A importância do Ca adequado na dieta é suprema.

Gorduras e Fibras na Dieta

Hoffman *et al.* (1999) forneceram a éguas e seus potros de até 12 meses de idade suplementos provendo 150g de proteína/kg, mas diferindo no conteúdo de gordura e fibras. Após o desmame, os potros receberam 1kg, aumentando para 1,4kg de suplemento duas vezes ao dia. O conteúdo mineral dos ossos foi menor nos animais em desmame e com 12 meses que receberam o suplemento contendo por quilo 10,1g de Ca, 412g de fibra em detergente neutro (FDN) e 104g de gordura ao invés do suplemento contendo 7,7g de Ca, 153g de FDN e 24g de gordura, como adjuntos ao pasto de trevo-branco/grama azul ou feno misturado de gramíneas e leguminosas no inverno. Existiu uma tendência para maior incidência de deformidades angulares e deformidades flexurais durante junho e deformidades angulares durante janeiro nos potros que receberam o suplemento contendo mais fibra e gordura. Os autores sugeriram que gorduras formando sabão cálcico e a fibra capturando os cátions no intestino podem adversamente limitar o suprimento do mineral ósseo.

978-85-7241-725-9

Oligoelementos Minerais da Dieta

As dietas de éguas gestantes e potros contendo menos do que 10mg de Cu/kg podem causar DOD e deformidade flexural. A lisil oxidase é uma enzima contendo cobre requerida para a ligação cruzada de cadeias protéicas na elastina e colágeno da cartilagem por meio dos resíduos de lisina, ao oxidar o grupo ε-amino. A falha dessa função interrompe o desenvolvimento normal da cartilagem óssea. Suplementos dietéticos de cobre para égua gestante e concentrações de até 30 a 45mg de Cu/kg nos alimentos dos animais em desmame podem diminuir a incidência de DCP e fisite nos eqüinos em crescimento. Esses níveis de cobre são absolutamente seguros e bem abaixo de qualquer limiar tóxico, pois o eqüino tem considerável resistência à toxicidade crônica pelo cobre. A suplementação de cobre de éguas lactantes não tem efeito mensurável no seu conteúdo no leite, que é bem baixo.

Suplementação com Glicosamina, Metil Sulfonil Metano e Sulfato de Condroitina

Glicosamina

A etapa determinante da velocidade de glicosilação de várias proteínas é provavelmente a formação da glicosamina-6-fosfato catalisada pela enzima glicosamina sintetase. A glicosamina, modificada como N-acetilglicosamina, constitui metade da composição molecular do ácido hialurônico. Por isomerização, a glicosamina pode ser convertida em galactosamina e assim pode contribuir com metade da composição molecular do sulfato de condroitina. A glicosamina estimula ambas as sínteses de proteoglicanos e colágeno, de forma que pode ajudar a regenerar a matriz cartilaginosa e a síntese de proteoglicanos pode reduzir a inflamação dentro das articulações lesionadas. Todavia, uma grande proporção da molécula de glicosamina absorvida é modificada pelo fígado e utilizada para a produção de energia e assim a dose mais eficiente pode ser elevada. Provavelmente, a suplementação com sulfato de condroitina é também eficiente, mas a evidência disso é rara (Platt, 2001).

A atividade aumentada de enzimas proteolíticas é o principal fator responsável pela degradação da matriz extracelular da cartilagem articular. A glicosamina pode aumentar a atividade de síntese dos condrócitos. A adição de glicosaminas nos discos da cartilagem articular eqüina, tratadas *in vitro* com lipopolissacarídeos, induziu a diminuição da atividade de gelatinase e colagenase e inibiu a produção de óxido nítrico, inibindo assim a liberação de prostaglandinas (Fenton *et al.*, 1999), indicando uma complexidade para a ação da glicosamina. Da mesma forma que a glicosamina, a manosamina inibiu a degradação da cartilagem do "joelho" eqüino, *in vitro*, na presença de lipopolissacarídeos, apesar da manosamina ter sido eficiente com menos da metade da concentração de glicosamina (Mello *et al.*, 2001). O exame no microscópio eletrônico em seres humanos demonstrou que o consumo de um suplemento de glicosamina, comparado com placebo, pode melhorar a performance física e a saúde da cartilagem do joelho, revertendo a degeneração cartilaginosa.

978-85-7241-725-9

Metil Sulfonil Metano

Uma evidência anedótica indica que o metil sulfonil metano (MSM) pode aliviar a inflamação e a dor decorrentes de artrite e distúrbios musculares, apesar de pouca evidência em eqüinos ter demonstrado que é absorvido e utilizado. Pratt *et al.* (2001) demonstraram em eqüinos adultos que 55% do S de origem do MSM foram absorvidos e grandes quantidades acumuladas no sangue. A técnica empregada indicou que o MSM foi provavelmente absorvido intacto (ver também Cap. 5 e *Controle das anormalidades de crescimento*, no Cap. 7).

Resumo do Controle da Doença Ortopédica do Desenvolvimento

Na criação de potros:

- Evitar grandes refeições ricas em carboidratos produtores de glicose, mas garantir que os requerimentos protéicos sejam atingidos com aminoácidos equilibrados.
- Proporcionar adequado cobre na dieta, mas com equilíbrio de oligoelementos minerais.
- Proporcionar adequado Ca na dieta, com correta relação Ca:P.
- Proporcionar exercícios adequados diariamente.
- Evitar a reprodução de garanhões que são geneticamente predispostos a produzirem potros afetados pela discondroplasia.
- Em haras onde existam riscos de discondroplasia, os potros devem receber não mais do que as taxas recomendadas pelo NRC de consumo de ED.
- Se ocorrer a DOD clínica, o consumo energético dos potros deve ser reduzido e o trauma articular minimizado, restringindo o potro ao exercício sob passo guiado até que os sinais desapareçam.
- Em haras onde o bom trato é escasso, considerar a introdução de alimentação automatizada para evitar refeições volumosas, contanto que a observação cuidadosa diária de cada potro, por pessoas experientes, não fique comprometida e contanto que a obesidade seja evitada.

978-85-7241-725-9

QUESTÕES PARA ESTUDO

1. Quais fatores são importantes na seleção de um pasto adequado para potros desmamados?
2. Qual ação seria adotada com um potro apresentando sinais leves de doença ortopédica, ou com sinais moderados, em idade precoce, ou após o desmame?

LEITURA COMPLEMENTAR

Cymbaluk, N. F., Christison, G. I. e Leach, D. H. (1990) Longitudinal growth analysis of horses following limited and *ad libitum* feeding. *Equine Veterinary Journal,* **22**, 198-204.

Mawdsley, A. (1993) *Linear assessment of the Thoroughbred horse.* MEqS thesis, Faculties of Agriculture and Veterinary Medicine, National University of Ireland, Dublin.

O'Donohue, D. D. (1991) *A study of the feeding, management and some skeletal problems of growing Thoroughbred horses in Ireland.* MVM thesis, Faculty of Veterinary Medicine, University College, Dublin.

Raub, R. H., Jackson, S. G. & Baker, J. P. (1989) The effect of exercise on bone growth and development in weanling horses. *Journal of Animal Science,* **67**, 2508-14.

Sandgren, B. (1993) *Osteochondrosis in the tarsocrural joint and osteochondral fragments in the metacarpo/metatarsophalangeal joints in young standardbreds.* PhD thesis, Swedish University of Agricultural Sciences, Uppsala.

Thompson, K. N. (1995) Skeletal growth rates of weanling and yearling Thoroughbred horses. *Journal of Animal Science,* **73**, 2513-17.

Thompson, K. N., Jackson, S. G. e Baker, J. P. (1988) The influence of high planes of nutrition on skeletal growth and development of weanling horses. *Journal of Animal Science,* **66**, 2459-67.

CAPÍTULO 9

Alimentação para Performance e Metabolismo de Nutrientes durante Exercício

Mas se você pretende no dia seguinte dar a ele uma corrida (para o que agora eu direciono meus objetivos), você deve então somente fornecer um quarto de aveias doces e assim que eles estiverem comendo, coloque seu bridão e amarre sua cabeça, não esquecendo todas as formalidades antes declaradas.

T. De Gray (1639)

Os custos de alimentação são os principais gastos em reprodução, treinamento e uso de eqüinos de esporte. Corbally (1995) observou que na indústria irlandesa de reprodução de eqüinos de esporte, o alimento era o segundo maior custo após a mão-de-obra, representando 16% do custo total, também incluídos os gastos atribuídos a amortização de instalações e éguas de reprodução, mão-de-obra, criação, cirurgiões veterinários, treinamento, cama das baias, ferrador, demonstrações, equipamentos e registros. Nos centros de esportes eqüestres, o alimento foi o segundo maior custo, representando 19,4% do total. Por isso, é importante para a economia da indústria que o alimento tenha uma ótima composição e seja usado de forma acertada. Este capítulo, porém, considera os princípios fundamentais de alimentação e metabolismo dos nutrientes, de forma que a composição do alimento e os métodos de seu fornecimento possam ser manipulados para otimizar o desempenho e minimizar os riscos para o eqüino e o cavalariço. Para resumir, a discussão está restrita à relação da performance com o funcionamento das células teciduais e sua nutrição.

TRABALHO E GASTO DE ENERGIA

O principal papel do alimento para os eqüinos em atividade é a conversão da sua energia química em locomoção, com velocidades variando de 160 até 900m/min (6 a 35mph) e distâncias de 1 a 150km ou mais. Essa enorme variação pode superficialmente causar igual fadiga em eqüinos em forma, mas processos bem diferentes da fisiologia nutricional estão envolvidos nos dois extremos de distância e velocidade. Em um extremo, uma corrida em terreno plano de 1,2 a 1,6km poderia *teoricamente* aumentar as necessidades diárias de energia em meros 4% (Fig. 9.1), um efeito escassamente perceptível, ao passo que no outro extremo, seriam aumentadas em cinco a seis vezes. Os regimes de treinamento reconhecem tanto isso quanto as diferentes respostas das raças perante as formas contrastantes de exercício. Esses procedimentos distintos de treinamento induzem modificações fisiológicas profundas e dissimilares na obtenção da aptidão física. As dietas precisam ser formuladas para se adaptarem a essas necessidades distintas, mas o apetite pode se debilitar no processo. Primeiro, uma nutrição adequada e ótima para um propósito particular implica em ótimo suprimento de nutrientes para cada tecido e célula e a eficiente eliminação dos produtos de descarte.

978-85-7241-725-9

Figura 9.1 – Rathgorman, montado por Chris Bell, percorrendo 1,6km em meio-galope na pista para todos os climas em Dunkeswick, West Yorkshire, observado pelo treinador Michael W. Dickinson. Como parte do treinamento para a corrida do National Hunt, os eqüinos correm em meio-galope cinco dias por semana. Se um eqüino corre a cada 7 a 21 dias, tem um meio galope fácil no dia anterior a uma corrida e por vários dias depois. Um programa de exercícios regulares é mantido durante a estação de corridas, mas com alguma variedade na localização, no cenário e no tipo de atividade.

Nas corridas de curta distância, os eqüinos obtêm muito de sua energia muscular a partir das vias anaeróbicas da respiração, ao passo que na atividade prolongada, como as provas de resistência, a energia se origina quase que exclusivamente das vias aeróbicas (respiração anaeróbica é a quebra dos nutrientes orgânicos na ausência de oxigênio, mas com liberação da energia capturada pela adenosina trifosfato [ATP]). Um dia de caçada, com episódios de escaladas de terrenos montanhosos, meio-galope e saltos, períodos de intervalo e passo, combina os processos e as taxas de gasto de energia. O gasto de um eqüino carregando uma montaria pesada durante um dia longo excede o consumo médio diário de energia alimentar em várias vezes. Os processos do metabolismo energético estão resumidos aqui, pois uma boa compreensão deve permitir uma alimentação mais racional e favorecer o entendimento de cada desenvolvimento futuro na alimentação de eqüinos em atividade.

O que é Trabalho?

Antes de avançar mais, pode ser apropriado aqui revisar o significado dos termos "força", "poder", "trabalho" e termos relacionados e ver como têm sido aplicados no trabalho mensurável e prático de eqüinos em atividade. Se um eqüino é uma bola lisa em uma superfície horizontal sem fricção, nenhuma energia seria requerida para continuar a se mover a uma velocidade constante em linha reta. Felizmente, tanto para o eqüino como para o fabricante de alimentos, todo movimento do animal envolve fricção, tanto na movimentação do eqüino (valor presumido de 2J para mover 1kg de peso corpóreo [PC] por 1m, horizontalmente) quanto em qualquer coisa que esteja puxando. Requer força para superar a fricção e essa força, atuando sobre determinada distância, se iguala à produção do trabalho. Se existem

Quadro 9.1 – Carga puxada média, distância percorrida, trabalho feito e energia líquida gasta, em adição à manutenção, durante atividade de 6h por dia, por cinco eqüinos de tração chilenos arando um campo (Pérez *et al.*, 1996). Os eqüinos foram exercitados sob condições submáximas, apesar de haver um aumento significativo na concentração sangüínea de cortisol

Peso vivo: 547 kg
Força aplicada ou carga puxada[1]: 905 N
Distância percorrida: 13,6 km
Velocidade[2]: 0,93 m/s
Força desenvolvida: 0,83 kJ/s ou kW, isto é, quilowatts
Trabalho realizado no ato de puxar acima da manutenção: 12.276 kJ/eqüino
Trabalho realizado nas 6h do dia[3]: 108 kJ/kg $PC^{0,75}$
Energia líquida estimada para o trabalho, incluindo o eqüino se movendo por si só[4]: 130.584 kJ/dia
Energia líquida estimada usada para o trabalho, incluindo o movimento do eqüino: 1.153 kJ/kg $PC^{0,75}$
Eficiência bruta estimada do trabalho, incluindo o movimento do eqüino, mas excluindo a manutenção: 9,4%
Energia líquida para o trabalho expressa como múltiplo de manutenção: 2,24

[1] Força média exercida pelos cinco eqüinos foi equivalente a 17,7% de seu peso corpóreo ou a um poder de tração de 780W, Js^{-1}.
[2] 18,5h seriam requeridas para arar 1ha.
[3] Isto é maior do que o obtido por bovinos, pois o eqüino requer cerca de dois terços do tempo para atingir uma função semelhante.
[4] Requerimento energético para este trabalho de 6h é de cerca de 125% do requerido para o trote médio de duas horas diariamente, incluindo cavaleiro e manutenção.
PC = peso corpóreo.

978-85-7241-725-9

subidas de terrenos, a força da gravidade precisa ser também superada. A energia extra requerida acima da manutenção é:

$$2J\ [PC\ (kg) \times \text{distância horizontal (m)}] + \frac{\text{trabalho feito}}{0{,}298}$$

Em que 0,298 representa a relação do trabalho feito puxando/energia líquida usada (em comparação à eficiência bruta, Quadro 9.1). A força é mensurada em newtons (N), joules por metro ($J\ m^{-1}$) ou quilogramas metros por segundo ao quadrado ($kg\ m\ s^{-2}$). A produção de trabalho é mensurada em newtons, N, para a distância sobre a qual a força é aplicada, expressa em joules, N m = J.

Eqüino em Atividade

Uma das formas mais tradicionais de trabalho para um eqüino precisa ser a de puxar um arado. Vários grupos de pesquisadores mensuraram de forma precisa o trabalho de tração. A produção de força, mensurada em watts (Js^{-1}) por unidade de peso vivo, em 4h de arado/dia, foi similar entre dois bovinos mestiços de Jersey (323kg de PC por cabeça) e quatro jumentos pesados (170kg de PC por cabeça). Os asininos tendem a arar em passada mais lenta que os bovinos (Nengomasha *et al.*, 1999). Pérez *et al.* (1996) reportaram sobre cinco eqüinos de tração mestiços chilenos pesando 547kg, puxando um arado de aiveca, cortando um sulco de 12,6 e 22,3cm de profundidade e largura, respectivamente. Claro que o desempenho mensurado é influenciado pelas características do solo, mas os valores obtidos (ver Quadro 9.1) estão bem de acordo com os obtidos por outros e são informativos para o nutricionista.

Eqüino de Montaria

Gasto de Energia e Tipo de Trabalho

O trabalho de resistência (enduro) é feito a uma velocidade de 154 a 224m/min (5,75 a 8,35mph) por declives variados, ao passo que a corrida em terreno plano é feita a 940m/min (35mph). Por comparação, o eqüino de charrete, puxando uma carga pesada, percorre cerca de 40km (25 milhas) em velocidades similares às requeridas para os eqüinos de enduro – 200 a 214m/min (7,5 a 8mph). O esforço extremo tende a deprimir o apetite e assim a sua recuperação requer vários dias para que as reservas sejam recarregadas. As informações na Figura 6.4 e na Tabela 6.8, Capítulo 6, demonstram que a capacidade de eqüinos maiores em se alimentar é proporcionalmente menor que a de eqüinos menores, de forma que após a realização de trabalho extenuante podem requerer um período mais longo para recuperação, em especial supondo-se que o peso do condutor seja proporcional ao peso do eqüino. A informação na Tabela 6.3 do Capítulo 6 baseia-se em resultados experimentais e, apesar de ter havido alguma extrapolação, indica maiores demandas de energia alimentar do que as estimativas teóricas para o trabalho de resistência fornecidas na Tabela 6.8. As estimativas do National Research Council (NRC) na Tabela 6.8, porém, parecem exceder as estimativas do Institut National de la Recherche Agronomique (INRA) (ver Tabela 6.23, Cap. 6).

Blaxter (1962) calculou que o gasto energético para esforços verticais em eqüinos, em adição a qualquer esforço horizontal, contabiliza 17 vezes o gasto no movimento horizontal, acima dos custos do metabolismo energético no repouso. Calcula-se que um eqüino de 400kg gaste 0,67kJ/m em trabalho horizontal e 11,4kJ/m verticalmente. O exercício em solo desigual e montanhoso pode por isso ser muito mais árduo do que em superfície plana. A atividade da corrida de curta distância em terreno plano precisar ser considerada como um caso especial, pois é quase inteiramente direcionada para eqüinos jovens ainda em crescimento. O trabalho prolongado, para o qual existe um pouco mais de evidências experimentais publicadas, é em geral realizado por eqüinos mais velhos.

O trabalho, especialmente, impõe um aumento no suprimento de energia para os músculos e a conversão de glicose ou ácidos graxos livres em compostos de fosfato ricos em energia – ATP e fosfocreatina (PCr) – usados pelos músculos como fonte imediata de energia. Existe uma elevação na velocidade de produção de resíduos, mais particularmente dióxido de carbono e calor. O suprimento de nutrientes e o descarte eficiente dos resíduos requerem grandes ajustamentos fisiológicos, que o treinamento visa estimular. Os alimentos mais cruciais para o trabalho são aqueles que fornecem energia, água e eletrólitos. Os eletrólitos são aqueles elementos que em solução carreiam uma carga elétrica. Incluem sódio, potássio, magnésio, cálcio, cloreto e fosfato.

SUBSTRATOS ENERGÉTICOS E SEU GASTO

A mais potente energia para a atividade muscular é absorvida pelo trato intestinal como glicose, ácidos graxos voláteis (AGV) (acético, propiônico e butírico e quantidades menores de ácidos relacionados), ácidos graxos de cadeia longa, gorduras neutras e aminoácidos. Glicose, propionato e aminoácidos glicogênicos absorvidos são fontes potenciais de glicose sangüínea e de glicogênio hepático, um amido estocado. Ácidos graxos de cadeia longa, gorduras neutras, aminoácidos cetogênicos e particularmente o acetato e o butirato são

978-85-7241-725-9

fontes potenciais de gorduras e ácidos graxos do sangue, gordura de estocagem e acetil coenzima A (acetil-CoA). A glicose sangüínea e seus precursores são também, é claro, fontes potenciais de gordura corpórea por meio da substância-chave acetil-CoA.

978-85-7241-725-9

Formação e Utilização de Adenosina Trifosfato e Fosfocreatina

O fígado, ao estocar energia na forma de glicogênio e gordura (e também como proteína), tem um papel vital na manutenção dos níveis normais de glicose sangüínea por meio da quebra e da nova estocagem de glicogênio. As células musculares também estocam glicogênio e formam compostos de fosfato ricos em energia – PCr e ATP – necessários para o relaxamento e a contração musculares, valendo-se de glicose e ácidos graxos sangüíneos como combustível. A completa liberação da energia química proveniente deles requer um suprimento de oxigênio (O_2) atingindo as células musculares por meio das artérias. Porém, uma imediata e rápida liberação de energia, particularmente importante em corridas curtas, pode ser conseguida pelo processo de glicólise, em que a glicose é quebrada em piruvato na célula muscular sem o consumo de O_2 e também pela liberação de energia de ATP e PCr previamente estocados. A quebra adicional e completa do piruvato e dos ácidos graxos demanda a presença de O_2 e esse processo ocorre exclusivamente nas mitocôndrias, pela atividade conhecida como β-oxidação dos ácidos graxos e o ciclo do ácido tricarboxílico (ATC).

Nova Síntese de Adenosina Trifosfato

A energia para a contração muscular se origina de PCr e ATP, formados da energia originada durante a combustão de glicose e ácidos graxos. Os *Thoroughbred* (TB) possuem elevada proporção de fibras de rápida contração ricas em PCr nos músculos esqueléticos (Harris e Hultman, 1992a), de forma que a perda de nucleotídeos de adenina (NA) durante o exercício intenso é maior que no homem (ver *Amônia e o veículo alanina*, adiante). Depois de repetidos galopes, uma *perda* de 50% de *ATP* foi registrada (Harris *et al.*, 1991c; Sewell e Harris, 1991; Sewell *et al.*, 1992a), associada com fadiga e diminuição na velocidade de corrida (Harris *et al.*, 1991b) e com menores taxas glicolíticas e (ATP)/(adenosina difosfato [ADP]) muscular. O acúmulo de ADP estimula a degradação de NA em inosina monofosfato (IMP) com aumento na concentração plasmática de NH_3. Existe um pH crítico abaixo do qual a refosforilação de ADP declina (ver *Amônia e o veículo alanina*, adiante), com PCr atuando tanto como tampão intracelular quanto como reservatório para sua refosforilação. A suplementação de seres humanos com *monoidrato de creatina* aumentou a creatina total e o conteúdo de PCr muscular (Harris *et al.*, 1992). As reservas energéticas para essa síntese dependem de treinamento, dieta e características próprias do eqüino. A baixa taxa de nova síntese de ATP, quando apoiada pela oxidação de ácidos graxos livres, significa que a estocagem inadequada de oxigênio nas fibras musculares ativas causa fadiga precoce, além de abundância de ácidos graxos.

Ciclo do Ácido Tricarboxílico

O funcionamento do ciclo do ATC na mitocôndria requer a difusão de O_2 para essas organelas e a remoção de CO_2 para o sangue. Durante o trabalho leve, esse processo se dá de maneira calma e com cada volta no ciclo uma unidade de oxaloacetato, requerido para o metabolismo subseqüente de acetil-CoA na presença de O_2, é produzida. Porém, quando quantidades

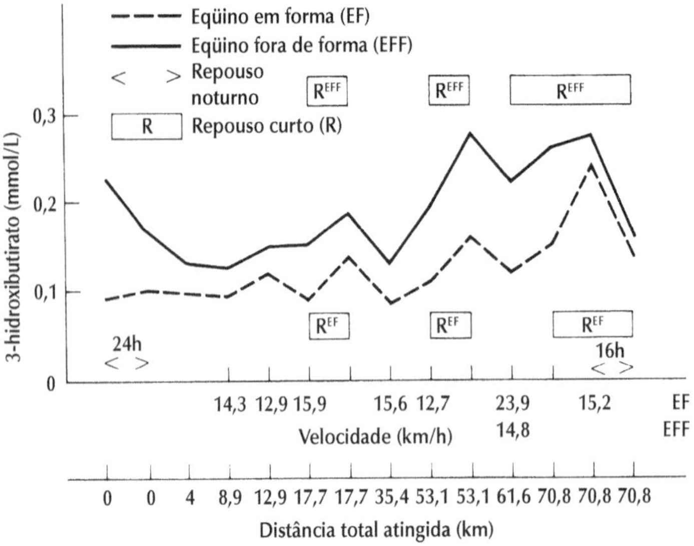

Figura 9.2 – Efeito dos períodos de repouso no 3-hidroxibutirato plasmático durante uma prova de resistência em um eqüino em forma e em outro fora de forma (Frape *et al.*, 1979).

978-85-7241-725-9

maiores de oxaloacetato estão presentes, é provável que o metabolismo de acetil-CoA ocorra mais rapidamente. Quando quantidades maiores de ácidos graxos são dissimiladas em acetil-CoA, o ciclo precisa girar a uma taxa mais acelerada. Isso também é conseguido pela provisão de quantidades extras de oxaloacetato de fora da mitocôndria. Por isso, precisam existir quantidades adequadas de piruvato requerendo amplo suprimento de glicose, lactato, aminoácidos glicogênicos, ou mesmo glicerol. Durante o trabalho prolongado, o eqüino sadio treinado não encontra dificuldade em quebrar os ácidos graxos em CO_2, pois suficiente O_2 é obtido pela respiração normal. De fato, tal trabalho causa acúmulo de glicerol, significando que não é chamado para formar unidades de piruvato em qualquer quantidade grande. Se a utilização dos ácidos graxos for interrompida, isso provavelmente seria expresso como um metabolismo retardado do acetil-CoA e ocorreria a formação de cetonas (acetoacetato e 3-hidroxibutirato).

Pesquisa em Newmarket (Frape *et al.*, 1979) demonstrou que essas cetonas se acumulam no plasma somente após a interrupção do trabalho (Fig. 9.2), possivelmente implicando em nenhuma limitação para a completa combustão de gorduras. Esse aumento pós-exercício nas cetonas plasmáticas provavelmente reflete a redistribuição do sangue dos músculos para o tecido adiposo, de onde os ácidos graxos não esterificados (AGNE) serão acessados, aumentando de forma rápida a concentração plasmática de seus metabólitos, em razão da reduzida necessidade de seu consumo celular. A hiperlipidemia, identificada em eqüinos em jejum, reflete um bloqueio do metabolismo de gordura nos animais que contam predominantemente com os estoques de gordura residual, na ausência relativa de substratos de carboidratos. A atividade das enzimas requerida nessa quebra de gordura pode também ser depletada em uma deficiência associada de proteínas dietéticas. A Figura 9.3 fornece uma breve consideração das vias pelas quais as fontes energéticas são metabolizadas nas células musculares e no fígado de eqüinos.

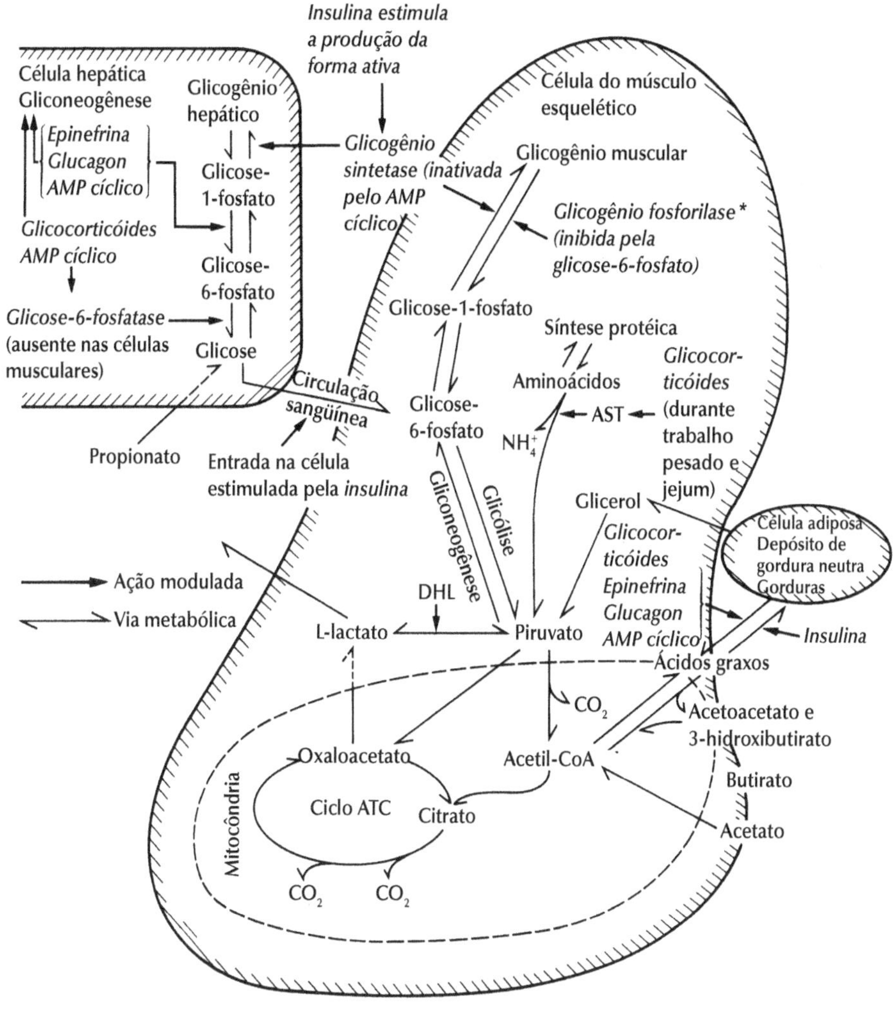

978-85-7241-725-9

Figura 9.3 – Principais vias do metabolismo energético nas células musculares e hepáticas e sua modulação pelo sistema endócrino (etapas intermediárias foram excluídas). Glicólise: oxidação de glicogênio ou glicose em piruvato e lactato. Gliconeogênese: formação de glicose ou glicogênio a partir de fontes não carboidratos. Os principais substratos para isso são aminoácidos glicogênicos, lactato, piruvato, glicerol e, em menor extensão, propionato. * A explosão da ação muscular com a secreção de glucagon e epinefrina e a estimulação nervosa da liberação de Ca^{2+} iniciam a formação de adenosina monofosfato (AMP) cíclico e então a fosforilação e a ativação de glicogênio fosforilase. Acetil-CoA = acetil coenzima A; AST = aspartato aminotransferase; ATC = ácido tricarboxílico; DHL = desidrogenase láctica.

Glicogênio, Glicose, Ácidos Graxos Livres e Ácidos Graxos Voláteis

A quantidade de glicogênio muscular e hepático estocado em qualquer momento é variável, pois as reservas são consideravelmente depletadas durante o exercício prolongado e são reabastecidas somente após várias refeições. Todavia, o autor calcula que, em média, as reservas hepáticas de glicogênio são 5 a 10% daquelas no músculo esquelético, presumindo-se que a massa muscular e a do fígado representem 1,5% do peso corpóreo. A glicogenólise, ou quebra do glicogênio, continua após o término do exercício intenso. A recuperação desses estoques de glicogênio é promovida pelo fornecimento de uma refeição de 1 a 2kg de cereal, 1,5h após o exercício, ou pela infusão intravenosa (IV) de 6g de glicose/kg de PC, 30min após o exercício. Isso pode ter algumas complicações para os eqüinos competindo em dias sucessivos. Por outro lado, em eqüinos treinados, os estoques de glicogênio não limitam a performance das corridas de curta distância, pois o treinamento pode aumentar a capacidade de glicogênio nos músculos dos membros em 39% (Guy e Snow, 1977a).

Com a elevação da velocidade de gasto de energia, a preferência pela glicose como substrato aumenta, apesar das proporções usadas de glicose e ácidos graxos livres (AGL) se modificarem de maneira rápida com a distância. As taxas de utilização de glicogênio de 2,68 e 1,06mmol de unidades de glicosil/kg de músculo seco por segundo, com consumo total de 27,3 e 32,5% do estoque inicial, foram causadas por 800 e 2.000m de galope, respectivamente (Harris *et al.*, 1987). Isso sugere que sobre uma distância maior, a uma velocidade um pouco menor, a combustão (aeróbica) dos AGL aumente de forma considerável como proporção dos gastos de energia total.

Em adição aos AGL originados da hidrólise da gordura estocada nos adipócitos, os ácidos graxos voláteis (AGV) absorvidos pelo intestino posterior são uma importante fonte energética. A contribuição do acetato para a oxidação no membro posterior foi reduzida de 32% em eqüinos recebendo forrageiras para 21% naqueles recebendo dieta com relação de aveia e forrageira de 0,52:0,48 (Pethick *et al.*, 1993). Isso pode ser uma razão pela qual o consumo maior de forrageiras é recomendado para os eqüinos de enduro (ver *Sudorese e desidratação*, adiante).

Piruvato-Lactato: a Demanda de Oxigênio

A produção anaeróbica de energia pela glicólise poderia logo ser interrompida pelo acúmulo excessivo de piruvato. Por isso, um mecanismo habilidoso foi desenvolvido, em que o piruvato é reversivelmente convertido em lactato como "resíduo" intermediário. Essa redução, de forma ainda mais considerável, oxida o NAD reduzido, essencial para desencadear uma importante etapa glicolítica. Por isso, nas corridas de curta distância, o lactato se difunde para o sangue a partir da célula muscular e ali se acumula até que O_2 suficiente esteja disponível para sua conversão hepática em piruvato. Esse mecanismo permite que mais energia seja obtida pela glicólise do que seria possível por outra maneira. Como a demanda de O_2 tem de ser eventualmente compensada, a produção de energia por unidade de volume de consumo de O_2, em razão dos processos anaeróbicos, é somente metade da obtida pelos processos aeróbicos. Porém, durante a recuperação das corridas de curta distância, o O_2 é abundante, de forma que a vantagem da rápida disponibilidade da energia química excede a menor desvantagem da compensação empregada.

978-85-7241-725-9

Limiar de Ácido Láctico

A presença de O_2 suficiente nas células musculares depende da velocidade e da extensão do treinamento do eqüino. O sistema anaeróbico de ácido láctico em TB não condicionados provavelmente não é imposto até que as velocidades de trabalho excedam cerca de 600m/min (22mph) no plano (Williamson, 1974). O limiar anaeróbico de eqüinos de trote *Standardbred* americano é tido como de 300 a 400m/min (11 a 15mph) no plano (Milne *et al.*, 1976), apesar de não ter sido observado um aumento impressionante no lactato sangüíneo dos trotadores *Standardbred* até que as velocidades atingissem 600m/min (Lindholm, 1974), ou 684 a 750m/min (25 a 28mph). Lindholm e Staltin (1974) e Williamson (1974) registraram respostas sangüíneas similares nessas raças submetidas aos mesmos tipos de exercício.

O limiar de acúmulo de lactato induzido pelo exercício pode ser de 4mmol de lactato/L de lactato no plasma e a velocidade para um eqüino em particular em que isso ocorre é denominada de V_{LA4}. O metabolismo anaeróbico fornece aproximadamente 30% das necessidades energéticas imediatas do *Standardbred* em velocidades de corrida. O condicionamento por meio de exercícios repetidos de alta intensidade (92% de VO_{2max}) produziu: concentração aumentada de glicogênio muscular antes do exercício; maior V_{LA4}; aumento no VO_{2max} e na velocidade na qual a VO_{2max} foi atingida; velocidade com 115% de VO_{2max}; e aumento na duração na qual 115% da VO_{2max} foi mantida por *Standardbred* (Hinchcliff *et al.*, 2002). O consumo de oxigênio foi maior e o déficit de oxigênio acumulado foi maior do que antes do condicionamento. O déficit de O_2 é definido pelo equivalente de O_2 da diferença entre o ATP suprido de forma oxidativa a partir do VO_2 pulmonar e o ATP utilizado pelo músculo exercitado (ver Glossário) (TB, como uma raça, tem um maior VO_{2max} médio e uma maior capacidade de produzir lactato do que os *Standardbred*; além do mais, Ronéus *et al.*,1999, concluíram que as concentrações plasmáticas de lactato e amônia em trotadores *Standardbreds* após a corrida não estavam relacionadas à presente performance da corrida). Assim, o condicionamento causou aumento tanto na capacidade aeróbica quanto na anaeróbica.

Porém, houve menores concentrações musculares de lactato após o exercício de alta velocidade, mas semelhantes concentrações sangüíneas de lactato durante o exercício em VO_{2max} e a recuperação, de forma que o condicionamento pode melhorar a taxa de efluxo de lactato dos músculos (condicionamento de alta intensidade causa um aumento na desidrogenase láctica [DHL] muscular; ver Glossário). O menor lactato muscular e um elevado pH intramuscular podem ter reduzido os custos energéticos da função muscular. Se for assim, o aumento no déficit de O_2 poderia ser explicado por isso na ausência de aumentos demonstrados nas contribuições de energia líquida da glicólise anaeróbica e/ou de fosfogênio e estoques de O_2 (Poole *et al.*, 2002). Os autores concluíram que o exercício de alta intensidade resultou em uma confiança reduzida no metabolismo anaeróbico em intensidades de trabalho absolutas similares.

Essa explicação é apoiada pela observação de outros investigadores de que o condicionamento resulta em redução na relação de trocas respiratórias (velocidade de saída de CO_2/ velocidade de entrada de O_2) durante o exercício intenso (uma redução na relação ocorre quando há elevação na proporção de energia total originada da oxidação de gordura). Porém, associado com maior produção de trabalho, o condicionamento aumentou o déficit de O_2 máximo calculado em eqüinos. Os eqüinos com maior capacidade anaeróbica, que pode gerar o maior déficit de O_2, terão vantagem considerável na corrida.

978-85-7241-725-9

Em um estudo de pesquisadores da University of Glasgow (Snow e MacKenzie, 1977b), o meio trote por 22km não causou estresse nas reservas de nutrientes no sangue e, imediatamente após o exercício, a glicose, o glicerol e os AGL sangüíneos, assim como o pH, aumentaram ligeiramente, indicando velocidade adequada de mobilização e irrigação suficiente das células musculares com O_2. Snow e MacKenzie (1977a) observaram que a uma velocidade máxima de trabalho de 864m/min (32mph) por 3 × 600m, com dois intervalos de 5min entre os galopes, a respiração anaeróbica foi necessária, a glicose, o glicerol, os AGL e o lactato sangüíneos estavam todos elevados e houve uma queda no pH. A reserva aumentada de glicose sangüínea foi associada com uma considerável elevação na secreção de adrenocorticosteróides. O treinamento por dez semanas antes dos galopes promoveu aumento adicional no glicerol e no lactato sangüíneos, com modificações menores nos AGL e no pH do que o observado nos casos com eqüinos não treinados. Como a secreção de corticosteróides foi ainda maior após o treinamento, uma explicação é que este confere mobilização mais eficiente da gordura de reserva e tanto esta quanto a glicose são usadas em maior extensão por eqüinos treinados, resultando em tempos mais rápidos. A menor queda no pH sangüíneo indica que o treinamento também causa melhor ventilação e oxigenação dos músculos.

MÉTODOS DE TREINAMENTO

Tipo Muscular e Raça

A condução em longas distâncias requer uma preponderância das fibras musculares capazes de contração lenta, mas resistentes à fadiga, ao passo que a capacidade de correr demanda a presença de maior proporção de fibras de contração rápida, que também sofrem fadiga mais prontamente. Essas fibras de contração rápida são categorizadas como tendo miosina com alta atividade de adenosinatrifosfatase (ATPase) no pH 9,4 e alta atividade glicolítica (fibras do tipo II). São subdivididas em fibras de contração rápida com capacidade pouco oxidativa (FT) e de contração rápida com capacidade altamente oxidativa (FTH). As fibras com baixa atividade de ATPase-miosina (fibras do tipo I) estão presentes em proporções relativamente maiores nos músculos esqueléticos dos eqüinos, mais adequadas à condução por longas distâncias. São conhecidas como fibras de contração lenta e capacidade altamente oxidativa (ST). Os trotadores *Standardbreds* americanos mais velhos do que quatro anos têm 54% de fibras de FTH, 22% de FT e 24% de ST no músculo glúteo médio (Lindholm e Piehl, 1974). Todos os músculos têm quase a mesma relação de fibras de capacidade oxidativa baixa e alta, mas uma mistura de treinamento anaeróbico e aeróbico aumenta a proporção de fibras de FTH e diminui a proporção de ST e possivelmente também de fibras de FT. Todavia, Dingboom *et al.* (2002) detectaram modificação com o tempo no tipo de fibra dos músculos da locomoção, que foi influenciada pelo exercício em potros holandeses de sangue quente durante seu primeiro ano pós-parto.

O propósito do treinamento é modificar a ação muscular e na verdade todo o metabolismo do eqüino, de forma que funcione com eficiência máxima e fadiga mínima a uma velocidade e por uma distância para as quais são estabelecidos. Couroucé *et al.* (2002) demonstraram em trotadores franceses que a V_{LA2} e a V_{LA4} e as freqüências cardíacas correspondentes FC_2 e FC_4 e a velocidade para uma freqüência cardíaca de 200 batimentos/min (V_{200}) melhoraram com a idade entre um e seis anos. Mais ainda, V_2, V_4 e V_{200} aumentaram com o treinamento. Essa evidência indica transporte de oxigênio e produção de energia aeróbica mais eficientes. A freqüência cardíaca para um determinado conteúdo de lactato sangüíneo pode ser melhorada com a idade, em razão da elevação no volume de sangue bombeado por batimento do coração e da elevação na diferença de conteúdo de oxigênio arteriovenoso, decorrente de uma redução no conteúdo de oxigênio de sangue venoso misturado. Um baixo V_{200} pode freqüentemente indicar doença ortopédica subjacente, de acordo com vários grupos de pesquisadores.

978-85-7241-725-9

Durante o exercício, a energia alimentar é convertida em trabalho e a Tabela 6.8 (Cap. 6) fornece as quantidades aproximadas de energia alimentar requeridas para eqüinos de diferentes pesos submetidos a atividades em uma variedade de intensidades. Em todos, exceto em um exemplo, o trabalho cobre um período de 1h, apesar de ser considerado que o esforço mais extremo não poderia ser mantido de forma contínua por tal período. Todavia, o método permite as comparações dos diferentes graus de esforço. Por um lado, o passo não cria praticamente qualquer demanda nos requerimentos de manutenção, mas no outro extremo, a corrida – e de modo mais particular o trabalho de enduro prolongado – cria uma demanda de energia que excede a capacidade do eqüino de recuperação imediata por meio da alimentação das perdas. O glicogênio e as reservas de gordura são por isso consideravelmente usados.

Hipertrofia Muscular

978-85-7241-725-9

A adaptação ao trabalho muscular pesado requer não somente modificações no sistema vascular sangüíneo, mas também no músculo esquelético. A hipertrofia dos músculos ocorre durante o treinamento, cuja extensão varia com a raça do eqüino e com o tipo de atividade. Essa modificação reflete-se como um aumento da retenção aparente de nitrogênio (N) em Quarto de Milha (Freeman *et al.*, 1988). As perdas de N no suor não foram mensuradas e parte da retenção aparente pode ser considerada por essa perda. A retenção aumentada do N parece continuar por um mês de repouso após o período de exercício, indicando maior requerimento de manutenção de proteínas nos eqüinos que foram treinados.

Efeitos do Treinamento

Conforme aumenta a intensidade do treinamento, a demanda pela liberação de energia por uma via metabólica em particular se eleva, aumentando assim a necessidade por enzimas apropriadas para catalizar as reações. As corridas de curta distância impõem maiores demandas no metabolismo anaeróbico e as corridas mais longas demandam predominantemente processos aeróbicos, o que implica em um uso mais intenso do ciclo do ATC na mitocôndria. Portanto, o treinamento para o trabalho assistido é tido como causador de aumento no número dessas organelas celulares e suas enzimas associadas. O treinamento para as corridas de curta distância, porém, aumenta a atividade glicolítica e observou-se aumento em duas vezes na atividade das enzimas aldolase (enzima chave na via glicolítica) e alanina aminotransferase (ALT). Esta última promove a formação do aminoácido alanina (ver *Amônia e o veículo alanina*, adiante, quanto à função desse aminoácido) a partir do piruvato, diminuindo assim a conversão para lactato e por isso diminuindo provavelmente a fadiga ao moderar a queda no pH.

O exercício induz a uma elevação transitória na concentração extracelular de K^+, em razão de uma perda contínua de K^+ a partir dos músculos em contração. Essa perda afeta o potencial de membrana que pode contribuir com a fadiga muscular. A nova entrada de K^+ pela célula é obtida com a ação da bomba de Na^+-K^+ (Na^+-K^+-ATPase). Suwannachot *et al.* (2001) demonstraram que o treinamento em curtas distâncias de potros holandeses de sangue quente por cinco meses induziu um aumento na concentração da Na^+-K^+-ATPase nos músculos glúteo médio e semitendinoso. O efeito persistiu durante seis meses sem treinamento. Essas resposta metabólicas revelam as formas em que o treinamento pode influenciar aspectos específicos da função muscular e, no final das contas, o desempenho (ver *Bicarbonato de sódio*, adiante, e *Desidratação e condição de potássio*, Cap. 11).

RESERVAS ENERGÉTICAS MUSCULARES E ALIMENTAÇÃO ANTES DO EXERCÍCIO

Efeitos Hormonais

Uma refeição normal de grãos causa uma elevação nas concentrações plasmáticas de glicose e insulina. A elevação de insulina pode se estender por um período de até 8h. É um hormônio anabólico que promove a estocagem de glicose e gordura, ao passo que o exercício requer a mobilização das reservas energéticas para a combustão. Um exercício intenso acontecendo 2 a 6h após uma refeição está associado com a disponibilidade reduzida de AGL ou AGNE, causando uma rápida queda na concentração sangüínea de glicose, pois a contribuição da gordura com o gasto de energia está reduzida. Por exemplo, Lawrence *et al.* (1993) mantiveram eqüinos *Standardbreds* americanos em jejum durante a noite e então forneceram a eles nada de grãos (controles) ou 1, 2 ou 3kg de grão de milho, 2,5 a 3h antes de aquecimento e exercício intenso por 1.600m com uma freqüência cardíaca de 206bpm. Os controles mantiveram concentrações plasmáticas de glicose estáveis, ao passo que a glicose plasmática declinou naqueles que receberam qualquer grão, uma resposta similar àquela observada por outros, em que os eqüinos foram alimentados 3 ou 4h antes do exercício.

Os AGL plasmáticos foram inicialmente maiores nos controles, mas declinaram nesses eqüinos durante o exercício intenso. Nos eqüinos alimentados com grãos, os AGL permaneceram estáveis durante o exercício, mas a concentração foi sempre menor do que as dos controles. O efeito de uma refeição em repetidas rodadas de exercício intenso durante um dia depende provavelmente do tamanho da refeição, do momento, da intensidade de exercício, etc. Lawrence *et al.* (1995) observaram que uma refeição nem melhorou nem prejudicou o desempenho de seqüências de exercícios repetidos. A razão para isso pode ser o fato de o exercício intenso estimular a secreção de epinefrina e norepinefrina (adrenalina e noradrenalina), as quais sobrepujam o efeito da insulina no metabolismo de glicose e gordura, de forma que a mobilização de gordura e a liberação dos AGNE no sangue não seriam prejudicadas durante a segunda, a terceira, etc. rodadas de exercício intenso (ver também *Alimentação antes das provas de resistência*, adiante).

Efeitos da Distribuição Sangüínea

Experimento com pôneis (Duren *et al.*, 1992) indicou que o exercício de 7,8m/s em uma inclinação de 6,3° e 75% da freqüência cardíaca máxima por 30min, 1,4h após a alimentação, causou maiores fluxos sangüíneos para o trato gastrointestinal e os músculos esqueléticos, em comparação com aqueles em pôneis em jejum. Houve aumento na freqüência cardíaca, no débito cardíaco (vol/min), no volume de sangue bombeado por batimento do coração (vol/batimento) e na pressão sangüínea arterial, ao passo que a acomodação pode não ter sido possível com o exercício mais intenso. Esse trabalho é por isso normalmente atrasado por 5 a 8h após a alimentação, apesar do intervalo de tempo ótimo ser influenciado pela proporção dietética sujeita à fermentação e ao tipo de atividade (ver *Aquecimento do exercício* e *Sistemas vascular e respiratório*, adiante, e Quadro 9.2).

978-85-7241-725-9

Quadro 9.2 – Fluxo de calor e redistribuição de sangue como conseqüência de alimentação e exercício (Frape, 1994) (↑, aumento; ↓, diminuição)

O consumo de alimento causa:

- ↑ fluxo sangüíneo celíaco
- ↓ fluxo sangüíneo muscular esquelético, ou
- ↑ trabalho cardíaco

O exercício causa:

- ↑ fluxo sangüíneo para a pele
- ↑ perda de água-eletrólitos
- ↑ freqüências respiratória e cardíaca
- ↑ fluxo sangüíneo pulmonar

Uso de Glicogênio e Tipo Muscular

O uso acelerado de glicose é provido por um estímulo da deposição glicogênica nos músculos de eqüinos treinados alimentados de forma adequada. Esse treinamento pode aumentar a capacidade glicogênica dos músculos de TB em um terço. A glicose sangüínea não pode, porém, ser mantida indefinidamente durante o trabalho e as provas de resistência por até 150km resultam em declínio gradativo e exaustão do glicogênio muscular. Em um trajeto de 80km (50 milhas), a glicose sangüínea em média caiu cerca de 40%, ao passo que os AGL aumentaram em oito vezes (Hall *et al.*, 1982). Em eqüinos treinados, a concentração sangüínea de glicose não é afetada pelas provas de resistência de 50km (31 milhas), mas é reduzida em 23% durante uma prova de 100km (62 milhas) (Essén-Gustavsson *et al.*, 1984).

A perda líquida do glicogênio muscular é extremamente pequena no trabalho leve. Lindholm (1974) observou que os trotadores *Standardbreds* americanos, por exemplo, perderam 0,3mmol de glicogênio/(kg × min) quando trotando a 300m/min (11mph) e apresentaram perda de 14mmol de glicogênio/(kg × min) trotando a uma velocidade máxima (750m/min ou 28mph). Três minutos agregados de máximo trote provaram causar diminuição de 48% no glicogênio muscular, mas o decréscimo não foi igualmente distribuído entre os tipos de fibra. O trabalho máximo causou uma depleção acentuada das fibras de ST em adição a uma perda dos outros dois tipos de fibras. Por outro lado, o trote lento causa depleção gradativa de fibras de ST, após o que as fibras de FTH tornam-se ativas e depletadas. Assim, parece haver recrutamento preferencial de fibras com aumento de velocidade e duração.

"Carregamento" de Glicogênio

O estímulo para o aumento de glicogênio foi considerado a partir de aspectos seguros e eficazes. As dietas à base de amido e o exercício regular podem aumentar o glicogênio muscular, mas esse aumento não é mantido se o conteúdo de amido da dieta for subseqüentemente reduzido. Harris e Hultman (1992a) não encontraram diferença entre as dietas em relação ao carregamento, apesar deste ser provavelmente mais eficiente durante o repouso com uma dieta rica em carboidratos ao invés de uma dieta rica em gordura após o exercício intenso que depleta as fibras musculares do tipo II (contração rápida) de glicogênio (Pagan *et al.*, 1987a). Por comparação com o exercício intenso, o trabalho aeróbico é ineficiente e

978-85-7241-725-9

o carregamento de glicogênio pode causar pior rendimento (Topliff *et al.*, 1985, 1987; Pagan *et al.*, 1987a) e risco aumentado de rabdomiólise por esforço ("atamento"), de acordo com uma ampla referência. Essa condição, porém, pode não estar associada nem com a acidose láctica e nem com carboidratos dietéticos excessivos. Hodgson (1993) especulou que os eqüinos predispostos ao atamento exibem falha temporária no controle do [Ca^{2+}] intracelular.

Uma desordem no estoque de glicogênio, descrita como miopatia pela estocagem de polissacarídeos (MEPS), é uma condição na qual existe um depósito rico em glicogênio e/ou depósitos de polissacarídeos amilase resistentes complexos anormais. Foi identificado em eqüinos Quarto de Milha e é considerado como deficiência hereditária das enzimas glicogenolíticas, glicolíticas, ou lisossômicas. Quiroz-Rothe *et al.* (2002) recentemente observaram a condição no músculo longuíssimo de eqüinos de salto anglo-árabes e andaluzes de adestramento com dores lombares.

Gordura Tecidual como Fonte Energética

Os eqüinos descritos como "moderadamente gordos" requerem mais energia para a manutenção do que aqueles em "condição moderada". As reservas de gordura no último estado são adequadas como fonte de energia para o exercício, indicando que uma condição relativamente magra é satisfatória.

Aquecimento do Exercício

Os eqüinos têm capacidade aeróbica alta e dinâmica rápida de trocas de gases em comparação com outras espécies mamíferas mensuradas. A taxa máxima de consumo de oxigênio por minuto (mL VO_{2max}/kg/min) em eqüinos de corrida é o dobro da de atletas humanos e o VO_2 aumenta muito rapidamente com o início do exercício de alta intensidade. A dinâmica das trocas de gases é afetada pelo aquecimento antes do exercício de alta intensidade, o que resulta em eqüinos atingindo o estado estável de VO_2 mais rápido. Tyler *et al.* (1996) observaram que um aquecimento de 5min a 50% de VO_{2max} em eqüinos de corrida *Standardbred* americano aumentou a contribuição aeróbica para o requerimento energético total de 72,4 para 79,3% quando correram até a fadiga (1 a 2min) a 115% de VO_{2max}. O déficit máximo acumulado de O_2 foi menor no eqüino em aquecimento, isto é, 34,7 *versus* 47,3mL de O_2 Eq (equivalentes)/kg de PC. Um aquecimento é muito desejável para a máxima performance durante o exercício de alta intensidade, pois permite maior uso das fontes energéticas aeróbicas e pode reduzir o risco de lesão. É provável que os efeitos sejam concedidos ao se fornecer o tempo necessário para a redistribuição do suprimento sangüíneo e o aumento na velocidade de circulação.

978-85-7241-725-9

Recuperação

A recuperação do exercício intensivo é promovida pelo trote aeróbico pós-corrida, comparado com nenhuma atividade, pois isso acelera o *clearance* de ácido láctico.

Remodelamento Ósseo e Treinamento

O início do treinamento faz com que um processo de remodelamento aconteça nos ossos longos para acomodar os estresses no esqueleto. Esse processo envolve a mobilização de sais ósseos e sua nova deposição. Existe um risco de microfraturas ocorrendo se o treinamento for intensificado muito rapidamente. As informações do equilíbrio de cálcio (Ca) indicam que a densidade óssea é baixa durante os primeiros dois meses de treinamento e que o equilíbrio de Ca e a densidade óssea ainda estão aumentando após três a quatro meses. Quando eqüinos Quarto de Milha de quatro meses confinados foram colocados para correr em curta distância por somente 82m/dia, cinco dias por semanas durante dois meses, houve uma elevação na densidade radiográfica do terceiro metacarpiano (Hiney *et al.*, 2002) (ver *Cálcio e fósforo no osso*, Cap. 3). A dieta precisa ser adequada em Ca para permitir essa adaptação fisiológica (ver *Equilíbrio ácido-base sangüíneo*, adiante).

Causas de Remoção do Treinamento

Durante o período de 1990 a 1992, foram analisadas causas de doença ou lesão fatal entre 496 eqüinos de corrida na Califórnia (Johnson *et al.*, 1994). As lesões musculoesqueléticas responderam por cerca de 80% das submissões de TB e Quarto de Milha, entre os quais as fraturas de membros anteriores foram predominantes. A nutrição mineral ruim tem uma provável participação nessa estatística.

978-85-7241-725-9

SISTEMA ENDÓCRINO

Um exame da Figura 9.3 revelará que mudanças nas demandas do eqüino por energia são monitoradas por algumas secreções endócrinas ou hormônios. Se rápidas modificações forem necessárias, o sinal para a secreção pelas glândulas apropriadas é fornecido por ação involuntária do sistema nervoso autônomo reagindo ao estímulo ambiental. Isso, por sua vez, causa outras alterações essenciais no músculo cardíaco e no músculo liso das artérias, dos intestinos, etc. As secreções endócrinas mediam seus efeitos em uma considerável extensão ao ligarem e desligarem algumas enzimas que regulam as reações químicas no metabolismo energético.

Insulina

A molécula de insulina se fixa aos receptores nas membranas celulares para estimular a entrada celular de glicose, a síntese de glicogênio e o *clearance* de triacilglicerol (TAG) (receptor celular diferente), de forma que suas concentrações sangüíneas são reduzidas após a refeição. A insulina retarda a quebra da glicose. Eqüinos acostumados a uma dieta rica em amido possuem sensibilidade maior à insulina (desde que a função da célula β do pâncreas esteja normal) e por isso são mais inclinados ao choque hipoglicêmico quando submetidos a jejum do que os eqüinos normalmente alimentados com dietas de feno e acostumados a derivar a glicose sangüínea de outras fontes. A sensibilidade da insulina de um eqüino pode ser determinada pela mensuração de sua tolerância à glicose e da resposta de insulina a uma determinada dose de amido ou glicose. A baixa sensibilidade e a baixa tolerância aumentam as áreas sob a curva de resposta plasmática de insulina e de glicose. Grandes doses de glicose em animais resistentes a insulina, diabéticos, ou em jejum causam glicosúria.

Em TB, a glicose sangüínea normalmente atinge picos em cerca de 2h a partir do início da alimentação. O valor de pico é de 6,5 a 8,5mmol/L (117 a 153mg/dL) em 1,5 a 3h. Segue-se um declínio gradativo para um nível pós-absorção de cerca de 4,6 a 4,8mmol/L (83 a 86mg/dL). Pôneis com dietas de forrageiras podem manter níveis normais 1,4mmol/L (25mg/dL) menores que isso. A atividade sangüínea da insulina tende a cair ligeiramente durante o trabalho por causa do catabolismo de glicose, mas provavelmente alguma insulina ainda é requerida para garantir que a glicose esteja disponível para a célula muscular em atividade.

Glucagon

Na tentativa de manter as concentrações de glicose sangüínea dentro de limites normais, a influência de insulina é contrabalanceada pela de glucagon. A primeira promove a entrada de glicose em todas as células do corpo (com a exceção das células cerebrais) e o glucagon parece focar seus efeitos principalmente no fígado e no tecido adiposo. Causa aumento na glicose sangüínea por meio do estímulo das enzimas que provocam quebra do glicogênio hepático (ver Fig. 9.3) e ao estimular a gliconeogênese. Nessa última função, trabalha em combinação com outros hormônios discutidos a seguir, tarefa particularmente importante em animais alimentados com forrageiras. Esses outros hormônios são os glicocorticosteróides produzidos pelo córtex da adrenal e a epinefrina e a norepinefrina produzidos pela medula da adrenal.

Hormônios da Adrenal (Catecolaminas, Glicocorticóides)

A rápida iniciação do trabalho intenso necessita de uma resposta imediata em termos de mobilização de energia. Isso é realizado pela atividade nervosa simpática, que não somente causa a liberação esplênica das hemácias, mas também estimula a medula adrenal a secretar epinefrina e norepinefrina (adrenalina e noradrenalina). A extensão dessa reação depende da intensidade da carga de trabalho – isto é, quanto mais rápido corre o eqüino, maior é a secreção. Os hormônios medulares afetam vários tecidos, aumentando a mobilização de ácidos graxos a partir do tecido adiposo e estimulando a produção de glicose com rápida elevação na concentração sangüínea pela quebra do glicogênio hepático e pelo metabolismo de aminoácidos (ver Fig. 9.3).

Os glicocorticóides secretados pelo córtex da adrenal são de certa forma mais lentos em responderem à demanda de trabalho e sua secreção depende de um sinal hormonal da hipófise anterior. Mais ainda, estimulam um aumento na glicose sangüínea e o acúmulo de glicogênio hepático ao promoverem a gliconeogênese por meio da inibição da síntese protéica. Também provocam a quebra dos depósitos de gordura em AGL e glicerol. Os análogos sintéticos dessas secreções, quando fornecidos repetidamente, têm efeito comparável e causam o desgaste muscular. Causam ainda problemas ósseos ao inibirem a absorção de Ca a partir do intestino. O estímulo dos glicocorticóides para a mobilização de aminoácidos é expresso pela excitação das enzimas transferases, aumentando as atividades séricas (Codazza *et al.*, 1974; Sommer e Felbinger, 1983; Essén-Gustavsson *et al.*, 1984) e musculares (Guy e Snow, 1977a) de ALT e aspartato aminotransferase (AST) (ver Fig. 9.3) observadas após o exercício.

De forma análoga à resposta do glucagon, uma redução na glicose sangüínea desencadeia a secreção dos glicocorticóides e seus níveis circulantes aumentam com a agitação, o trauma e o estresse psicológico. O treinamento causa uma maior resposta de adrenocorticóides sob tais estresses. Isso se aplica às corridas de curta distância, enduro e outros treinamentos de modo que as concentrações normais de glicose sangüínea são mantidas de forma mais eficiente em todas as situações. Em contraste à resposta dos hormônios medulares, quantidades de cortisol plasmático não parecem estar correlacionadas à intensidade e à velocidade do trabalho (o estresse agudo no eqüino causa *aumento* no cortisol circulante total e o estresse crônico geralmente parece diminuir a concentração total de cortisol

978-85-7241-725-9

plasmático; isso pode ser decorrente da produção de um fator de inibição da liberação do hormônio adrenocorticotrópico, o qual poderia ser um opióide endógeno).

SISTEMAS VASCULAR E RESPIRATÓRIO

978-85-7241-725-9

O volume de sangue dos eqüinos é cerca de 9,7% do peso corpóreo, de modo que um eqüino pesando 560kg poderia conter cerca de 51,2L (SG 1,06). O volume de sangue é importante para transporte de O_2 e de calor e um grande volume plasmático é acompanhado por um considerável fluxo de sangue pela pele. Esse volume pode aumentar em 30% em duas semanas de treinamento (Erickson *et al.*, 1987). Outras adaptações também aumentam o suprimento de sangue para os músculos esqueléticos. Por exemplo, a taxa de filtração glomerular no repouso em TB tem valor médio de 3,3mL/kg/min, mas de maneira diversa da resposta no homem, o valor diminui em cerca de 40% durante o exercício e a diminuição é considerável mesmo durante uma caminhada (Gleadhill *et al.*, 2000). Essa redução parece ser uma adaptação para permitir a maior perfusão sangüínea de músculos e pele.

O volume de sangue bombeado por batimento (*volume stroke*) em um eqüino de 560kg no repouso seria de 1,2L e como o volume de sangue é proporcional ao peso corpóreo, o débito cardíaco por ventrículo oscila entre 56 e 75mL/(kg × min) no repouso. A necessidade de tal sistema flexível pode ser apreciada quando se percebe que o consumo de O_2 pelo músculo esquelético pode aumentar 100 vezes no exercício extremo.

O sangue do eqüino é um líquido contendo, por volume, 40 a 45% de hemácias, (árabes têm menor hematócrito [Ht] do que os TB; dromedários têm Ht menor que 30%), 1% de células brancas (leucócitos) mais plaquetas e 54% de plasma. As hemácias têm, como principal função, o transporte de O_2 dos pulmões para os músculos e outros tecidos. Para acomodar a demanda aumentada de O_2, uma reserva de hemácias é mantida no baço. Essa reserva esplênica é muito grande em TB, de forma que podem aumentar os números de hemácias em circulação em 30 a 60%. Os TB adultos podem mobilizar 6 a 12L de sangue rico em hemácias para a circulação central e o débito cardíaco aumenta de 30L/min para quantidades excedendo 300L/min no início do exercício máximo.

Assim, no trabalho pesado, a capacidade de carrear O_2 do sangue pode aumentar a partir do repouso para um volume em % de até 8,8 vezes. Entre o repouso e o galope a 700m/min (26mph), a capacidade de carrear O_2 se modifica de 15,9 para 21,4 volumes % em um estudo e de 16,35 para 25,19 volumes % (aumento de 54%) em outro estudo (Milne, 1974) com eqüinos TB, Quarto de Milha, árabe e *Standardbred* americano. A extensão da modificação é aumentada pelo treinamento e o efeito da alteração na capacidade é aumentado pela redistribuição do suprimento sangüíneo para os músculos esqueléticos e cardíacos e para a pele. O grau de liberação esplênica tende a ser proporcional à velocidade; em um grupo de mensurações, o Ht aumentou 32% a 350m/min (13mph) e 55% a 700m/min (26mph) (Williamson, 1974; para outras observações, Figs. 9.4 e 9.5). Para avaliar as contagens de hemácias e o conteúdo de hemoglobina do sangue quando afetados por insuficiências alimentares e outros fatores, os resultados mais consistentes são obtidos após a liberação esplênica.

Sangue e Eliminação de Resíduos

O suprimento de sangue para os músculos, aumentado durante o trabalho, é o principal veículo pelo qual os produtos de resíduos do metabolismo energético, água, dióxido de

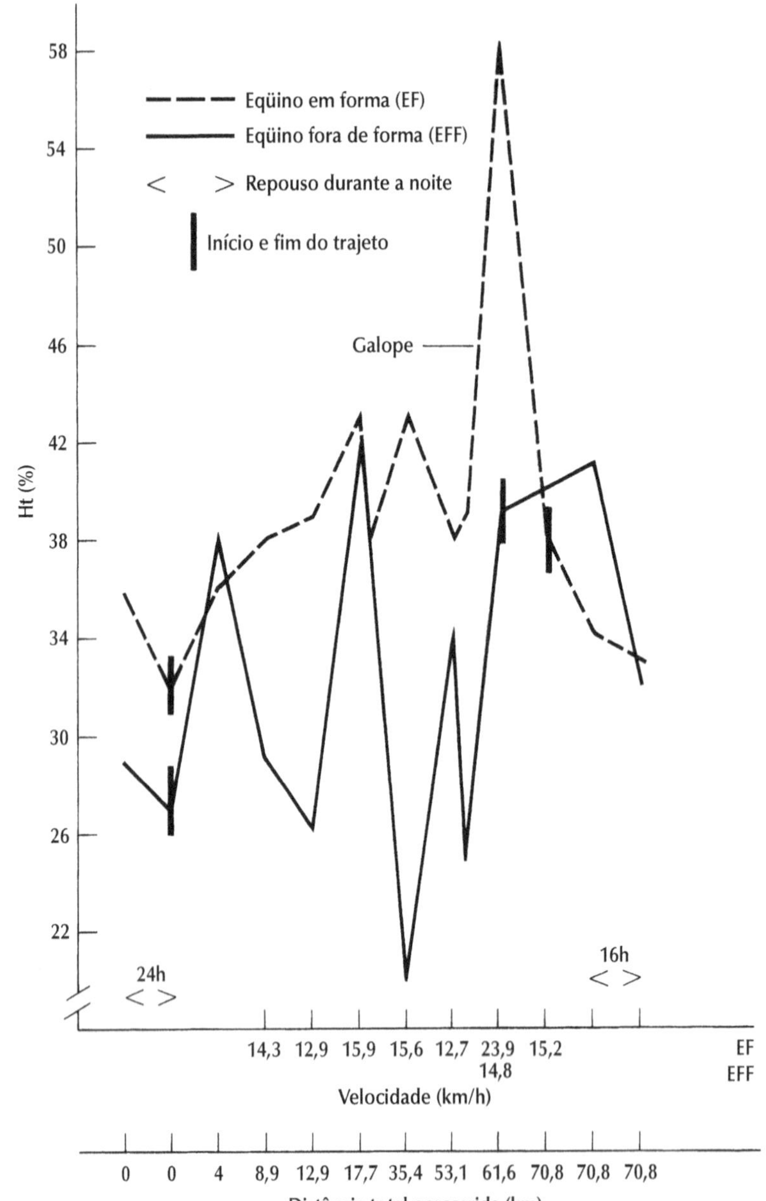

Figura 9.4 – Hematócrito (Ht) do sangue durante prova de resistência realizada por garanhão árabe em forma e pônei castrado em condição menos preparada (Frape *et al.*, 1979).

carbono e calor são removidos das células musculares. A ausência de sua eficiente eliminação resultaria em modificações celulares patológicas. Para facilitar essa eliminação, os capilares do músculo esquelético e do cardíaco se tornam dilatados durante o trabalho aumentado e aqueles da região visceral se contraem. Isso, por sua vez, diminui a digestão e a absorção de nutrientes e fornece credibilidade à teoria de que eqüinos não devem ser alimentados

978-85-7241-725-9

978-85-7241-725-9

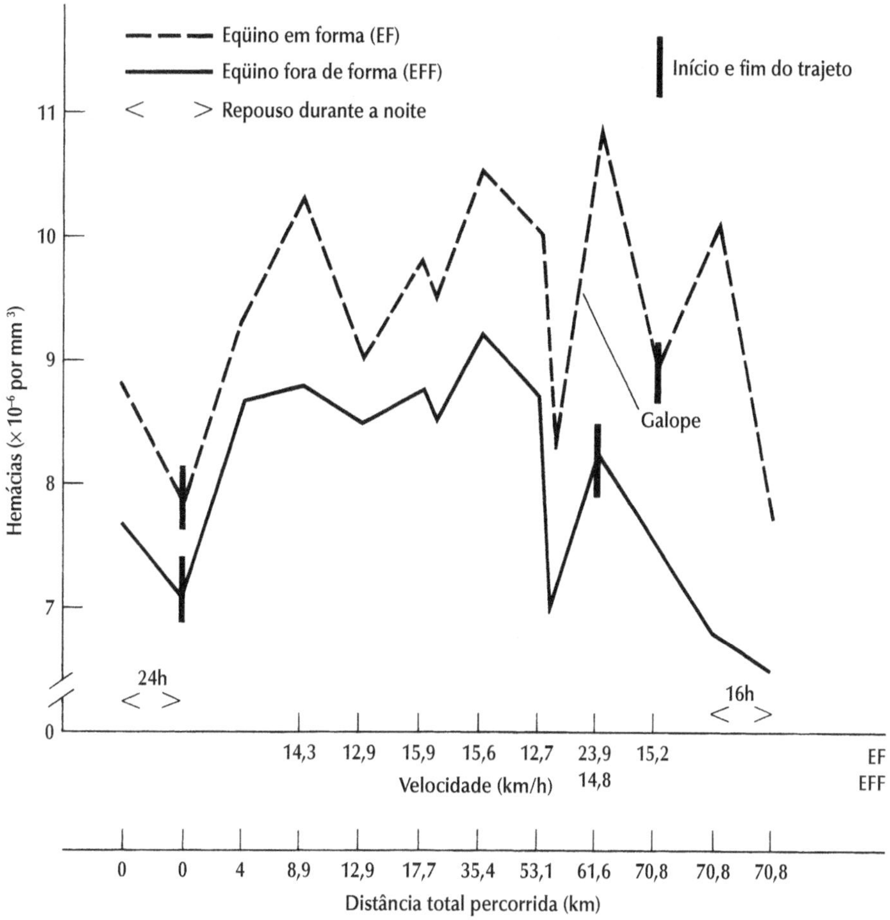

Figura 9.5 – Modificações na contagem de hemácias durante prova de resistência realizada por garanhão árabe em forma e pônei castrado em condição menos preparada (Frape *et al.*, 1979).

antes do trabalho pesado (ver *Reservas energéticas musculares e alimentação antes do exercício*, anteriormente).

Temperatura Corpórea

Em taxas elevadas de trabalho, a produção de calor é 40 a 60 vezes os níveis basais e a temperatura corpórea pode aumentar consideravelmente (Fig. 9.6). A temperatura muscular média de cinco trotadores *Standardbreds* americanos aumentou da normal de 37°C para 41,5°C durante uma corrida de 2.100m a uma velocidade média de 708m/min ou cerca de 26mph (Lindholm e Saltin, 1974). Carlson (1983b) calculou que se um eqüino poderia trabalhar em uma intensidade média por 1h com consumo de O_2 de 30 a 40L/min, o calor total residual quantificaria 38MJ. O principal mecanismo para exaustão desse calor de refugo do corpo, quando a umidade atmosférica não está excessiva, é a evaporação do suor e da umidade a partir da superfície pulmonar. A maioria do calor é dissipada dessa forma pela pele, ao invés do pulmão, acompanhada pelas perdas de eletrólitos, acelerando

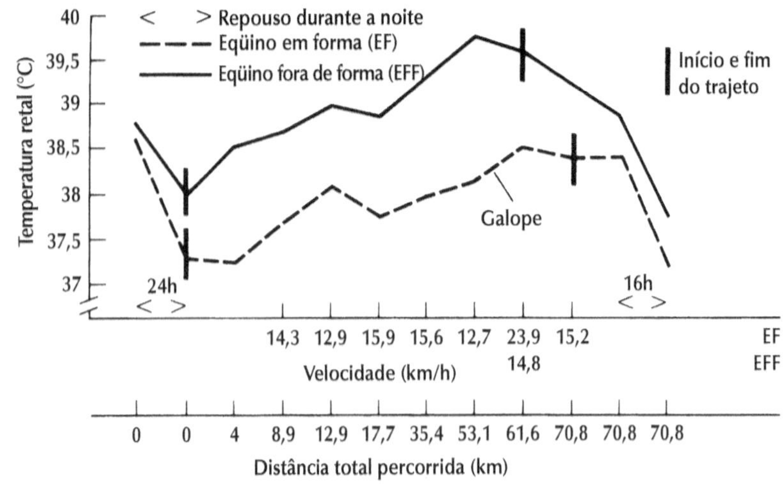

Figura 9.6 – Efeito na temperatura corpórea de uma prova de resistência realizada por garanhão árabe em forma e pônei castrado em condição menos preparada, em clima frio (Frape *et al.*, 1979).

o início da fadiga. A dilatação dos vasos sangüíneos subcutâneos desvia o sangue do músculo esquelético, contribuindo para a redução na capacidade de trabalho, a um custo influenciado pela profundidade de gordura subcutânea (Webb *et al.*, 1987b).

Se os ajustes circulatórios falham em manter o equilíbrio de calor, a velocidade de ventilação é aumentada (Fig. 9.7), induzindo a alcalose respiratória. O treinamento é importante, pois o aumento da temperatura interna durante o exercício é proporcional não à sua intensidade, mas ao percentual de VO_{2max}, o qual é aumentado pelo treinamento, melhorando assim uma elevação da temperatura. O exercício longo de baixa intensidade em uma esteira a 30°C e 80% de umidade relativa (UR) por 15 dias forneceu aos eqüinos uma vantagem em um evento de três dias a 30°C e 80% de UR (Marlin *et al.*, 1999). A vantagem foi avaliada como menor temperatura corpórea, menor produção de calor metabólico e diminuição das perdas totais de líquidos com a sudorese iniciada em temperaturas corpóreas mais baixas.

Após a ingestão de alimento, a quantidade de sangue distribuído para o trato gastrointestinal aumenta, competindo com a redistribuição necessária para o aumento na produção de calor. A acomodação é obtida ao aumentar o débito cardíaco, redistribuindo o fluxo de sangue regional ou combinando esses mecanismos (ver Quadro 9.2).

Sangue como Sistema Tampão

As hemácias do sangue contêm hemoglobina, que não somente carreia o O_2, mas também atua como tampão perante o ácido láctico produzido nos músculos em contração. É provável que seja por isso que o pH do sangue caia apenas durante o galope ao passo que o conteúdo de hemoglobina aumenta de forma apreciável somente durante o exercício moderado. Como a hemoglobina é um tampão principal, o pH do sangue é muito pouco modificado para uma modificação considerável no conteúdo de bicarbonato. Porém, ao realizar essa função, a hemoglobina carreia menos O_2. Nos casos extremos de acidose, o eqüino torna-se cianótico, ou privado de O_2.

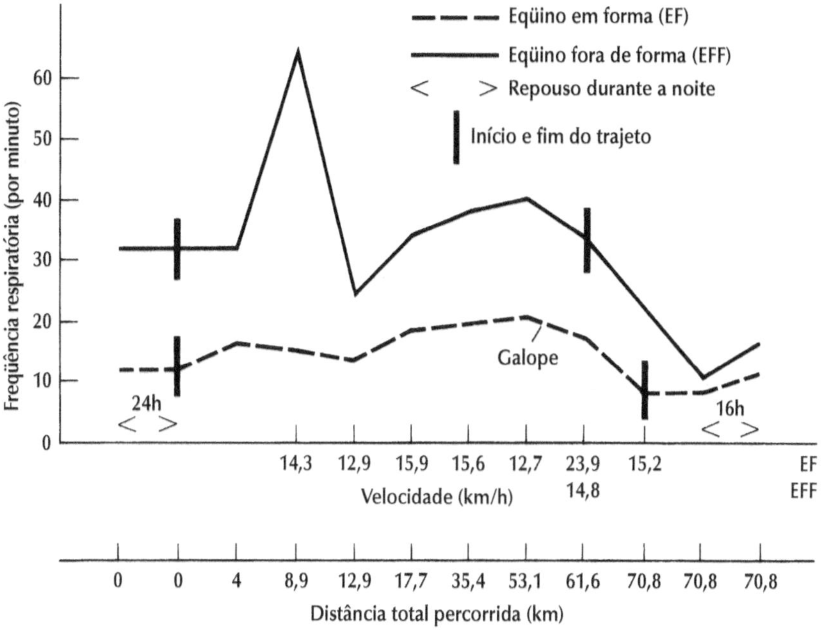

978-85-7241-725-9

Figura 9.7 – Efeito na freqüência respiratória de uma prova de resistência realizada por garanhão árabe em forma e pônei castrado em condição menos preparada (Frape *et al.*, 1979).

Concentração Sangüínea de Glicose

A concentração sangüínea de glicose é a expressão do equilíbrio dinâmico da quebra e da síntese de glicogênio e a produção de glicose a partir de outras fontes – aminoácidos, ácido láctico e propionato (gliconeogênese). O nível em repouso é um pouco maior nos eqüinos intensivamente treinados para corridas de curta distância. Esse estado é provocado pelo estímulo de dois sistemas causando formação de glicose e pelo aumento da eficiência da utilização de ácidos graxos, poupando a glicose. Assim, a glicose sangüínea flutua ao longo do dia, aumentando em TB de valores pós-absortivos de 4,7mmol/L para um pico de aproximadamente 6,5 a 7,5mmol/L, 2 a 3h depois de uma grande refeição de aveia, após trabalho moderado (aqueles alimentados após exercício intenso podem não demonstrar qualquer resposta de glicose plasmática) (Frape, 1989). Ao contrário, as concentrações sangüíneas de glicose atingiram valores entre 4,7 e 6,4mmol/L em pôneis após receberem refeição peletizada para o apetite, ao passo que após 3h de jejum os níveis caíram entre 2,8 e 5mmol/L (Ralston *et al.*, 1979). O piruvato plasmático também tende a aumentar com a glicose, ao passo que os ácidos graxos e o glicerol estão em concentrações menores.

A flutuação entre os níveis de pico e de repouso de glicose varia com o tipo de dieta, na qual os alimentos contendo mais grãos e menos forrageiras causam maiores picos e menores depressões. Os eqüinos sujeitos à dieta mais crua desenvolvem capacidade maior para gliconeogênese e podem por isso resistir à depressão na glicose sangüínea mais prontamente durante o jejum, mas são incapazes de atingir as demandas de taxa de exaustão excessiva. Além disso, raças como TB, com maior sensibilidade à insulina, experimentam uma maior flutuação na glicose sangüínea do que pôneis recebendo a mesma dieta nos mesmos momentos do dia.

Hematócrito, Viscosidade Sangüínea, Volume Sangüíneo e Hemorragia Pulmonar Induzida pelo Exercício (ou "Sangradores")

O ligeiro sangramento pulmonar parece ser conseqüência normal do exercício extremo e não reflete qualquer anormalidade dietética, mas simplesmente o estresse fisiológico de uma grande elevação na irrigação nutricional e gasosa dos tecidos musculares. Os capilares pulmonares necessariamente têm paredes muito delgadas para permitir a rápida troca dos gases respiratórios através delas e a falha por estresse é consideravelmente aumentada com volumes pulmonares elevados. As paredes capilares dos TB não são fortes o suficiente para resistirem aos estresses que se desenvolvem como resultado das elevadas pressões capilares acompanhando débitos cardíacos extremamente altos durante o exercício extremo. Existe alguma evidência de que as baixas temperaturas ambientais (oscilando para a maioria das observações de -10 a 17°C) aumentam o risco (Lapointe *et al.*, 1994).

978-85-7241-725-9

Para que o sangue percorra livremente através do leito capilar dos músculos, é essencial que retenha sua fluidez e se o Ht exceder 55%, haverá aumento exponencial na viscosidade sangüínea. Prover os eqüinos com células sangüíneas adicionais antes das corridas pode por isso ser mal orientado. A otimização do fluxo de sangue para os músculos em atividade depende de pressão sangüínea, diâmetro e comprimento dos vasos, assim como da viscosidade sangüínea. O elevado Ht dos eqüinos durante o exercício poderia ser fatal em seres humanos atletas, mas em razão das propriedades reológicas únicas do sangue que permitem ótimo fluxo apesar do elevado Ht durante o esforço eqüino, tal Ht não é fatal (McKeever, 1988). Porém, alterações na viscosidade sangüínea e outros fatores reológicos podem contribuir com um aumento na pressão arterial pulmonar, à qual é atribuído o início da hemorragia pulmonar induzida pelo exercício (HPIE) (Weiss e Smith, 1998).

O desempenho é prejudicado pela resposta hemodinâmica ao exercício em trotadores *Standardbreds* americanos com hipervolemia de hemácias (Funkquist *et al.*, 2000). A hemorragia pulmonar induzida pelo exercício poderia ser causada por aumento no volume de hemácias. Isso resulta em elevado Ht e elevado volume sangüíneo total de eqüinos com hipervolemia de hemácias, o que contribui com a elevada pressão sangüínea na circulação pulmonar e sistêmica durante o exercício (ver *Hipervolemia* no Glossário).

A importância de uma baixa viscosidade é identificada em eqüinos submetidos à desidratação em climas quentes e durante percursos de longa distância (Figs. 9.8 e 9.9). Por essa razão, pode não ser por acaso que o Ht em eqüinos árabes (e o Ht de dromedários de corrida) (ver Fig. 9.4) seja menor que o de outros eqüinos de sangue quente e que os eqüinos árabes sejam altamente adaptados tanto aos climas quentes quanto ao trabalho prolongado. Uma reserva esplênica volumosa pode por isso ser uma desvantagem para alguns propósitos. Por outro lado, existe evidência de que aumento relativamente maior no Ht e no volume circulante de hemácias, observado em climas quentes e úmidos em comparação com os mais frios durante a corrida, confere vantagem termorregulatória (Hargreaves *et al.*, 1999) (a característica crucial é provavelmente a viscosidade sangüínea).

A albumina plasmática, proteína de reserva e contribuinte principal para a viscosidade sangüínea, revela uma concentração reduzida durante o treinamento por razões que podem

978-85-7241-725-9

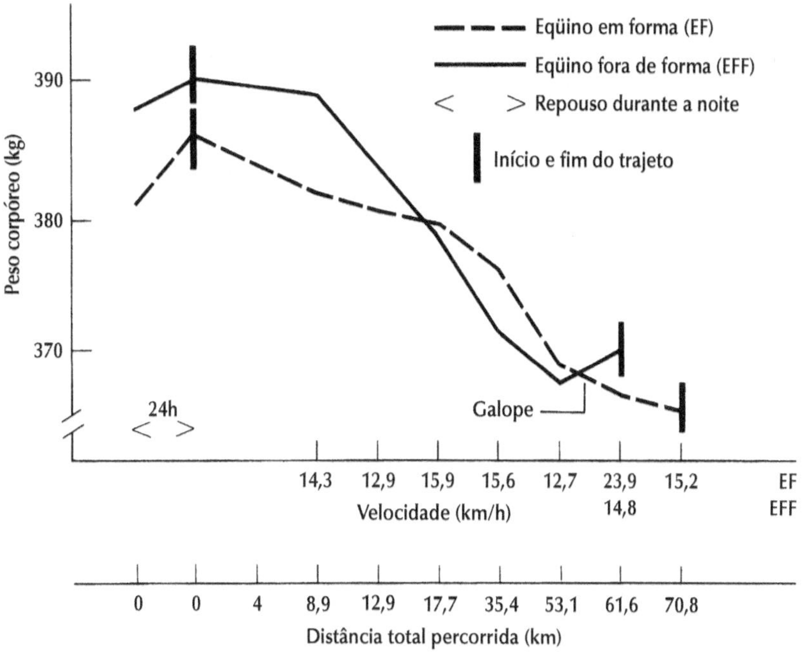

Figura 9.8 – Efeito no peso corpóreo de uma prova de resistência realizada por garanhão árabe em forma e pônei castrado em condição menos preparada, em clima frio (Frape *et al.*, 1979).

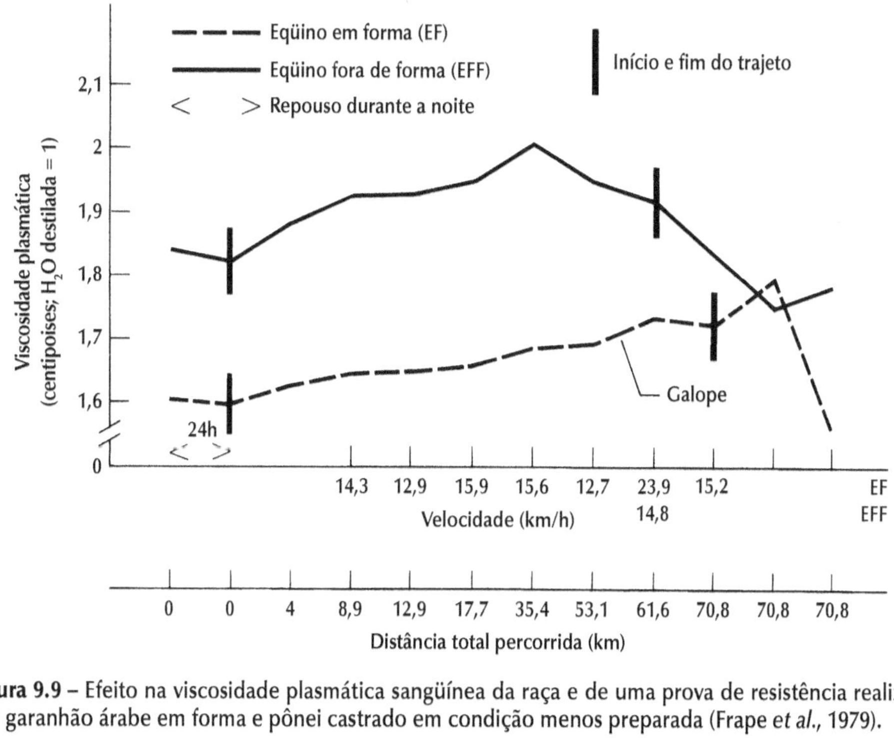

Figura 9.9 – Efeito na viscosidade plasmática sangüínea da raça e de uma prova de resistência realizada por garanhão árabe em forma e pônei castrado em condição menos preparada (Frape *et al.*, 1979).

ser compreendidas nesse contexto. As diluições atingidas ainda fornecem adequada pressão osmótica e não necessariamente imputam deficiência dietética protéica. De fato, o aumento no carboidrato dietético, normal nesse momento, pode contribuir com o catabolismo de albumina.

Pulso, Freqüência Respiratória e Condicionamento Físico

A freqüência cardíaca está linearmente relacionada à velocidade do eqüino e varia entre limites aproximados de 30 e 240 contrações/min. Após um galope a 700 a 800m/min (26 a 30mph), a freqüência pode ser tão alta quanto 240 batimentos/min com uma saída de cada ventrículo de 3 a 4L/s. A freqüência cardíaca, particularmente após o trabalho, é um bom indicador do condicionamento físico. Nas avaliações pré-percurso de eqüinos de enduro, é aceito que a freqüência de pulso esteja entre 36 e 42 batimentos/min (Fig. 9.10) e a freqüência respiratória entre 8 e 14/min (ver Fig. 9.7). Ambas são maiores em eqüinos não condicionados. Após uma prova de resistência e 20min de repouso, a freqüência de pulso deve cair para menos de 55 e a respiratória para 20 a 25/min. Nos eqüinos exauridos, ambas as freqüências são maiores (taquicardia e hiperpnéia) e há mais probabilidade de acontecerem espasmos musculares.

A relação do pulso com a freqüência respiratória deve estar dentro dos limites de 2:1 até 5:1. Durante o esforço extremo e o estresse calórico, o pulso e as freqüências respiratórias aumentaram, respectivamente, para 85 e 170, uma relação de 1:2, o que significa uma inversão da relação do pulso com a freqüência respiratória. Eqüinos mais fracos e aqueles sofrendo de exaustão de adrenal tendem a exibir menores relações de freqüência cardíaca:respiratória tanto antes quanto depois do exercício. Após repouso de 20min durante

978-85-7241-725-9

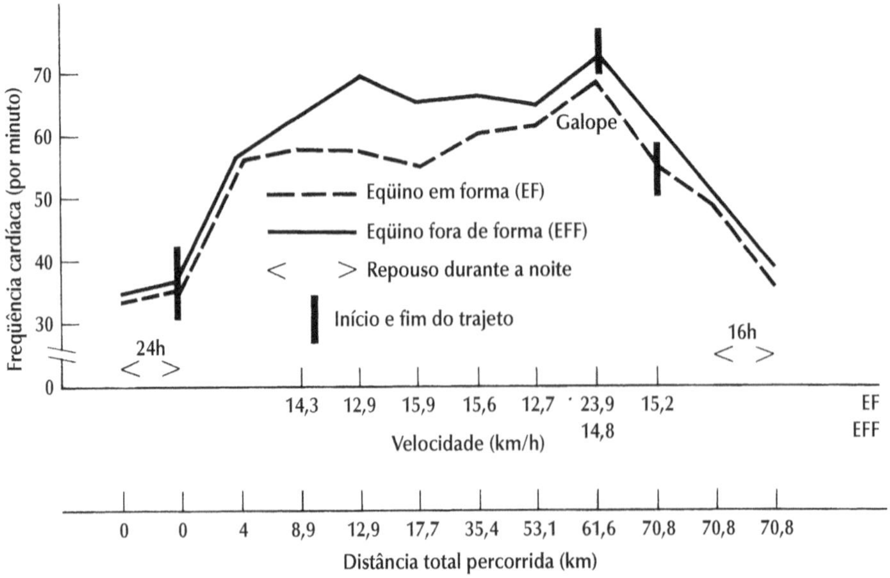

Figura 9.10 – Efeito na freqüência cardíaca de uma prova de resistência realizada por garanhão árabe em forma e pônei castrado em condição menos preparada (Frape *et al.*, 1979). (Nota: a freqüência cardíaca elevada do cavalo fora de forma nos quilômetros 53 a 61 pode ter resultado da ansiedade de quando o cavaleiro galopou para fora).

uma prova de enduro, os eqüinos exibindo freqüências cardíacas excedendo 70 ou relações de freqüência cardíaca:respiratória menores que 2:1 devem ser eliminados.

A hiperventilação pode simplesmente refletir uma deficiência de oxigênio e acidose respiratória normal (não comumente vista em eqüinos de enduro), ou pode indicar aumento na temperatura corpórea (facilmente mensurada pelo reto) decorrente do clima quente, ou de treinamento inadequado, ou ambos (ver Fig. 9.6). A alcalemia normalmente segue uma elevada temperatura corpórea (ver *Temperatura corpórea*, anteriormente).

RESULTADOS DO EXERCÍCIO

Sudorese e Desidratação

Um eqüino trabalhando em intensidade moderada por 1h com consumo de O_2 de 30 a 40L/min necessitará dissipar 38MJ de calor de refugo (Carlson, 1983b). A eliminação dessa quantidade somente pelos processos de evaporação poderia vincular a perda de quase 15L de água. Apesar disso ser uma simplificação exagerada, é uma estimativa razoável dos eventos em temperaturas ambientais altas e umidades relativas baixas. As perdas pelo suor são bem modestas em eqüinos correndo por distâncias de até 3km, mas parece que as perdas de água corpórea no suor (e na urina) e pelos pulmões, durante o exercício prolongado, podem atingir 10 a 12L/h. Das perdas de líquidos totais, 20 a 30% são perdidos pela expiração e o remanescente é em grande parte suor. Conseqüentemente, um eqüino de 500kg poderia perder 30L de água no suor, com uma perda total de 40L durante o exercício prolongado.

Tipicamente, o peso corpóreo cai em 5 a 9%, principalmente pelas perdas evaporativas (ver Fig. 9.8), mas a extensão da perda depende do nível de condicionamento físico e da disponibilidade de água e eletrólitos durante o exercício. As evidências na Figura 9.8 e na Tabela 9.1 indicam de modo claro maior velocidade de perda de peso corpóreo e de produção de suor (carregando os íons fixados sódio [Na], potássio [K], cloro [Cl], Ca, fósforo [P] e magnésio [Mg]) por um eqüino não condicionado do que por um em forma, apesar de que em ambos os eqüinos a soma molar dos cátions equivale aproximadamente à de ânions no suor.

As perdas de água são mais convenientemente comparadas com a água corpórea total, que em um eqüino de 450 a 500kg de peso corpóreo poderia responder por 8 a 14% do total de

978-85-7241-725-9

Tabela 9.1 – Eletrólitos (mmol/L)[1] no suor evaporado de eqüinos participando de prova de resistência[2] e outras informações obtidas a partir de eqüinos exercitados.

Eqüino	Cl	Na	K	Ca	P	Mg	pH do sangue venoso
Condicionados na metade da prova[2]	910	710	215	–	–	–	–
Condicionados ao final[2]	1.180	880	270	–	–	–	7,29
Não condicionados ao final[2]	3.060	2.120	780	–	–	–	7,36
Harris[3]	155	135	41	3	< 0,3	2	–
Média de outras informações[4]	231	173	49	–	–	–	–
Hoyt *et al.* (1995)[1]	26	19	36	0,051	0,083	–	–

[1] Hoyt *et al.* (1995a); informações fornecidas como mmol/MJ de energia digestível (ED) consumida por eqüinos miniaturas para o trabalho, acima da manutenção.
[2] Frape *et al.* (1979)
[3] Harris (1996), comunicação pessoal.
[4] Meyer *et al.* (1978); Carlson e Ocen (1979); Rose *et al.* (1980a); Snow *et al.* (1982).

cerca de 300L no exercício prolongado. Desses 300L, cerca de 200L são líquido intracelular (LIC) e 100L são líquido extracelular (LEC), compostos de água no plasma sangüíneo, líquido intersticial, linfa e conteúdo do trato gastrointestinal.

978-85-7241-725-9

Eletrólitos no Suor e suas Perdas

Sódio, Potássio e Cloro

Os 100L de LEC contêm 14.000 a 15.000mmol de Na prontamente permutáveis, representando quase todo o Na permutável do corpo, cujo conteúdo total é cerca de 1kg. Desse total, 40% estão localizados no esqueleto e durante a depleção prolongada de Na esse depósito parece ser mobilizado em parte. Os 200L de LIC contêm 20.000 a 30.000mmol de K prontamente permutáveis, quase toda a reserva corpórea. O volume de Cl permutável está presente no LEC, em que é o principal ânion fixado, mas sua concentração é substancialmente menor do que a de Na – provavelmente na ordem de 10.000 a 12.000mmol/100L.

Cálcio e Magnésio

O suor eqüino é hipertônico em relação ao plasma, contendo 2 a 6mmol/L de Ca e 1 a 6mmol/L de Mg, indicando perda de 2 a 7g de Ca e 0,6 a 4g de Mg em 30L. A relação de suor e plasma varia entre 1:1 e 8:1 para o Mg e 1:1 e 2:1 para o Ca. Porém, o Mg é principalmente um cátion intracelular e menos do que 1% está presente no líquido extracelular e assim o Mg do soro, ou do plasma, não é um indicador confiável da condição corpórea de Mg. Mais ainda, as catecolaminas estão elevadas durante o exercício. Altas concentrações sangüíneas causam um efluxo líquido de Mg a partir do espaço intracelular. O pH sangüíneo também influencia os valores de Ca e Mg ionizados no plasma, já que a extensão de ligação aumenta com a elevação do pH. Aproximadamente 70 a 75% do Mg plasmático são ultrafiltrados, sendo a principal porção (65% do total) ionizada e o remanescente (8% do total) complexado com ânions. Weiss (2000, comunicação pessoal) determinou uma diminuição nas concentrações plasmáticas totais de Ca e Mg após um trote. Essa redução refletiu a perda do suor, já que o Mg urinário não está aumentado nos eqüinos exercitados (Meyer *et al.*, 1991). Os estoques corpóreos de Ca e Mg são em geral suficientes para repor as perdas pelo suor, mas as concentrações séricas de Ca e Mg também refletem o suprimento dietético e um suprimento liberal pode prevenir as conseqüências clínicas adversas críticas do exercício (ver também *Hipo e hipercalcemia e tetania por estresse*, Cap. 11).

Perdas pelo Suor durante Exercício

A principal via de perda de íons fixados por eqüinos em atividade é o suor produzido com o propósito de evitar uma excessiva elevação na temperatura corpórea, de forma que a desidratação pelo suor impõe uma perda tanto de água quanto de eletrólitos com contração de volume de líquido corpóreo. Hoyt *et al.* (1995a) observaram perdas relativamente maiores de K do que de Na e concluíram que as necessidades dietéticas durante o exercício foram aumentadas em três, sete e seis vezes em relação ao suprimento dietético basal, respectivamente para Na, K e Cl. Seria importante estabelecer a validez, ou razão, para as diferenças na perda relativa de Na e K.

As modificações na composição do plasma sangüíneo dependem das proporções perdidas de cada um desses constituintes e de água e do movimento dos íons para dentro e para fora do espaço do LIC. O exercício prolongado, com mínimo consumo de água, causando desidratação, normalmente precipitará uma redução substancial na concentração plasmática de Cl. Pequena alteração é com freqüência detectada nas quantidades de K e Na, apesar da hipocalemia não ser rara. A explicação para a hipocloremia é revelada pela comparação dos conteúdos de Na e Cl do suor (ver Tabela 9.1) com suas respectivas concentrações no soro sangüíneo (ver Tabela 3.1, Cap. 3), demonstrando que uma proporção muito maior de Cl do que de Na no líquido corpóreo é perdida. O trabalho prolongado em climas quentes e secos, realizado por um eqüino de 450 a 500kg, expressando as modificações plasmáticas anteriores pode produzir perdas em torno de 35L de água, 3.500mmol de Na, 1.500mmol de K e 4.200mmol de Cl (equivalentes a 80g de Na, 59g de K e 149g de Cl). A perda de Na, por exemplo, representa mais 200g de cloreto de sódio, muito mais do que um eqüino pode ingerir por dia. Esses valores são diferentes dos valores relativamente maiores para o K reportados por Hoyt *et al.* (1995a), equivalentes a 0,43g de Na, 0,93g de Cl, 1,41g de K, 2,03mg de Ca e 2,56mg de P/MJ de energia digestível (ED) consumida para o trabalho acima da manutenção.

A concentração total de eletrólitos no suor é maior do que a do plasma sangüíneo, portanto, um declínio na concentração plasmática, apesar da desidratação considerável, é prontamente compreensível. A maioria dos estudos revelou um declínio nos eletrólitos plasmáticos durante provas de resistência em climas quentes. Por exemplo, Carlson *et al.* (1976) reportaram reduções de 4,2mmol de Na/L, 0,9mmol de K/L, 10,3mmol de Cl/L e nenhuma alteração no Ca. Por outro lado, as modificações podem ser variáveis, dependendo de fatores como perdas relativas de água por eletrólitos, alterações plasmáticas do pH e tempo de coleta após um percurso. Nos eqüinos perdendo considerável quantidade de água, Rose *et al.* (1977) detectaram aumentos de 6mmol de Na/L e 0,3mmol de K/L de plasma, nenhuma alteração de Ca e redução de 6,8mmol de Cl/L.

Os estoques de glicogênio são depletados após o exercício prolongado. A administração durante a recuperação de soluções de glicose por meio de sonda nasogástrica não estimulou a nova síntese de glicogênio, ao passo que uma solução de NaCl de 4,5g/L ou 9g/L o fez (Vervuert *et al.*, 1999). Mais ainda, o NaCl foi mais eficiente no restabelecimento do volume plasmático e da normocloremia (Coenen *et al.*, 1999). Todavia, o aumento plasmático de Na^+ pode elevar a pressão sangüínea e a secreção de peptídeos natriuréticos. Durante um segundo teste de exercício, 2h após o período de recuperação, houve declínio na glicose sangüínea e maior lactato sangüíneo nos eqüinos que foram tratados com a glicose, ao passo que naqueles tratados com eletrólitos a glicose sangüínea permaneceu inalterada e houve pronunciada resposta de AGL (Vervuert *et al.*, 1999).

Sede, Beberagem e Pressão Osmótica do Sangue

A sede é em parte controlada pela pressão osmótica do sangue e por isso é necessário retificar com freqüência a perda eletrolítica (Tabelas 9.2 e 9.3) antes dos eqüinos desidratados beberem quantidades adequadas de água. As misturas eletrolíticas estão disponíveis comercialmente de forma ampla. Se o eqüino estiver ao mesmo tempo acidótico, então o K plasmático pode aumentar, apesar de um déficit de K, pois o K intracelular é trocado pelos íons H^+. Subseqüentemente, as perdas renais de K podem interferir, causando enfim grave depleção de K. Uma discussão extra dos meios de avaliar o estado de K e as principais causas da depleção e seus tratamentos são fornecidos no Capítulo 11.

978-85-7241-725-9

Tabela 9.2 – Composição (mmol/L) de várias soluções eletrolíticas para uso intravenoso[1] (Rose, 1981).

	Na	K	Ca	Mg	Cl	Glicose	Bicar-bonato	Lactato	Acetato	Gliconato	Propio-nato
NaCl a 0,9%	154	-	-	-	154	-	-	-	-	-	-
Dextrose a 5%	-	-	-	-	-	278	-	-	-	-	-
Solução de Hartmann	131	5	2	-	112	-	-	28	-	-	-
Ringer-lactato	130	4	3	-	109	-	-	28	-	-	-
Normosol R[2]	140	5		1,5	98	-	-	-	27	23	-
Dilusol R[3]	140	5		1,5	98	-	-	-	27	23	-
Normosol M[2]	40	13		3	40	278	-	-	16	-	-
Solução eletrolítica balanceada[4]	137	5	3	3	95	-	-	-	27	-	23
Solução para tratar acidose[5]	137	20	-	-	97	-	60	-	-	-	-
$NaHCO_3$ a 5% (hipertônico)	600	-	-	-	-	-	600	-	-	-	-
Dextrose salina a 5% (hipertônica)	154	-	-	-	154	278	-	-	-	-	-

Nota: Soluções intravenosas devem conter um precursor de bicarbonato (lactato, acetato, gliconato ou propionato), pois somente o uso de bases fixadas, como cloreto, pode causar acidose metabólica, hipocalemia e hipercloremia.

[1] Fornecer somente 1 a 2L/h de soluções contendo dextrose a 5%, mas até 3 a 5L/h para outras soluções, todas devendo estar a 37°C.

[2] Abbot Laboratories, Illinois, Estados Unidos.

[3] Diamond Laboratories, Califórnia, Estados Unidos.

[4] Merritt (1975) em Rose (1981).

[5] Rose (1979) em Rose (1981).

978-85-7241-725-9

Deve-se permitir que os eqüinos bebam com freqüência durante o trabalho prolongado e pelo menos 2min devem ser fornecidos para cada ocasião. Se o clima estiver muito quente, então pelo menos uma beberagem a cada 2h é desejável. O trabalho pesado desvia muito do suprimento sangüíneo para os músculos esqueléticos longe do leito esplâncnico dos vasos sangüíneos servindo o trato gastrointestinal. Acredita-se que isso iniba a absorção eficiente de água, de forma que as quantidades consumidas em qualquer ocasião devem ser relativamente pequenas. O consumo de volumes grandes deve também ser evitado por causa da grande diferença entre as pressões osmóticas da água e do sangue. Após o trabalho, animais muito desidratados devem receber cerca de 4,5L (1 galão) a cada 15min, de preferência contendo 30g de eletrólitos. Se o eqüino não beber, a administração via sonda estomacal é algumas vezes necessária. A desidratação é com freqüência acompanhada de frio e fadiga, tremores musculares, cólica, ato de escoicear, ausência de apetite e baixa relação das freqüências de pulso:respiratória. Animais gravemente desidratados às vezes recebem solução de glicose-eletrolítica a 5%, IV, enquanto a freqüência cardíaca é monitorada, quando sua capacidade de absorver o líquido pelo intestino é duvidosa (ver Tabela 9.2).

Nos casos de contração do volume de sangue, a administração dos eletrólitos tem efeito apenas transitório no aumento desse volume. Todavia, a retificação das perdas e do equilíbrio ácido-base precisa ser considerada. A pressão osmótica total do sangue depende em grande

978-85-7241-725-9

Tabela 9.3 – Composição (g/kg de matéria seca) de misturas para administração via sonda estomacal e como suplemento diário.

Mistura*	Glicina	Cloreto de sódio	Fosfato monopotássico	Sulfato de magnésio	Cloreto de potássio	Carbonato de cálcio	Gliconato de cálcio	Sacarose ou glicose*
(1)	470	270	190	13			57	
(2)		325			325	175		175
(3)		170			70			100

Nota: Misturas (1) e (2) podem ser espremidas como uma pasta espessa para a parte de trás da boca *após* água ter sido fornecida, para retificar déficit de água e sede. A (3) é uma mistura simples sugerida para ser fornecida diariamente nas quantidades mostradas como suplemento seco misturado com farelo ou outro material seco palatável para um eqüino de 500kg durante períodos de esforço extremo em climas quentes. Água fresca precisa estar livremente disponível (Obs.: costuma ser mais "palatável" seca do que em solução).

Com o propósito de fornecer soluções aproximadamente isotônicas, adicionar 230g da mistura (1) a 6L de água e 120g da mistura (2) a 6L de água, dados a cada 2 a 3h para um eqüino de 500kg.

* Podem ser substituídas por melaço.

extensão dos colóides que ele contém, sendo os principais as proteínas, mais especialmente a albumina. Porém, a perda protéica durante o trabalho será mínima e reflete somente seu metabolismo como fonte energética diferente, independentemente das perdas muito pequenas por meio das hemorragias pulmonares. A reconstrução das reservas energéticas, em particular com relação ao glicogênio muscular, levará muitos dias após o trabalho intenso prolongado.

Fadiga e Intervalo de Treinamento

A fadiga durante o exercício prolongado resulta em parte de um declínio na concentração sangüínea de glicose. A taxa desse declínio é afetada pela velocidade, pela extensão dos estoques de glicogênio, pela manipulação da dieta que poupa a mobilização de glicogênio e pelo treinamento que promove maior uso tanto de gordura quanto de glicogênio durante o máximo exercício (Snow e Mackenzie, 1977a). A fadiga é exibida primeiramente por uma diminuição na velocidade durante o curso da corrida. Portanto, fatores que contribuem para a fadiga também incluem perda de ATP muscular, depleção de glicogênio muscular, acidose metabólica e acúmulo de lactato sangüíneo e amônia. Os eqüinos com fadiga podem ainda possuir uma média de 400 a 500mmol de glicogênio/kg de tecido muscular, mas as fibras musculares usadas predominantemente no exercício prolongado submáximo, ou seja, as fibras do tipo I (fibras oxidativas de contração lenta), podem estar quase depletadas e as fibras do tipo IIa (oxidativas de contração rápida) mostram redução no conteúdo de glicogênio.

Para obter uma grande reserva de glicogênio, existe um conselho máximo para o treinamento em curtas distâncias. O treinamento excessivo causa aumento no tempo nos 1.200m. Isso está associado no pós-exercício com elevação no lactato sangüíneo, diminuição na concentração de cortisol plasmático e volume corpuscular e diminuição no peso corpóreo e V_{200} (Hamlin *et al.*, 2002). O treinamento com força reduzida por sete dias antes de um percurso individual cronometrado em 2.400m reduziu a fadiga e melhorou a performance em comparação ao constante treinamento. A introdução de intervalos de treinamento ao sistema de treinamento com força reduzida aumentou o risco de lesão (Shearman *et al.*, 2002). Apesar da perda de glicogênio ser pronunciada no exercício em curta distância e a gordura ser o principal substrato energético no exercício prolongado submáximo, a perda de glicogênio inevitavelmente ocorre durante esse tipo de exercício.

O objetivo do intervalo de treinamento é aumentar o volume de trabalho realizado em uma única sessão de treinamento ao dar o exercício em seqüências separadas por períodos de recuperação. Esse sistema permite alguma recuperação das reservas de glicogênio muscular e uma redução na freqüência cardíaca e na concentração de lactato plasmático durante os períodos de repouso. A redução no lactato plasmático será acelerada pelo trote do eqüino entre as seqüências, ao invés de caminhar ou realizar o meio-galope. O intervalo do treinamento de alta intensidade repetido tem causado perda de capacidade de performance, condição corpórea e peso e assim deve ser cuidadosamente monitorada.

Mensuração do Condicionamento Físico e Exaustão

Um meio galope a médio passo é normalmente realizado com respiração aeróbica, de forma que a relação do lactato com o piruvato no sangue não se altera. Porém, durante o galope, a relação aumenta de modo acentuado e um efeito do treinamento é induzir menores alterações no lactato sangüíneo e na relação do lactato com o piruvato. Porém, a concentração sangüínea de lactato pode não estar relacionada à velocidade da corrida, mas como é um ácido relativamente forte, tende a estar correlacionado ao pH do sangue. Persson (1983) propôs que a estimativa do lactato sangüíneo em uma freqüência cardíaca induzida pelo exercício de 200 batimentos/min poderia ser usada para medir o condicionamento físico no treinamento, em que as menores concentrações de lactato abaixo de 2mmol/L refletiriam o melhor condicionamento. A freqüência cardíaca deve ser mensurada por telemetria na pista e os resultados não devem ser afetados pelas condições da pista que interferem na velocidade.

978-85-7241-725-9

Em adição à desidratação e à depleção eletrolítica, a acidez do sangue é um fator dominante na determinação da exaustão (Tabela 9.4) e os níveis séricos da enzima creatina cinase (CK) provêm uma indicação da gravidade do exercício e da acidose metabólica. Em um estudo, no qual os eqüinos correram a uma velocidade de 700m/min (26mph), o AST sérico aumentou 50%, o Ca sérico aumentou 13%, mas a CK sérica aumentou 227% (Williamson, 1974). Acredita-se que o aumento na concentração sérica nas enzimas musculares após o exercício seja explicado pelo aumento na permeabilidade das membranas das células musculares decorrente de hipóxia. Assim, o treinamento inadequado, ou a grande carga de trabalho, induziria a um maior aumento na concentração sérica de CK.

Amônia e o Veículo Alanina

O acúmulo de amônia (NH_3) no sangue dos eqüinos exercitados provavelmente contribui com a fadiga, apesar da evidência experimental ser fraca. A amônia leva ao acúmulo de piruvato, que em condições limitadas de O_2 é convertido em lactato, resultando em pH muscular

Tabela 9.4 – Efeitos da corrida de 1.900 a 2.500m na concentração de lactato sangüíneo e na acidez e sua relação com a exaustão (Krzywanek, 1974).

	Lactato sangüíneo (mEq/L)			pH sangüíneo		
		Após a corrida			Após a corrida	
	Antes da corrida	*Imediatamente após*	*15min após*	*Antes da corrida*	*Imediatamente após*	*15min após*
Exauridos	0,58	23,14	24,37	7,379	7,086	7,105
Não exauridos	0,63	17,99	16,92	7,379	7,164	7,213

reduzido. As concentrações sangüíneas de amônia foram reduzidas por suplementação dietética com glutamato monossódico (GMS). A amônia plasmática e as concentrações de ácido úrico aumentam e se mantêm máximas durante a recuperação (Harris *et al.*, 1987; Miller-Graber *et al.*, 1987; Miller-Graber e Lawrence, 1988), significando taxa aumentada de ciclagem de nucleotídeos de adenina (NA). Uma maior demanda por ATP é parcialmente atingida pela reação da miocinase (2ADP → 1 ATP + 1 AMP) (Fig. 9.11; Frape, 1994). A desaminação do AMP, que pode ser melhorada pela suplementação com $NaHCO_3$, produz NH_3 e IMP, produzindo ácido úrico (Harris *et al.*, 1987) e alanina como veículo da amônia. A proteína dietética adicional pode, ou não, agravar isso (ver Fig. 9.11).

Resumo da Fadiga

O primeiro requerimento dos eqüinos desidratados exauridos é água, seguido proximamente de eletrólitos. Os recursos energéticos corpóreos precisam então ser restabelecidos e, se o clima estiver frio, o eqüino deve ser mantido aquecido, mas não quente. Metabolicamente, algum ATP pode ser formado de novo pela reação da miocinase na presença de piruvato, mas em geral os combustíveis para a síntese de ATP estão depletados. Após o trabalho pesado normal, um eqüino deve ser resfriado com exercícios leves dos músculos

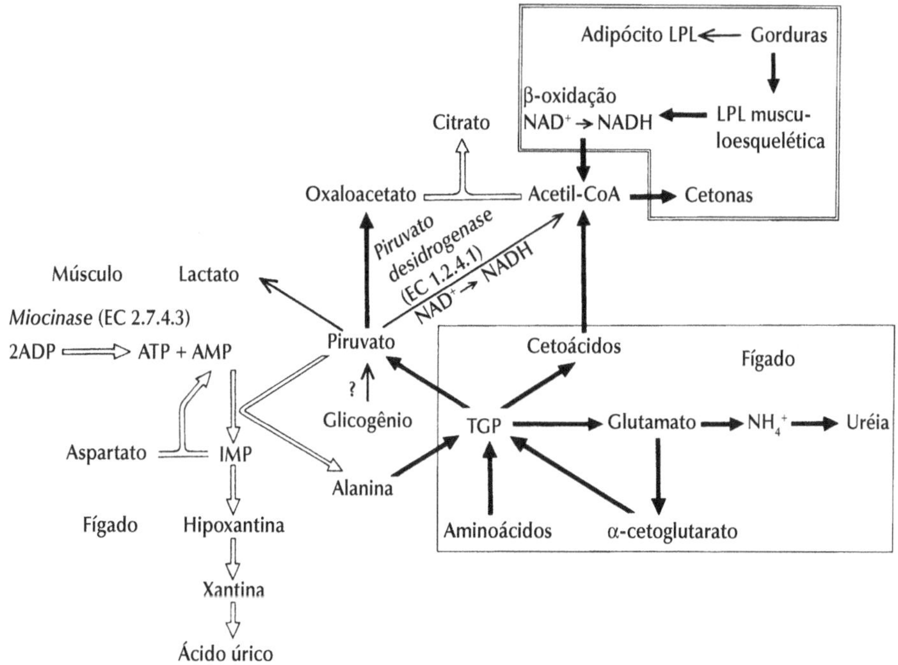

Figura 9.11 – Chave: Proposta para as reações estimuladas (➡), não influenciadas de forma mensurável (⇨), ou suprimidas (→) por dietas ricas em proteínas ou ricas em gordura durante o exercício eqüino de intensidade moderada no estágio pós-absortivo. Reações propostas para serem estimuladas pela gordura dietética (▣) e pela proteína dietética (□). TGP, transaminase glutâmica-pirúvica (EC 2.6.1.2); LPL, lipoproteína lípase (EC 3.1.1.34); IMP, inosina monofosfato (Frape, 1994). Acetil-CoA = acetil coenzima A; ADP = adenosina difosfato; AMP = adenosina monofosfato; ATP = adenosina trifosfato; NAD^+ = forma oxidada de nicotinamida adenina dinucleotídeo; NADH = forma reduzida de nicotinamida adenina dinucleotídeo.

978-85-7241-725-9

por meio da caminhada, eliminando os resíduos dos músculos, mas o acesso ao pasto leve ou ao feno não deve ser descartado. Após esse relaxamento de 1 a 1,5h, água morna deveria ser fornecida antes de uma refeição leve de concentrados. Pode-se concluir que a exaustão durante o trabalho em longa distância é expressão da depleção de nutrientes, ao passo que durante os trabalhos em curta distância é principalmente resultado do ácido láctico sangüíneo elevado e da conseqüente queda no pH do sangue.

EQUILÍBRIO ÁCIDO-BASE SANGÜÍNEO

O que é um Ácido?

Um ácido é uma substância, tal como o ácido láctico, que produz íons hidrogênio em solução. A acidez do sangue ou de outras soluções é expressa como pH (o logaritmo negativo da concentração de íons H^+). Os ácidos e as bases são produzidos durante o metabolismo dos nutrientes e anormalidades no equilíbrio ácido-base resultam da disfunção, ou sobrecarga, do metabolismo geral e da respiração. O pH normal do sangue é 7,5 e o do sangue venoso é 7,4. O sangue carreia CO_2 para os pulmões, parcialmente na forma de ácido carbônico fraco (H_2CO_3), um dos principais ácidos das bebidas espumantes. Isso e a hemoglobina atuam como os principais tampões no sangue; isso significa que evitam que o pH sofra alterações consideráveis e assim evitam a morte por essa causa. No plasma, o CO_2 de maneira relutante e lenta forma o H_2CO_3, mas ao se difundir para dentro das hemácias, essa reação é acelerada em 13.000 vezes pela presença da enzima anidrase carbônica. Apesar da modificação acelerada, somente uma parte em 800 de CO_2 forma H_2CO_3. Isso é descrito na Figura 9.12, que mostra que quase todo esse H_2CO_3 se dissocia em íons H^+ e bicarbonato (HCO_3^-). O primeiro é tamponado de forma parcial pela hemoglobina e o último em grande extensão se difunde de volta para o plasma, de modo que cerca de 20 vezes o CO_2 são carreadas na forma de HCO_3^-, conforme permanece na forma de gás dissolvido. Agora, a forma dissociada de H_2CO_3 na solução sangüínea é uma proporção constante (*K*) para a forma não dissociada, como mostrado a seguir:

978-85-7241-725-9

$$\frac{[H^+] \times [HCO_3^-] = K}{H_2CO_3}$$

Se o ácido é produzido durante a atividade muscular, ou durante a cólica intestinal (ver Cap. 11), os íons H^+ no numerador aumentam e reagem com o HCO_3^-, formando CO_2 e água (ver Fig. 9.12). Nesse processo, a concentração de HCO_3^- cai, mas a concentração de íon H^+ não aumenta tanto quanto deveria na ausência do tampão HCO_3^- e assim a relação HCO_3^-:CO_2 governa o pH do sangue.

Acidose e Alcalose

A fadiga durante o exercício está associada com um desvio dos valores ideais do pH sangüíneo, causando a acidose metabólica ou, com o superaquecimento, a alcalose respiratória. Na acidose láctica, existe produção aumentada de íons H^+ decorrente de débito de O_2. Com o superaquecimento, há perda acentuada de CO_2, resultando do elevado volume respiratório por minuto (Frape, 1994). O metabolismo para todas as funções

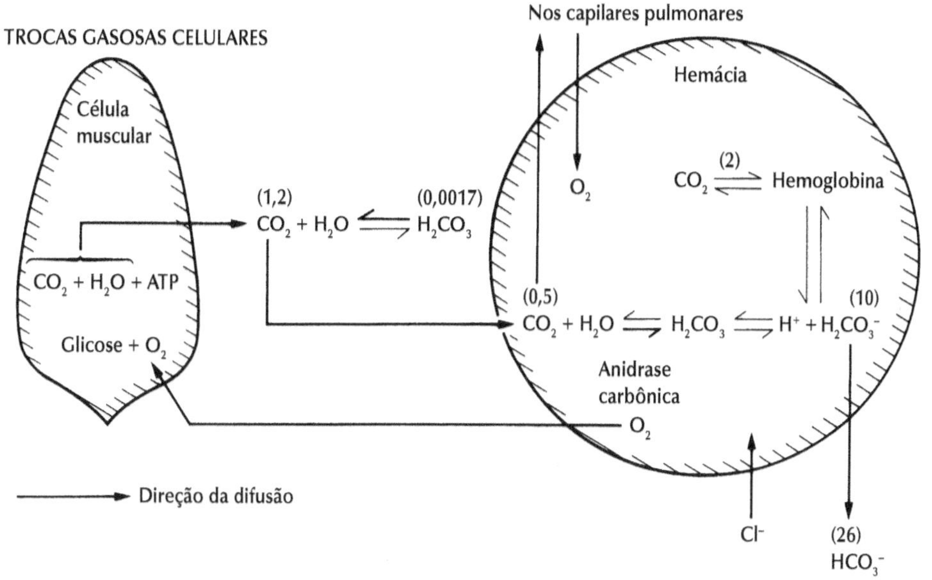

Nota:

- Valores numéricos são concentrações aproximadas (mmol/L) das várias formas de CO_2.
- Concentrações totais de CO_2 $[CO_2]$ = $[CO_2]$ dissolvido + $[HCO_3^-]$ + ligado a proteínas (CO_2).
- A enzima anidrase carbônica tem influência vital na capacidade de carrear CO_2- do sangue, que é, então, uma função do número de hemácias.

978-85-7241-725-9

REAÇÕES PLASMÁTICAS

(1) Acidose metabólica

$$CO_2 + H_2O \rightleftharpoons H_2CO_3 \rightleftharpoons \uparrow H^+ + \downarrow HCO_3^-$$

H^+ elevado causa freqüência de ventilação aumentada e diminuição do CO_2 sangüíneo

H^+ + Lactato$^-$

K^+ (Tendência a ser trocado nos túbulos renais funcionais pelos íons potássio)

Nota: débito de O_2

(2) Alcalose metabólica

$$\uparrow CO_2 + H_2O \rightleftharpoons H_2CO_3 \rightleftharpoons \uparrow H^+ + \downarrow HCO_3^-$$

Freqüência ventilatória reduzida

Nota: HCO_3^- gerado substituindo o Cl^- perdido no suor. O K^+ perdido no suor é substituído no filtrado tubular renal pelo H^+

(3) Acidose respiratória

$$\uparrow CO_2 + H_2O \rightleftharpoons H_2CO_3 \rightleftharpoons H^+ + HCO_3^-$$

Insuficiência respiratória causa aumento da freqüência de ventilação

Nota: $[H^+]$ plasmática tende a aumentar

(4) Alcalose respiratória

$$\downarrow CO_2 + H_2O \rightleftharpoons H_2CO_3^- \rightleftharpoons H^+ + HCO_3^-$$

Superaquecimento ou dor promovem aumento do volume respiratório por minuto

Nota: redução em $[H^+]$ e possivelmente em $[HCO_3^-]$ resulta de modificações respiratórias

⟷ Direção aumentada de reação

↑↓ Alterações iniciais na concentração plasmática de metabólitos

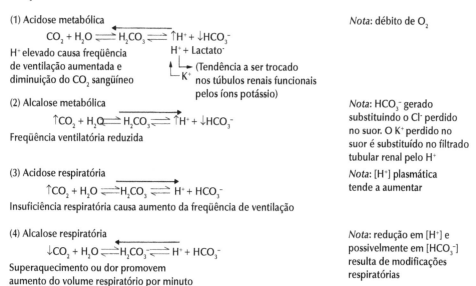

Figura 9.12 – Efeitos do estado metabólico sobre o ácido carbônico no plasma sangüíneo e relações associadas em células musculares e hemácias. ATP = adenosina trifosfato.

importantes ocorre de forma mais eficiente quando o pH arterial se aproxima do valor normal de 7,5. Desvios estão associados com as perdas de íons importantes pelos rins e pelo trato intestinal, causando sobrecarga no metabolismo, que tem de eventualmente ser retificada. Uma redução do pH resulta de excessiva taxa de produção de ácido durante o trabalho excepcional e dos estados patológicos do trato intestinal e órgãos associados, rins e pulmões em particular. Os ácidos orgânicos produzidos no metabolismo têm conseqüências apenas a curto prazo, pois devem ser enfim descartados pela compensação metabólica e respiratória. Os ácidos e bases fixados (que não podem ser metabolizados em CO_2 e água e exalados), absorvidos a partir da ingesta, têm uma influência mais longa, de modo que a atenção deve ser focada nos cátions e ânions fixados presentes na dieta e seus efeitos dedutíveis no equilíbrio ácido-base. Os ossos atuam como tampão para desequilíbrios dietéticos prolongados desse tipo. Uma dieta ácida, contendo excesso de ânions fixados, causa reabsorção óssea e osteoporose, de forma que a excreção renal daqueles ânions pode continuar.

Excesso de Base

Uma medida quantitativa do estado ácido-base de um eqüino, conforme afetado por metabolismo, saúde e dieta, é conhecida como excesso de base (e.b.) (Fig. 9.13). É o conteúdo de base do sangue venoso mensurado por titulação com um ácido forte em um pH de 7,4 em tensão normal de CO_2. O déficit de base é o mesmo que o e.b. negativo e sua mensuração requer a titulação com uma base forte, novamente em pH de 7,4. Nesse pH, o e.b. é zero e o bicarbonato plasmático se iguala a aproximadamente 22 a 25mEq/L. No eqüino normal, o bicarbonato deve estar entre 24 e 27mEq/L e o e.b. entre 2 e 5mEq/L.

Função dos Pulmões e dos Rins

Os pulmões têm papel vital em curto prazo no equilíbrio ácido-base ao proverem uma rota para a excreção do ácido carbônico (ver Fig. 9.12). Apesar dos rins também funcionarem com essa finalidade, quantitativamente são insignificantes, pois os pulmões eliminam 200 vezes mais ácido. Porém, os rins têm papel a longo prazo na eliminação de ácidos e bases não voláteis a partir da dieta (ver *Excesso de base dietético e equilíbrio dietético cátion-ânion "fixado"*, adiante). Nesse equilíbrio e no de ácido-base, um importante princípio é revelado. É o princípio da *eletroneutralidade*, pelo qual toda a excreção urinária e pulmonar e em todo movimento através das membranas celulares normais no eqüino nenhuma carga elétrica pode se acumular, como em uma bateria. O número de ânions deve corresponder ao número de cátions se movendo na mesma direção. Isso pode causar modificações do pH dos vários líquidos corpóreos e o conceito forma uma base para a compreensão dos assuntos envolvendo os equilíbrios ácido:base e cátion:ânion.

Como todas as regras, essa é verdadeira de forma apenas aproximada quando discordar daquela da isosmolaridade (ver Glossário), na qual todos os compartimentos de líquidos corpóreos (dentre os quais a água é permutável através de membranas semipermeáveis) se aproximam da isotonicidade. Ao atingir isso, um pequeno gradiente de voltagem ocorre, como por exemplo, entre o líquido intracelular nos músculos e o líquido extracelular. Esses princípios desempenham uma parte central nas lesões musculares, como o "atamento" (ver Cap. 11). À medida que for preocupante o equilíbrio ácido-base, os eqüinos ficam sujeitos a quatro tipos de metabolismo anormal. Somente as condições relacionadas ao trabalho físico serão discutidas aqui.

978-85-7241-725-9

978-85-7241-725-9

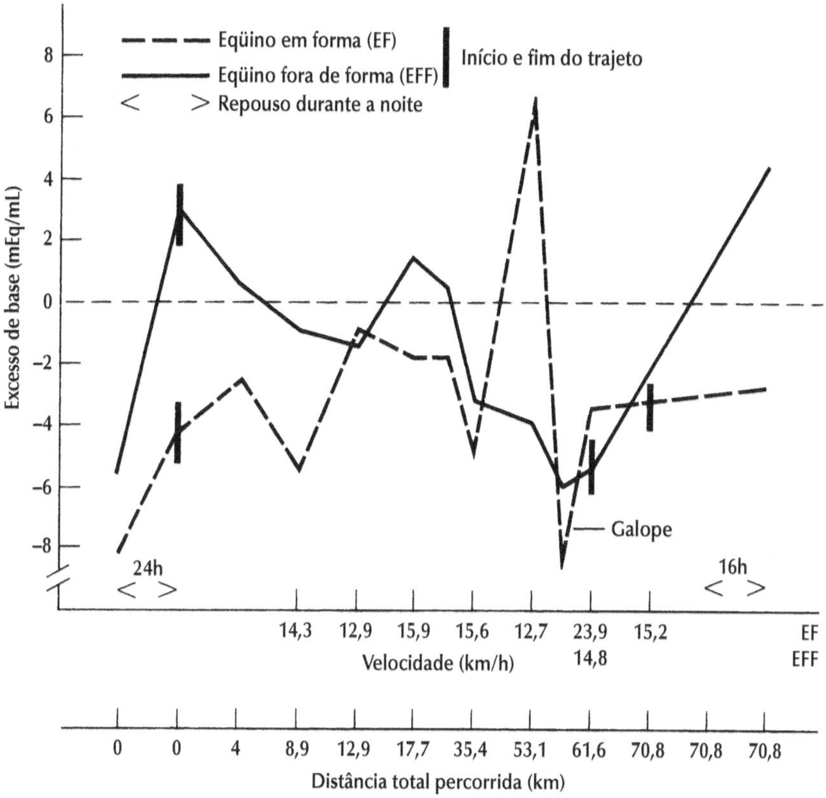

Figura 9.13 – Alterações no excesso de base (e.b.) plasmática durante prova de resistência realizada por garanhão árabe em forma e pônei castrado em condição menos preparada (Frape *et al.*, 1979). e.b. do eqüino fora de forma declinou a partir do início. Sua freqüência respiratória foi consistentemente a maior, o que poderia implicar que a maior freqüência de ventilação foi removendo mais CO_2 do sangue e a reação de ácido carbônico foi se movendo para a esquerda (ver a equação da alcalose respiratória na Fig. 9.12). A volta oito foi corrida em velocidade menor (ver Fig. 9.10) e, apesar da freqüência de respiração do eqüino fora de forma não cair (ver Fig. 9.7), a baixa freqüência do outro eqüino imediatamente permitiu que o e.b. se elevasse. Essa volta foi seguida por período de repouso antes de o eqüino em forma ter galopado.

Acidose Metabólica

No exercício extremo, um débito de O_2 com acúmulo tecidual de ácido láctico ocorre em vários graus. É também possível que essa forma de acidose possa existir em combinação com uma deficiência de vitamina B, causando metabolismo incompleto do ácido pirúvico, mas essa proposta não foi ainda substanciada. A formação de íons H^+ causa hiperventilação e aumento no volume respiratório por minuto com queda na pressão sangüínea parcial do dióxido de carbono (PCO_2). Isso desvia a equação do ácido carbônico para a esquerda (ver Fig. 9.12), o que traz alguma compensação respiratória da acidose e evita a queda excessiva no pH. Em uma situação análoga, a concentração elevada de íon H^+ e a dor da laminite terão efeito respiratório similar, de forma que em seu estado avançado a alcalose respiratória sobrevenha. O bicarbonato de sódio, a uma taxa de 250 a 300g (3.000 a 3.600mEq) por 24h é algumas vezes fornecido como terapia para a acidose metabólica, mas seu uso irrefletido pode produzir efeitos adversos. Mais ainda, a alimentação com cloreto de sódio em excesso (NaCl) exacerbará uma acidose induzida pelo exercício (Hinchcliff *et al.*, 1993).

Alcalose Metabólica

A alcalose pode ocorrer na laminite crônica, assim como a partir da exaustão após trabalhos de longa distância *cross-country* em climas quentes. Uma redução na freqüência de ventilação nos eqüinos afetados de forma ruim pode, porém, induzir ligeira acidose. Durante o trabalho prolongado, a depleção de potássio e cloreto corpóreos se desenvolve em vários graus. Os íons H^+ são excretados como substitutos do potássio depletado e o bicarbonato preenche a falha aniônica após a perda de cloreto. Os espasmos tetânicos podem algumas vezes resultar *em extremos* a partir da disponibilidade reduzida do cálcio ionizado provocado pela alcalose. Os eqüinos não condicionados podem apresentar sinais de exaustão de adrenal. A conseqüente falha em secretar a aldosterona precipita uma perda urinária excessiva de sódio com a retenção de potássio e um declínio adicional no bem-estar. A terapia com bicarbonato de sódio deve agravar grandemente a alcalose e é recomendada a provisão de solução eletrolítica balanceada e de glicose contendo sódio, potássio e cloreto (ver Cap. 11). A necessidade de potássio não é verdadeiramente atestada pelo seu nível plasmático, como conseqüência de desvio do espaço intra para o extracelular. Nos eqüinos exauridos de enduro, as perdas eletrolíticas e a hipocalcemia, relacionadas ao aumento do pH, estão associadas com uma condição conhecida como *flutter* diafragmático sincrônico, em que as contrações cardíacas e respiratórias coincidem. Em adição aos eletrólitos, as soluções de gliconato de cálcio são com freqüência fornecidas via IV (ver Tabela 9.2).

Acidose Respiratória

Resulta da formação de CO_2 sangüíneo (hipercapnia) que se origina com a insuficiência respiratória do trabalho de curta duração. É óbvio que a condição pode também ser alcançada com estados patológicos graves dos pulmões, alergia respiratória e conseqüente declínio na tensão de oxigênio (hipóxia) no sangue, que podem causar acidose metabólica.

Alcalose Respiratória

O trabalho intenso em climas quentes leva ao aquecimento, o que afeta diretamente o centro respiratório do cérebro, causando rápida respiração. A taxa rápida de ventilação limpa o CO_2 do sangue. A dor da cólica e a laminite também aceleram a freqüência respiratória com conseqüências similares. O efeito é induzir ligeiro aumento no pH plasmático sangüíneo (Fig. 9.14), apesar da ausência de modificação nos eqüinos de enduro poder refletir uma queda concomitante tanto no CO_2 como no HCO_3^-.

Fatores Controlando o pH Plasmático

A $[H^+]$ plasmática é regulada por muitas variáveis independentes, especialmente:

- Pressão parcial de CO_2, isto é, PCO_2 controlando $[H^+]$ e $[HCO_3^-]$.
- Diferença iônica forte (DIF), isto é, $[Na^+] + [K^+] - [Cl^-] - [lactato^-]$.
- Eletrólitos fracos $[A_{total}]$, representados pela [albumina].

Uma diminuição na DIF plasmática está normalmente associada com diminuição no pH plasmático. Isso aponta para uma elevação na $[H^+]$ plasmática, implicando que exista insu-

978-85-7241-725-9

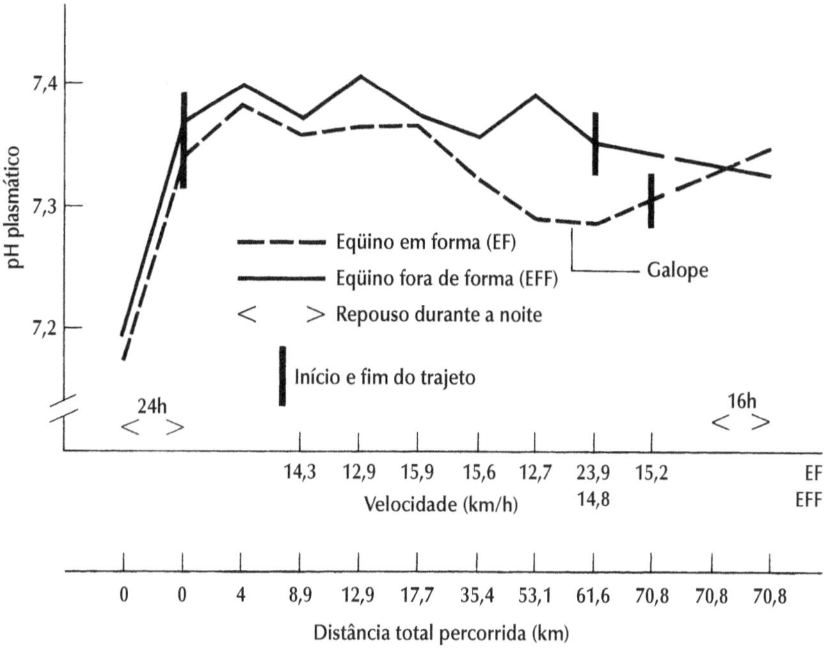

978-85-7241-725-9

Figura 9.14 – Efeitos de uma prova de resistência no pH plasmático sangüíneo venoso de garanhão árabe em forma e pônei castrado em condição menos preparada (Frape *et al.*, 1979).

ficiente [HCO_3^-] disponível com o qual possa se combinar para manter a constante *K* na equação do bicarbonato (ver *O que é um ácido?*, anteriormente) (a função da administração de $NAHCO_3$ é prover aquele íon bicarbonato; também, o íon Na^+ equilibra o íon lactato, cuja concentração no plasma não necessariamente declina).

EXCESSO DE BASE DIETÉTICO E EQUILÍBRIO DIETÉTICO CÁTION-ÂNION "FIXADO"

Excesso de Base Dietético

A nutrição mineral tem um papel no equilíbrio de ácido-base. Isso acompanha a premissa de que o excesso de base (e.b.), ou ácido, no alimento pode ser estimado como a diferença entre as somas dos cátions e ânions minerais, aproximado por:

$$\text{e.b. dietético (mEq/g)} = (\text{Na} + \text{K} + \text{Ca} + \text{Mg}) - (\text{Cl} + \text{P} + \text{S})$$

O efeito que a dieta e a produção de ácido metabólico têm no e.b. do plasma está demonstrado no Apêndice D. O eqüino típico tem um e.b. dietético de 200 a 300mEq/kg estimado a partir do conteúdo fixado de íon. Assim, para um eqüino consumindo 10kg de alimento/dia, o e.b. responderia por aproximadamente 2.500mEq, o que é similar ao fornecido por

Tabela 9.5 – O efeito do excesso de base (e.b.) dietético nos pH urinário e sangüíneo.

	Baixo	Médio	Alto
mEq/kg de dieta	22	202	357
pH urinário	5,38	7,69	8,34
pH sangüíneo	7,368	7,4	7,402

200g de bicarbonato de sódio – quantidade freqüente em terapia por um período de 24h. Os eqüinos com sério déficit de bases podem requerer, durante esse período, o dobro da quantidade contida em uma ração normal. A dieta ótima presume que o conteúdo protéico seja provavelmente maior que o provido para o eqüino adulto médio. Para uma dieta contendo 10% de proteína bruta, o e.b. dietético deve estar na ordem de 30mEq/kg a menos.

A absorção de Ca, Mg e P é limitada e variável, de forma que o equilíbrio dietético cátion-ânion (EDCA) é com freqüência mensurado de forma simplificada como mEq/kg de MS na dieta.

$$\text{e.b. dietético (mEq/kg)} = (\text{Na} + \text{K}) - (\text{Cl} + \text{S})$$

(em alguns estudos, o S dietético, normalmente provendo 70 a 80mEq/kg, é ignorado). Com base nisso, ao incluir 10g de $CaCl_2$/kg na dieta "média" de matéria seca (MS) (Tabela 9.5) para fornecer a dieta "baixa" e 13g de $NaHCO_3$ para fornecer a dieta "alta", os pH urinário e sangüíneo foram afetados.

No trato gastrointestinal, os íons H^+ são trocados pelos íons Ca^{2+} e Mg^{2+} por meio do consumo da dieta "baixa". A urina é excretada em estado eletricamente neutro e, durante o exercício, os eqüinos imaturos recebendo essa dieta poderiam experimentar considerável perda de HCO_3^- e Ca^{2+} urinários (hipercalciúria), causando acidose metabólica e equilíbrio negativo de Ca, desmineralização e fraqueza do esqueleto. Cooper *et al.* (1995) encontraram valores urinários elevados de Ca^{2+} e Cl^- em eqüinos recebendo dieta com EDCA de –25,7 e perdas urinárias relativamente maiores de P, Na^+ e K^+ em eqüinos recebendo dieta com EDCA de 370,4. As dietas com EDCA maior que 200, como indicado anteriormente, reduzem o risco de acidose metabólica. Valores sangüíneos menores de pH, PCO_2 e $[HCO_3^-]$ são encontrados no repouso (Baker *et al.*, 1992) e subseqüentes ao exercício anaeróbico (Stutz *et al.*, 1992) com um equilíbrio dietético (Na + K – Cl) de 5 a 21, comparado com 107 a 125mEq/kg ou mais. Os eqüinos recebendo 107mEq/kg, ou menos, recuperaram a glicose sangüínea normal de modo mais lento após o exercício do que aqueles recebendo 201mEq/kg ou mais. Para maximizar o efeito tampão transitório da dieta, o período ótimo para o exercício anaeróbico é 3,5 a 4,5h após a alimentação (Stutz *et al.*, 1992), apesar da carga aumentada de fluido (Meyer, 1992). Popplewell *et al.* (1993) registraram tempos mais rápidos em 1,64km e menores freqüências cardíacas após a corrida, 2 a 4h após uma refeição com um equilíbrio de 295, comparado com 165mEq/kg de MS, apesar de maiores concentrações sangüíneas de lactato. Mais ainda, um equilíbrio de 354mEq/kg de MS obteve maior equilíbrio de Ca, comparado com 223mEq/kg (Wall *et al.*, 1993). É provável que o ótimo para o equilíbrio e a carga total de íons minerais difira entre os tipos de trabalho – distância curta *versus* prolongada.

978-85-7241-725-9

Proteína Dietética

Os efeitos do nível de proteína dietética na performance e no metabolismo durante o exercício são discutidos adiante sob o tópico *Requerimentos de proteína na dieta e exercício.* Os efeitos do excesso de proteínas na dieta, ou que inevitavelmente são oxidadas, no equilíbrio ácido-base não foram abordados. Os efeitos podem ser pequenos, mas uma base para estabelecer as conclusões deve ser resumida.

Precisa ser lembrado que somente os produtos absorvidos da digestão protéica podem influenciar o equilíbrio de cátion-ânion. Várias proteínas nativas são fontes ricas em P, como os aminoácidos fosforilados, como por exemplo, a fosfoserina, e assim contribuem com os ânions fixados. A oxidação dos aminoácidos neutros não tem efeito na carga ácida, mas três classes desses nutrientes têm.

1. Os aminoácidos básicos (catiônicos) (lisina, arginina e histidina) produzem produtos finais neutros mais um próton (H^+) e assim são de modo singular acidogênicos.
2. Os aminoácidos contendo enxofre (metionina e cisteína) são também acidogênicos, pois geram ácido sulfúrico quando oxidados.
3. Os aminoácidos dicarboxílicos (ácidos aspártico e glutâmico) são aniônicos, mas metabolizáveis e consomem prótons quando oxidados, reduzindo assim uma carga ácida na dieta.

978-85-7241-725-9

Os prótons podem ser excretados na urina, mas principalmente como íon amônia ($H^+ + NH_3 \rightarrow NH_4^+$). A glutamina é o principal aminoácido envolvido na gênese do íon amônia renal e apesar de não ser um nutriente dietético essencial, é usada nesse processo (ver em *Assimilação de proteínas*, adiante, bebidas de glutamina como recurso para recuperação do exercício prolongado). As dietas eqüinas com freqüência têm lisina e treonina como primeiro e segundo aminoácidos essenciais limitantes e em conseqüência existe um interesse em adicionar HCl-lisina para melhorar qualquer limitação. Quando suprida como seus sais de Cl^-, são uma fonte aniônica, ou ácida, fixada. Porém, se 0,1%, ou 1g de HCl-lisina/kg de dieta forem adicionados, fornece somente 5,5mEq de ácido/kg (ver *Requerimentos de proteína na dieta e exercício*, adiante).

O efeito na carga ácida do rápido metabolismo dos aminoácidos durante o exercício intenso pode ser importante na margem, mas as quantidades de ácidos produzidas parecem menores do que as produzidas pelo metabolismo de carboidratos. Mais ainda, não está estabelecido se a taxa de produção ácida a partir de proteínas é acentuadamente influenciada pelo seu nível dietético.

Efeito do Equilíbrio Dietético Cátion-Ânion na Digestibilidade e Retenção de Cálcio e Magnésio

O equilíbrio dietético cátion-ânion foi artificialmente ajustado pela adição de cloreto de cálcio, cloreto de amônia, citrato de potássio e bicarbonato de sódio, fornecendo uma variação no equilíbrio de 20 a 400mEq/kg de dieta. Existe um aumento na digestibilidade de matéria seca com elevação no equilíbrio positivo. A hipocalciúria, promovendo retenção aumentada de Ca e Mg, pode também resultar de aumento no equilíbrio, reduzindo o risco crônico de osteoporose. Um baixo equilíbrio dietético cátion-ânion induz acidose metabólica, causa hipercalciúria, reduzido equilíbrio de Ca e Mg e, quando os eqüinos são exercitados dentro de 4h após a alimentação, provoca piores resultados do trabalho e recuperação mais lenta, em razão do pior efeito dietético de tamponamento (Popplewell *et al.*, 1993).

Suplementos

Co-fatores

A atividade das enzimas depende dos co-fatores necessários e uma demanda aumentada para essas enzimas implica em necessidade aumentada de co-fatores. Esses co-fatores incluem magnésio e zinco juntamente com as formas de vitamina tiamina, riboflavina, niacina, ácido pantotênico, piridoxina, biotina e vitamina B_{12}, todos com partes importantes no metabolismo de carboidratos e/ou gordura. O eqüino obtém essas vitaminas B a partir de sua dieta e pela síntese microbiana em seu intestino. Conforme aumenta a intensidade do trabalho, a composição da dieta e a quantidade de alimento consumido se modificam como conseqüência do consumo aumentado de grãos cereais ricos em amido. Isso alterará não somente o suprimento dietético das vitaminas B, mas também a sua síntese intestinal e é uma questão em aberto se a taxa de sua absorção é excedida pela demanda tecidual quando os eqüinos estão em treinamento intensivo.

978-85-7241-725-9

A fermentação microbiana do amido, em comparação com as fibras, produz maior proporção de propionato no AGV. O metabolismo desse ácido requer a adenosilcobalamina (vitamina B_{12}), como coenzima da metilmalonil-CoA mutase, e o trabalho com ruminantes revelou que tais dietas podem criar um requerimento dietético para essa vitamina (Agricultural Research Council, 1980), cuja carência causa acúmulo de propionato, reduzindo o apetite. As observações do autor (D. Frape, observações não publicadas) de eqüinos em treinamento demonstraram que suas concentrações sangüíneas de vitamina B_{12} são menores do que em vários outros cavalos e que o paladar daqueles com apetite debilitado pode ser aguçado por suplementos da vitamina. Uma conseqüência razoável é que um consumo aumentado de grãos cereais por eqüinos eleva a produção de propionato e, assim, o requerimento dietético da vitamina B_{12}. Um argumento análogo pode ser feito para a tiamina, funcionando como cocarboxilase na clivagem do piruvato. Estudos realizados por Topliff *et al.* (1981) sugeriram que o eqüino exercitado pode ter dobrado seu requerimento de tiamina em relação aos eqüinos não exercitados. TB em treinamento têm baixas concentrações séricas de folato, mas se isso simplesmente reflete menor potência das dietas em treinamento não foi ainda estabelecido. Assim, não existe evidência conclusiva em relação ao efeito do trabalho no requerimento das vitaminas B funcionando como co-fatores enzimáticos.

Aminoácidos

Os aminoácidos de cadeia ramificada (AACR) estimulam a síntese protéica para a qual o hormônio do crescimento é um mediador. A suplementação oral de atletas com AACR (0,2g/kg de PC diariamente por um mês), em comparação com os controles, causou elevação da concentração plasmática da proteína ligada ao hormônio do crescimento, ligeiro aumento no hormônio do crescimento e menores concentrações plasmáticas de lactato (De Palo *et al.*, 2001). Não estamos cientes de qualquer evidência similar em eqüinos.

Água e Carga Eletrolítica

Apesar da variação normal nos níveis de cada um dos eletrólitos dietéticos, a adaptação serve para manter o pH dos líquidos corpóreos em valores fisiológicos normais. Fora desse

978-85-7241-725-9

intervalo normal, o pH tecidual pode ser alterado por uma sobrecarga desses mecanismos compensatórios. A excreção dos íons fixados em excesso requer água como solução, aumentando a sua demanda. Demonstrou-se que a completa restrição à água por 20h antes do exercício reduz o seu conteúdo intestinal em 10% no início do exercício prolongado e que o exercício reduz a água em mais 15 a 20% por meio das perdas pelo suor, independentemente se foi permitida a beberagem. Os eqüinos que estão desidratados de forma grave ficam exauridos de forma excepcional (Carlson *et al.*, 1976) e relutam em beber. Mesmo durante um percurso, a beberagem espontânea pode não ocorrer quando a água for oferecida se houver ocorrido perda isosmótica no suor, a não ser que a queda no volume plasmático exceda 6% (Sufit *et al.*, 1985), especialmente se os eletrólitos não forem fornecidos. Por isso, a água e os eletrólitos balanceados devem ser fornecidos com freqüência durante uma prova.

A alimentação com cloreto de sódio antes de um percurso deve estimular o consumo de água *nesse momento* e assim deve melhorar o equilíbrio hidrolítico durante atividade prolongada subseqüente. Carregar o eqüino com eletrólitos tende a aumentar seu acúmulo temporário e o de água, no intestino grosso (Slade, 1987). Isso poderia atuar como reserva de água, Na^+ (Meyer, 1992) e Cl^- (Coenen, 1992a) para o trabalho prolongado. O fluxo ileocecal diário de água e eletrólitos por quilograma de peso corpóreo varia de 100 a 140mL de água, 300 a 420mg de Na^+, 50 a 70mg de K^+ e 100 a 140mg de Cl^-. A absorção juntamente com a água a partir do intestino grosso, durante a fermentação da ingesta, é estimada como sendo de 75 a 95% para o Na^+, mais de 90% para o Cl^- e 30 a 55% para o K^+ (Meyer, 1992). Esses nutrientes podem restabelecer o tecido depletado de água, Cl^-, Na^+, K^+ e Ca^{2+} pelo suor (Rose *et al.*, 1977). O benefício de tal reserva eletrolítica é promovido pela presença de material fermentável no intestino posterior, pois permite a contínua absorção de íons de reserva durante uma prova.

A quantidade de eletrólitos necessária na dieta para manter o equilíbrio eletrolítico foi avaliada como sendo de 1,3 a 1,8g de Na, 3,1 a 3,9g de Cl, 4,5 a 5,9g de K, 8,5mg de Ca e 10,7mg de P/Mcal de ED (0,3 a 0,4g de Na, 0,7 a 0,9g de Cl e 1,1 a 1,4g de K, 2mg de Ca e 2,6mg de P/MJ de ED). Assim, os requerimentos para Na, K e Cl durante o exercício estão aumentados acima dos níveis das necessidades de manutenção em três, sete e seis vezes, respectivamente, concordando com o grupo de Potter no Texas (Hoyt *et al.*, 1995a). Alimentos naturais, fornecidos após as corridas, provavelmente contêm muito mais K do que Na. Por isso, há cerca do dobro de Na do que K e 1,2 vezes mais Cl do que Na nos suplementos fornecidos com esses alimentos (ver Tabela 9.3). Os ânions orgânicos podem formar o resíduo. Pequenas quantidades de Ca e Mg podem também ser incluídas.

Bicarbonato de Sódio

O exercício anaeróbico causa elevação no K^+ plasmático, liberado a partir das fibras musculares em contração. Uma falha desse novo levantamento pode resultar de inibição da bomba de Na-K da membrana das fibras musculares em razão da reduzida disponibilidade de ATP (Harris e Snow, 1988), por meio do tamponamento inadequado dos íons H^+ dentro das fibras ativas (Harris e Snow, 1992). A perda do K^+ intracelular causa alteração do potencial transmembrana que pode contribuir com a fadiga durante o exercício.

Para se contrapor a isso, o bicarbonato de sódio oral ($NaHCO_3$), que aumenta a DIF plasmática, causa menor aumento no NH_3 plasmático, por meio de menor perda de ATP e formação de IMP (Greenhaff *et al.*, 1991b), com o HCO_3^- acelerando a remoção de H^+ (o sistema bicarbonato é o principal receptor de prótons do corpo). Um efeito positivo parece ocorrer somente se a duração for de 2 a 3min, considerando seu uso particular com *Standardbreds* americanos comprometidos em corridas de 1,6 a 2,4km. Porém, o uso de agentes alcalinizantes antes de uma corrida é desestimulado, ou causa desqualificação, em várias jurisdições de corridas. Nenhum efeito do $NaHCO_3$ foi observado por 1km (Greenhaff *et al.*, 1991b). Lawrence *et al.* (1987a, 1990) reduziram os tempos de corrida em 1,1s pelos 1,61km com os *Standardbreds* tratados oralmente com 0,3g/kg de PC misturados com 20mL de xarope de milho e 10mL de água, 2,5h antes do exercício ($P < 0,1$). O tratamento aumentou tanto o pH sangüíneo como a taxa de desaparecimento de lactato após a corrida. Harkins e Kamerling (1992) trataram TB com 0,4g de $NaHCO_3$/kg de PC em 1L de água, em comparação com 1L de água somente, 3h antes de uma corrida de 1,61km, aumentando o HCO_3^- e o pH venoso. Após a corrida, houve aumento no sangue venoso de pH e lactato no grupo do $NaHCO_3$, sem alterações nos tempos de corrida, ou na pressão parcial venosa do dióxido de carbono ($vPCO_2$ venoso) (observar que o íon lactato$^-$ [Lac^-] será neutralizado pelo Na^+ e não determina o pH; de forma alternativa, pode ser argumentado que o aumento na [Na^+] reduz a [H^+] plasmática pela manutenção da eletroneutralidade, apesar de um aumento na [Lac^-] plasmática, que é provavelmente o resultado do efluxo aumentado de Lac^- das células musculares causado pela alcalose extracelular, assim reduzindo a fadiga). A dose e o tempo ótimos são 0,4g de $NaHCO_3$/kg de PC (em 1L de água), 2 a 4h antes do trabalho, como avaliado pelo pH e HCO_3^- sangüíneo (Greenhaff *et al.*, 1990b; Corn *et al.*, 1993), apesar das doses de 1g/kg de PC terem atingido valores maiores com um pico em 4h após a administração.

A análise do sangue venoso de corredores da raça *Standardbred* americano antes da corrida revelou valores de HCO_3^- em um excesso de 40mmol/L, indicando doses maiores que 0,4g/kg. Uma dose de Na equivalente a 20% do Na permutável total corpóreo deve aumentar o volume plasmático, o que teria na performance em curta distância um efeito oposto ao de um tampão e poderia responder por vários resultados após a administração de $NaHCO_3$. Mais ainda, o valor do intestino grosso como uma fonte de Na pode ser modulado pela produção de acetato (Argenzio *et al.*, 1977), que varia com o intervalo e a natureza da última refeição. Lloyd *et al.* (1993) administraram 1g de $NaHCO_3$/kg de PC, em comparação com uma dose similar molar de NaCl ou água somente. O $NaHCO_3$ prolongou o exercício em esteira até a exaustão e aumentou o lactato sangüíneo, mas uma comparação entre os dois grupos não tratados, em que todos os eqüinos acessaram a água, indicou menor resistência com o $NaHCO_3$, possivelmente de uma maior carga de líquido. Ainda Hanson *et al.* (1993) forneceram aos eqüinos, com e sem acesso livre à água, 1g de $NaHCO_3$/kg de PC em 4L de água e não encontraram qualquer diferença significativa no volume plasmático. A resposta, porém, é mais complicada, pois a alcalose, causada por 1g da dose/kg, provocou em ambos os estudos a hipercapnia e alguma hipoxemia por meio da compensação respiratória. Acredita-se que essa depressão ventilatória não tenha afetado a performance e foi provavelmente associada com o reduzido volume corrente por causa da tendência de uma ligação de 1:1 da freqüência respiratória com a distância. Mais ainda, a [H^+] intracelular pode ser trocada pelo K^+ extracelular, causando hipocalemia após a administração de *milk-shakes* de bicarbonato de sódio. Ambas as concentrações plasmáticas de K^+ e Ca^{2+} declinaram com a alcalose, de forma que as contrações dos músculos cardíaco e esquelético poderiam ser prejudicadas. Isso pode contribuir com o *flutter* diafragmático sincrônico e outros sinais, após o exercício.

Assim, dose ótima, método de administração e efeitos gerais do $NaHCO_3$ e da água devem ainda ser determinados. Todavia, alguns valores podem resultar do tratamento com 0,4g de $NaHCO_3$/kg de PC (em 1L de água), 2 a 4h antes dos galopes durando de 2 a 3 min.

Carbonato de Cálcio e Cloreto de Sódio

Frey *et al.* (2001) compararam quantidades isosmolares de bicarbonato de sódio (500mg/kg de PC) e carbonato de cálcio (595mg/kg de PC) com água e demonstraram que o carbonato de cálcio não teve efeito no pH ou no nível de bicarbonato [HCO_3^-] sangüíneos. Por outro lado, 488mg de acetato de sódio/kg de PC (pKa 4,8) produziram grau similar de alcalose metabólica que uma dose isocatiônica de 500mg de bicarbonato de sódio/kg de PC (pKa 6,1), quando administrados 3h antes de uma rápida milha (Frey *et al.*, 1999). Por comparação, foi previamente observado que o cloreto de sódio diminui o pH arterial sangüíneo, induzindo ligeira acidose (Hinchcliff *et al.*, 1993).

Carnosina

Uma abordagem mais clara para combater o aumento no [H^+] intracelular pode ser a alteração da concentração intracelular do tampão dipeptídeo imidazol, a carnosina (β-alanilistidina), e seu derivativo N^2-metil, a anserina. A carnosina contribui com 30% do tamponamento no músculo esquelético eqüino (Harris *et al.*, 1991a) e nas fibras do tipo IIb (predominantes no músculo eqüino) pode responder por até 50%, com uma concentração de 188mmol/kg de MS muscular (Sewell *et al.*, 1991a,b; Sewell, 1992b). Porém, os suplementos dietéticos de histidina não fornecem respostas convincentes quanto ao retardo da fadiga.

SUPLEMENTOS DE GORDURA E EXERCÍCIO

Os eqüinos que participam de percursos competitivos de longa distância requerem o uso efetivo das reservas corpóreas de gordura como fonte de energia para conservar as fontes de glicose, pois uma grave depressão na glicose sangüínea é indicação de fadiga. Óleos dietéticos de boa qualidade e triacilgliceróis de cadeia média (TCM) são utilizados da mesma forma (McCann *et al.*, 1987; Hollands e Cuddeford, 1992; Potter *et al.*, 1992b; Jackson *et al.*, 2001). Os TCM têm de 6 a 12 cadeias de carbono e são rapidamente absorvidos, seguidos pelo transporte portal para o fígado. São independentes das enzimas de transporte mitocondrial e, com o metabolismo hepático para formação de cetonas, são oxidados na presença de O_2. Porém, as gorduras vegetais são em geral mais prontamente digeridas do que as gorduras de fontes animais.

As gorduras fornecidas ao homem e aos eqüinos retardam de modo conveniente o esvaziamento gástrico dos carboidratos e assim melhoram a tolerância à glicose ao reduzirem o pico plasmático pós-refeição da resposta perante a glicose. As gorduras não estão sujeitas à fermentação microbiana e seu maior uso diminui os riscos de cólica e laminite e pode promover o catabolismo de gordura intramuscular e hepático, aumentando a performance em velocidades submáximas e intensas. Todavia, a taxa de *nova* síntese de ácidos graxos endógenos pode estar reduzida. Uma dieta suplementada com óleo de soja reduziu as concentrações plasmáticas de jejum de triacilgliceróis (Orme *et al.*, 1997; Geelen *et al.*, 2001).

978-85-7241-725-9

Os autores concluíram que, pelo menos em parte, isso foi causado por uma redução na síntese de ácidos graxos, indicado pelas atividades diminuídas de acetil-CoA carboxilase hepática (CAC, EC 6.4.1.2) e da ácido graxo sintase (AGS).

Trabalho no Texas com Quartos de Milha usados para provas de apartação mostrou que os benefícios de um suplemento de 10% de gordura são adaptativos e levam de três a quatro semanas para se materializarem (Julen *et al.*, 1995). Os suplementos de gordura podem retardar o declínio na glicose sangüínea durante as provas de resistência, acelerar a taxa de recuperação do pulso de repouso e as freqüências respiratórias (Hintz *et al.*, 1978a,b; White *et al.*, 1978) e promover a recuperação da glicose sangüínea de repouso, reduzindo o risco de lesões relacionadas à fadiga. Porém, também podem reduzir o consumo de concentrado e o total de alimentos dos eqüinos exercitados (Besancon *et al.*, 1999) e já foram abordados problemas práticos da adição de grandes quantidades de gordura na dieta.

A gordura produz menos CO_2/mol de ATP gerado, diminuindo o PCO_2 plasmático. Por isso, em relação aos efeitos de uma dieta de carboidratos, existe pequeno aumento no pH plasmático provocado por suplemento de gordura em eqüinos exercitados com diminuições na freqüência cardíaca, na $[H^+]$ plasmática e na concentração de lactato e, assim, um aumento na DIF venosa, com atraso na fadiga (Kennedy *et al.* 1987; Taylor *et al.*, 1999). O treinamento pesado (Hambleton *et al.*, 1980) e a suplementação com gordura com exercícios anaeróbicos (Pagan *et al.*, 1993b) e aeróbicos prolongados (Pagan *et al.*, 1987c) são acompanhados por uma elevação nos AGL plasmáticos, ao passo que os AGL do repouso são reduzidos pela suplementação (Harkins *et al.*, 1992). Assim, pode existir uma estimulação para β-oxidação, ou para mobilização e metabolismo de gorduras (Figs. 9.15 e 9.16), poupando glicose. Nessa forma, os triacilgliceróis não se acumulam no plasma (Kennedy *et al.*, 1999). Essas respostas resultam de aumentos na atividade da lipoproteína lípase muscular (LPL) e na produção de citrato, o qual inibe a fosfofrutocinase, uma das enzimas limitantes de velocidade da glicólise. Isso, por sua vez, resulta em acúmulo de glicose-6-fosfato, inibindo a fosforilação da glicose e poupando a oxidação da glicose.

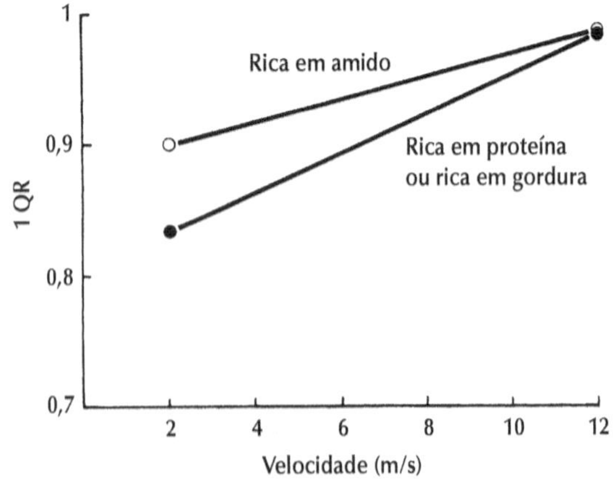

Figura 9.15 – Relação entre quociente respiratório (QR) e velocidade dos eqüinos recebendo dietas ricas em amido, em proteína ou em gordura. Na alta velocidade não existe diferença no QR porque a alta taxa de gasto de energia demanda a glicólise. Nas velocidades de baixa a média, a gordura e a proteína podem ser usadas (Frape, 1994).

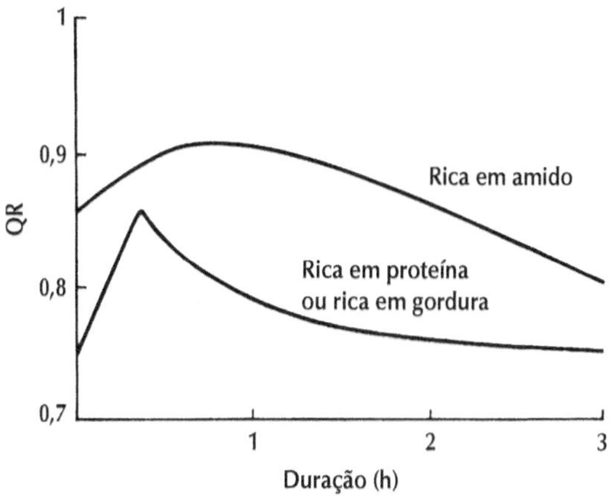

Figura 9.16 – Relação entre o quociente respiratório (QR) e o tempo durante o trabalho aeróbico (velocidade baixa a moderada, 4 a 6m/s) em eqüinos recebendo dietas ricas em amido, em gordura ou em proteínas. Nas dietas ricas em gordura e em proteínas, a mobilização de gordura se torna predominante mais cedo e por meio disso conserva o glicogênio muscular (Frape, 1994).

Evidências de Orme *et al.* (1997) e Geelen *et al.* (2001) indicaram que as atividades da carboxilase acetil-CoA hepática e ácido graxo sintetase foram reduzidas, ao passo que a suplementação de gordura aumentou as atividades da lípase total plasmática (seguido da administração de pentosanpolisulfato), citrato sintase muscular esquelética (EC 4.1.3.7) e carnitina palmitoiltransferase-I (EC 2.3.1.21). Os autores concluíram que o *clearance* plasmático pós-prandial de TAG foi promovido e o transporte de ácido graxo através da membrana interna das mitocôndrias e a capacidade oxidativa de músculos altamente aeróbicos foram aumentados pela alimentação com gordura. A adição de 100g de óleo de milho na dieta de eqüinos árabes treinados para corridas de curta distância (Taylor *et al.*, 1993, 1995) causou, na fadiga, maiores concentrações plasmáticas de glicose e lactato$^-$ (11 *versus* 8mEq/L), compensados por aumentos nas [Na^+] e [K^+] plasmáticas e por diminuições na [Cl^-] plasmática. Assim, a gordura aumentou a DIF, minimizou a redução no pH plasmático e pode reduzir o Ht em eqüinos exercitados em climas quentes, possivelmente indicando maiores reservas de água no líquido extracelular (Mathiason-Kochan *et al.*, 2001).

Três pontos para serem considerados em relação à suplementação de gordura são:

1. Lactato plasmático aumentado pode causar a fadiga independentemente de um efeito no pH plasmático.
2. O aumento no lactato em árabes é menor do que o observado em TB. Isso pode estar associado com a maior proporção de fibras musculares de contração lenta e oxidativas (tipo I) e maior atividade de enzimas oxidativas em árabes.
3. O maior aumento, após o exercício, no lactato plasmático (e na alanina, um precursor de piruvato e glicose) com a suplementação de gordura resulta possivelmente da velocidade acelerada da glicogenólise junto a uma redução na atividade do complexo da piruvato desidrogenase (PDH) e reduzida oxidação do piruvato. A PDH é um regulador-chave do metabolismo de gordura e carboidrato (ver Fig. 9.11). Pode haver de fato um efeito sinérgico do tratamento combinado com gordura e $NaHCO_3$, causando níveis

978-85-7241-725-9

Tabela 9.6 – Lactato ([Lac⁻]) sangüíneo durante corridas de curta distância em eqüinos adaptados tanto a uma dieta controle quanto a uma dieta rica em gordura e recebendo tanto água como $NaHCO_3$ antes do exercício (Ferrante *et al.*, 1994b).

	[Lac⁻] sangüíneo (mmol/L)
Controle/água	5,73 ± 0,12
Controle/$NaHCO_3$	6,26 ± 0,21
Gordura/água	7,01 ± 0,2
Gordura/ $NaHCO_3$	9,47 ± 0,32

ainda maiores de lactato plasmático (Tabela 9.6). Existe uma menor taxa de conversão de piruvato em acetil-CoA, pois a b-oxidação aumenta a produção de acetil-CoA. Porém, várias evidências em eqüinos correndo em uma velocidade constante indicam menor acúmulo de lactato plasmático com suplementos dietéticos de gordura (ver Tabela 9.9, adiante). Isso aponta para uma substituição da b-oxidação pela glicogenólise, conservando os estoques de glicogênio.

Durante as corridas de curta distância, a glicogenólise é requerida como fonte anaeróbica de alto poder para complementar a maior oxidação dos ácidos graxos, uma fonte de poder menor, em associação com a suplementação de gordura. Apesar do lactato plasmático poder estar aumentado, pode não haver diminuição significativa no pH plasmático, ou na DIF, se houver elevações nas concentrações plasmáticas de Na^+ e K^+ e redução na concentração plasmática de Cl^-.

978-85-7241-725-9

Incremento de Calor

A densidade energética aumentada e o resíduo intestinal diminuído, alcançados por meio dos suplementos dietéticos de gordura, poderiam ser características essenciais das gorduras (Hiney e Potter, 1996). Quando 10% de gordura substituíram o amido, a produção de calor caiu de 77% da ED disponível para 66% e a energia líquida (EL) disponível aumentou de 16% de ED para 36% durante o trabalho (Scott *et al.*, 1993), reduzindo o estresse térmico (McCann *et al.*, 1987), independentemente da gordura e da temperatura corpórea e do clima quente (Potter *et al.*, 1990). A produção de calor residual durante o exercício é muito grande. Aproximadamente 80% da energia estocada utilizada para o movimento são perdidos como calor. A redução na produção de calor obtida pela suplementação de gordura no homem reflete a fermentação microbiana reduzida no intestino posterior.

Glicogênio Muscular

Vários relatos não indicam qualquer diferença na concentração de glicogênio muscular no repouso entre dietas ricas em amido e ricas em gordura (Hintz *et al.*, 1978a; Pagan *et al.*, 1987a; Topliff *et al.*, 1987; Orme *et al.*, 1997). Tanto Pagan *et al.* (1987b) quanto Geelen *et al.* (2001), igualando o consumo de ED entre os tratamentos, e Greiwe-Crandell *et al.* (1989), provendo maiores consumos energéticos com suplementos de gordura, observaram menores concentrações. A maioria dos outros relatos descreve o glicogênio muscular aumentado no repouso (a concentração de glicogênio muscular pós-exercício pode não ser

Tabela 9.7 – Glicogênio muscular no repouso[1] quando afetado pela gordura dietética adicionada nas dietas de diferentes densidades energéticas, mas geralmente fornecidas aos eqüinos para igualar o consumo de energia digestível (ED) (Frape, 1994).

Gordura dietética adicionada (g/kg de dieta)	0	20-30	50-60	80-100	140-150	Erro padrão	Referência
Gordura animal	*Glicogênio muscular (mmol/kg de tecido úmido)*						
	81	-	-	78	-	-	Hintz *et al.*, 1978a
	94	-	109	143	-	10,5	Meyers *et al.*, 1989
	88	-	-	127	-	2,6	Oldham *et al.*, 1990
	93	-	-	145	-	2,1	Scott *et al.*, 1992
	Glicogênio muscular (mmol/kg de matéria seca)						
Óleo vegetal[2,3]	-	200	255	292	240	-	Hambleton *et al.*, 1980
	680	-	-	-	580	100	Pagan *et al.*, 1987a
	198	229	-	-	-	12	Harkins *et al.*, 1992

[1] Glúteo médio, bíceps femoral ou quadríceps femoral.

[2] Dieta com gordura substituiu as dietas fornecidas com grão de milho de diferentes densidades energéticas, mas consumos constantes diários de energia e proteínas.

[3] Dieta com gordura continha menos forrageira, mas mais gordura, amido e proteína e foi fornecida para prover iguais consumos de ED.

978-85-7241-725-9

maior quando a utilização do glicogênio for promovida pelo seu nível muscular maior) após a adição de gordura vegetal, ou animal, em aproximadamente 10% da dieta, para prover consumos iguais de ED ou energia metabolizável (EM) (Hambleton *et al.*, 1980; Meyer *et al.*, 1987, 1989; Oldman *et al.*, 1990; Harkins *et al.*, 1992; Jones *et al.*, 1992; Scott *et al.*, 1992; Julen *et al.*, 1995) (Tabela 9.7).

Os efeitos da gordura na capacidade de glicogênio hepático, que é de 10% daquela no músculo esquelético, são equívocos, pois aumentos (Hambleton *et al.*, 1980) e diminuições (Pagan *et al.*, 1987b) marginais são reportados. Apesar de as concentrações de gordura de até 20% da MS dietética serem usadas sem distúrbios digestivos, ou qualquer redução na utilização, os níveis de gordura dietética de 15% diminuíram o estoque de glicogênio em comparação com os controles.

Uma dieta claramente necessita conter amido suficiente a partir do qual a estocagem será originada. Meyer e Sallmann (1996) observaram que quando 2g de gordura/kg de PC por dia foram fornecidos, em torno de 0,4g de gordura/kg de PC foram transferidos para o intestino posterior, com risco potencial de distúrbios do metabolismo microbiano cecal. Assim, a concentração dietética ótima é de aproximadamente 100g/kg.

Quociente Respiratório

O quociente respiratório (QR) é a relação em temperatura e pressão padronizadas (TPP') do volume, ou moles, de CO_2 eliminado com o volume, ou moles, de O_2 utilizado na oxidação, isto é, CO_2/O_2 para carboidratos é igual a 1, para gordura é igual a aproximadamente 0,7 e para aminoácidos é igual a aproximadamente 0,85. O QR se eleva com o aumento da velocidade (Pagan *et al.*, 1987b), é reduzido pelo treinamento (Meyers *et al.*, 1987) e não é afetado pela gordura dietética (Meyers *et al.*, 1989) e nem reduzido por proteína ou gordura adicionais durante o exercício submáximo (Pagan *et al.*, 1987b) (Tabela 9.8; ver Figs. 9.15 e 9.16). Um QR menor implica em menor taxa de produção de CO_2.

Tabela 9.8 – Relação da gordura dietética adicionada com o quociente respiratório (QR) em eqüinos exercitados em esteira (Frape, 1984).

Velocidade (m/min)	Grau de inclinação (°)	Tempo (min)	Gordura dietética adicionada (g/kg da dieta) (erro padrão)				Referência
			0	*50*	*100*	*150*	
			QR	QR	QR	QR	
180	9	20	0,91	0,86	0,87	-	Meyers *et al.*, 1989
300	0	90	0,83 (0,012)	-	-	0,75 (0,022)	Pagan *et al.*, 1987b
360*	0	2	0,887 (0,019)	-	-	0,827 (0,038)	Pagan *et al.*, 1987b
480*	0	2	0,89 (0,031)	-	-	0,873 (0,03)	Pagan *et al.*, 1987b
600*	0	2	0,977 (0,027)	-	-	0,957 (0,043)	Pagan *et al.*, 1987b

* Teste de atividade realizado progressivamente.

978-85-7241-725-9

Uma PCO_2 reduzida pode moderar uma diminuição no pH sangüíneo (por meio da manutenção do equilíbrio de dissociação do ácido carbônico), assim compensando a fadiga. O QR está positivamente correlacionado às reservas de glicogênio muscular durante o exercício aeróbico moderado e declina conforme progride o exercício submáximo (Pagan *et al.*, 1987b) (ver Fig. 9.16), indicando uma economia de glicogênio. Estoques maiores de glicogênio, com a suplementação de gordura, aceleram sua taxa de mobilização durante o exercício anaeróbico (Oldham *et al.*, 1990; Jones *et al.*, 1992; Scott *et al.*, 1992; Julen *et al.*, 1995). Durante o exercício aeróbico com suplementos de gordura, foram relatadas, ainda, uma taxa menor (Greiwe-Crandell *et al.*, 1989), nenhuma diferença (Hintz *et al.*, 1978a) e uma perda marginalmente maior de glicogênio, com menores reservas iniciais (Pagan *et al.*, 1987b) (Figs. 9.17 e 9.18).

Não está esclarecido se a gordura poderia beneficiar em parte o exercício no qual o metabolismo aeróbico prolongado domina. A adaptação metabólica de uma dieta com gordura pode levar tanto quanto 6 a 11 semanas (Custalow *et al.*, 1993) e alguns estudos podem não ter fornecido tempo suficiente para isso, de forma que seus resultados dependeriam de detalhes experimentais e do temperamento do eqüino. A interpretação é complicada pela expressão de trabalho anaeróbico mais forte (Webb *et al.*, 1987a) e velocidade mais rápida, sem perda maior de glicogênio, em uma freqüência cardíaca constante (Oldham *et al.*, 1990) por eqüinos suplementados com gordura. Como a gordura produz energia somente pela oxidação, a mínima economia de glicogênio deve ser esperada durante o esforço máximo, quando seu valor é diferente daquele para conservação de glicogênio.

Glicose Sangüínea

Alguns pesquisadores reportaram concentrações de glicose sangüínea similares (Worth *et al.*, 1987) ou menores (Meyers *et al.*, 1989) com a gordura adicionada durante o exercício aeróbico, mas a maioria (Hintz *et al.*, 1978a; Hambleton *et al.*, 1980; Webb *et al.*, 1987a; Oldham *et al.*, 1990; Harkins *et al.*, 1992; Scott *et al.*, 1992; Custalow *et al.*, 1993) observou valores maiores durante e após o exercício de todos os tipos (ver Fig. 9.17 e Tabela 9.9), mesmo com o esforço físico aumentado (Webb *et al.*, 1987a; Harkins *et al.*, 1992).

Menores freqüências cardíacas e recuperação mais rápida das freqüências no repouso (Meyers *et al.*, 1987), menores concentrações de ácido láctico sangüíneo durante e depois

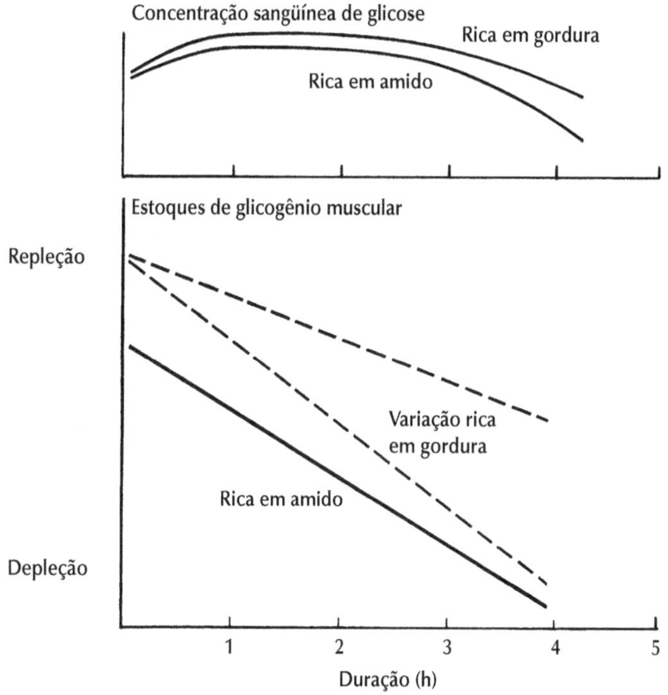

Figura 9.17 – Relações generalizadas, com o tempo, da concentração de glicose sangüínea e de glicogênio muscular nos eqüinos de gordura moderada durante o trabalho aeróbico prolongado (Frape, 1994).

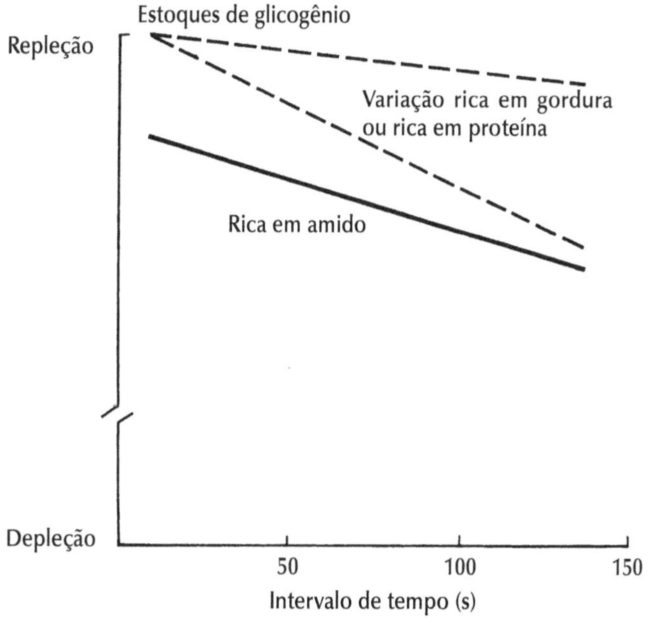

Figura 9.18 – Relações generalizadas entre os estoques de glicogênio e o intervalo de tempo durante o trabalho anaeróbico intenso (> 600m/min, > 190 batimentos/min) (Frape, 1994).

978-85-7241-725-9

Tabela 9.9 – Efeito da suplementação de gordura nas concentrações plasmáticas sangüíneas de lactato e glicose durante o exercício em velocidade constante (C) ou velocidade incontrolada (IC) e após o repouso pós-exercício. As informações variaram com as fontes usadas para cada comparação do controle de carboidratos com a gordura adicionada (Frape, 1994).

Gordura dietética adicionada (g/kg)	Lactato plasmático (mmol/L)		Glicose plasmática (mmol/L)		Referência
	Trabalho	*Repouso*	*Trabalho*	*Repouso*	
0 C	2,3	1,98	5,42	5,32	Hambleton *et al.*, 1980; Meyers *et al.*, 1987, 1989; Webb *et al.*, 1987a; Worth *et al.*, 1987.
100 C	1,89	1,47	4,93	5,23	
0 C	9,9	-	2,52	3,8	Pagan *et al.*, 1987c.
100 C	6,7	-	2,82	3,7	
0 IC	2,31	2,25	5,32	6,02	Hintz *et al.*,1978a; Harkins *et al.*, 1992
100 IC	2,12	2,09	6,11	6,25	
0 IC	15,79	2,76*	6,57	5,29*	Webb *et al.*, 1987a; Oldham *et al.*, 1990; Scott *et al.*, 1992.
100 IC	18,61	1,87*	7,05	6,02*	

* Informações de Webb *et al.* (1987a) somente.

978-85-7241-725-9

das provas do exercício padronizado (PEP) submáximo e extremo em eqüinos suplementados com gordura (Pagan *et al.*, 1987a,c; Webb *et al.*, 1987a; Meyers *et al.*, 1989; Pagan *et al.*, 1993b) (ver Tabela 9.9), menor velocidade (m/s) na qual o lactato venoso atingiu 4mmol/L (V_{LA4}) (Pagan *et al.*, 1993b) e limiar de velocidade do lactato (Custalow *et al.*, 1993) possivelmente refletiram um QR um pouco menor (ver Tabela 9.8 e Fig. 9.15), mas a ausência de algumas medidas maiores complica a avaliação da fadiga. Maiores valores de lactato durante alguns PEP de maior velocidade (Ferrante *et al.*, 1993; Taylor *et al.*, 1993) com gordura, em comparação com amido, podem representar uma tendência de curvas de resposta para passar nessas velocidades (Custalow *et al.*, 1993).

Os efeitos da proteína elevada no ácido láctico sangüíneo podem ser mais evidentes do que os da gordura elevada (Pagan *et al.*, 1987a,c). As observações em seres humanos indicam que as dietas ricas em proteínas/ricas em gordura aumentam a atividade da lipoproteína lípase (LPL) do músculo esquelético, ao passo que as dietas ricas em carboidratos reduzem essa atividade (Jacobs, 1981). Como a resposta da insulina a uma dieta de carboidratos excede a das dietas ricas em proteínas/ricas em gordura e como a insulina deprime a atividade muscular da LPL, a observação de Jacobs é compreensível. A geração aumentada de energia a partir da oxidação da gordura com as dietas ricas em gordura e ricas em proteínas pode ser decorrente dos efeitos combinados da hidrólise muscular aumentada da LPL sobre o TAG e o uso aumentado dos AGL plasmáticos (ver Figs. 9.16 e 9.17), causando as menores concentrações de lipídeos plasmáticos durante os PEP aeróbicos (Meyers *et al.*, 1987). Porém, nenhuma conclusão certa pode ser direcionada a partir das alterações nos valores de AGL do sangue venoso (Frape, 1993), mas sugere-se que as dietas ricas em gordura podem aumentar a atividade da LPL muscular (e possivelmente da TAG lípase), reduzindo de forma recíproca a atividade da LPL no tecido adiposo, ao contrário dos efeitos do amido (ver Fig. 9.11). Como a concentração plasmática de TAG tende a declinar

Quadro 9.3 – Conclusões provisórias dos efeitos das dietas ricas em gordura fornecidas aos eqüinos exercitados comparadas às dietas de concentração normal de gordura fornecendo quantidades similares de fibra dietética, proteína e energia digestível (ED), mas mais amido (Frape, 1994)

Vantagens

(1) Menor QR durante o exercício submáximo (promovendo o catabolismo de gordura), potencialmente estendendo a prova de resistência.

(2) Possível redução na atividade da LPL do tecido adiposo (EC 3.1.1.34) e aumento na atividade da LPL muscular.

(3) Aumento nos estoques de glicogênio muscular, mais energia glicolítica e possível retardo na exaustão de glicogênio durante o exercício aeróbico prolongado.

(4) Concentrações de glicose sangüínea aumentadas, ou mantidas, durante o exercício prolongado.

(5) Possível retardo do acúmulo de ácido láctico durante o exercício anaeróbico (acúmulo de ácido láctico é proporcional à velocidade de gasto de glicogênio, quando outras condições são constantes).

(6) Redução no preenchimento intestinal, o que pode beneficiar o trabalho em taxas maiores que 200 batimentos/min, mas pode comprometer a prova de resistência.

(7) Reduzida excitabilidade dos eqüinos de sangue quente e possível redução dos riscos de cólica e laminite em todos os tipos de eqüinos.

(8) Gorduras contêm lecitina, do que a colina é um componente, precursor da acetilcolina, um neurotransmissor. A alimentação com lecitina está associada com a reduzida excitabilidade.

Desvantagens

(1) Alto custo da gordura de elevado grau.

(2) Ampla disponibilidade da gordura de teor alimentar de baixa qualidade e dificuldade de avaliar a qualidade.

(3) Ausência de estabilidade de suplementos com muita gordura em alimentos mistos e problemas práticos de administração aos eqüinos.

(4) Recusa de dietas ricas em gordura ou atraso na aceitação de consumo equivalente, isto é, menor palatabilidade.

(5) Menor reserva de líquido do intestino grosso para os eventos de prova de resistência.

LPL = lipoproteína lípase; QR = quociente respiratório.

978-85-7241-725-9

com a suplementação, o aumento na atividade muscular de LPL parece exceder a redução recíproca na atividade de LPL do tecido adiposo.

Um aumento dietético tanto na proteína como na gordura normalmente resulta em amido reduzido, diminuindo "calor", ansiedade, freqüência cardíaca e excitabilidade. Gorduras mistas contêm lecitinas, de que um dos componentes é a colina. Holland *et al.* (1996) reportaram que o óleo vegetal, ou especialmente o óleo enriquecido com lecitina de soja adicional, reduziu a atividade espontânea e a excitabilidade dos eqüinos quando a dieta continha 100g desse óleo suplementar/kg. A colina é usada na síntese de acetilcolina, um neurotransmissor encontrado nas sinapses de nervos parassimpáticos e nos nervos voluntários para os músculos esqueléticos. As vantagens e desvantagens potenciais da gordura estão propostas no Quadro 9.3 (ver *Ácidos graxos poliinsaturados*, Cap. 5).

Ácidos Graxos Poliinsaturados e Substâncias Reativas ao Ácido 3-tiobarbitúrico

O ácido linoléico é um ácido graxo poliinsaturado (AGPI) essencial dietético. Os óleos, especialmente ricos em AGPI, não têm benefício notável para pôneis recebendo dieta deficiente em AGPI por sete meses (Sallmann *et al.*, 1992). Porém, o comprimento da cadeia, ou grau de insaturação, pode influenciar a resposta ao exercício (Pagan *et al.*, 1993b). Os AGPI nas membranas celulares são suscetíveis ao ataque, com a remoção de um átomo de H com seu elétron, deixando um radical sujeito ao ataque pelo O_2, produzindo radicais peróxido. As reações em cadeia, a quebra das membranas celulares e vários produtos que incluem o malonildialdeído (MDA), n-pentano e etano são conseqüências. O MDA pode ser mensurado por colorimetria com o ácido tiobarbitúrico (ATB). O exercício extremo promove aumento das substâncias reativas ao ácido tiobarbitúrico (SRATB) plasmático e do n-pentano respirado por quilograma de peso corpóreo (McMeniman e Hintz, 1992). Porém, o estresse peroxidativo do óleo de milho a 3% foi acomodado em pôneis recebendo 42UI de vitamina E/kg de MS dietética, por meio do aumento das atividades da glutationa peroxidase e superóxido dismutase e do aumento da concentração de ácido ascórbico, apesar das maiores SRATB musculares e independentemente da concentração de vitamina E.

REQUERIMENTOS DE PROTEÍNA NA DIETA E EXERCÍCIO

Vários pesquisadores demonstraram que a concentração de proteínas na dieta pode influenciar a capacidade de corrida nos eqüinos. Porém, estima-se que o catabolismo protéico responda por não mais que 5 a 15% da energia consumida durante o exercício, ainda que no trabalho prolongado (Rose *et al.*, 1980) e no exercício em estado pós-absortivo depois de refeições ricas em proteínas (Miller-Graber e Lawrence, 1988) a uréia plasmática esteja elevada. O NRC (1989) concluiu que os requerimentos de proteínas na dieta dos eqüinos são proporcionais aos de ED.

Assimilação de Proteínas

A assimilação de proteínas dos tecidos ocorre durante o trabalho após o repouso (Meyer, 1987), mas sua escala não é clara. Johnson *et al.* (1988) não detectaram qualquer aumento no equilíbrio de nitrogênio (N) de pôneis em exercício. Patterson *et al.* (1985) observaram que 1,9g de proteína digestível/kg de $PC^{0,75}$, equivalente a 5,5% da proteína dietética (proteína de soja e milho), foi adequado para o exercício intenso (em comparação a 7 e 8,5% de proteína dietética), conforme mensurado por proteína plasmática total, albumina e uréia N. Orton *et al.* (1985a) trotaram eqüinos em crescimento por 12km diariamente, a 12km/h, tanto com uma dieta de 12 a 14% quanto com uma de 6 a 8% de proteína. O exercício aumentou o consumo de alimento e proteína e conseqüentemente a taxa de crescimento dos eqüinos na dieta de baixa proteína para igualar aqueles recebendo mais proteína. O maior apetite forneceu proteína, excedente aos requerimentos de exercício, utilizada para o crescimento. Em uma pesquisa de TB de corrida, Glade (1983a) observou que o consumo protéico (confundido com o consumo de ED) correlacionou-se positivamente ao tempo para o término, implicando que o excesso de proteína deprimiu a velocidade. Concluiu-se que existe pouca justificativa para o maior aumento do consumo diário de proteínas para eqüinos exercitados para se atingir algum aumento putativo no requerimento crônico.

Porém, a relação entre a proteína na dieta e a performance extrema está longe de ser esclarecida. Apesar da aparentemente elevada estimativa do NRC (1989), o consumo real é ainda maior. Excessos de 56% acima das estimativas entre os *Standardbred* americanos de corrida (Gallagher *et al.*, 1992a) e de 21% para TB de corrida (Gallagher *et al.*, 1992b) podem refletir o conteúdo protéico natural de alimentos ricos em energia palatáveis. O QR

978-85-7241-725-9

978-85-7241-725-9

foi menor nos eqüinos recebendo dieta rica em proteína, em comparação ao controle, e exercitados em altas velocidades (Pagan *et al.*, 1987b), implicando em estímulo ao metabolismo de proteínas ou gordura no estado pós-absortivo (ver Fig. 9.15), aumentando a produção de uréia (Frank *et al.*, 1987) e a necessidade de água. À parte essa necessidade aumentada, Hintz *et al.* (1980) não observaram qualquer efeito protéico deletério nos eqüinos durante percursos de distância, em que a desidratação causa fadiga. Miller-Graber e Lawrence (1988) registraram maior uréia N plasmática 16 a 19h após uma refeição de 18,5%, em comparação a 12,9%, de proteína durante 15min de trabalho a 170 a 180 batimentos/min; mas o NH_3 plasmático aumentou na mesma extensão em ambos os grupos, a concentração de lactato jugular aumentou menos, a elevação na glutamina plasmática foi marginalmente menor e a da alanina plasmática significativamente menor no grupo rico em proteínas ($P < 0,05$). Outros também observaram menores concentrações plasmáticas de ácido láctico durante o exercício intenso (Pagan *et al.*, 1987b,c) e o menos intenso (Frank *et al.*, 1987) com dietas ricas em proteínas (24,6 e 20% *versus* 14,6 e 10% de proteína, respectivamente), diminuindo a freqüência cardíaca e o catabolismo de glicogênio em alta velocidade (Pagan *et al.*, 1987b). A elevada proteína reduziu o aumento pós-exercício no NH_3 plasmático somente nos eqüinos destreinados (Frank *et al.*, 1987) e não treinados (Miller-Graber e Lawrence, 1988). As observações no jejum podem ter excluído um efeito adverso do excesso protéico. Assim, Miller-Graber *et al.* (1991) realizaram o teste 3 a 4h após uma refeição, em que 9%, em comparação a 18,5%, de proteína dietética não apresentaram conseqüências para o uso hepático ou intramuscular de glicogênio, ou para a concentração de lactato sangüíneo venoso. Todavia, 5min após o exercício, a relação de lactato com piruvato sangüíneo venoso foi maior com a dieta de 9%, possivelmente indicando maior atividade da piruvato desidrogenase (EC 1.2.4.1) ou reduzida relação NADH:NAD, com aquela dieta.

Concluiu-se que as dietas ricas em proteína, acima da necessidade do equilíbrio de N, podem conferir algumas vantagens metabólicas para os eqüinos em atividade (Quadro 9.4 e ver Figs. 9.11, 9.15, 9.16 e 9.18). Todavia, a proteína em excesso é oxidada, resultando na produção de uréia, calor e ácido. Graham-Thiers *et al.* (2001) compararam as dietas contendo 7,5% e 12% de proteínas, mas como um EDCA similar (mEq/kg, Na + K – Cl – S). No repouso, a dieta com mais proteína causou menor pH do sangue, decorrente de uma diferença na DIF ($Na^+ + K^+ - Cl^- -$ lactato$^-$). O exercício e uma dieta rica em

Quadro 9.4 – Algumas respostas metabólicas de eqüinos exercitados, destreinados, ao consumo dietético de proteína bem acima do equilíbrio de N, em comparação às respostas no equilíbrio aproximado de N com dietas fornecendo quantidades similares de amido

- Aumento na concentração sangüínea de uréia.
- Diminuição na concentração sangüínea venosa de amônia após o exercício.
- Diminuição no QR durante o exercício aeróbico.
- No intervalo de 240 a 600m/min:
  - Diminuição na concentração sangüínea venosa de lactato.
  - Diminuição na concentração hepática de lactato.
  - Diminuição na relação sangüínea venosa de lactato:piruvato.

QR = quociente respiratório.

proteína podem contribuir com a acidose e tal dieta pode comprometer o equilíbrio ácido-base durante o exercício, em adição à criação de calor residual adicional. Mais ainda, a produção de uréia aumentada no estábulo poderia aumentar a amônia ambiental, contribuindo com o estresse respiratório (é de interesse corrente que as bebidas com glutamina, ingeridas após o exercício por atletas humanos de longas distâncias, reduzam a freqüência de infecções respiratórias; a razão parece ser que durante o esforço extremo as fontes de glutamina são depletadas e a glutamina é um importante combustível para o funcionamento do sistema imune – as possibilidades em eqüinos não foram examinadas, até o conhecimento do autor).

Aminoácidos Específicos

Existe um aumento na lisina e na fenilalanina livres plasmáticas após o exercício. Como esses aminoácidos não são normalmente catabolizados em energia, seu aumento indica elevação no catabolismo de proteínas líquidas durante o exercício. Mesmo assim, uma dieta com 7,5% de proteínas suplementada com 5g/kg de lisina e 3g/kg de treonina, em comparação a uma dieta de 14% de proteínas (dietas com pouca ou muita proteína continham totais de 6,1g e 6,9g de L-lisina e 5,2 e 5,9g de L-treonina por quilograma, respectivamente), causou níveis menores de uréia e ácido úrico plasmático e urinário, níveis similares de albumina plasmática e moderada resposta ácido-base às corridas de curta distância em comparação aos efeitos de uma dieta rica para árabes se exercitando (Graham-Thiers *et al.*, 1999, 2000). Concentrações maiores de creatinina plasmática com dieta mais pobre em proteína indicaram aos autores que o suplemento de aminoácidos pode ter sustentado um crescimento muscular adicional. A valina e a isoleucina são glicogênicas e prontamente oxidadas para proverem energia. Suplementos, incluindo aqueles de aminoácidos de cadeia ramificada, resultaram em menor acúmulo de lactato plasmático e menores freqüências cardíacas quando fornecidos 30min antes do exercício.

978-85-7241-725-9

MÉTODOS DE ALIMENTAÇÃO

Seqüência de Alimentação, Utilização de Proteínas e Aminoácidos Plasmáticos

A digestibilidade verdadeira da proteína no intestino delgado do eqüino varia de 45 a 80%. Durante as elevadas taxas de consumo protéico, mais será degradado em NH_3 no intestino grosso. A utilização disso pelas bactérias intestinais é de 80 a 100% (Potter *et al.*, 1992c). Consumos protéicos excessivos precisam inevitavelmente aumentar a queima do N não utilizado tanto na forma de N inorgânico quanto como proteína bacteriana não usável. Essa queima é influenciada pela seqüência de alimentação. A provisão de um alimento concentrado 2h após a forrageira, em comparação a alimentos simultâneos, causou maiores níveis de aminoácidos plasmáticos livres e particularmente essenciais 6 e 9h depois, respectivamente (Cabrera *et al.*, 1992), indicando o valor nutricional melhorado derivado do atraso do concentrado. A uréia plasmática não aumentou com essa alimentação separada, mas elevou-se de forma contínua por 9h após a alimentação misturada, sugerindo que havia maior fluxo cecal da ingesta.

Proteína e Produção de Calor

Belko *et al.* (1986) observaram que o efeito térmico do alimento em homens exercitados aumentou com o conteúdo protéico 150 a 270min após a refeição. Nenhuma mensuração similar de produção de calor em eqüinos está disponível, apesar de Frank *et al.* (1987) não terem mensurado qualquer diferença na taxa de calor ou de temperatura corpórea entre os eqüinos treinados com dietas contendo 10% e 20% de proteínas. Porém, a seqüência de alimentação referida anteriormente pode influenciar a produção de calor, pois a desaminação e a síntese de uréia estão associadas com o calor adicional produzido. A quantidade ótima e a prática preferida de alimentação para a proteína dietética não são, assim, estabelecidas, mas o ótimo para ambas pode existir tanto para o exercício intenso quanto para o prolongado. Evidência francesa (Cabrera *et al.*, 1992) sugeriria que a seqüência de alimentação deve ser reversa à prática normal. A criação aperfeiçoada pode permitir a obtenção dos efeitos máximos sem a queima dos produtos de degradação de aminoácidos. A desaminação de AMP é claramente evidente durante o exercício máximo breve (Miller-Graber *et al.*, 1987) (ver Fig. 9.11). A alanina é o principal veículo para mover o NH_3 dos músculos para o fígado, mas ainda não foi definitivamente estabelecido se isso é estimulado pela proteína extra fornecida durante o repouso.

Processamento de Cereais e Digestão Pré-cecal

A extensão na qual o amido dos cereais fornece glicose, ou AGV, depende de sua digestibilidade pré-cecal e mesmo pré-ileal. Kienzle *et al.* (1992) reportaram que a digestibilidade pré-ileal do amido da aveia foi maior que a do amido de milho, com semelhantes graus de processamento. A moagem do grão inteiro causou maior digestibilidade pré-ileal (%), totalizando 98,1% para a aveia e 70,6% para o milho, ao passo que a laminação, ou quebra, causou um efeito menor (aveia inteira: 83,5%; aveia laminada: 85,2%; milho inteiro: 28,95%; milho quebrado: 29,9%). A gelatinização do amido melhora sua digestão no intestino delgado, mas somente em taxas moderadas, ou elevadas, de consumo. Em baixas taxas (menores que 0,4% de peso corpóreo por refeição), a maioria das fontes de amido é digerida no intestino delgado (Potter *et al.*, 1992a). Assim, os produtos finais, o preenchimento intestinal e possivelmente o ótimo intervalo de tempo entre alimentação e exercício são todos influenciados. Uma modificação nas proporções de ácidos graxos para glicose nos produtos finais, que podem ser influenciadas pelo processamento, modularia a performance de exercício (Frape, 1994).

"Aquecimento" e Incremento de Calor do Alimento

No Capítulo 6, delineou-se o fenômeno do calor residual gerado durante a digestão e o metabolismo de alimentos e neste capítulo um mecanismo perante os efeitos de "aquecimento" de certos alimentos foi exemplificado anteriormente (*Suplementos de gordura e exercício*). Vários treinadores e tratadores são relutantes em usar cereais ricos em energia, tais como milho e cevada, por causa dos riscos alegados em sua conexão. Porém, a explicação aqui torna claro que nos casos em que alimentos alternativos forem administrados em velocidades que forneçam a mesma quantidade de energia líquida, os cereais ricos em energia irão gerar *menos* do que *mais* calor *total* por um período de 12h ou mais. As mensurações em pôneis de pólo mantidos em um peso corpóreo constante sustentam a

978-85-7241-725-9

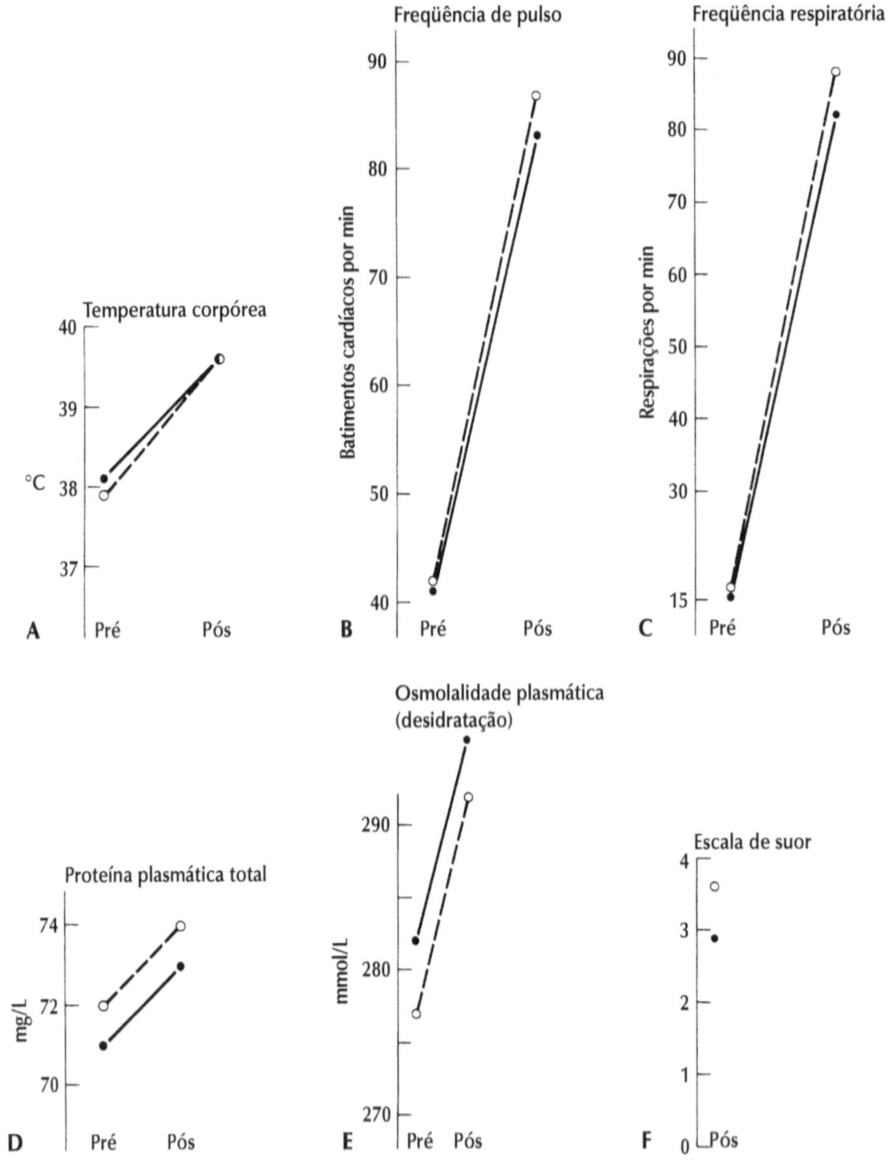

Figura 9.19 – (*A* – *F*) Valores pré e pós-exercício para pôneis de pólo recebendo 6,8kg de feno de alfafa mais 3,2kg de milho (•) ou 8,2kg de feno de timótio mais 4kg de aveia (○) (continuamente por períodos de quatro semanas de experimento reverso para manter um peso corpóreo constante (Wiltsie e Hintz em Hintz, 1983).

978-85-7241-725-9

conclusão de que alimentos ricos em energia não necessariamente exacerbam um efeito de aquecimento do alimento, mas a temperatura e a taxa metabólica corpóreas aumentam após a alimentação (Fig. 9.19). Os pôneis receberam quantidades aproximadamente iguais de energia líquida tanto de milho e feno de alfafa quanto de aveia e feno de timótio. Não foi observada qualquer diferença significativa em resposta decorrente da dieta, tanto antes como depois do exercício (Wiltsie e Hintz, 1983). Se houve alguma, foi que os animais alimentados com milho "aqueceram-se" menos. Os alimentos ricos em energia podem possuir outras vantagens para os eqüinos de corridas de curta distância – por exemplo, causando menos preenchimento intestinal, ou peso não funcional. Nos casos em que se originaram problemas desnecessários de "aquecimento", isso se deu em parte como conseqüência da ausência de apreciação das diferenças entre os grãos cereais em seu conteúdo de energia e densidade de volume descritos no Capítulo 5 e quantificados na Tabela 5.5. A cocção do amido dos cereais pode reduzir o "aquecimento" prolongado ao promover a digestão, conseqüentemente diminuindo a fermentação microbiana.

Ao contrário da produção de calor *total*, a *taxa* de fermentação e de calor desenvolvido a partir do amido indigestível e "derramado" é mais rápida que a das fibras e um aumento na taxa metabólica é causado pelo maior pico do nível de glicose sangüínea obtido pelo amido digestível dos cereais, em comparação às forrageiras. Isso também eleva a velocidade de produção de calor. O aumento na taxa de produção de calor metabólico é a principal causa de incremento de calor de alimentos em seres humanos e é maior com os alimentos produzindo grandes respostas de glicose e insulina e estoque aumentado de glicose como glicogênio. Essas taxas podem ser controladas em uma extensão considerável por meio de quantidades de alimentos e da forma como são apresentados (ver Caps. 5 e 6). O elevado "aquecimento" é de duração menor que o do incremento de calor total atribuído a um alimento e seus efeitos devem ter passado antes dos eqüinos serem submetidos ao esforço extremo, digamos 5h depois, que se segue aos alimentos pequenos.

978-85-7241-725-9

Preenchimento e Velocidade Intestinal

O processamento das forrageiras pode acelerar a velocidade de passagem e reduzir o preenchimento intestinal, mas diminui a utilização do intestino posterior (Wolter *et al.*, 1975, 1977, 1978). A extensão pela qual o alimento é fermentado influenciará o peso da ingesta. Slade (1987) mensurou a velocidade de eqüinos Quarto de Milha galopando a 19,6m/s (44mph) por 137 ou 229m a partir da linha de largada. As velocidades diferiram de acordo com a digestibilidade dos alimentos, conforme refletido pelas diferenças no preenchimento intestinal.

Alimentação antes das Provas de Resistência

Meyer (1987) concluiu que os eqüinos de enduro (comparados aos eqüinos de provas de curta distância) devem ser alimentados com maiores quantidades de forrageiras (6 a 8kg/dia) para dilatar o volume do intestino grosso, aumentando as reservas de água e de eletrólitos. Forrageiras de qualidade inferior devem ser evitadas, pois causam maior concentração plasmática de lactato pós-exercício e hipoglicemia mais extrema do que as forrageiras de boa qualidade. Warren *et al.* (2001) forneceram alimento à noite, tanto rico em fibra (54% de fibra em detergente neutro [FDN], 31% de fibra em detergente ácido [FDA]), causando maior volume do trato gastrointestinal, quanto pobre em fibra (31% de FDN, 19% de FDA). O alimento pela manhã foi negado e o subseqüente exercício com desidratação causou maior perda de líquido extracelular com o alimento rico em fibra. Porém, o declínio no volume plasmático foi similar em ambos os casos, indicando aos autores que o líquido extra no trato gastrointestinal com o alimento rico em fibra pode ter reposto as perdas circulatórias de forma mais eficiente.

O máximo aumento pós-prandial no volume cecal é de 8 a 14kg/kg de MS ingerida, dependendo do conteúdo de fibra, com 130 a 135mmol de Na/L de fluxo a partir do íleo. O conteúdo médio de Na do intestino grosso é de 40mmol/L. Meyer (1987) concluiu a partir de evidência prévia (Meyer *et al.*, 1982a) que o eqüino deve ser alimentado pelo menos 5h antes de uma prova de enduro, dependendo da seqüência de alimentação (ver *Seqüência de alimentação, utilização de proteínas e aminoácidos plasmáticos*, anteriormente), pois a maioria dos resíduos deverá ter passado pelo orifício ileocecal. Meyer (1987) comparou duas rações: uma continha 2kg de concentrados e 3kg de feno, fornecendo 11,5g de Na e 80g de K; a outra continha 2kg de aveias, fornecendo 1g de Na e 10g de K. Quatro horas após a refeição, a retenção de água, Na e K era, respectivamente, de 5,8kg, 9,3g e 48g para a primeira ração e 0,6kg, 0,2g e 1g para a segunda. Concordando com Meyer, Ralston (1988) observou que os eqüinos falhando em completarem corridas de 160km receberam misturas contendo menos feno e mais grãos e foram treinados para distâncias maiores a cada semana (83 em comparação a 61km). O consumo energético por quilômetro treinado foi menor naqueles que falharam. Alguns exemplos de forrageiras contêm K excessivo, o que pode estimular a diurese e assim a perda de água.

As soluções de glicose fornecidas antes do exercício prolongado poderiam aumentar a taxa de degradação do glicogênio, por meio da reduzida mobilização de ácidos graxos induzida pelo efeito antilipolítico da elevada insulina plasmática. A glicose fornecida durante o exercício pesado não estimula a secreção de insulina, mas a hiperinsulinemia é prolongada em TB após a refeição (Stull *et al.*, 1987; Frape, 1989), período que pode ser crítico antes do exercício prolongado. Pôneis que receberam líquido provendo 5,4MJ de ED após o exercício, diariamente, exibiram menores freqüências cardíacas e concentrações sangüíneas de lactato durante e após o exercício subseqüente (Lindner *et al.*, 1991).

Alimentação antes das Corridas de Curta Distância

Para as corridas curtas, ao contrário, existe alguma justificativa para rações concentradas *leves* 4 a 5h antes do início, apesar do período ser bem crucial, pois a corrida não deve coincidir com a elevada insulina plasmática. Uma grande refeição deve estender o tempo no qual a insulina plasmática fica elevada e o consumo de forragens deve ser estritamente limitado. Rice *et al.* (2001) condicionaram eqüinos TB a 10,1kg (*ad libitum*) ou 4,3kg (restrito) de feno de gramíneas durante três dias antes do exercício intenso (alimento e água foram removidos 4h antes do exercício), período depois do qual a restrição reduziu o peso corpóreo em 2%. O VO_2 massa-específico foi maior e o déficit de O_2 acumulado e o pico de lactato plasmático foram menores no grupo com restrições, sugerindo menor fadiga. Os fatores influenciando o intervalo ótimo entre uma refeição e o exercício estão resumidos no Quadro 9.5.

978-85-7241-725-9

Atingindo o Aumento nas Necessidades Energéticas

A composição do alimento e do treinamento antes das corridas pode levar de 8 a 12 semanas. No caso de eqüinos de evento, uma típica composição pode começar com 5kg de alimento concentrado diariamente e terminar com 8 a 8,5kg dois meses depois. A ração deve ser distribuída entre quatro refeições diárias e o feno, um terço do qual deve ser fornecido pela manhã e dois terços ao final da tarde, deve ser reduzido a 3,5 a 4kg/dia para um eqüino de tamanho médio durante a parte final do treinamento (a seqüência ótima de concentrado e

978-85-7241-725-9

Quadro 9.5 – Fatores influenciando o intervalo ótimo entre a última refeição e o exercício subseqüente

- Peso da ingesta
  - Tamanho da refeição
  - Velocidade de passagem
    - Proporção de forrageiras
    - Grau de moagem das forrageiras
- Equilíbrio dietético cátion:ânion
  - ~250mEq/kg, 3 a 4h antes da corrida de curta distância
- Potencial para produção de glicose ou AGV
  - Digestibilidade do amido
    - Insulinemia
    - Volume do intestino posterior e retenção de líquidos/eletrólitos
  - Fermentação da fibra
    - Volume do intestino posterior e retenção de líquidos/eletrólitos

Conclusões

- Tipo de refeição: mais forrageiras para o exercício aeróbico do que para o anaeróbico.
- Intervalo ótimo: curta distância, 3 a 7h; exercício aeróbico prolongado, 5 a 8h.

AGV = ácidos graxos voláteis.

feno pode ser diferente nos últimos dias antes de um evento, como indicado em *Seqüência de alimentação, utilização de proteínas e aminoácidos plasmáticos*, anteriormente). O treinamento prolongado e intensivo para adestramento (Fig. 9.20) enfatiza a atitude mental e o estado de alerta, mas é igualmente importante para se obter o nível correto de consumo

Figura 9.20 – Wily Trout, um macho castrado de 16 anos de idade montado por Chris Bartle, e Pinocchio, um eqüino de 15 anos de idade montado por Jane Bartle, em *"Passage"*, durante treinamento de adestramento para os Jogos Olímpicos de 1984.

energético em cada refeição e no total. Especula-se que os suplementos de lecitina possam ajudar com a serenidade mental dos eqüinos de adestramento, como pode ser indicado pelas observações de Holland *et al.* (1996).

Ofertas de Alimentos e Intensidade de Trabalho

Em todos os casos, o consumo de alimento deve ser aumentado conforme cresce a taxa de trabalho e os alimentos concentrados devem ser seriamente restritos se essa taxa for reduzida por qualquer razão, seja a duração curta ou mais longa. Nos dias de repouso, um eqüino que normalmente receberia 8kg de concentrados deve, então, receber um máximo de 4kg distribuídos em três refeições, mas com oferta maior de feno de até 5 a 5,5kg para um eqüino de tamanho médio.

Tanto a subalimentação quanto o seu excesso causam performance inferior. Um eqüino não deve ser alimentado na tentativa de torná-lo forte com reservas para eventos futuros, mas ao invés disso as taxas de alimentação devem ser compatíveis com as necessidades imediatas. O excesso de alimentação criará gordura, a qual geralmente provoca maior ônus ao coração e ao eqüino e interfere com a dissipação de calor. A síntese de gordura a partir do excesso de carboidrato, de proteína e de gordura dietética não estimula as enzimas que participam da quebra da gordura, tão necessárias durante o trabalho. Além disso, o excesso de alimentação pode causar edema de membros, urticárias (aumentos de volume sob a pele), formas de cólica, laminite, miopatia pelo esforço e superaquecimento generalizado.

O alimento concentrado deve ser fornecido em um mínimo de três refeições por dia, com algum feno, muita água e suplementos de sais disponíveis, pela manhã, à tarde e com muito feno à noite. Vários eqüinos em treinamento não obtêm suficiente sal por meio de lambidas, dificultando o progresso, recomendando-se uma fonte alimentar que forneça 60g diariamente.

978-85-7241-725-9

Consumo de Alimento na Prática

As observações tanto nos Estados Unidos como no Reino Unido mostram que os eqüinos correndo em pista plana a partir dos dois anos de idade e pesando 470 a 530kg consomem diariamente 13 a 18,5kg de alimento total, respondendo por 2,7 a 3,7% do peso corpóreo (Mullen *et al.*, 1979; Hintz e Meakins, 1981; Glade, 1983a; D. Frape, informações não publicadas). Desses, os concentrados com cereais, grânulos, farelo e linhaça, por exemplo, somam 30 a 60% da ração. Em um estudo árabe com 171 eqüinos (Glade, 1983a), os concentrados forneceram 43 a 59% de ED e 39 a 64% de proteína bruta (PB) da ração total. Mais ainda, a ração total proveu 163MJ de ED/500kg de PC e 1.686g de PB [129% do requerimento mínimo estimado do NRC (1989)]. No Reino Unido, as taxas diárias de consumo protéico entre eqüinos de pista e National Hunt somaram entre 1.000 e 1.400g/dia (mensurações do autor). Esses cálculos estão bem abaixo da média dos eqüinos americanos, largamente como resultados do menor conteúdo protéico dos fenos de eqüinos produzidos no Reino Unido. Recentemente, Respondek *et al.* (2003) compararam os regimes alimentares de 29 estábulos franceses com os publicados por estábulos semelhantes nos Estados Unidos e na Austrália (Tabela 9.10). Muito menos feno oferecido na Austrália do que nos outros dois países.

O Apêndice B fornece os exemplos de erros de composição da dieta encontrados pelo autor na prática.

Tabela 9.10 – Consumo médio diário de concentrado e forrageira por eqüinos *Thoroughbred* (TB), *Standardbred* (SB) e *French Trotter* (FT) registrados por estábulos comerciais na França, na Austrália e nos Estados Unidos (Respondek *et al.*, 2003).

	kg de MS total/dia, para cada 100kg de PC	kg de MS de concentrado/dia	kg de MS de feno/dia
TB, 448kg de PC			
França, Respondek *et al.* (2003)	3	7,6	7,4
Austrália, Southwood (1993a)	2,2	7,8	3,3
Estados Unidos, Gallagher (1992)	2,4	5,6	6,6
SB ou FT, 447kg de PC			
França, Respondek *et al.* (2003)	2,5	6,8	6
Austrália, Southwood (1993a)	2,7	7,7	4,1
Estados Unidos, Gallagher (1992)	3,2	5,1	9,3

MS = matéria seca; PC = peso corpóreo.

Transporte

O método e a extensão do transporte dos eqüinos antes dos eventos poderiam ser cruciais para sua subseqüente performance. Existe, todavia, pouca evidência publicada sobre isso. Van der Berg *et al.* (1998) mostraram que éguas TB transportadas por 600km por 8h na África do Sul não beberam, mas comeram, durante o transporte e que o consumo de potássio foi diminuído, de forma que os equilíbrios de água e de eletrólitos foram afetados. O estresse do transporte em eqüinos adultos por jornadas tão pequenas quanto 2h na França (Goachet *et al.*, 2003) e 24h na Califórnia (Stull *et al.*, 2003) causou de forma variada aumentos na contagem de células brancas do sangue, na relação neutrófilo:linfócito, no cortisol sangüíneo, na freqüência cardíaca, na temperatura retal, no conteúdo de umidade fecal e no peso das fezes produzidas. Portanto, um esforço continuado precisa ser feito para reduzir esse estresse.

978-85-7241-725-9

QUESTÕES PARA ESTUDO

1. Como você alimentaria um eqüino 96h antes
   (a) de uma prova de curta distância?
   (b) de um evento de adestramento?
   (c) de um evento de longa distância?
2. Como deve ser manejado um eqüino com fadiga?
3. Como você introduziria um alimento suplementado com gordura em um estábulo de eqüinos em atividade?

LEITURA COMPLEMENTAR

Baker, L. A., Topliff, D. R., Freeman, D. W., Telter, R. G. & Breazile, J. W. (1992) Effect of dietary cation-anion balance on acid-base status in horses. *Journal of Equine Veterinary Science,* **12**, 160-3.

Corbally, A. F. (1995) *The contribution of the sport horse industry to the Irish economy.* MEqS thesis, Faculty of Agriculture, National University of Ireland, Dublin.

Custalow, S. E., Ferrante, P. L., Taylor, L. E., *et al.* (1993) Lactate and glucose responses to exercise in the horse are affected by training and dietary fat. *Proceedings of the 13th Equine Nutrition and Physiology Society,* University of Florida, Gainesville, 21-23 January 1993, No. **504**, 179-84.

Duren, S. E., Manohar, M., Sikkes, B., Jackson, S. & Baker, J. (1992) Influence of feeding and exercise on the distribution of intestinal and muscle blood flow in ponies. *First Europäische Konferenz über die Ernährung des Pferdes,* Institut für Tierernahrüng, Tierärzliche Hochschule, Hannover, 3-4 September 1992, pp. 24-8.

Ferrante, P. L., Taylor, L. E., Meacham, T. N., Kronfeld, D. S. & Tiegs, W. (1993) Evaluation of acid-base status and strong ion difference (SID) in exercising horses. *Proceedings of the 13th Equine Nutrition and Physiology Society,* University of Florida, Gainesville, 21-23 January 1993, No. **504**, 123-4.

Foster, C. V. L. & Harris, R. C. (1992) Total carnitine content of the middle gluteal muscle of Thoroughbred horses: normal values, variability and effect of acute exercise. *Equine Veterinary Journal,* **24**, 52-7.

Frape, D. L. (1989) Nutrition and the growth and racing performance of thoroughbred horses. *Proceedings of the Nutrition Society,* **48**, 141-52.

Frape, D. L. (1994) Diet and exercise performance in the horse. *Proceedings of the Nutrition Society,* **53**, 189-206.

Gallagher, K., Leech, J. & Stowe, H. (1992a) Protein energy and dry-matter consumption by racing Standardbreds: a field survey. *Journal of Equine Veterinary Science,* **12**, 382-8.

Gallagher, K., Leech, J. & Stowe, H. (1992b) Protein energy and dry matter consumption by racing. Thoroughbreds: a field survey. *Journal of Equine Veterinary Science,* **12**, 43-8.

Greenhaff, P. L., Hanak, I., Harris, R. C., *et al.* (1991) Metabolic alkalosis and exercise performance in the thoroughbred horse. *Equine Exercise Physiology,* **3**, 353-60.

Greenhaff, P. L., Harris, R. C. & Snow, D. H. (1990) The effect of sodium bicarbonate ($NaHCO_3$) administration upon exercise metabolism in the thoroughbred horse. *Journal of Physiology,* **420**, 69P.

Greenhaff, P. L., Harris, R. C., Snow, D. H., Sewell, D. A. & Dunnett, M. (1991) The influence of metabolic alkalosis upon exercise metabolism in the thoroughbred horse. *European Journal of Applied Physiology,* **63**, 129-34.

Greenhaff, P. L., Snow, D. H., Harris, R. C. & Roberts, C. A. (1990) Bicarbonate loading in the Thoroughbred: dose, method of administration and acid-base changes. *Equine Veterinary Journal, Suppl.* **9**, 83-5.

Hambleton, P. L., Slade, L. M., Hamar, D. W., Kienholz, E. W. & Lewis, L. D. (1980) Dietary fat and exercise conditioning effect on metabolic parameters in the horse. *Journal of Animal Science,* **51**, 1330-39.

Harkins, J. D. & Kamerling, S. G. (1992) Effects of induced alkalosis on performance in thoroughbreds during a 1600-m race. *Equine Veterinary Journal,* **24**, 94-8.

Harkins, J. D., Morris, G. S., Tulley, R. T., Nelson, A. G. & Kamerling, S. G. (1992) Effect of added dietary fat on racing performance in thoroughbred horses. *Journal of Equine Veterinary Science,* **12**, 123-9.

Harris, P. & Snow, D. H. (1988) The effects of high intensity exercise on the plasma concentration of lactate, potassium and other electrolytes. *Equine Veterinary Journal,* **20**, 109-13.

Harris, P. & Snow, D. H. (1992) Plasma potassium and lactate concentrations in thoroughbred horses during exercise of varying intensity. *Equine Veterinary Journal,* **24**, 220-25.

Harris, R. C. & Hultman, E. (1992) Muscle phosphagen status studied by needle biopsy. In: *Energy Metabolism: Tissue Determinants and Cellular Corollaries* (eds J. M. Kinney & H. N. Tucker), pp. 367-79. Raven Press, New York.

Harris, R. C., Marlin, D. J. & Snow, D. H. (1991) Lactate kinetics, plasma ammonia and performance following repeated bouts of maximal exercise. *Equine Exercise Physiology,* **3**, 173-8.

Harris, R. C., Marlin, D. J., Snow, D. H. & Harkness, R. A. (1991) Muscle ATP loss and lactate accumulation at different work intensities in the exercising Thoroughbred horse. *European Journal of Applied Physiology,* **62**, 235-44.

Hintz, H. F., Ross, M. W., Lesser, F. R., *et al.* (1978) The value of dietary fat for working horses. I. Biochemical and hematological evaluations. *Journal of Equine Medicine and Surgery,* **2**, 483-8.

INRA (1990) *L'Alimentation des Chevaux* (ed. W. Martin-Rosset). INRA Publications, Versailles.

Johnson, K. A., Sigler, D. H. & Gibbs, P. G. (1988) Nitrogen utilization and metabolic responses of ponies to intense anaerobic exercise. *Journal of Equine Veterinary Science,* **8**, 249-54.

Jones, D. L., Potter, G. D., Greene, L. W. & Odom, T. W. (1992) Muscle glycogen in exercised miniature horses at various body conditions and fed a control or fat supplemented diet. *Journal of Equine Veterinary Science,* **12**, 287-91.

Lawrence, L., Mine, K., Miller-Graber, P., *et al.* (1990) Effect of sodium bicarbonate on racing Standardbreds. *Journal of Animal Science,* **68**, 673-7.

Lloyd, D. R., Evans, D. L., Hodgson, D. R., Suann, C. J. & Rose, R. J. (1993) Effects of sodium bicarbonate on cardiorespiratory measurements and exercise capacity in Thoroughbred horses. *Equine Veterinary Journal,* **25**, 125-9.

978-85-7241-725-9

978-85-7241-725-9

McCann, J. S., Meacham T. N. & Fontenot J. P. (1987) Energy utilization and blood traits of ponies fed fat supplemented diets. *Journal of Animal Science,* **65**, 1019-26.

Meyer, H. (1987) Nutrition of the equine athlete. In: *Equine Exercise Physiology 2,* pp. 644-73. ICEEP Publications, Davis, California.

Meyer, H. (1992) Intestinaler Wasser- und Elektrolytstoffwechsel Pferdes. *First Europäische Konferenz über die Ernährung des Pferdes,* Institut für Tierernahrüng, Tieräzliche Hochschule, Hannover, 3-4 September 1992, pp. 67-72.

Meyer, H., Lindemann, G. & Schmidt, M. (1982) Einfluss unterschiedlicher Mischfuttergaben pro Mahlzeit auf praecaecale- und postileale Verdauungsvorgänge beim Pferd. In: *Contributions to Digestive Physiology of the Horse. Advances in Animal Physiology and Animal Nutrition.* Supplement to *Journal of Animal Physiology and Animal Nutrition,* **13**, 32-9. Paul Parey, Berlin and Hamburg.

Meyers, M. C., Potter, G. D., Evans, J. W., Greene, L. W. & Crouse, S. F. (1989) Physiologic and metabolic response of exercising horses to added dietary fat. *Journal of Equine Veterinary Science,* **9**, 218-23.

Miller-Graber, P. A., Lawrence, L. M., Foreman, J. H., *et al.* (1991) Dietary protein level and energy metabolism during treadmill exercise in horses. *Journal of Nutrition,* **121**, 1462-9.

National Research Council (1989) *Nutrient Requirements of Horses,* 5th revised ed. National Academy of Sciences, Washington DC.

Nielsen, B. D., Potter, G. D., Morris, E. L., *et al.* (1993) Training distance to failure in young racing quarter horses fed sodium zeolite A. *Proceedings of the 13th Equine Nutrition and Physiology Society,* University of Florida, Gainesville, 21-23 January 1993, No. 504, pp. 5-10.

Oldham, S. L., Potter, G. D., Evans, J. W., Smith, S. B., Taylor, T. S. & Barnes, W. (1990) Storage and mobilization of muscle glycogen in exercising horses fed a fat-supplemented diet. *Journal of Equine Veterinary Science,* **10**, 353-9.

Pérez, R., Valenzuela, S., Merino, *V., et al.* (1996) Energetic requirements and physiological adaptation of draught horses to ploughing work. *Animal Science,* **63**, 343-51.

Plummer, C., Knight, P. K., Ray, S. P. & Rose, R. J. (1991) Cardiorespiratory and metabolic effects of propranolol during maximal exercise. In: *Equine Exercise Physiology 3* (eds S. G. B. Persson, A. Lindholm & L. Jeffcott), pp. 465-74. ICEEP Publications, Davis, California.

Potter, G. D., Arnold, F. F., Householder, D. D., Hansen, D. H. & Brown, K. M. (1992) Digestion of starch in the small or large intestine of the equine. *First Europäische Konferenz über die Ernährung des Pferdes,* Institut für Tierernahrüng, Tierärzliche Hochschule, Hannover, 3-4 September 1992, pp. 107-11.

Potter, G. D., Webb, S. P., Evans, J. W. & Webb, G. W. (1990) Digestible energy requirements for work and maintenance of horses fed conventional and fat supplemented diets. *Journal of Equine Veterinary Science,* **10**, 214-18.

Rose, R. J., Arnold, K. S., Church, S. & Paris, R. (1980) Plasma and sweat electroyte concentrations in the horse during long distance exercise. *Equine Veterinary Journal,* **12**, 19-22.

Scott, B. D., Potter, G. D., Greene, L. W., Hargis, P. S. & Anderson, J. G. (1992) Efficacy of a fat supplemented diet on muscle glycogen concentrations in exercising thoroughbred horses maintained in varying body conditions. *Journal of Equine Veterinary Science,* **12**, 109-113.

Scott, B. D., Potter, G. D., Greene, L. W., Vogelsang, M. M. & Anderson, J. G. (1993) Efficacy of a fat supplemented diet to reduce thermal stress in exercising Thoroughbred horses. *Proceedings of the 13th Equine Nutrition and Physiology Society,* University of Florida, Gainesville, 21-23 January 1993, No. 504,66-71.

Sewell, D. A. & Harris, R. C. (1992) Adenine nucleotide degradation in the thoroughbred horse with increasing exercise duration. *European Journal of Applied Physiology,* **65**, 271-7.

Sewell, D. A., Harris, R. C., Hanak, J. & Jahn, P. (1992) Muscle adenine nucleotide degradation in the thoroughbred horse as a consequence of racing. *Comparative Biochemistry and Physiology,* **101B**, 375-81.

Sewell, D. A., Harris, R. C., Marlin, D. J. & Dunnett, M. (1992) Estimation of the carnosine content of different fibre types in the middle gluteal muscle of the thoroughbred horse. *Journal of Physiology,* **455**, 447-53.

Stutz, W. A., Topliff, D. R., Freeman, D. W., Tucker, W. B., Breazile, J. W. & Wall, D. L. (1992) Effect of dietary cation-anion balance on blood parameters in exercising horses. *Journal of Equine Veterinary Science,* **12**, 164-7.

Sufit, E., Houpt, K. A. & Sweeting, M. (1985) Physiological stimuli of thirst and drinking patterns in ponies. *Equine Veterinary Journal, 17,* 12-16.

Taylor, L. E., Ferrante, P. L., Kronfeld, D. S. & Meacham, T. N. (1995) Acid-base variables during incremental exercise in sprint-trained horses fed a high-fat diet. *Journal of Animal Science,* **73**, 2009-2018.

Tyler, C. M., Hodgson, D. R. & Rose, R. J. (1996) Effect of a warm-up on energy supply during high intensity exercise in horses. *Equine Veterinary Journal,* **28**, 117-20.

CAPÍTULO 10

Manejo dos Gramados e Pastagens

...mas aquelas gramíneas que crescem em solos úmidos, ou as gramíneas de inverno, existem em abundância com pouco ou nenhum espírito, nas quais consta uma grande quantidade de alimentação verdadeira e, por isso, podem necessitar produzir um quilo pegajoso e indigesto, que precisa também suprir aqueles eqüinos que são alimentados com ele lento, melancólico e inativo.

W. Gibson, 1726

TIPOS DE GRAMADOS

Em climas temperados e úmidos, a sucessão natural favorece a substituição de gramíneas por arbustos e então por mata e florestas. Manter a alta qualidade das pastagens "permanentes" requer perseverança no manejo do campo, por meio do pastorear de animais domésticos e do tratamento do gramado como uma lavoura a ser cultivada. Esses pastos constituem a maior proporção de pastoreio e são diferentes das áreas não cultivadas de montanhas, pântanos, charnecas (banhados) e planaltos abertos calcários, onde os animais de pastoreio contribuem com a distribuição das espécies de plantas.

Fertilidade e Espécies de Gramíneas

As pastagens temperadas mais férteis podem teoricamente suportar por ano cinco éguas gestantes ou vazias de 500kg por hectare de forrageiras de pastoreio e conservadas. Os gramados mais produtivos contêm mais de 30% de azevém perene (*Lolium perenne*), uma proporção de erva-de-febra-brava (*Poa trivialis*) e o remanescente consistindo principalmente em panasco (*Dactylus glomerata*), timótio (*Phleum pratense*), outras gramíneas do prado, erva-lanar (*Holcus lanatus*), espécies de capim-panasco (*Agrostis*) e festuca (*Festuca*). A proporção de trevo-branco (*Trifolium repens*) depende muito do uso de fertilizantes nitrogenados e do padrão de pastoreio sazonal, mas pode atingir 25% da cobertura.

Outras plantas amplamente folhadas variam em abundância de acordo com o manejo. Uma pesquisa extensa dos gramados na Inglaterra e no País de Gales (Hopkins, 1986) (Tabela 10.1) indicou que *Lolium perenne*, *Agrostis* spp. e *Holcus lanatus* foram numericamente as espécies mais importantes, contribuindo com 35, 21 e 10% da cobertura, respectivamente (dos gramados excedendo 20 anos de idade, as proporções respectivas foram 22, 27 e 14%). O *L. perenne* palatável diminuiu em proporção com o tempo e o *H. lanatus* não palatável aumentou. As festucas (*F. arundinacea*, *F. rubra*) são também altamente palatáveis para eqüinos e em geral sua persistência requer fertilidade menor do que o azevém perene. Na Inglaterra, a densidade potencial do rebanho de todos os animais de pastoreio é geralmente correlacionada de forma positiva à contribuição do azevém perene ao gramado.

978-85-7241-725-9

Drenagem Ruim, Fertilidade Baixa e Espécies de Plantas

Nos locais em que a drenagem ruim não for corrigida, o agróstis-estolhoso (*Agrostis solonifera*), a erva-lanar, a erva-de-febra-brava e o pataló (*Ranunculus repens*) prosperam melhor

Tabela 10.1 – Fatores favorecendo a distribuição das espécies nas pastagens* (segundo Hopkins, 1986).

	Drenagem	Condições nutricionais do solo	Entrada de fertilizante N	Intensidade de pastoreio	Corte de feno	Idade do gramado	Elevação	pH ótimo
L. perenne	Bom	Bom	Alto	Intenso	–	Jovem	Baixo	6-7
T. repens	Moderado a bom	Bom	Baixo	Intenso	Não	Mais jovem	–	7-7,5
H. lanatus	Ruim	Baixo	Baixo	Moderado	Sim	Mais velho	NS	5-6
F. rubra	Moderado	Baixo	Baixo	Moderado	–	Mais velho	Alto	5-6
P. trivialis	Moderado	Alto	Alto	Baixo	Sim	–	–	6-6,5
Rumex spp.	Ruim a moderado	Razoável	–	–	Sim	–	–	–
Agrostis	Moderado	Baixo	Baixo	Baixo	–	Mais velho	NS	5-6

* Deve-se reconhecer que essas avaliações estão relacionadas a gramados mistos, pois as pastagens de espécies únicas somente existem como tais imediatamente após a semeadura.
NS = correlação não significativa a entre a elevação e a freqüência das espécies.

978-85-7241-725-9

do que o azevém. Outras gramíneas menos produtivas que invadem gramados dessa classe em número significativo incluem o rabo de raposa (*Alopecurus pratensis*), o trigo selvagem (*Agropyron repens*), o rabo-de-cão (*Cynosurus cristalus*) e o capim-cevada (*Hordeum murinum* e *H. pratense*), junto com o trevo-violeta (*Trifolium pratense*) e o cornichão (*Lotus* spp.). Porém, o declínio na cobertura do solo por espécies semeadas ao longo dos anos ocorre em todos, exceto nos campos mais férteis, independentemente da excelência da drenagem. Cerca de 20% da cobertura das espécies semeadas é perdida após cinco a oito anos e um adicional de 10% é perdido durante os 4 a 12 anos seguintes. Solos pobremente drenados provêem um habitat inicial menos adequado para as espécies semeadas e a proporção destas é menor ao longo da vida da pastagem. A melhora por meio de tratamentos pesados com fertilizantes, drenagem e manejo intensivo produz gramados de textura aberta, sujeitos a tornarem-se lamacentos em climas úmidos. Pastagens viçosas com essa descrição, com pouco leito, são inadequadas ao pastoreio descuidado e inexperiente de eqüinos.

Em vários vales de rios, espécies de juncos e cárex (plantas semelhantes a gramíneas) aparecem nos pastos de *Agrostis* onde a drenagem é impedida ou o campo é de outra forma descuidado. A fertilidade pode ser potencialmente bem elevada, mas em campos mais degenerados e abandonados, mesmo em áreas de várzeas, grama roxa do prado (*Molinia caerulea*), samambaias (*Pteridium aquilinum*) e tojo (*Ulex europaeus*), inaproveitáveis para eqüinos, podem algumas vezes aparecer. Em declives mais bem drenados de solos ácidos, entre altitudes de 100 e 350m (350 a 1.100 palmos) sob chuvas anuais de 90 a 120cm (35 a 45 polegadas), festucas de finas folhas e capim-panasco dominam as pastagens com uma escassez de trevos em latitudes de 50 a 57°N de climas marítimos.

A distribuição específica dentro dessas variações depende de pH do solo, latitude, aspecto, drenagem do solo e pastoreio. Essas áreas imergem em terrenos brutos não cultivados e pastos de montanhas em que há invasão de samambaias e tojo em altitudes menores junto com festucas de finas folhas. No prado, cervum (*Nardum stricta*) e grama roxa, juncos (*Juncus* spp.), brejo comum (*Calluna vulgaris*) e urze (*Erica cinérea*) podem ocupar uma proporção maior da área. Em geral, os fertilizantes irão estimular as espécies de gramíneas nutritivas, ao passo que o pastoreio excessivo por pôneis em áreas com festuca de finas folhas e *Agrostis* pode causar sua supressão e a invasão de *Nardus*, samambaias, etc., economicamente inúteis. Em adição, o pH baixo causa pobre desenvolvimento ósseo em eqüinos jovens. A disseminação de arbustos e ervas daninhas inúteis pode amplamente depender da drenagem, da extensão de corte e da presença ou ausência de bovinos.

Gramados ruins de planaltos são em geral considerados de pouco valor para a produção de eqüinos. Todavia, na França, os pastos de planaltos compostos por *Nardus stricta, Festuca ovina* e incluindo *Vaccinium myrtillus* (uva-do-monte) são pastoreados de forma bem sucedida no verão por éguas de reprodução pesadas (1,5 hectare por égua e potro), durante o que as éguas ganham em condição (Micol e Martin-Rosset, 1995).

Faixas de Ervas

As ervas podem ser definidas como plantas amplamente folheadas sem partes aéreas com madeira, podendo assim incluir os trevos. Como os trevos, várias outras ervas são ricas em proteínas, minerais e oligoelementos minerais relacionados às gramíneas comuns; algumas são apreciadas por eqüinos e adotadas por entusiastas. A matéria seca da urtiga, por exemplo, contém cerca de 6% de óxido de cálcio, 5% de potassa e 2% de ácido fosfórico, mas a planta fresca não é usualmente procurada por eqüinos e pôneis. Alguns valores químicos relevantes de ervas são fornecidos na Tabela 10.2. As ervas podem ser especialmente úteis em terras marginais, nas quais as camadas superiores têm os nutrientes removidos com freqüência pela excessiva chuva e várias tendem a permanecer verdes no inverno, fornecendo assim uma suculenta refeição de inverno apesar do seu novo crescimento ser tardio.

Quando as ervas estão presentes em abundância, diminuem a produção total por hectare dos nutrientes principais, mas é pouco provável que isso seja um ponto crucial em padoques eqüinos. De qualquer forma, seu estabelecimento nos pastos como parte de uma mistura normal de sementes de gramíneas e trevos é incerta. As sementes de ervas são bem caras,

Tabela 10.2 – Conteúdo de minerais (g/kg de matéria seca) do azevém perene e do trevo-violeta em maturidade inicial (Thomas *et al.*, 1952; Worden *et al.*, 1963) e de espécies herbáceas (Hopkins *et al.*, 1994) como médias de quatro datas de colheita do pasto gramado.

	N	P	K	Ca	Na	Mg
Azevém perene						
Cabeça	22	4,2	17	2,3	-	1,3
Folha	21	3,2	23	8,7	-	1,7
Tronco	8	2,7	17	3	-	0,9
Trevo-violeta						
Cabeça	37	4,1	21	11	-	2,8
Folha mais pecíolos	45	2,9	17	21	-	3,4
Tronco	16	1,5	17	11	-	2,4
Chicória (*Cichorium intybus*)	26,2	5,4	26,1	19	12,2	3,5
Milefólio (*Achillea millefolium*)	26,4	5,8	33,2	12,1	13	2,5
Dente-de-leão (*Taraxacum officinale*)	21,3	3,3	29,3	7,8	10,4	2,1
Tanchagem (*Plantago lanceolata*)	23,6	4,5	17,8	20,5	10	2,2
Gramínea/trevo	24,2	3,5	19,3	9,9	3,9	1,6

Tabela 10.3 – Misturas sugeridas de ervas (kg/ha), incluindo algumas gramíneas, para semeadura em faixa de 8 a 10m de largura em padoques eqüinos.

	Com base em	
	Davies (1952)	*Archer (1978a*)*
Chicória (*Cichorium intybus*)	3	2,2
Tanchagem (*Plantago lanceolata*)	3	1,1
Pimpinela (*Sangiusorba minor*)	4	2,2
Mil-folhas (*Achillea millefolium*)	1	0,6
Almeirão-do-campo (*Hypochoeris radicata*)	2	-
Dente-de-leão (*Taraxacum officinale*)	-	0,3
Salsa (*Petroselinum crispum*)	1	0,6
Festucas (*Festuca elatior* e *Festuca rubra*)	3	(13)
Timótio (*Phleum pratense*) ou grama azul (*Poa pratensis*)	3	(7)
Rabo de cão (*Cynosurus cristatus*)	-	(7)
Trevo-branco (S100) (*Trifolium repens*)	3	-
Total	23	7 ou 34

* Sem a inclusão das sementes de gramíneas, a mistura deve ser introduzida em um padoque pela semeadura direta se o solo estiver bem gradado e a grama cortada curta.

mas várias se estabelecem inevitavelmente em pastagens permanentes de forma natural. Faixas de ervas são freqüentemente semeadas nas cabeceiras dos campos. A Tabela 10.3 sugere misturas de sementes, que incluem algumas espécies de gramíneas relativamente não competitivas, apesar de não serem essenciais. A chicória (*Cichorium intybus*) é uma erva bem sucedida para a semeadura em faixa nas áreas temperadas de pastagens. Pode reduzir as perdas de nutrientes e produzir uma matéria seca (MS) rica em potássio (K), fósforo (P), cálcio (Ca), magnésio (Mg) e sódio (Na), apesar de pobre em nitrogênio (N). Porém, o valor econômico das misturas de ervas não está comprovado para eqüinos de forma geral.

Cruzamentos de Gramíneas

O Institute of Grassland and Environmental Research (IGER), Traws goed, Aberystwyth, Dyfed, SY23 4LL, no País de Gales, realizou o cruzamento de azevém perene de floração precoce com tardia para produzir uma MS mais igual ao longo da estação. Os híbridos de azevém e festuca (*Lolium multiforum x Festuca gigantea*) foram criados para aumentar a persistência das pastagens e para resistir à seca. O azevém italiano contendo 44% mais Mg que o azevém padrão italiano indica sua utilidade para a produção de feno em haras. Todos esses acasos poderiam ser de valor particular na criação de eqüinos. Onde as gramíneas crescem especificamente para a silagem, um potencial de produção maior existe em algumas espécies de gramíneas mais exóticas, como o capim-cevada (para os endófitos na produção de sementes, ver *Controle de doenças das plantas*, adiante).

978-85-7241-725-9

PASTAGENS COMO UMA ÁREA DE EXERCÍCIO

A produção de nutrientes digestíveis para eqüinos e pôneis por meio das pastagens é claramente de importância econômica. Seu papel crítico é totalmente revelado pela evidência histórica de atraso das campanhas militares européias até a floração da primavera em maio, pelas tropas dependentes de cavalos. Alguns fatores têm uma parte significativa na seleção das pastagens, ou em seu manejo, para a criação de eqüinos. O amortecedor espesso encontrado nos pastos antigos é melhor para o exercício do que a textura aberta de integrações lavoura-pasto altamente fertilizadas, em que numerosas pedras, viradas durante o preparo da terra (aradura), contribuem com as lesões de membros.

Vários eqüinos necessitando de repouso e exercícios leves entre os períodos de trabalho intenso, éguas vazias e éguas gestantes e rebanho em crescimento de um a três anos de idade são colocados para se manterem nas pastagens. Em cada um desses casos, as integrações lavoura-pasto ou pastagens permanentes altamente fertilizadas iniciariam uma rápida e indesejada deposição de gordura. Isso cria problemas desnecessários nos estágios iniciais do trabalho subseqüente, no final da gestação e no início da lactação, ou contribui com anormalidades de membros nos eqüinos em crescimento e com a incidência de laminite e cólica. Por isso, um elevado grau de conhecimento é necessário ao se desenvolver pastagens para eqüinos e pôneis que forneçam pastoreio útil e também produzam um rebanho vendável e confiável. O gramado espesso e bem acabado de pastagens antigas bem drenadas resiste ao pisoteio em climas úmidos e pode, por isso, prover áreas de exercício e de manutenção para o rebanho externo no inverno. Porém, a produção anual total de alimento digestível não somente é em geral menor nesses pastos, mas a estação de crescimento das ervas é mais curta em especial onde a drenagem é ruim, provavelmente um fato de relevância econômica muito maior. A duração da estação de pastoreio geralmente é maior quanto maior for a fertilidade do gramado.

PRODUTIVIDADE NUTRICIONAL DAS PASTAGENS

Em qualquer pasto, a qualidade nutricional varia de área para área. Por isso, o valor alimentar do pasto inteiro irá depender da densidade do rebanho e da quantidade das ervas mais atrativas em qualquer momento. Nas áreas de gramados temperados – excluindo as terras ácidas com muita chuva – o conteúdo protéico das pastagens é diretamente correlacionado à chuva e inversamente à temperatura do solo durante o período de crescimento. As pastagens pastoreadas pelos eqüinos nas latitudes temperadas ao norte tendem a produzir maiores energia digestível (ED) e proteínas durante maio e junho, após o que existe um declínio abrupto na produtividade de julho a agosto quando as gramíneas florescem. Os trevos e outras leguminosas, se estimulados, prolongam o crescimento das pastagens e estendem a estação de pastoreio do verão.

Onde cepas frondosas persistentes de gramíneas foram estabelecidas em solos férteis, essa queda da metade do verão na produtividade é muito menos detectável. Solos profundos mais férteis são menos inclinados a secarem e as cepas frondosas de gramíneas continuam o crescimento vegetativo muito mais tardiamente no verão. Ao pastorear esses capins, a formação das cabeças das sementes fica atrasada, ou é evitada, e a brotação é estimulada, de forma que sua produtividade é ainda mais aperfeiçoada.

O novo crescimento de material frondoso suculento ocorre no início do outono, mas o trabalho com ovinos indica que a energia metabolizável (EM) das gramíneas de outono é utilizada de forma 40% menos eficiente do que a gramínea de primavera de mesma composição química bruta. Esse valor inferior deve ser identificado quando os potros são desmamados ao final do verão em pastos sem alimentação suplementar (ver Cap. 7).

978-85-7241-725-9

Minerais

Com exceção dos eqüinos confinados em gramados tropicais, uma deficiência de Ca é improvável entre os animais de pastoreio, mesmo quando o pasto estiver seco. Em um terreno ressecado, os eqüinos e pôneis são privados primeiramente de água (Tabela 10.4), energia e proteína e, em segundo, de P. Porém, o rebanho pode se tornar deficiente em Ca, P e Mg se estiverem confinados a solos ácidos úmidos cobertos por gramíneas de finas folhas e qualidade ruim. Vários pôneis oriundos de tais campos montanhosos apresentam sinais de "cara-inchada" e outras conseqüências de desmineralização óssea. Os eqüinos parecem ser menos propensos à tetania das gramíneas causada pela deficiência de Mg do que os bovinos, mas uma diminuição no Mg sérico é possível quando as éguas lactantes estão pastoreando em solos pobres em Mg, tendo sido sugerido que parte do efeito ocorre em razão das quantidades excessivas de K nas ervas viçosas. O material frondoso contém muito mais K do que o eqüino requer em circunstâncias normais. As necessidades de Na e Cl têm a probabilidade de serem atingidas nos eqüinos dependendo do pasto em latitudes temperadas.

Vitaminas

O material abundante em folhagens verdes é uma rica fonte de ácido fólico e as comparações feitas pelo autor (observações não publicadas) entre eqüinos em treinamento para corridas planas, recebendo uma dieta com base em cereais suplementada com ácido fólico e vitamina B_{12}, e éguas vazias e com potros, potros e animais de 12 meses pastoreando indicaram uma concentração 23% menor do folato sérico e uma concentração 33% menor de vitamina B_{12} sérica nos eqüinos em treinamento. Várias outras vitaminas hidrossolúveis são igualmente adequadas nas dietas com base em cereais e dietas de pastos.

Existem normalmente grandes estoques de vitamina A no fígado, resultantes do consumo de ervas verdes ricas em betacaroteno, mas após uma seca muito prolongada, pode ocorrer deficiência de vitamina A como resultado da privação de proteína e zinco (Zn) junto com a escassez de ervas verdes. É improvável que uma deficiência de qualquer uma das outras vitaminas lipossolúveis D, E e K ocorresse entre os eqüinos confinados totalmente no pasto. Porém, algumas espécies isoladas de gramados, não encontradas no Reino Unido [ver *Vitaminas D_2 (Ergocalciferol) e D_3 (Colecalciferol)*, Cap. 4], podem causar toxicidade de vitamina D, desmineralização óssea e calcificação de tecidos moles.

Tabela 10.4 – Efeito do crescimento de timótio (*Phleum pratense*) na relação das folhas com o tronco e composição química (% de matéria seca) (Waite e Sastry, 1949).

Data da amostragem	Folha/tronco	Proteína bruta		Extrato etéreo		Cinzas		Fibra bruta		ENN	
		Folha	*Tronco*	*Folha*	*Tronco*	*Folha*	*Tronco*	*Folha*	*Tronco*	*Folha*	*Tronco*
20 de maio	2,57	21,7	14,1	3,8	2,9	7,1	9,9	19,1	23,5	48,3	49,6
2 de junho	1,3	17,2	11,4	4,7	2,5	6,5	7,9	23,8	29,7	47,8	48,5
16 de junho	0,39	18,5	7,6	4,1	2,6	8	6,6	26,1	32,6	43,3	50,6
30 de junho	0,35	12,3	4,4	3,3	1,7	8,8	5	26,9	31,7	48,7	57,2
14 de julho	0,2	11,1	3,4	3,2	1,3	9	5	30,6	32,4	46,1	57,9

ENN = extrativo não nitrogenado.

Oligoelementos minerais

Evidência australiana (Langlands e Cohen, 1978) sugeriu que a melhora geral das pastagens aumenta o consumo pelos animais de pastoreio de cobre (Cu), Zn, manganês (Mn), P, Ca e Mg. A melhora na drenagem de solos ensopados tende a aumentar a disponibilidade de selênio (Se) e Zn, mas pode reduzir a disponibilidade de ferro (Fe), Mn, cobalto (Co) e molibdênio (Mo) e um uso excessivo de fertilizantes de N pode diminuir a concentração de vários oligoelementos minerais no campo. Porém, as relações são complexas (Burridge *et al.*, 1983).

O efeito da drenagem na disponibilidade de Mo pode ser vantajoso, pois solos turfosos e pobremente drenados encontrados em partes de Somerset e Irlanda precipitam os problemas de deficiência de cobre em ruminantes por meio da baixa disponibilidade do cobre e alta disponibilidade de Mo no solo, particularmente onde o pH do solo é também elevado (ver Cap. 3). Esses solos (pH em excesso de 7,6 a 7,7) também tendem a ser deficientes em Mn e Co disponíveis. Alguns desses solos contêm mais do que 20mg de Mo/kg e um aumento de Mo em 4mg/kg deprime em 50% a disponibilidade de cobre para os ruminantes pastando. O efeito pode ser sazonal e um consumo excessivo por plantas de Mo e sulfato na ausência de quantidades generosas de cobre disponível causa os sinais de deficiência em bovinos e ovinos. A hipocupremia em eqüinos ocorre de forma menos ampla, mas existe em várias partes do Reino Unido e particularmente na Irlanda. Por outro lado, o eqüino é muito menos suscetível aos efeitos do Mo e sulfato, pois em ruminantes os microrganismos ruminais sintetizam o tiomolibdato que reage com o cobre, reduzindo sua disponibilidade.

Solos sujeitos a muita chuva, excesso de água e pH baixo são propensos a ervas deficientes em Se, como pode ocorrer em áreas montanhosas e em terrenos arenosos e com cascalho, como por exemplo, em Newmarket, o que está associado com baixas concentrações sangüíneas de Se em eqüinos. Ao contrário, os solos seleníferos contendo níveis muito altos de Se causam sinais tóxicos em animais de pastoreio, como por exemplo, os depósitos de lagos glaciais na Irlanda. Solos de xisto e de argila contêm maiores concentrações de Se do que os solos de calcário e de arenito (Thornton, 1983) e várias áreas montanhosas. Solos seleníferos são evidentes em várias regiões do mundo onde as plantas acumuladoras estocam quantidades tóxicas de Se do solo. Esses acumuladores depositam resíduos de Se que aparentemente são absorvidos mais prontamente do que as raízes de outras plantas, causando a doença álcali no rebanho de pastoreio.

Algumas áreas interiores continentais e mesmo solos alcalinos na Inglaterra central podem induzir sinais de deficiência de iodo (I) no rebanho jovem de éguas de pastoreio. Quando a alga foi usada em quantidades excessivas como uma fonte, observaram-se sinais de toxicidade de I, similares àqueles da deficiência (ver Fig. 3.3, Cap. 3). As deficiências de Fe, Mn, Co e de alguns outros oligoelementos minerais mais exóticos não foram registradas e são improváveis entre eqüinos e pôneis de pastoreio.

A correção das deficiências de oligoelementos minerais por meio da aplicação de minerais ao solo é insatisfatória para alguns elementos, pois a absorção é escassa e o tratamento repetido é necessário. A melhor absorção é em geral obtida com aspersão nas folhas, mas isso é caro e a translocação é pequena, de forma que o tratamento freqüente é inevitável. As injeções de Se provaram ser bem sucedidas em eqüinos de pastoreio, mas são relativamente caras e o tratamento repetido intercalado é necessário de novo. Quando os eqüinos são

978-85-7241-725-9

mantidos por períodos prolongados em pastos, a alimentação suplementar com fontes relativamente concentradas de oligoelementos minerais parece ser a solução mais prática no presente momento.

NUTRIENTES REQUERIDOS PARA CRESCIMENTO E DESENVOLVIMENTO DAS PASTAGENS

No final das contas, quase toda a vida neste planeta depende de luz solar e fixação do carbono atmosférico por meio da ação da clorofila presente nos corpos chamados cromoplastos nas algas e cloroplastos nas plantas maiores (ver *Fotossensibilização*, adiante) (algumas bactérias profundas no mar derivam energia a partir da oxidação do Fe). A clorofila é verde, mas a cor é mascarada por outros pigmentos em algumas espécies. A clorofila é de certa forma similar à hemoglobina, mas contém Mg no lugar de Fe. Absorve as partes vermelha, laranja e azul do espectro e usa essa energia radiante para combinar a água com o dióxido de carbono em uma reação de redução, produzindo açúcar hexose e oxigênio, resumido como:

$$12H_2O + 6CO_2 \rightarrow C_6H_{12}O_6 \text{ (hexose)} + 6O_2 + 6H_2O$$

Está claro que não somente luz e água são necessárias, mas o processo também precisa de calor e assim o crescimento da planta do pasto se acelera a um máximo na metade do verão, recebendo chuva adequada.

Além de C, H e O, existentes como carboidratos e gordura, os tecidos das plantas contêm uma variedade de elementos usados no processo de síntese e presentes como componentes de proteínas e vários outros compostos teciduais. Todos esses elementos existem em vários solos, mas na maioria das situações alguns estão indisponíveis em quantidades ótimas para o máximo crescimento das plantas, apesar de em pleno verão o suprimento de água ser com freqüência o fator limitante a esse crescimento. Os elementos críticos são:

- Tipicamente: N, P e K, providos em fertilizantes químicos.
- Outros elementos principais: Ca, enxofre (S) e Mg.
- Elementos essenciais menores, incluindo Fe, Mn, Cu, Co, boro (B), Mo, Zn, mas também Na, cloro (Cl), alumínio (Al) e silício (Si).

Lixiviar

Nos casos em que os fertilizantes são aplicados em vários solos, P e K são retidos em um grau maior do que o N. Quando o N não é absorvido pelas raízes das plantas, nem usado no crescimento microbiano, muito passa para a água de drenagem. Existe a preocupação quanto à poluição de córregos, rios e fontes de água de beber com nitratos lixiviados do solo (Fig. 10.1). Estimou-se que somente 8 a 16% do N que entra nas pastagens deixam as fazendas no Reino Unido como carne ou leite (campos de azevém podem recuperar 65 a 90% do N aplicado, mas muito é reciclado em esterco e urina e então perdido) (Fig. 10.2). À parte dos nitratos lixiviados, o N gasoso é perdido como amônia (NH_3), nitrogênio (N_2) e óxido nitroso (N_2O). Menos N é perdido quando o fertilizante é aplicado como sulfato de amônia do que

978-85-7241-725-9

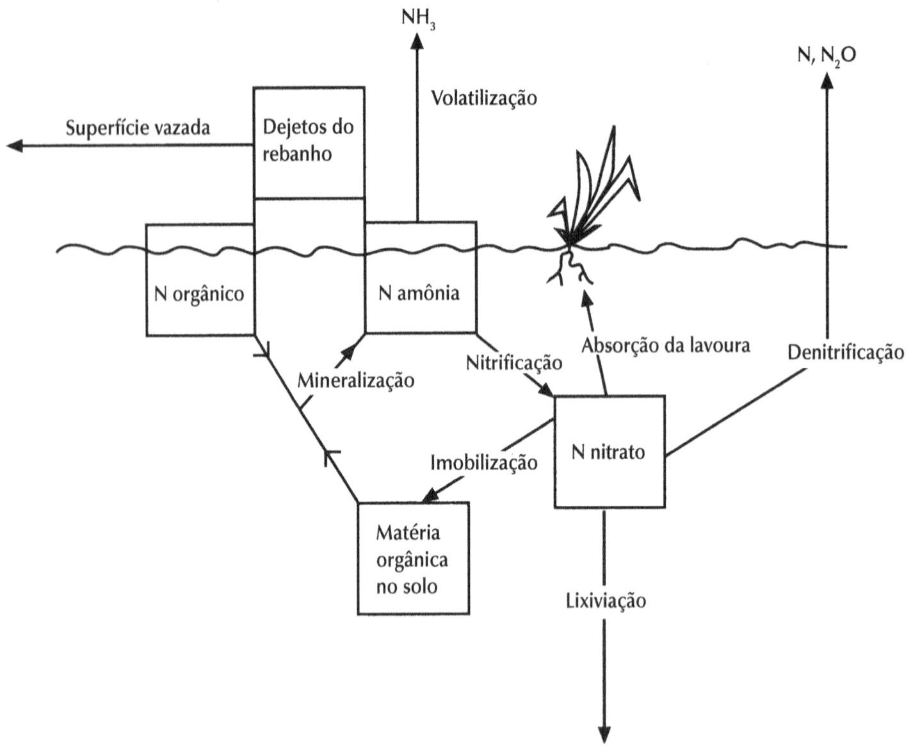

978-85-7241-725-9

Figura 10.1 – Destino do nitrogênio (N) de dejeto no solo. O nitrogênio pode ser perdido como resultado de superfície vazada, volatilização da amônia, denitrificação e lixiviação (Anon, 1986).

como nitrato de amônia. Menos ainda é perdido quando o N atmosférico é fixado nos nódulos das raízes das leguminosas por meio da bactéria *Rhizobium trifolii*.

Composição Química das Ervas e Saúde Eqüina

As quantidades de proteína bruta, açúcares solúveis e extrativos não nitrogenados (ENN) na matéria seca das ervas são maiores durante o período de rápido crescimento das folhas na primavera, depois durante o novo crescimento no início do outono, menor durante o período da floração na metade do verão e em geral pior durante o inverno, quando existe morte extensa das partes aéreas das plantas herbáceas. Os meses do ano em que essas fases ocorrem na latitude norte dependem de latitude, atraso da primavera, chuvas, tipo de solo e temperatura. Após o pastoreio das ervas, o primeiro novo crescimento contém mais proteína por unidade de matéria seca, menos fibra bruta e mais ENN, ou carboidrato solúvel e amido. Esses valores se modificam de forma progressiva conforme o crescimento continua. Por exemplo, um estudo de mais de 50 anos atrás (Fagan, 1928) demonstrou que no azevém italiano (*Lolium multiflorum*), a partir da segunda até a décima semana de crescimento, a composição de proteína bruta das partes aéreas declina de 19 para 7%, a fibra bruta aumenta de 20 para 25% e o ENN aumenta de 44 para 60%. As alterações podem ser amplamente explicadas por um rápido desvio nas proporções de folha em relação ao tronco e de folha em relação à cabeça da floração (ver Tabelas 10.2 e 10.4).

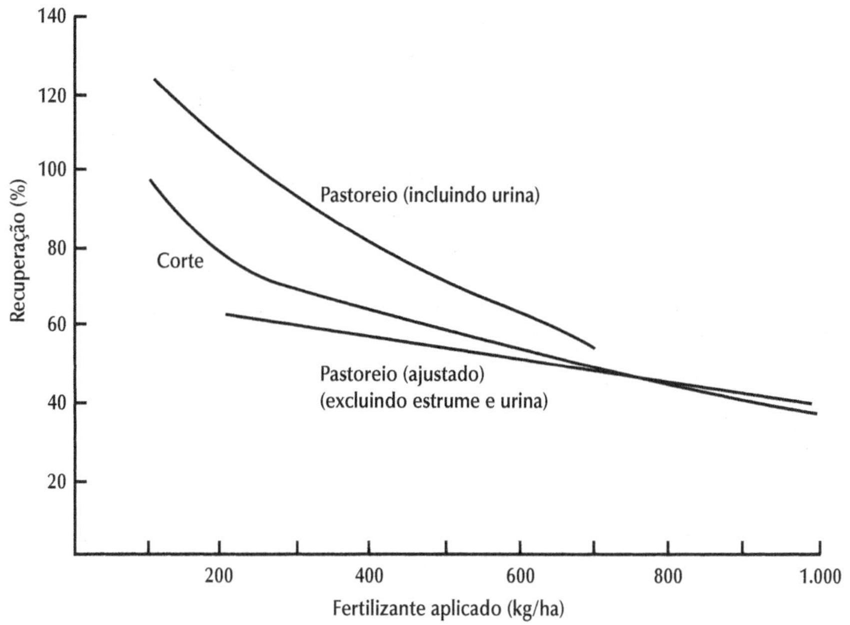

Figura 10.2 – Recuperação aparente do N de campos cortados e pastoreados no teste do National Grassland Manuring - GM24, durante 1982 a 1984, e recuperação aparente dos gramados pastoreados quando a absorção de N é ajustada para retornos de estrume e urina.

O eqüino digere menos facilmente as fibras do que os ruminantes domésticos, de forma que gramíneas mais curtas contendo maior proporção de folhas são alimentos mais valiosos que as ervas atingindo a maturidade. As gramíneas temperadas contêm grandes quantidades de carboidratos hidrossolúveis (CH) que consistem em sacarose, frutose, glicose e frutanos (sacarose oligo e polifrutosil). Os frutanos não podem ser digeridos no intestino delgado de mamíferos, mas são rapidamente utilizados pelas espécies microbianas no intestino grosso. Se grandes quantidades de amido e/ou frutanos atingirem a região posterior de intestino, há uma rápida alteração da população microbiana, associada com a liberação de toxinas e o início da laminite em eqüinos suscetíveis. Mais ainda, a fermentação da celulose *in vitro* com um inóculo fecal de pônei não produz lactato, ao passo que a fermentação de gramíneas o faz, com as gramíneas ricas em frutanos produzindo mais lactato do que as pobres (Longland e Murray, 2003). É importante, assim, estabelecer a variação diária e sazonal no conteúdo dos frutanos das gramíneas. Durante um ano no País de Gales, Longland *et al.* (1999) detectaram maior conteúdo de frutanos nas folhas de *Lolium perenne*, variações Aurora e Perma, de maio a setembro ao meio-dia e durante a tarde (24 a 42% de MS na metade da tarde, mas uma proporção consideravelmente menor no ano seguinte) e o maior conteúdo nos troncos ocorreu à noite (ver *Laminite e outras doenças do casco*, Cap. 11). Por isso, gramíneas viçosas curtas são mais valiosas somente quando usadas de forma inteligente. A Tabela 10.5 fornece alguns valores minerais para as ervas encontradas pelo autor nos padoques em Newmarket. Apesar desses valores se alterarem com o estágio do crescimento, sua digestibilidade é menos afetada pela maturação do que a de energia.

978-85-7241-725-9

Tabela 10.5 – Conteúdo de minerais de gramados pastoreados em padoques em Newmarket, Suffolk (composição de matéria seca) (informações coletadas pelo autor).

	Encontrado	Variação normal no Reino Unido
Cálcio (%)	0,34 - 1,6	0,3 - 1
Fósforo (%)	0,2 - 0,54	0,15 - 0,45
Potássio (%)	1,5 - 2,5	1,6 - 2,6
Magnésio (%)	0,12 - 0,2	0,11 - 0,27
Sódio (%)	0,03 - 0,34	0,1 - 0,6
Enxofre (%)	0,22 - 0,43	0,15 - 0,45
Molibdênio (mg/kg)	0,9 - 2,8	0,1 - 5
Cobre (mg/kg)	4,5 - 12,3	2 - 15
Selênio (mg/kg)	0,025 - 0,049	0,02 - 0,15
Zinco (mg/kg)	21 - 34	12 - 40
Manganês (mg/kg)	44 - 220	30 - 115
Cobalto (mg/kg)	2,9 - 7,6	0,03 - 2

Trevo-branco: seu Uso e Controle e sua Relação com a Intensidade de Pastoreio

Os trevos tendem a ter raízes mais profundas do que a maioria das gramíneas, especialmente as espécies menos produtivas. Os trevos puxam a umidade e os minerais de horizontes inferiores em solos bem drenados, de forma a permanecerem verdes durante o verão seco quando as gramíneas falharam, causam menos poluição de N da água de drenagem e podem corrigir um desequilíbrio de oligoelementos minerais entre os pontos superior e inferior do perfil do solo.

Por isso, fazer o melhor uso do trevo-branco (ou outras leguminosas em climas não temperados) é novamente o foco das pesquisas. Um gramado de trevo-branco pode fixar até 200kg de N/ha anualmente e o uso dessa fonte pode reduzir as perdas de N, principalmente no inverno, a um quarto das resultantes de aplicações equivalentes de fertilizantes em um campo de azevém. Apesar da taxa de crescimento ser mais lenta nos casos em que se depositou confiança no N do trevo, isso pode ser benéfico no manejo de pastos para eqüinos.

As pastagens de solos de planalto ácidos podem não manter o trevo. O trevo-branco deveria, então, ser plantado como semente inoculada com *Rhizobia* de cepa apropriada, caso contrário irá falhar. No Reino Unido, essas cepas estão disponíveis no IGER. O trevo pode também falhar em razão da ausência de fosfato disponível, ou excesso de alumínio iônico, causada por acidez de solo. Por isso, recomenda-se adubar com 3 a 5 toneladas/ha (Tabela 10.6). Lesmas, gorgulhos, ou angüílulas (nematódeos de solo) também podem causar problemas.

É recomendado que o conteúdo de trevo das pastagens seja mantido em equilíbrio com o de gramíneas. O crescimento dos trevos no Reino Unido atinge o máximo em julho, quando pode representar o peso dominante de folhagens nos pastos. Os pontos de crescimento das plantas de trevos estão bem acima da superfície do solo do que os das gramíneas. Os brotos das gramíneas, ou troncos ramificados, crescem como "brotos" (estolhos de superfície) e

Tabela 10.6 – Efeito da calagem no leito semeado com um pH inicial de 4,7 e do superfosfato no leito semeado anualmente ou em anos alternados na produção anual de matéria seca (toneladas/ha) durante três anos* (Sheldrick *et al.*, 1990).

Calagem (t/ha)	Aplicação total* de superfosfato (kg de P/ha)				
	0	3 × 15	2 × 30	3 × 30	1 × 120
3	5,19	6,22	5,54	7,35	7,5
6	6,82	7,38	7,09	7,45	6,38

* 15kg anualmente, 30kg nos anos 1 e 3, 30kg anualmente, ou 120kg no leito semeado.

como rizomas (subsuperfícies) que se originam dos nodos do tronco original, de onde também se originam as folhas. Nas gramíneas perenes, somente alguns troncos são germinativos, os remanescentes são estolhos vegetativos que em várias espécies de gramíneas podem estar acima do solo, no nível deste, ou, de fato, ser rizomas abaixo da superfície do solo. O pastoreio, especialmente por ovinos, removerá relativamente mais folhas e pontos em crescimento dos trevos do que das gramíneas. Por isso, o pastoreio repetido pode reduzir a proporção de trevos nos gramados em que são requeridos. Ao contrário, o corte para silagem, a adubação e a aplicação de fertilizantes de fosfato tenderão a promover o trevo e 100 a 120kg de N/ha, aplicados por corte de silagem, criarão uma predominância de gramíneas.

978-85-7241-725-9

O trevo-branco pode ser introduzido por semeaduras em faixas com uma máquina rotativa Hunter de plantio a uma velocidade de 4kg de semente Huia ou Menna/ha no início do verão, seguido da aspersão de paraquat a uma taxa de 0,4kg de ingrediente ativo (ia)/ha. Deve-se permitir que o trevo se estabeleça bem antes do pastoreio e que seja usado em uma base rotacional de forma que o trevo não seja reduzido a níveis abaixo de 4,5cm de altura.

Fertilizantes, Fertilidade do Solo e pH

Um pH do solo de aproximadamente 6,5 a 6,8 deve ser mantido, pois abaixo desse intervalo não haverá Ca livre suficiente e muito P será fixado como fosfato férrico ou fosfato de alumínio. Acima desse intervalo, vários minerais, incluindo o Fe, estarão menos disponíveis.

Uso do Fertilizante de Fosfato

O trevo, em particular, se beneficia da aplicação de fertilizantes de P, com o ajuste do pH do solo se este estiver definitivamente ácido. A escória de siderurgia, como fonte de liberação lenta de P, aplicada a cada quatro a cinco anos, é agora uma raridade, em razão das modificações na indústria do aço. O superfosfato é formado principalmente de $Ca(H_2PO_4)_2 + CaSO_4.2H_2O$ (18% de P_2O_5 ou 8% de P) e é uma fonte prontamente disponível de P que não precisa ser finamente moído como a escória de siderurgia menos solúvel e o fosfato de rocha. Por isso, tem efeito imediato nos pastos deficientes de P e é valioso para a aplicação em leitos de semeaduras. Nos casos em que se demonstrou que o superfosfato e a calagem estimularam o crescimento de trevos, é provável que o solo estivesse ácido e deficiente em P disponível e nos pastos ricos em leguminosas todas as probabilidades de conteúdos de Ca e de P do solo são satisfatórias.

Uma pesquisa visual da freqüência de trevos e da escassez de gramíneas de folhas finas pode ser usada como uma "regra de dedo" na predição do bem-estar do solo nesse ponto de vista. O superfosfato triplo (45% de P_2O_5 ou 20% de P) em quantidades pequenas, isto é, 30kg de P/ha anualmente, ou 120kg/ha a cada quatro anos (ver Tabela 10.6), com calagem, deve manter a presença de trevos em vários solos levemente ácidos (pH de 4,5 a 5,5). As quantidades de calcário requeridas em solos ácidos na tentativa de aumentar o pH para dentro de limites desejáveis e para garantir a disponibilidade de P dependerão do valor de pH e da textura do solo, mas entre 1,25 e 7,5 toneladas/ha podem ser usadas como cobertura. Ao usar calcário e fosfatos de rochas, é crucial que somente material finamente moído seja adquirido, pois essa característica influenciará a disponibilidade de Ca e P às raízes. Os fosfatos de rocha em geral não são recomendados para haras e são prontamente adequados somente em solos com um pH abaixo de 5. O calcário contém quantidades variáveis de Mg e Mn que podem ser úteis. Apesar dos solos de calcário raramente serem deficientes em Mg, os solos ácidos com freqüência o são e o calcário dolomítico será uma fonte útil desse elemento.

Avaliando a Fertilidade e os Requerimentos de Fertilizantes

Ao iniciar o manejo de pastagens para eqüinos e a intervalos subseqüentes de, por exemplo, dez anos, é desejável realizar determinações químicas no solo na tentativa de avaliar, pelo menos, seu pH e estado de P, K e Mg. A amostragem do solo precisa ser realizada de forma representativa e sensível, mesmo dentro de um campo, de forma que distinções possam ser traçadas entre tipos de solo claramente diferentes. Além disso, o perfil do solo em pastagens antigas pode ser tal que o estado seja bem diferente nas camadas superiores e inferiores atingidas pelas raízes das plantas. Vários solos mostram deficiências de superfície de P e Ca disponíveis, acompanhadas por um pH menor, ao passo que os solos mais leves – especialmente onde as lavouras de feno foram obtidas – são freqüentemente deficientes em K nas camadas superiores. Uma resposta completa aos fertilizantes de N não deve ser antecipada se essas deficiências primárias não forem corrigidas antes.

A Tabela 10.7 fornece os índices usados pelo Agriculture Development and Advisory Service (ADAS) no Reino Unido para classificar os gramados em termos de seus principais nutrientes. Se o valor for 2 ou mais, nenhum tratamento fertilizante para aquele nutriente em particular é requerido no momento da mensuração. As taxas recomendadas de tratamento de P, K e N das pastagens para pastoreio e preparo de feno ou silagem são fornecidas na Tabela 10.8.

Nos campos que são postos de lado para feno ou silagem, um uso generoso de fertilizantes é lucrativo. O fertilizante de K pode ser requerido somente quando uma lavoura de feno for selecionada e pode ser na forma de sulfato, ou "muriato de potassa" (cloreto de potássio), ou

Tabela 10.7 – Escala de fertilidade de solo do Agriculture Development and Advisory Service (ADAS) (mg/L de solo).

Número do índice	P	K	Mg
0	0-9	0-60	0-25
1	10-15	61-120	26-50
2	16-25	121-240	51-100
3	26-45	241-400	101-175
4	46-70	401-600	176-250
5	71-100	601-900	251-350

978-85-7241-725-9

Tabela 10.8 – Taxas recomendadas de tratamento de P, K e N dos gramados.

Índice de N, P ou K	Para pastoreio (kg/ha) por ano			Para preparo de feno ou silagem – nutrientes por corte (kg/ha)			
	P_2O_5	*K_2O*	*N*[1]	*P_2O_5*	*K_2O*	*N Muita chuva*	*Chuva moderada*[2]
0	60	60	20-50	60	80	60	80
1	30	30	20-50	40	60	60	80
2	20	20	20-50	30	40	60	80
> 2	0	0	20-50	30	30	60	80

[1] Quanto mais verde, menos requerida é a gramínea. Quantidades maiores devem ser divididas entre três aplicações.
[2] 45 a 65cm (19 a 25 polegadas) por ano.

como parte de um adubo composto. Os fertilizantes de Mg solúveis são raramente usados, mas podem ser aplicados para aumentar o conteúdo móvel de Mg das ervas do pasto. Onde o K é usado de forma livre, geralmente diminui o conteúdo móvel de Mg das ervas. Como os pastos de eqüinos são com freqüência depletados de N, com o amarelamento das gramíneas, as taxas podem ser razoavelmente altas. Por outro lado, a aplicação excessiva de N pode causar laminite e a poluição da água de drenagem. Mesmo assim, na tentativa de manter a qualidade das ervas e obter uma produção econômica dos pastos, as aplicações moderadas de fertilizantes de N devem sempre ser consideradas desejáveis a não ser que exista uma proporção razoável de trevos bem distribuídos. Um conteúdo de campo de 25 a 35% de trevos-violetas ou brancos pode produzir o equivalente a 150 a 200kg de N lentamente liberado/há, anualmente, por meio da fixação de N. As taxas de aplicação de N de 20 a 25kg/ha, quando requeridas, três a seis semanas antes do pasto ser usado por animais, são recomendadas.

A composição de alguns fertilizantes diretos é fornecida na Tabela 10.9. Os fertilizantes compostos contêm dois ou mais nutrientes em uma forma confiável e o peso de um nutriente em um saco de 50kg de qualquer fertilizante é fornecido ao dividir-se a porcentagem do nutriente por 2. Assim, um saco de 50kg de composto de N:P:K de 20:10:10 conterá 10kg de N e 5kg de P_2O_5 e de K_2O. Em todas as condições, devem ser usados fertilizantes inorgânicos granulados, ao invés de em pó, e pelo menos uma semana deve decorrer após o tratamento antes de se permitir que eqüinos e pôneis usem os pastos estabelecidos. Isso irá fornecer tempo suficiente para os grânulos impregnarem os níveis do solo, evitando o consumo de qualquer quantidade significativa pelos animais de pastoreio.

O principal fertilizante orgânico é o esterco de animais de fazenda, de preferência excluindo-se os estercos de eqüinos, e sua composição aproximada é fornecida na Tabela 10.9. Sua vantagem sobre as fontes inorgânicas de N é a liberação lenta de N, mas contra isso está o alto custo de transporte e distribuição. É provavelmente mais prático distribuir 50t/ha em poucos padoques do que usar a metade em uma área muito maior, existindo uma justificativa, particularmente em solos leves, para aplicações a cada cinco a sete anos. Farelo de peixe, agora escasso, contendo 10 a 11% de N, é algumas vezes usado em adubos de base orgânica. Possui vantagens, em termos de liberação lenta, similares àquelas do esterco de animais de fazenda.

Onde o campo tiver sido arado e estiver sendo semeada nova pastagem permanente ou integração lavoura-pasto, nutrientes prontamente disponíveis devem ser fornecidos para as mudas; as taxas recomendadas de aplicação no leito das sementes são dadas na Tabela 10.10.

978-85-7241-725-9

978-85-7241-725-9

Tabela 10.9 – Composição aproximada (%) de fertilizantes diretos e esterco de curral.

Fertilizantes diretos		
Nitrato de amônia	N	34
Sulfato de amônia	N	20,6
Nitrato de amônia com calagem	N	15,5
Cianamida de cálcio	N	20,6
Superfosfato triplo	P_2O_5	45
Superfosfato	P_2O_5	18
Farinha de ossos liofilizada	P_2O_5	29
Farelo de ossos	P_2O_5	22
Guano	P_2O_5	13-27
Escória básica de siderurgia	P_2O_5	18-20 (45-50 calagem)
"Muriato de potassa" (KCl)	K_2O	60
Sulfato de potassa com magnésia	K_2O	26 (5-6 Mg)
Cainita (Na, K, Mg)	K_2O	14
Kieserita ($MgSO_4$)	Mg	16
Magnesita calcinada	Mg	60
Esterco de animais de fazenda (kg/10t)	N	15
	P_2O_5	20
	K_2O	40
	Mg	8

ALTURA DO CAMPO

Um número considerável de estudos investigou os efeitos da intensidade do pastoreio, ou corte, na produtividade das pastagens. Os eqüinos e ovinos pastoreiam de forma mais rente que os bovinos. Os campos de azevém e trevo-branco mantidos a uma altura média de 3,6 a 3,8cm com ovinos mostraram produzir mais MS anualmente do que aqueles mantidos a 2,5cm. Com bovinos pastando, demonstrou-se no IGER que as alturas semelhantes de campos não fertilizados de 6cm são mais produtivas e retêm maior presença de trevo do que os campos mantidos a 4,5cm. A produção de MS difere em 17 e 15% e a presença de trevo difere em 4 e 23% nos anos um e dois, respectivamente.

Referência foi feita aos brotos (ver *Trevo-branco: seu uso e controle e sua relação com a intensidade de pastoreio*, anteriormente) e por isso a disseminação de gramíneas em um campo, influenciada pelo pastejo. Ao contrário do efeito em trevos, as gramíneas são, dentro de limites, estimuladas pelo pastejo se folhas adequadas permanecerem, conseqüentemente produzindo milhares de brotos a mais por metro quadrado de campo (Tabela 10.11) (os trevos também se disseminam pela produção de milhares de estolhos por metro quadrado, mas o pastejo causa uma perda proporcionalmente maior de folhas nas gramíneas).

Está claro que:

- O corte repetido para silagem/feno torna os pastos menos adequados para o pastoreio de eqüinos, pois existe uma superfície menos firme de ervas para o exercício.

Tabela 10.10 – Taxas recomendadas de aplicação de nutrientes nos leitos de plantações no estabelecimento de uma pastagem (kg/ha).

Índice de P ou K	N						P_2O_5 (todas as misturas)	K_2O
	Gramíneas semeadas na primavera	*Semeadas no outono*	*Gramíneas/ trevo*		*Gramíneas/ alfafa*	*Alfafa*		
			(a)	*(b)*				
0	125	50	40	75	50	25	100	125
1	100	50	0	50	25	0	75	75
2	75	0	0	0	0	0	50	30
> 2	0	0	0	0	0	0	25	30

(a) Se semeadas no outono ou pretendendo-se que o trevo seja a principal fonte de N para o campo.
(b) Se pouca esperança é colocada no trevo como fonte de N para o campo.

- O corte rente na primavera reduz a produção subseqüente de sementes de gramíneas.
- O pastejo rente repetido reduz a proporção de trevos no campo e a produção anual total de MS.

INTENSIDADE DO REBANHO COM EQÜINOS E RUMINANTES

978-85-7241-725-9

Os eqüinos devem ser removidos de um pasto assim que tiverem comido as ervas disponíveis, se houver um campo alternativo. São mais ativos que ruminantes e podem danificar a estrutura do solo em climas úmidos e as plantas em crescimento por meio do pisoteio prolongado. Ao contrário de bovinos e ovinos, os quais gastam períodos ruminando, os eqüinos podem gastar até 60 a 70% do dia procurando por folhagens mais palatáveis. O excesso de pastejo, o pisoteio do solo, ou a carga de animais pastoreando nas gramíneas durante uma geada pesada danificam as plantas e deprimem a taxa de novo crescimento, estimulando a disseminação de ervas enfraquecidas e oportunistas anuais vistas particularmente em um arco ao redor dos trajetos, bebedouros e cochos de alimentos. Uma das poucas vantagens de pastos antigos, emaranhados e cercados de grama é que podem ser menos propensos a esses danos. Porém, o subpastejo das pastagens tende a promover espécies de gramíneas nutricionalmente piores, em parte por meio da semeadura, e a sobrevivência de parasitas, diferente da transmissão, é prolongada.

A taxa ideal do rebanho não é maior do que a que alimentará eqüinos na estação de crescimento. É preferível criar poucos eqüinos com equilíbrio combinado a bovinos para limpar o crescimento excessivo no pico da estação. A criação mista, tanto de forma rotacional quanto

Tabela 10.11 – Efeito da altura do campo mantida no brotamento e proporção de brotos que produzem as cabeças de floração na metade de junho em um pasto de azevém Melle perene no Reino Unido (Treacher *et al.*, 1986).

	Data de corte		Altura de pastejo (cm)		
	Metade de abril	*Final do verão*	*3*	*5*	*7*
Brotos (1.000s/m^2)	24	11	35	29	24
Brotos em floração (%)			20	27	47

com eqüinos, inicialmente diminui o número de eqüinos que podem ser mantidos, mas esses poucos irão receber uma dieta melhor e irão ingerir menos larvas de parasitas intestinais. Mais ainda, a qualidade dos pastos pode ser mantida a um nível elevado por muito mais tempo. Ao quebrar uma área de campo em um padoque, o pastejo rotacionado é facilitado e é obtido um melhor controle parasitário, em particular onde as espécies de gramíneas também são alternadas em cada padoque. Ocasionalmente, as éguas em lactação e os jovens garanhões intimidarão os bovinos e assim uma avaliação cuidadosa deve ser feita e o revezamento, ao invés da mistura das espécies animais, apresenta assim certas vantagens.

Produção das Ervas e Produtividade Eqüina

Como os eqüinos pastando afetam a produtividade das pastagens e a produtividade animal? Qual é o grau de desfolhação ótimo para a produtividade eqüina? O corte rente, ou o pastejo, reduzem a produção, mas conforme as folhas das ervas amadurecem e morrem, obstruem a luz para as novas folhas ativamente em crescimento. Mais ainda, a digestibilidade da lavoura das pastagens se modifica radicalmente com os estágios do crescimento e difere entre o tronco e a folha. A máxima taxa de crescimento de folhas e produção de nutrientes disgestíveis para eqüinos durante o ano requer que a folha seja ceifada em algum estágio intermediário e que as ervas mortas sejam removidas.

O manejo saudável das pastagens torna-se consideravelmente importante conforme a área disponível para cada eqüino é reduzida, quando as condições se tornam consideravelmente favoráveis para transmissão e ameaça parasitária e quando a carga excessiva de animais deprime o novo crescimento herbário (por meio da remoção das folhas e pontos de crescimento dos trevos, ver *Trevo-branco: seu uso e controle e sua relação com a intensidade de pastoreio*, anteriormente). No verão de Nova Jersey, a densidade total de gramíneas (número de brotos/m^2) foi maior com a maior densidade de rebanho em razão do aumento na densidade de festucas altas (*Festuca elatior*) quando nessas condições. As densidades de todas as outras espécies declinaram no verão em comparação à primavera (Singer, 2001, comunicação pessoal). Singer considerou que sua ótima densidade de rebanho foi de 0,6 a 0,8 hectares por eqüino adulto quando a grama-azul do Kentucky (*Poa pratensis*) e a grama-azul anual (*Poa annua*) representaram 76% da densidade total das gramíneas e o trevo-branco comum (*Trifolium repens*) foi a leguminosa dominante.

Existe um limite de pisoteio ao qual as gramíneas podem sobreviver, particularmente quando o solo está úmido. O solo descoberto resultante se torna infestado com labaças, urtigas e cardos. Assim, a criação satisfatória se baseia em:

- Padoques de pastejo imediatamente antes do declínio no crescimento das gramíneas folhosas, mas bem antes do envelhecimento sobrevir.
- Tempo suficiente para as gramíneas se recuperarem.
- Reposição dos nutrientes depletados.
- Determinação do intervalo ótimo entre os pastoreios (que variam com a estação do ano, as chuvas, a temperatura ambiente e a fertilidade do solo).
- Aplicação do conhecimento dos ciclos de vida dos parasitas críticos de pasto de eqüinos (Cap. 11).
- Conhecimento do temperamento de cada eqüino.
- Aplicação do conhecimento de cada necessidade ambiental dos eqüinos.

978-85-7241-725-9

Os eqüinos digerem forrageiras de forma menos eficiente que os bovinos. Por isso, preferem folhas mais jovens e obtêm delas maior sustento, mas um pasto bom e amplo por si só pode prover energia e proteína suficiente para o crescimento de eqüinos acima dos cinco a seis meses de idade. Nos casos em que o eqüino é forçado por circunstâncias a pastar em partes menos disgestíveis de ervas, poucas evidências indicam que haja compensação com o aumento do consumo. Em geral, essa observação não é aceitável. Experimentos na Holanda (Smolders e Houbiers, comunicação pessoal) demonstraram que o corte das gramíneas no estágio de preparo do feno, produzindo 3.700kg de MS/ha, foi consumido diariamente por eqüinos adultos a uma taxa de 2,1 comparados com 2,4kg de MS/100kg de peso corpóreo (PC) de gramíneas cortadas no estágio de pastoreio, produzindo 1.900kg de MS/ha (equivalentes a 100 e 113g/kg de peso metabólico, respectivamente). As gramíneas mais jovens apresentaram maior conteúdo de energia e proteína e menor conteúdo de fibra bruta. Um ótimo, porém, foi encontrado. A taxa de consumo de MS de gramíneas com conteúdo abaixo de 14% foi menor que a de gramíneas acima de 14% de MS. Assim, à parte as gramíneas extremamente jovens, existe uma redução no consumo de MS de gramíneas com o aumento da sua maturidade. Esses eqüinos holandeses obtiveram, como percentual de seus requerimentos de manutenção, 170 a 200% de energia e 460 a 500% de proteína disgestível. Grace *et al.* (1998a) reportaram que potrancas *Thoroughbred* (TB) de 12 meses de idade ganharam 0,75kg/dia em um pasto da Nova Zelândia contendo 201g de proteína bruta/kg de MS e 11,4MJ de ED/kg de MS. O consumo de MS foi de 6,5 a 7,5kg/dia (aproximadamente 2kg de MS/100kg de PC), produzindo um consumo diário adequado de 81MJ de ED.

Qualquer orientação sobre o uso das pastagens precisa ser muito aproximada, pois todas diferem em produtividade. A criação de eqüinos em crescimento tem o objetivo de produzir não somente ganho de peso eficiente, mas também o crescimento esquelético saudável (ver Cap. 8). Esse duplo objetivo tem base nas recomendações da densidade do rebanho. Aiken *et al.* (1989) mensuraram o ganho de peso em Quarto de Milha de 12 meses de 347kg de PC com taxas de carga de 6,7 a 12,4ha de capim-bermuda (*Cynodon dactylon*). O ganho de peso por eqüino diminuiu de forma complexa com o aumento da taxa de rebanho. Isso provavelmente está relacionado ao efeito da intensidade de pastoreio na produção da pastagem de ervas altamente disgestíveis. As amostras das forrageiras foram verticalmente divididas em terços de camadas superior, média e inferior para análise. O terço superior foi aquele acima de 8cm. A disponibilidade da forrageira diminuiu em cada uma das três camadas de cobertura conforme a pressão de pastejo aumentava, mas particularmente no terço superior mais denso e palatável. Esse terço é o tecido da folha mais ativo fotossinteticamente, o mais produtivo tanto para o crescimento do eqüino como para o crescimento das pastagens. Com o aumento da carga de rebanho, o pastoreio dos dois terços inferiores se torna inevitável. Como essas camadas contêm troncos e tecido herbário senescente, o desempenho do animal foi limitado pela pequena proporção de folhas presentes. As informações estão resumidas nas Tabelas 10.12 e 10.13.

978-85-7241-725-9

Capacidade de Sustentar o Rebanho

As pressões sobre as pastagens com o contínuo pastejo devem ser estabelecidas baixas o bastante para garantir o novo crescimento suficiente da vegetação, mas grandes o bastante para evitar o acúmulo de forrageiras adultas, pobremente digestíveis. Como o eqüino seleciona as camadas superiores mais macias de forragens, essa situação sustenta o uso complementar de ruminantes que limpam e utilizam o tecido adulto e senescente das plantas.

Tabela 10.12 – Produtividade dos pastos de capim-bermuda por 56 dias pastoreados por eqüinos Quarto de Milha de 12 meses de idade (Aiken *et al.*, 1989).

Eqüinos de 12 meses/ha	Massa de ervas (kg de MS/ha por 56 dias)	Suficiência de ervas (kg de MS/100kg de PC)	MS digestível *in vitro* (g/kg de MS)	Ganho de peso por eqüino (kg/dia)	Aumento na altura da cernelha (cm/56 dias)
6,7	334	69	391	0,37	2,2
8	130	32	406	0,13	1,6
9,5	93	27	409	0,31	4,2
12,4	54	20	394	–0,31	2

MS = matéria seca; PC = peso corpóreo.

978-85-7241-725-9

Quando uma compensação é feita para a perda de muito das folhagens comestíveis como fonte de alimento eqüino, mas ignorando os extremos de flutuações climáticas, as capacidades de manutenção foram estimadas: 1ha de gramíneas de alta qualidade deve prover pasto e feno para três a quatro eqüinos leves de cerca de 400kg, ou quatro a cinco pôneis menores. As pastagens permanentes de baixa qualidade, porém, podem manter somente um eqüino por hectare e, no extremo, 25ha de pasto seco podem ser requeridos para suprir as necessidades de um único cavalo ao longo do ano. As gramíneas de qualidade média podem produzir suficiente crescimento para dois eqüinos e, com umidade adequada, quando fertilizadas, para três eqüinos por hectare, ou, como pasto somente de verão, para o dobro do número. Em gramados de verão de boa temperatura na França, éguas de raças pesadas (700 a 800kg de PC) requerem 0,7 a 1ha por égua e potro, ou 1,5 a 2ha após o uso por bovinos. Com um sistema de pastejo rotacionado, o corte de ervas excedentes e a fertilização com N (80 a 150kg de N/ha), 2 a 2,5 eqüinos em crescimento pastam por hectare. Ao contrário, sob condições severas de planalto na França, somente 0,5 a 0,7 eqüinos em crescimento por hectare são possíveis (Micol e Martin-Rosset, 1995). Vários haras de TB mal produzem capim suficiente para uma égua mais as vendas de eqüinos de 12 meses para cada 1 a 1,5ha e não fornecem nada de seu próprio feno. Este não deve ser de forma alguma produzido de padoques que foram pastados por eqüinos pelo menos durante o ano anterior, se for para ser praticado assiduamente o controle de vermes.

Tabela 10.13 – Produtividade dos pastos de capim-bermuda nas camadas superior, média e inferior de cobertura por 56 dias quando pastoreados por eqüinos Quarto de Milha de 12 meses de idade (Aiken *et al.*, 1989).

Eqüinos de 12 meses/ha	Disponibilidade de forrageiras (kg de MS/100kg de PC)			MS digestível* (g/kg de MS)		
	Superior	*Média*	*Inferior*	*Superior*	*Média*	*Inferior*
6,7	10	21	38	421	403	383
8	4	11	17	442	425	404
9,5	2	11	14	413	405	392
12,4	1	8	11	414	400	391

* Mensurado *in vitro* pelo método de Goering e Van Soest (1975).
MS = matéria seca; PC = peso corpóreo.

Archer (1978a) observou que somente 10% da área de pastagens bem estabelecidas para eqüinos foram pastoreados. Após arar a terra e semeá-la novamente, seguindo uma rotação cultivável, a área de pastejo foi estendida em 20 a 30%, a maior parte incluindo as áreas previamente pastadas. Os eqüinos não pastam próximos a fezes eqüinas e essas áreas são rejeitadas se a remoção dos dejetos for atrasada em mais de 25h após sua eliminação. A urina eqüina não gera uma reação instintiva semelhante. O hábito nato reduz a transmissão de larvas parasitárias e leva ao estabelecimento de áreas de pastejo e áreas de acampamento, com um efeito conseqüente na produtividade. Os eqüinos, porém, irão pastar diretamente próximos de fezes bovinas e exatamente sobre as áreas em que o esterco bovino bem decomposto foi espalhado. De maneira similar, os bovinos pastarão as gramíneas mais compridas ao redor das fezes eqüinas. Idealmente, por isso, as fezes eqüinas devem ser removidas dos pastos de uma forma diária e não espalhadas por gradagem. Apesar da última prática destruir mais vermes parasitários, aumentará a área rejeitada. As vantagens de integrar ruminantes com o manejo da pastagem de eqüinos são óbvias. Novilhos são melhores do que vacas lactantes, pois removem menos Ca, P e N do solo e ambos são provavelmente melhores do que ovinos, para os quais, todavia, existem alguns defensores fortes. As pastagens fortemente fertilizadas para vacas leiteiras são em geral inadequadas para eqüinos.

978-85-7241-725-9

Mesmo com a melhor escolha e adoção determinada pelas pastagens mistas, algumas áreas de crescimento viçoso de baixo valor alimentar permanecerão, jogando por água abaixo qualquer crescimento basal jovem. Tais áreas devem ser cobertas pelo menos seis vezes por estação, com as coberturas sendo removidas para evitar barreiras de gramíneas mofadas suprimindo as gramíneas subjacentes. O prosseguimento dessa prática evita que ervas daninhas semeiem, promove o brotamento e o novo crescimento de jovens gramíneas e destrói algumas larvas infectantes.

Todos os animais de pastoreio prosperam melhor se tiverem a companhia de outros animais e isso pode ser particularmente verdadeiro para eqüinos de sangue quente muito nervosos. Mesmo caprinos, ovinos, galinhas, patos, ou pôneis podem cumprir um papel útil. O velho ditado em inglês "*to get his goat*" (ou seja, remover seu caprino para irritá-lo) significa que um eqüino de corrida favorito poderia ser enganado ao ser roubado o seu mascote antes de uma corrida. Gilbert White, em seu *Natural History and Antiquities of Selborne* (1789), relatou em uma carta datada de 15 de agosto de 1775 para Daines Barrington como um eqüino sozinho fez companhia duradoura a uma galinha doméstica solitária, consolando-a e protegendo-a o quanto foi possível das provações da vida aviária.

Além da companhia, todos os eqüinos devem ter acesso a proteções contra o sol ao meio-dia e contra climas úmidos, com ventos e frio. Essa proteção pode ser naturalmente formada por árvores ou ser simplesmente uma estrutura coberta com três laterais simples.

Booth *et al.* (1998) avaliaram os efeitos da molhadura na perda de calor de garanhões de pôneis Shetland adultos na cobertura de inverno. Os pôneis foram molhados no dorso com água a 5,26°C, confinados a uma temperatura ambiente de 2 a 9,5°C em abrigo de laterais abertas e receberam feno de prado em níveis de manutenção. A produção de calor (PCa) foi mensurada por calorimetria indireta (ver Cap. 6):

$$\text{PCa (W/kg)} = [(VO_2 \times 270{,}5) + (VCO_2 \times 82{,}7)]/\text{peso vivo (kg) (Brouwer, 1965)}$$

Em que W = watts, V = volume em temperatura e pressão padrões.

A temperatura da pele diminuiu, mas não a temperatura retal e a PCa não foi aumentada em 3h. A resposta também deve depender da velocidade do vento e da natureza do abrigo. Em experiência própria, eqüinos climatizados e alimentados de forma adequada estão perfeitamente seguros a -40°C. Nessa temperatura, a cobertura não é molhada!

Prolongando a Estação de Pastoreio e Rejuvenescimento das Pastagens

Um suprimento contínuo de nutrientes inorgânicos, incluindo a água, é necessário para o crescimento das plantas das pastagens. Além disso, as raízes requerem oxigênio e assim a umidade do solo precisa estar presente sem inundações. Por essa razão, a estrutura, o tipo e o conteúdo de húmus do solo são cruciais para garantir um suprimento contínuo de umidade a todos os níveis que as raízes das plantas das pastagens atingem. O cultivo para ajudar a aeração e estender a estação de pastoreio é promovido ao aliviar a compactação e o pisoteio de pastos bem estabelecidos. Minhocas têm um importante papel na aeração do solo e a cultivação traz mais benefícios em áreas úmidas. Os sistemas de enxada rotativa vertical (*paraplow*), de escavadeiras e de subsolagem melhoram os níveis de água e aumentam as produções iniciais da estação.

Não é importante apenas economicamente estender a estação de pastoreio, mas também ecologicamente desejável para reduzir a lixiviação de N do solo, que ocorre fora da estação normal de crescimento. As espécies de pastos mistos, incluindo cepas de gramíneas melhoradas, ajudam a alcançar esse objetivo. O centeio (*Secale cereale*), cultivado em faixas alternadas no outono no pasto permanente, aumenta o crescimento precoce na estação e pode ser útil nos solos de leve textura e de drenagem livre nas áreas secas em que o uso de fertilizantes de N é restrito.

COMPORTAMENTO DE PASTEJO

Existe uma idéia de que alguns fatores ambientais contribuem para o comportamento ruim, até mesmo o ato de engolir ar, entre eqüinos no pasto. O que pode ser considerado um ambiente de qualidade ruim visto pelos olhos eqüinos é aprendido com a experiência. A proximidade de outros animais como companhia, muitas forrageiras palatáveis e alguma proteção natural de condições extremas provavelmente valem muito na apreciação da maioria dos eqüinos.

Uma comparação grosseira com ruminantes indica que o eqüino tem um estômago muito menor, necessitando de curtas estações de pastoreio em intervalos relativamente freqüentes ao longo do dia. Um estudo com éguas permitidas a pastar durante 12h de luz e 12h no escuro na Carolina do Norte indicou que o pastoreio levou 17,2h diariamente, em que 89,7% da luz do dia e 76,4% da noite foram ocupados na atividade. Os eqüinos tendem a pastar em momentos semelhantes, mas em geral sem interferência, uma vez que a hierarquia tenha sido estabelecida. A hierarquia de dominância ou os padrões de comportamento agonístico e afiliativo são aparentes durante a alimentação de uma única fonte, quando os eqüinos estão em proximidade intensa uns com os outros.

A taxa de consumo de forrageiras durante o pastejo depende da qualidade das ervas, de sua densidade, do apetite e do tamanho do eqüino. Trabalho de Cross *et al.* (1995) confirma que o pastoreio de festucas altas (*Festuca elatior*) infectadas por endófitos (*Acremonium coenophialum*) (ver *Plantas venenosas*, neste capítulo) diminui o consumo de MS de gramíneas e a manutenção do peso corpóreo de eqüinos. Por outro lado, a festuca alta saudável e as festucas vermelhas (*Festuca rubra)* são duas das mais palatáveis espécies de gramíneas para eqüinos.

Experimentos no Kentucky (Cantillon e Jackson, comunicação pessoal) com eqüinos castrados Quarto de Milha demonstraram que o consumo de festuca alta de Johnson (*F. arundinacea*) ou alfafa (*Medicago sativa*) por 7h de pastejo produziu uma média de 5,5kg de MS orgânica, adequado para a manutenção. Ocorreram 16 a 20 mordidas/min para as espécies de gramíneas e 8 mordidas/min para a alfafa, de forma que cada mordida levou 0,7g de MS orgânica da gramínea, ou 1,7g de MS orgânica da alfafa. Porém, Naujeck e Hill (2003) demonstraram que, pelo menos com campos de *Lolium perenne* de alturas de folhagens de 3 a 19cm, o tamanho da mordida foi brutalmente proporcional à altura do campo em que o eqüino removeu 51 a 68% do comprimento das gramíneas a cada mordida. A taxa de mordida por minuto não foi reportada, não tendo sido estabelecido, assim, se a taxa de consumo foi proporcional ou não à altura.

Ingestão de Solo

A ingestão de solo durante o pastoreio pode ocorrer em quantidades significativas, dependendo da altura das ervas, das aberturas do campo, da contaminação das folhas com terra e das espécies animais. Em terrenos rugosos, diz-se que o consumo de solo por ovinos se aproxima de 20% de seu consumo diário de MS e as mensurações demonstraram que um eqüino de 500kg pode ingerir tanto quanto 1 a 2kg de solo por dia ao pastejar. À parte do K, os conteúdos de minerais e oligoelementos minerais do solo são em geral maiores do que na MS das forrageiras, apesar de sua disponibilidade, ou digestibilidade, variarem com o elemento e tipo de solo. Os elementos minerais mais comuns (possivelmente à parte do I e do Co) são requeridos pelas plantas em crescimento. Porém, as proporções absorvidas pelas raízes diferem consideravelmente de um elemento para o outro. As plantas não absorvem metais pesados venenosos como o chumbo (Pb) em quantidades significativas [o cádmio (Cd) pode ser absorvido em quantidades maiores], apesar de ser possível que as folhas se contaminem pelo *fallout* industrial (*debris* radioativos disseminados no solo após explosão nuclear) e que o solo e o subsolo sejam poluídos pelo vazamento industrial. O consumo de solo pode então ser uma causa, por exemplo, de toxicidade de Pb ou F. Na experiência do autor, os péletes de chumbo mesclados à silagem de gramíneas destruíram um rebanho leiteiro de alta produção. Porém, as altas concentrações de minerais tóxicos no solo podem depender apenas de sua origem geológica. A relevância de solos seleníferos é discutida em outro ponto deste capítulo (ver *Oligoelementos minerais*, anteriormente, *Leguminosas tóxicas e outras espécies*, adiante, Tabela 10.20, adiante, e Cap. 3).

978-85-7241-725-9

SUPLEMENTOS NO PASTO

O valor nutritivo dos pastos varia particularmente com:

- Estação do ano.
- Clima.
- Espécies de plantas.

- Tipo de solo.
- Fertilizantes.
- Formação geológica.

O efeito primordial do tipo de solo é sobre o conteúdo de oligoelementos minerais e de minerais da planta. O conteúdo de Ca pode ser influenciado em certa extensão pela calagem e o dos oligoelementos minerais pela aspersão folhear. Possivelmente, a forma mais econômica de superar as deficiências de oligoelementos minerais, em particular das pastagens, é pela suplementação direta dos eqüinos. A suplementação traz o risco de excessos perigosos de certos oligoelementos minerais, a não ser que os eqüinos sejam suplementados de maneira individual. Por vários anos estiveram disponíveis sais minerais na forma de depósitos concentrados para serem lambidos pelos animais. Essas lambeduras são insatisfatórias, pois podem ser lavadas e alguns indivíduos as "comem", ao passo que outros as negligenciam. Os blocos de alimentos são outra forma de suplementação.

Blocos de Alimentos

Blocos endurecidos de alimentos minerais com melaço contendo todos os elementos minerais importantes, macros e micros, em uma base cereal, estão agora disponíveis para vários anos (Quadro 10.1). Os blocos são endurecidos por pressão e agentes ligantes, ou por reações químicas de solidificação. Essas reações incluem a formação de sacarato de cálcio (melaço combinado com óxido, ou hidróxido, de cálcio, mas o produto é de consumo restrito, em razão do gosto amargo), ou sulfato de cálcio (gesso). De acordo com a experiência própria do autor com esses blocos, aqueles bem formados resistem ao clima úmido quando contidos em recipientes adequados e a maioria dos eqüinos ao pasto se alimenta deles. Todavia, existe uma considerável variação individual no consumo com o tempo e a idade do bloco. Os blocos alimentares devem ser protegidos de contaminação em um recipiente, mas este deve permitir o consumo pela preensão, assim como a lambedura – o eqüino deve ser capaz de morder as extremidades. Murray (1993) colocou blocos em barris plásticos cortados embaixo, estabilizados na metade inferior com concreto. Os barris mediam aproximadamente 0,7m de altura por 0,4m de largura. A altura apresentava a vantagem de permitir que ovinos pastassem com eqüinos sem riscos de intoxicação pelo cobre.

Um exame detalhado do consumo de blocos alimentares com melaço foi realizado por Murray (1993) na Irlanda. Foram as seguintes as principais conclusões:

Quadro 10.1 – Composição declarada de blocos de alimentos com melaço usados por Murray (1993)

Ca 90g/kg	Se 0,015g/kg
P 50g/kg	Mn 1,5g/kg
Mg 40g/kg	Co 0,1g/kg
Na 80g/kg	Vitamina A 333.000UI/kg
Cu 5g/kg	Vitamina D_3 66.000UI/kg
Zn 4g/kg	Vitamina E 2.500UI/kg
I 0,1g/kg	

978-85-7241-725-9

- O clima na Irlanda não influenciou o consumo.
- O peso do bloco remanescente influenciou o consumo, o qual diminuiu acentuadamente abaixo de um peso residual de 4kg.
- Consumos de Ca, Mg e P das pastagens e do bloco juntos foram maiores que os recomendados pelo National Research Council (NRC) (1989) e os consumos calculados de vários oligoelementos minerais foram em todos os momentos abaixo dos níveis máximos de tolerância fornecidos pelo NRC (1989).
- As concentrações plasmáticas de Ca e Mg não refletiram a suplementação, ao passo que as concentrações de Cu no plasma e no pêlo aumentaram com a suplementação.
- Os picos de comparecimento nos blocos ocorreram cedo pela manhã e ao meio-dia; o eqüino que passava mais tempo lá comia mais. A hierarquia de dominância dentro de um grupo influenciou o acesso ao bloco e conseqüentemente afetou o consumo.
- O consumo diário por eqüino oscilou de 23 a 283g, mas a média em uma semana ficou entre 32 e 215g por dia.

SEGURANÇA DAS ÁREAS DE PASTOREIO

Cercas de Madeira

O princípio da rotação do padoque permite a recuperação mais completa das gramíneas e evita a disseminação excessiva de ervas daninhas de superfície, tais como tanchagem, margaridas, erva-ciática e dente-de-leão. Todos os padoques eqüinos, estruturas e cercas precisam ser livres de pregos salientes, arames farpados, arame frouxo, latas, garrafas quebradas, grandes pedras e qualquer coisa que possa atrair eqüinos, particularmente onde o rebanho de jovens é criado, pois tendem a ser mais curiosos e descuidados.

O creosoto é agora considerado muito perigoso para o tratamento de mourões de cercas e há bons substitutos disponíveis. São eficientes quando aplicados de maneira apropriada, em geral permitindo que os mourões fiquem completamente embebidos. Todo tratamento de madeira é mais bem realizado ao ar livre, para evitar a inalação de qualquer vapor. Os mourões devem secar por completo antes dos eqüinos terem acesso a eles. Os eqüinos não podem ter acesso aos recipientes de alcatrão ou outros químicos contendo substâncias fenólicas, pois o fenol é muito venenoso para eles e é rapidamente absorvido através da pele intacta. Cortes compridos de trilhos de madeira são bons mourões. As cercas de madeira são prontamente protegidas da mastigação por meio de arames de corrente elétrica ao longo do topo (Fig. 10.3). A parte de cima dos mourões das cercas deve ser plana, sem extremidades pontudas e nivelada com os pólos horizontais pregados em suas faces internas.

Cercas Elétricas

Gerentes de haras têm sido relutantes em usar cercas elétricas no controle do pastoreio. Porém, uma pesquisa demonstrou que uma faixa refletiva única é eficiente, desde que a corrente seja mantida continuamente. Um estudo na Carolina do Norte com TB, Quarto de Milha e animais de 12 meses demonstrou que os eqüinos, em grupos de dois ou quatro, poderiam ser revezados de forma bem sucedida por seções de 0,06ha, pastando de volta na seção anterior. Ocorreram quebras ocasionais nas cercas. A área foi circundada por cercas elétricas com três arames.

Figura 10.3 – Uso de cercas elétricas instaladas em cercados com barras e mourões para desestimular a mastigação da madeira. Porém, mourões e pregos salientes, em especial na parte de cima, representam um perigo para os eqüinos. Evidência indica que o arame elétrico fixado diretamente na madeira fornece um meio de intimidação adequado, pois a madeira é um isolante suficiente.

978-85-7241-725-9

SUPRIMENTO DE ÁGUA

Um suprimento de água encanada deve ser limpo e adequado (ver Tabela 7.5, Cap. 7) e, se forem usados cursos naturais de água, a ausência de contaminantes deve ser confirmada por pelo menos algumas milhas acima (ver Cap. 4 quanto aos efeitos da seca na segurança de fontes naturais de água).

SILAGEM E SILAGEM PRÉ-SECA E SUA SEGURANÇA

A qualidade da silagem é normalmente determinada pela data ou pelo momento do corte (ver Cap. 5). Conforme as gramíneas crescem durante a primavera e o início do verão, a produção aumenta, mas a digestibilidade diminui. Em termos de D-valor de ruminantes, uma redução de 1 unidade de D-valor entre 71 e 51 é equivalente a uma elevação na produção de matéria seca de azevém perene de 500kg/ha, por meio do retardo na colheita do final de abril até a metade de junho no Reino Unido. A qualidade das leguminosas forrageiras depende da retenção da folha durante a colheita. Isso é verdadeiro de modo particular para a alfafa, em razão da proporção relativamente elevada de tronco fibroso.

A silagem deve ser preparada com materiais crus seguros, livres de ervas daninhas e poluentes contaminantes. Deve submeter-se a uma adequada fermentação de ácido acético e possuir elevado conteúdo de matéria seca sem qualquer evidência de mofo, o que pode ocorrer nos espaços no topo dos silos em que as condições são quentes e úmidas. A silagem pré-seca de boa qualidade é bem satisfatória e o material comprimido nos sacos plásticos com leve fermentação e com cerca de 50% de matéria seca é em geral razoavelmente seguro, mas usualmente caro. Para preparar a silagem pré-seca, porções de gramíneas puras são cortadas no estágio de botão e deixadas murchando por 18 a 24h antes de enfardar fortemente. A colheita cuidadosa deve minimizar a contaminação das ervas com terra. O produto enfardado tem um pH relativamente alto (cerca de 5,5) e não deve ser fornecido aos eqüinos por pelo menos uma semana após o preparo dos fardos. A silagem pré-seca de fonte não conhecida deve ser fornecida em pequenas quantidades no início, mesmo nos casos em que o rebanho tenha recebido previamente silagem ou silagem pré-seca. Em razão do conteúdo de umidade, seu valor alimentar é cerca da metade dos grânulos de alta qualidade. Porém, o conteúdo de matéria seca solúvel e a facilidade de mastigação simplificam o consumo rápido de energia disponível; alguns eqüinos parecem estar propensos à cólica gasosa se receberem quantidades desordenadas.

Silagem preparada de forma ruim pode estar contaminada com bactérias patogênicas – *Listeria*, *Salmonella* spp., ou *Clostridium botulinum* –, das quais qualquer uma pode levar a problemas. Alguns esporos de clostrídios podem estar presentes de modo inevitável na lavoura ensilada. Eqüinos e pôneis, possivelmente pela ausência de um rúmen, são mais suscetíveis que os ruminantes aos clostrídios patogênicos. As toxinas do *Clostridium perfringens* provocam grave enterite e enterotoxemia; as neurotoxinas do *C. botulinum* são particularmente perigosas: causam paralisia descendente começando na língua e paresia de faringe, com disfagia, paralisia progressiva, decúbito e eventual morte. Essas bactérias botulínicas se multiplicam no monte ou no fardo de silagem durante a fermentação anormal. É particularmente importante, por isso, que o crescimento de clostrídios seja evitado por completo na forrageira ensilada planejada para eqüinos.

978-85-7241-725-9

A fermentação de carboidratos hidrossolúveis suficientes nesse material causa uma queda no pH, o que irá inibir o crescimento de clostrídios se o conteúdo da matéria seca for de pelo menos 25%. Se o conteúdo de matéria seca for somente 15%, um pH de 4,5 não inibirá a proliferação de clostrídios e a fermentação secundária da silagem irá ocorrer, o ácido láctico será degradado em ácidos acético e butírico, o dióxido de carbono será produzido com a extensa desaminação e descarboxilação de aminoácidos, originando aminas e amônia. O aumento resultante no pH ativa os clostrídios proteolíticos menos tolerantes ao ácido. A amônia que liberam promove um aumento adicional no pH. Essas modificações são acompanhadas por um odor característico e a perda do aroma atrativo de vinagre.

A probabilidade de proliferação dos clostrídios é dificultada ao se permitir que o material fresco murche por 36 a 48h antes de ser ensilado. Em silagens e silagens pré-secas em grandes fardos, os conteúdos de matéria seca de 30 a 60% são assim obtidos. A fermentação satisfatória é facilitada na silagem normal, com declínio adequado no pH, ao ceifarem-se as forrageiras contendo não menos que 2,4 a 2,5% de carboidratos hidrossolúveis no material fresco [o National Institute of Agricultural Botany (NIAB), Cambridge, sugere 10% na matéria seca]. Nos testes do NIAB, em que 100kg de N/ha foram fornecidos em março, os valores médios no primeiro corte de conservação com 67D são dados na Tabela 10.14.

978-85-7241-725-9

Tabela 10.14 – Conteúdo de carboidratos solúveis de gramíneas com um D-valor ruminante de 67 (com base em NIAB, 1983-4a).

	Carboidratos solúveis (g/kg de MS)
Azevém italiano	31
Azevém híbrido	26
Azevém perene (intermediário e tardio)	24
Azevém perene (precoce)	23
Timótio	14
Panasco	13

MS = matéria seca; NIAB = National Institute of Agricultural Botany.

Uma proporção de azevém em várias misturas obviamente ajudou na boa fermentação e na produção de ácido durante o processamento da silagem. O material menos confiável pode ter uma ou mais das seguintes qualidades:

- Potencial ruim de fermentação.
- Conteúdo de umidade maior que o desejável.
- Contaminação de solo indesejável.

Se for esse o caso, ou para evitar o crescimento de microrganismos indesejáveis e a deterioração aeróbica durante a "remoção", pode ser necessário adicionar melaço para garantir a presença de carboidratos solúveis adequados. Porém, líquidos viscosos desse tipo são difíceis de aplicar de maneira uniforme, de modo que aditivos são usados com freqüência para a obtenção de um pH de 4,2 a 4,6. Os aditivos confiáveis são:

- Ácido fórmico (2,3 a 3L/1.000kg), mas corrosivo.
- Culturas de *Lactobacillus plantarum* (4×10^6 células/g de gramínea fresca), mas mais caros.

Ambos os aditivos adequadamente usados podem causar queda mais rápida no pH, menor conteúdo de N amoniacal e de ácido acético e maior conteúdo de carboidratos hidrossolúveis e de ácido láctico do que em silagens não tratadas. A fermentação subseqüente reduzirá mais o pH a um nível que torna improvável a fermentação por clostrídios. Porém, se um pH estável não for atingido na silagem com baixo conteúdo de MS, então clostrídios sacarolíticos, presentes nas lavouras originais como esporos, se multiplicarão e iniciarão a fermentação secundária referida anteriormente.

A silagem em grandes fardos, amplamente usada nas fazendas, e outras silagens envolvidas em plástico apresentam conteúdo elevado de MS, mínima fermentação, nenhum aditivo e um pH de 5 a 6. Estão sujeitas à deterioração aeróbica, em razão da densidade menor do que a da silagem de trincheira e do potencial de perfurações nos envoltórios plásticos. Dependem totalmente da pressão osmótica elevada (baixa atividade de água) para inibir a proliferação de clostrídios e da ausência de rasgos no plástico para evitar o crescimento de fungos (ver Cap. 5, Fig. 5.2). Ocorreram mortes entre os eqüinos consumindo silagem em grandes fardos associados com a presença de organismos clostrídios e/ou toxinas, sem qualquer efeito simultâneo em bovinos. Assim, grande cuidado precisa ser tomado na seleção da silagem com aroma apropriado, elevado conteúdo de MS e pH de 4,5 a 5,5. São pré-requisitos essenciais de silagem ou silagem pré-seca usadas na alimentação eqüina se os riscos de saúde tiverem de ser minimizados.

Bovinos leiteiros recebendo extensivamente silagem de azevém fermentada perderam maiores quantidades de N na urina em comparação aos que receberam silagem de fermentação restrita, ou gramíneas frescas. A fermentação prolongada, comparada com a fermentação restrita, forneceu maior proporção de propionato e menor proporção de acetato nos ácidos graxos voláteis (AGV) da silagem. Comparações similares não foram realizadas com eqüinos, apesar de ser aparente que as ervas fermentadas de modo extensivo, ou aquelas que contêm quantidades significativas de amônia, ou ácido n-butírico, não são muito palatáveis para eqüinos. A prática e a experiência são adjuntos necessários para boas receitas na obtenção de produtos ótimos. Ervas envolvidas em plástico, com MS elevada (45 a 60%), fermentadas, estão ganhando em popularidade e são em geral mais palatáveis para eqüinos do que a silagem com menos MS. Eqüinos adultos tendem a consumir mais MS de uma silagem rica do que de uma pobre em MS.

Contaminação Metálica da Silagem

A acidez causa a solução de metais pesados, que pode contaminar a erva ensilada. Isso é particularmente importante nos casos em que as pastagens podem ser usadas para jogos ou provas de tiros. Concentrações extremamente elevadas de chumbo, causando a morte, foram detectadas pelo autor na silagem de campos nos quais ocorreram provas de tiros. O chumbo dissolvido é mais tóxico que o chumbo metálico e os eqüinos são séria e permanentemente lesionados, ou mortos, por esse tipo de exposição. Outros metais pesados podem estar dissolvidos de maneira similar.

Silagem de Milho

Em várias áreas da França e por vários anos, a silagem de milho de 30 a 35% de MS foi fornecida a éguas gestantes e lactantes e a eqüinos em crescimento como principal constituinte dietético. A produção de leite é excelente e a taxa de crescimento fetal é boa. Suplementada com concentrados, a silagem é razoavelmente bem consumida por eqüinos em crescimento (Micol e Martin-Rosset, 1995) e a longa experiência capacitou os criadores a usarem esse material de maneira segura (ver Cap. 8).

MELHORIA DOS GRAMADOS

As pastagens permanentes devem ser bem drenadas e onde estiverem baixas e inclinadas, ou o subsolo estiver pesado, deve-se considerar a drenagem com canos e, em áreas apropriadas, a drenagem por meio de valas bombeadas de nível baixo. A melhora na drenagem reduz o empoçamento e permite que a densidade do rebanho seja aumentada. Com a redução do nível freático, as raízes das plantas são estimuladas a permearem horizontes inferiores do solo, de forma que ganham acesso a uma maior variedade de minerais e umidade por mais tempo do que por períodos mais curtos durante uma seca. Isso estende a estação de pastoreio e estimula o azevém, o panasco, o timótio e o trevo, desestimulando juncos, aveia-de-burro (*Deschampsia caepitosa*), *Agrostis*, trigo-selvagem, erva-lanar e grama-azul tolerante à água. Por isso, fertilizantes podem ser usados de modo mais eficiente e o cresci-

978-85-7241-725-9

mento potencial aumentado do gramado resultante diminui a concentração de agentes parasitários. Também diminui o risco de infecção hepática por fascíolas. Apesar dos eqüinos terem resistência elevada à fascíola hepática, podem se infectar e seu valor econômico é assim prejudicado. Onde o pastoreio misto é praticado, ovinos e bovinos podem, é claro, ser tratados antes de sua introdução. A quantidade de caracóis do campo também pode ser reduzida com tratamento de sulfato de cobre ou, por exemplo, pelo uso de patos.

Se a drenagem com canos for impraticável, o ato de subsolar os campos pesados impérvios melhorará sua estrutura e trará as vantagens da drenagem mais permanente por um período mais curto de tempo. Algumas vezes, tais campos marginais são infestados de espécies completamente não comestíveis, incluindo capim-algodão (*Eriophorum* spp.), juncos e, nas áreas ácidas mais bem drenadas, emaranhados espessos de capim *Nardus*. Aqui, a melhora inicial pode com freqüência ser efetuada por queima e pastoreio intenso com bois. A maioria das pastagens permanentes de pior qualidade pode ser melhorada pela gradagem intensa para quebrar um emaranhado superficial. Isso permite a aeração, estimulando as melhores gramíneas e algum controle de musgos (*Lycopodium* spp.), morrião-dos-passarinhos e erva-ciática. Em áreas secas, porém, haverá pouca penetração de disco, a não ser que tenha ocorrido chuva recente.

Controle Químico das Ervas Daninhas

Apesar de ser útil o corte de ervas daninhas nocivas, tais como labaças (*Rumex* spp.) e cardos, antes de espalharem, isso precisa ser feito de forma regular, cinco ou seis vezes em uma estação e mesmo assim o controle do cardo é duvidoso. Portanto, é recomendado o uso de herbicidas seletivos com base em metozona (MCPA) e/ou 2,4-D para controlar as ervas daninhas folhosas sem danificar as gramíneas maduras. Os cardos, as labaças e, em alguns haras de planaltos, as samambaias invadem de forma progressiva as áreas de pastejo. O Long Ashton Research Station, Bristol, obteve o controle efetivo dessas espécies com herbicidas de baixas doses de sulfoniluréia, apesar de não serem totalmente seguros para o trevo.

Onde pequenas ervas daninhas rastejantes, tais como os membros da erva-ciática (Ranunculaceae), estiverem disseminadas, a aspersão com tratores é mais conveniente, mas onde houver porções de cardos, labaças e urtigas, um borrifador de mochila pode ser usado com vantagem: causa menos danos aos trevos e outras ervas folhosas valiosas. A aspersão deve ser realizada de acordo com as orientações do fabricante:

978-85-7241-725-9

- Quando há pouco vento.
- Em um momento de rápido crescimento das ervas daninhas, mas antes da floração.
- Refreada em períodos de seca, mas evitando a chuva por algumas horas após a aspersão.
- Não antes das gramíneas da pastagem recentemente semeadas apresentarem pelo menos três folhas.

A MCPA é eficiente contra urtiga comum, margaridas, dente-de-leão, cardo santo (*Cirsium vulgare*), plantas facilmente confundidas com plantas aparentadas com nomes vulgares semelhantes, como "camomila" e "camomila-catinga", sem odor e anuais (*Tripleurospermum inodorum*), cipó-de-veado-de-inverno (*Polygonum convolvulus*), erva-de-bicho (*P. persicaria*), amor-de-hortelão (*Galium aparine*), morugem (*Stellaria media*), mostarda dos campos (*Sinapis arvenis*), fumaria (*Fumaria officinalis*), papoula comum (*Papaver *rhoeas*), anserina branca (*Chenopodium album*) e urtiga pequena (*Urtica urens*). A MCPA irá controlar labaça folhosa (*Rumex obtusifolius*), ranúnculo-bulboso (*Ranunculus bulbosus*), erva-ciática (*R. repens*), tussilago (*Tussilago farfara*), cardo (*Carduus arvensis*), língua-de-vaca (*Rumex crispus*), cavalinha (*Equisetum arvense*), serralha (*Sonchus arvensis)* e junco vulgar (*Juncus effusus*). O controle mais satisfatório é obtido pela aspersão do ranúnculo bulboso e da morugem no outono e da erva-de-santiago no início de maio. A samambaia é muito resistente à aspersão, mas o momento mais efetivo é agosto. As pastagens devem ser deixadas por 15 dias antes de serem pastadas na tentativa de permitir o tempo adequado para a penetração do herbicida e os resíduos mortos das ervas venenosas devem ser removidos dos pastos. MCPA e 2,4-D são de baixa toxicidade para animais e as pastagens tratadas de forma adequada com eles não causaram fatalidades, independentemente do quão cedo foram pastoreadas.

978-85-7241-725-9

Plantas Venenosas

Em geral, eqüinos e pôneis não pastoreiam ervas daninhas venenosas em crescimento, mas o rebanho jovem ou outros animais recentemente introduzidos em uma pastagem, após longo período em estábulo, podem comer de forma ávida uma variedade de tais plantas. Além disso, durante períodos de seca, algumas plantas de raízes profundas ou próximas de cursos de água permanecem verdes e atraem o eqüino descuidado. Fui confrontado com essa situação no Oriente Médio, causando hepatotoxicidade, em que a única erva verde em quantidade significativa em uma área ampla era o *Heliotropium europaeum* (ver Tabela 10.16 adiante). As ervas encontradas na Europa que são venenosas para os eqüinos, tanto em crescimento como secas, estão listadas na Tabela 10.15 e aquelas reportadas mundialmente como tóxicas estão listadas na Tabela 10.16. Após o corte e a secagem, ou após serem destruídas por aspersão, as ervas que retêm toxicidade são mais palatáveis do que antes e por isso devem ser removidas e queimadas.

Nova Semeadura

Se existe pouca pressão no campo de pastoreio disponível e houver equipamento apropriado, o replantio das pastagens usadas depois de arar pode fazer sentido economicamente, desde que o campo tenha potencial fértil. Porém, nenhuma melhora permanente resultará, a não ser que drenagem, escavação, adubação e as cercas sejam antes colocadas em ordem. Se existirem grandes áreas de plantas invasoras perenes perniciosas no antigo gramado, devem ser primeiro destruídas com herbicidas com um intervalo de duas a três semanas antes de se começar a arar. Para o plantio de primavera, a arada no outono do antigo gramado é desejável. Algumas vezes, pode ser necessário usar discos ou capinadeiras pesadas para quebrar o gramado. Existe também alguma justificativa para a eliminação de todo o gramado antigo por meio da aspersão com glifosato, retardando o arado por pelo menos duas semanas para garantir a eliminação das raízes. Em solos com muita luz, pode ser possível arar durante o final do inverno e semear em março ou abril no hemisfério norte, mas é essencial obter a consolidação do solo e um adequado cultivo após arar.

Uma mistura de sementes para o pasto deve ser plantada assim que a terra estiver preparada para as sementes, antes da superfície do solo ficar sujeita aos períodos de dessecação. No Reino Unido, a semeadura deve ser feita em março ou abril, caso contrário, um atraso até julho ou agosto poderá ser inevitável e a semeadura se realizará somente se existirem

Tabela 10.15 – Plantas européias venenosas para eqüinos.

Espécies	Nome comum	Localização	Partes tóxicas e efeitos relatados
Aconitum napellus	Capuz-de-frade	Canais de água sombreados	Planta inteira, especialmente raiz, muito potente
Agrostemma githago	Nigela dos trigais	Campos cultivados	Especialmente sementes, saponinas
Anagallis spp.	Pimpinela	Áreas arenosas de costa, campos cultivados	Plana inteira
Aquilegia vulgaris	Aqüilégia (*columbine* européia)	Locais de umidade excessiva, terrenos arborizados ricos em calcário, gramados	Provavelmente a planta inteira, leve cianeto de hidrogênio
Arenaria spp.	Erva arenosa	Locais secos	Planta inteira, leve
Atropa bella-donna	Beladona	Várzea, barrancos de cercas vivas, extremidades de madeiras	Planta inteira, especialmente bagas
Bryonia dioica	Briônia	Cercas vivas de várzeas	Bagas vermelhas, partes vegetativas, diarréia
Cannabis sativa	Cânhamo	Campos improdutivos	Flores, frutos, baixa toxicidade, mas os eqüinos estão em maior risco
Chaerophyllum temulum	Cerefolho-bravo	Solos ao lado de estradas	Sementes e brotos
Chelidonium majus	Erva-andorinha	Sombras, barrancos, paredes	Tronco
Cicuta virosa	Cicuta aquática	Locais de umidade excessiva	Planta inteira, especialmente raízes, muito venenosa, incluindo feno
Conium maculatum	Cicuta-maior	Locais de umidade excessiva	Planta inteira, improvável que feno maduro seja perigoso
Cyclamen hederifolium, *C. europaeum*	Pão-de-porco	Madeiras, barrancos, especialmente no sul da Europa	Planta inteira
Daphne mezereum	Mezereão	Terrenos arborizados	Bagas e casca
Datura stramonium	Orelha-de-macaco	Áreas de várzea improdutivas	Planta inteira
Delphinium spp.	Esporinha	Campos cultivados	Planta inteira, potente
Digitalis purpurea	Dedaleira	Fileiras de cerca viva, margens de madeira	Planta inteira
Equisetum spp.	Cavalinha	Barrancos, madeiras com umidade excessiva	Planta inteira, incluindo o feno, especialmente eqüinos
Euonymus europaeus	Evônimo	Fileiras de cercas vivas	Planta inteira
Frangula alnus	Frângula	Madeiras, cercas vivas	Folhas, bagas, frutos, diarréia
Helleborus spp.	Heléboro	Terrenos arborizados ricos em calcário, arbustos	Planta inteira, potente
Hyoscyamus niger	Meimendro-negro	Clareiras, extremidades de madeira	Planta inteira

978-85-7241-725-9

Tabela 10.15 – Plantas européias venenosas para eqüinos (*Continuação*).

Espécies	Nome comum	Localização	Partes tóxicas e efeitos relatados
Hypericum spp.	Erva-de-são-joão (hipérico)	Gramados	Planta inteira, fotossensibilidade
Iridaceae	Narciso-silvestre, açafrão	Jardins	Bulbo
Laburnum anagyroides	Laburno	Jardins, auto-semeados	Árvore inteira
Lactuca virosa	Alface picante	Solos ao lado de estradas	Planta inteira
Liliaceae (*Allium oleraceum, Endymion non-scriptus, Fritillaria meleagris, Convallaria majalis, Colchicum autumnale*)	Cebolinha-francesa, campânula azul, fritilária, lírio-de-maio, açafrão-do-prado	Madeiras, prado	Bulbo
Linum catharticum	Linho-purgante	Pastagens, prados, terras altas	Sementes
Linum usitatissimum	Linhaça	Evasão de culturas, comum	Sementes
Lolium temulentum	Joio	Dejetos	Possivelmente infecção fúngica
Lonicera xylosteum	Madressilva	Terrenos arborizados	Bagas e folhas
Lupinus spp.	Lupino	Luz, solos secos	Planta inteira, incluindo feno, especialmente sementes
Mercurialis annua	Mercurial anual	Clareiras, extremidades de madeiras	Planta inteira
Mercurialis perennis	Mercurial perene	Terrenos ruins	Planta inteira
Oenanthe crocata	Salsa-dos-rios, prego-do-diabo	Locais com muita umidade	Planta inteira, especialmente raízes
Papaver spp.	Papoula	Campos cultivados, campos improdutivos	Planta inteira
Paris quadrifolia (Liliaceae)	Erva-paris	Terrenos arborizados alcalinos e com muita umidade	Baixa toxicidade
Pteridium aquilinum	Samambaia	Banhado, campos improdutivos, madeiras	Planta inteira, incluindo rizoma e feno
Ranunculus spp., *R. sceleratus*	Erva-ciática, erva-de-fogo	Locais com muita umidade, pastagens	Planta inteira, irritante, cólica, inflamação
Rhamnus catharticus	Cáscara sagrada	Moitas ricas em calcário	Fruto, diarréia
Rhododendron spp., *Azalea, Kalmia*	Rododendro, azaléia, cálmia	Terrenos arborizados	Planta inteira
Saponaria officinalis	Saponária	Cercas vivas, barrancos, locais com muita umidade	Planta inteira, leve, saponinas como para *Stellaria*
Senecio spp.	Erva-de-santiago	Pastos antigos	Planta inteira
Solanum dulcamara	Dulcamara	Solos ao lado de estradas	Planta inteira
Solanum nigrum	Maria-pretinha	Áreas de várzeas cultivadas	Todas as partes, especialmente bagas
Solanum tuberosum	Batata	Campos cultivados	Todas as partes incluindo tubérculos quando danificados
Stellaria spp.	Morugem	Onipresença anual	Planta inteira, leve
Tamus communis	Uva-de-cão	Madeiras, fileiras de cercas vivas	Possivelmente bagas, toxicidade leve
Taxus baccata	Teixo	Madeiras, jardins	Árvore inteira, muito potente

978-85-7241-725-9

Tabela 10.16 – Plantas relatadas na literatura científica como responsáveis por envenenamento em eqüinos e pôneis (Hails e Crane, 1982).

Espécies	Nome comum	Efeitos relatados
Agrostemma githago	Nigela dos trigais	Hipersalivação, sede anormal, respiração acelerada
Allium validum	Cebola silvestre	Anemia hemolítica
Amsinckia intermedia	Erva-de-santa-cruz	Doença do caminhar, anemia hemolítica, necrose hepática, possivelmente toxicidade pelo nitrato
Aristolochia clematitis	Papo-de-peru	Taquicardia, pulso fraco, apetite reduzido, constipação, poliúria
Arum maculatum	Tinhorão	Purgante, irritação da mucosa gastrointestinal e renal, fígado gordo
Astragalus spp.	Ervilhaca leitosa	Lesões oculares, locoismo, acúmulo de selênio nas várias espécies
A. lentiginosus, *A. mollissimus*	Ervilhaca leitosa	Depressão, anorexia, ataxia, hiperexcitação e especialmente respostas violentas aos estímulos; efeitos irreversíveis
Atalaya hemiglauca	Atalaia	Anorexia, debilidade, irritabilidade
Centaurea repens	Centáurea	Encefalomalacia nigropálida, graves danos às células nervosas, hipertonia muscular
Centaurea solstitialis	Cardo-estrelado amarelo	Encefalomalacia nigropálida (doença da mastigação), hipertonia de músculos e focinho
Cestrum diurnum		Calcinose hipercalcêmica (outro *Cestrum* spp. causa grave gastrite e degeneração hepática, mas não há relatos em eqüinos)
Coriandrum sativum	Coentro	(Nenhum sinal fornecido por Hails e Crane, 1982).
Crotalaria spp.		Hepatotoxicidade, icterícia, dispnéia, pulso fraco, colapso
C. crispata		Doença de Kimberley dos eqüinos, anorexia, debilidade, andar cambaleante
C. dissitiflora var. *rugosa*		(Nenhum sinal fornecido por Hails e Crane, 1982)
C. retusa		Doença de Kimberley dos eqüinos, lesões hepáticas e no sistema nervoso central, anorexia, debilidade, andar cambaleante
Cuscuta spp.	Cuscuta	Enterite, anorexia, sintomas nervosos
C. campestris, *C. breviflora*	Cuscuta	Não descrito, mas andar cambaleante, salivação e aumento das freqüências de pulso e respiratória foram descritos em bovinos
Echium lycopsis (ou *E. plantagineum*)	Língua-de-vaca	Hepatotoxicidade, cegueira
Equisetum spp.	Cavalinha	Deficiência de tiamina – o eqüino é altamente suscetível
E. fluviatile	Cavalinha d'água	
E. hyemale	Cavalinha áspera	Semelhante ao envenenamento pela samambaia em razão da presença de tiaminase
E. palustre *E. variegatum*	Cavalinha do pântano Cavalinha colorida	Perda da condição, alguma diarréia, em geral causada pela ingestão de feno contendo cavalinha – administrar tiamina ou leveduras liofilizadas
Eupatorium spp. (incl. *E. rugosum*)	Eupatório, agrimônia	Tremedeira, letargia

978-85-7241-725-9

Tabela 10.16 – Plantas relatadas na literatura científica como responsáveis por envenenamento em eqüinos e pôneis (Hails e Crane, 1982) (*Continuação*).

Espécies	Nome comum	Efeitos relatados
Eupatorium adenophorum	Abundância	Edema pulmonar, possível toxicidade pelo nitrato
Galeopsis spp.	Galeópsis	Edema pulmonar, enterite, anorexia
Glyceria maxima	Glicéria	Envenenamento pelo cianeto
Helichrysum cylindricum	Sempre-viva	Cegueira, encefalopatia
Heliotropium europaeum	Tornassol	Hepatotoxicidade
Hypericum crispum		Fotossensibilidade
Indigofera dominii, *I. enneaphylla*	Índigo	Doença de Birdsville, sonolência, imobilidade, secreção nasal e ocular, movimentação lenta de posteriores, lesões hepáticas
Juglans nigra	Nogueira negra	Laminite aguda
Jussieia (Ludwigia) peruviana		
Lathyrus nissolia	Chícharo dos pastos	Incoordenação e colapso durante o exercício
Lupinus spp.	Lupino	(1) Crônicos: defeitos congênitos de lupinose, lesão hepática (decorrente do crescimento fúngico nos lupinos); (2) agudos: paralisia respiratória decorrente dos alcalóides do lupino quando grandes quantidades da planta são ingeridas
Medicago sativa	Alfafa	Fotossensibilização, possível toxicidade estrogênica; certas cepas causam anemia e hepatotoxicidade
Morinda reticulata		Toxicidade por selênio
Nerium oleander	Espirradeira	Altamente tóxica – convulsões, diarréia, cólica, hemorragias petequiais
Oxytropis campestris, *O. sericea*	Ervilhaca	Sinais nervosos, anorexia, ataxia; lesão permanente
Papaver nudicaule	Papoula ornamental	Ataxia, convulsões
Perilla frutescens		Doença pulmonar
Persea americana	Abacate	(Nenhum sinal fornecido por Hails e Crane, 1982)
Phaseolus vulgaris	Feijão comum	Lesões do sistema nervoso central, doença gastrointestinal
Pimelea decora	Flor do arroz	Cólica, diarréia, colapso, ulceração da boca, língua, esôfago, gastrite (também doença de *St. George* em bovinos)
Polygonum aviculare	Sempre-noiva	Envenenamento pelo nitrito, irritação gastrointestinal
Prunus laurocerasus	Louro-cereja	Envenenamento pelo cianeto (também causado por outros *Prunus* spp., por exemplo, *P. serotina* – cereja preta silvestre)
Pteridium aquilinum	Samambaia	Deficiência de tiamina
Quercus spp. (incl. *Q. rubra* var. *borealis*)	Carvalho	Envenenamento pelo fruto do carvalho: hepatotoxicidade; envenenamento pela folha: debilidade, diarréia, constipação, urina escura

(*Continua*)

978-85-7241-725-9

Tabela 10.16 – Plantas relatadas na literatura científica como responsáveis por envenenamento em eqüinos e pôneis (Hails e Crane, 1982) (*Continuação*).

Espécies	Nome comum	Efeitos relatados
Ricinus communis	Mamona	Envenenamento pela mamona: debilidade, incoordenação, sudorese, espasmos tetânicos, diarréia aquosa
Robinia pseudo-acacia	Falsa acácia	Envenenamento pela acácia, cólica, diarréia, pulso irregular, hiperexcitação, paralisia
Senecio spp.	Erva-de-santiago	Hepatotoxicidade
S. jacobaea	Erva-de-santiago comum	Hepatotoxicidade
Setaria sphacelata	Capim setária	Envenenamento pelo oxalato, osteodistrofia fibrosa
Sinapis arvensis	Mostarda-dos-campos	Envenenamento por cianeto, cólica, gastroenterite, diarréia
Solanum malacoxylon		Calcinose – debilidade, rigidez, hipercalcemia, calcificação das artérias
Sorghum almum	Sorgo	Cistite, ataxia (gramínea em crescimento)
Sorghum bicolor	Capim sudanês	Cistite, ataxia (gramínea em crescimento)
Sorghum halepense	Capim Johnson	Envenenamento pelo cianeto
Sorghum sudanense	Capim sudanês	Possível latirismo, cistite eqüina e ataxia, anquilose (gramínea em crescimento)
Sphenosciadum capitellatum	*Whitehead*	(Nenhum sinal fornecido por Hails e Crane, 1982)
Stipa viridula	Grama do sono	Hipnose
Swainsona spp.	Ervilha formosa	Depressão, edemas, ataxia, cegueira
Tanaecium exitiosium		Fraqueza, cambalear, colapso, freqüente micção, inflamação do estômago e coração
Taxus baccata	Teixo	Falência cardíaca – tremores, dispnéia, colapso
Taxus cuspidata	Teixo japonês	Falência cardíaca – tremores, dispnéia, colapso
Trichodesma incanum		Grave lesão hepática em eqüinos e outros animais de fazenda
Viscum album	Visco-branco	Incoordenação, pupilas dilatadas, salivação, hipersensibilidade

978-85-7241-725-9

perspectivas de chuvas. É também imperativo que nutrientes de plantas sejam fornecidos: a Tabela 10.10 informa taxas sugeridas de aplicação. Nas áreas com pouca chuva, as sementes devem ser plantadas com 2,5cm (1 polegada) de profundidade; nas áreas com mais chuvas, a profundidade de semeadura deve ser de cerca de 1,2cm (0,5 polegada). Perfurar mais profundamente do que 2,5cm, o que poderia ser recomendado no auge do verão, resultará em brotamentos de sementes pequenas, tais como ervilhas e trevos, não atingindo a superfície, portanto, por razões econômicas, devem ser omitidas da mistura de semente. Um cultivo adequado é então produzido por gradagem e laminação na tentativa de evitar uma superfície de solo embolotada e rapidamente sujeita ao ressecamento. Duas misturas de sementes são sugeridas na Tabela 10.17. São formadas por cepas persistentes que não devem ser dispostas na cobertura da lavoura e que sofrem mais com a seca do que as cepas de crescimento mais rápido no estágio de brotamento se forem plantadas ao final da primavera em terras preparadas inadequadamente para tal.

Tabela 10.17 – Misturas sugeridas de sementes e taxas mínimas de semeadura (kg/ha) para as pastagens permanentes quando um bom leito de semeadura tiver sido estabelecido (sob condições adversas pode ser necessário aumentar até o dobro dessas quantidades).

	kg/ha
Mistura 1 de sementes	
Azevém perene (Melle[1] ou Contender)	10
Azevém perene (Talbot, Parcour ou Morenne)	3,5
Grama-azul macia[2] (Arina, Dasas)	0,75
Festuca vermelha (Echo)	2
Grama-azul áspera (VNS)	0,75
Trevo-branco (Blancho ou ZN Huia)	0,75
Total	17,75
Mistura 2 de sementes	
Azevém perene (Trani ou Springfield)	10
Azevém perene (Melle)	5
Timótio (S48, S352, S4F)	2
Trevo-branco (Milkanova)	2
Total	19

[1] Uma mistura de cepas semelhantes a S23 e S24 poderia ser usada para fornecer uma variação das datas principais.

[2] *Bluegrass* do Kentucky ou grama-azul macia (*Poa pratensis*).

Na formulação de uma mistura própria de sementes, quanto menor a semente, menor o peso requerido por hectare. Assim, seria necessário um baixo peso de grama-azul, timótio e trevo-branco silvestre em comparação com azevém perene ou festuca. E menos seria requerido de cepas de gramíneas folhosas em broto para as pastagens permanentes do que seria usado de cepas agressivas em integrações lavoura-pecuária de curta duração. As melhores cepas de floração tardia de azevém e timótio não devem ser misturadas às cepas agressivas de floração precoce no estabelecimento de uma pastagem permanente. Em solos leves, a grama-azul ou *bluegrass* do Kentucky (*Poa pratensis*) pode ser um constituinte útil da mistura em razão do efeito de seus troncos subterrâneos, os quais unem a superfície do solo. Em solos mais pesados, essas espécies poderiam ser substituídas por festuca alta.

Por algum tempo, um campo novo será mais suscetível à destruição pelo pisoteio do que um campo estabelecido e assim, idealmente, não deve ser pastoreado no primeiro ano, mas deve ser coberto para evitar que gramíneas e quaisquer plantas invasoras anuais floresçam. Se as últimas estiverem presentes em quantidades excessivas, um herbicida seletivo pode ser usado, apesar disso controlar o estabelecimento do trevo, não devendo ser empregado em qualquer caso antes das gramíneas terem desenvolvido duas ou três folhas. Outra opção poderia ser o pastoreio por ovinos ao final do primeiro ano, mas não quando a superfície estiver úmida. Uma lavoura de feno não deve ser preparada a partir de um pasto permanente recentemente estabelecido durante os primeiros dois anos no mínimo.

Onde a arada e o novo plantio são impraticáveis, ou é essencial estabelecer um novo pasto rapidamente, o autor teve considerável sucesso em padoques eqüinos por meio da aspersão do antigo gramado com glifosato uma ou duas vezes durante um período de rápido

978-85-7241-725-9

crescimento, deixando-o por pelo menos 14 dias. Após isso, há dois procedimentos alternativos para o novo plantio:

1. A superfície é completamente roçada (Fig. 10.4), gradada e rolada para efetuar bom brotamento e preparo do solo para semeadura antes do plantio da semente. Isso é adiado até que o entulho da superfície tenha deteriorado; se existirem grandes quantidades, podem ser queimadas ou removidas. O ponto essencial é que os brotos devem estar envolvidos por solo mineral em um firme leito semeado. A queima irá destruir as sementes de plantas exóticas que possam ter permanecido dormentes nas pastagens permanentes por vários anos e que podem produzir uma lavoura fascinante, mas levemente incômoda, no novo campo. Além do mais, a matéria vegetativa excessiva, que pode conter alguns resíduos de herbicidas, suprimiria o crescimento dos brotos, mas o cultivo permite que os microrganismos do solo rapidamente entrem em contato e destruam os herbicidas residuais. Nas áreas com poucas chuvas, os cultivos secarão a superfície do solo durante o verão, o que também suprime a germinação das sementes.
2. Portanto, após a vegetação secar, a umidade superficial é retida, economizando-se tempo com o plantio da semente diretamente no solo com uma sementeira especial que tem segas pesadas de arado para o corte através do gramado morto. Os mesmos princípios de preparo da cobertura e rolamento em momentos apropriados devem ser aplicados como para as criações mais tradicionais descritas.

Figura 10.4 – Preparação do solo para o novo plantio da pastagem permanente no Upend Stud, Newmarket, Suffolk. O roçado começou oito dias após a aspersão com glifosato um leito para as sementes foi satisfatoriamente preparado 21 dias após a aspersão e as sementes foram plantadas depois de 24 dias, seguido pelo rolamento. (*A*) e (*B*) mostram os estágios da preparação do leito para as sementes e (*C*) mostra a pastagem um ano após a semeadura. Anteriormente, o padoque estava cheio de labaças e cardos.

978-85-7241-725-9

Outra alternativa é pastorear de forma intensiva com bois um padoque usado e então roçar e gradar fortemente quando a superfície do solo estiver úmida o suficiente para permitir a penetração de implementos. Após a obtenção de um leito razoável para as sementes, semear, gradar, rolar e fertilizar como antes. O novo crescimento pesado do campo antigo pode ser controlado por coberturas regulares até que os novos brotos estejam bem estabelecidos. Esse procedimento é o menos caro, mas é improvável que seja completamente satisfatório, em especial onde o campo prévio era denso ou se o seu novo crescimento for muito rápido durante o estágio de broto.

Controle de Doenças das Plantas

Os brotos das gramíneas são algumas vezes eliminados logo após a germinação por *Fusarium culmorum* gerados no solo. Existe uma alta relutância em usar pesticidas que possam ser perigosos para insetos domésticos úteis e outras espécies animais. O sucesso no controle desse fungo tem sido obtido por meio do uso de outros fungos antagônicos aos *Fusarium*, mas não perigosos para os brotos das gramíneas. De fato, descobriu-se que algumas espécies endófitas (vivendo inteiramente dentro do tecido da planta e não produzindo esporos) são sinérgicas com as gramíneas, isto é, até mesmo promovem a saúde e o crescimento de espécies de gramíneas. Os endófitos ocorrem tanto nos pastos de azevém quanto de festuca [ver *Disautonomia eqüina (doença das gramíneas)* e *Toxicose pela festuca*, causada pelo *Acremonium coenophialum*, adiante]. Os endófitos são transmitidos nas sementes infectadas e as plantas resultantes podem ser mais resistentes a uma variedade de pesticidas, crescem de forma mais vigorosa, produzindo uma MS maior e podem até mesmo ser mais tolerantes a secas e invernos rigorosos. Todavia, agora é exercido cuidado considerável pelos cultivadores no uso desses fungos, pois existe evidência confirmada de que certos endófitos são causas de doença no rebanho pastando. O azevém é infectado com freqüência pelo *Acremonium lolii*, o qual é provavelmente a causa de doença esporádica em animais pastoreando (ver *Bambeira do azevém*, neste capítulo), em associação com falha no ganho de peso e perda da coordenação, observadas no Reino Unido, na Nova Zelândia e em vários outros países. O *A. coenophialum* é a causa de toxicidade pela festuca. É interessante notar que se acredita que a toxina tremorigênica causadora da doença animal é diferente da que atinge os insetos e assim um progresso útil seria possível na seleção das cepas de endófitos para inocular sementes benignas para o rebanho de quatro patas. Somente o tempo dirá.

GRAMADOS E FORRAGEIRAS TROPICAIS

Uma característica da maioria das forrageiras tropicais é a alta produção de matéria seca, relativamente rica em fibras, mas empobrecida de proteína bruta e P (Tabela 10.18), do que a retribuição de produção animal é relativamente magra. Existem, todavia, grandes diferenças entre os produtos das estações úmida e seca. Em um estudo (Kozak e Bickel, 1981), o conteúdo de proteína bruta das gramíneas diminuiu de uma variação entre 6 e 10% na estação chuvosa para 4 a 5% na estação seca na Tanzânia, sem qualquer alteração no conteúdo de fibras brutas, ainda que as digestibilidades aparentes de proteína bruta tenham sido, respectivamente, 34 a 58% e 16 a 25%. Kozak e Bickel também notaram que a digestibilidade de matéria seca das pastagens diminuiu de 47 a 63% no brotamento para 30 a 53% na floração.

978-85-7241-725-9

Tabela 10.18 – Composição de matéria seca de quatro gramíneas tropicais fornecidas para eqüinos em comparação com uma amostra de gramínea temperada (Newmarket, Reino Unido) (D. Frape, observações não publicadas).

	Capim Napier jovem	Feno de Napier	Feno de Napier maduro	Braquiária	Feno de braquiária	Feno de capim-angola	Capim da Guatemala	Capim da Newmarket
Proteína bruta (%)	5,7-10	5-6	2,7-2,9	11-11,5	5-6	5,4-9,8	7,4-7,5	12,7
Fibra DAM (%)	43-51	54-55	54-55	41-42	51-52	42-44	46-47	27,5
Cinzas (%)	3,2-4,5	3,6-3,8	2,1-2,3	7,3-7,8	3-3,2	3,4-8	6-7	9,95
Ca (%)	0,046-0,16	0,08-0,1	0,1-0,12	0,09-0,13	0,09-0,1	0,11-0,2	0,05-0,06	0,93
P (%)	0,06-0,16	0,11-0,13	0,1-0,12	0,17-0,18	0,14-0,15	0,15-0,23	0,17-0,175	0,31
Mg (%)	0,21-0,32	0,20-0,22	0,22-0,25	0,26-0,27	0,11-0,12	0,18-0,36	0,087-0,088	0,16
K (%)	0,9-1,3	0,8-0,9	0,38-0,4	2,8-3,3	0,95-1,05	0,66-2,6	2,1-2,2	1,9
Na (mg/kg)	170-690	200-300	170-190	510-650	170-180	1.280-11.300	150-170	1.800
Zn (mg/kg)	21-38	34-36	20-22	27-29	–	35-43	–	38
Se (mg/kg)	0,055	–	–	–	0,03	0,03	0,04	0,1
F (mg/kg)	8,4	–	–	–	–	–	–	–

DAM = detergente-ácida modificada.

Afirma-se que a produção por hectare de nutrientes digestíveis é, na melhor das hipóteses, somente metade do obtido de gramíneas de climas temperados. Aparentemente, a baixa digestibilidade das gramíneas tropicais é efeito do seu maior conteúdo de lignina em comparação ao das gramíneas temperadas. As análises revelaram que conforme a temperatura ambiente aumenta, há uma queda no conteúdo de celulose das gramíneas tropicais, mas um aumento proporcional nos conteúdos de hemicelulose e lignina. Experiência malásia demonstrou que os eqüinos alimentados com a quantidade que puderem ingerir de gramíneas tropicais, mais aveia ou outros concentrados, perderam peso. Sua saúde geral e sua performance podem ser melhoradas com a limitação de seu acesso aos gramados, ou seus produtos, e com a sua confinação por períodos maiores de tempo no estábulo, que oferece sombreamento, ventilação fresca e controle mais satisfatório de doenças provocadas por insetos. Além disso, onde o campo é leve, quantidades significativas de areia podem ser consumidas pelo rebanho pastoreando e isso pode interferir com a função intestinal.

A Figura 10.5, *A* mostra os padoques de TB a 1.350m no Zimbábue ao final de outubro, durante a estação de parição (surpreendentemente, a parte mais quente do verão, antes da chuva). A grama é seca e manchada e o único material verde parece ser *Indigofera* spp., Leguminosae, provavelmente *I. setiflora* (Fig. 10.5, *B*). As espécies desse gênero contêm um aminoácido hepatotóxico, indospicina, que compete com a arginina, causando lesão hepática e renal (doença de Birdsville). Os eqüinos podem estar protegidos dessa doença na Austrália por meio da suplementação de seus alimentos com substâncias ricas em arginina, como farelo de amendoim ou gelatina. Sinais de toxicidade incluem perda de apetite, apatia, secreções dos olhos e narinas, perda de condição corpórea, respiração dificultada e grave incoordenação, com um andar cambaleante dos membros posteriores. O eqüino pode cair para trás durante um meio-galope. Várias outras espécies de plantas potencialmente venenosas foram identificadas dentro e ao redor desses padoques de TB (Tabela 10.19).

978-85-7241-725-9

Figura 10.5 – Haras de *Thoroughbred* no Zimbábue, 1.350m, durante outubro. Esta é a estação de parição e o mês mais quente e seco, quando as pastagens podem ter um menor valor alimentar: (*A*) uma vista geral do padoque; (*B*) a única erva verde no padoque, *Indigofera* spp., uma leguminosa que contém substâncias tóxicas para ruminantes.

Os haras de TB no Zimbábue fornecem às éguas de 9 (para éguas vazias) a 12kg (para as lactantes) de concentrados relativamente ricos em proteína, diariamente. Isso também reduzirá o calor residual da fermentação que poderia ser gerado se grandes quantidades de forrageiras fossem fornecidas. Outra razão para as grandes ofertas de concentrados pode ser não somente a baixa digestibilidade das ervas, mas também um reconhecimento das reações adversas caso grandes quantidades de ervas contendo plantas perigosas fossem fornecidas.

Envenenamento pelo Oxalato

Na experiência do autor, os eqüinos em atividade introduzidos nos trópicos e tendo de sobreviver de forrageiras indígenas e grãos cereais com freqüência exibem performance

Tabela 10.19 – Espécies de plantas perigosas dentro e ao redor dos padoques em um haras subtropical de *Thoroughbred*.

Espécies de plantas	Comentários
Eleusine indica, Panicum novemnerve	Glicosídeos tireotrópicos cianogênicos
Setaria pumila, Portulaca spp., *Oxalis* spp.	Oxalatos reduzindo a calcificação óssea
Verbena bonariensis	Membros da família Verbena contêm icterogeninas hepatotóxicas e outros triterpenóides, por exemplo, ácido remânico, idêntico ao que causa o envenenamento pela *Lantana*: "doença das praias" (veja adiante)
Nicandra physalodes	Um membro venenoso da Solanaceae
Senecio venosus	Membros do gênero *Senecio* contêm alcalóides hepatotóxicos
Sideranthus spp.	Acumuladores de selênio*
Amaranthus hybridus	Nitratos e o alcalóide licorina, salivação, diarréia, paralisia
Richardia scabra	(Falsa ipecacuanha) Muito venenosa
Tagetes minuta	Muito venenosa, raízes venenosas aos nematóides
Spermacoce senensis	Muito venenosa
Lantana camara	Muito venenosa, ácido remânico, uma hepatotoxina, "doença das praias": colestase, anorexia, gastroenterite hemorrágica, ataxia, fotossensibilização
Convolvulus sagittatus var. *aschevsonii*	Muito venenosa, purgante, sinais nervosos, incoordenação, tremores, edema pulmonar, poliúria, cegueira, contém alcalóides de ácido lisérgico
Cynodon dactylon	(Capim-bermuda) Hepatotoxinas causando a fotossensibilização secundária
Pennisetum clandestinum	(Capim-kikuyu) Salivação, sede, distensão e inflamação do trato gastrointestinal, incoordenação, etc.
Polygala albida	Membros do gênero *Polygala* causam tremores, gastroenterite, incoordenação, congestão cerebral
Leucas martinicensis	Andromedotoxina poliol tetracíclica causa hipotensão, depressão respiratória, tentativas de vômito. O aminoácido mimosina, um depilatório, causa a gastrite hemorrágica em eqüinos
Indigofera spp.	Aminoácido hepatotóxico, indospicina, causando lesão hepática e renal: "doença de Birdsville"

* Mais de 2mg de Se/kg foram detectados em amostras representativas de ervas das pastagens.

978-85-7241-725-9

reduzida, claudicação (alterando de um membro para outro e envolvendo as articulações da anca e do ombro), arqueamento do dorso, aumento de volume dos ossos faciais e desgaste muscular da garupa e anca. Observações semelhantes e envenenamento de bovinos de pastoreio foram registrados em várias partes do sudeste da Ásia, Filipinas, Brunei e norte da Austrália (Seawright *et al.*, 1970; Blaney *et al.*, 1981a,b) (ver também *Toxinas das gramíneas*, adiante).

As principais lavouras de forrageiras cultivadas para eqüinos na Tailândia são chamadas localmente de "Yakon" e "gramas de Mauritius". Um pouco de capim-colonião, capim-de-Rhodes e capim-estrela também cresce, mas quase nenhuma leguminosa. Essas gramíneas contêm oxalatos excessivos e baixos níveis de cálcio disponível e, aparentemente, de cobre. Casos freqüentes de osteocondrite dissecante (OCD) e síndrome de wobbler (bambeira eqüina) são apresentados e uma suplementação de oligoelementos minerais é muitas vezes útil (Wood, 2001, comunicação pessoal). A pior qualidade nutricional das gramíneas tropicais é em geral superada pela introdução de trevos de alta qualidade e *Medicago* spp., incluindo alfafa, selecionando-se as variedades pobres em taninos, pois concentrações aumentadas de taninos são prevalentes quando as leguminosas crescem em solos tropicais deficientes em P.

Os sinais descritos anteriormente são os de osteodistrofia fibrosa (cabeça-inchada), encontrados pelo autor (observações não publicadas) e por outros (Blaney *et al.*, 1981a) como sendo causados por grandes quantidades de oxalato e pequenas quantidades de Ca e P em várias gramíneas tropicais. A maioria dos relatos publicados se concentra em espécies do gênero *Setaria* (Blaney *et al.*, 1981b; Seawright *et al.*, 1970), que contêm 30 a 70g de oxalato/kg de MS. Um método simples de estimativa quantitativa de oxalato nas gramíneas tropicais foi proposto por Roughan e Slack (1973). Quantidades menores, mas perigosas, de oxalatos foram encontradas em capim Napier (*Pennisetum purpureum*), braquiária (*Brachiaria* spp.) e capim-angola, amplamente usados. Por várias razões, o Napier é uma gramínea inferior para eqüinos. Algumas características químicas de cada uma dessas gramíneas tropicais, para comparação com as gramíneas temperadas, são fornecidas na Tabela 10.18. Demonstrou-se que as amostras eram deficientes também em Se. Pôneis recebendo uma dieta contendo 10g de ácido oxálico/kg mais 4,5g de Ca/kg exibiram reduzido Mg urinário e estavam com equilíbrio negativo de Ca decorrente da sua reduzida absorção (Swartzman *et al.*, 1978). Concluiu-se que problemas em eqüinos podem se originar onde a matéria seca da dieta contiver mais do que 5g de oxalatos totais/kg com uma relação Ca:oxalato menor que 0,5 (Blaney *et al.*, 1981a). Os eqüinos que apresentavam sinais típicos e tinham equilíbrio negativo de Ca e P, suplementados uma vez por semana com calcário, fosfato de rocha, ou fosfato dicálcico e 50 a 60% de melaço, consumiram 200g de Ca e 50g de P por hora e mudaram para um equilíbrio positivo de Ca e P (Gartner *et al.*, 1981). O sucesso foi também obtido pela suplementação dos eqüinos com 125g de calcário por dia (provendo 45g de Ca) até que a anormalidade inicial tivesse sido resolvida, reduzindo-se então a quantidade para 100g diariamente. Se o fosfato de rocha for introduzido na dieta, o consumo de F não deve exceder 50mg/kg da dieta total.

978-85-7241-725-9

PLANTAS VENENOSAS

Em geral, as plantas venenosas não são palatáveis. Podem ser consumidas quando houver escassez de alimentos, quando o eqüino não os encontrou antes, ou quando estiverem ressecadas no feno. As sementes/cultivos de ervas venenosas, como contaminantes dos grãos, podem incluir *Lolium temulentum*, *Ricinus communis* e *Claviceps purpurea*. A Tabela 10.17 lista as espécies de plantas com maior probabilidade de serem uma causa de doença em eqüinos na Europa.

Toxicose de Plantas Causada por Microrganismos Associados em Gramíneas

Existem várias espécies de microrganismos crescendo nas plantas e que causam intoxicação em eqüinos. O assunto das toxinas microbianas recebeu muita atenção nos anos recentes, provavelmente como resultado do desenvolvimento de métodos laboratoriais para sua análise.

Toxicose pela Festuca

Talvez uma das síndromes mais urgentes, pelo menos nos Estados Unidos, é a toxicose pela festuca. Aproximadamente 688.000 eqüinos nos Estados Unidos são mantidos em pastagens de festuca alta (*Festuca arundinacea*) e, por vários anos, houve relatos de problemas reprodutivos em éguas pastando essas espécies (Cross *et al.*, 1995). Os sinais incluem aumento do tempo de gestação, agalactia, mortalidade de potros e éguas, placentas espessas e resistentes, distocia (trabalho de parto anormal), potros fracos e dismaturos, sudorese aumentada em climas quentes, prolactina e progesterona séricas reduzidas e concentrações séricas aumentadas de estradiol-17b [aparentemente, as festucas altas infestadas por endófitos diminuem a progesterona sérica ao final da gestação, mas falham em suprimir a progesterona sérica, ou as concentrações de T_3 ou T_4 no início ou na metade da gestação (Hill *et al.*, 2001)]. Diferentemente dos efeitos em várias outras espécies, os eqüinos que consomem a festuca alta infestada não apresentam temperatura corpórea elevada.

As anormalidades em éguas gestantes são causadas pelos alcalóides peptídicos de *ergots* vasoconstritivos (alcalóides pirrolizidinas também foram isolados), produzidos pelos fungos endofíticos, principalmente *Acremonium coenophialum*, mas também pelo *Balansia epichloe* e *B. henningsiana* identificados na festuca alta (Tabela 10.20). Esses fungos infectam outras plantas invasoras de estações quentes e gramíneas (incluindo *Agrostis*, *Andropogon*, *Eragrostis*, *Paspalum*, *Sporobolu* e *Stipa*), mas não são patológicos para as plantas. Evidência recente demonstrou que a ergovalina, a principal ergopeptina isolada do *A. coenophialum*, em uma concentração dietética de até 308µg/kg não causou efeito adverso na performance nutricional ou reprodutiva de éguas.

O feno de festucas altas infectadas pelos endófitos é menos digestível que o feno livre de endófitos e os eqüinos jovens que consomem as pastagens infectadas crescem de forma mais lenta que aqueles em pastos livres de endófitos. Os alcalóides aparentemente servem

Tabela 10.20 – Perfis de *ergots* em fungos endofíticos isolados de gramíneas em crescimento na Geórgia central, Estados Unidos (Bacon, 1995).

Alcalóides de *ergots*	*Balansia* spp.		*Acremonium coenophialum*
	B. epichloe	*B. henningsiana*	
Chanoclavina I	+	+	–
Isochanoclavina I	+	+	–
Agroclavina	+	–	+
Elimoclavina	+	–	+
Peniclavina	+	–	+
Ergoclavina	+	–	–
Ergonovina	+	–	±
Ergonovinina	+	–	–
6,7-Secoagroclavina	+	–	+
Diidroelimoclavina	–	+	–
Festuclavina	–	–	+
Ergovalina	–	–	+
Ergovalinina			+

978-85-7241-725-9

como receptores agonistas de dopamina D2, o que explica seu efeito redutor de prolactina. Cross *et al.* (1995) advertiu que a domperidona, um antagonista de receptor dopamínico, é eficiente na prevenção dos sinais da toxicose por festuca alta em eqüinos sem efeitos colaterais neurolépticos. A dose eficiente mínima em éguas gestantes é 1,1mg/kg de PC por dia, fornecida oralmente durante 30 dias antes do parto, ou 0,44mg/kg de PC via subcutânea por dez dias antes do parto.

978-85-7241-725-9

A toxicose pela festuca provoca suscetibilidade aumentada a temperaturas ambientais elevadas e intolerância à luminosidade (Porter e Thompson, 1992) e por isso os recentes verões quentes na Europa podem ter aumentado lá a freqüência dessa doença em eqüinos, bovinos e ovinos. Os endófitos da grama *Acremonium* são taxonomicamente alinhados à família Clavicipitaceae e vivem a vida toda dentro das partes aéreas de sua gramínea-hospedeira, não produzindo esporos.

Bambeira do Azevém

O *Acremonium lolii* é o endófito do azevém perene (*Lolium perenne*), que produz os alcalóides indolisoprenóides paxilina e lolitrem (Porter, 1995), causando a bambeira do azevém, uma condição neurológica caracterizada por incoordenação, bambeira, sacudir de cabeça e colapso em eqüinos lesionados. O lolitrem apresenta-se em alta concentração nas bainhas das folhas e em menor concentração na parte mais larga. Assim, a bambeira é observada com mais freqüência nos pastos mais rentes e foi descrita em eqüinos que ingeriram a palha do azevém. Relatos da Nova Zelândia e do Oregon, Estados Unidos, são mais freqüentes. Os alcalóides ergopeptinas produzidos por esse endófito podem ser causas de crescimento e reprodução ruins nas pastagens de azevém. O assunto do efeito de toxinas naturais na reprodução no rebanho foi revisado por James *et al.* (1992) e por Cheeke (1995).

Tratamento das Pastagens contra Acremonium spp.

No presente, parece não existir tratamento profilático eficiente para as pastagens nas quais a festuca alta ou o azevém estão infectados com o *Acremonium* spp. A infecção das pastagens melhora o vigor e a persistência dessas espécies de gramíneas. Na Nova Zelândia, a prevenção é proporcionada pela proteção das gramíneas contra os danos pelo gorgulho e a reprodução da planta tem a probabilidade de ser o caminho para a superação do problema. Atualmente, em razão de um vigor aumentado, os cultivares infectados por endófitos tanto do azevém quanto da festuca alta formam uma parte crescente na produção total de sementes.

Toxicose por Grama-do-sono

A grama-do-sono (*Stipa robusta*) é uma gramínea perene em ramos encontrada nas cordilheiras do sudoeste dos Estados Unidos. O seu consumo provoca uma profunda condição de letargia que pode durar vários dias nos eqüinos. Os endófitos de *Acremonium*, contendo o alcalóide de *ergot* amido do ácido lisérgico, são os prováveis agentes causadores (ver *Toxicose pela festuca*, anteriormente).

Zearalenona

Propôs-se que a síndrome de perda fetal que acometeu éguas gestantes do Kentucky e causou crescimento pobre do potro tivesse sido causada pela toxina do *Fusarium* zearalenona nas pastagens e no feno em concentrações de 0,1 a 0,3mg/kg. Um aditivo de alimentos e agente ligante de micotoxinas que evita a absorção da zearalenona no trato gastrointestinal está agora disponível comercialmente no Kentucky.

Vomitoxina

As amostras de forrageiras no sudoeste de Ontário foram examinadas quanto às toxinas do *Fusarium* vomitoxina, zearalenona e toxina T2. A vomitoxina, em concentrações que excedam 4mg/kg de MS, foi associada com perda de apetite, vômitos, lesões do trato intestinal, imunossupressão, letargia e ataxia. Raymond *et al.* (2001) observaram que 22% das amostras de forragens continham 2 a 4mg/kg de MS. Wright *et al.* (2003) detectaram baixas concentrações de alcalóide de *ergot* e de contaminação pela micotoxina do *fusarium* em feno e palha aos quais as éguas foram expostas em Ontário, mas não encontraram correlação com os vários parâmetros reprodutivos. O nível de contaminação na maioria das amostras "apresentáveis" de feno parece não ter os efeitos da doença.

978-85-7241-725-9

Toxicose pelo Azevém Anual

A toxicose pelo azevém anual ocorre em particular na África do Sul e na Austrália e é causada por um grupo de glicolipídeos altamente tóxicos chamados de corinetoxinas. Os sinais são distúrbios neurológicos, apresentados como andadura de passos altos, ataxia e convulsões. É uma condição letal que causa lesão no cerebelo. A etiologia é complexa. Os brotos podem ser infectados por um nematóide do solo, *Anguina agrostis*, que leva a uma galha na flor, onde o verme coloca os ovos. O nematóide é atóxico, mas, por sua vez, caso seja infectado por uma bactéria, *Clavibacter toxicus*, as corinetoxinas são produzidas e as galhas tornam-se então tóxicas. Existe alguma evidência de que a toxina seja produzida somente se as bactérias estiverem por si só infectadas com um bacteriófago. O controle da toxicose requer que a infecção pelo nematóide das gramíneas seja evitada. A rotação da lavoura, a queima do campo, o corte das cabeças das sementes imaturas, o estabelecimento do pouso e a prevenção da transferência de material infectado para outros campos são métodos de controle.

Disautonomia Eqüina (Doença das Gramíneas)

A doença das gramíneas (EGS) é agora identificada na Inglaterra, Escandinávia, Suíça, Ilhas Falklands e Patagônia, mas raramente na América do Norte, Austrália, ou Irlanda. Os achados clínicos e pós-morte nos gânglios celíaco-mesentéricos dos eqüinos pastoreando nas pastagens chilenas em temperaturas próximas do congelamento indicaram que eles apresentavam a doença das gramíneas, descrita localmente como *mal seco* (Araya *et al.*, 2002). O *Clostridium botulinum* foi primeiramente implicado como o agente causador de EGS quando foi isolado do trato gastrointestinal de um eqüino com a doença em 1919. Já em 1923, Tocher sugeriu que a EGS fosse uma tóxico-infecção e aplicou uma mistura de toxina/antitoxina de *C. botulinum* em eqüinos vacinados. Isso forneceu proteção e reduziu a mortalidade. As bactérias clostrídios podem se multiplicar em solos sob condições anaeróbicas e, portanto, uma causa por esses agentes é compatível com o pastejo por eqüinos adultos. Isso é verdade em especial quando o local de pastejo é mudado, possivelmente causando um distúrbio ao ambiente gastrointestinal e à sua microflora de proteção. Especula-se que a razão de outros eqüinos em contato com casos de EGS estarem com risco menor é que ingerem uma dose não infectante do organismo e desenvolvem imunidade. Recentemente, observou-se que os eqüinos com EGS apresentam menores níveis de IgG sistêmica contra os antígenos de superfície das neurotoxinas do tipo C, mas os eqüinos previamente em contato com a EGS, ou os que pastaram o campo onde ele ocorreu, revelaram maiores níveis de anticorpos contra esses antígenos (Hunter e Poxton, 2001). Isso pode indicar o potencial para vacinação.

O botulismo clássico está associado com a disfunção da junção neuromuscular e a morte está usualmente associada com a falência respiratória. Não existem lesões histopatológicas consistentes em qualquer tecido. Ao contrário, a EGS é caracterizada por profunda destruição nervosa no sistema nervoso autônomo e particularmente no entérico. Os sinais clínicos incluem tremores musculares, sudorese em pontos, dificuldade em deglutir, salivação, dilatação dos intestinos e estômago e perda crônica de peso. Reconhece-se que o *C. botulinum* causa duas síndromes clínicas distintas no homem: a resultante da ingestão da toxina e o botulismo infantil, no qual o organismo se replica no intestino, liberando toxina que é absorvida através da parede intestinal. Isso é conhecido como tóxico-infecção e foi proposto como uma causa de EGS. Existem oito tipos antigenicamente distintos de toxinas, mas a maior parte do botulismo eqüino é causada pelos tipos B e C de *C. botulinum*. O tipo C, encontrado no EGS, produz unicamente três neurotoxinas que podem causar neurotoxicidade e neurodegeneração, assim como interferência com a transmissão neuromuscular. Nos últimos cinco anos, Hunter *et al.* (1999) apresentaram evidência que o tipo C de *C. botulinum* e a neurotoxina (BoNT/C) estavam presentes no íleo de quase metade dos casos de EGS investigados, mas em somente 7% dos controles.

Mais agentes ambientais podem aumentar o risco. Trevo altamente cianogênico é abundante nos campos de EGS e B. C. McGorum (comunicação pessoal) propôs que a ingestão desse trevo, contendo os glicosídeos cianogênicos linamarina e lotaustralina, pode contribuir com a neurotoxicidade do EGS. Além do mais, a desintoxicação dessas substâncias depleta os aminoácidos ricos sulfurados, abaixo do normal em casos de EGS (McGorum e Kirk, 2001). Antes dos eqüinos com EGS se tornarem anoréticos, McGorum concluiu que provavelmente revelariam as elevadas concentrações de cianeto sangüíneo e de tiocianato plasmático e urinário. Evidência recente revelou elevados níveis de diidrofenilalanina plasmática (DHFA) em eqüinos com EGS (McGorum *et al.*, 2003), provavelmente refletindo um distúrbio no metabolismo de catecolaminas. Claramente, muito ainda deve ser revelado sobre a EGS e seu controle e as conclusões não devem ser traçadas de modo prematuro em relação às causas.

Lupinose Crônica

A lupinose crônica é causada em ovinos pela presença do fungo *Phomopsis leptostromiformis* em espécies de lupinos, causando lesão hepática. A condição não foi descrita em eqüinos, nos quais o envenenamento agudo pelo lupino pode ocasionalmente ocorrer (ver *Leguminosas tóxicas e outras espécies*, adiante).

Toxinas de Plantas

No mundo das plantas há uma vasta lista de substâncias tóxicas e perigosas para eqüinos quando consumidas em quantidades desproporcionais. Várias são conhecidas como alcalóides, que são compostos orgânicos, básicos, apesar da diversidade química de todos os compostos perigosos ser considerável e a variedade de toxicidade para o eqüino ser ampla. Numerosas espécies de plantas folhosas dentro ou ao redor das pastagens são tóxicas em maior ou menor grau, como conseqüência da produção de toxinas endógenas. O acesso dos eqüinos a arbustos, árvores e plantas de cercas vivas é uma causa típica de intoxicação, apesar de a intoxicação menor poder ocorrer, por exemplo, de membros amplamente abundantes da família Ranunculaceae. Na experiência do autor, a intensa infestação das pastagens por alguns membros dessa família causa a irritação bucal nos eqüinos. Os membros dessa família contêm um óleo amarelado volátil irritante, protoanemonina, mas em quantidades diferenciadas. Essa substância pode causar irritação na boca dos animais de pastoreio, mas o feno contendo a Ranunculaceae é seguro, no que concerne à *sua* química, pois o processo de conservação causa a precipitação da protoanemonina em uma forma não perigosa.

978-85-7241-725-9

Toxicoses mais graves são provocadas pela contaminação do feno de terras altas por samambaias que causam a ataxia progressiva. A planta inteira é tóxica e os princípios incluem um glicosídeo cianogênico em concentrações relativamente baixas, uma tiaminase (causando a ataxia), um fator de anemia aplástica, um fator que causa hematúria e um carcinógeno, apesar desses últimos três poderem ser idênticos. Os prados úmidos são outras fontes de plantas perigosas e os campos secos, nos quais arbustos perigosos resistentes à seca sobrevivem, também o são. Em vários casos, o diagnóstico conclusivo é improvável.

Fotossensibilização

A fotossensibilização se refere à produção de lesões de pele causadas pela interação da luz solar com substâncias exógenas capazes de serem ativadas pela radiação solar para formar radicais livres. A fotossensibilização primária é causada pela luz solar reagindo com as substâncias dietéticas na pele após a absorção. Exemplos incluem a hipericina contida na erva-de-são-joão (*Hypericum* spp., especialmente *H. perforatum*), fagopirina no trigo sarraceno (*Fagopyrum esculentum*) e toxinas no natércio (*Narthecium ossifragum*), em espécies de *Vicia* e algumas vezes na alfafa (*Medicago sativa*), no trevo híbrido (*Trifolium hybridum*) e em trevos-violetas. Em outras ocasiões, as drogas terapêuticas podem ser as culpadas. A fotossensibilização pela alfafa é causada pelo feoforbídeo-alfa contido nas folhas da alfafa seca. O feoforbídeo-alfa é formado pela quebra da clorofila sob a influência da clorofilase, durante seu processamento. Existe maior atividade dessa enzima nas forrageiras leguminosas do que nas gramíneas.

Várias toxinas absorvidas são desintoxicadas no fígado e excretadas na bile. Esse processo é obviamente menos eficiente nos casos em que há uma medida de disfunção hepática. A fotossensibilização secundária ocorre quando um fígado lesionado é incapaz de eliminar, por exemplo, a filoeritrina, um metabólito fotodinâmico da clorofila, na bile. As reações dérmicas têm mais probabilidade de serem observadas após o consumo de grandes quantidades de forrageiras verdes por eqüinos que receberam algum agente hepatotóxico. Numerosas espécies de gramíneas da estação quente causam a fotossensibilização, caracterizada por fotofobia e grave dermatite. Essas espécies incluem o *Panicum* e *Brachiaria*, que contêm saponinas esteroidais que causam a lesão hepática, possivelmente pela interação com micotoxinas.

O eczema facial no ovino é a fotossensibilização secundária causada pela micotoxina esporidesmina, contida nos esporos produzidos pelo fungo *Pithomyces chartarum*. A toxina promove a lesão hepática por radicais livres. Como o cobre catalisa fortemente a oxidação, a proteção é conseguida pela suplementação com zinco, que reduz a absorção de cobre e o nível sérico deste. O Zn também se liga a um metabólito da esporidesmina, evitando sua auto-oxidação. É relevante na Nova Zelândia, onde ovinos e bovinos desenvolvem dermatite grave das áreas do corpo expostas ao sol.

Leguminosas Tóxicas e outras Espécies

978-85-7241-725-9

O teixo (*Taxus baccata*) é a planta mais tóxica (não leguminosa) no Reino Unido; pouco mais de 100g irá matar um eqüino de parada cardíaca. A segunda mais venenosa é o laburno (*Laburnum*), membro da família das leguminosas, que contém várias plantas conhecidas por lesionar eqüinos, entre elas a giesta (*Cytisus scoparius*) e os lupinos (*Lupinus*). A toxicidade dos lupinos é principalmente confinada às sementes e as várias cepas diferem em sua potência. O lupino doce (*L. lutens*) tem baixo conteúdo de alcalóides e cresce em terras pobres como fonte de forrageira. Se eqüinos os ingerirem, a morte é rara e é causada por paralisia respiratória, não por lesão hepática. Um envenenamento acumulativo associado com a lesão hepática progressiva (lupinose crônica) ocorre em ovinos e eqüinos na Austrália. Aqui, o agente acusativo é um fungo que cresce nos lupinos.

O trevo doce (*Melilotus*) contém cumarina, a qual é quebrada em dicumarol no feno feito sob condições ruins de corte ou durante o emboloramento. O dicumarol prolonga o tempo de coagulação sangüínea. Os trevos brancos e violetas podem conter fatores tóxicos. Ambas as espécies contêm quantidades apreciáveis de estrógenos que são também encontrados (em concentrações muito maiores) no trevo subterrâneo (*Trifolium subterraneum*) que cresce em solos leves. Alguns relatos indicam a presença da atividade estrogênica em fungos que infectam as folhas dos trevos. Essas substâncias semelhantes aos hormônios foram associadas com infertilidade e comprimento aumentado da mama de ovinos e é uma questão em aberto se qualquer problema comparável a esse ocorre em éguas de pastoreio.

O trevo de Alsike (*Trifolium hybridum*, derivado de Alsike, uma cidade perto de Uppsala, Suécia, mas o trevo não é um híbrido), uma planta de crescimento alto com flores brancas rosadas, pode causar envenenamento em eqüinos. Wright *et al.* (2003a) observaram inapetência, letargia, desidratação, pirexia, edemas de membros inferiores, hepatite, icterícia, diarréia e hemorragias petequiais e úlceras da cavidade oral em TB adultos que receberam uma dieta de alimentos doces, polpa de beterraba e feno contendo o trevo de Alsike em quantidades que excediam 20% em alguns fardos. Dois gêneros de ervilhacas nos Estados Unidos, ervilhacas leitosas (*Astragalus*) e o *Oxytropis* relacionado (ver Tabela 10.16) são implicados em várias condições anormais dos eqüinos. Uma causada pelas ervilhacas leitosas é identificada por desencadear sinais nervosos irreversíveis.

As plantas do gênero *Swainsona, Oxytropis, Astragalus* e *Ipomoea* causam alfa-manosidose, uma doença de sobrecarga lisossômica de herbívoros. Loretti *et al.* (2003), no sul do Brasil, investigaram essa doença em pôncis. Caracteriza-se por andar rígido, tremor muscular, dor abdominal e morte, seguindo a introdução nas pastagens pesadamente infestadas com *Sida carpinifolia.* Múltiplos vacúolos citoplasmáticos em neurônios aumentados de tamanho do cerebelo, medula espinhal e gânglios autonômicos foram observados *post mortem*. Houve também vacuolação acentuada das células dos túbulos contornados proximais renais. A histoquímica com lectinas dos vacúolos neuronais revelou coloração que coincidente com a da manosidose herdada.

A ervilhaca manchada (*Astragalus lentiginosus* var. *diphysus*), encontrada nos terrenos arborizados com pinhas e junípcros no platô do Colorado, é prontamente ingerida por eqüinos e a toxina que contém, a swainsonina, causa anorexia e instabilidade de comportamento (Pfister *et al.*, 2003). Outra ervilhaca (*Oxytropis sericea*) também causa um sério problema em pastagens no oeste dos Estados Unidos. Pfister *et al.* (2002) demonstraram que o cloreto de lítio, administrado via sonda nasogástrica a uma taxa de 190mg/kg de PC, condicionou uma aversão forte e persistente a essa planta, apesar de alguns eqüinos requererem mais do que o par formado pelo agente de aversão e o gosto da planta invasora para o efeito persistir.

Apesar de nenhum dos membros venenosos desses gêneros ser encontrado no Reino Unido, certas espécies de pastagens de *Vicia* e *Lathyrus* encontradas lá são levemente tóxicas. Em partes dos Estados Unidos, as ervilhacas começam seu crescimento no final do verão e permanecem verdes ao longo do inverno. Elas precisam ser pastoreadas por um período antes do envenenamento ser óbvio. Algumas espécies são acumuladoras de Se, contendo até 300mg/kg e são venenosas por essa razão.

Toxinas das Gramíneas

As toxinas são raramente produzidas pelos tecidos das gramíneas, apesar de várias espécies serem conhecidas por fazerem isso.

Envenenamento pelo Capim-kikuyu

Além de seus oxalatos solúveis, o capim-kikuyu (*Pennisetum clandestinum*) causa envenenamento de eqüinos, provavelmente relacionado às saponinas que se acumulam durante períodos de rápido crescimento das gramíneas. Os sinais incluem beberagem falsa estimulada, anorexia, depressão, piloereção, salivação, cólica, ranger de dentes, parada dos movimentos intestinais e parada da defecação.

978-85-7241-725-9

Envenenamento pelo Capim-amarelo

O capim-amarelo (*Phalaris arundinacea*) é uma forrageira que cresce em solos úmidos, pouco drenados. Contém pelo menos oito diferentes alcalóides que causam envenenamento em rebanhos. O capim-amarelo é relativamente não palatável e isso pode ser uma razão para não terem sido reportados casos de intoxicação em eqüinos.

Envenenamento pelo Oxalato

Várias espécies de gramíneas tropicais, incluindo capim-buffel (*Cenchrus ciliaris*), capim-pangola (*Digitaria decumbens*), capim-setária (*Setaria sphacelata*) e capim-kikuyu (*Pennisetum clandestinum*) contêm oxalatos solúveis que reagem com o Ca para formar oxalato de Ca insolúvel, reduzindo a absorção do Ca. Isso causa a mobilização do mineral ósseo e o hiperparatireoidismo secundário ou osteodistrofia fibrosa em eqüinos. Bovinos e ovinos são menos afetados, mas não deixam de sê-lo em razão da degradação dos oxalatos no rúmen. As concentrações de 5g ou mais de oxalatos solúveis/kg de MS nas gramíneas forrageiras induz a condição em eqüinos. O conteúdo de oxalato dessas gramíneas é maior sob condições de rápido crescimento. A toxicidade pelo oxalato é também discutida em *Gramados e forrageiras tropicais*, anteriormente.

Árvores Venenosas

Várias espécies de árvores contêm substâncias tóxicas em maior ou menor grau (ver Tabela 10.16). As toxinas podem estar presentes nas folhas, nas bagas e/ou nos frutos. Uma alta proporção de eqüinos em camas com raspas de madeira de nogueira preta (*Juglans nigra*) desenvolve laminite. Foi demonstrado que um extrato aquoso de cerne fornecido via sonda nasogástrica causa edema de membros, leve sedação e laminite grau 3 ou 4 de Obel (ver Cap. 11) dentro de 12h. Os sinais são incompatíveis com aqueles causados pela sobrecarga de carboidratos. A toxina não foi identificada.

Espécies Cianogênicas

Toxicidade pelo Cianeto de Hidrogênio

A toxicose pelo cianeto é causada pela inibição da citocromo oxidase (EC 1.9.3.1), uma enzima respiratória terminal em todas as células, privando a célula de adenosina trifosfato (ATP). Assim, os sinais da intoxicação aguda incluem respiração trabalhosa, excitação, ofegar, cambaleio, convulsões, paralisia e morte. Nos países tropicais e subtropicais, ocorre a cistite eqüina enzoótica e a ataxia em eqüinos pastoreando forrageiras frescas anuais do verão do gênero *Sorghum* (capim de Johnson, capim sudanês, *S. sudanense* e sorgo comum). Porém, a toxicose aguda é mais provável com o consumo de feno de sorgo, ou especialmente com feno de sorgo moído e peletizado, em razão da rápida taxa de consumo e de liberação de cianeto. A ensilagem reduz acentuadamente o risco da toxicose pelo cianeto. Sorgo contém um glicosídeo cianogênico, dhurrina, do qual cianetos livres podem ser liberados por ação enzimática. O glicosídeo e a enzima estão contidos em diferentes células das plantas, mas o dano à planta pelo murchar, pisotear, congelar e secar resulta na quebra das paredes celulares, com a mistura de sucos e a liberação de cianeto livre. A erva-do-brejo (*Triglochin*), a cerejeira-preta (*Prunus serotina*), a cerejeira-silvestre (*P. virginiana*), a cerejeira-vermelha (*P. pennsylvanica*) e a linária (*Linum*) também contêm glicosídeos cianogênicos que são hidrolisados em cianeto de hidrogênio. São mais tóxicos durante o rápido crescimento imediatamente antes de um frio intenso. A pesada fertilização com N, o murchar, o pisotear e as doenças de plantas podem aumentar o perigo. A silagem e a silagem pré-seca, produzidas a partir das gramíneas, são arriscadas. A cistite, ou inflamação do trato urinário, e a incontinência são mais comuns em éguas do que em garanhões ou machos castrados, mas a ataxia posterior, da qual raramente se recuperam, manifesta-se em todos os eqüinos.

978-85-7241-725-9

Tiocianato

O cianeto é prontamente desintoxicado nos tecidos animais, durante as baixas taxas de consumo, pela reação com o tiossulfato para formar tiocianato, cujas concentrações no sangue e na urina aumentam durante a exposição crônica:

$$S_2O_3^{-2} + CN^- \rightarrow SO_3^{-2} + SCN^-$$

Porém, a produção crônica do tiocianato (SCN^-) pode induzir a ataxia, lesões degenerativas do sistema nervoso central, bócio e uma deficiência de S decorrente da sua perda urinária como tiocianato.

Hepatotoxinas

A má nutrição pode aumentar os riscos de várias toxinas, ou uma toxina pode gerar os efeitos de outra. Apesar de conclusões definitivas serem usualmente improváveis, existem várias interações bem conhecidas no campo. O *Heliotropium europaeum* (Boraginaceae) é um arbusto que produz as hepatotoxinas alcalóides pirrolizidinas heliotrina e lasiocarpina, causando lesões associadas com o acúmulo de cobre e uma crise hemolítica subseqüente de envenenamento crônico por cobre. Normalmente, o *Heliotropium europaeum* não seria pastado se houvesse outra vegetação mais palatável. Um caso direto foi apresentado ao autor uma vez, em que grave lesão hepática e morte ocorreram entre ovinos. Esses animais pastaram em um ambiente onde flores rosas e folhagem verde de *H. europaeum* eram a única espécie não desidratada e essas plantas foram colocadas contra o fundo de uma camada azul de sais de cobre no leito de um rio seco.

Seneciose

No Reino Unido e em várias terras de clima temperado, a fonte mais comum de alcalóides pirrolizidina é a erva-de-santiago (*Senecio jabobaea*), freqüentemente consumida como feno. A seneciose é uma doença causada pela ingestão de certas plantas do gênero *Senecio* (Compositae), que induzem o aumento do tamanho hepático, a degeneração, a necrose, a cirrose e a ascite. Uma constante característica tem sido a oclusão da veia centrolobular (doença venooclusiva – DVO), brevemente revisada por Hill (1959). Apesar da erva-de-santiago ser um membro perigoso desse grupo, o senécio (*S. vulgaris*) é uma fonte, ainda que menor, das toxinas. Existem vários relatos de seneciose nos Estados Unidos, Europa e outros continentes. A distribuição mundial da doença é confirmada pela variedade de nomes usados para descrevê-la: "*walking disease*", dos eqüinos e bovinos em Nebraska; doença "*walking about*" dos eqüinos e bovinos na Austrália; doença de "*Pictou*" na Nova Escócia; doença de "*Zdar*" na ex-Tchecoslováquia; doença de "*Schweinberger*" na Alemanha; "*Dunziekte*" dos eqüinos e bovinos na África do Sul; e doença de "*Winton*" na Nova Zelândia. Também é identificada em caprinos, galinhas, codornizes, pombas e suínos. A *Crotalaria* (leguminosas) e o *Heliotropium* têm propriedades hepatotóxicas semelhantes e assim seus efeitos são incluídos sob o termo seneciose.

Verões secos deixam vários padoques e pastagens em péssimo estado, com as espécies típicas de gramíneas sendo eliminadas. Por outro lado, as plantas invasoras de raízes profundas e resistentes à seca sobrevivem. Nesse clima, a erva-de-santiago e suas sementes se disseminam e pode-se esperar que ocorra um aumento na freqüência de lesão hepática entre eqüinos e outros herbívoros. As diferentes resistências de animais de pastoreio a essa toxina refletem uma variação na eficiência de sua eliminação urinária (Holton *et al.*, 1983). As elevadas concentrações plasmáticas de GGT (EC 2.3.2.2) são um útil indicador precoce de lesão hepática causada pelas toxinas da erva-de-santiago. Os eqüinos com fígados lesionados por tal planta devem receber uma dieta bem balanceada contendo proteínas de boa qualidade suplementadas com vitaminas B e oligoelementos minerais.

O confrei (*Symphytum officinale*) contém pelo menos nove alcalóides pirrolizidina potencialmente hepatotóxicos em suas folhas e raízes, menos tóxicos do que aquele da erva-de-santiago. Tem sido recomendada a inclusão do confrei nos alimentos eqüinos, mas essa recomendação não pôde ser mantida em razão do risco de lesão hepática.

Aflatoxicose

A lesão hepática pelas aflatoxinas, derivada de intoxicação pelo *Aspergillus flavus*, ao qual o eqüino é muito suscetível, é menos provável agora dentro da União Européia como resultado da legislação. Essa toxina foi primeiramente descrita em amendoins (*Arachis hypogaea*),

978-85-7241-725-9

mas tem sido detectada de forma subseqüente em concentrações menores em outras espécies de plantas, incluindo alguns grãos cereais.

HOMEOPATIA

O princípio da homeopatia é fornecer um químico potencialmente tóxico, o qual em grandes doses causa os sinais de uma doença específica, mas que em doses pequenas cura a doença. Infelizmente, muitas das evidências que sustentam as alegações são anedóticas e existe uma necessidade de que essas alegações sejam submetidas aos métodos experimentais aceitáveis de exame. Os remédios usados na homeopatia são extraídos de materiais dos reinos animal e vegetal e de minerais naturais. Incluem:

- Briônia (lúpulo selvagem).
- Beladona.
- Sílica (sílex).
- Enxofre.
- Sépia (tinta de choco).
- Ápis (abelha melífera) (Evans, 1995).

O desenvolvimento potencial de alguns procedimentos de tratamento é perigoso, como por exemplo, os "nosodes" (produtos homeopáticos feitos de órgãos ou tecidos patológicos). Vários dos tratamentos envolvem o uso de substâncias irritantes extraídas das plantas, por exemplo, a pulsatila da *Pulsatilla nigricans* (Ranunculaceae), a arnica das flores de *Arnica montana* e Compositae relacionadas, com propriedades farmacológicas bem conhecidas. A questão geral é se as doses muito baixas tipicamente usadas têm qualquer efeito mensurável, ao passo que altas doses poderiam ser perigosas.

QUESTÕES PARA ESTUDO

1. Qual a sua proposta quanto ao que deveria ser feito em pastagens usadas e infestadas por vermes em solos (a) argilosos pesados e (b) levemente alcalinos?
2. Onde (a) ovinos ou (b) bovinos podem ser adquiridos, como seria proposta por você a organização do sistema de manejo de pastagens mistas em um haras de 50ha com 30 éguas e acompanhantes?
3. Qual seria a seqüência de decisões no planejamento para preparar silagem pré-seca para um haras com 20 éguas?

978-85-7241-725-9

LEITURA COMPLEMENTAR

AFRC Institute for Grassland and Animal Production, Welsh Plant Breeding Station, Plas Gogerddan, Aberystwyth, Dyfed SY23 3EB, Wales. Various publications on grassland research.

Aiken, G. E., Potter, G. D., Conrad, B. E., Evans, J. W. (1989) Growth performance of yearling horses grazing Bermuda grass pastures at different grazing pressures. *Journal of Animal Science,* **67**, 2692-7.

Andrews, A. H., Humphreys, D. J. (1982) *Poisoning in Veterinary Practice,* 2nd edn. National Office of Animal Health, Enfield, Middlesex.

Anon. (1986) Better use of nitrogen – the prospect for grassland. *National Agricultural Conference Proceedings.* Royal Agricultural Society of England and Agricultural Development and Advisory Service, National Agriculture Centre, Warwickshire.

Anon (1995a) *Compendium of Data Sheets for Veterinary Products, 1994-95.* National Office of Animal Health, Enfield, Middlesex.

Anon (1995b) *The UK Pesticide Guide* (ed. R. Whitehead). CAB International, Wallingford, and The British Crop Protection Council, Farnham.

Bacon, C. W. (1995) Toxic endophyte-infected tall fescue and range grasses: historic perspectives. *Journal of Animal Science,* **73**, 861-70.

Cheeke, P. R. (1995) Endogenous toxins and mycotoxins in forage grasses and their effects on livestock. *Journal of Animal Science,* **73**, 909-18.

Clarke, E. G. C., Clarke, M. L. (1975) *Veterinary Toxicology.* Baillière Tindall, London.

Cross, D.L. Redmond, L.M. & Strickland, J.R. (1995) Equine fescue toxicosis: signs and solutions. *Journal of Animal Science,* **73**, 899-908.

Forbes, T. J., Dibb, C., Green, J. O., Hopkins, A., Peel, S. (1980) *Factors Affecting Productivity of Permanent Grassland.* A National Farm Survey. Grassland Research Institute, Hurley, Maidenhead.

Frape, D. L. (1996) Sherlock Holmes and chemical poisons. *Equine Veterinary Journal,* **28**, 89-91.

Green, J. O. (1982) *A Sample Survey of Grassland in England and Wales 1970-1972.* Grassland Research Institute, Hurley, Maidenhead.

Hails, M. R., Crane, T. D. (1983) *Plant Poisoning in Animals. A Bibliography From the World Literature, 1960-1979.* Commonwealth Agricultural Bureaux, Slough.

Hopkins, A. (1986) Botanical composition of permanent grassland in England and Wales in relation to soil, environment and management factors. *Grass and Forage Science,* **41**, 237-46.

Hopkins, A., Martyn, T. M., Bowling, P. J. (1994) Companion species to improve seasonality of production and nutrient uptake in grass/clover swards. *Proceedings of the 15th General Meeting, European Grassland Federation* (ed. L. Mannetje), Wageningen, Netherlands, pp. 73-6.

James, L. F., Panter, K. E., Nielsen, D. B., Molyneux, R. J. (1992) The effect of natural toxins on reproduction in livestock. *Journal of Animal Science,* **70**, 1573-9.

Ministry of Agriculture, Fisheries & Food (1984) *Poisonous Plants in Britain and Their Effects on Animals and Man* (Reference Book 161). HMSO. London.

Murray, A. (1993) *The intake of a molassed mineral block by a group of horses at pasture.* MEqS thesis, Faculties of Agriculture and Veterinary Medicine, National University of Ireland, Dublin.

Porter, J. K. (1995) Analysis of endophyte toxins: fescue and other grasses toxic to livestock. *Journal of Animal Science,* **73**, 871-80.

Ricketts, S. W., Greet, T. R. C., Glyn, P. J., *et al.* (1984) Thirteen cases of botulism in horses fed big bale silage. *Equine Veterinary Journal,* **16**, 515-18.

Sheldrick, R. D., Lavender, R. H., Martyn, T. M., Deschard, G. (1990) *Rates and frequencies of superphosphate fertiliser application for grass-clover swards.* Session 1: Poster 2. British Grassland Society, Research Meeting No 2, Scottish Agricultural College, Ayr.

Underwood, E. J. (1977) *Trace Elements in Human and Animal Nutrition,* 4th ed. Academic Press, New York.

978-85-7241-725-9

CAPÍTULO 11

Pragas e Doenças Relacionadas à Área de Pastagem, à Dieta e ao Confinamento

Para um cavalo saciado. Pegue um punhado de poejo, metade de um punhado de hissopo, um punhado de salva, um punhado de folhas ou botões mais velhos, um punhado de pontas de urtiga, prenda grandes galhos de arruda e um punhado de celidônia, corte pequeno e cozinhe em três medidas de cerveja envelhecida, a qual precisa ser evaporada até um quarto.

Sir Paulet St. John, 1780

PARASITAS ARTRÓPODES

Piolhos

Existem duas espécies de piolhos de eqüinos: *Haematopinus asini* é um sugador de sangue e *Damalinia equi* vive em crostas de pele. As fêmeas depositam os ovos no pêlo e observa-se um problema maior relacionado ao coçar e ao esfregar, com mais freqüência no inverno do que no verão, de forma que vários são perdidos quando a cobertura de inverno é mudada. Consegue-se o controle por meio de imersão, aspersão, ou pulverização com inseticidas, mas um segundo tratamento deve ser realizado para eliminar aqueles que irão se desenvolver dos ovos já depositados.

978-85-7241-725-9

Carrapatos

Os eqüinos de pastoreio, em particular os que dividem o solo com animais de pastejo silvestres e outros, são propensos a infestação por carrapatos, os quais podem transmitir doenças. Porém, usualmente o carrapato de bovinos e ovinos no Reino Unido não causa sintomas em eqüinos. Nos Estados Unidos, o carrapato da orelha ou carrapato macio (*Otobius megini*) vive profundamente no ouvido, mas os adultos, que não se alimentam, vivem em rachaduras em estábulos, cercas e sob cochos onde também colocam ovos. As larvas dos carrapatos duros (*Dermatocentor andersoni*; *Amblyomma americanum*) são encontradas em vários pontos no eqüino e os adultos, após o acasalamento, caem no solo, onde os ovos são depositados em locais isolados. O carrapato tropical dos eqüinos (*Dermatocentor nitens*), cujo hospedeiro principal é o eqüino, transmite a piroplasmose eqüina, uma doença sangüínea causada por protozoário. Inseticidas devem ser aplicados em todas as partes da pele em que os carrapatos possam estar fixados, incluindo as orelhas. Como os parasitas gastam longos períodos fora do hospedeiro, as gramíneas e outras áreas ao redor do estábulo devem também ser tratadas. Em pequenas infestações, os carrapatos podem ser removidos por meio da aplicação de clorofórmio para soltar seu aparelho bucal.

A doença de Lyme foi primeiro descrita em 1977, após um surto de artrite no homem em Lyme, Connecticut. A doença é causada pela *Borrelia burgdorferi* e anticorpos contra essa bactéria espiroqueta foram detectados no soro e no líquido sinovial de eqüinos no

Reino Unido (existe, infelizmente, uma ausência de especificidade em razão dos anticorpos de reação cruzada), a maioria não tendo desencadeado as manifestações clínicas da doença de Lyme. Esses sinais incluem artrite, miosite, perda de peso, febre, laminite e possivelmente meningoencefalite. O diagnóstico requer a demonstração histológica de espiroquetas coradas de prata nas amostras de biópsia de pele, ou a cultura do microrganismo a partir do sangue, ou do líquido cerebroespinal (difícil). A bactéria é transmitida por várias espécies de carrapatos ixodídeos (*Ixodides ricinus* e *I. persulcatus* na Europa) no hemisfério norte, que se alimentam de várias espécies de animais. A suscetibilidade desses animais à infestação com *B. burgdorferi* é largamente desconhecida, apesar de afetarem de modo indubitável a prevalência da infecção. A infecção aguda responde à antibioticoterapia apropriada, mas a artrite crônica é freqüentemente não responsiva.

Ácaros

Os ácaros (*Psoroptes equi, P. cuniculi, Chorioptes bovis*) causam coceira ou sarna e podem ser controlados por meio da imersão ou aspersão com inseticidas. Como regra geral, os *sprays* de alta pressão assustam os eqüinos, de forma que os aspersores bombeados à mão e de baixa pressão são preferíveis e o eqüino deve ser confinado a um corredor durante o tratamento.

Mosquitos Picadores

Uma dermatite intensivamente pruriginosa (dermatite de verão), que ocorre durante os meses de verão e é bem comum na Irlanda, é provavelmente causada por espécies de *Culicoides* (Baker e Quinn, 1978), mosquito sugador de sangue cuja saliva induz a uma hipersensibilidade do tipo imediata. O zinco plasmático tem uma potente capacidade imunomodulatória, influenciando a organização das células *T-helper* e a secreção de citocinas. Stark *et al.* (2001) demonstraram uma associação negativa entre a concentração plasmática de zinco e a gravidade da hipersensibilidade ao *Culicoides*. É preciso investigar se essa relação é uma resposta evocada, ou parte da causa. O rebanho não deve pastar em áreas úmidas onde os mosquitos são encontrados e deve ser estabulado antes do anoitecer. Algum controle é obtido com anti-histamínicos.

978-85-7241-725-9

Moscas

Várias espécies de moscas são mais um incômodo do que uma causa direta de problema. A mosca do berne (*Hypoderma lineatum*) pode causar alguma lesão, principalmente em eqüinos jovens, quando as larvas penetram a pele dos membros e percorrem sob a pele para o dorso. Quando está bem próximo de emergir, deve-se fazer o cataplasma. A mosca varejeira (*Callitroga hominivorax*) não ocorre no oeste da Europa e provavelmente foi eliminada dos Estados Unidos. Causa feridas na pele nas quais deposita seus ovos, dos quais eclodem as larvas. O tratamento direto das feridas com inseticida é apropriado. Várias espécies de gastrófilos (*Gastrophilus*) estão disseminadas. O adulto deposita os ovos no tórax e ao redor da boca e das gengivas do eqüino. As larvas são engolidas e se fixam por ganchos no estômago, ou no intestino delgado, soltando-se quando desenvolvidas por completo e entrando no estado de pupa nas fezes. Algum controle pode ser conseguido ao se esfregarem com água a um mínimo de 49°C (120°F) as áreas de pele nas quais os ovos estão fixados nos pêlos. Se necessário, a ivermectina, ou outro anti-helmíntico inseticida pode ser fornecido oralmente.

A higiene geral do estábulo é fator principal no controle de todas as moscas, incluindo remoção imediata de esterco, alimento e camas contaminados. O trato rotineiro (escovação) pode ajudar não somente com a remoção de problemas potenciais, mas garante uma verificação regular da cobertura de pêlos do eqüino.

Cantáridas (Escaravelhos)

Os escaravelhos (*Epicauta* spp. e *Macrobasis* spp.) são letais quando ingeridos pelo rebanho. Várias espécies estão distribuídas ao longo do Canadá e dos Estados Unidos. Oscilam de 0,8 a 2,7cm em comprimento e podem ser pretos, pretos com pêlos acinzentados, pretos com faixas contrastantes vermelhas ou amarelas, amarelos com faixas pretas, verdes metálicos, ou roxos. Viajam em enxames e se alimentam de plantas florescendo, como alfafa ou trevos. Quando o feno de alfafa é cortado, os insetos podem ser esmagados e incorporados ao fardo. Após a ingestão, a cantaridina, uma toxina extremamente estável, para a qual não existe remédio conhecido, é liberada. Acredita-se que 6g de escaravelho sejam suficientes para matar um eqüino. A cantaridina causa inflamação grave de esôfago, estômago e intestinos e promove irritação forte do trato urinário durante a excreção urinária. O eqüino desenvolve cólica e morre dentro de 48h.

O feno enfardado em julho e agosto tem mais probabilidade de ser infectado do que aquele cortado precocemente. Se os insetos forem detectados, podem estar presentes em número considerável como conseqüência de sua natureza de formarem enxames. Ao baterem-se pequenas porções de feno antes da alimentação, pelo menos um ou dois podem cair do material infestado. A existência do risco não é, porém, uma justificativa para a exclusão do feno de alfafa da dieta.

978-85-7241-725-9

INFESTAÇÕES POR VERMES

Em países temperados, a infecção por helmintos (helmintíase) em eqüinos é limitada aos nematóides gastrointestinais, incluindo o verme pulmonar, e à fascíola hepática (trematódeos). Porém, nos países tropicais os eqüinos também sofrem de infecções por nematóides da ordem *Spirurida* e do gênero *Filaria*. Potros podem ser infectados de modo intensivo com grandes larvas migratórias de nematóides estrongilídios com um período pré-patente de 6 a 12 meses e por isso infecções prejudiciais podem estar presentes por vários meses antes dos ovos serem detectados. Os eqüinos adultos podem se tornar gravemente parasitados pelas larvas migrantes, mesmo se vermifugados, quando dividem as pastagens com eqüinos que não foram vermifugados.

A determinação da gravidade da infestação por vermes não é uma questão simples. A contagem de ovos nas fezes reflete a presença de vermes eliminando ovos. O único meio confiável de se estabelecer o grau de parasitismo por nematóides gastrointestinais é a análise das proteínas séricas. As globulinas alfa e beta atingem o pico de concentração seis meses após a infecção e então a última dessas proteínas declina. Existe uma depressão coincidente na albumina sérica e eventualmente na hemoglobina. As contagens de ovos são, porém, utilizáveis na avaliação da eficácia anti-helmíntica nos esquemas de controle. Contagens elevadas de eosinófilos refletem somente as larvas em migração, de forma que essas contagens podem não diferir entre animais tratados e não tratados. As contagens tendem a ser maiores em julho e agosto no hemisfério norte e assim não são diagnósticas.

Tanto as pequenas como as grandes infecções com estrôngilos causam elevação na imunoglobulina G (IgG) (T) de modo concomitante à redução da albumina sérica antes de ocorrer uma infecção patente.

Nematóides Parasitários Gastrointestinais

Os ovos dos parasitas nematóides, como *Strongylus* spp., são eliminados nas fezes presentes no intestino de adultos e evoluem para o primeiro e o segundo estágio larval enquanto retidos nas fezes no pasto. Esses estágios não são infecciosos [algumas espécies sofrem maturação ao longo dos três estágios dentro do ovo, como por exemplo, os ascarídeos (*Parascaris equorum*) e assim são mais resistentes em ambientes deletérios e podem sobreviver por anos]. As larvas do terceiro estágio de *Strongylus* se movimentam para fora sobre as folhas das gramíneas e são infecciosas. Esse desenvolvimento requer umidade. Uma vez ingeridas, as larvas do terceiro estágio avançam mais dois estágios antes de tornarem-se adultas, reproduzindo-se e começando a oviposição. O ciclo completo leva cerca de oito semanas no verão, com a velocidade dependendo da temperatura ambiente. Conforme se aproxima o outono, um número elevado de parasitas pára de se desenvolver e hiberna na parede intestinal, para emergir novamente na primavera. As larvas de algumas espécies de nematóides migram dentro do corpo, passando junto aos vasos sangüíneos através do fígado e dos pulmões, causando lesões. As larvas nas pastagens podem sobreviver no inverno para infectar os eqüinos na primavera seguinte. A maioria dos parasitas é "hospedeiro-específica", o que significa que os parasitas de ovinos e bovinos não irão de forma geral infectar os eqüinos, mas os de asininos sim.

978-85-7241-725-9

Strongylus westeri *(Vermes Filiformes)*

São vermes muito pequenos que vivem no intestino delgado dos potros, os quais são infectados logo após o nascimento, tanto pela ingestão do colostro e de leite contendo as larvas quanto pela penetração das larvas na pele. Infestações maciças causam lesão suficiente ao contorno intestinal para precipitar diarréia, perda de apetite e imbecilidade. Os potros são suscetíveis até os seis meses de idade, após o que usualmente desenvolvem imunidade.

Parascaris equorum *(Grandes Vermes Redondos)*

Podem atingir comprimento de 50cm e seu ciclo de vida é de 10 a 12 semanas. Os ovos contendo as larvas infectantes são obtidos das pastagens, ou de camas contaminadas dos estábulos. As larvas migram através do sistema vascular para o fígado e os pulmões antes de retornarem ao intestino delgado, onde se desenvolvem em adultos e depositam os ovos. Os vermes adultos impedem o crescimento e prejudicam a aparência dos potros. Infestações maciças podem bloquear o intestino e os estágios em migração nos pulmões causam "gripes de verão" com febre, tosse e perda de apetite.

Cyathostome *spp. (Pequenos Vermes)*

São os principais parasitas. São muito pequenos e vivem no intestino grosso. O ciclo de vida é de 5 a 18 semanas e as larvas infectantes são ingeridas com as pastagens durante o verão. As larvas desses vermes podem ser predominantes nos pastos no Reino Unido durante o verão. A emergência sazonal de um número grande de larvas a partir da mucosa intestinal durante o final do inverno e o início da primavera pode causar diarréia aguda debilitante, perda de peso, cólica e até mesmo morte. Podem ser a causa mais comum de diarréia entre eqüinos adultos no Reino Unido. Os eqüinos infectados com a ciatostomíase larval, ou *Strongylus* spp., freqüentemente mostram concentrações séricas elevadas de globulina beta-1. A inflamação causada pelos ciatostomíneos pode também elevar a globulina alfa-2 e o extravasamento do intestino causa níveis reduzidos de albumina sérica (enteropatia com perda protéica). Esses fatos podem ser úteis no diagnóstico de eqüinos que tenham recebido recentemente tratamento anti-helmíntico e que não estejam passando larvas. A maioria dos tratamentos anti-helmínticos não afeta as larvas já enquistadas na mucosa. Um tratamento de cinco dias com fembendazol demonstrou eficácia, mas os ciatostomíneos resistentes ao benzimidazol (fembendazol) foram detectados em metade dos eqüinos amostrados na Escócia central por Chandler e Love (2002). A moxidectina oral, porém, suprimiu de modo eficiente a eliminação fecal dos ovos de ciatostomíneos por um período prolongado. O tratamento com ivermectina de eqüinos adultos infectados com os ciatostomíneos resistentes a fembendazol e pirantel foi similarmente eficiente (Little *et al.*, 2003).

À parte isso, o controle biológico melhorado deve ser considerado. O microfungo que captura nematóides, *Duddingtonia flagrans*, é um agressivo agente que captura os estágios livres dos parasitas nematóides. Fernández *et al.* (1999) demonstraram que esse fungo nematófago, incluído em uma taxa de 1×10^6 esporos/kg de peso corpóreo (PC) em um suplemento alimentar, reduziu em mais de 90% a contaminação fecal com as larvas de estrôngilos de terceiro estágio nos eqüinos, sem qualquer efeito adverso no suplemento. Walter (1999) considera que a abordagem biológica deve ser usada em conjunto com anti-helmínticos, higiene das pastagens e manejo do pastoreio.

Uma proteína dietética de boa qualidade irá ajudar a compensar a perda de albumina sangüínea.

Strongylus *spp. (Grandes Vermes)*

São vermes castanhos, de 2 a 5cm de comprimento e têm um ciclo de vida de 6 a 11 meses. As larvas foram detectadas em número menor nos pastos do Reino Unido nos últimos anos. Removidas das pastagens, as larvas de *Strongylus vulgaris* penetram a parede intestinal e migram para a artéria celíaca principal, onde são responsáveis por lesão grave e coágulos de sangue. Esses trombos podem se soltar e então bloquear ramificações menores da artéria. Tipicamente, essa interrupção do suprimento sangüíneo causa cólica.

Os ciatostomíneos e os grandes vermes são causas significativas de debilidade em eqüinos jovens de pastejo. Na Dinamarca, Thamsborg *et al.* (1998) submeteram potros de três a seis meses de idade às pastagens com contaminação larval baixa ou elevada por grandes estrôngilos e ciatostomíneos durante quatro semanas em setembro. O elevado nível de contaminação causou debilidade, inapetência e diarréia intermitente sem cólica. Neutrofilia e eosinofilia transitórias ocorreram duas a oito semanas após o início da exposição, seguidas posteriormente de anemia e reduzida albumina sérica. Uma acentuada hiperbetaglobulinemia foi detectada 16 a 20 semanas após o início.

978-85-7241-725-9

Oxyuris equi *(Oxiúros)*

As fêmeas dos oxiúros têm até 10cm de comprimento. O ciclo de vida é de quatro a cinco meses. Os adultos migram e depositam os ovos na pele ao redor do ânus, causando irritação. O ato de esfregar a região anal causa a abertura de feridas, o pêlo é removido e os ovos caem no estábulo e no pasto, de onde são pegos.

Dictyocaulus arnfieldi *(Verme Pulmonar)*

O ciclo de vida do verme pulmonar é de dois a quatro meses. As larvas infectantes são adquiridas a partir do pasto. São deglutidas e migram através da circulação sangüínea para os pulmões, onde se desenvolvem em adultos. Os ovos são aí depositados, eliminados pela tosse, deglutidos e saem nas fezes. Apesar dos asininos atuarem com freqüência como carreadores, os potros e eles raramente demonstram sinais. O exame das fezes em busca das larvas é útil na detecção de animais portadores responsáveis pela disseminação da infecção. A maioria dos eqüinos possui alguma resistência a não desenvolver infecções patentes. Porém, nos casos em que as desenvolvem, o período pré-patente antes das larvas serem encontradas nas fezes é de três meses. As larvas permanecem em um estágio de desenvolvimento retardado e os hospedeiros podem desenvolver tosse persistente por períodos que excedem um ano em adultos, durante o que o recurso da lavagem traqueal realizada por veterinários para a detecção das larvas no líquido é uma técnica diagnóstica razoável, mesmo que as larvas não sejam prontamente demonstradas. Apesar de o verme pulmonar desencadear eosinofilia, não existe alteração detectável nas proteínas séricas. O manejo da infecção por vermes pulmonares requer identificação do portador, que pode ser um asinino, ou égua não sadia, disseminando as larvas fecais sem demonstrar sinais. Esse animal deve, então, ser removido e tratado com anti-helmínticos eficientes. A fascíola e o verme pulmonar não têm relevância econômica entre os eqüinos no Reino Unido como os nematóides gastrointestinais.

Trichostrongylus axei *(Helmintos Gástricos)*

Os vermes gástricos têm um ciclo de vida de três semanas, vivem no estômago provocando lesão e irritação e são capazes também de infectarem bovinos e ovinos. Observou-se que as larvas desse parasita assumem grande relevância nas pastagens no Reino Unido de agosto até outubro.

Habronema muscae *(Verme Gástrico de Grande Aparelho Bucal)*

Os adultos do verme gástrico de grande aparelho bucal vivem no estômago. Os ovos são eliminados com o esterco, onde eclodem e são adquiridos pelas larvas de moscas que se alimentam nas fezes. As larvas são carreadas no aparelho bucal da mosca. Conforme a mosca se alimenta, passa as larvas para o eqüino que se alimenta, deglutindo-as. As larvas depositadas em feridas e lesões da pele do eqüino não completam seu ciclo de vida, mas causam intensa irritação e as "feridas de verão".

Onchocerca *spp. (Vermes Alongados e Filiformes)*

Os adultos dos vermes alongados e filiformes vivem em tendões e ligamentos. As larvas (microfilárias) vivem sob a pele e no tecido ocular e são adquiridas por meio da alimentação de mosquitos. As microfilárias nos olhos causam problemas.

Gastrophilus *(Mosca do Berne)*

A mosca do berne deposita seus ovos nos membros e na face dos eqüinos. Os ovos eclodem e entram na boca onde as larvas vivem nos tecidos delimitantes e na língua por várias semanas antes de entrarem no estômago. As larvas se inserem na parede gástrica, onde

978-85-7241-725-9

permanecem até a primavera seguinte. Essas larvas podem causar ulceração e perfuração da parede estomacal durante esse período. São então eliminadas nas fezes. As larvas minam o subsolo e se tornam pupas. As moscas adultas emergem durante o verão para depositar os ovos. O ciclo de vida é de um ano.

Anoplocephala perfoliata *(Vermes Chatos)*

Eqüinos com obstruções de íleo e ceco são freqüentemente encontrados como portadores de vermes chatos e os eqüinos com infestações conjuntas apresentam risco aumentado de cólica ileocecal (Proudman e Edwards, 1993). Proudman *et al.* (1998) concluíram a partir de uma pesquisa que vários dos seus casos de cólica espasmódica e a maioria dos casos de compactação de íleo estavam associados com infecção por vermes chatos (*A. perfoliata*). Os ovos dos vermes chatos são eliminados nas fezes, contidos em proglótides (segmentos). Os ovos são consumidos por ácaros oribatídeos livres, que por sua vez são ingeridos com as gramíneas pelo eqüino. Os vermes adultos se fixam na parede dos intestinos na junção do intestino delgado com o grosso.

Controle dos Vermes Parasitários Gastrointestinais

O controle requer um programa eficiente de vermifugação e bom manejo das pastagens. A essência do controle é reduzir o número de larvas infectantes nos pastos usados pelo rebanho suscetível, em particular aqueles abaixo de três anos de idade. Existe alguma evidência de que se desenvolve tolerância a ambos os nematóides estrongilóides e ascarídeos, de forma que o rebanho não deve ser mantido totalmente isolado de fontes infectantes. As contagens de ovos nas fezes refletem somente a atividade dos vermes adultos nos intestinos e podem não fornecer uma boa indicação da gravidade de uma infecção estrongilóide.

Os eqüinos devem ser tratados por via oral com anti-helmínticos na chegada a um estábulo, ou conforme direcionado pelo cirurgião veterinário. Porém, uma dose inicial muito maior do que a normal de um vermífugo eficiente pode ser prudente nos casos de infecção grave com estrôngilos, pois tais doses de tiabendazol, ou fembendazol podem ser larvicidas. A orientação veterinária é essencial. Demonstrou-se que doses moderadas, mas bem definidas, de oxfendazol, ou ivermectina (Dunsmore, 1985) possuem eficácia contra ascarídeos adultos e grandes estrôngilos em todos os estágios, desde o ovo até adultos, incluindo as larvas em migração. A ivermectina também controla as larvas de gastrófilos.

O rebanho jovem deve sempre ter acesso aos pastos mais limpos até que tenham desenvolvido alguma tolerância aos vermes. As éguas precisam por isso ser tratadas de modo apropriado, de forma a não passarem a seus produtos qualquer infecção grave. As fezes podem ser removidas de forma custosa pelo uso de limpadores a vácuo conectados aos tratores. Os eqüinos em estábulos também devem ser tratados de forma rotineira, particularmente nos casos em que tiveram acesso aos pastos, mesmo por períodos curtos, no verão. A Tabela 11.1 fornece uma rotina simples de tratamento. Os históricos de vida das duas espécies são descritos na Figura 11.1.

Strongyles (Vermes Helmintos)

Os ovos de estrôngilos se desenvolvem em larvas infectantes somente no período entre março e outubro, especialmente em climas quentes. As larvas infectantes podem sobreviver no inverno do Reino Unido, mas na primavera existe um rápido desaparecimento dessas larvas das

Tabela 11.1 – Programa de tratamento para parasitas gastrointestinais no hemisfério norte.

	Tratamento	Propósito	Atividade adicional
Janeiro			
Fevereiro	C por 5 dias	Pequenos vermes enquistados	
Março	Dobro da dose de B	Vermes chatos	Exame de fezes em todo rebanho
Abril	A, B ou C a cada 6 a 10 semanas	Estação de pastoreio	
Maio			
Junho			Exame de fezes em potros jovens
Julho			
Agosto			Exame de fezes em potros mais velhos
Setembro	Dobro da dose de B		
Outubro	A ou C	Grandes vermes migrando da metade de outubro até o final de dezembro	Exame de fezes em todo rebanho
Novembro	C	Pequenos vermes enquistados do final de outubro até o final de dezembro	
Dezembro	A	Gastrófilos	

A = ivermectinas; B = pirimidinas; C = benzimidazóis.

pastagens com o aumento da temperatura ambiente. As larvas excedentes do inverno morrem em junho. Todavia, no início da estação de pastagens, essa fonte se soma àquela dos ovos transmitidos por outros eqüinos ao longo do pastoreio inicial. O elevado nível de infecciosidade que se acumula durante o verão nos pastos pode ser contido pela aplicação regular de anti-helmínticos em intervalos de quatro a seis semanas, o que complementa os procedimentos de manejo fornecidos no Capítulo 10. Para o controle dos estrôngilos, existe uma pequena consideração quanto à administração em potros com menos de dois meses de idade, pois o período pré-patente dos pequenos estrôngilos é de oito a dez semanas e os estágios de desenvolvimento não são suscetíveis à maioria dos anti-helmínticos no intervalo de dosagem normal. Pastagens intensamente infestadas podem necessitar de aração e nova semeadura, ou pelo menos devem ser deixadas em repouso até junho, quando as larvas excedentes do inverno terão sido eliminadas em grande quantidade. Porém, o rebanho jovem não deve ter acesso a esses pastos até julho ou agosto e o período anterior a esse deve ser restrito a bovinos e ovinos.

Ascarídeos (Grandes Vermes Redondos)

A infecção por ascarídeos é comum em eqüinos com menos de três anos de idade, período durante o qual uma medida considerável de resistência terá se desenvolvido. Os potros são especialmente suscetíveis e acredita-se que quase todos se tornam infectados sem necessariamente desenvolver sinais, em razão das medidas de controle anti-helmíntico e de aumento da imunidade. As larvas em migração lesionam de modo sucessivo o fígado e os pulmões dentro de 14 dias da infecção. Os ovos ocorrem nas fezes a partir dos 80 dias de idade. Os ovos adquiridos pelo potro jovem por meio da coprofagia dos excrementos maternos são em geral imaturos e passam de modo passivo através dos seus intestinos.

978-85-7241-725-9

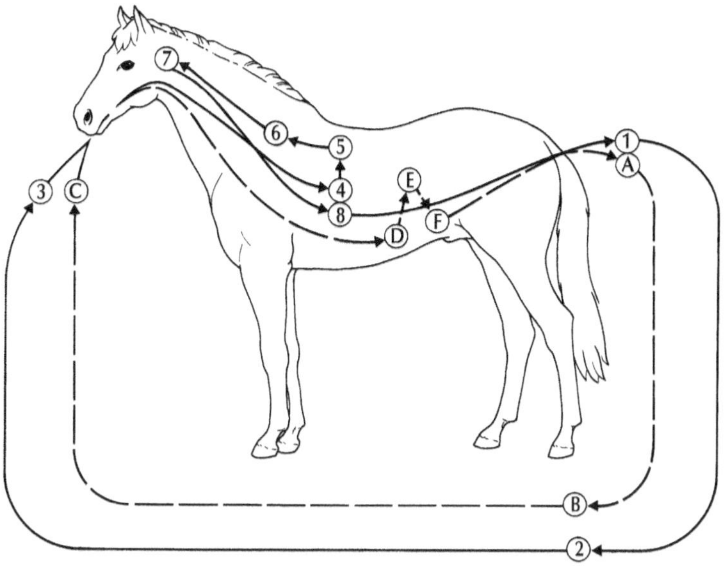

Figura 11.1 – Histórico de vida de um verme redondo (*Parascaris equorum*) e de helmintos grandes (*Strongylus vulgaris*).
Ascarídeos
Parascaris equorum
(no rebanho jovem)
(1) Ovos imaturos aparecem nas fezes 12 a 15 semanas após a infecção
(2) Os ovos podem se tornar infectantes nos pastos ou estábulos dentro de duas semanas, ou permanecerem inativos por vários anos
(3) Ovos maduros ingeridos por potros ou animais de 12 meses suscetíveis
(4) As larvas de segundo estágio eclodem dos ovos e penetram na parede intestinal
(5) As larvas atingem o fígado sete dias após a ingestão do ovo infectante
(6) As larvas atingem os pulmões 7 a 14 dias após a ingestão
(7) As larvas são eliminadas pela tosse e são deglutidas
(8) Da quarta até aproximadamente a décima terceira semana, as larvas crescem e amadurecem no intestino delgado e começam a eliminar ovos 12 a 15 semanas após a infecção
Estrôngilos
Strongylus vulgaris
(no rebanho jovem e adulto)
(A) Ovos não infectantes se disseminam nas pastagens
(B) As larvas amadurecem dentro do ovo nas pastagens durante a estação de pastoreio
(C) As larvas de terceiro estágio infectantes são ingeridas
(D) As larvas penetram na submucosa do intestino dentro de poucos dias
(E) Com 14 dias após a ingestão, as larvas atingem a artéria mesentérica anterior, onde se desenvolvem por um período de quatro meses

Os sinais clínicos de infecção grave incluem pirexia, tosse, secreção nasal, nervosismo, cólica e falta de vigor. Para evitar isso, os potros devem ser tratados em intervalos de quatro semanas a partir de um mês de idade para o controle dos estágios intestinais. Os ovos podem permanecer viáveis nas pastagens durante o inverno e em condições adequadas alguns podem persistir no ambiente por vários anos. O manejo das pastagens recomendado para os estrôngilos é também aplicável ao controle dos ascarídeos. Para uma discussão

978-85-7241-725-9

mais detalhada do controle de vermes parasitários no haras, o leitor deve consultar Rossdale e Ricketts (1980).

Vários vermífugos têm diferentes espectros de espécies contra as quais são eficientes, com diferenças na atividade contra adultos e larvas e diferenças no número de freqüência de dosagem. A dosagem inadequada pode causar o desenvolvimento de resistência aos vermífugos, sendo os helmintos pequenos agora amplamente resistentes aos benzimidazóis. Três famílias de vermífugos são usadas:

1. Ivermectinas.
2. Pirimidinas.
3. Benzimidazóis.

Existem vários princípios para vermifugação:

- Conhecer o peso de cada cavalo de forma que doses corretas possam ser fornecidas.
- Tratar qualquer eqüino na chegada a um novo estabelecimento e mantê-lo em estábulo separadamente por pelo menos dois dias.
- Tratar todos os eqüinos de pastejo juntos ao mesmo tempo e com o mesmo produto. Se estiverem no pasto durante o inverno, continuar o tratamento durante esse período.
- Manter um registro diário da data e do produto usado para cada animal.
- Não sobrecarregar o padoque.
- Vermifugar os eqüinos dois dias antes de levá-los para pastos limpos.
- Coletar as fezes dos padoques duas ou três vezes por semana. Esse é provavelmente *o procedimento mais importante* no controle parasitário. Além do mais, a adesão rigorosa a esse procedimento pode aumentar a área de pastagem em 50%, por meio da eliminação da separação característica do pasto eqüino em áreas não tratadas e gramados.
- Para descansar um pasto, não usá-lo com eqüinos do outono até a metade do verão seguinte. Onde for possível, usar bovinos ou ovinos para limpar as pastagens infectadas dos parasitas.
- Trocar os vermífugos na estação de pastoreio anualmente, não a cada vez que os eqüinos forem vermifugados. A rotação deve se basear na modificação de *um por outro* dos três grupos químicos listados anteriormente.

PARASITAS PROTOZOÁRIOS

A ingestão de alimentos ou de água contaminados com fezes pode causar a transmissão dos protozoários *Giardia duodenalis* e *Cryptosporidium parvum*, em regiões onde esses microrganismos existem. No Vale da Serra Nevada da Califórnia, Atwill *et al.* (2000) detectaram a *G. duodenalis* nas fezes de 4,6% de eqüinos e mulas em grupos e uma prevalência estimada para o *C. parvum* menor que 2,4%. As fontes suspeitas de água devem ser cercadas se possível.

FASCIOLOSE HEPÁTICA

Referência à infecciosidade da fasciolose hepática (*Fasciola hepatica*) em eqüinos foi feita no Capítulo 10. Sua presença pode ser detectada pela contagem de ovos nas fezes e

978-85-7241-725-9

sua influência por meio dos testes de função hepática, indicando a lesão. Bovinos e ovinos não tratados estimulam sua disseminação e caracóis são um hospedeiro intermediário obrigatório.

DOENÇAS RELACIONADAS À DIETA

Estrago Microbiológico dos Alimentos

As bactérias crescem em alimentos em que o conteúdo de umidade é de cerca de 16%. Isto pode resultar da secagem ruim ou da absorção secundária de água em atmosferas úmidas e condensação na superfície dos alimentos. Os grãos cereais que foram moídos ou esmagados, ou os alimentos, como farelos, com uma grande área de superfície, são mais suscetíveis ao crescimento bacteriano e fúngico (ver *Estocagem de alimentos*, Cap. 5).

Endotoxemia e Laminite

Evidências mostram que a endotoxemia e a laminite estão relacionadas em eqüinos. As causas dietéticas de laminite aguda e endotoxemia são, em extensão considerável, limitadas às conseqüências do consumo excessivo de carboidratos prontamente fermentados por eqüinos adaptados de modo inadequado à dieta. Porém, a laminite eqüina é uma reação de hipersensibilidade local do tipo Shwartzman que pode ser provocada por vários outros agentes que não são nem antigênicos nem dietéticos, podendo incluir as endotoxinas.

A sensibilização é um fator pré-determinante, assim, um histórico de laminite, a liberação endógena de corticosteróides em resposta ao estresse e a exposição prévia dos tecidos à endotoxina seguida pelo estresse são fatores que aumentam a probabilidade de ocorrência da laminite após a sobrecarga por grãos, ou uma sobrecarga com gramíneas novas viçosas. O fator ativador de plaquetas (FAP) é um mediador da endotoxemia, mas não é certo se antagonistas de receptor do FAP têm papel importante no controle da laminite eqüina. A endotoxemia e a acidose láctica também estão implicadas na doença intestinal obstrutiva e na cólica eqüina precipitada por aumentos abruptos no consumo de amido e proteína.

978-85-7241-725-9

Endotoxemia

O eqüino é particularmente sensível às endotoxinas e o choque endotóxico pode ser fatal. As endotoxinas são lipopolissacarídeos (LPS), um componente estrutural da parede celular bacteriana externa de bastonetes gram-negativos, não formadores de esporos, de Enterobacteriaceae, incluindo *Escherichia coli*, habitando os intestinos. Os LPS estão habitualmente presentes no conteúdo intestinal (tanto quanto 80μg/mL). De fato, a administração repetida de doses subletais de LPS resulta na atenuação da resposta hospedeira. Além do mais, identificou-se a tolerância das endotoxinas tanto na fase inicial quanto na fase tardia (Allen *et al.*, 1996). Essa tolerância não somente fornece proteção em alguns indivíduos, mas pode também apontar para formas de prover profilaxia. Porém, grandes doses de LPS são tóxicas. Os sinais clínicos da endotoxemia são mediados por prostaglandinas que parecem inibir a secreção de ácido gástrico. Recentemente, Doherty *et al.* (2003) reportaram que a infusão intragástrica de LPS causou reduções na produção de ácido gástrico e $[K^+]$ e elevação na produção de $[Na^+]$, em parte por meio da mediação das prostaglandinas.

Durante a sobrecarga por grãos (carboidratos solúveis), existe um rápido aumento no número de bactérias produtoras de ácido láctico (espécies de lactobacilos anaeróbicos e

978-85-7241-725-9

estreptococos), juntamente com declínio no pH intracecal, que pode cair de 7 para 4 dentro de 12 a 24h. Os microrganismos que fermentam o amido crescem de modo muito mais rápido que aqueles que fermentam a celulose e os que fermentam o amido proliferam às suas custas. Os microrganismos que usam o ácido láctico como fonte de energia não estão presentes em número suficiente para superar a onda e seu número pode declinar, pois alguns são incapazes de resistir aos valores muito baixos de pH atingidos. Os protozoários ciliados, que estão em número muito maior e crescem de forma mais lenta que as bactérias, normalmente engolfam o amido, promovendo sua fermentação a uma velocidade relativamente lenta. Atuam, então, como reservatório de amido, prevenindo uma taxa excessiva de fermentação bacteriana do amido, mas também sendo eliminados pelo ambiente ácido e não mais atuando como tampões. Como esses mecanismos homeostáticos normais são destruídos, a produção ácida continua em velocidade acelerada. Evidência do próprio autor (Frape *et al.*, 1982a) demonstrou que o número de protozoários se elevou com o aumento do consumo de amido até um limiar, além do qual houve declínio acentuado no número.

De Fombelle *et al.* (1999a) introduziram de modo abrupto cevada como metade de uma dieta de forrageiras para pôneis adultos. A cevada foi fornecida antes da forragem em cada uma das duas refeições diárias em nível de manutenção. A introdução aumentou a porcentagem molar de lactato e propionato e reduziu a de acetato no conteúdo colônico 30h depois, sem modificação no conteúdo total de ácidos graxos voláteis (AGV). A utilização da fibra foi reduzida, mas nenhum efeito adverso na saúde ocorreu. Após 14 dias, o pH colônico reduziu-se de 6,7 para 6,3, apesar de cada pônei ter seu próprio padrão de resposta de ecossistema. Dawson *et al.* (1999), de modo semelhante, não reportaram qualquer alteração no total de AGV do ceco em pôneis que receberam até 50% de energia digestível (ED) dietética como cevada. Novamente, a produção de ácido láctico aumentou com as elevações na população dos enterococos produtores de ácido láctico, mas houve também um rápido aumento na população de bactérias que utilizam o ácido láctico [provavelmente incluíram *Veillonella* e *Propionibacter* spp. (o autor)], de forma que a concentração desse ácido foi menor que 0, ou 30% da cevada. Assim, a resposta à introdução de alimentos com amido pode não ter efeito desfavorável em vários eqüinos.

Nos casos em que os efeitos adversos ocorrem, várias Enterobacteriaceae morrem. Grande quantidade de LPS é liberada dentro do lúmen intestinal e a integridade da mucosa colônica é perdida com freqüência. É provável que isso seja causado pela isquemia intestinal, talvez estimulada pela acidose láctica, ou pelo parasitismo prévio. A sobrecarga de concentrados causou concentrações de endotoxinas de 1 a 30μg/mL no intestino delgado, mas no intestino grosso as concentrações podem ser de até 160μg/mL. Em conseqüência, existe um movimento considerável transmural de LPS, provocando sua presença no sangue portal e sistêmico.

Em organismos sadios, a endotoxina é eliminada rapidamente pelas células de Kupffer do sistema fagocítico mononuclear dentro do fígado e assim os níveis plasmáticos são normalmente menores que 0,1ng/L. A opressão desse sistema, causando endotoxemia (níveis plasmáticos de 2,5 a 82ng/L com dois picos de concentração 32 e 48h após a sobrecarga de carboidratos), associa-se com vasoconstrição sistêmica inicial, taquicardia, hipoxemia arterial, hiperpnéia, alcalose respiratória, hipertensão pulmonar e febre, seguidos de aumento na permeabilidade vascular, hemoconcentração, hipotensão sistêmica, alteração na coloração da membrana mucosa, prolongamento do tempo de preenchimento capilar, trombose capilar, trombocitopenia e neutropenia com seqüestro de neutrófilos nos vasos sangüíneos. A redução no fluxo de sangue capilar causa perfusão sangüínea diminuída dos órgãos vitais, mas existe uma perfusão aumentada do trato gastrointestinal. O fluxo capilar reduzido e o lento preenchimento do leito capilar estão associados com extremidades frias. A perfusão incompleta dos pulmões através das anastomoses capilares causa oxigenação incompleta e reduzida tensão de oxigênio do sangue (hipoxemia). Essa resposta, adicionada ao fluxo restrito de sangue através de outros tecidos e órgãos, incluindo a extração restrita de lactato pelos rins, agrava a situação e contribui com a glicólise anaeróbica e a produção adicional de ácido láctico. Um fluxo sangüíneo hepático restrito reduz a remoção e o metabolismo de ácido láctico e a diarréia provoca desidratação, contribuindo com a hemoconcentração.

Diz-se que a endotoxemia ocorre em pelo menos 25% dos eqüinos com cólica admitidos em clínicas (Moore, 1991) e os efeitos da endotoxina obre o cólon são muito diferentes de seus efeitos no intestino delgado. A perfusão diminuída dos tecidos, com desvio para o metabolismo anaeróbico, causa concentrações de ácido láctico sangüíneo maiores que 700mg/L, associadas com morte no choque por LPS. Experimentos em que essas toxinas foram administradas por via intravenosa, ou intraperitoneal, em taxas de 2 a 30μg/kg de PC, causaram aumento nos eicosanóides circulantes inflamatórios [tromboxano, tromboxano B_2 (TXB_2), prostaciclina, 6-ceto-prostaglandina $F_{1\alpha}$ e prostaglandina E_2 (PGE_2)] (Ward *et al.*, 1987; King e Gerring, 1991). Os eicosanóides são derivados do ácido araquidônico, mobilizado durante a lesão ao endotélio dos vasos sangüíneos pela endotoxina (ver *Ácidos graxos poliinsaturados*, Cap. 5). Os eqüinos com isquemia intestinal têm concentração plasmática de endotoxinas em um intervalo de 30 a 100ng/kg de PC. A endotoxina plasmática de 0,1μg/kg de PC (100ng/kg) causa aumento na temperatura corpórea de aproximadamente 1°C· A síntese e a ação dos mediadores inflamatórios são centrais à etiologia da endotoxemia e inibidores potentes da cicloxigenase (os quais inibem a conversão do ácido araquidônico em eicosanóides) têm sido uma terapia eficiente, se administrados prontamente. A alimentação com óleo de peixe (provavelmente 500g/dia mais vitamina E) como medida profilática pode ajudar.

Nos casos em que a sobrecarga de grãos ocorreu e a endotoxemia é provável, a terapia precoce é mais recompensadora. O tratamento deve também ser direcionado para a prevenção da laminite e pode incluir:

- Inibidores da cicloxigenase.
- Reposição hídrica (importante no tratamento, incluindo glicose e correção de qualquer déficit de bicarbonato, após mensuração do estado ácido-básico). A fluidoterapia oral pode ser adequada em casos leves, mas a administração intravenosa de soluções fisiológicas será necessária em eqüinos gravemente afetados.
- Soluções colóides (permeabilidade vascular aumentada e perda de colóide sangüíneo é uma característica da endotoxemia).
- Evacuação da sobrecarga de amido do trato gastrointestinal. O óleo mineral, administrado por sonda nasogástrica, ajuda por meio da diminuição da fermentação bacteriana, pode reduzir a absorção da endotoxina e facilita a evacuação do conteúdo colônico. A pneumonia lipóide resultou da administração de óleo mineral com uma sonda nasogástrica.

978-85-7241-725-9

A taquipnéia e a taquicardia são características de apresentação comum e o posicionamento incorreto da sonda deve ser evitado (Scarratt *et al.*, 1998; Bos *et al.*, 2002).

- Tratamento com virginiamicina (ver *Produção e mensuração de ácido láctico*, adiante). Esse tratamento não é permitido sob a legislação da União Européia.

Prevenção Dietética da Sobrecarga de Grãos

Os processos envolvidos na sobrecarga de grãos indicam que os métodos de alimentação devem ser impostos para favorecer a saúde dietética. Ao ser aumentada a ração concentrada de modo lento, as bactérias que fermentam o ácido láctico e os protozoários que absorvem o amido são estimulados a se multiplicarem (Tabela 11.2). Esse número aumentado de microrganismos atua como um tampão substancial contra o declínio no pH do intestino grosso. A porção concentrada da ração nunca deve ser aumentada em mais de 200g/dia para um eqüino de 550kg. Isso significa que 40 dias devem ser fornecidos ao se aumentar a porção concentrada da dieta de 0 para 8kg.

Potter *et al.* (1992a) observaram que o baixo consumo de quase qualquer fonte de amido causa, principalmente, a sua digestão no intestino delgado, mas com grandes refeições o amido se espalha no intestino grosso. Na tentativa de evitar a disfunção digestiva resultante da sobrecarga de grãos no intestino delgado, o consumo de amido por eqüinos, recebendo duas ou três refeições diárias, deve ser limitado a aproximadamente 0,4% do peso corpóreo por alimentação. Se o amido for relativamente insolúvel, uma porcentagem menor deve ser aplicada. Os processos que gelatinizam o grão de amido, como a micronização, aumentam a digestão do intestino delgado daquele amido em taxas moderadas e elevadas de consumo e, assim, reduzem o risco de sobrecarga. Evidência mais recente (ver *Controle da laminite*, Cap. 2) indica que componentes carboidratos não estruturais dos alimentos devem ser limitados a 0,25% do peso corpóreo por refeição. Esses componentes incluem amidos e frutanos, pois Bailey *et al.* (2002) demonstraram que a inulina e o amido de milho dietéticos reduziram o pH cecal em extensão semelhante.

Tabela 11.2 – Ração diária a ser dividida em pelo menos três refeições para eqüinos e pôneis com laminite.

	Peso adulto (kg)	Concentrado	Concentrado por dia (kg)	Feno de gramínea por dia (kg)
Pônei	200		–	3,5
	300		–	4,25
Eqüino	500	Cevada micronizada	4,5[1]	*Ad libitum*
		Alimentos com aveia ou resíduos com melaço	1-2	
		Soja/soja micronizada	0,5	
		Melaço (beterraba ou cana)	0,4-0,5[2]	
		Farinha de calcário	0,05	
		Cloreto de potássio	0,03	
		Bentonita de sódio[3]	0,05	
		Óleo de peixe estabilizado[3] + vitamina E	0,35	

[1] Cevada micronizada é digerida de modo pré-cecal em extensão maior que a aveia ou outros cereais micronizados.

[2] Se resíduos com melaço forem fornecidos, prover somente 0,4kg de melaço.

[3] Deve ser útil na profilaxia da laminite em eqüinos e pôneis propensos à doença. O uso de óleo de peixe deve ser considerado experimental.

978-85-7241-725-9

Produção e Mensuração de Ácido Láctico

O choque da endotoxemia resulta em aumento da glicólise anaeróbica nos músculos. O produto disso é o L-ácido láctico, associado com a acidose metabólica. Mensurações confiáveis desse ácido requerem coleta cuidadosa de amostras, livre de problemas e imediata mistura com o ácido perclórico frio, ou fluoreto de sódio. Para mensurar o D-ácido láctico (ver a seguir) as amostras devem ser tratadas com o ácido perclórico e analisadas com a desidrogenase D-lactato. De forma alternativa, a mensuração do *gap anion* plasmático [sódio mais potássio – (cloreto mais bicarbonato)] está livre desses problemas e é um indicador prognóstico ligeiramente melhor do que a mensuração de ácido láctico. Em geral, é um bom medidor do acúmulo de ânions ácidos (por exemplo, lactato, cetoácidos, fosfatos) (Gossett *et al.*, 1987) e é adequado para aplicação rotineira.

O ácido láctico é normalmente produzido nos músculos durante o exercício anaeróbico, como descrito no Capítulo 9. Por que então o ácido láctico produzido no intestino é potencialmente mais letal? Primeiro, o exercício anaeróbico pode ser mantido por somente alguns minutos, após os quais as condições aeróbicas causam o completo metabolismo do ácido láctico. Ao contrário, a fermentação do ácido láctico pode persistir por 24 a 36h. Segundo, pelo menos dez espécies de *Lactobacillus* e *Streptococcus bovis* produzem ácido láctico tanto em mistura racêmica das formas D(–) e L(+) quanto na forma D(–) [poucos produzem a forma L(+)], ao passo que a produzida nos músculos é somente o tipo L(+). Essa última é desidrogenada pela desidrogenase láctica, com a formação do ácido pirúvico. Porém, a desidrogenase láctica no músculo é incapaz de catalisar a desidrogenação do isômero levorrotatório D(–), o qual, por isso, se acumula nos tecidos após a absorção e assim pode exacerbar os efeitos da endotoxina, pois sua existência prolongada causa maior lesão tecidual. Os eqüinos necessitam de um fígado completamente funcional para catabolisar grandes quantidades de ácido láctico e os que sofreram lesão hepática por doenças e infestações e pelo manejo alimentar ruim são menos capazes de resolução em rápidos aumentos nas ofertas energéticas dietéticas. O acúmulo de ácido láctico na região posterior do intestino pode também induzir a diarréia. Demonstrou-se que uma forma granular de virginiamicina (4 ou 8g/kg de alimento, com 8kg de alimento/dia) (Rowe *et al.*, 1994; Johnson *et al.*, 1998), que retém a atividade na região posterior do intestino dos eqüinos, suprime a produção de D(–) ácido láctico. J. B. Rowe (comunicação pessoal) evitou a acidose, a elevação da concentração sangüínea de D(–) ácido láctico e a laminite mediante a suplementação oral com virginiamicina a uma taxa de 0,48g/100kg de PC por dia. Esse tratamento não é permitido sob a legislação da União Européia.

978-85-7241-725-9

Laminite e outras Doenças do Casco

Laminite pode ser causada por excesso de trabalho, concussão do membro, infecções, abortamentos, febre alta, complicações induzidas por drogas e consumo de certas toxinas, especialmente se a função hepática estiver anormal. Porém, de longe, a causa mais comum (combinada ao exercício inadequado) é o excesso de consumo de concentrados, ou de gramíneas jovens viçosas por animais não acostumados a isso. Após uma sobrecarga de grãos, os eqüinos parecem estar mais propensos que os pôneis a sobreviverem a um grave estresse cardiovascular. Pôneis parecem correr um risco maior de laminite do que outros animais eqüídeos.

O consumo de quantidades excessivas de amido dos cereais e de frutanos das pastagens causa incompleta digestão pré-ileal e absorção de carboidratos. Esse material não digerido é o substrato para a rápida fermentação no intestino grosso. Altas concentrações de AGV se acumulam, com uma rápida queda no pH luminal. Como indicado anteriormente, sob essas condições, o ácido láctico se acumula, pois o ambiente ácido favorece os microrganismos que produzem o ácido láctico (principalmente estreptococos e lactobacilos, microrganismos gram-positivos) e é desfavorável àqueles que o usam (a não ser que o aumento de amido seja muito gradativo). O pH diminui ainda mais com a lesão ao epitélio cecal e com o aumento na concentração de endotoxinas bacterianas.

É impossível deduzir qual é o nível limiar para a laminite induzida pelo amido, pois há um amplo intervalo entre as doses de amido usadas para induzir a laminite (maiores que 1.000g de amido/100kg de PC) e as doses que podem diminuir o pH cecal (tão pequenas quando 24g de amido/100kg de PC). Johnson *et al.* (1998) forneceram aos eqüinos refeições com aproximadamente 1.500g de amido (300g/100kg de PC) e registraram diminuição no pH cecal de 6,7 para 5,9. Uma redução no pH abaixo de aproximadamente 6,4 foi associada com comportamento anormal, incluindo mastigação de madeira e consumo de cama (ver *Úlceras gástricas*, adiante). McLean *et al.* (1998b) demonstraram que a alimentação de quantidade tão pequena quando 24g de amido/100kg de PC por refeição poderia causar um pH cecal mensuravelmente menor (6,26 *versus* 6,48) e concentrações menores de acetato e maiores de propionato. Demonstrou-se que o cereal micronizado deve ser preferível à cevada extrusada e à laminada, pois obteve maior digestão de amido pré-cecal.

Garner *et al.* (1977) reportaram que, após a sobrecarga por carboidratos, o maior aumento no lactato sangüíneo normalmente precipita o colapso circulatório e a morte com ou sem sintomas de laminite. Aumentos menores no lactato sangüíneo são associados com mais freqüência com a laminite e os ainda menores não são correlacionados a nenhum efeito (colapso circulatório, ou laminite). O desenvolvimento da laminite é o resultado mais freqüente da acidose láctica. Em seu estudo, 70% dos casos desenvolveram essa condição e somente 15% sofreram o colapso circulatório fatal. Garner *et al.* (1977) concluíram que a taxa de aumento no lactato sangüíneo, conforme determinado pelas mensurações sangüíneas com 8 e 16h, dá uma razoável indicação se o eqüino irá morrer ou apresentar laminite, fornecendo assim a base para uma terapia apropriada. Outro trabalho demonstrou que nos casos em que o lactato plasmático arterial excedeu 8mmol/L, a morte foi inevitável, ao passo que a sobrevivência é provável com valores máximos abaixo de 3mmol/L (Coffman, 1979c).

Uma pesquisa de 108 casos de laminite por Slater *et al.* (1995) indicou que a doença gastrointestinal, ocorrendo imediatamente antes de seu início, é uma causa muito freqüente de laminite aguda. Dos 35 casos agudos, os problemas de saúde predisponentes foram: cólica, 23%; sobrecarga por grãos, 23%; e laminite das pastagens, 8%. Em geral, as causas principais associadas são:

1. Pôneis obesos em pastos viçosos.
2. Sobrecarga de grãos.
3. Endotoxemia.
4. Peso excessivo sobre um membro sadio e miopatia pós-exercício.
5. Estresse de exercício em animais com excesso de peso.
6. Excessiva alimentação via sonda, com dietas ricas em carboidratos e proteínas, de eqüinos doentes e com disfagia.

978-85-7241-725-9

978-85-7241-725-9

As causas (1), (2) e (6) são muito prováveis em razão da produção de ácido láctico do tipo D(–) ou DL no intestino grosso, a partir de carboidratos rapidamente fermentáveis.

A primeira investigação científica da laminite foi conduzida por Obel em 1948, cujo nome permanece ligado à escala que descreve a gravidade da claudicação. Os quatro graus de Obel para laminite são:

- Grau I de Obel: membro é erguido incessantemente e de forma alternada; nenhuma claudicação ao passo, mas ao trote o eqüino se movimenta com andadura curta afetada.
- Grau II de Obel: o eqüino é relutante em se movimentar, mas a andadura é característica de laminite. Um membro anterior pode ser erguido sem dificuldade.
- Grau III de Obel: o eqüino se movimenta de modo relutante e resiste vigorosamente às tentativas de erguer um membro anterior.
- Grau IV de Obel: o eqüino se movimenta somente quando forçado.

A laminite dos graus I a IV de Obel ocorre com certa freqüência após a endotoxemia. A laminite é a manifestação local de um sério distúrbio metabólico. Os membros anteriores são freqüentemente mais afetados de modo mais grave e o animal pode adotar uma posição na qual afasta os membros jogando-os para frente. Muitas vezes, um forte pulso digital pode ser detectado no boleto e observam-se, às vezes, hemorragias petequiais na cavidade bucal e edema junto à região do abdome. A dor abdominal (cólica) acompanha a isquemia e a perda dos borborigmos intestinais. A inflamação crônica do casco inicia um crescimento mais rápido da sua parede do que deveria ocorrer, de forma que a pinça se estende e se dobra e anéis bem marcados se desenvolvem na parede em resposta à inflamação da banda coronária. Infecções podem se concentrar nas rachaduras que se desenvolvem entre a parede do casco e a sola. Se o ângulo entre a parede do casco e a superfície da terceira falange (osso do casco), mensurado por radiografias, for excessivo, o prognóstico é duvidoso. A má formação pode ser resolvida em parte com a raspagem e a colocação de ferradura corretiva e qualquer condição de excesso de peso deve ser corrigida.

A lesão primária na laminite é a abertura das anastomoses arteriovenosas, causando a inadequada perfusão das lâminas dérmicas. A formação induzida pelas endotoxinas de microtrombos e a trombose venosa contribuem com essa falha na circulação. Plaquetas, cruciais para a formação dos trombos, têm um importante papel na fisiopatologia das doenças vasculares isquêmicas e assim demonstrou-se que a heparina diminui a prevalência da laminite induzida por carboidratos. Bailey *et al.* (2000) observaram que a incubação de plaquetas eqüinas na presença de lipopolissacarídeos (endotoxinas) e de leucócitos fez com que as plaquetas liberassem 5-hidroxitriptamina (5-HT, serotonina), um potente vasoconstritor dos vasos sangüíncos digitais do eqüino. Os leucócitos forneceram o fator ativador de plaquetas (FAP) necessário para essa liberação.

As aminas também têm papel vasoativo e podem contribuir com os distúrbios circulatórios periféricos da laminite. Bailey *et al.* (2002) determinaram que uma sobrecarga de grãos, tanto de amido como de inulina, causou um grande aumento no conteúdo de amina do líquido cecal, uma resposta reprimida pela virginiamicina. O fluxo sangüíneo aumentado para o casco, identificado por um pulso digital destacável, ocorre com um desvio de sangue para longe das lâminas. A isquemia e a ausência de nutrição das lâminas eventualmente causam uma degeneração da ligação entre o casco e a terceira falange, a qual afunda e rotaciona em razão do peso do animal, iniciando uma fase crônica da doença. Por isso, na fase aguda é essencial corrigir a perda de sangue para as lâminas na tentativa de conter a lesão crônica. Como em seres humanos, alimentar eqüinos com grandes refeições periodicamente causa uma transitória hipovolemia plasmática pós-prandial, associada com perda de sódio e água da circulação para dentro do trato gastrointestinal. Isso poderia estimular uma vasoconstrição periférica para manter a pressão sangüínea sistêmica, mas aparentemente não ocorre nas artérias digitais dos eqüinos (Hoffman *et al.*, 2001).

Tratamento

Nos casos de sobrecarga de grãos, óleo mineral administrado por sonda nasogástrica pode diminuir a absorção da endotoxina. Evidência de deslocamento e rotação da falange distal deve ser investigada e o animal colocado em areia ou barro, ou ter suportes de ranilha fixados na sola. O deslocamento acentuado indica um resultado provavelmente fatal para a laminite. Colocação de ferradura, suporte de sola e desbaste do casco foram comumente parte do protocolo de tratamento dos casos crônicos. O conteúdo de carboidratos rapidamente fermentáveis da dieta deve ser reduzido de modo abrupto e substituído por feno de boa qualidade e/ou alimentos aprovados para o controle da laminite, na tentativa de diminuir a taxa de fermentação na região posterior do intestino (ver *Requisitos gerais do método analítico*, Cap. 2). O alimento não deve ser retirado por completo, pois isso pode causar hiperlipemia, em especial em pôneis. Se a relação dietética cálcio:fósforo (Ca:P) for baixa, a adição de calcário à dieta pode ter efeitos terapêuticos e profiláticos.

A laminite grave que acompanha endotoxemia e acúmulo intracelular de ácido láctico está associada com a perda de potássio (K) das células musculares para o plasma, diminuindo a relação de concentração intra para extracelular de K. Isso causa a despolarização de membrana, mas a excreção urinária de K pode não necessariamente aumentar (todavia, a avaliação das relações de *clearance* urinário de K:creatinina pode ser útil). A depleção de K pode causar vasoconstrição dos capilares musculares, provocando isquemia local e hipóxia, glicólise anaeróbica e acidose metabólica. Essa seqüência pode ser um fator na síndrome da rabdomiólise de esforço (SER) em eqüinos, discutida neste capítulo. O fato de concentrações plasmáticas normais e anormais de K terem sido detectadas na SER pode simplesmente refletir a dificuldade observada na avaliação da condição do K e sua relação intra para extracelular *in vivo*. A lesão isquêmica nas membranas da célula muscular resulta na perda excessiva de K celular. Assim, o K plasmático pode estar normal, aumentado, ou reduzido.

A manutenção das concentrações normais de K celular depende da integridade dos sistemas de produção de energia. O K intracelular extravasa das hemácias para o plasma na ausência de glicose adequada e a análise do sangue total deve ser conduzida dentro de 2h da coleta. Nos casos agudos de perda de K, a dosagem intravenosa com quantidades limitadas de K é apropriada, mas precisa ser realizada de modo lento enquanto a ação cardíaca é continuamente monitorada. As modificações anormais no eletrocardiograma podem ocorrer com concentrações plasmáticas de 6,2mmol/L e graves efeitos cardiotóxicos foram reportados com 8 a 10,1mmol/L. Recomenda-se que o melaço (cana, ou beterraba) e o cloreto de potássio sejam fornecidos com o feno nos casos de depleção de K, pois os efeitos vasodilatadores do K podem ser úteis.

Para pôneis e eqüinos com histórico de laminite deve ser fornecido feno de gramíneas e não devem retornar a pastagens viçosas. Indivíduos com sinais de laminite devem ser remo-

978-85-7241-725-9

vidos das pastagens, ou concentrados, e o alimento então restrito a feno grosseiro (ver Tabela 11.2). Os cascos devem ser radiografados em busca de evidência de rotação da terceira falange e o indivíduo deve ser colocado em areia macia, ou terra macia úmida, ou suportes de ranilha podem ser aplicados. A rígida restrição do consumo energético de pôneis pode precipitar a hiperlipidemia.

Óxido Nítrico

Fundamentalmente, a laminite aguda é uma doença vascular associada com áreas de isquemia ou de hemostasia dentro do casco. Uma chave para isso é uma falha do sistema arginina-óxido nítrico (NO). O NO é produzido pela ação da NO sintase em seu substrato, o aminoácido L-arginina. O NO relaxa a musculatura lisa vascular para promover a vasodilatação. A L-arginina administrada por via intravenosa a uma taxa de 0,42g/kg de PC, em solução salina a 10%, fornecida, por sua vez, a uma taxa de 1mg/kg de PC/min, causou a imediata reperfusão do tecido laminar em um pônei com laminite aguda (Hinckley *et al.*, 1996). O envolvimento do NO foi ainda mais implicado quando a pasta de trinitrato de gliceril aplicada topicamente nas quartelas de um pônei com laminite aguda reduziu o "pulso detectável" nos membros tratados, a claudicação e a pressão sangüínea sistêmica. É muito cedo para sugerir que um suplemento dietético de L-arginina para animais em risco possa ser uma abordagem preventiva. A L-arginina tem a probabilidade de ser um aminoácido essencial semi-dietético no eqüino. Isso significa que o eqüino pode não ser capaz de sintetizar o suficiente a partir de outros aminoácidos. É provavelmente que o requerimento dietético seja de 25mg/kg de PC por dia , de forma que suplementos diários na casa de 5 a 10g para um eqüino de 500kg podem ser considerados. Isso é somente 3% da dose fornecida para pôneis com laminite e, assim, pode não ter efeito preventivo por essa e outras razões.

978-85-7241-725-9

Tiroxina (T_4)

Concentrações sangüíneas anormais de T_3 e T_4 foram observadas em eqüinos com laminite. Os valores podem estar diminuídos durante os dois dias antes do início da laminite e os eqüinos com laminite crônica têm elevados níveis de T_3 sérico. Esses efeitos e uma reduzida sensibilidade à insulina são considerados como conseqüências da laminite e não causas. Nos casos de bócio eqüino, associado com reduzidos níveis plasmáticos de T_4, a abordagem recomendada é a substituição dos alimentos existentes por alimentos de qualidade conhecida e o tratamento dos animais afetados com tiroxina. A razão para isso é que qualquer hipotireoidismo pode ser resultado, entre outras causas, do excesso, ou da quantidade inadequada de iodo na dieta. Se qualquer uma dessas for a causa, deve ser estabelecida por meio de análise dietética antes das modificações na dieta serem executadas.

Doença da Linha Branca

A cápsula do casco consiste em parede, sola, ranilha, barra e linha branca. A linha branca está localizada entre o *stratum medium* da parede do casco e a sola. É mais macia que a parede e a sola, sendo capaz de ajudar a dissipar os estresses do casco em movimento que atuam para separar uma da outra. Acredita-se que problemas nutricionais colaborem com a doença da linha branca, que é visualizada como regiões escurecidas e descoloridas da linha branca, mas que podem permanecer despercebidas sob a ferradura. Se não houver tratamento, eventualmente ocorrem separação e infecção da parede do casco. Kuwano *et al.* (1999) descobriram

11,5% dos eqüinos *Thoroughbred* (TB) de corrida no Japão com a doença. Foi mais freqüente nos cascos anteriores do que nos posteriores e a incidência aumentou com a idade.

Algumas outras Causas de Claudicação

A claudicação durante o treinamento não está relacionada de modo claro à dieta, apesar de a condição ruim de Ca poder aumentar o risco de lesão de ossos longos por estresse. A dureza e outras características da superfície na qual o eqüino é treinado parecem ser cruciais. Uma grama boa e bem formada é uma proteção, provavelmente em razão da maior complacência em comparação à lama. Moyer *et al.* (1991) reportaram menor incidência de doença dorsometacárpica (dor de canela, ou fraturas por estresse) em eqüinos que treinavam em fibra de madeira do que naqueles que treinavam na lama. A fibra de madeira era uma superfície mais complacente. Ocorreu redução de aproximadamente 10% no estresse e no esforço do metacarpo (força por unidade de área) durante o trabalho rápido em eqüinos na fibra de madeira.

Osteocondrose

A osteocondrose (OC) foi discutida no Capítulo 8. O efeito da OC em uma articulação sobre a suscetibilidade à claudicação depende enormemente da articulação afetada. Alguns relatos sobre eqüinos em treinamento indicam que a OC da articulação tarsocrural causa um grau de distúrbio de movimento e outros não relataram qualquer correlação. A OC da articulação do joelho (soldra), por outro lado, é associada com mais freqüência com os sinais clínicos de claudicação.

Cólica (Dor Abdominal) e Desordens Associadas

Características da Cólica

Tinker *et al.* (1997a,b) detectaram uma taxa de incidência de 10,6 casos de cólica/100 anos-eqüinos e mortalidade de 0,7 mortes por cólica/100 anos-eqüinos. A maior incidência foi entre eqüinos de dois a dez anos de idade, com os TB apresentando as maiores taxas específicas de incidência para a raça e os Árabes as menores. Mais de uma alteração na alimentação de feno, modificações na alimentação com concentrado e alimentação com altos níveis de concentrados produziram os maiores riscos. O fornecimento de grãos inteiros reduziu esse risco, sustentando a idéia bem concretizada de que o consumo excessivo de carboidratos prontamente disponíveis é a principal causa.

Várias cólicas envolvem a presença no estômago, ou nos intestinos, de uma massa espessa e grudenta de alimento fermentado, ou uma massa compactada de forrageiras. A cólica pode aumentar e diminuir de acordo com as contrações da musculatura lisa intestinal e a dor está presente em várias condições anormais. Como isso não implica em diagnóstico, é conveniente discutir os vários tipos e causas de cólica e o manejo que favorece um prognóstico saudável. Provavelmente, todos os animais eqüídeos experimentam a cólica diversas vezes em suas vidas, de modo que é muito comum em vários graus de gravidade e em suas formas mais graves está associada com desordens que são as causas mais comuns de morte. Os registros mostram que 80% dos casos se recuperam de modo espontâneo dentro de 1 ou 2h, mas nos 20% remanescentes, a não ser que ação imediata seja adotada, um distúrbio inicialmente leve pode tornar-se fatal. Em geral, a cólica acompanha um aumento no lactato sangüíneo e a gravidade e o resultado final estão intimamente correlacionados a seu

978-85-7241-725-9

valor aumentado. As concentrações de lactato no líquido peritoneal são também tipicamente maiores do que no sangue, exceto para os casos de compactação.

A maioria das cólicas caracteriza-se por alguma das seguintes disposições e reações em várias formas e intensidades: agitar a cauda; patear o solo e inquietude na qual o eqüino se deita e se levanta com freqüência; brincar com a comida e a água; submergir as narinas e soltar bolhas; e perda de apetite, em geral. A cabeça é freqüentemente direcionada para os flancos e, nos casos extremos, o eqüino rola e se agita de modo violento, correndo o risco de sofrer mais lesões. Porém, pode-se entrar na baia e encontrar o eqüino largado, sem sons intestinais, sem fezes, ou com quantidade bem pequena, e um abdome muito distendido. A freqüente urinação pode ser tentada como esforço para aliviar a pressão sobre a bexiga urinária. A rapidez de batimentos cardíacos e movimentos respiratórios e a extensão da sudorese e da febre dependerão da gravidade da doença. Em geral, a freqüência cardíaca normal é de 38 a 40 batimentos/min, mas a taxa pode aumentar para 68 a 92/min na cólica moderada e acima de 100/min na dor grave. De modo semelhante, a freqüência respiratória, normalmente 12 a 24/min, pode exceder 72/min e a temperatura corpórea normal de 37,7 ± 0,3°C (100 ± 0,6°F) estará elevada. Outros sinais podem incluir diarréia com cereais não digeridos nas fezes, respiração com odor pútrido, ingesta nas narinas, freqüente estiramento e, ocasionalmente, alterações cutâneas na forma de urticárias. O tempo de preenchimento capilar está aumentado, conforme medido pela pressão com o polegar na gengiva, em que o pequeno pedaço esbranquiçado readquire sua coloração em um período maior que o normal de 1 a 2s. A desidratação é também expressa como atraso no retorno da pele à sua posição normal após ser pregueada.

Clostrídios

978-85-7241-725-9

O consumo excessivo de concentrados favorece a rápida multiplicação dos clostrídios. Relatou-se a clostridiose intestinal eqüina (enterotoxemia), resultante do rápido crescimento de *Clostridium perfringens* de tipos A ou D em adultos e de *C. perfringens* do tipo C em potros. O *C. perfringens*, que secreta uma enterotoxina, pode ser um habitante normal do intestino, apesar de evidência recente indicar o contrário. Vários grupos (Båverud *et al.*, 1997, 1998; Weese *et al.*, 2001) observaram que em aproximadamente um quarto dos eqüinos adultos e potros com dor abdominal aguda, ou diarréia e enterocolite, o *C. perfringens*, o *C. difficile*, ou as suas toxinas podem estar presentes. Em poucos controles sadios havia esses patógenos. É possível que em quantidades pequenas a toxina do *C. perfringens* possa ser perigosa, mas quando há grandes quantidades dessas espécies, o gás excessivo é produzido e a toxina causa lesão na mucosa intestinal e precipita a diarréia. A toxina é neutralizada por anticorpos, mas a terapia imediata envolve a reposição de água e eletrólitos residuais depletados e o alívio do timpanismo gastrointestinal (forma de balão).

Recentemente, Båverud *et al.* (2003) confirmaram que o *C. difficile* não somente estava associado com a colite aguda em eqüinos adultos, após tratamento antibiótico, mas estava presente também em vários potros neonatos sadios. Confirmaram ainda que sobreviveu por pelo menos quatro anos nas fezes eqüinas.

Úlceras Gástricas

Mais da metade dos TB em treinamento pode sofrer de ulceração gástrica (ver *Lesões gástricas em potros*, Cap. 7). As lesões localizam-se na *pars proventricularis* não glandular, em particular a região adjacente ao *margo plicatus*. Havia lesões nas mucosas gástricas de quase todos os eqüinos TB em treinamento examinados por Murray *et al.* (1996) e as lesões na mucosa glandular eram muito menos graves que as da mucosa escamosa, que se tornaram particularmente graves conforme progrediu o tempo em treinamento e corridas. Na Suécia, a prevalência é maior entre *Standardbred* e TB (Sandin *et al.*, 2000).

Os sinais incluem cólica periprandial, bruxismo, meteorismo e refluxo. Considera-se que a hipersecreção de ácido gástrico, as desordens do esvaziamento gástrico e os distúrbios no fluxo sangüíneo da mucosa gástrica estejam potencialmente envolvidos no início da ulceração gástrica. A combinação de sais biliares e ácido gástrico é mais perigosa para a mucosa escamosa do que somente o ácido, de forma que o jejum por tão pouco tempo quanto 12 a 24h apresenta um risco, aumentando, como o faz, a concentração gástrica de sal biliar (Berschneider *et al.*, 1999).

A secreção de catecolaminas associada com o estresse pode resultar em vasoconstrição suficientemente freqüente, hipóxia e inanição da mucosa, precipitando a lesão.

Uma explicação alternativa se apóia no fato de que quando os concentrados entram no estômago, o pH permanece alto por mais tempo do que com o feno, de forma que ocorre fermentação considerável. Porém, conforme cai o pH, os ácidos acético, propiônico, butírico e valérico tornam-se não dissociados (valores de pKa de 4,7 a 5) e solúveis em lipídeos. Essa solubilidade tem a probabilidade de ser maior para as cadeias de carbono mais compridas dos ácidos butírico e valérico. Nesse estado, o ácido valérico e, em menor extensão, o butírico, em particular, se difundem para dentro e acidificam as células da mucosa aglandular, lesionam o transporte de Na^+ e a função de barreira, aumentando o tamanho celular e causando necrose e ulceração (Nadeau *et al.*, 2001). O ácido valérico manifestou seus efeitos adversos até em um pH 7 (Nadeau *et al.*, 2003).

Esses pesquisadores (Nadeau *et al.*, 1999) observaram previamente que o pH gástrico foi maior e a gravidade da lesão da úlcera foi menor nas éguas que receberam dieta de feno de alfafa e grãos, em comparação àquelas que receberam feno de *bromegrass* durante as 5h iniciais após a alimentação, quando a concentração gástrica de ácido acético foi a maior. O elevado conteúdo de Ca da alfafa pode ter impedido uma queda inicial no pH, de forma que os AGV permaneceram ionizados até que fluíram para o duodeno.

Após a ulceração, o ácido gástrico impede a cicatrização da mucosa e a terapia tem incluído de forma bem sucedida antagonistas de receptores H_2. Trabalho nos Estados Unidos demonstrou que o omeprazol (um inibidor da bomba de prótons) fornecido aos TB a uma taxa de 4mg/kg de PC, por via oral, durante 30 dias, seguido de 2mg/kg de PC, por dia, pelos 30 dias seguintes, reduziu a ulceração da região escamosa do estômago e melhorou a performance de corrida (Nieto *et al.*, 2001; Johnson *et al.*, 2001). Os treinadores indicaram que a ulceração estava associada com apetite e performance ruins, cobertura pilosa sem brilho, fezes amolecidas, perda de peso e desinteresse no exercício e que a resposta ao omeprazol foi uma melhora em relação à resposta à cimetidina.

Apesar de existir alguma associação da ulceração gástrica com o consumo de grandes quantidades de alimentos concentrados, a ausência de alguns estresses ambientais entre os eqüinos envolvidos em exercício leve ou em divertimento e aqueles ao pasto pode contribuir com menor prevalência nessas situações. Assim, a ausência de freqüentes reações de estresse, menos matéria seca e menor pH do conteúdo gástrico nos eqüinos que recebem alimentos volumosos poderiam ser importantes fatores de prevenção. De Fombelle *et al.* (2003)

encontraram altas concentrações gástricas de lactobacilos e bactérias que utilizam o lactato presentes após uma grande refeição de cereais. Apesar de nenhuma associação dessas bactérias com a erosão gástrica ter sido demonstrada, pode ser prudente reduzir a taxa de consumo de alimento e fornecer várias pequenas refeições regulares de constituição aberta, permitindo uma penetração rápida do alimento pelo ácido gástrico com a contenção da fermentação microbiana. Além do mais, a privação intermitente do alimento, fornecido como feno, por períodos de 24h, causa erosão e ulceração do epitélio escamoso. As úlceras gástricas em pacientes humanos apresentam uma associação com a presença de *Helicobacter pylori*. O maior pH gástrico pós-prandial nos eqüinos alimentados com concentrados conduz mais à sua sobrevivência, ou à de uma bactéria relacionada, apesar de tender a ser protegido de um ambiente ácido pela secreção de uréase. Se a sobrevivência for melhorada pelo aumento do pH, então o uso de antagonistas de receptores H_2 poderia ser contraproducente em longo prazo.

978-85-7241-725-9

Doenças Associadas com a Qualidade Física e Microbiológica dos Alimentos

A qualidade física e a higiene de todos os alimentos para eqüinos são importantes na manutenção da boa saúde. Se a concentração de fungos, leveduras e bactérias nos cereais estiver alta, existe um risco aumentado de distúrbios digestivos e de doença respiratória. A população elevada de leveduras nos alimentos pode estar associada com o alto risco de cólica gástrica e timpanismo. O nível alimentar alto de lipopolissacarídeos (Enterobacteriaceae) está associado com distúrbios de saúde e a *Salmonella* na silagem pode causar cólica fatal (ver *Silagem e silagem pré-seca e sua segurança* no Cap. 10 e texto sobre botulismo adiante). O feno cortado e a palha muito curta podem aumentar o risco de cólica e a viscosidade excessiva dos alimentos concentrados (por exemplo, conteúdo elevado de glúten) parece causar cólica gástrica. Os fungos, incluindo *ergot*, podem causar doença respiratória grave (Meyer *et al.*, 1986).

Compactação Esofagiana (Sufocação)

Avidez, dentição ruim, água inadequada, corpos estranhos e o consumo de cama grossa podem predispor o eqüino à compactação esofagiana: um objeto estranho, ou alimento, preso no esôfago. Normalmente, a obstrução irá se resolver após um tempo e a sufocação pode ser comum em indivíduos que tenham garganta com estrutura anormal. A compactação de longa duração pode resultar em lesão crônica da parede do esôfago e espasmo, causando recidiva da compactação, disfagia, tosse e regurgitação do alimento por narinas e boca. Pode haver aumento de tamanho do esôfago cervical. A remoção do alimento e a ação veterinária imediata são vitais para o manejo bem-sucedido. Em casos simples, sedação e intubação nasal com pequena lavagem com água aquecida e massagem externa freqüentemente funcionam. Em seguida, reidratação com fluidos isotônicos fornecidos por via intravenosa e outros tratamentos veterinários.

A obstrução é algumas vezes causada não pela compactação física do esôfago, mas pela ausência de saliva *livre* adequada na garganta. Assim, quanto mais rápido um eqüino comer, mais provável que haja sufocação. A implicação é que péletes de alimentos mais macios e péletes de polpa de beterraba têm mais probabilidade de serem as causas, em razão da ausência de grande quantidade de saliva livre em comparação com os efeitos, em eqüinos com boa dentição, de um pélete mais duro que requeira mais mastigação, ou de grãos cereais inteiros que não absorvam muita saliva.

Calculou-se que o trato intestinal de um eqüino médio retém cerca de 100L de líquido, removidos quando da privação de água – como pode ser induzido pela sufocação, para manter a homeostase. Se a sufocação evitar a alimentação por mais de seis a sete dias, a desidratação precipita a azotemia pré-renal (uréia sangüínea elevada). Uma vez que a obstrução tenha sido removida, o eqüino deve receber água e alimentos várias vezes por dia com pequenas quantidades de grânulos úmidos, ou outros alimentos e pedras do tamanho de bolas de tênis devem ser colocados no cocho de alimento para retardar sua velocidade de consumo. Pode haver alguma escarificação do esôfago, causando a repetição do problema. Esses eqüinos devem receber alimentos encharcados.

Compactação Gástrica

Existe pouca evidência quanto às causas de compactação gástrica, apesar de a ingestão de forrageiras grosseiras e o inadequado consumo de água contribuírem para tanto. Uma sonda gástrica deve ser colocada para permitir a expulsão dos gases e a administração de produtos antifermentação, como o hidrato de cloral, ou terebintina (um óleo obtido de várias espécies de *Pinus*) em óleo de linhaça cru, apesar de poder ser necessária a cirurgia. A parafina líquida pode ser fornecida para compactações por sonda nasogástrica em taxas de 2 a 6L/eqüino de 500kg, uma ou duas vezes ao dia, por vários dias, e 0,5 a 1L de óleo de linhaça cru (atuando como emoliente catártico) pode ser usado em casos persistentes junto com água salgada aquecida para estimular a sede. Para as cólicas flatulentas, adicionar 30 a 60mL de terebintina ao óleo.

Compactação Intestinal

978-85-7241-725-9

A etiologia das compactações de íleo também é desconhecida, apesar das compactações por ascarídeos em potros e as infestações por vermes chatos serem as causas menos comuns. Grandes quantidades de alimentos forrageiros grosseiros, ou consumo excessivo de cereais contribuem com o risco, quando a ingesta estiver nas narinas.

O movimento intestinal normal nos casos de compactações do intestino grosso é estimulado por enemas de água quente e massagem de qualquer compactação na flexura pélvica via reto. O uso geral de tranqüilizantes e drogas analgésicas elimina a necessidade de exercício continuado forçado, evitando que o animal se machuque, e reduz o risco de uma única compactação se transformar em vólvulo (torção do intestino em sua base mesentérica). Caminhar pode ser necessário somente para distrair a atenção do eqüino se as drogas não estiverem disponíveis ou forem ineficientes. A rápida ação nas cólicas leves pode evitar um transtorno mais grave precipitando o choque endotóxico e a morte.

Cólica Espasmódica

Na cólica espasmódica há aumento no movimento intestinal, que pode ser precipitado por uma repentina modificação de alimento, trabalho e resfriamento. Os espasmos duram de alguns minutos até meia hora e podem ocorrer de modo repetido por um período de horas, sendo os sinais típicos aqueles já discutidos [ver *Cólica (dor abdominal) e desordens associadas*, anteriormente]. A recuperação ocorre sem tratamento, mas o alívio da dor e o uso de drogas espasmolíticas é útil na melhora. A cólica está associada com o tônus parassimpático aumentado e, por experiência, eqüinos agitados estão sujeitos a espasmos desse tipo.

De acordo com Meyer (2001), grande consumo de concentrados por refeição, pouca forrageira e baixo padrão de higiene do alimento são as principais causas dietéticas. Essas condições estimulam a atividade microbiana excessiva no estômago e no duodeno, com gás, ácidos orgânicos e especialmente ácido láctico parecendo ter papel patogênico. O conteúdo de ácido láctico do quimo ileal foi maior após a alimentação com grãos inteiros como aveias, seguido por grão de cevada e menor ainda com grão de milho, apesar de em outra evidência o grão inteiro ser preferível ao cereal moído.

Vermes Parasitários

As larvas de estrôngilos causam lesão aos vasos sangüíneos delimitantes, em particular aqueles da artéria mesentérica anterior e suas ramificações e isso pode causar os vários graus de oclusão e inibição do fluxo de sangue (isquemia). O tromboembolismo pode ser uma principal causa contribuinte da perda completa de fluxo de sangue para uma porção do trato intestinal e de sua morte, causando cólica obstrutiva. Se o bloqueio for incompleto, a cólica recorrente será observada. Nos casos agudos, a cirurgia é necessária, mas a completa vermifugação com intervalos de 30 a 60 dias irá ajudar a conter essa situação. Uma dose definida de vermífugos específicos (ver Tabela 11.1), sob orientação veterinária, apresentará impacto benéfico nos estágios larvais (esses estágios aumentam a atividade intestinal da fosfatase alcalina do líquido peritoneal; ver Cap. 12). Em eqüinos jovens, a compactação do intestino delgado com vermes ascarídeos pode ocorrer se o manejo for ruim, necessitando de imediato tratamento anti-helmíntico.

Compactação Ileal (Íleo Adinâmico) e Compactação Colônica

As compactações ileais definem-se como obstrução intestinal com acúmulo de líquido e gás conseqüente à perda da atividade da musculatura lisa e perda associada de movimento peristáltico da ingesta. Hillyer e Mair (1997) e Mair e Hillyer (1997) revisaram as características da cólica crônica e recorrente. A compactação colônica foi a principal causa de cólica crônica. A arterite verminosa foi uma das várias causas de cólica recorrente.

O alimento sólido, ou a água, fornecidos por via oral, nos casos de íleo adinâmico do intestino delgado, agravarão a distensão gástrica e devem ser removidos. Tratamento com líquidos isotônicos por via intravenosa, junto com lubrificantes intestinais, pode ser indicado. A intervenção cirúrgica é usualmente necessária se a obstrução for completa.

Cerca de 30% de todas as cólicas estão na forma de compactações intestinais e, dessas, a maioria das compactações ocorre no intestino grosso. Steel e Gibson (2001) reportaram que as causas gastrointestinais mais comuns de cólica em éguas gestantes foram compactação, deslocamento e torção de cólon maior. Como brevemente mencionado no Capítulo 1, as compactações estão tipicamente localizadas tanto nos pontos em que há alteração no diâmetro do cólon como nas flexuras onde a curvatura é acentuada. Os locais mais freqüentes são a flexura pélvica e onde o cólon dorsal direito se esvazia dentro do cólon menor, mas ocasionalmente as flexuras esternal e diafragmática podem estar envolvidas. As compactações também ocorrem na válvula ileocecal. Quanto mais próximo do íleo houver bloqueio do intestino grosso, mais perigoso será, pois restringirá de modo grave a reabsorção de água no ceco e no cólon ventral, podendo causar desidratação e choque hipovolêmico.

O eqüino que sofre de compactação colônica irá com freqüência olhar para seu flanco, não emitirá qualquer som intestinal e eliminará poucas fezes com muco; a palpação da compactação é freqüentemente possível. Consumo inadequado de água, sudorese excessiva e trabalho intenso juntos com a quantidade excessiva de forrageiras grosseiras contribuem também para as compactações colônicas. Observou-se uma associação com culturas fecais positivas de *Salmonella* spp., o que pode indicar uma reação de inflamação intestinal. As compactações do ceco parecem estar relacionadas a graves condições patológicas, incluindo endotoxemia. As compactações são razoavelmente comuns em eqüinos idosos com dentição ruim restritos a feno de baixa qualidade com pouca água após consumirem gramíneas viçosas. A compactação de cólon menor pode também ocorrer em potros entre dois e seis meses de idade quando se inicia a alimentação com forrageiras.

978-85-7241-725-9

Cólica por Areia

A obstrução intraluminal também resulta de concreções de pêlos e de material de plantas e de associações dessas concreções, bem como de eqüinos mastigando objetos em seu ambiente. Essas concreções ocorrem tipicamente no cólon menor e se formam como um precipitado mineral na superfície do material durante a passagem pelo cólon, por um período prolongado de tempo, antes de ocorrer a obstrução. Os sinais clínicos incluem desconforto abdominal, distensão e esforços para defecar. O tratamento para as compactações de cólon menor inclui a introdução veterinária de enemas de água levemente aquecida, com sonda nasogástrica lubrificada, através do reto.

A cólica por areia é provavelmente a causa mais comum de cólica nas áreas com solos muito arenosos. O acúmulo da areia no trato gastrointestinal foi responsável por até 30% dos casos de cólica em áreas arenosas do sul dos Estados Unidos. O consumo médio de oito indivíduos adultos variou de 2,5g/dia até 272g/dia durante cinco dias quando cada um recebeu areia em um balde. Porém, sua eliminação do trato gastrointestinal é ajudada pelo consumo de feno (Lieb e Weise, 1999; Weise e Lieb, 2001). Alguns eqüinos adquirem o mau hábito de consumir grande quantidade de areia e solo. Por isso, o problema pode ocorrer com freqüência e está associado com períodos de inapetência, diarréia, inquietude ao se levantar e deitar, com grunhidos ao deitar, pateada do solo, ou posição agachada com a cabeça virada. A areia pode estar presente nas fezes. O tratamento inclui grandes doses repetidas de parafina líquida. Ocasionalmente, porém, enterólitos (grandes pedras) são formados, ao que parece em núcleos de fosfato de magnésio amônio. Isso aumenta de tamanho de modo gradativo e sua remoção requer cirurgia. A observação pode indicar que o eqüino tem uma predileção por mastigar materiais próximos. A solução poderia estar na modificação do ambiente e na redução do tédio.

Os eqüinos com compactação por areia do cólon maior respondem ao mucilóide hidrofílico de psílio fornecido na taxa de 400g/500kg de PC diariamente, por três semanas, dividido em três refeições diárias. Os psílios aromatizados estão disponíveis para pacientes relutantes. Por um tempo, deve remover a maioria da areia. Esse tratamento pode requerer repetição a cada 4 a 12 meses. Os eqüinos que provavelmente comem areia devem ser mantidos em um campo denso e o feno não deve ser oferecido no chão, mas em grades, na tentativa de reduzir o risco de recidiva.

Cólica de Potros

A cólica de potros é muito comum nos primeiros dois dias após o nascimento e é causada pelo mecônio que bloqueia o intestino grosso em vários níveis. A lubrificação da massa compactada com parafina líquida administrada oralmente (200mL), ou o glicerol, o uso de enemas de água e sabão e o alívio do desconforto são normalmente suficientes remédios. Se nenhuma resposta for registrada dentro de poucos dias, deve-se suspeitar de vólvulo, ou intussuscepção. A dor abdominal pode também ocorrer nessa idade por meio da ruptura da bexiga urinária, que é eficientemente reparada por cirurgia. Em potros mais velhos, o desconforto pode coincidir com a erupção de dentes permanentes. As hérnias umbilicais podem causar cólica em potros jovens, mas usualmente se corrigem por conta própria dos seis aos oito meses de idade. As hérnias inguinais, em especial em potros, também têm efeitos semelhantes.

Lavoie *et al.* (2000) descreveram uma doença entérica transmissível de potros e outras espécies, causada pela *Lawsonia intracellularis*, com transmissão fecal. Os sinais incluem depressão, rápida perda de peso, edema subcutâneo, diarréia e cólica. A proteção fornecida pelo colostro parece ser importante.

Tratamento Oral e Dietético

A não ser que se esteja bem familiarizado com a seqüência de eventos apresentados por um eqüino em particular, deve-se procurar ajuda veterinária assim que os sinais de cólica forem observados. Remove-se o alimento *até que a causa tenha sido determinada*, mas se fornece água limpa. Se o animal demonstrar sinais de que vai se machucar por ações violentas, coloca-se o eqüino para caminhar; caso contrário, deixá-lo sozinho em uma baia, livre de projeções, ou estruturas que possam machucá-lo. Em todos os casos de cólica, mantém-se o eqüino aquecido em climas frios e durante a recuperação é útil uma mistura aquecida de farelos. O uso geral de um óleo mineral ou uma pasta de caulim-pectina é seguro e irá acelerar a expulsão das massas agressoras. O tratamento geral também tem o objetivo de evitar a ruptura de alguma parte do trato gastrointestinal, ou o deslocamento de suas partes mediante o controle da dor e do timpanismo, a evacuação dos intestinos, a contenção da rápida fermentação bacteriana e o restabelecimento do peristaltismo normal. Um enema de 9 a 13L (dois a três galões) de água aquecida com sabão é fornecido com freqüência em adição ao óleo mineral lubrificante para as compactações intestinais. Um leve enema de água com sabão é particularmente útil nos casos de compactações colônicas em potros. Se houver compactação de cólon maior, ou de ceco, os líquidos orais, incluindo soluções de eletrólitos e glicose, podem ser permitidos, mas não se fornece alimento sólido até que a compactação passe.

Do ponto de vista dietético, a terapia inclui a remoção do alimento normal, mas permite o acesso à água se não houver refluxo nasogástrico. A reidratação do eqüino por via oral (na ausência de refluxo) e intravenosa é essencial e laxantes são normalmente fornecidos pela sonda nasogástrica. Nas compactações intestinais graves, um eqüino de 500kg deve receber 6L de líquidos a cada 2h por uma sonda nasogástrica fixada. O óleo mineral pode ser administrado para facilitar a passagem após a compactação começar a se dissolver. Após a resolução da compactação e na ausência de perfuração, a alimentação deve ser restabelecida de modo gradativo para evitar uma recidiva imediata. Assim que a função gastrointestinal for restabelecida, as massas de farelo são preferidas para as primeiras 24 a 48h. Após isso, o feno folhoso pode ser introduzido gradativamente, junto com massas de concentrados, ou se oferecem curtos períodos de pastoreio em um cabresto. Com a disfunção prolongada, a nutrição parenteral parcial ou total pode ser necessária.

978-85-7241-725-9

Afirma-se que a forragem cortada muito curta aumenta o risco de obstrução ileal. Moer as forrageiras reduz a digestibilidade, pois tende a acelerar a velocidade de passagem pelo trato gastrointestinal. As principais vantagens da peletização são a redução da poeira, o aumento da manutenção da qualidade do material grosseiro e a redução no volume para estocagem.

Cólica Gasosa ou Flatulenta e seu Tratamento

A cólica gasosa ou flatulenta pode ser secundária a uma obstrução ou a uma compactação e é dolorosa ao extremo. A distensão do intestino delgado é raramente detectável e se o abdome estiver grande de modo incomum, o timpanismo do cólon ventral pode estar presente. Algumas vezes, no exame após a morte, várias regiões do trato gastrointestinal parecem estar envolvidas. Compactação e ausência de movimento intestinal inibem a expulsão e minimizam a absorção de gases para o sangue. A última via de remoção é mais importante do que parece, pois cerca de 150L de dióxido de carbono e metano podem ser absorvidos diariamente pelo trato intestinal.

Se ocorrer timpanismo gástrico, a condição se torna evidente dentro de 4 a 6h da ingestão. A intubação com sonda nasogástrica para aliviar a pressão é essencial, a fim de evitar a ruptura do estômago. Uma solução salina a 4% aquecida, que diminui a viscosidade da massa fermentada e estimula o consumo de água, é algumas vezes administrada em quantidades pequenas em intervalos que permitam sua drenagem para o estômago através da sonda. O eqüino pode adotar uma atitude típica de cão sentado, ou pode ficar de pé sem movimentar os membros, em especial se houver rompimento, ou um sério infarto intestinal. Após a ruptura gástrica, em particular, às vezes a ingesta é observada pelas narinas. Com diferentes intensidades de cólica gasosa, o eqüino pode sentir frio, apesar de apresentar febre, pode exibir membranas mucosas dos olhos congestionadas e ter respiração ácida e avinagrada. Potentes analgésicos evitam o rolamento violento e as lesões auto-infligidas. Se houver risco de ação violenta, o eqüino deve ser mantido em estação, se possível, mas é melhor que eqüinos quietos não sejam incomodados.

Com freqüência, a cólica gasosa é seqüela de uma dieta rica em cereais, ou leguminosas viçosas, ou mesmo do consumo inadvertido de uma pilha de gramíneas cortadas. A ação rápida é essencial, pois novamente as reações violentas por parte do eqüino podem causar rupturas, ou torções intestinais, com prognóstico pior.

Cólica Associada com Torção e Rotações

A torção (rotação em seu próprio eixo), vólvulo (torção no eixo mesentérico) e intussuscepção, usualmente do íleo terminal para dentro do ceco, requerem a imediata cirurgia e o prognóstico precisa ser considerado ruim. As membranas dos olhos e da boca ficam tipicamente secas e a dor induz a uma rápida elevação da freqüência respiratória e do pulso, de forma que a perda de dióxido de carbono causa a alcalose apesar do elevado lactato sangüíneo. O valor e os riscos associados com a nutrição parenteral pós-operatória foram recentemente avaliados por Durham *et al.* (2004).

Outras Cólicas

A dor abdominal não é reservada ao trato intestinal e pode resultar de pedras vesicais e renais, infecções urinárias, efusões pericárdicas e doença hepática, algumas vezes.

Fatores Predispondo às Cólicas

- "Superaquecimento" – acesso repentino a grande quantidade de cereais ou a campos com trevo verde e gramíneas viçosas.
- Estresse causado por modificações na rotina, alterações de estábulo e éguas e potros em novos ambientes.
- Exercícios irregulares, eqüinos inativos com alimentação completa, ou modificações no momento das refeições.
- Trabalhar o eqüino com estômago cheio. Mesmo durante atividades lentas prolongadas, as grandes refeições não devem ser fornecidas e alimentos volumosos devem ser excluídos. Os alimentos volumosos devem ser fornecidos ao anoitecer, esperando até que as forças digestivas tenham se restabelecido com o repouso.
- O trabalho por si só pode precipitar a cólica, em especial ao final de um dia exaustivo – tanto o trabalho quanto a alimentação devem ser regulares. Interrompe-se o trabalho prolongado por curtos períodos de repouso a cada 2 a 3h, quando se fornecem algumas bocadas de alimentos concentrados e água.
- Consumo de quantidade excessiva de água fria após trabalho intenso e quente antes do eqüino ter resfriado e/ou o fornecimento de alimentos pesados nesse período.
- Insuficiente forrageira de boa qualidade, ou milho mofado e silagem mofada.
- Grande quantidade de alimentos verdes cortados.
- Eqüinos foram do condicionamento físico ideal, modificados abruptamente para um exercício intenso e uma dieta rica em concentrados.
- Falha em prover água limpa fresca em todos os momentos.
- Ausência de cuidados dentários. "Mascas" podem ser observadas, em que pequenas bolas de alimentos parcialmente mastigados caem no cocho. Isso está usualmente associado com molares que precisam ser grosados.
- Comedores ávidos que mastigam às pressas o alimento, ou animais valentões ávidos em rebanhos que se alimentam em grupo.
- Inadequado controle do trabalho.

Prevenção

- Cada eqüino tem sua idiossincrasia, de forma que antes de um novo eqüino ser colocado gradativamente em uma dieta rica para trabalho, seus hábitos e requerimentos em particular devem ser estudados e compreendidos.
- Animais em trabalho intenso recebem uma pequena refeição de concentrados em intervalos freqüentes e regulares e o momento das refeições deve ser constante, mesmo em finais de semana.
- Atingem-se demandas aumentadas de energia por meio de uma taxa de alimentação elevada de concentrados de não mais de 200g/dia para um eqüino de 500kg e uma taxa de aumento proporcionalmente menor para eqüinos menores.
- Institui-se um programa sensível e regular de exercícios.
- Se um eqüino for levado de um estábulo para outro, sua rotina velha irá com ele e, se necessário, será gradativamente modificada.
- Todos os animais devem ser avaliados por último à noite.
- Somente forrageiras de boa qualidade, livres de ervas contaminantes e, nos Estados Unidos, também livres de escaravelhos, devem ser fornecidas.

978-85-7241-725-9

- Mantêm-se os estoques de alimentos para eqüinos e os químicos perigosos sempre em quartos cujas portas não possam ser abertas por eqüinos.
- Nenhum eqüino deve ser trabalhado em excesso e, após o exercício extremo, alimento ou água substancial não devem ser fornecidos até que o animal esteja frio e em repouso, quando receberá apenas quantidades moderadas.
- Aerofagia ou engolidores de ar (deglutem ar para o estômago) (Fig. 11.2) devem ser contidos com coleiras e mordaças especiais, ou se individualmente se sabe que isso precipita a cólica, a cirurgia pode ser necessária.
- Inspecionam-se os dentes a intervalos regulares. Se necessário, adaptar os molares e pré-molares superiores com os inferiores, ou remover dentes com raízes infeccionadas – dentes em deterioração podem causar salivação excessiva.
- Misturar com palhiço ou farelo seco a ração concentrada de indivíduos que a mastigam às pressas. A colocação de pedras do tamanho de bolas de tênis no cocho pode retardar a velocidade de consumo dos alimentos.
- Um programa adequado de vermifugação é essencial para todos os eqüinos e um sistema de rotação de pastagem deve ser instituído se eles tiverem acesso às gramíneas.

978-85-7241-725-9

Excesso de Alimentação

Em adição às conseqüências discutidas neste capítulo, o excesso de alimentação pode ter outros efeitos deletérios nos eqüinos. Alguns dos mais óbvios estão listados a seguir:

- Obesidade. Afirma-se que reduz a fertilidade e causa dificuldades ao parto nas éguas, afeta a velocidade do trabalho dos eqüinos e acelera o início da fadiga.
- Eqüinos obesos que repentinamente passam pela privação alimentar, como na seca, podem estar sujeitos a anorexia secundária à cólica, o que às vezes causa hiperlipidemia

Figura 11.2 – Égua com aerofagia, um vício no qual o eqüino apóia os dentes incisivos em um objeto sólido, empurra-o para baixo e deglute o ar. Algumas vezes, uma tira de couro é apertada de modo confortável no pescoço imediatamente atrás da mandíbula para impedir a prática pelo animal.

(altas concentrações de lipídeos sangüíneos). As éguas pôneis ao final da gestação, ou no pico da lactação e sujeitas a modificações de pastagens estão propensas a esse problema. O tratamento pode ser problemático e certamente requer orientação veterinária. A anorexia pode também ser uma seqüela da acidose.

- O excesso de alimentação de eqüinos jovens:
  - Dos potros, em particular;
  - Quando o alimento é fornecido em refeições separadas e discretas;
  - E se a ração for desbalanceada com relação ao seu conteúdo mineral, pode causar desordens ósseas. A principal delas é a epifisite, tipicamente das epífises distais do rádio, do metacarpo, da tíbia e do metatarso, identificada por aumento de tamanho dos ossos e desenvolvimento de abas nas fises.
- Contratura de tendões, como previamente discutido no Capítulo 7, pode estar associada com excesso de nutrição de alimentos ricos em energia ao final da gestação (produzindo muito leite), ou excesso de alimentação do potro e de animais de 12 meses.
- Enterotoxemia em eqüinos jovens, alimentados em grupos, ocasionalmente precipitada no indivíduo maior e mais agressivo. Ocorre uma cólica flatulenta, na qual os intestinos são sobrecarregados com alimentos ricos e gás. Os sinais de dispnéia e edema subcutâneo podem estar presentes e a causa é aparentemente uma rápida proliferação da bactéria *Clostridium perfringens.*

978-85-7241-725-9

Hiperlipemia

A hiperlipemia é uma condição clínica cuja forma subclínica é conhecida como hiperlipidemia. No eqüino, a maioria da gordura circulante está na forma de lipoproteína de densidade muito baixa (LDMB) (de origem hepática), em especial no estado pós-absortivo da hiperlipemia. A desordem clínica é caracterizada por depressão, anorexia, elevadas concentrações plasmáticas de triacilglicerol (TAG), infiltração lipídica do fígado e falência hepática. Em grandes eqüinos, também há azotemia. Vários estresses fisiológicos, jejum, obesidade, gestação, lactação e reduzido consumo alimentar predispõem os eqüinos à doença. Gupta *et al.* (1999) mantiveram asininos e mulas sem alimento seco por dez dias. O soro tornou-se turvo no sétimo dia, apesar dos asininos serem mais adaptáveis do que as mulas e a recuperação ocorreu no sexto dia do reinício da alimentação. A diferença na suscetibilidade à condição entre asininos e pôneis de um lado e eqüinos do outro pode ser decorrente de uma maior freqüência de resistência à insulina entre pôneis e asininos. A insulina é requerida para a ativação da lipoproteína lípase, a qual é requerida para o *clearance* de TAG do sangue para os adipócitos. O jejum depleta os estoques corpóreos dos minerais P, K e magnésio (Mg) e a alfafa é a base de uma boa dieta para recuperação. A adição de óleo de milho à alfafa abafa a resposta de insulina, ao passo que a adição de óleo em excesso pode por em risco a condição de Mg e a recuperação das reservas deste (Stull *et al.*, 2001).

A alimentação via sonda com carboidratos prontamente digestíveis em quantidades relativamente pequenas, a princípio pode ser iniciada se o animal não come de modo voluntário. A terapia de insulina (com monitoração do açúcar sangüíneo) é usada com freqüência para promover o metabolismo dos carboidratos e o *clearance* de gordura e para reduzir a atividade da lípase intracelular, que mobiliza a gordura estocada para formar LDMB (Tabela 11.3).

A desordem pode causar falência dos órgãos e taxas de mortalidade de 65 a 80%. A etiologia é aparentemente diferente da condição em serem humanos, em que a função da

Tabela 11.3 – Terapia de glicose e insulina para a hiperlipemia.

	Dia 1	Dia 2	Dia 3	Dia 4	Dia 5
Insulina (UI/kg), intramuscular, duas vezes por dia	0,15	0,075	0,15	0,075	0,15
Glicose (g), via oral, duas vezes ao dia	100		100		100
Glicose (g), via oral, uma vez por dia		100		100	
Heparina (UI/kg), intramuscular, duas vezes por dia[1]	40-150	40-150	40-150	40-150	40-150
Bicarbonato de sódio e líquidos[2], intravenosos					

[1] Capacidade de coagulação sangüínea deve ser garantida e mantida, em especial se doses maiores forem usadas. As doses farmacêuticas de heparina liberam a lipoproteína lípase no sangue.

[2] O estado ácido-base do sangue deve ser avaliado primeiro quanto a um déficit. O hematócrito e a uréia sangüínea devem ser mensurados e os valores elevados retificados com solução de Ringer.

enzima lipoproteína lípase é prejudicada. No eqüino, o excesso de produção, ao invés do catabolismo defeituoso, do LDMB é a causa de hiperlipemia. O LDMB plasmático está elevado no hipotireoidismo (N. Frank, 2003, comunicação pessoal). Por isso, direciona-se o tratamento para o uso dos agentes redutores de lipídeos que reduzem a síntese do LDMB. A hiperlipemia no pônei é acompanhada por uma elevação nos ácidos graxos livres (AGL) plasmáticos, sem cetose, o que pode estimular a síntese de TAG e a secreção de LDMB. Assim, pode estar aí o foco para a prevenção e o tratamento de pôneis por meio da redução da produção hepática de LDMB com agentes como a niacina, pois reduz a lipólise do tecido adiposo e o fluxo de AGL (Watson *et al.*, 1992).

978-85-7241-725-9

Botulismo (Envenenamento por Forragens em Eqüinos Adultos e Síndrome do Potro Agitado em Potros)

Caracterizada por disfagia, fraqueza e paralisia progressiva flácida, o botulismo é causado pela exotoxina do *C. botulinum* que interfere com a liberação de acetilcolina na junção neuromuscular. O botulismo por feridas é raro em eqüinos. Nos adultos, a doença é causada pelo consumo da toxina, mas em potros jovens a toxina pode ser elaborada por microrganismos presentes no trato gastrointestinal [ver *Silagem e silagem pré-seca e sua segurança* e *Disautonomia eqüina (doença das gramíneas)*, Cap. 10].

O tratamento de potros e adultos infectados é difícil e requer cuidado intensivo com o uso de uma antitoxina específica. Esse tratamento não reverterá os efeitos da toxina já ligadas na membrana pré-sináptica e deve ser introduzido antes de ocorrer o decúbito. Alimentação via sonda será necessária, junto com medidas para prevenir pneumonia aspirativa, constipação, úlceras córneas e ulceração gástrica. O óleo mineral pode ser adicionado ao alimento se ocorrer constipação. Os potros são otimamente protegidos pela vacinação da égua gestante com reforço anual fornecido um mês antes do parto. Isso irá proteger o potro até dois a três meses de idade, quando deverá receber uma série de três doses de toxóide aos dois meses de idade.

Colite Idiopática, Má Absorção e Diarréia Crônica

Produziu-se colite grave em pôneis por meio do tratamento oral com os antibióticos clindamicina e lincomicina, seguido pelo conteúdo intestinal de eqüinos morrendo de colite idiopática de ocorrência natural (Prescott *et al.*, 1988). O tratamento de três outros pôneis apenas com lincomicina a uma taxa de 25mg/kg de PC, duas vezes por dia, por três a cinco dias causou a morte. Um clostrídio, lembrando muito o *Clostridium cadaveris*, foi isolado do cólon de cada um desses pôneis e de um dos eqüinos morrendo de colite idiopática, mas não dos eqüinos com diarréia não fatal. Essas informações podem indicar a importância da manutenção de uma grande cultura mista de bactérias simbióticas no intestino grosso por meio de alimentação mista, o que previne que patógenos em potencial atinjam um crescimento irrestrito rápido.

A diarréia crônica costuma ter origem no intestino grosso, como resultado de algum distúrbio no equilíbrio normal da flora intestinal. Pode acontecer após o estresse, como o uso profilático de oxitetraciclina ou de alguns outros antibióticos. Se a diarréia tiver origem no intestino delgado, pode estar conectada a uma necessidade de certas enzimas digestivas detectadas pelos testes de tolerância à xilose e outros (Cap. 12). Deve-se também lembrar que o eqüino adulto perde a capacidade de digerir a lactose de modo adequado quando tem cerca de três anos de idade. Grande consumo de açúcar do leite após esse período pode induzir a diarréia. A diarréia crônica pode também ser induzida por parasitismo, abscessos mesentéricos, ou alguma desordem de órgãos vitais.

A perda da integridade da mucosa intestinal associada com a gastroenteropatia de perda protéica comumente causa a diarréia crônica. A perda irá reduzir a eficiência da absorção líquida de fontes energéticas e protéicas, assim como de minerais, oligoelementos minerais e vitaminas. A dieta deve ser de qualidade maior e rica nesses nutrientes essenciais, incluindo feno folhoso, para compensar a eficiência reduzida de uso. As perdas de água e eletrólitos no rebanho jovem sofrendo de diarréia podem causar um rápido declínio no vigor, a não ser que o líquido perdido seja continuamente reposto.

A salmonelose, a colite e várias outras causas de diarréia estão associadas com o rápido trânsito de ingesta através do intestino grosso. Isso significa que a digestão de fibra é prejudicada e que a eficiência de reabsorção de água e íons sódio (Na) e K é reduzida (ver Cap. 1). Hiponatremia, hipocloremia e hipocalemia podem ocorrer. Recomendam-se o monitoramento sangüíneo e uma determinação do equilíbrio ácido-base sangüíneo, de forma que possam ser fornecidas bebidas eletrolíticas apropriadas e água fresca separadamente. Na ausência disso e de um clima rigoroso, pode ser exeqüível colocar o eqüino de volta às pastagens protegidas, pois as ervas verdes são boas fontes de eletrólitos. Lembrar que a diarréia bacteriana pode causar contaminação das pastagens por um período.

Diarréia Aguda

A diarréia no eqüino adulto normalmente indica disfunção de cólon e está ausente de modo característico daqueles com lesões limitadas ao intestino delgado (Chandler *et al.*, 2000). A diarréia grave é causada com freqüência por infecção por *Salmonella* precipitada por estresses de transporte e em particular por infecção com larvas de estrôngilos. O tratamento antibiótico para eliminar a *Salmonella* é de valor questionável e, de fato, a oxitetraciclina pode desencadear o início da infecção. A salmonelose pode ocorrer em grupos muito próximos após invernos leves e está associada com intensas infestações verminosas. Pode ser transmitida para potros por adultos que são portadores assintomáticos. Casos suspeitos devem ser isolados em uma baia, com um programa muito restrito para garantir que as fezes contaminadas não sejam transmitidas para outros do rebanho. A bactéria não é excretada de modo contínuo nas fezes e o exame veterinário cuidadoso pode ser necessário para detectar qualquer portador que esteja disseminando os microrganismos. Alimentos e roedores podem ser reservatórios suspeitos de infecção potencial.

Todos os casos de diarréia aguda são associados com perda crucial de líquidos, K, Na e cloro (Cl) e a não ser que a terapia de reposição seja rapidamente instituída, as conseqüências são fatais no rebanho jovem. Líquidos apropriados estão listados na Tabela 9.3 (ver Cap. 9). Perdas líquidas de 20 a 50L, déficits de Na de 2.000 a 6.000mmol, déficits de K de 700 a 3.000mmol e déficits de bicarbonato de 1.000 a 2.000mmol podem existir e devem ser melhorados em adultos e jovens. Potros podem experimentar perdas absolutas quantificando até 15 a 20% das perdas de adultos. Na diarréia aguda em que há hipotonicidade e desidratação, o uso de soluções hipertônicas produz resposta imediata. Se o animal estiver desidratado e hipertônico, fornecem-se soluções hipotônicas. Os valores plasmáticos normais para Na, K, Cl e bicarbonato em eqüinos são, respectivamente, 139, 3,6, 99 e 26mmol/L (ver Cap. 7).

Diarréia do Cio do Potro

A diarréia do cio do potro ocorre no momento em que o primeiro estro pós-parto da égua é esperado, mas nenhuma correlação foi estabelecida entre isso e a composição química, a contagem bacteriana, ou a atividade estrogênica do leite da égua (Urquhart, 1981). A diarréia é normalmente autolimitante em três ou quatro dias e é provavelmente uma diarréia secretora. A hipersecreção na mucosa do intestino delgado pode exceder um cólon imaturo incapaz de compensar por meio de absorção aumentada do líquido e eletrólitos. Se uma diarréia prolongada ocorrer, líquido e eletrólitos devem ser repostos.

Desidratação e Condição de Potássio

Apesar da carcaça de um eqüino de 500kg poder conter pelo peso somente 15% tanto de Na ou K como de Ca, na média, os 1.100 a 1.200g de K estão sujeitos a um fluxo bem maior que o Ca, em razão de sua maior solubilidade nos líquidos teciduais. O volume e o conteúdo de água das células musculares e de hemácias são modulados primariamente pelo controle de seus conteúdos de Na^+ e K^+. A membrana celular é relativamente impermeável aos cátions pequenos, o que significa que se difundem de modo lento, ao passo que pequenos ânions se difundem de forma livre, mas a hemoglobina, atuando como um grande ânion, permanece como entidade intracelular. Porém, a distribuição do equilíbrio das partículas carregadas entre as hemácias e o plasma difere do previsto pelos processos normais de difusão. Os movimentos passivos lentos de Na^+ e K^+ são equilibrados por um movimento ativo para fora de Na^+ e um transporte para dentro de K^+ em cada célula, mediados por várias centenas de discretas bombas abastecidas de adenosina trifosfato (ATP). Se os mecanismos glicolíticos que produzem ATP falharem, ou se a membrana celular se danificar de modo que a drenagem de difusão aumente, então haverá declínio no potencial de membrana no repouso e o mecanismo de bomba será incapaz de manter um ambiente fisiológico celular. Essa via glicolítica intacta nas hemácias é necessária para manutenção da distribuição fisiológica de cátions entre as células e o plasma e foi amplamente confirmada em numerosos experimentos.

978-85-7241-725-9

Está claro que o eqüino precisa conservar o K celular dentro de limites de concentração restritos para manter a saúde normal. A mensuração das concentrações plasmáticas ou séricas de K^+, como orientação da condição corpórea de K, apesar de realizada com freqüência, é errônea. As mensurações de grande número de eqüinos falharam em detectar qualquer correlação entre as concentrações sérica e celular de K^+ (Frape, 1984b; Muylle *et al.*,

1984b) e o soro contém em média somente 3,7 a 4,3mmol de K^+/L, o que significa 3,8 a 4,4% da concentração média das hemácias. De fato, o líquido extracelular do corpo contém no total apenas 1,3 a 1,4% do K total corpóreo. No exercício anaeróbico máximo, o K^+ sérico tende a aumentar, mas tem uma tendência a diminuir em provas de resistência sem modificações comparáveis nas células.

Na diarréia grave, a perda corpórea de K por um eqüino de 500kg pode atingir 4.500mmol (175g), associada com uma queda no K^+ das hemácias de 97,5 para 75mmol/L, mas sem modificação significativa no K^+ plasmático (Muylle *et al.*, 1984a). O trabalho prolongado em climas quentes aparentemente causa em um eqüino desse tamanho perdas de K^+ e Na^+ de 1.500 a 1.800 e 4.000 a 5.000mmol, respectivamente. Assim, a mensuração do K^+ das hemácias, concentração que parece estar bem correlacionada à de K^+ das células musculares (Carlson, 1983b), é identificada como um meio mais confiável de avaliação do estado de K^+ e possivelmente da compreensão dos processos concomitantes que existem no "atamento" e na azotúria.

Uma queda na concentração de K^+ das hemácias abaixo de 81mmol/L está associada com fraqueza da musculatura esquelética e lisa, tremores e, na depleção grave, com decúbito, cianose e eventualmente falências respiratória e cardíaca. Os íons K^+ liberados das células musculares durante o exercício intenso atuam como potentes vasodilatadores arteriais e estimulam a atividade reflexa cardiorrespiratória. Assim, existe uma correlação próxima entre o aumento extracelular no K^+ e os aumentos no fluxo sangüíneo dos músculos e no consumo de oxigênio muscular e, por isso, na performance.

O fluxo sangüíneo é insuficiente na depleção de K^+, precipitando hipóxia, glicólise anaeróbica e acidose metabólica. Esse grupo de eventos é patológico e a resultante lesão às membranas das células musculares causa perda adicional de K^+ celular, o que não pode ser restabelecido por uma bomba deficiente de Na^+/K^+ em energia prontamente disponível. Investigações na Bélgica (Muylle *et al.*, 1984b) revelaram uma situação anômala na qual cerca de 10% dos 436 eqüinos examinados possuíam concentração normal de K^+ das hemácias distribuídas de modo independente do restante. Sua concentração média de K^+ nas hemácias era de 83,8mmol/L, cerca de 13,7mmol menos do que o normal para os outros 90%, apesar das similaridades no manejo e na dieta. Outros estudos do mesmo grupo (Muylle *et al.*, 1983) indicaram que, em uma amostra menor de 43 eqüinos, 11 encontravam-se nesse baixo intervalo de K^+ das hemácias e, desses, nove apresentavam desempenho insatisfatório nas corridas e tinham temperamento mais nervoso. Uma observação intrigante foi feita por Hess *et al.* (2003), que forneceram um concentrado pobre em K, comparado a uma mistura rica em K, para eqüinos que participavam subseqüentemente de uma prova de resistência. Isso fez com que ficassem menos desidratados, com maior Na^+ plasmático durante a corrida, mantendo então o volume plasmático e a pressão sangüínea. Assim, a composição ideal das misturas eletrolíticas para provas de enduro necessita de avaliações adicionais.

É improvável que uma deficiência dietética de K seja mais que uma causa ocasional de depleção de K^+, apesar de várias investigações implicarem na deficiência dietética de Mg como uma causa. Um eqüino de 500kg que recebe dieta formada por mistura 50:50 de grãos e feno pode absorver de 90 a 100g de K^+ por dia, bem acima do nível requerido para manutenção. O K dietético em excesso é rapidamente excretado, de forma que um conteúdo dietético generoso não tem valor na depleção aguda de K^+ da diarréia, ou de perdas pelo

978-85-7241-725-9

suor elevadas de modo anormal, quando em qualquer caso o apetite está reduzido. A administração com uma solução apropriada é a única abordagem razoável na superação do pior dos déficits.

O K em excesso é uma toxina moderadamente potente para o músculo cardíaco, de forma que apenas quantidades limitadas podem ser fornecidas por via intravenosa e a ação cardíaca precisa ser monitorada. As taxas de infusão intravenosa de 11,5 a 13,7mmol de KCl/min causam concentrações plasmáticas de K^+ a exceder 8mmol/L e conseqüentes arritmias cardíacas e eletrocardiogramas anormais, por meio de alteração transitória, mas excessiva, no gradiente de K^+ transmembrana (Epstein, 1984). Assim, o volume de tal dosagem precisa ser fornecido oralmente, ou por sondagem nasogástrica. Por meio dessa rota, Muylle *et al.* (1984a) administraram solução contendo glicose (50g/L), mistura comercial de aminoácidos (0,05L/L), KCl (5mmol/L) e $CaCl_2$ (3mmol/L) e a tornaram isotônica com NaCl, substituído em parte pelo acetato de Na de acordo com o equilíbrio ácido-base do eqüino. As quantidades fornecidas por via oral foram proporcionais ao déficit calculado a partir dos valores de K^+ das hemácias (ver Cap. 12 quanto à avaliação do K das hemácias).

Má absorção das Vitaminas Lipossolúveis

Ocasionalmente, a eficiência da absorção das vitaminas A, D, E e K é reduzida e a causa mais freqüente pode ser uma interrupção do fluxo biliar pela obstrução do duto biliar. O efeito imediato é uma falha no mecanismo de coagulação sangüínea, mas isso pode ser superado por injeções de vitamina K. A administração da vitamina K é também bem-sucedida em neutralizar a síndrome do sangramento por envenenamento com dicumarol. As fontes vegetais desse veneno estão referidas no Capítulo 10.

978-85-7241-725-9

Urticária

As proteínas alimentares ou peptonas são absorvidas a partir do intestino em quantidades suficientes para estimularem uma resposta imune com anticorpos circulantes. Porém, tais anticorpos encontram-se no sangue da maioria dos eqüinos sem sinais clínicos. As alergias alimentares são expressas como desordens respiratórias e/ou cutâneas (ver Caps. 5 e 12).

Micotoxinas

Dependendo das espécies de fungos, as micotoxinas causam distúrbios digestivos, lesão hepática e renal, sintomas nervosos, infertilidade e abortamentos. A etiologia das várias infecções por micotoxinas foi discutida nos Capítulos 5 e 10.

Doença das Gramíneas (Disautonomia Eqüina)

Sinais semelhantes aos do sufocamento podem ocorrer na doença das gramíneas, mas a distensão do estômago está envolvida com freqüência, pois a falha da função normal do estômago e do esôfago resulta de problemas nervosos nos músculos que controlam suas contrações. O retorno nasal da ingesta indica tal problema esofagiano. Aparentemente, as neurotoxinas são causadoras (ver Cap. 10 quanto à evidência corrente).

Toxicidade pela Amônia

A toxicidade pela amônia tem muito mais probabilidade de ocorrer em ruminantes do que em eqüinos quando a fonte de amônia for a uréia obtida oralmente. A razão para isso é que a quebra da uréia em amônia requer a intervenção da urease, não encontrada nos tecidos de mamíferos, mas secretada pelas bactérias que degradam proteína no intestino. No eqüino, qualquer uréia dietética deve ser absorvida para o sangue antes que seja degradada de modo significativo por essas bactérias. Com o consumo protéico (ou de uréia) grosseiramente excessivo, ou quando ocorre hemorragia intestinal, a proteína (ou uréia) pode ser desaminada pelas bactérias a ponto do sistema porta e do fígado ficarem sobrecarregados e a amônia extravasar para a circulação sistêmica. Caso contrário, o fígado irá "lavar" a amônia com a formação da uréia, ou nas transaminações.

Se houver disfunção hepática, como no envenenamento pela pirrolizidina e nos desvios portocavais de sangue, a amônia irá entrar na circulação sistêmica. Sua distribuição pelos rins pode ser impedida pela doença renal. Os rins devem, por outro lado, tender ao combate da acidose metabólica pela secreção de íons H^+ e amônia dentro dos túbulos, onde se combinam para formar íons amônio, com a reabsorção dos íons Na^+:

$$H_2CO_3 \rightarrow HCO_3^- + H^+ \rightarrow Na^+ + Cl^- + H^+ + NH_3 \rightarrow NH_4^+ + Cl^- \text{ excretado}$$
$$\leftarrow Na^+ \text{ reabsorvido para neutralizar o } HCO_3^-.$$

A toxicidade pela amônia foi também identificada em casos raros de etiologia desconhecida em que a função hepática eqüina estava normal.

Os sinais da toxicidade pela amônia incluem pressão de cabeça, cegueira, usualmente dor abdominal e vários graus de comportamento maníaco, ataxia e depressão. A encefalopatia é a principal causa de distúrbio comportamental e pode voltar ao normal após tratamento precoce. Amostras de sangue coletadas de modo apropriado e rapidamente avaliadas revelam acidose metabólica, baixo bicarbonato plasmático (10 a 15mmol/L) e hiperamonemia (150 a 400µmol/L). Nos casos de função hepática normal, observaram-se hiperglicemia (15 a 24mmol/L) e hemoconcentração; por outro lado, com a disfunção hepática (detectada por meio de enzimas hepáticas, ácidos biliares e bilirrubinas elevados e reduzida albumina sangüínea) a hipoglicemia é provável. A uréia sangüínea pode, ou não, estar elevada e a albumina sangüínea reduzida quando da ocorrência de enteropatia de perda protéica sem disfunção hepática.

Quando a fonte de amônia for o intestino, impede-se em parte a ação bacteriana com o tratamento nasogástrico de neomicina e os líquidos poliônicos são fornecidos para combater a desidratação. O bicarbonato de sódio deve ser reservado aos casos acidóticos mais graves e fornecido por infusão intravenosa lenta, pois a correção rápida da acidose pode aumentar o movimento intracelular de amônia. O tratamento de K^+ combate a toxicidade da amônia nas membranas das células nervosas e é fornecido como cloreto de potássio intravenoso (10mEq/h) enquanto se monitora a freqüência cardíaca (ver Cap. 2 quanto ao tratamento).

Gastroenteropatia de Perda Protéica

A condição da gastroenteropatia de perda protéica é caracterizada por perda de peso e tecido muscular, letargia e diarréia, causada pelo extravasamento de proteínas plasmáticas para dentro do lúmen do trato gastrointestinal. Existe perda da integridade da mucosa do trato gastrointestinal por meio de ulcerações gástricas, ou de cólon, parasitismo gastrointestinal e enterite causados por várias infecções bacterianas. É crucial que a causa da

978-85-7241-725-9

Tabela 11.4 – Concentrações médias de proteína plasmática (g/L).

	Nascimento	3 semanas	12 meses	2 anos	+ 3 anos	Éguas no haras
TB						
Albumina	25	25	27-28	32	34	27
Globulinas totais	20	22	31-35	25-28	25-35	31
Não TB						
Albumina			29	27	28	34-37
Globulinas totais			38-44	44	47-49	37-40

TB = *Thoroughbred.*

condição de perda protéica seja determinada e que a terapia veterinária adequada seja instituída. Das proteínas plasmáticas, virtualmente toda a albumina e o fibrinogênio e 60 a 80% das globulinas são sintetizados no fígado (as gamaglobulinas remanescentes são principalmente formadas nas células plasmáticas do tecido linfóide). A síntese de globulina é mais rápida do que a de albumina, para a qual a meia vida é maior, isto é, 19 a 21 dias. Assim, nos casos crônicos, em especial com má função hepática, a relação albumina: globulina e a pressão osmótica coloidal do plasma declinam em decorrência de falha da síntese protéica hepática em manter a medida com a perda (valores normais fornecidos na Tabela 11.4).

A taxa de síntese de proteína plasmática pode ser muito alta, mas isso depende, aparentemente, do nível de aminoácidos e, criticamente, dos aminoácidos dietéticos no sangue. Porém, os níveis plasmáticos normais pós-absortivos de aminoácidos, mesmo com consumo adequado, são variáveis ao extremo: o de lisina vai de 15 a 100, treonina de 100 a 250 e metionina de 40 a 60μmol/L. A relação de proteínas teciduais com as proteínas plasmáticas permanece relativamente constante em cerca de 33:1. Os aminoácidos dos tecidos musculares e da dieta são usados pelo fígado na síntese de albumina, etc. Assim, as perdas são tamponadas, mas a perda líquida dependerá em grande extensão do fornecimento de proteína dietética de boa qualidade. Recomendam-se as dietas contendo 140g de proteína derivadas de soja e folhas de leguminosas.

Nutrição Parenteral

Se forem necessárias recomendações detalhadas sobre esse assunto, os leitores devem se remeter a Lopes e White (2002), que registraram uma avaliação crucial de nutrição parenteral fornecida em 79 casos de doença gastrointestinal. Referências adicionais serão encontradas nesse relato. Observou-se que a complicação mais comum da nutrição parenteral é a hiperglicemia e que, se possível, alguma alimentação oral ou nasogástrica deve continuar para estimular a função normal do trato gastrointestinal.

Nefropatia de Perda Protéica

Na doença renal grave pode haver grande perda de proteína plasmática na urina. A proteína dietética deve ser de alta qualidade. Até que a doença renal seja resolvida pelo tratamento veterinário, deve existir um equilíbrio quantitativo entre o consumo protéico necessário para diminuir a perda renal e a quantidade que poderia sobrecarregar os rins na eliminação da uréia, causando azotemia. A proteína dietética com equilíbrio ideal de aminoácidos irá minimizar a produção de uréia.

Cálculos Urinários (Urólitos)

A urolitíase, freqüentemente com cistite, é uma das doenças urinárias mais comuns, a maioria clinicamente aparente em machos adultos, e a bexiga urinária é o local afetado com mais freqüência (De Jaeger *et al.*, 2000). Os cálculos císticos podem ter de 1,5 a 20cm de diâmetro e até 6kg de peso. O crescimento dos cristais é ocasionado pela supersaturação da urina e as células epiteliais descamadas ou coleções de muco servem como núcleo para a formação dos urólitos. A composição química dos urólitos varia um pouco com a dieta.

978-85-7241-725-9

Um elevado conteúdo de oxalatos nas pastagens contribui de modo importante e uma elevação no pH urinário induz a precipitação de fosfatos, carbonatos e ocasionalmente sulfatos de cálcio, em particular se o consumo de água for restrito. Quando o elevado pH urinário é uma causa imediata, facilita-se a dissolução dos cálculos pela diminuição do pH com sais ácidos como o cloreto de amônia (NH_4Cl), ou com ácido ascórbico. As doses diárias de NH_4Cl podem ser de 45 a 100g. Demonstrou-se que uma dose de 0,33g/kg de PC reduz o pH urinário de 8 para 6,2. Uma dose diária de 500g de ácido ascórbico por dois dias, ou de 1kg de uma vez, ambas por intubação gástrica, reduziu de modo efetivo o pH para 4,7.

Ao contrário, a remoção do oxalato requer um pH alcalino. O citrato de potássio (0,1g/kg de PC, via oral, diariamente) irá alcalinizar a urina e pode ajudar com as pedras de oxalato de cálcio, apesar de a remoção cirúrgica ser necessária com freqüência. Subseqüentemente, o consumo de água limpa deve ser estimulado pela administração de 60g de cloreto de sódio por dia na dieta, por pelo menos três semanas.

Pedras Intestinais

O excesso de Mg e P na dieta pode estimular a formação de pedras no intestino e a alimentação diária com 200 a 300g de NaCl ajuda na prevenção da precipitação de Mg e PO_4 ao redor do núcleo de um cálculo por meio da estimulação do consumo de líquido (ver *Cólica por areia*, anteriormente).

DOENÇA HEPÁTICA

O fígado é central no metabolismo intermediário tanto de nutrientes como de não nutrientes e é a principal linha de defesa na desintoxicação de substâncias ingeridas. Durante o pastoreio, o eqüino ingere várias substâncias químicas que requerem desintoxicação, algumas das quais podem lesionar o fígado, provocando doença hepática clínica. Um exemplo freqüente é a cirrose hepática, que resulta da ingestão dos alcalóides pirrolizidina (seneciose) presentes na *Senecio jacobaea* (ver *Seneciose*, Cap. 10). O risco de lesão é aumentado por várias causas antecedentes de lesão, incluindo:

- Necrose hepática causada por larvas de *Strongylus equinus* e *S. edentatus* e feno mofado.
- Aflatoxicose e lipidose hepática (alteração gordurosa do fígado, hiperlipemia e amiloidose).
- Metástases hepáticas de carcinomas de rim, estômago e pâncreas.
- Doença gastrointestinais (condições obstrutivas, estrongilose, má absorção e doença das gramíneas; West, 1996).
- Litíase biliar.

A doença hepática (Tabela 11.5) causa incapacidade de metabolização e excreção de substâncias fotodinâmicas na bile. As reações à luz ultravioleta ocorrem então na pele despigmentada e na pele não coberta por pêlos, como por exemplo, mufla, pálpebras e orelhas, em especial nos eqüinos que ingerem pastagens verdes [ver *Alfafa seca (alfafa desidratada)*, Cap. 5]. A doença hepática ocorre de modo típico em éguas gestantes de 5 a 14 anos de idade e os pôneis Welsh e Shetland são particularmente propensos. A lipidose hepática é uma característica da neoplasia pituitária com hirsutismo, laminite e elevado cortisol plasmático.

O fígado é capaz de regenerar-se e o objetivo nos casos de falência hepática aguda é fornecer cuidado de suporte até que sua função seja restabelecida. Dependendo da causa e do desenvolvimento, as enzimas hepáticas sorbitol desidrogenase (SDH) e aspartato aminotransferase (AST) encontram-se em concentrações elevadas no sangue. Se ocorrer obstrução biliar (casos crônicos), a gama-glutamiltransferase (GGT) e a fosfatase alcalina (FA) estarão aumentadas e a bilirrubina conjugada excederá 25% do total. Nos casos agudos, a administração oral, ou intravenosa, de glicose é freqüentemente útil e os desequilíbrios nos estados eletrolítico, ácido-base e hídrico devem ser corrigidos de modo gradativo. Nos casos

978-85-7241-725-9

Tabela 11.5 – Sinais clínicos e anormalidades da doença hepática (West, 1996). (Observação: as características dentro das colunas, isto é, sinais e anormalidades clínicas, não estão necessariamente relacionadas).

Sinais	Anormalidades clínicas
Perda de peso	Glutamato desidrogenase sérica aumentada (EC 1.4.1.3)
Anorexia	Contagens protéica e neutrofílica aumentadas nas amostras de paracentese abdominal
Debilidade e depressão	Hemólise intravascular e hemoglobinúria
Icterícia	Hematócrito elevado em razão da desidratação
Taquicardia	Leucocitose decorrente da neutrofilia
Pirexia intermitente	Ácidos biliares séricos elevados[1]
Dor abdominal	Gama-glutamiltransferase (EC 2.3.2.2) sérica elevada na lesão do trato biliar[2]
Edema ventral	Amônia plasmática elevada[2]
Fasciculações musculares	Tempo de protrombina elevado[3]
Diarréia ou constipação	Fibrinogênio plasmático e contagem de plaquetas reduzidos
Disfagia	Valores freqüentemente normais de:
Fotossensibilização	• uréia plasmática[4], mas pode estar baixa ou elevada na falência renal
Encefalopatia	• glicose plasmática, mas grave hipoglicemia de modo terminal
Petéquias de mucosa e sangramento nasal	• hiperbilirrubinemia[5]

[1] Os ácidos biliares séricos são mensurações sensíveis da toxicidade precoce do *S. jacobaea* e com glutamato desidrogenase, gama-glutamiltransferase e biópsia hepática são úteis no diagnóstico dos diferentes tipos de doença hepática.

[2] Pode estar aumentada nas colestases intra e extra-hepáticas.

[3] A coagulação retardada é uma contra-indicação definitiva para a biópsia hepática, pois provavelmente resulta em hemorragia dentro da cavidade abdominal.

[4] A relação normal de amônia:uréia (μmol:mmol) é de 3:1. Uma relação de 40:1 tem prognóstico ruim.

[5] Freqüentemente com falência hepática aguda. Elevadas concentrações são uma modificação terminal. A forma conjugada raramente excede 25%, pois o rim eqüino é permeável apenas ao pigmento conjugado. Uma fração conjugada maior que 35% é normalmente terminal, ao passo que a elevada bilirrubina total, quando a maior parte é a não conjugada, pode acontecer após alguns dias de jejum.

Quadro 11.1 – Composição da pasta úmida (g/kg de dieta), quatro a seis vezes ao dia, para doenças hepáticas agudas	
Cevada esmagada	326
Aveias esmagadas	400
Polpa de beterraba	150
Melaço de beterraba	120
Lisina-HCl	2
Vitaminas* mais oligoelementos minerais	0,5
Calcário	1,5
Feno de gramínea	1kg no máximo

* Devem incluir cloreto de colina, 1g/dia.
HCl = ácido clorídrico.

978-85-7241-725-9

de hipoglicemia, administra-se glicose a 10%, intravenosa, para estabelecer a normoglicemia e então glicose a 5%, a uma taxa de 2mL/kg/hora, fornecida nas 24h iniciais. A glicose sangüínea deve ser monitorada e o valor pós-absortivo mantido de maneira aproximada entre 4,5 e 6mmol/L de plasma. A hiperlipemia pode ser abrandada pela dosagem oral com doadores metil como o cloreto de colina, ou betaína, e suplemento geral de vitamina B. Se os sinais da hepatoencefalopatia ocorrerem, a redução na absorção dos metabólitos tóxicos pelo intestino é auxiliada pelo cuidadoso fornecimento de óleo mineral (contra-indicado em eqüinos com refluxo gastrointestinal) por sonda nasogástrica, como um laxante, a uma taxa de 2 a 4L/500kg de PC, uma vez ao dia. Os eqüinos devem ser mantidos afastados da luz solar intensa para reduzir o risco de fotossensibilização. Dietas ricas em proteína, fenos de leguminosas e silagem pré-seca, ou silagem devem ser evitados. Recomenda-se uma pasta, misturada à água, com a composição demonstrada no Quadro 11.1 e colocada em repouso por 30min antes da alimentação. Eqüinos anoréticos podem ser forçados a se alimentarem com sopa de aveia por sonda nasogástrica.

A tiamina e o ácido fólico podem ser fornecidos por via parenteral uma vez por semana. Pode haver necessidade de doses aumentadas, ou farmacêuticas de niacina para reduzir a lipólise dos tecidos adiposos e o fluxo de AGL (ver *Hiperlipemia*, anteriormente). Obtém-se algum benefício com a inclusão de fontes sintéticas de aminoácidos de cadeia ramificada leucina, isoleucina e valina na sopa de aveia (Quadro 11.2).

PERDA CRÔNICA DE PESO

À parte os efeitos de uma dieta inadequada e da hierarquia, há várias outras causas de perda de peso, mas as doenças gastrointestinais estão entre as mais comuns. Há numerosas causas identificadas e putativas de má absorção no intestino delgado, incluindo doença inflama-

Quadro 11.2 – Suplemento de aminoácidos (g/500kg de peso corpóreo diariamente) para eqüinos anoréticos	
L-leucina	6
L-isoleucina	4
L-valina	5

tória intestinal (possivelmente uma resposta imunológica à estimulação antigênica crônica), linfossarcoma alimentar, atrofia idiopática de vilosidades, edema de mucosas e linfangiectasia (dilatação do sistema linfático intestinal, caracterizada por enteropatia de perda protéica). A perda de peso é o sinal clínico predominante decorrente de inapetência, má digestão, má absorção no intestino delgado, perda protéica entérica e caquexia. A evidência hematológica é normalmente limitada a anemia e/ou neutrofilia, uma resposta à inflamação. A hipoproteinemia, a hipoalbuminemia e um acentuado aumento na atividade plasmática da fosfatase alcalina foram observados por Chandler *et al.* (2000). Na enteropatia de perda protéica, todas as formas de proteínas séricas são perdidas para o intestino, mas o efeito é maior para as concentrações de albumina plasmática e gamaglobulinas. Um teste de absorção oral de glicose é útil na mensuração da função absortiva, com avaliações da glicose sangüínea no repouso e 120min após a administração. O valor aos 120min deve ser o dobro do valor em repouso.

No momento da alimentação, a atividade do eqüino deve ser bem observada. Se o comportamento for atípico, examina-se a boca e verificam-se os dentes. As desordens primárias dos dentes molares parecem ser dominantes. Incluem anormalidades de desgaste, lesões traumáticas, infecções e fraturas. A secreção nasal é mais comum com infecções de dentes molares na região maxilar caudal do que rostral (adjacente à mufla). A resposta ao tratamento é boa (Dixon *et al.*, 2000a e b).

Se a cavidade bucal estiver normal, o problema pode estar em outras regiões do trato gastrointestinal. O gasto elevado de energia pode resultar de infecções crônicas, neoplasias, ou doença pulmonar obstrutiva crônica (DPOC) (ver adiante). A terapia para a maioria dos casos inclui correção de déficits hídricos, hipoglicemia e desequilíbrios ácido-base e o fornecimento de dieta de alta qualidade em pequenas quantidades a intervalos freqüentes, suplementada com micronutrientes. Um plano estável é importante, como por exemplo, Fuller *et al.* (1998, 2001) que fizeram a interessante observação de que a duração reduzida da luz do dia causou diminuição no consumo alimentar cinco a oito semanas depois (ver Cap. 7).

Uma das seguintes causas poderia ser suspeitada nos casos de perda crônica de peso (síndromes de perda protéica são discutidas anteriormente em *Gastroenteropatia de perda protéica* e *Nefropatia de perda protéica*):

- Anormalidades de mandíbula e dentes, incluindo pontas dentárias nos molares e pré-molares superiores e inferiores, ou abscessos abaixo dos dentes.
- Infestações por vermes redondos que lesionam o intestino, o que interrompe a entrada de nutrientes, e os estágios larvais lesionam os vasos sangüíneos mesentéricos que suprem o intestino.
- Diarréia.
- Tuberculose que muito ocasionalmente envolve o sistema digestório.
- Doença hepática, ou algum foco crônico séptico no corpo.
- Aerofagia.
- Eqüinos tímidos, inferiores na ordem social e submetidos à alimentação em grupo.
- Anormalidades cardíacas e anemia.
- Artrite e outras causas de dor crônica de baixa intensidade.
- Câncer, em especial nos eqüinos mais velhos. Os eqüinos tordilhos são propensos a melanomas internos.

978-85-7241-725-9

EQÜINO ADULTO DOENTE OU GERIÁTRICO

Os seguintes pontos são orientações para o manejo nutricional do eqüino adulto doente:

- Fornecer pastagens limpas e frescas, protegidas e dentro de distância de observação.
- Nos casos em que os alimentos concentrados formam a porção principal da dieta, lembrar-se que é necessário primariamente atingir o requerimento energético. Com essa finalidade, os alimentos oferecidos devem ser comestíveis sem dificuldades. Esmagam-se os grãos e são tornados palatáveis com um pouco de melaço. É provável que o eqüino seja exigente e, assim, oferece-se uma variedade de alimentos para encontrar o mais aceitável.
- Incluir tratos volumosos prontamente consumidos, como maçãs e cenouras cortadas em fatias, livres de fungos.
- Óleo vegetal é uma útil adição ao alimento, pois não causa cólica.
- Fornecer vitaminas B, incluindo a B_{12} por injeção.
- Se a função digestiva estiver comprometida, a nutrição parenteral (NP) parcial será útil para reduzir a carga sobre o trato gastrointestinal. A NP total pode ser adotada por alguns dias. Deve ser introduzida e subseqüentemente removida de modo gradativo por vários dias. Se a manutenção do estado hídrico for necessária, avaliar o estado ácido-base e fornecer solução de Ringer ou Ringer-lactato, por via intravenosa através de um cateter separado.

Vários desses pontos podem ser aplicados em eqüinos idosos. É provável que os dentes estejam em condição pior do que nos mais jovens e por isso quantidades pequenas de forragens folhosas de alta qualidade são requeridas para suplementar quantidades maiores de concentrados digestíveis. Estes podem incluir de modo útil os cereais micronizados. Ralston e Breuer (1996) reportaram que um alimento comercial contendo 85g de proteínas, 2,7g de Ca e 2,2g de P/kg foi inadequado quando representou 20 a 100% do alimento total, com o remanescente sendo feno de timótio e alfafa. Um alimento composto contendo 140g de proteína, 6g de Ca e 4 a 6g de P, fornecido em proporções semelhantes de ED, causou maior ganho de peso corpóreo, melhor condição, maiores concentrações plasmáticas de proteína total e P e maiores valores de hematócrito e hemoglobina sangüínea. A função renal não foi comprometida pelo maior consumo protéico, conforme avaliada pela concentração plasmática de creatinina. Nos casos em que eqüinos mais velhos são conhecidos por terem pior função renal, a qualidade protéica da dieta, isto é, o equilíbrio de aminoácidos, deve ser ideal e a oferta de proteína na dieta deve evitar qualquer aumento excessivo no nível plasmático de uréia.

DOENÇAS MUSCULARES

Existem várias anormalidades metabólicas conectadas às doenças musculares, para o que vários dos sinais são compartilhados e fixados a nomenclaturas confundidas com freqüência. Os termos prévios incluem "atamento", miosite, mal da segunda-feira e azotúria.

Miopatia Associada com o Exercício

Existe uma variedade de graus de miopatia associada com o exercício, desde a rabdomiólise grave com azotúria até o "atamento" mais leve, apesar da terminologia ser variável. O início

978-85-7241-725-9

dos sinais clínicos da doença muscular ocorrem em geral dentro de 5 a 20min do início do exercício, que pode ser leve, ou extremo. Os sinais após a corrida são também vistos em eqüinos de corrida. A lesão muscular acompanha-se de elevação na creatina cinase (CK) e na AST séricas.

Síndrome Pós-exaustão

Os problemas musculares ocorrem algum tempo após o exercício intenso e prolongado que causa a exaustão. Os sinais aparecem dois a quatro dias depois do término do exercício. A lesão pode envolver miopatias esquelética e cardíaca, lipidose hepática, lesão renal, laminite e ulceração gastrointestinal. O início da má função muscular ocorre com algumas voltas iniciais, quando o eqüino hesita e pára, em geral recusando-se a movimentar-se. Os músculos não estão anormais à palpação, mas rígidos e dolorosos. O eqüino pode adotar uma posição endurecida e, se inclinado a se movimentar, o faz de modo relutante e lento. Ataques menores podem ocorrer após o resfriamento. A rigidez muscular, que passa dentro de um a três dias, está associada com o acúmulo muscular de lactato. A atividade da CK sérica retorna ao normal após quatro a seis dias, mas a de AST pode levar de quatro a cinco semanas para normalizar. Em adição a uma depleção de glicogênio muscular (principalmente nas fibras de contração rápida), há também depleção de ATP e proteína bruta (PB). Porém, a glicose muscular, assim como a concentração de lactato, está aumentada, sugerindo hipóxia local (oxigênio insuficiente atingindo as células musculares a partir do sangue). Um extravasamento das enzimas musculares AST, CK e desidrogenase láctica (DHL) é a causa das suas elevadas concentrações sangüíneas (a determinação das concentrações de isoenzimas pode ajudar a localizar a origem, apesar de, por exemplo, a DHL_5 estar presente no fígado e na musculatura locomotora).

O eqüino deve ser mantido aquecido. O tratamento eficiente normalmente inclui a administração intravenosa de gliconato de cálcio, íons magnésio e fosfato e vitamina D. A prevenção requer treinamento para melhorar o condicionamento, períodos de repouso mais freqüentes e administração de soluções eletrolíticas durante e após a atividade física. Existe, além do mais, alguma evidência de que o "atamento" está associado com o elevado *clearance* de fosfato e que a alimentação com carbonato de cálcio é útil. A condição é também observada de modo ocasional em potras iniciando a estação (estrógenos aumentam a atividade da 1-hidroxicolecalciferase, que implica em vitamina D adicional).

Após o exercício intenso, é vantajoso colocar o animal no trote, ou em meio galope lentamente, pois isso estimulará o transporte de ácido láctico dos músculos para o fígado em eqüinos sadios, de forma que o pH muscular e o sangüíneo retornem ao normal de modo mais rápido. Além do mais, o exercício leve estimula o fluxo de oxigênio para os músculos, acelerando a conversão do ácido láctico de volta para glicogênio. Assim, evitam-se as modificações estáticas.

Síndrome da Rabdomiólise de Esforço em Eqüinos

A rabdomiólise de esforço (azotúria, atamento, mal da segunda-feira) primariamente afeta a musculatura e ocorre na maioria das raças e idades dos eqüinos. Sua diferenciação clínica de intoxicação por ionóforos, trombose aórtico-ilíaca, mioglobinúria atípica e exaustão, após o esforço prolongado, requer a análise cuidadosa de sinais clínicos e determinações laboratoriais (P. A. Harris, comunicação pessoal, 2002). Os sinais clínicos tendem a ocorrer durante ou após o exercício, mas também em eqüinos no repouso, ou após deixarem suas baias ou campo. Apresentam-se como um ligeiro encurtamento da passada até uma completa incapacidade de se movimentar e o decúbito. A condição pode ser fatal. Existe queda no pH muscular e os músculos tendem a parecerem firmes. A palpação pode não ser ressentida. A sudorese é excessiva e são evidentes as freqüências elevadas de pulso e respiratória. A urina com alteração de coloração pode ser eliminada nos casos graves, apesar disso também ser visto, por exemplo, no envenenamento por monensina (ver Cap. 5) e fruto do carvalho. A mioglobina está usualmente presente na urina quando sua concentração plasmática excede 0,2g/L e isso pode causar nefrose e uremia. Os métodos simples de diagnóstico usados para distinguir mioglobina de qualquer hemoglobina urinária apresentam imprecisões. A enzima muscular CK, excedendo 200UI/L, atinge um pico de concentração no sangue em 6 a 12h após um único episódio grave de lesão muscular e retorna ao normal freqüentemente dentro de uma semana, caso lesão adicional não ocorra. AST atinge um pico cerca de 24h depois do episódio, mas os valores normais não são restabelecidos em duas a quatro semanas. Concentrações plasmáticas muito altas de CK e AST elevado são também observadas após o exercício extenuante, apesar de poderem não representar lesão muscular e os valores normais serem atingidos após 24h.

A etiologia da síndrome da rabdomiólise de esforço (SER) é ainda um mistério. Pode indicar manejo ruim do treinamento e é comum ocorrer dentro da primeira hora do exercício. Em geral, a doença não acompanha período de repouso de apenas um dia, ou repouso tão longo quanto 14 dias, mas é comum que ocorra após dois dias de repouso em rações completas. Algumas formas da doença que sucedem o exercício prolongado podem estar relacionadas a uma depleção dos estoques de glicogênio e a um elevado desvio para a beta-oxidação mitocondrial. A interrupção no exercício regular com a manutenção de consumo dietético exagerado de amido parecem ser freqüentemente fatores associados.

978-85-7241-725-9

Os eqüinos podem estar em estado de desidratação e alcalose metabólica, ou acidose, e por isso as soluções de bicarbonato de sódio não devem ser fornecidas a não ser que os estados ácido-base e eletrolítico tenham sido estabelecidos (ver texto sobre laminite, anteriormente, quanto à condição de K). Na ausência desse conhecimento, as soluções neutras isotônicas, tais como Ringer, devem ser fornecidas por via intravenosa. A diurese deve ser induzida (e de qualquer forma não fará mal) para diminuir o risco de efeitos nefrotóxicos da mioglobinúria. É vital que não seja permitido ao eqüino movimentar-se, pois a recuperação requer a imediata instituição de um regime de repouso completo. Pode permanecer em estação, ou ficar completamente em decúbito e a dor grave e o desconforto são acompanhados com freqüência por repetidas tentativas de se levantar. O eqüino deve ser removido para seu estábulo o mais rápido possível em um carro pequeno, em que deve ser feito todo o esforço para mantê-lo em estação com suportes, ou outros meios, pois isso pode prevenir o desenvolvimento de uremia. Não somente eqüinos de corrida, mas também os de tração, em sistemas de arraçoamento com cereais pesados e aqueles mantidos em pastagens viçosas durante a semana e montados somente nos finais de semana podem ser suscetíveis.

As dietas que diferem no equilíbrio dietético cátion-ânion (EDCA) têm efeitos similares nos eqüinos com SER e nos sadios, conforme mensurado pelas concentrações plasmáticas de eletrólitos, atividade de CK, pH plasmático e urinário e valores de excreção fracionada renal de Na, K, Cl e P (McKenzie *et al.*, 2002). Ainda, as concentrações mioplasmáticas de Ca livre aumentam na SER, associadas com a lesão às mitocôndrias e outras organelas.

O dantroleno sódico, um relaxante muscular esquelético que atua primariamente ao afetar o fluxo de Ca por meio do retículo sarcoplasmático, diminuiu a elevação do CK sérico pós-exercício e pareceu eliminar os sinais de SER entre os 77 TB (Edwards *et al.*, 2003). Assim, a quebra no transporte normal de Ca intracelular parece ser uma causa crucial.

Um estudo (Valberg *et al.*,1993) demonstrou que os eqüinos sofrendo de SER recorrente apresentaram maior relação das fibras musculares do tipo IIA e IIB, mas isso pode ter refletido o melhor treinamento que causou menor acúmulo de lactato e amônia durante o exercício quase-máximo (ver *Toxicidade pela amônia*, anteriormente). As concentrações sangüíneas de cortisol e glicose tendem a ser maiores nos eqüinos com SER, apesar disso poder ser efeito do estresse, ao invés de uma causa da doença.

Se o exercício e o movimento forem interrompidos e o tratamento instituído de imediato, o eqüino pode se recuperar em dois a quatro dias. O tratamento inclui drogas narcóticas e corticosteróides administrados por via intravenosa, a fim de controlar o aumento de tamanho e estimular o metabolismo energético, e a administração intravenosa, ou oral de eletrolíticos em grandes quantidades, para manter a alta taxa de fluxo urinário em um pH alcalino, evitando a precipitação de mioglobina nos túbulos renais. Apesar de a acidose ser uma característica normal de azotúria, isso não deve ser presumido sem a análise dos estados ácido-base e eletrolítico plasmático. Observaram-se alguns eqüinos alcalóticos, caso em que, com certeza, o tratamento com bicarbonato de sódio seria perigoso. As injeções intramusculares de 0,5g de tiamina repetidas diariamente parecem ser permitidas e a inclusão de ácido pantotênico e riboflavina, também envolvidos no metabolismo energético oxidativo, pode ser justificada. Se o aumento de volume doloroso dos músculos não for reduzido, a pressão sobre o nervo ciático pode induzir a degeneração secundária de outros músculos. A manutenção da função renal adequada é vital para o restabelecimento da saúde.

Afirma-se que a SER de eqüinos de pólo ocorre com mais freqüência no início da estação naqueles que são excitáveis e despreparados (McGowan *et al.*, 2002). O risco de SER é reduzido se os eqüinos sempre forem aquecidos de modo lento, se sua oferta de concentrado for reduzida pela metade aos finais de semana, ou em outros períodos quando não forem trabalhados, e se sua atividade for restabelecida de maneira gradativa com aumento em etapas no consumo de alimentos com amido e ricos em proteínas. Recomendou-se a adição de dimetilglicina ao alimento, como medida profilática, mas sem qualquer evidência de apoio convincente publicada. Os hormônios tireóides T_4 e T_3 estão envolvidos de modo íntimo no metabolismo energético de repouso e sugeriu-se que o hipotireoidismo secundário pudesse ocorrer na SER, de forma que a suplementação nutricional com tiroxina pode ajudar na recuperação.

A miopatia pela estocagem de polissacarídeos (MEPS), resultando no acúmulo de glicogênio, é uma causa de rabdomiólise por esforço de eqüinos Quarto de Milha, identificada em várias raças nos últimos anos. Clinicamente, rigidez, fraqueza e atrofia, em especial de musculatura de garupa, coxa e dorso, são evidentes. A MEPS pode fazer com que os níveis musculares de glicogênio no repouso sejam de 2,4 vezes o normal. A causa é a síntese aumentada de glicogênio ao invés da utilização reduzida, de forma que os eqüinos com rabdomiólise por esforço possam se beneficiar de uma dieta pobre em carboidratos solúveis com gordura adicionada conforme a taxa de exercício aumenta (Valberg *et al.*, 1999). Valentine (2003) reportou que o tratamento eficiente requereu a eliminação de grãos, produzindo uma dieta rica em fibra contendo por peso menos do que 33% de amido e açúcar,

978-85-7241-725-9

e a adição de 0,5 a 1kg de uma gordura de farinha de arroz a 20%, de forma que se forneceu 0,45kg de gordura/450kg de PC diariamente.

Rabdomiólise de Esforço Recorrente

Os eqüinos em treinamento com rabdomiólise de esforço recorrente (RER) apresentaram concentrações moderadamente elevadas de AST e/ou CK nas amostras sangüíneas obtidas no repouso, mesmo se estavam livres de sinais clínicos há semanas. Parece haver episódios subclínicos de rabdomiólise após o exercício. A necrose das fibras musculares e os aumentos plasmáticos associados de AST, CK e mioglobina ocorrem com o exercício com mais freqüência do que podem ser detectados clinicamente (Valberg *et al.*, 1993).

978-85-7241-725-9

Miopatias Infecciosas

A miopatia pode resultar de infecção bacteriana, viral, ou parasitária.

Paralisia Periódica Hipercalêmica

Câimbras, fasciculações e fraquezas musculares recorrentes estão associadas com a hipercalemia, doença para a qual os eqüinos têm predisposição genética. A condição é confirmada por meio do desafio oral de potássio. Existe um debate se isso está ou não associado com uma quebra na entrada normal de potássio pós-exercício para o músculo esquelético sob estímulo de adrenorreceptores β_2 pela epinefrina (ver *Potássio*, Cap. 3).

Miopatia Nutricional

Os eqüinos com miopatia nutricional apresentam-se com depressão, fraqueza, disfagia e inclinação de cabeça e pescoço (ver *Selênio*, Cap. 3, e texto sobre vitamina E, Cap. 4, em especial quanto à prevenção de mieloencefalopatia degenerativa eqüina e doença do neurônio motor eqüino). As enzimas musculares estão elevadas no soro e existe uma grave miopatia degenerativa com a hialinização e a fragmentação das células musculares. A condição ocorre tipicamente em potros neonatos, mas também em eqüinos adultos e está associada com deficiências de selênio e/ou vitamina E.

Hipo e Hipercalcemia e Tetania por Estresse

O esforço prolongado, em particular em climas quentes, causa desidratação, perda de eletrólitos e depleção energética. Os sinais de fadiga apresentados podem refletir uma combinação dessas perdas, mesmo que a dieta esteja bem satisfatória. As perdas de Ca no suor podem chegar a 350 a 500mg de Ca/h e a hiperventilação continuada está associada com a alcalose (discutida no Cap. 9). Um risco agudo à vida de eqüinos que sofrem de tetania por estresse pode ser apresentado pela hipocalcemia, na qual os níveis plasmáticos totais podem cair a 1,5mmol/L, quando contração e câimbra muscular se manifestam. A queda é amplamente resultado da alcalemia. Ocasionalmente, pode haver hipomagnesemia. Por outro lado, os trotadores *Standardbred* americanos submetidos a testes de alta velocidade exibiram diminuição na concentração plasmática de Ca^{2+} ionizado, apesar da queda no pH sangüíneo e do aumento nas concentrações de lactato plasmático, de paratormônio (PTH) intacto e de fósforo inorgânico (ver *Cálcio e Fósforo*, Cap. 3). O exercício de baixa velocidade resultou em aumento no pH plasmático, mas sem alteração nas concentrações de lactato, Ca^{2+} ionizado, Ca total, P inorgânico, ou PTH intacto (Vervuet *et al.*, 2002).

Os autores sugeriram que o PTH intacto é um mediador na contra-regulação da hipocalcemia induzida pelo exercício.

Como o funcionamento da musculatura normal, incluindo o músculo cardíaco, requer que a concentração de Ca no sangue permaneça dentro de limites restritos, a necessidade imediata principal é a administração intravenosa cuidadosa de solução de gliconato de cálcio (Tabela 9.2, Cap. 9) enquanto a função cardíaca é monitorada, pois uma velocidade excessiva de administração pode ser fatal. Se os sinais clínicos de hipocalcemia forem evidentes, há maior risco na espera da confirmação por determinação laboratorial, de forma que tratamento veterinário imediato desse tipo é indicado.

978-85-7241-725-9

Uma queda no Ca e no Mg plasmáticos também ocorre ocasionalmente nas éguas em lactação, apesar dos sinais clínicos serem bem raros (ver Cap. 7). Nos casos em que a tetania não ocorre, em geral precipita-se por estresses adicionais de esforço, transporte, climas, ou doença. O gliconato de cálcio deve ser fornecido. Na vaca leiteira, a hipocalcemia causa paresia ao invés de tetania.

Perdas Eletrolíticas no Exercício Prolongado

Repouso de vários dias é necessário para a regeneração das reservas de glicogênio das células musculares após trabalho prolongado. A exaustão por isso e a perda de potássio celular no suor contribuem para a sensação de fadiga e, como sugerido no Capítulo 9, a recuperação durante os próximos dias pode ser acelerada pelo fornecimento de cloreto de potássio e de sal comum na alimentação (recomendam-se 10g de NaCl mais 5g de KCl/kg de alimento total). A desidratação isotônica deprime a sede, de forma que a reidratação é também estimulada pela provisão desses eletrólitos. As barras de sal para lambedura são fornecidas na maioria das baias de eqüinos, mas vários não irão consumir o suficiente nessa forma e as barras normalmente contêm apenas cloreto de sódio. Assim, um suplemento alimentar em pó contendo ambos os sais, disponibilizado por fabricantes de alimentos, produz um resultado mais satisfatório. De fato, em geral durante o verão, vários eqüinos em treinamento para corridas de curta distância não consomem sal suficiente das barras e por isso apresentam hematócrito e viscosidade plasmática maiores do que seria o caso. Ao estimular o consumo de água, os eletrólitos podem ter o efeito de melhorar a performance. De modo semelhante, durante os eventos de enduro de longa distância, os eqüinos que não beberam fadigam mais facilmente e têm menos probabilidade de terminarem a prova. Assim, ao satisfazer uma necessidade por eletrólitos em pontos de repouso, induz-se uma resposta de sede, aumenta-se o consumo de água e suspende-se, ou evita-se a desidratação.

As perdas de cálcio, cloreto e potássio por longos percursos podem causar "golpes" ou *flutter* diafragmáticos sincrônicos durante ou após o exercício. As perdas desses eletrólitos e os "golpes" podem também ser provocados pela diarréia grave. Acredita-se que uma diminuição na concentração plasmática de cálcio, cloreto e potássio altere a irritabilidade nervosa, iniciando uma contração dos músculos diafragmáticos de acordo com a dos batimentos cardíacos. Isso é visto como movimentos repentinos dos flancos do eqüino. O tratamento consiste na reposição dos eletrólitos perdidos, que são sempre benéficos e nunca deletérios desde que a água esteja disponível. As quantidades a serem administradas estão dadas no Capítulo 9. O eqüino exaurido de enduro está usualmente alcalótico, contribuindo com a hipocalcemia, de forma que a solução de Ringer, ligeiramente ácida, é preferida para uso imediato. O bicarbonato de sódio não deve ser usado nessas circunstâncias a não ser que a acidose metabólica tenha sido demonstrada.

CLAUDICAÇÃO

Em uma pesquisa com 314 TB, 53% apresentaram claudicação em algum momento e em 20% dos casos a claudicação evitou a subseqüente corrida (Jeffcott *et al.*, 1982b). Sem dúvida, a condição representa um estorvo considerável para a indústria e é um problema em eqüinos e pôneis de todos os tipos.

A claudicação pode ser definida como um distúrbio de andadura, que reduz o peso no membro afetado. Apesar de existirem várias causas, um estudo realizado pelo autor (observações não publicadas) em eqüinos em Far East revelou que a nutrição deficiente em minerais, estimada pelo *clearance* de fosfato, associou-se com muita freqüência com fraturas vertebrais e provavelmente com fraturas de outros tipos. As articulações não saudáveis podem resultar das forças de torções, deslocamentos e discordância, causando inflamação, que pode também resultar de osteoartrite. Apesar da improbabilidade dessa e de várias outras desordens ósseas, como por exemplo, aumento ósseo de um dos metacárpicos ou metatársicos acessórios, sobreosso, *osselets* (condição de artrites da circulação entre o metacarpo e a primeira falange), esparavão ósseo, alifafe, bursite de jarrete ou *thoroughpin* (aumento de volume da bainha do tendão flexor digital profundo acima do jarrete), terem causas dietéticas específicas, a gravidade da resposta pode ser afetada por desequilíbrios ou deficiências na dieta (ver *Ácidos graxos poliinsaturados*, Cap. 5). Anormalidades na nutrição mineral, de oligoelementos minerais e de vitaminas são freqüentemente associadas com vários tipos de claudicação, mas pouca pesquisa (à parte as investigações de osteocondrite dissecante, Cap. 8) foi realizada para se fazer qualquer avaliação objetiva de escala de envolvimento. Outras razões para claudicação incluem contusão de sola, tendão arqueado, doença do navicular e lesões espinhais, que podem em parte implicar o pouco cuidado com os cascos: a inspeção diária dos cascos muitas vezes evita problemas a longo prazo.

A fisite já foi discutida no Capítulo 7 e fez-se alguma referência à contratura de tendões (Fig. 7.5, Cap. 7). A última ocorre com freqüência em potros que estão bem com as éguas tendo muito leite em pastos bons. A velocidade do início em um potro é surpreendente e dentro de 24 a 48h os talões aumentam e uma ligeira concavidade se desenvolve na parede frontal do casco. O desgaste nos talões é reduzido e ocorre o aumento de tensão sobre os tendões extensores. Estes não se contraem, mas aparentemente falham em se desenvolver a uma velocidade proporcional ao crescimento ósseo e a articulação do boleto também tende a aumentar de tamanho. É essencial descobrir a aberração nos estágios iniciais, de forma que possa ser neutralizada por raspagens semanais dos talões, exercícios, remoção dos concentrados e redução do consumo de leite. Finalmente, a cirurgia pode ser o único meio de correção de deformidades angulares graves das articulações dos membros (ver também *Doença ortopédica do desenvolvimento*, Cap. 8). O exercício é importante na prevenção das anormalidades do crescimento de membros, que podem ser mais prevalentes quando éguas e potros gastam longos períodos em suas baias durante climas adversos sem qualquer corte no consumo alimentar. Pode ser preferível permitir que éguas e potros permaneçam fora todo o tempo no verão, independentemente do clima, desde que alguma forma de abrigo esteja disponível.

978-85-7241-725-9

Doença do Navicular

A claudicação e a lesão ao osso navicular do casco são possivelmente causadas por trombose das artérias naviculares, estresses anormais no osso, ou alterações degenerativas. O tratamento inclui o desbaste corretivo do casco e o levantamento em ferradura larga do tipo oval palmada. O tratamento com drogas com hidrocloreto de isoxsuprina, um vasodilatador, é prática comum, pois evita o risco de hemorragia com a varfarina. A varfarina (dicumarol) pode ser útil, apesar de seu uso estar em declínio. Essa droga interrompe a coagulação sangüínea ao estender o tempo da protrombina. A dose deve ser estabelecida com cuidado para estender o tempo de coagulação em 2 a 4s a partir do padrão eqüino de 14s. Uma dose excessiva provocará sangramento. Se ocorrer inadvertidamente a cólica durante o tratamento, um tempo prolongado de protrombina resultante da deprimida função renal requer a interrupção do tratamento com varfarina e o início do tratamento com vitamina K.

É essencial que os eqüinos tratados com varfarina sejam alimentados de forma consistente, em particular com relação à quantidade de alimento verde, rico em vitamina K, e como o nível de trabalho afeta o tempo de coagulação, qualquer modificação na atividade precisa ser imposta de modo gradativo. Se for prático, o trabalho regular deve ser iniciado e as amostras de sangue obtidas em intervalos de pelo menos uma por mês durante os períodos de repouso, mas imediatamente após o exercício. As amostras devem também ser obtidas cinco a sete dias após qualquer alteração no trabalho, ou na rotina alimentar. O tratamento veterinário com varfarina precisa sempre pecar no lado da precaução, pois o excesso pode ser fatal. A droga parece atuar por meio de redução da viscosidade e aumento do fluxo de sangue, o que melhora a nutrição do osso navicular, sendo provavelmente mais do que apenas a prevenção da formação de trombos.

A atividade osteoclástica também tem um papel na patologia da doença navicular. As modificações que ocorrem no remodelamento ósseo podem ser corrigidas com tiludronato, um bifosfonato que inibe a reabsorção óssea. Quando fornecido por via intravenosa a uma taxa de 1mg/kg de PC, diariamente, por dez dias, o tiludronato melhorou a claudicação dois a seis meses após o tratamento, se iniciado logo depois da observação dos primeiros sinais clínicos (Denoix *et al.*, 2003).

978-85-7241-725-9

CONFINAMENTO

Qualquer consideração detalhada sobre confinamento está além dos objetivos deste livro, mas o ambiente confinado tem profundo impacto no bem-estar dos eqüinos. Comportamento aberrante, incluindo mastigação de madeira, lamber e escoicear paredes, ou o patear de eqüinos Quarto de Milha ao desmame foram observados com freqüência muito maior entre os confinados em baias do que entre os desmamados em padoque (Heleski *et al.*, 1999). Uma série de estudos de Houpt e Houpt (1988) na Cornell University, Ithaca, Nova York, revelou fatores ambientais importantes para o bem-estar de eqüinos. Por exemplo, éguas em contato visual com outras éguas são menos ativas e gastam mais tempo comendo do que aquelas sem contato visual. Observou-se também que as éguas preferem um ambiente artificialmente claro a um escuro. Estudos com eqüinos com alimentação *ad libitum* em temperatura ambiente (Cymbaluk *et al.*, 1989a) demonstraram que o consumo alimentar aumentou em 0,2% para cada 1°C reduzido na temperatura do celeiro abaixo de 0°C.

Demonstrou-se ainda que o enriquecimento do ambiente do estábulo por meio da provisão de múltiplas forragens também reduziu o consumo de palha e motivou o comportamento de pastoreio (Goodwin *et al.*, 2002).

Ventilação

Por motivos de economia de dinheiro e trabalho, existe uma tendência a confinar eqüinos de corrida em celeiros de estilo americano (Townson, 1992). Menos atenção aos detalhes de ventilação é necessária na construção de baias amplas individuais de eqüinos. Por outro lado, o ar comum e os níveis de poeira aérea e amônia que podem se desenvolver nos momentos de alimentação e troca de cama nos celeiros ditam regras restritas que devem ser seguidas quanto às freqüências ventilatórias, pois essa é a principal rota para evacuação de pequenas partículas que são agentes de doenças respiratórias.

978-85-7241-725-9

Ao recomendar freqüências ventilatórias, a oferta deve ser feita para a realidade de que o volume de ar por eqüino nos celeiros tende a ser mais do que o dobro das baias amplas (valores médios de 98 em comparação a $43m^3$/eqüino; Townson, 1992). Os sistemas naturais de fluxo de ar (Fig. 11.3) devem ter uma área de entrada controlável de até $0,3m^2$ por eqüino (Sainsbury, 1981). Se a forma de construção impedir o fluxo natural de ar, a ajuda com ventoinhas deve ser fornecida na base da saída das chaminés. Isso irá funcionar como auxílio à ventilação natural e é uma solução mais desejável do que a instalação de um sistema pressurizado para o qual os custos são maiores e o número de partículas de ar suspensas aumenta em razão da maior turbulência de ar. Por motivos semelhantes, não deve haver a recirculação de ar como ocorre nas unidades de ar-condicionado, como visto em climas quentes, em que o isolamento, em especial o do teto, é crucial.

Modificações abruptas no fluxo de ar como resultado de reguladores *on-off* devem ser evitadas. Recomendam-se entradas de ar com dobradiças na base, que desviam o ar frio para cima nos climas frios e podem ser completamente abertas no calor para correntes cruzadas. Sua altura acima do solo deve ser tal que não interfira com o rebanho e precisam, é claro, ser de construção segura. Entradas adicionais provavelmente serão necessárias para climas muito quentes. Se os eqüinos estiverem agrupados em celeiros e campos cobertos, um grande fluxo de ar é essencial em todos os momentos. Isso será facilitado por uma grande aresta aberta, com 0,3 a 0,6m de largura, com um batente para fechamento. Tábuas de madeira com espaços na metade superior da parede são bem sucedidas (tábuas com 150mm de largura e fendas de 25mm; ver Fig. 11.3), ou, nos lados expostos, tábuas estreitas nas quais um grupo desliza sobre o outro.

O espaço de ar nos celeiros é compartilhado, ao passo que nas baias amplas é tanto compartilhado como isolado. Apesar de dever ser isolado, a tendência é o compartilhamento ser mais freqüente nas baias amplas modernas. Provavelmente, o confinamento mais bem sucedido no Reino Unido consiste em várias formas de construções de pavimento único de suporte (Figs. 11.4 e 11.5), que contêm baias simples com a frente aberta para o vento mais quente e a melhor luz do sol. Essas construções têm parte traseira baixa e parte dianteira elevada com as entradas de ar com arestas na forma de funil, nas quais o ar flui de trás para frente. Uma extensão do telhado na frente fornece cobertura e as partições cruzadas atuam como sustentadores de carga. Essas divisões devem ser sólidas, à medida que as parcialmente abertas permitem o fluxo de ar cruzado, aumentando a incidência de coices nas paredes e, se a divisão contiver barras de ferro, mesmo em

978-85-7241-725-9

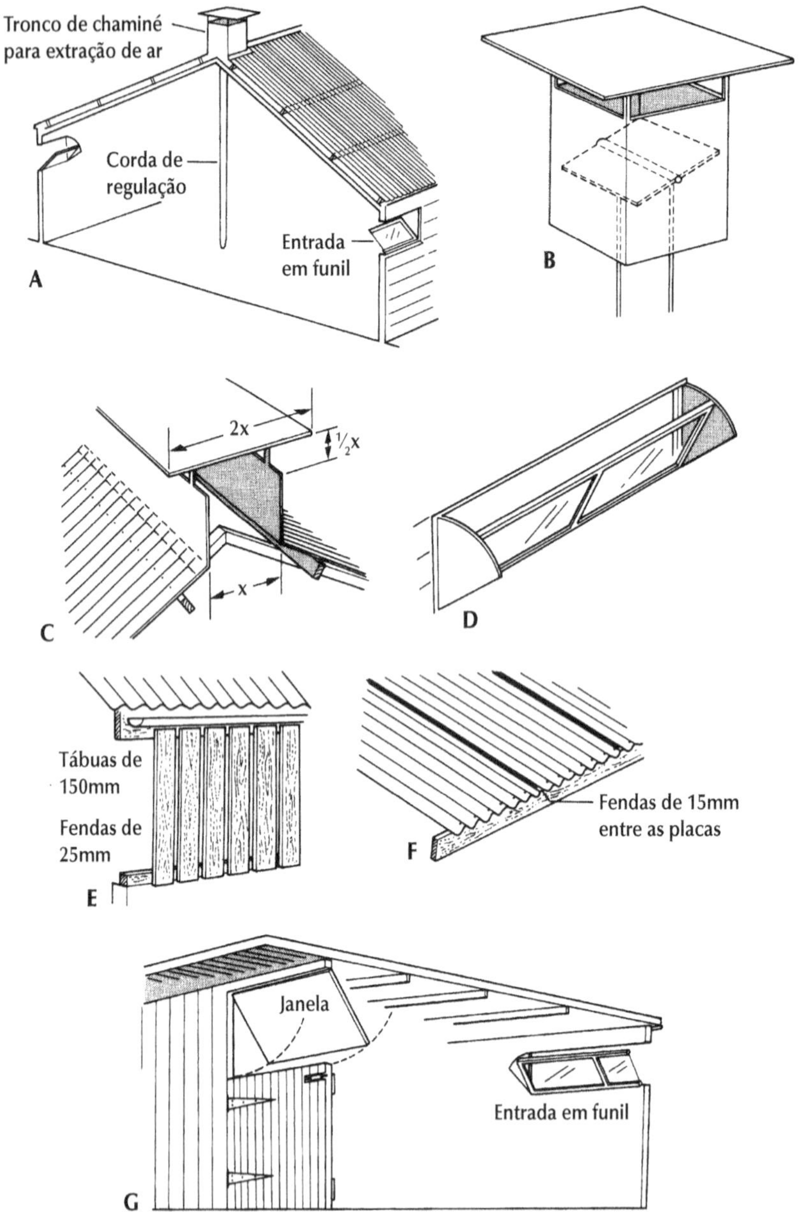

Figura 11.3 – Disposições para ventilação natural nos estábulos: (*A*) ventilação adequada para todos os estábulos, usando troncos de chaminés para extração e entradas em funil para o ar fresco; (*B*) detalhe do tronco extrator da chaminé, que pode ter um regulador ou ventoinha elétrica na base; (*C*) arestas abertas simples, adequadas à ventilação de extração de campos cobertos; normalmente, *x* é cerca de 300mm em campos com largura de até 13m e 600mm em campos acima de 13m e até 25m de largura; (*D*) janelas em funil adequadas como entradas de ar fresco; (*E*) tábuas espaçadas fornecendo ventilação de corrente de ar livre: normalmente, fendas de 25mm entre tábuas com 150mm de largura; (*F*) "teto de respiração", placas de teto onduladas, fixadas com fendas de 15mm para a ventilação de extração; (*G*) confinamento com pavimento único mostrando a entrada em funil na parte de trás e a janela de ventilação na frente. Observar a projeção no teto para proteger os eqüinos de chuva, sol e vento (Sainsbury, 1981).

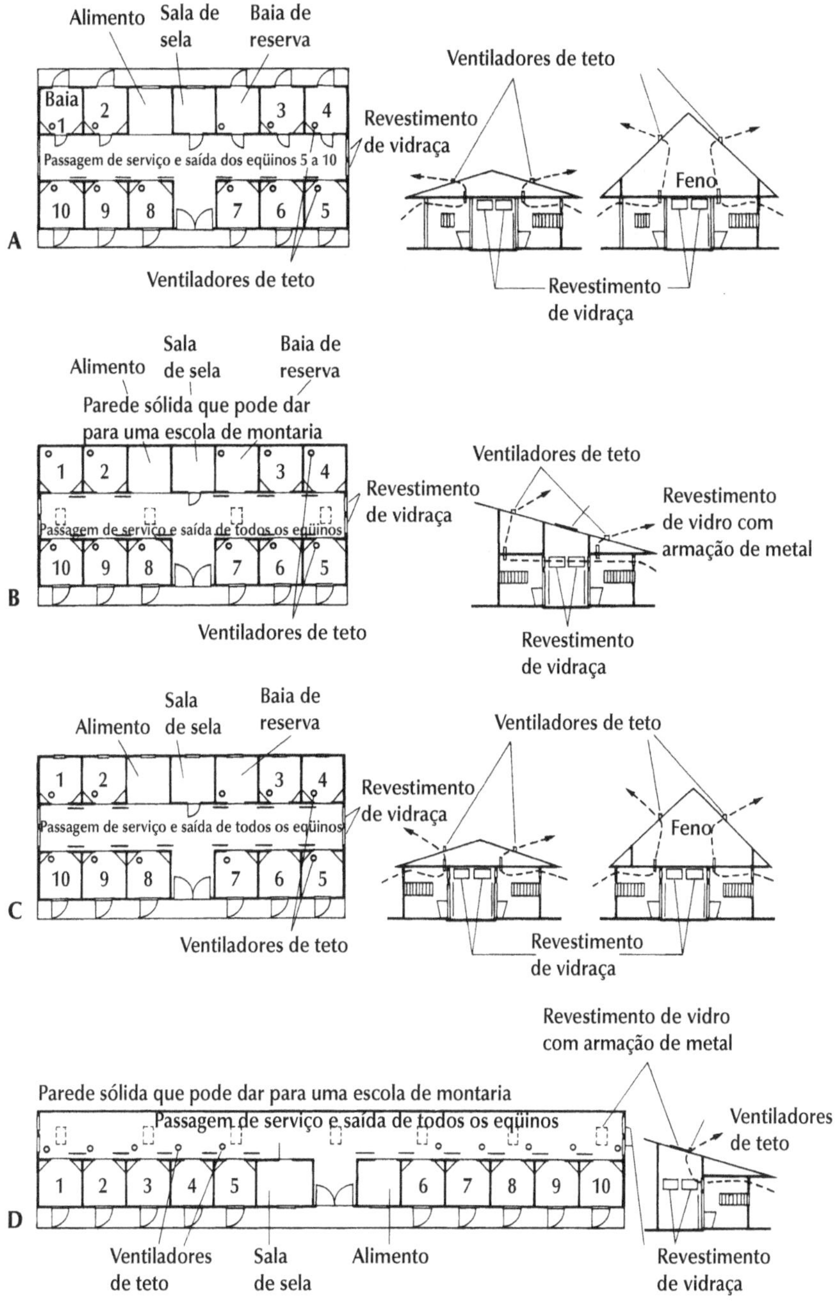

Figura 11.4 – Quatro esboços de baias para dez eqüinos, que combinam as vantagens de baias internas e externas sem correntes de ar. (*A*) Todas as baias abertas para fora: as baias de 1 a 4 têm grandes portas exteriores de serviço; as baias de 5 a 10 têm portas inferiores de correr e aberturas em persianas para fora. (*B*) Estábulo com sólida parede na região posterior e serviço interior: as baias de 5 a 10 têm aberturas em persianas para fora. (*C*) Estábulo com uma lateral exposta para clima ruim e com serviço interno: as baias de 5 a 10 têm aberturas em persianas para fora. (*D*) Estábulo com uma parede posterior sólida e com serviço interno: todas as baias têm aberturas em persianas para fora (Ministère de l'Agriculture, 1980).

978-85-7241-725-9

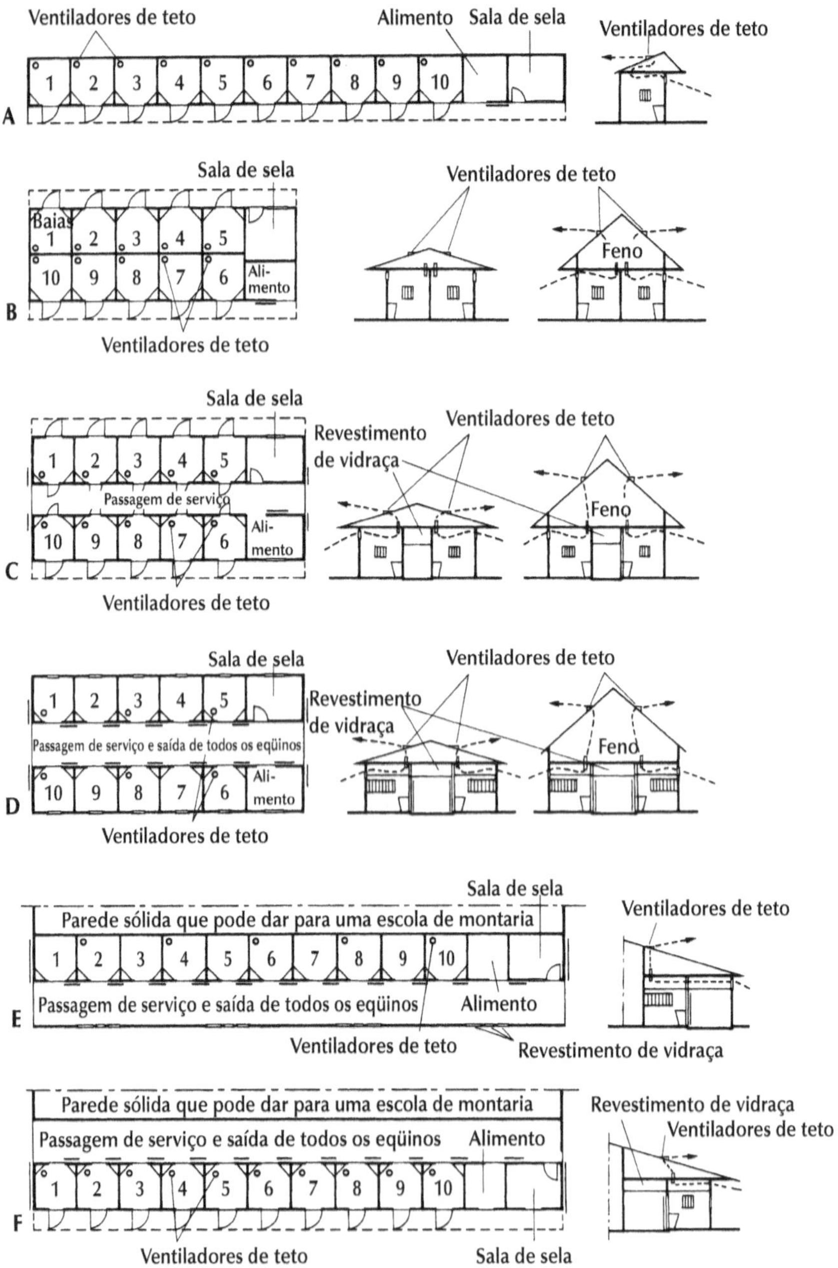

Figura 11.5 – Esboços simples para baias de dez eqüinos: (*A*) uma fileira de baias externas com serviços externos; (*B*) baias com a parte posterior em contato com a parte posterior de outras com serviços externos; (*C*) baias com acesso externo de eqüinos e serviço interno; portas e paredes sólidas na passagem mantêm corrente de ar mínima; (*D*) baias com serviço interno (central) sem acesso das cabeças dos animais para fora (uma disposição menos satisfatória); (*E*) baias com serviço interno (lateral), sem acesso das cabeças dos animais para fora (uma disposição menos satisfatória); (*F*) baias com serviço interno (lateral) e com acesso das cabeças dos animais para fora; portas e paredes sólidas para as passagens mantêm as correntes de ar no mínimo (Ministère de l'Agriculture, 1980).

978-85-7241-725-9

níveis bem altos, os eqüinos com ferraduras podem ficar presos (ver também *Doenças relacionadas ao confinamento*, adiante).

A quantidade de poeira varia de modo considerável, não apenas entre estábulos, mas também dentro de um estábulo em vários momentos na rotina diária da criação. O eqüino deve estar fora do ambiente quando as condições forem as piores e a ventilação deve ser estimulada nesse momento para segurança dos tratadores. A poeira pode conter patógenos, alérgenos, irritantes e microrganismos não patogênicos incômodos. Townson (1992) observou que 65% dos eqüinos de corrida na Irlanda tinham camas de palha e todos recebiam feno como forrageira. Quando esta é provida em grandes fardos redondos e sacudida na passagem de alimento antes da alimentação, junta poeira à atmosfera do celeiro. Se a alternativa ao feno não estiver disponível, o feno deve ser de qualidade muito alta, ou encharcado antes da distribuição. Clarke (1987) demonstrou que o número de partículas respiráveis liberadas do feno de azevém mofado reduziu-se de 45.000 para 1.650/mg de material fresco após 5min de imersão e para 525/mg após 24h de imersão (em comparação com 44/mg da silagem pré-seca). A serragem de madeira deve ser usada como cama nos celeiros, pois observou-se que libera as menores quantidades de poeira dentre as fontes comparadas (Tabela 11.6).

Muitas vezes, a adequada freqüência ventilatória depende de a metade superior de uma porta de baia ampla ser ou não aberta e se as portas do celeiro são ou não abertas. O problema tende a ser maior com cell¯ros, pois as metades superiores das portas das baias amplas são normalmente deixadas entreabertas, mas devem ter a facilidade de não serem fechadas por completo. A necessidade de uma boa ventilação deve ser determinada perante evidência de que a zona termoneutra para um eqüino Quarto de Milha adulto e alimentado é de –10 a +10°C. A perda de calor corpóreo pelo chão de concreto por meio da condução, quando um eqüino está deitado, reduz-se enormemente pelas camas, que também reduzem as correntes de ar do chão. Em geral, as freqüências ventilatórias devem ser de quatro a oito trocas de ar em 1h. Essas freqüências devem manter o número de partículas aéreas de mais de 0,5μm de diâmetro abaixo de 33/cm^3 (o valor limitante [VL]). Porém, essa conclusão depende da taxa de liberação de poeira (Tabela 11.7).

As dimensões recomendadas para a ventilação natural em baias e celeiros são fornecidas na Tabela 11.8. A ventilação natural depende tanto da área de entrada e saída quanto da diferença de temperatura entre a parte interna e a externa, isto é, o gradiente de temperatura. O isolamento de um estábulo não apenas aumenta esse gradiente e, por isso, aumenta a

Tabela 11.6 – Número de partículas de poeira/cm^3 de ar estável em baias bem ventiladas (Webster *et al.*, 1987) e peso médio de poeira/m^3 de ar em 1.166 estábulos de 26 estabelecimentos irlandeses de corrida (Townson, 1992).

	Número de partículas aéreas (diâmetro maior que 0,5μm/cm^3 de ar)*		Peso da poeira (mg/m^3 de ar)
	Calmo	*Troca da cama*	
Serragem de madeira	8,8	30,5	0,19
Papel	10	40	0,37
Palha	11,7	75,9	0,57

* Partículas de até 5μm de diâmetro podem entrar nos alvéolos dos pulmões. Podem incluir os antigênicos *Aspergillus fumigatus* e *Micropolyspora faeni*.

Tabela 11.7 – Freqüências ventilatórias necessárias para se obter um valor limitante (VL) de 33 partículas/cm^3 de ar em três taxas de liberação de poeira dentro do ar do estábulo (Townson, 1992).

Taxas de liberação de poeira (partículas/cm^3/h)	Alterações requeridas do ar/h
60	3
300	10
600	22

taxa de ventilação natural (efeito acumulador) para uma determinada área de entradas e saídas, como também diminui as flutuações na temperatura da construção. Mais ainda, o isolamento do teto pode reduzir o efeito de aquecimento solar em cerca de dez vezes, comparado a um teto de simples camada.

Doenças Relacionadas ao Confinamento

Movimentos Contínuos

O comportamento de movimentos contínuos envolve o balançar lateral repetitivo de cabeça, pescoço, quarto anterior e algumas vezes quarto posterior e em geral indica bem-estar pobre. Esse comportamento é reduzido pela presença visual de um eqüino sadio em uma baia vizinha, ou pela adição de um espelho acrílico de $1m^2$ na baia do animal acometido e uma rede para o feno (Mills e Davenport, 2002).

978-85-7241-725-9

Potros

A importância da higiene nos casos em que os potros são de interesse não pode ser enfatizada em demasia. Isso inclui a remoção de pragas. A salmonelose já foi discutida em *Diarréia aguda*, anteriormente. A grave lesão hepática e a infecção letal de potros jovens (a partir de poucos dias até seis meses de idade) são causadas pelo bacilo de Tyzzer (*Clostridium piliformis*). Essa bactéria é carreada no trato gastrointestinal de várias espécies de roedores

Tabela 11.8 – Requerimentos de ventilação natural de baia e celeiro típicos (Sainsbury, 1981; Webster *et al.*, 1987; Townson, 1992).

Dimensões por eqüino	Baia	Celeiro
Volume (m^3)	50	85
Área de superfície da construção* (m^2)	41	43
Área de entrada de ventilação (m^2)	0,34	0,46
Área de saída de ventilação (m^2)	0,17	0,23
Altura das entradas para as saídas (m)	1	2
Freqüência ventilatória (m^3/s)	0,055	0,094
Movimento de ar (m/s)	0,15-0,5	0,15-0,5
Perda de calor com a ventilação (V/°C)	67	114
Temperatura ambiente (°C)	0-30	0-30
Umidade relativa (%)	30-70	30-70

* Presumindo-se dez eqüinos em uma fileira de baias ou celeiro único. V = vapor de água (kg).

e lagomorfos (coelhos e lebres) e a infestação ocorre pelo consumo de suas carcaças, fezes, ou filhotes. Os endósporos podem sobreviver por períodos muito longos nos filhotes de roedores e são sensíveis ao aquecimento a 80°C por 15min, ou à exposição a hipoclorito de sódio a 0,015%, a iodofol a 1% e a fenol a 5%.

Doença Pulmonar Obstrutiva Crônica e outras Doenças Respiratórias

Doença Pulmonar Obstrutiva Crônica

Vírus, bactérias (*Streptococcus equi*) e vermes pulmonares causam tosse, mas a doença respiratória eqüina encontrada com mais freqüência no Reino Unido é a doença pulmonar obstrutiva crônica (DPOC). Em uma população de 300 eqüinos adultos encaminhada para exame pulmonar no norte do Reino Unido, Dixon *et al.* (1995) observaram que dos 270 com doença pulmonar, 16,7% dos casos foram apresentados com doença pulmonar infecciosa, ou pós-infecciosa, 2,6% com infecção pulmonar pelo *Streptococcus zooepidemicus*, 2,6% com infecção por vermes pulmonares, 5,9% com hemorragia pulmonar induzida pelo exercício, 3,3% com hipoxemia idiopática crônica, 14,1% com desordens mistas identificadas, ou não diferenciadas, e 54,8% com DPOC. A DPOC é uma resposta de hipersensibilidade, inflamatória e reativa do trato respiratório posterior, o que significa vias aéreas pequenas (com fibrose alveolar), à poeira e ao mofo (fungos e actinomicetes termofílicos, em especial dois fungos, *Micropolypora faeni* e *Aspergillus fumigatus*). Alguns eqüinos são sensíveis a outros microrganismos e mesmo ao pólen do azevém na atmosfera do estábulo, causando uma variedade de reações clínicas, desde a intolerância ao exercício leve até a grave dispnéia, mesmo em repouso. Pirie *et al.* (2002) mensuraram a resposta de eqüinos afetados pela DPOC e animais-controle a uma suspensão de poeira de feno inalada (SPF), principalmente esporos de fungos, ou ao seu sobrenadante e frações particuladas lavadas após centrifugação. A neutrofilia das vias aéreas se aproximou da magnitude daquela encontrada com a SPF quando as frações particulada e sobrenadante foram combinadas em comparação aos efeitos de ambas as frações separadamente. A fração solúvel pareceu ser importante no recrutamento neutrofílico, apesar da SPF ser relevante para a disfunção pulmonar. Evidência recente (McGorum, 2003) de que a endotoxina produzida pelas bactérias gram-positivas presentes no feno e na cama é uma causa contribuinte de DPOC pode jogar mais luz sobre a evidência de Pirie *et al.*

A respiração na doença é caracterizada por um "duplo golpe" visto no abdome na expiração, quando a contração abdominal normal é acompanhada por um segundo movimento conforme o eqüino se empenha para expelir mais ar. Essa obstrução recorrente das vias aéreas é conhecida como "enfisema crônico" ou "bronquite crônica", em que partes de tecido pulmonar perdem sua elasticidade. Indivíduos entre seis e dez anos de idade são afetados com mais freqüência.

Evidência sugere que mais precipitinas aos antígenos fúngicos ocorrem em geral no soro de eqüinos confinados em celeiros do que naqueles confinados em baias. Porém, isso não está necessariamente relacionado ao risco ou à gravidade da DPOC. Em conseqüência, alguns pesquisadores mantêm o ponto de vista de que os eqüinos com DPOC podem demonstrar precipitinas a esses fungos como uma decorrência dos danos à função pulmonar. A confusão pode se originar em parte da evidência de que a hipersensibilidade tem uma base genética razoavelmente forte. A sensibilização e a presença de anticorpos precipitantes

978-85-7241-725-9

no soro contra os antígenos fúngicos não causam necessariamente a doença clínica em um eqüino em particular, mas quando há sinais clínicos de dispnéia, a relação IgA:albumina do lavado broncoalveolar aumenta e a neutrofilia pulmonar desse líquido é encontrada com freqüência. Obtém-se o alívio por meio da intervenção veterinária com um bloqueador de cicloxigenase. Não é de conhecimento do autor que se tenha examinado se as gorduras dietéticas ricas em ácidos graxos n-3 reduzem o risco das respostas inflamatórias (ver Cap. 5). Eqüinos suscetíveis devem ser removidos de um ambiente com elevada carga alergênica, caso contrário, é provável que ocorram respiração abdominal forçada, causada pelo broncoespasmo, excessiva secreção de muco e inflamação da mucosa das vias aéreas durante períodos de altas concentrações atmosféricas de alérgenos.

Existe provavelmente uma preocupação muito grande quanto aos eqüinos se resfriarem à noite se as portas e janelas não forem fechadas e isso pode com freqüência causar ventilação inadequada, que, com camas inapropriadas, é o fator ambiental mais importante na DPOC. A doença inflamatória das vias aéreas tem probabilidade duas vezes maior de ocorrer em eqüinos com camas de palha em comparação àqueles com camas de papel cortado em tiras. Porém, os eqüinos preferem a cama de palha de trigo à de serragem, que por sua vez é preferida à de papel. A palha causa mais atividades relacionadas à cama, ainda que o significado disso quanto ao bem-estar não esteja claro (Mills *et al.*, 2000). Apesar dos eqüinos preferirem a palha de trigo, tanto a serragem quanto o papel em tiras devem ser usados como cama para reduzir o risco de DPOC.

A DPOC tipicamente se apresenta com tosse crônica, secreção nasal e dispnéia expiratória. O exame endoscópico comum das vias aéreas, com o exame citológico das secreções respiratórias e outros testes diagnósticos levam à conclusão de que a DPOC é uma importante causa de baixa performance na ausência de outros sinais clínicos evidentes. Além disso, tem ocorrido a identificação, com incidência cada vez maior, da doença pulmonar obstrutiva associada com as pastagens de verão. Vários veterinários no Reino Unido têm a opinião de que a prevalência da DPOC está realmente aumentando, apesar de casos de menor gravidade serem agora identificados. Os casos iniciais caracterizaram-se por elevadas alterações máximas de pressão intrapleural (dPpl máx.), ao passo que Dixon *et al.* (1995) encontraram valores máximos de dPpl em menos da metade de seus 300 casos referidos.

Tanto os fatores genéticos como os ambientais influenciam a resposta de imunoglobulina E (IgE) aos alérgenos fúngicos de *Alternaria alternata* e *Aspergillus fumigatus,* causando a DPOC (Eder *et al.*, 2001), indicando as diferenças nos riscos entre os eqüinos. A existência de DPOC em um eqüino predispõe a riscos brônquicos adicionais. McGorum *et al.* (1998) observaram que a concentração total de endotoxina aérea (padronizada contra a endotoxina de *Escherichia coli* 0111:B4) nos estábulos convencionais é excessiva. Sugeriram que a concentração mínima total de endotoxinas aéreas que causam broncoconstrição em eqüinos com inflamação pré-existente das vias aéreas, como ocorre na DPOC, pode ser muito menor do que aquela para eqüinos normais. Existem várias semelhanças entre a DPOC em eqüinos e a asma no homem (da qual se demonstrou um aumento da prevalência nas últimas duas décadas). Propôs-se que a poluição do ar com óxido nítrico e com produtos relacionados à combustão de hidrocarbono predispõe os pacientes à doença respiratória. O mecanismo provavelmente envolve a indução da inflamação das vias respiratórias e o aumento da permeabilidade epitelial, com reduzido *clearance* de alérgenos e outras partículas inaladas que podem desencadear o desenvolvimento da DPOC.

978-85-7241-725-9

Outras Doenças Respiratórias

A DPOC ocorre individualmente em eqüinos e não é infecciosa, mas existem outras doenças respiratórias que se disseminam de eqüino para eqüino e causam prejuízos e lesões à função pulmonar. As principais doenças transmissíveis são causadas por bactérias, parasitas e vírus. As infecções virais parecem ser de incidência elevada entre eqüinos e pôneis e incluem a *influenza* eqüina, herpes-vírus eqüino dos tipos I e II, rinovírus dos tipos I e II e adenovírus, em particular em potros. Acredita-se que a ocorrência disseminada das infecções virais possa estar associada com a tendência a ter um maior número de eqüinos muito próximos uns dos outros em construções totalmente fechadas, com o maior trânsito nacional e internacional e, é necessário dizer, com maior atenção e entendimento das viroses. A lesão pulmonar causada por essas infecções pode deixar os eqüinos mais sujeitos a respostas alérgicas de DPOC: certamente, uma agrava a outra e ambas são influenciadas pelos tipos de construções e poluição atmosférica.

Conclui-se que as baias dos eqüinos não devem ser somente bem ventiladas, mas também localizadas distantes de uma via de tráfego. Se a silagem pré-seca, ou o feno úmido forem de uso impraticável, algum benefício poderá ser obtido do feno sem fungo, ou da instalação de grades para ventilar o feno, em que o ar é direcionado e extraído da construção com uma ventoinha. Pode ser usado como o sistema de ventilação para a baia, que deve ter cama com serragem, ou papel. Considerou-se eficiente o uso profilático de cromoglicato de sódio em indivíduos sensíveis. Porém, a prevenção é melhor e menos dispendiosa que a cura parcial.

Todo feno contém fungos, mas alguns estão visivelmente mofados ou bolorentos e por isso apresentam maior perigo que o feno duro, ramificado, limpo e brilhante. Assim, existe uma justificativa razoável para empregar tal feno seguro com os eqüinos, ainda que nutricionalmente pior, corrigindo-se a ausência de nutrientes e energia com um grânulo composto de alta qualidade, ou outro concentrado. Se os eqüinos forem afetados, devem retornar às gramíneas. Se isso for impraticável, o feno deve ser encharcado ao invés de meramente umedecido antes da alimentação, ou deve ser substituído por silagem, silagem pré-seca, ou grânulos compostos ricos em fibras. Substituem-se as camas de palha por papel em tiras, ou por serragem de madeira macia e melhora-se a ventilação da baia. Os eqüinos sintomáticos podem tornar-se assintomáticos em 4 a 24 dias quando colocados em camas de papel em tiras e alimentados rotineiramente com uma dieta completa em cubos. Os valores da função pulmonar de eqüinos assintomáticos podem na diferir de modo significativo daqueles dos eqüinos normais. A ingestão de esporos fúngicos, ao invés de sua inalação, como poderia ocorrer na alimentação com feno encharcado ou grânulos, *não* é causa de problemas, pois depende de uma reação direta entre a partícula inalada e o alvéolo pulmonar. A alimentação com farelos também deve ser evitada, pois evidências indicam que pode haver reações alérgicas com a poeira da aveia e algumas outras fontes de poeira alimentar.

Vício de Morder o Cocho

O vício de morder o cocho é provavelmente mediado por neurotransmissores e uma alta freqüência desse vício entre os eqüinos pode indicar estresse causado por manejo ruim. Aparentemente, não ocorre vício semelhante entre eqüinos brutos. As formas de amenização incluem manipulação e atividades físicas aumentadas, modificação de ambiente e estratégias alimentares.

QUESTÕES PARA ESTUDO

1. Como você começaria a minimizar os riscos de distúrbios gastrointestinais em um estábulo de eqüinos em atividade?
2. Nos casos em que a hiperlipemia for diagnosticada em várias éguas de pôneis, qual é o curso apropriado de ação?
3. Quais são as causa de doença debilitante em um eqüino mais velho e qual manejo deve ser instituído?

LEITURA COMPLEMENTAR

Allen, G. K., Campbell-Beggs, C., Robinson, J. A., Johnson, P. J. e Green, E. M. (1996) Induction of early phase endotoxin tolerance in horses. *Equine Veterinary Journal,* **28**, 269-74.

Bogan, J. A., Lees, P. e Yoxall, A. T. (1983) (eds) *Pharmacological Basis of Large Animal Medicine.* Blackwell Science, Oxford.

Clarke, A. F. (1987) A review of environmental and host factors in relation to equine respiratory disease. *Equine Veterinary Journal,* **19**, 435-41.

Dixon, P. M., Railton, D. I. e McGorum, B. C. (1995) Equine pulmonary disease: a case control study of 300 referred cases, Parts 1-4. *Equine Veterinary Journal, 27,* 416-39.

Gossett, K. A., Cleghorn, B., Martin, G. S. e Church, G. E. (1987) Correlation between anion gap, blood L-lactate concentration and survival in horses. *Equine Veterinary Journal,* **19**, 29-30.

Hinckley, K. A., Fearn, S., Howard, B. R. e Henderson, I. W. (1996) Nitric oxide donors as treatment for grass induced acute laminitis in ponies. *Equine Veterinary Journal,* **28**, 17-28.

King, J. N. e Gerring, E. L. (1991) The action of low dose endotoxin on equine bowel motility. *Equine Veterinary Journal,* **23**, 11-17.

Ministère de l'Agriculture (1980) *Aménagement et Équipement des Centres Équestres. Section Technique des Équipements Hippiques.* Fiche Nos CE. E. 4, 5, 13 and 14. Service des Haras et de l'Equitation, Institut de Cheval, Le Lion-d'Angèrs.

Moore, J. N. (1991) Rethinking endotoxaemia in 1991. *Equine Veterinary Journal,* **23**, 3-4.

Moyer, W., Spencer, P. A. e Kallish, M. (1991) Relative incidence of dorsal metacarpal disease in young Thoroughbred racehorses training on two different surfaces. *Equine Veterinary Journal,* **23**, 166-8.

Prescott, J. F., Staempfli, H. R., Barker, I. K., Bettoni, R. e Delaney, K. (1988) A method for reproducing fatal idiopathic colitis (colitis X) in ponies and isolation of a clostridium as a possible agent. *Equine Veterinary Journal,* **20**, 417-20.

Proudman, C. J. e Edwards, G. B. (1993) Are tapeworms associated with equine colic? A case control study. *Equine Veterinary Journal,* **25**, 224-6.

Slater, M. R., Hood, D. M. e Carter, G. K. (1995) Descriptive epidemiological study of equine laminitis. *Equine Veterinary Journal,* **27**, 364-7.

Townson, J. (1992) *A survey and assessment of racehorse stables in Ireland.* MEqS thesis, Faculties of Agriculture and Veterinary Medicine, National University of Ireland, Dublin.

Valberg, S. Jönsson, L., Lindholm, A. e Holmgren, N. (1993) Muscle histopathology and plasma aspartate amino transferase, creatine kinase and myoglobin changes with exercise in horses with recurrent exertional rhabdomyolysis. *Equine Veterinary Journal,* **25**, 11-16.

Ward, D. S., Fessler, J. F., Bottoms, G. D. e Turek, J. *(1987)* Equine endotoxaemia: cardiovascular, eicosanoid, hematologic, blood chemical, and plasma enzyme alterations. *American Journal of Veterinary Research,* **48**, 1150-56.

Webster, A. J., Clarke, M. T. M. e Wathes, C. M. *(1987)* Effects of stable design, ventilation and management on the concentration of respirable dust. *Equine Veterinary Journal,* **19**, 448-53.

West, H. J. *(1996)* Clinical and pathological studies in horses with hepatic disease. *Equine Veterinary Journal,* **28**, 146-56.

978-85-7241-725-9

CAPÍTULO 12

Métodos Laboratoriais para Avaliação do Estado Nutricional e algumas Opções Dietéticas

Se a urina de um eqüino for algo ricamente colorida, brilhante e clara como lambert e não como âmbar, ou como uma xícara de uma forte bebida de março, então ela demonstra que o eqüino apresenta uma inflamação em seu sangue. Agora quanto ao odor de seu estrume, você precisa compreender que quanto mais forrageiras secas você fornecer, maior será o odor e quanto menos forrageiras, menor o odor.

G. Markham, 1636

Vários métodos de avaliação nutricional são somente apropriados para grandes estábulos em que a variação normal dos valores pode ser superada pelas determinações realizadas em um número de eqüinos alimentados de forma similar. Todavia, ao lidar com indivíduos ou grupos, é essencial estabelecer valores normais para eles. O valor normal de um parâmetro em particular em um indivíduo pode diferir da média da raça, pois idade, sexo, período do ano, sistema de manejo, estágio de treinamento, dieta e raça influenciam o normal. Assim, ao estabelecer alguma prática de rotina, é possível avaliar de forma rápida se um valor particular desviou-se de seu normal e isso, por sua vez, permite que se descubra um distúrbio em seu estágio inicial. Além disso, a observação e uma variedade de testes são indubitavelmente necessárias para se compreender uma situação.

Os perfis metabólicos foram adotados como mensurações da saúde nutricional e fisiológica de rebanhos leiteiros e fez-se algum progresso quanto a técnicas semelhantes em estábulos. Ao avaliar o estado nutricional, é essencial um conhecimento completo da composição química e dos ingredientes de todos os alimentos e os pesos reais de cada tipo de alimento por um período prolongado. Registros e retenção de amostras alimentares ajudam na solução subseqüente de problemas. Esse procedimento facilitará uma avaliação objetiva da dieta, que, com o monitoramento do manejo e da doença, indicará as mensurações laboratoriais mais apropriadas a serem feitas. A informação direta e adequada virá então à tona e o gasto desnecessário será evitado.

978-85-7241-725-9

A nutrição adequada do eqüino implica na nutrição normal dos tecidos e células do corpo, mas a anormalidade relacionada aos nutrientes dessas unidades não significa necessariamente alimentação incorreta. O conhecimento do estado fisiológico e de saúde do eqüino precisa ser adaptado em qualquer avaliação. Uma melhora na saúde pode não ser atingida somente com ajustes dietéticos. Pode requerer a nutrição enteral ou parenteral para suplementar ou suplantar a dieta normal por um período limitado. Um propósito deste capítulo é auxiliar nas decisões nesse sentido.

TESTES METABÓLICOS

Vários testes metabólicos estão agora disponíveis para se obter o estado nutricional e algumas das mensurações mais comumente usadas são discutidas neste capítulo. Porém, deve-se enfatizar que mensurações ou determinações únicas são praticamente sem valor. Uma razão evidente disso é que poucos, ou nenhum, desses métodos são específicos para determinar o estado de um nutriente em particular.

Variabilidade dos Valores Mensurados

As amostras repetidas obtidas de um único eqüino normalmente produzem valores variáveis. Essa variabilidade é causada pela variação inerente a qualquer método analítico, a manipulação variável das amostras e a variação dentro do animal quando não há alteração aparente em sua saúde. Procedimentos analíticos diferentes para o mesmo determinante produzem médias diferentes e por isso é importante citar o método empregado com qualquer grupo de valores. Para acomodar essa variabilidade, os valores normais para um parâmetro em particular são citados. Todavia, o critério importante não é o intervalo normal aceito, mas a modificação no valor de um dia para o outro para um indivíduo, quando apontaria uma inclinação quanto à saúde. Na tentativa de detectar tais tendências, é crucial controlar as mensurações de forma que a tendência real possa ser distinguida da variação cíclica.

A variação circadiana nas características fisiológicas foi bem estabelecida como um fenômeno no homem e em vários outros animais. Vários parâmetros sangüíneos de eqüinos mostram um padrão biorrítmico. Em condições naturais, os eqüinos se alimentam ao longo das 24h do dia, mas tendem a reduzir suas atividades alimentares à noite, ao passo que sob manejo doméstico as principais refeições têm horários estabelecidos. O momento da alimentação é conhecido por ser um sincronizador dos ritmos de glicose, ácidos graxos não esterificados (AGNE) e fósforo. Algum controle desse efeito pode ser alcançado ao se obterem, por exemplo, amostras no mesmo momento na rotina diária, de preferência no período em que a taxa de alteração é a menor e quando os fatores ambientais e metabólicos sem importância têm menos influência. Eqüinos alimentados por refeições, do mesmo modo que os seres humanos, demonstram um ritmo circadiano de 24h razoavelmente acentuado na concentração plasmática de hematócritos, proteína total plasmática, hemoglobina, uréia, glicose, insulina, gordura neutra, AGNE, colesterol, cálcio (Ca), fósforo (P) e várias enzimas, freqüentemente mensuradas (Greppi *et al.*, 1996). Para a consistência das informações, momentos fixos do dia reduzem a variabilidade das amostras repetidas para essas características, presumindo-se que a conduta diária de criação não se modifique.

Enzimas

Nomenclatura

Ao longo dos anos, os nomes de várias enzimas se modificaram, mais de uma vez em alguns casos. Para que se conheça qual enzima é referida em qualquer afirmação em particular, a Enzyme Commission internacional classificou cada enzima identificada e específica com seu número próprio de código, conhecido, não surpreendentemente, como número EC (*International Union of Biochemistry and Molecular Biology on the Nomenclature and Classification of Enzymes*, 1992). Existem cerca de 3.500 enzimas na lista, que ainda cresce. O número EC é um sistema de quatro partes: o primeiro número define a classe; o segundo, a subclasse daquela classe; o terceiro, a sub-subclasse; e o quarto, o número que é fornecido na lista daquelas subclasses, por exemplo, a oxidorredutase alanina desidrogenase é definida como EC 1.4.1.1 e a alanina aminotransferase como EC 2.6.1.2, como indicado na Tabela 12.1.

978-85-7241-725-9

978-85-7241-725-9

Tabela 12.1 – Classificação das enzimas.

Grupo	Nome
1	Oxidorredutases
2	Transferases
3	Hidrolases
4	Liases
5	Isomerases
6	Ligases

Isoenzimas Teciduais Específicas

A atividade de várias enzimas teciduais específicas é mensurada com freqüência de forma a auxiliar no diagnóstico. A concentração enzimática plasmática pode aumentar durante o extravasamento das células em que a enzima é ativa, tanto como resultado da máxima atividade daquelas células, por exemplo, células musculares durante o galope, quanto como conseqüência de lesão do tecido, por exemplo, lesão tóxica das células parenquimais hepáticas. A localização do tecido/órgão relevante é ajudada pela mensuração da concentração da isoenzima relacionada à atividade total aumentada. Por exemplo, existem pelo menos cinco isoformas de desidrogenase láctica (EC 1.1.1.27). As isoenzimas são fisicamente distintas, por exemplo, imunologicamente, mas todas catalisam a mesma reação.

Dieta e Atividade Enzimática

As enzimas teciduais são proteínas que funcionam somente quando presentes como holoenzima, que consiste na proteína (apoenzima, que por conta própria não tem atividade catalítica) mais uma coenzima não protéica estável ao calor e dialisável. Essa fração dialisável contém nutrientes na forma de certos vitâmeros hidrossolúveis (vitâmeros = uma ou mais substâncias químicas que têm as mesmas funções específicas de vitaminas), ou vitaminas A e K. Freqüentemente, um co-fator metálico, como o zinco, por exemplo, é também necessário. Portanto, a deficiência dietética de um desses nutrientes deprime a atividade da(s) enzima(s) específica(s) em que o nutriente funciona.

O grau de saturação de várias enzimas (a fração presente na forma de holoenzima), mensurado *in vitro* como coeficiente de atividade enzimática, pode indicar o estado nutricional com relação ao componente vitamínico do co-fator (Tabela 12.2). Deve ser notado que a adição do co-fator vitâmero ao sistema *in vitro* aumentará a atividade independentemente do estado nutricional, pois uma porção da enzima está em geral presente na forma de apoenzima insaturada. Por isso, a extensão da resposta é crucial para avaliar se uma deficiência dietética existe.

Para a condição vitamínica, ver *Vitaminas lipo e hidrossolúveis*, adiante.

Enzimas Séricas e Função Hepática

Os sinais clínicos de insuficiência hepática incluem perda de apetite, icterícia, depressão, perda de peso, letargia, bocejar e, algumas vezes, preambulação. Hemorragias na membrana mucosa oral foram reportadas e a fotossensibilização pode ser observada, em especial nos eqüinos com pele e pêlos despigmentados expostos à luz brilhante. As substâncias fotodinâmicas no alimento são metabolizadas de modo incompleto pelo fígado comprometido e causam as reações de hipersensibilidade na pele.

Tabela 12.2 – Co-fatores vitâmeros de várias enzimas teciduais, com seus números de EC, de significância particular na nutrição do eqüino e aqueles* para os quais as mensurações de saturação enzimática foram usadas para avaliar a suficiência.

Enzima	Co-fator vitâmero	Nutriente no co-fator
Eritrócito glutationa redutase, 1.6.4.2*	Flavina adenina dinucleotídeo	Riboflavina
Eritrócito transcetolase, 2.2.1.1*	Pirofosfato de tiamina	Tiamina
Piruvato desidrogenase, 1.2.4.1*	Cocarboxilase (TPP″)	Tiamina
Ácido graxo sintase[1]	Acetil-CoA	Ácido pantotênico
Glicose-6-fosfato desidrogenase, 1.1.1.49	NADP (H)	Niacina
Beta-hidroxiacil-CoA desidrogenase, 1.1.1.35	NADP (H)	Niacina
Lactato desidrogenase, 1.1.1.28	NADH e FAD	Niacina e riboflavina
Piruvato carboxilase, 6.4.1.1	Biotina	Biotina
Eritrócito alanina aminotransferase, 2.6.1.2*	Piridoxal fosfato	Piridoxina
Eritrócito aspartato aminotransferase, 2.6.1.1*	Piridoxal fosfato	Piridoxina
Metionina sintetase, 4.2.99.10	Ácido 5-metiltetraidrofólico	Ácido fólico
Metilmalonil-CoA mutase, 5.4.99.2	Adenosilcobalamina	Vitamina B_{12}
Alfa-carboxilase, 4.1.1.1	Hidroquinona K	Vitamina K
Succínico desidrogenase, 1.3.99.1	CoQ_{10}	Ubiquinona[2]

[1] Complexo multienzimas que difere entre as espécies.

[2] Geralmente não considerado como um vitâmero porque as espécies moleculares dividem um papel antioxidante com outros nutrientes.

Acetil-CoA = acetil coenzima A; FAD = flavina adenina dinucleotídeo; NADH = forma reduzida de nicotinamida adenina dinucleotídeo; NADP = nicotinamida adenina dinucleotídeo fosfato; NADPH = forma reduzida de NADP; TPP″ = pirofosfato de tiamina.

978-85-7241-725-9

A mensuração das atividades séricas de várias enzimas hepáticas é normalmente incluída para se concluir sobre a função e a disfunção do tecido hepático. As atividades séricas elevadas de fosfatase alcalina (FA), aspartato aminotransferase (AST) [antigamente, transaminase glutâmico-oxaloacética sérica (TGOS)] e sorbitol desidrogenase (SDH) (EC 1.1.1.14) hepáticas podem resultar de modificações reversíveis nas membranas hepatocelulares, de lesão estrutural do tecido hepático causada por necrose isquêmica ou colestase, ou de indução enzimática lisossômica. As determinações de gama-glutamiltransferase (GGT) (EC 2.3.2.2), bilirrubina sérica, proteínas séricas, o *clearance* de sulfobromoftaleína (BSP), excretada na bile, e o exame histológico de amostras de biópsia hepática também serão apropriados nos casos suspeitos de disfunção hepatobiliar. Porém, a doença hepatobiliar é rara em eqüinos, a não ser que o duto biliar comum fique obstruído.

A função hepática é também avaliada pelos testes de coagulação plasmática, incluindo o tempo de protrombina e o tempo de tromboplastina parcial (testes de função plaquetária, para os quais há vários instrumentos disponíveis, devem ser avaliados nos casos de problemas de sangramento). A atividade aumentada de enzimas hepáticas no soro pode se originar de perfusão hepática diminuída causando hipóxia. Falha cardíaca, endotoxemia, septicemia, hipotireoidismo e hipertermia podem contribuir com a hipóxia das células hepáticas, mas em geral os valores das enzimas séricas não aumentam mais do que duas a três vezes o valor normal, como resultado dessas causas extra-hepáticas.

Aspartato Aminotransferase (EC 2.6.1.1)

É uma enzima citoplasmática e mitocondrial presente em vários tecidos – fígado e músculos esqueléticos e cardíacos. A sua atividade no soro/plasma é elevada mais rapidamente após a necrose hepática aguda e pode atingir valores de 10 a 40 vezes o normal, chegando ao pico em 12 a 24h e declinando em um período de duas semanas. A enzima pode aumentar após o tratamento com larvicida com tiabendazol e na síndrome hiperlipêmica de pôneis e eqüinos adultos, mas na fibrose hepática crônica a atividade sérica pode ser normal. O autor (observações não publicadas) encontrou valores cronicamente duas a dez vezes o normal em éguas miniatura Shetland com lesão de duto biliar, mas sem hiperlipidemia.

978-85-7241-725-9

Fosfatase Alcalina (EC 3.1.3.1)

É uma enzima ligada à membrana, sintetizada em vários tecidos, notavelmente o tecido ósseo ativo, o fígado, o rim e a mucosa intestinal (atividade específica maior no duodeno), apesar da fonte intestinal não contribuir de forma significativa com a FA total sérica no eqüino. Durante a cólica isquêmica do intestino, a FA intestinal é liberada dentro dos líquidos corpóreos. Uma mensuração disso ajuda tanto no diagnóstico como na decisão sobre uma ação imediata nos casos agudos. A FA intestinal não está ligada à L-fenilalanina, ao passo que outras fontes estão, provendo assim um meio de diferenciação e detecção da cólica isquêmica quando essa isoenzima específica está elevada no líquido peritoneal (Davies *et al.*, 1984). Os valores séricos estão elevados durante o crescimento ósseo como conseqüência da atividade osteoblástica e em eqüinos com hiperparatireoidismo renal, ou com hiperparatireoidismo secundário nutricional na deficiência de Ca ou mesmo de P. Quando a lesão hepática responde pelo aumento, é com freqüência causada pela colestase ou por lesão primária de duto biliar e o nível sérico freqüentemente permanece elevado com a doença crônica grave (ver *Metabolismo ósseo*, adiante).

Sorbitol Desidrogenase (EC 1.1.1.14)

Está concentrada nos hepatócitos e assim é usada para demonstrar a necrose hepática, mas a atividade sérica declina em 2 a 4h após essa necrose do fígado e possui estabilidade relativamente baixa nas amostras estocadas. Todavia, os valores altos indicam necrose hepática aguda e juntamente com uma AST elevada apontam a origem hepática da doença.

Gama-glutamiltransferase (EC 2.3.2.2)

Está ligada às membranas nas células hepáticas, mas também ocorre no rim e no tecido pancreático. Porém, elevadas concentrações séricas são quantificadas quase que totalmente em razão da liberação das células do duto biliar e aumentos séricos resultam de colestase intra e extra-hepática. A colelitíase é uma dessas causas. A fonte de GGT urinária é provavelmente a borda em escovadura do epitélio renal tubular proximal. Elevadas concentrações urinárias podem indicar a disfunção tubular proximal. Rudolph e Corvalan (1992) observaram concentrações urinárias de GGT de 47,6 ± 27,3UI/L em eqüinos positivos para proteinúria e 27,2 ± 17,2UI/L nos negativos (um pouco de proteinúria é conseqüência fisiológica de uma dieta rica em proteína).

Enzimas Séricas e Exercício

Aminotransferase e Creatina Cinase (EC 2.7.3.2)

A AST, a alanina aminotransferase (ALT) (EC 2.6.1.2) e a cretina cinase (CK) podem ser detectadas no soro e nos tecidos do eqüino, apesar das diferentes isoenzimas de AST e ALT serem encontradas na mitocôndria e na porção solúvel do citoplasma celular. Na ausência de lesão tecidual grave, as formas citoplasmáticas predominam no soro. Essas duas enzimas requerem o piridoxil 5'-fosfato como um co-fator para atividade.

Existe uma grande variação individual na atividade sérica normal dessas enzimas e indivíduos com níveis circulatórios aparentemente elevados podem atingir um bom desempenho em corridas. Todavia, se a intenção for determinar se a concentração dentro da circulação periférica de uma transferase, por exemplo, está dentro dos limites fisiológicos e não elevada em concentrações patológicas, uma ampla margem de variabilidade precisa ser permitida, a não ser que existam boas informações prévias disponíveis sobre um eqüino em particular. É também necessário garantir que a apoenzima circulante seja incluída no total. Para isso, o fosfato piridoxal exógeno deve ser incluído no meio de teste (Rej *et al.*, 1990). As concentrações séricas aumentam ligeiramente após o exercício e também estão elevadas nas doenças de dor muscular, azotúria, ou miosite de "atamento".

A rabdomiólise eqüina é uma desordem muscular que resulta em elevados níveis séricos de enzimas musculares, rigidez, queda da performance e/ou claudicação, com freqüência ligeiramente maior em potrancas de dois a três anos de idade do que nos outros eqüinos. As concentrações séricas de enzimas musculares 24h após o exercício podem permitir mais facilmente a diferenciação entre lesão muscular e elevação fisiológica pós-exercício. Os limites superiores com 24h de normalidade podem ser de 100 e 300UI/L para CK e AST, respectivamente. A CK é relativamente músculo-específica e tem um $t_{1/2}$ de cerca de 2h, ao passo que a AST tem um $t_{1/2}$ de sete a oito dias.

Proteínas Plasmáticas

A albumina é a principal proteína plasmática (Tabela 12.3) sintetizada no fígado e determina a pressão osmótica coloidal plasmática. Valores séricos baixos podem indicar que mais da metade do fígado não está funcional há várias semanas, pois a albumina tem uma meia-vida longa no plasma. As causas incluem trauma, má-nutrição, infestações parasitárias, enteropatia de perda protéica e disfunção renal, com elevados níveis urinários, ou circulação hepática ruim decorrente de hipotensão, hipovolemia, ou processos inflamatórios crônicos. A proteína dietética insuficiente tem probabilidade maior de ser a causa da hemoglobina sangüínea reduzida do que uma quantidade relativamente escassa de ferro na dieta, em que as variações dietéticas normais são consideradas.

978-85-7241-725-9

Minerais Plasmáticos

A concentração plasmática de minerais é usada, com precauções consideráveis, para avaliar o estado de nutrientes, incluindo magnésio (Mg), potássio (K) (ver Cap. 3), P, zinco (Zn),

Tabela 12.3 – Concentrações de albumina sérica sangüínea em *Thoroughbred* (TB) determinadas pelo método do sulfato/sulfito de Reinhold (1953).

	Número de amostras	Variação (g/L)	Média (g/L)
Potro	140	12-45	25,8
Doze meses	70	12-42	28,5
Dois anos de idade	120	9,5-42	26,8
Três anos de idade	90	13,5-49	30,3
Quatro anos de idade	52	18-47	29,8
Éguas	32	18,5-52	29,6

selênio (Se), cobre (Cu) e triiodotironina (T_3) e tiroxina (T_4), refletindo o estado de iodo (I). O cromo (Cr) é um componente do fator de tolerância à glicose e há evidência especulativa de que o Cr plasmático deprimido, ou uma medida de sua taxa de excreção renal, possa estar relacionado a essa tolerância e à sensibilidade à insulina. A ferritina sérica fornece um bom índice do Fe hepático e esplênico e pode ser usada para avaliar a estocagem de Fe nos eqüinos. Embora a deficiência de Se seja caracterizada por depressão na concentração sérica do elemento e atividade reduzida da glutationa peroxidase (GSH-Px) sérica contendo Se (EC 1.11.1.9), a situação do Zn não é clara. Em crianças em crescimento, a privação dietética de Zn causa depressão na concentração sérica somente do elemento em que houver proteína dietética suficiente para promover uma taxa de crescimento normal. Em outras espécies, pelo menos, a atividade da FA sérica (EC 3.1.3.1) é sensível ao estado do Zn, pois este é um co-fator. A relação no eqüino não foi estudada com detalhes e a atividade por si só não é específica para o estado do Zn (ver Cap. 3). As concentrações plasmáticas de fosfato inorgânico refletem o consumo dietético de P e no estado deficiente há um *aumento* na atividade da FA plasmática. As mensurações plasmáticas de fosfato inorgânico e Ca são necessárias, juntamente com a mensuração urinária de P, no teste de *clearance* de suficiência de Ca a ser discutido em *Teste de excreção fracionada de eletrólitos urinários (*clearance *de creatinina)*, adiante.

Minerais Intracelulares

Quando há, por exemplo, uma deficiência protéica na dieta, algum sucesso tem sido obtido com a detecção da insuficiência de Zn pela mensuração do conteúdo de Zn mais instável dos leucócitos (Tabela 12.4). A razão para isso é que o Zn é um co-fator da superóxido dismutase celular (SOD) (EC 1.15.1.1). Existem duas formas conhecidas dessa enzima: uma contém Cu-Zn e é encontrada no citoplasma da maioria das células e a outra contém Mn e está presente no compartimento mitocondrial das células. A mensuração da atividade leucocitária da SOD (EC 1.15.1.1), ou do conteúdo celular de Zn e Mn, que tende a refletir a atividade da enzima, é uma medida da suficiência desses elementos. Por razões semelhantes, a mensuração do cobre leucocitário ou plaquetário, requerido como co-fator na citocromo-c oxidase (CCO, EC 1.9.3.1), ou a atividade celular da CCO, informa a medida do estado de cobre. O cobre plasmático está amplamente presente na ceruloplasmina (EC 1.16.3.1), uma proteína de fase aguda, cuja concentração está relacionada ao processo inflamatório. Portanto, a concentração de cobre plasmático não está relacionada ao seu estado.

978-85-7241-725-9

Vitaminas Lipo e Hidrossolúveis

Entre as vitaminas lipossolúveis, a mensuração do alfa-tocoferol plasmático em relação aos lipídeos plasmáticos é uma medida do estado de estocagem e alcanos elevados na respiração indicam deficiência. A deficiência de vitamina E e/ou Se pode causar lesão muscular e hepática que não causa especificamente um aumento na atividade de certas enzimas

Tabela 12.4 – Variação do conteúdo de cobre (Cu) e zinco (Zn) leucocitário em sete pôneis Shetland recebendo somente feno ruim, antes e depois da suplementação com Cu e Zn por 50 dias (observações não publicadas pelo autor, pelo método de Williams *et al.*, 1995).

	Cu (μg/10^{-9} células)	Zn (μg/10^{-9} células)
Antes da suplementação	0,11-0,18	2,57-6,25
Depois da suplementação	0,4-2,86	2,57-10,57

plasmáticas, particularmente AST e CK, em razão do extravasamento das células teciduais relacionadas. Porém, uma medida mais específica da suficiência é a determinação da fragilidade das hemácias na presença de ácido dialúrico ou peróxido de hidrogênio (ver Cap. 4).

O controle hemostático de diversos componentes sangüíneos e a interação de vários nutrientes demonstram que as variações nas concentrações sangüíneas requerem interpretação cuidadosa. A concentração de retinol plasmático (vitamina A) é apenas marginalmente informativa. Porém, a concentração de vitamina A no fígado varia de forma mais íntima com o consumo dietético de vitamina A. O tecido hepático não é facilmente acessado e uma medida alternativa sensível da suficiência da vitamina A é a resposta à dose relativa (RDR), determinada no sangue jugular do eqüino e discutida no Capítulo 4. A deficiência de vitamina D ocorre somente nos eqüinos confinados por longos períodos, por exemplo, *pit* pôneis, ou naqueles em latitudes muito ao norte no inverno. O estado pode ser avaliado pela concentração plasmática de 25-(OH)-D_3, possivelmente em conjunto com a atividade da FA sérica (EC 3.1.3.1). A determinação do tempo de protrombina sangüínea como medida do estado de vitamina K é discutida no Capítulo 11. Tempos elevados em geral indicam uso errado de antibióticos, causando a síntese intestinal reduzida da vitamina.

Entre as vitaminas B, métodos rápidos e rotineiros estão agora disponíveis para avaliação da vitamina B_{12} (cianocobalamina) sangüínea total ou B_{12} eritrocítica e do ácido fólico dos leucócitos, que, na experiência do autor, refletem claramente a dieta. Os testes séricos de ácido fólico com freqüência não diferenciam entre as formas oxidadas e as reduzidas e assim uma deficiência da forma ativa, reduzida, pode ser mascarada. Piercy *et al.* (2002) superaram isso tanto ao mensurar a concentração de folato das hemácias quanto ao realizar a cromatografia líquida de alta performance (CLAP) para determinar as proporções relativas das formas ativa e inativa (ver Cap. 4).

No homem, os indicadores mais sensíveis para detecção e separação das deficiências de B_{12} e folato são as mensurações das concentrações de metilmalonato e homocisteína na urina e no sangue. A elevação desses dois metabólitos indica deficiência de B_{12} e uma elevação somente da homocisteína indica deficiência de folato. Entre as outras vitaminas B, os métodos foram desenvolvidos de forma bem sucedida para avaliação da suficiência de tiamina, riboflavina e piridoxina por meio da mensuração do coeficiente de atividade das enzimas apropriadas discutidas em *Dieta e atividade enzimática*, neste capítulo. A atividade por si só (não o coeficiente) de uma transaminase nas hemácias de porcas foi proposta como bom indicador do estado de piridoxina. A atividade *sérica* de AST (EC 2.6.1.1), rotineiramente mensurada em eqüinos, é muito influenciada pela extensão de extravasamento das células hepáticas e musculares e por isso a atividade nas hemácias eqüinas pode refletir o estado de piridoxina. A biotina, um co-fator nas carboxilases, é avaliada em seres humanos a partir das concentrações de biotina no sangue total ou na urina.

978-85-7241-725-9

Testes para Doenças Hepáticas e Renais

Uréia Sangüínea

A uréia se origina da amônia e, apesar do fígado ter uma ampla capacidade extra para sua síntese, os valores de uréia sangüínea podem cair pela metade do normal com doença hepática crônica grave. Os valores sangüíneos também irão aumentar quando os consumos diários de proteína excederem os requerimentos do National Research Council (NRC) em uma ampla margem, ocorrência freqüente em *Thoroughbred* (TB) durante o treinamento. Todavia, muita amônia produzida durante o exercício tem uma origem diferente (ver *Amônia e o veículo alanina*, Cap. 9).

Amônia Sangüínea

A amônia sangüínea pode se originar da ação da urease bacteriana sobre a uréia no intestino, apesar de muito dessa amônia ser reutilizado na síntese protéica bacteriana. A amônia também resulta da desaminação dos aminoácidos. A amônia é convertida em uréia no fígado, mas níveis plasmáticos aumentados foram observados na encefalopatia hepática. A variação de valores normais é de 80 a 160µg/L. Porém, como as amostras de sangue precisam ser colocadas no gelo (não gelo seco) imediatamente após a coleta e o plasma separado dentro de 30min, sua mensuração é problemática do ponto de vista prático.

Encefalopatia Hepática

A encefalopatia hepática é uma disfunção neurológica resultante de doença hepática aguda ou crônica, caracterizada por depressão, freqüente deambulação, fasciculações musculares, coordenação ruim, pressão da cabeça e perda de força e postura. Está associada com elevada concentração de amônia sangüínea, baixa glicose sangüínea e níveis aumentados de ácidos graxos voláteis (AGV) sangüíneos.

Ácidos Biliares

Cerca de 75% dos ácidos biliares no eqüino são quantificados como ácido quenodeoxicólico. Aproximadamente 85% desses ácidos biliares são conjugados em taurina e o remanescente em glicina. O conteúdo plasmático de ácidos biliares totais, determinado pela CLAP, aumenta ligeiramente 2 a 6h após a alimentação, principalmente em razão de um aumento na produção de ácido glicocólico. Falha hepática, obstrução do fluxo de bile, ou anastomoses vasculares causam aumento dos ácidos biliares plasmáticos, pois uma proporção daqueles absorvidos a partir do intestino não é removida pelo fígado para a nova secreção. As concentrações normais de ácidos biliares séricos podem ser de até 12µmol/L, aproximadamente, e em eqüinos com sinais clínicos de doença hepática a concentração sérica pode ser de mais do dobro desse nível.

Bilirrubina

A bilirrubina é sintetizada a partir da degradação das hemoproteínas das hemácias nas células reticuloendoteliais do baço e do fígado. A bilirrubina conjugada com o ácido glicurônico é excretada na bile, exceto se ocorrer obstrução hepatobiliar e desenvolvimento de icterícia. A icterícia é aparente quando a concentração de bilirrubina plasmática total excede 34µmol/L (20mg/L). Em geral, a FA e a GGT também estão elevadas. A hiperbilirrubinemia de jejum pode ocorrer no eqüino, possivelmente causada por uma redução no fluxo sangüíneo hepático.

Função do Sistema Reticuloendotelial

As células do sistema reticuloendotelial têm várias funções. Atuam como uma peneira, protegendo a circulação sangüínea sistêmica de alguns produtos carreados para o fígado pelo sistema porta. Esses produtos incluem antígenos bacterianos de origem intestinal e as

978-85-7241-725-9

enterotoxinas e endotoxinas resultantes da sobrecarga de grãos. Acredita-se que se houver um desequilíbrio ácido-base sistêmico e a perfusão hepática puder estar comprometida, a peneira será então parcialmente desviada, podendo resultar em endotoxemia clínica.

Depósitos de Urina Cristalina

A urolitíase é incomum no eqüino apesar da supersaturação da urina eqüina com carbonato de cálcio. O local mais comum de formação de cálculos é a bexiga urinária e cálculos uretrais foram citados, ao passo que os cálculos renais e ureterais são raros. O carbonato de cálcio é o mineral predominante dos cálculos urinários eqüinos, apesar de existirem os tipos oxalato e fosfato. Os cálculos no eqüino podem resultar da mineralização de um núcleo, possivelmente decorrente de uma doença anterior, como pielonefrite, necrose papilar renal, ou necrose tubular. Em outras espécies, a urolitíase se desenvolve tipicamente com dietas com baixa relação de Ca:P e conteúdos de Mg excessivamente elevados, ou baixos. A baixa relação de Ca:P ativa a secreção de calcitonina, a mobilização óssea e a calcificação de tecidos moles, causando nefrocalcinose e urolitíase. A situação no eqüino difere quanto ao fato de que a urina é normalmente supersaturada com sais de Ca e formadores persistentes de pedras podem necessitar de algum inibidor de cristalização.

Teste de Excreção Fracionada de Eletrólitos Urinários (*Clearance* de Creatinina)

O estado de eletrólitos é uma função da absorção intestinal, reabsorção dos túbulos renais, deposição e mobilização tecidual, perdas pelo suor e excreção renal. As concentrações séricas ou plasmáticas de eletrólitos podem não ser usadas para detectar o desequilíbrio eletrolítico em razão dos eficientes mecanismos hemostáticos que mantêm concentrações sangüíneas relativamente normais apesar da extrema depleção corpórea. A homeostase é mediada principalmente pelo rim, de forma que a quantidade de um eletrólito excretada por dia varia com o estado corpóreo. Porém, o volume diário de urina varia de modo considerável entre indivíduos e por isso a concentração de um eletrólito na urina não é um guia confiável para estabelecer o estado nutricional. A coleta das perdas urinárias por um período de vários dias indicaria as quantidades excedentes ao requerimento, mas tal coleta prolongada é impraticável. A concentração urinária de um eletrólito é, por isso, relacionada a uma substância controle. Essa substância deve:

1. Ter uma taxa de excreção similar à taxa de filtração glomerular.
2. Não ser secretada ou reabsorvida pelos túbulos renais.

A creatinina, o produto de excreção do metabolismo de creatina, preenche esses requerimentos razoavelmente bem e a excreção fracionada de eletrólitos (EFE) é mensurada como relação de *clearance* de creatinina (creatinina renal apresenta média de $1{,}15 \pm 0{,}41$mg/kg de PC/hora; Meyer, 1990). As concentrações de creatinina menores que 9.000µmol/L nas amostras urinárias podem indicar contaminação da amostra ou excessivo consumo de sal, causando polidipsia/poliúria, e por isso os valores de EFE obtidos não devem ser aceitos, apesar dos baixos valores em eqüinos com menos de 18 meses de idade indicarem anormalidade fisiológica (P. A. Harris, 1996, comunicação pessoal).

978-85-7241-725-9

978-85-7241-725-9

Uma amostra de urina e uma amostra de soro são necessárias. A amostra de urina deve ser obtida sem recorrer ao uso de diuréticos porque afetam as perdas de Na e, em menor extensão, de K e cloreto. O *clearance* de um eletrólito é igual à concentração na urina multiplicada pelo volume de urina dividido pela concentração no soro. A relação do *clearance* é o *clearance* do eletrólito dividido pelo *clearance* de creatinina. Nessa relação, o volume de urina é cancelado e não necessita ser mensurado. A equação para a qual os determinantes são requeridos é fornecida a seguir:

$$\text{Percentual do } \textit{clearance} \text{ eletrolítico (\% de creatinina)} = \frac{[E]_u \times [Creat]_s}{[E]_s \times [Creat]_u} \times 100$$

Em que $[E]_u$ é a concentração do eletrólito na urina, $[E]_s$ é a concentração do eletrólito no soro, $[Creat]_s$ é a concentração de creatinina no soro e $[Creat]_u$ é a concentração de creatinina na urina.

Rações ricas em concentrados tendem a promover um *clearance* aumentado de fosfato e um *clearance* reduzido de K, ocorrendo o inverso com as rações ricas em forrageiras. Esses efeitos são bem normais. O *clearance* de K, juntamente com as mensurações do pH sangüíneo e urinário, é útil na avaliação do tipo de acidose e na avaliação da depleção de K nos eqüinos exauridos, pois a excreção urinária de íons K e H tende a desencadear uma relação recíproca. O *clearance* de K é reduzido na laminite crônica. Observe que mesmo a hemólise sangüínea leve pode aumentar o K plasmático e por isso produzir falsamente baixos valores de EFE. Um elevado *clearance* de Na pode indicar seu consumo excessivo na forma de sal comum, doença de Addison, desidratação, ou mau funcionamento tubular.

Em razão do ritmo circadiano da excreção de eletrólitos, referido em *Variabilidade dos valores mensurados*, anteriormente, é ideal que a relação de EFE seja mensurada pelo menos três vezes durante um período de 24h. As amostras sérica e urinária não precisam ser obtidas de forma simultânea, mas as amostras devem ser obtidas antes da refeição e do exercício. As concentrações urinárias reduzidas de Mg e Ca ocorrem logo antes e depois da alimentação, com valores máximos 4 a 8h após a refeição. A amostra sérica deve ser estéril e a de urina o mais próximo possível da esterilidade. A amostra de urina pode se beneficiar de algumas informações e deve estar de acordo com as seguintes restrições (P. A. Harris, Animal Health Trust, Newmarket, comunicação pessoal; Meyer, 1990):

- As amostras devem ser livremente expelidas, usando-se um frasco coletor antes do exercício (produto inteiro da micção). Passear com o cavalo lentamente logo pela manhã enquanto seu estábulo é limpo e é recolocada nova cama pode promover a urinação no retorno. Se for necessária a cateterização, potras e éguas devem ser sangradas primeiro e então submetidas a um curto trote estimulante antes da amostragem. A cateterização diminuirá o risco de contaminação e assim será útil. As concentrações plasmáticas de K também diminuem durante a alimentação e aumentam até um pico várias horas após a ingestão.
- Meyer (1990) observou que a concentração média urinária de creatinina tendeu a ser menor durante as primeiras 2h após a alimentação. Assim, para avaliação da suficiência dietética pela mensuração da relação, as medidas devem ser feitas antes ou nos seguintes momentos após uma refeição:
  - 3h para Na.
  - 6 a 10h para cloro (Cl).

  - 3 a 8h para K.
  - 4 a 8h para Ca.
- Existe pouca diferença entre as porções iniciais, médias, ou posteriores do filete de urina eliminado espontaneamente na EFE de Na, K, PO_4 e Cl, mas para o Ca deve-se coletar toda a amostra de urina eliminada. Em razão da supersaturação do Ca urinário, uma amostragem confiável de urina para o *clearance* de Ca pode não ser obtida de modo satisfatório. A quantidade de precipitado de Ca eliminado em qualquer momento não é previsível. Porém, se um baixo valor de Ca urinário for suportado por um baixo valor de Mg, há forte evidência de deficiência de Ca dietético e possivelmente uma deficiência de Mg. A razão para isso é que o Mg é mais solúvel, de modo que os valores urinários são mais confiáveis e o Mg responde de forma paralela à do Ca. O teste de EFE pode não ser usado para monitorar baixos consumos de fosfato.
- Se uma demora entre a coleta e a análise for inevitável, há pouca alteração na concentração de Na, K e Cl no plasma, ou na urina, com a estocagem a 18°C, 4°C ou -20°C. Porém, ocorrem modificações consideráveis nas concentrações de Ca, PO_4 e creatinina, especialmente a 18°C. A higiene é importante. As amostras devem ser transportadas em recipientes tampados estéreis e estocadas a 3 a 4°C por curtos períodos ou a -20°C por períodos mais longos. Ca, PO_4 e creatinina devem ser analisados o mais rápido possível, isto é, dentro de quatro dias.
- Para as determinações urinárias de Ca, misturar bem e usar o espectrofotômetro de absorção atômica por chama, pois os métodos colorimétricos usados para as amostras de soro e plasma são inadequados.
- As amostras coletadas durante ou logo após um episódio de rabdomiólise eqüina não refletem o estado eletrolítico em razão dos distúrbios circulatórios e da concentração plasmática aumentada de mioglobina que pode afetar a função renal. As amostras com um pH de 6 ou menos, ou aquelas que são positivas para glicose, sangue, mioglobina e/ou hemoglobina são inadequadas. Um baixo pH urinário é acompanhado pelo aumento na excreção de Ca e Mg, fornecendo valores de EFE falsamente elevados de Ca e Mg. O pH sangüíneo e urinário pode estar reduzido em uma dieta rica em amido, produzindo elevados *clearances* urinários de Ca e P, não relacionados às alterações no equilíbrio dietético cátion-ânion (EDCA) (ver Cap. 9).

Efeito da Dieta na Excreção Fracionada de Eletrólitos

As dietas com uma relação de Ca:P de 1:1, ou menor, produzem elevada EFE de PO_4, ao passo que o consumo inadequado de Ca e baixo Na causam baixas EFE de Ca e de Na. Os valores da relação de *clearance* normal são fornecidos na Tabela 12.5. Freqüentemente, TB em treinamento pesado no Reino Unido parecem estar recebendo Ca e Na inadequados, refletidos nos baixos valores de EFE para o Na e elevados para o PO_4. Porém, não é claro se existe qualquer relação entre essas insuficiências e a freqüência de rigidez muscular, pois experimentos definitivos apropriados não parecem ter sido conduzidos.

DIETAS PARA A DOENÇA HEPÁTICA

As causas dietéticas de doença hepática incluem a aflatoxina, de grãos infectados com fungos e concentrados protéicos (especialmente amendoins), e envenenamento pelo alcalóide

Tabela 12.5 – Variações de referências normais interquartil (25 a 75%) para porcentagem (%) de excreção fracionada de eletrólitos (EFE) (ou *clearance* de creatinina, porcentagem de eletrólito) de eqüinos adultos em repouso e em atividade, originadas de amostras pequenas (P. A. Harris, comunicação pessoal)* e de um intervalo médio publicado.

Eletrólito	% de EFE de uma dieta baseada em grãos*	% de EFE de uma dieta de feno e compostos balanceados*	% de EFE publicada
PO_4	0 - 0,5	0 - 0,2	0,04 - 1,19
Na	0,02 - 1	0,04 - 0,52	0,01 - 1
K	15 - 65	35 - 80	15 - 75
Cl	0,04 - 1,6	0,7 - 2,1	0,04 - 1,65
Ca		> 7 (8 - 24)	
Mg		>15	

978-85-7241-725-9

pirrolizidina das espécies *Senecio* e *Crotalaria*. A terapia de suporte tem por objetivo permitir tempo de regeneração aos hepatócitos. Isso pode inicialmente envolver a administração intravenosa de glicose, seguida de alimentação enteral de glicose. Para eqüinos sofrendo de grave disfunção hepática, o manejo dietético deve garantir o seguinte:

- A ração deve ser dividida em pelos menos três refeições diárias.
- A ração deve conter suficiente proteína de maior qualidade, mas sem quantidades excessivas.
- Um suplemento dos aminoácidos glicogênicos de cadeia ramificada isoleucina e valina (1g/kg da dieta de cada um) pode ajudar.
- Fontes de fibras solúveis, como pectina cítrica e polpa de beterraba, são úteis, juntamente com farinha de soja, cascas de soja e outras fontes de fibras insolúveis e um nível moderado de fontes de amidos cozidos.
- Suplementos de gordura não devem ser adicionados na dieta (apesar de ser o caso de gorduras contendo ácidos graxos n-3, como por exemplo, óleo de peixe).
- Suplementos de vitamina E (1.500UI/dia) e de uma vitamina hidrossolúvel B, incluindo 1.000mg de colina/kg de dieta, são recomendados.
- Um suplemento de 0,5kg de DL-metionina/tonelada tem sido recomendado. Existe, porém, alguma evidência de que a metionina dietética excessiva é convertida pelas bactérias intestinais em mercáptans. Após a absorção, um fígado doente é incapaz de limpar esses metabólitos bacterianos de forma adequada e, atuando com a amônia, podem causar sinais de encefalopatia. Infelizmente, os mercáptans são também originados da cistina, portanto, se a evidência for confiável, a dieta basal deve ser relativamente pobre em aminoácidos sulfúricos totais, isto é, não mais do que 3,5g/kg de dieta. Se a metionina tiver de ser adicionada, deve idealmente ser o L-alfa-isômero (preferencialmente ao DL-), incluído em uma concentração de 0,25kg/tonelada (o autor nunca observou a encefalopatia resultante de suplementos de metionina em eqüinos com fígados comprometidos e assim o risco pode ser pequeno).

DIETAS PARA A DOENÇA RENAL

A disfunção e a falência renal podem ser causadas por qualquer condição aguda causando grave redução na taxa de filtração glomerular. Isso pode ser induzido por choque, fluxo sangüíneo renal prejudicado, trauma e hemorragia, grave desidratação, obstrução da uretra, reações de hipersensibilidade, certas toxinas bacterianas e fúngicas e consumo de sais metálicos em particular, incluindo os de mercúrio, chumbo, arsênico e cromo hexavalente (ver Cap. 3).

A falência renal pode causar acidose metabólica, por isso a dieta deve ter como objetivo a prevenção de um baixo pH urinário. A proteína dietética é igual à descrita para a doença hepática (ver *Dietas para a doença hepática*, anteriormente), com ênfase em proteínas de excelente equilíbrio de aminoácidos, fornecida em quantidades adequadas, mas não excessivas. Assim, a desaminação e a uremia serão minimizadas. Uma dieta cozida, rica em carboidratos, deve ser fornecida para prover um adequado suprimento energético, evitando o catabolismo protéico endógeno. O P dietético não deve ser excessivo e a relação de Ca:P deve ser de 2:1. Os suplementos de cloreto de sódio não são fornecidos em quantidades excessivas e os diuréticos devem ser evitados. A retenção de potássio pode ocorrer, implicando em controle sobre o potássio dietético. Gramíneas e outros materiais crus conhecidos por conterem oxalatos devem ser excluídos e um suplemento de piridoxina poderia ser fornecido. Disponibilizar água fresca em todos os momentos. Monitorar uréia e amônia sangüíneas nas disfunções renal e hepática.

METABOLISMO ÓSSEO

As doenças esqueléticas são comuns em rebanhos jovens em crescimento e a claudicação crônica e não específica em adultos algumas vezes expressa o hiperparatireoidismo secundário nutricional, de longe a causa mais comum da nutrição errônea de Ca e P e um equilíbrio inapropriado entre esses dois minerais. Por isso, é necessário um meio simples de avaliar a suficiência de Ca. As concentrações de Ca no soro variam em pequeno grau em relação ao consumo de Ca e se forem mensuradas em muitos eqüinos, diferenças significativas podem ser detectadas entre os grupos deficientes e os normais (ver Cap. 3). Porém, o método é insuficientemente sensível para ser de uso prático. A maior sensibilidade é obtida com as relações do *clearance* de creatinina. O eqüino parece regular o Ca sérico mais pela excreção renal do que controlando a absorção intestinal. Os túbulos proximais intactos são necessários para a reabsorção de P e a excreção de Ca. Na falência renal, o Ca sérico está aumentado e o P deprimido. O rim em completo funcionamento, por outro lado, excreta o excesso de Ca na urina e por isso um consumo inadequado poderia ser revelado por uma excreção urinária reduzida, se não fosse o fato de que o Ca se sedimenta na urina eqüina, por sua natureza alcalina. Estimativas repetíveis do conteúdo de Ca na urina não podem por isso ser prontamente atingidas.

O *clearance* de fosfato pode cair a zero se a dieta for apenas marginalmente adequada em P e estará aumentado quando o consumo for muito além do necessário, ou quando o eqüino estiver sofrendo de hiperparatireoidismo secundário nutricional. Um consumo dietético inadequado de Ca estimula a secreção do paratormônio (PTH), o qual aumenta a reabsorção de Ca pelos túbulos renais, mobiliza o Ca ósseo e aumenta a perda de fosfato pelos túbulos por meio da diminuição da reabsorção tubular de fosfato (ver texto sobre vitamina D, Cap. 4). O efeito líquido disso é estabilizar a concentração ionizada de Ca sérico e deprimir o fosfato sérico. As concentrações de Ca no soro tendem a estar abaixo da média, mas ainda dentro do intervalo normal. Um *clearance* de fosfato aumentado com um Ca sérico normal ou ligeiramente reduzido é, por isso, freqüentemente indicativo do Ca dietético insuficiente quando outras causas tiverem sido desconsideradas. O método, todavia, tem seus limites.

978-85-7241-725-9

A mensuração das alterações na taxa de metabolismo ósseo seria útil na avaliação do modelamento e remodelamento ósseo durante o treinamento, na detecção de casos de osteocondrite dissecante (OCD), ou em estágios iniciais de outras doenças ósseas e durante o reparo de fraturas. A FA óssea é uma enzima localizada na superfície celular dos osteoblastos e tem um importante papel na formação óssea. Responde por aproximadamente 60% da atividade da FA circulante nos eqüinos de menos de um ano de idade e responde por cerca de 20% naqueles com mais de cinco anos. A separação da isoforma óssea é por isso necessária na detecção de modificações no metabolismo ósseo.

Price *et al.* (1995) reportaram procedimentos para a mensuração da FA óssea no soro por meio da sua precipitação com a lecitina do gérmen de trigo (a FA hepática se liga ao gérmen de trigo no homem, mas não no eqüino, e dois terços da FA cecal se ligam no eqüino, mas não aparecem no sangue). Essa ligação depende do número de unidades de carboidratos na cadeia lateral da enzima e, apesar de existirem dois ou três isótipos dentro de cada tecido de origem, o procedimento segregará as fontes teciduais. Usando o radioimunoensaio, Price *et al.* (1995) também mensuraram o propeptídeo carboxi-terminal do procolágeno de tipo I (PICP) e os domínios do telopeptídeo de ligação cruzada piridinolina sérica (telopeptídeo carboxi-terminal do colágeno de tipo I [ICTP]). O ICTP é liberado no soro durante a degradação de colágeno da reabsorção óssea no homem e é um precursor das ligações cruzadas da piridinolina na urina. Esses determinantes estão todos associados com o modelamento ósseo e são quantitativa e inversamente correlacionados à idade, pelo menos em eqüinos de até cinco anos (Tabela 12.6). Os desvios desses intervalos provavelmente indicam o metabolismo ósseo, relacionado a doença ou reparo ósseos, e com a determinação paralela de outros parâmetros, em particular o *clearance* de Ca e P, as informações terão valor diagnóstico considerável. O colágeno do tipo I também ocorre na pele, nos tendões e nos ligamentos, mas a proporção no *pool* sérico, derivado dessas fontes, parece ser pequena e a inflamação dos tendões no eqüino é relacionada com freqüência à reabsorção óssea.

A osteocalcina tem sido usada para mensurar o metabolismo ósseo, mas a molécula é extremamente lábil e os valores dos testes em diferentes laboratórios variaram de forma considerável (ver *Crescimento tardio e alterações de conformação*, Cap. 8).

OUTROS TESTES

Análise dos Pêlos

A análise química das amostras de pêlos foi sugerida como meio de mensurar os consumos de proteínas, minerais, oligoelementos minerais e metais pesados tóxicos. O autor encontrou

Tabela 12.6 – Intervalo de valores de referência no soro de eqüinos sadios para propeptídeo carboxiterminal do procolágeno de tipo I (PICP), telopeptídeo carboxi-terminal do colágeno de tipo I (ICTP), fosfatase alcalina (FA) óssea e total (segundo Price *et al.*, 1995).

Grupo etário (anos de idade)	PICP (μ/L)	ICTP (μ/L)	FA óssea (μ/L)	FA total (μ/L)
< 1	1.216-2.666	14-27	134-288	223-498
1-2	550-1.472	8-23	33-125	134-238
3-4	248-925	6-15	25-70	101-203
5-20	136-394	0-9	13-47	91-352

978-85-7241-725-9

quantidades aumentadas de chumbo no pêlo oriundas da toxicose por esse metal. Porém, a composição mineral é influenciada pela coloração do pêlo (Hintz, 1980b) e o consumo de minerais e oligoelementos minerais pode ser quantificado de modo mais confiável por outros meios. O diâmetro do bulbo do pêlo nos eqüinos sob uma variedade de condições foi usado de forma bem sucedida na avaliação da suficiência protéica dietética (Godbee *et al.*, 1979).

Tolerância ao Açúcar (Diferente do Teste de Tolerância à Glicose)

Os testes de absorção de glicose e xilose são usados para mensurar a função grosseira do intestino grosso. O procedimento recomendado é fornecer 0,5g de D(+)xilose/kg de PC em uma solução a 10% via sonda nasogástrica. Ao mensurar o pico de concentração de xilose plasmática após 90min é possível discriminar entre absorção normal e anormal. O animal-controle normal também deve ser mensurado sob as mesmas condições. Um teste de tolerância oral de lactose (1g/kg de PC, como uma solução a 20%) pode ajudar a determinar lesão de mucosa do intestino delgado em potros com diarréia, quando a ingestão continuada de lactose pode ser deletéria (Roberts, 1975a,b; ver Cap. 1).

Testes de Alérgenos Alimentares

Os testes de alérgenos alimentares têm sido usados em eqüinos de forma bem sucedida pelo autor para determinar se o alimento é a causa de certos edemas de pele e irregularidades respiratórias. O eqüino parece ser propenso a tais reações, mas as reações cruzadas entre os alimentos devem ser esperadas. Os testes de sangue e de pele são apropriados na detecção de alérgenos dietéticos e fúngicos, apesar do teste de pele intradérmico ter mostrado menor repetibilidade (Lebis *et al.*, 2002). Todavia, o método detectou uma resposta positiva ao *Culex pipiens* (mosquito comum cinza) e ao *Dermatophagoides farinae* (acarino sarcoptiforme) em eqüinos com sinais dérmicos de origem supostamente alérgica.

Hematologia

A mensuração do número de hemácias e leucócitos tem sido usada nas avaliações de ácido fólico, vitamina B_{12} e proteínas. Para uma estabilidade, as amostras devem ser obtidas imediatamente após o exercício extremo; menores parâmetros eritrocíticos são esperados para pôneis e eqüinos de sangue frio. Valores normais são também influenciados por sexo, idade, estábulo e estação do ano e, entre os eqüinos de corrida, pelo nível de treinamento. Métodos mais sensíveis de avaliação do estado de vitamina B_{12} e ácido fólico são sugeridos em *Vitaminas lipo e hidrossolúveis*, anteriormente.

Estado de Potássio

A mensuração da $[K^+]$ nas hemácias deve ser realizada dentro de 2h após a remoção do sangue do eqüino. A energia metabólica requerida para o transporte ativo de K^+ não é gerada nas amostras de sangue estocadas no refrigerador e em conseqüência o K^+ extravasa por difusão das células e o Na^+ penetra suas membranas. Esse movimento pode ser revertido pela incubação do sangue com glicose ou, de fato, pela nova injeção da célula na circulação (ver Cap. 11).

978-85-7241-725-9

Tabela 12.7 – Seqüência de procedimentos para investigação das possíveis causas dos sinais indicando possível anomalia nutricional em eqüinos, registrada de forma descritiva e fotográfica, com tempos e datas.

Seqüência de ações iniciais	Registros a serem mantidos	Seqüência de investigações laboratoriais
(1) Exame dos eqüinos, interação social, coleta de amostras teciduais, terapia imediata	Sinais anormais e distribuição etária	Hematologia e bioquímica rotineira, preservar amostras para exame posterior
(2) Exame de ruminantes pastando no mesmo local	Sinais associados	Se necessário, valores sangüíneos de rotina
(3) Exame de estábulo/padoques	Água, ervas, poluentes, cama, venenos, materiais de superfície, poeira	Identificação de plantas, poluentes e substâncias venenosas
(4) Coleta de amostras de todos os alimentos, incluindo pasto	Exame físico, composição de ingredientes, calcular níveis de nutrientes e consumos	Análise alimentar em busca de metais pesados, drogas, oligoelementos minerais, gorduras, toxinas naturais
(5) Coleta de amostras alimentares e registros prévios	Calcular os supostos consumos alimentares	Calcular os consumos crônicos de nutrientes e tóxicos
		Determinações não rotineiras específicas nas amostras iniciais
(6) Teste de tratamentos corretivos presuntivos na seqüência ou em subgrupos selecionados de eqüinos	Resultados clínicos	Determinar qualquer modificação nos valores das amostras frescas, previamente anormais

PROCEDIMENTOS PARA DETERMINAÇÃO DAS CAUSAS DE PROBLEMAS NUTRICIONAIS E DIETÉTICOS SUSPEITADOS

Os procedimentos para determinar as causas de problemas nutricionais e dietéticos suspeitados variam de acordo com o grau de confiabilidade da informação disponível e com a existência ou não de uma justificativa para determinação das causas ao invés da simples substituição de um sistema de alimentação inadequado por um sistema provado. Um procedimento proposto é fornecido na Tabela 12.7.

QUESTÕES PARA ESTUDO

1. Construa uma "árvore de decisões" e procedimentos que você adotaria para determinar as causas de um problema nutricional induzido pela dieta.
2. Como você apresentaria a alimentação e o manejo de um eqüino com função hepática ruim?

LEITURA COMPLEMENTAR

Greppi, G. F., Casini, L., Gatta, D., Orlandi, M., Pasquini, M. (1996) Daily fluctuations of haematology and blood biochemistry in horses fed varying levels of protein. *Equine Veterinary Journal*, **28**, 350-53.

Price, J. S., Jackson, B., Eastell, R., et al. (1995) Age related changes in biochemical markers of bone metabolism in horses. *Equine Veterinary Journal*, **27**, 201-207.

APÊNDICE A

Exemplos de Cálculos da Composição Dietética Requerida para uma Égua de 400kg no quarto Mês de Lactação

(1) Para calcular as proporções de feno e de concentrado na dieta total, divida o consumo energético diário requerido (MJ/dia) pelo consumo de alimento total diário desejável (88% de matéria seca [MS]) para se obter a densidade energética média da dieta total. Então, forme uma equação simples contendo as densidades de energia das forrageiras e de cereais disponíveis (88% de MS).

Energia diária requerida	84,5MJ de energia digestível (ED)/dia
Consumo de alimento total desejável	9kg
Aveias	12,1MJ de ED/kg
Feno	7,3MJ de ED/kg

978-85-7241-725-9

Deixe o x ser proporção do cereal na dieta e $1 - x$ ser a proporção de feno.

$12{,}1x + 7{,}3\ (1 - x) = 84{,}5/9$
$12{,}1x + 7{,}3 - 7{,}3\ x = 9{,}39$MJ de ED/kg
$4{,}8x = (9{,}39 - 7{,}3)$ MJ de ED/kg
$x = 2{,}09/4{,}8 = 0{,}435$ ou 43,5% de aveias (435g/kg)

Se 43,5% da dieta forem de aveia, então 56,5% é de feno.

(2) Agora calcule os conteúdos de proteínas, cálcio (Ca) e fósforo (P) dessa mistura simples a partir da informação fornecida no Apêndice C.

Aveias (12,1MJ de ED) contêm (por kg):

95g	proteína bruta
0,8g	Ca
3,3g	P

Feno (7,3MJ de ED) contém (por kg):

55g	proteína bruta
3,5g	Ca
1,7g	P

Composição dietética inicial (g):

	Proteína bruta	Ca	P
Contribuídos pela aveia: 43,5/100 × cada valor de aveia anterior	41,3	0,35	1,44
Contribuído pelo feno: 56,5/100 × cada valor de feno anterior	31,1	1,98	0,96
Composição inicial total (g/kg)	72,4	2,33	2,4
Requerimento (g/kg)	120	5	3
Déficit de minerais (g/kg)	–	2,67	0,6

Agora calcule quanto de farelo de soja é necessário para melhorar o déficit de proteínas (outros concentrados protéicos poderiam ser usados em quantidades inversamente proporcionais aos conteúdos de lisina da fonte protéica em consideração e daquela de soja). Devem ser ofertados cerca de 2 a 3g a mais de proteínas do que o requerido, porque os minerais também serão adicionados à dieta. O farelo de soja a partir do Apêndice C contém 440g de proteína bruta/kg. Como antes:

$72{,}4x + 440\ (1 - x) = 120 + 3$g de proteína bruta/kg
$72{,}4x + 440 - 440\ x = 123$g/kg
$-367{,}6x = -317$ g/kg

Troque os sinais de ambos os lados.

$x = 0{,}862$ ou 86,2% de aveias mais feno e por isso (100 - 86,2) a soja forma o remanescente, isto é, 13,8% de farelo de soja.

A soja contém mais energia do que aveias e feno, mas isso será aproximadamente compensado pela completa ausência de energia no suplemento mineral e vitamínico.

978-85-7241-725-9

(3) Agora, 0,6g de P/kg é ainda requerido, sendo o déficit demonstrado acima. O fosfato dicálcico contém 188g de P/1.000g (do Apêndice C). Por isso, uma adição de:

(1.000/188) × 0,6g = 3,19g de fosfato dicálcico ($CaHPO_4$)/kg de alimento total proverá o P necessário.

O fosfato dicálcico do Apêndice C também contém 237g de Ca/1.000g. Por isso, 3,19g provêem:

(237/1.000) × 3,19g = 0,76g de Ca

O déficit original foi de 2,67g de Ca e é agora:

2,67 – 0,76g = 1,91g de Ca

Isso pode suprido com a farinha de calcário ($CaCO_3$) contendo 360g de Ca/1.000g. Por isso:

(1.000/360) × 1,91 = 5,31 de $CaCO_3$/kg de dieta total

(4) A dieta também deve conter 5g de sal comum (NaCl)/kg e uma adequada mistura de vitaminas/oligoelementos minerais para eqüinos.

(5) Agora, a dieta completa é:

	g/kg	%
Aveias	283	28,35 (43,5 - 13,8 - 0,32 - 0,53 - 0,5)
Farelo de soja	138	13,8
Fosfato dicálcico	3,2	0,32
Carbonato de cálcio	5,3	0,53
Sal	5	0,5
Vitaminas/oligoelementos minerais	+*	+
Feno	565	56,5
Total		100

* Um suplemento pode ser provido como descrito nos Capítulos 6 e 8.

A composição da porção concentrada da ração é a seguinte:

		Porcentagem
Aveias	28,3/43,5 × 100	65,1
Farelo de soja	13,8/43,5 × 100	31,7
Fosfato dicálcico	0,32/43,5 × 100	0,74
Carbonato de cálcio	0,53/43,5 × 100	1,22
Sal	0,5/43,5 × 100	1,15
Vitaminas/oligoelementos minerais		0,1
Total		100

(6) A ração total diária é de 9kg e disto o concentrado anterior forma 43,5/100 × 9 = 3,9kg diariamente. Os 5,1kg remanescentes de feno poderiam ser fornecidos em excesso, pois parte será perdida e os eqüinos naturalmente consumirão sua ração de concentrado antes de se saciarem no feno.

A ração concentrada deve ser dividida em um mínimo de duas refeições por dia e introduzida gradativamente em quantidades aumentadas até que a ração completa seja provida. Pequenos ajustes de quantidade podem ser feitos para adaptação das diferenças na condição entre indivíduos. Se eqüinos em crescimento forem alimentados, em particular as raças de crescimento mais rápido, precisa haver atenção quanto à condição dos membros, e se existir qualquer tendência a contratura de tendões flexores, epifisite ou membros curvados, a oferta de concentrados deve ser reduzida até que a condição regrida (ver Cap. 8 para detalhes).

978-85-7241-725-9

APÊNDICE B

Erros Comuns Dietéticos em Haras e Estábulos de Animais de Corrida

A tabela a seguir mostra as variações da composição dietética para potros e eqüinos de 12 meses nos dez haras onde as misturas domésticas foram preparadas e quando o acesso às pastagens de moderada qualidade foi restrito (porcentagem da dieta total, princípio de secagem ao ar; traços indicam o não uso).

	Variação dietética		Dietas típicas de qualidade ruim em haras específicos			
	Potros desmamados	*12 meses*	*Potros (1)*	*Potros (2)*	*12 meses (1)*	*12 meses (2)*
Aveias	37-70	11-58	48	–	57	9,5
Cevada fervida	0-1,6	0-26	1,6	–	–	20
Milho em flocos	0	0-6	–	–	–	2,5
Farelo (trigo)	0-12	5-28	5	–	28	16
Mistura grossa (alimento doce) de baixa qualidade	0-43	0-43	–	42	–	–
Palhiço de cevada	0-7	0-7	–	7	–	–
Cubos de moderada qualidade	0-12	0-60	12	–	–	23
Farelo de soja	0-4	0	–	–	–	–
Linhaça (fervida)	0-7	0-9	1,6	–	5	7
Torta de palmiste	0	0-3	–	–	–	–
Péletes de leite	0-13	0	–	–	–	–
Alfarroba	0	0-3	–	–	–	–
Ovo	0	0-+	–	–	–	–
Melaço	0	0-2	–	–	–	–
Cenouras	0	0-3	–	–	–	–
Feno de gramíneas	6-18	14-29	16	18	10	11
Feno de alfafa	0-9,6	0	–	9,5	–	–
Farinha de calcário	0-2,2	0-2,2	–	2,2	–	–
Fosfato dicálcico	0-0,5	0	–	–	–	–
Vitaminas, oligoelementos minerais e minerais	+*	0-+	–	–	–	–
Pasto	12-36	14-40	16	22	–	11
Algumas características químicas (%)						
Proteína bruta	10-16	10-17	11,1	10	11,8	11,7
Lisina total	0,4-0,6	0,4 – 0,7	0,48	0,4	0,45	0,45
Ca	0,32-0,9	0,22-1,2	0,33	0,65	0,23	0,44
P	0,2-0,46	0,2-0,65	0,42	0,19	0,65	0,57

* Algum tipo de suplemento foi usado em cada um dos dez estábulos.

978-85-7241-725-9

Comentários gerais:

- Uso disseminado de feno de baixa qualidade para rebanho jovem.
- Falha em corrigir isso por meio de ajustes da composição de concentrados.
- Avaliações insuficientes das velocidades de crescimento.
- Falha em compensar as insuficiências das pastagens.

Erros comuns:

- Consumos de proteínas e lisina muito variáveis exacerbados pela qualidade e disponibilidade variável das pastagens.
- Relações subótimas de proteínas:energia para potros desmamados.
- Extrema variação do consumo de cálcio (Ca).
- Relações subótimas de Ca:fósforo (P).
- Consumos excessivos de vitaminas A e D, mas possível insuficiência de várias outras vitaminas.
- Falta de controle da curva de crescimento, causando conformação ruim, epifisite e alinhamento anormal dos membros.
- Uso de suplementos de micronutrientes pobremente formulados.
- Uso de mais de um suplemento de micronutrientes com efeitos complementares insatisfatórios.
- Deficiências de oligoelementos minerais e outros nas pastagens, o que contribui com problemas metabólicos e de conformação.

978-85-7241-725-9

Falhas nas dietas (1) e (2) especificadas anteriormente:

Potros:

(1) Proteína, lisina e Ca insuficientes.
Uso excessivo de vitaminas A e D_3.
Deficiência de selênio e estado marginal do zinco.

(2) Proteína e lisina insuficientes.
Relação excessivamente ampla de Ca:P.
Depleção de selênio, insuficiência de zinco e suspeita de deficiência induzida e manganês.
Conformação ruim.

Animais de 12 meses:

(1) Insuficiência de proteína e lisina marginal.
Deficiência de Ca com relação Ca:P adversa.
Epifisite evidente.
Insuficiências de várias vitaminas e suspeitas no estado de oligoelementos minerais.

(2) Ausência de objetividade na formulação da ração e complexidade desnecessária.
Relação adversa de Ca:P.

Variedade da composição da dieta em oito estábulos de *Thoroughbred* (TB) de corrida onde as misturas caseiras são preparadas (porcentagem de dieta total, princípio de secagem a ar; traços implicam não uso, ou valor analítico não disponível).

	Variedade dietética	Dietas típicas de qualidade ruim em estábulos específicos	
		(1)	*(2)*
Aveias	32-59	49	51
Farelo (trigo)	0-16	-	1,1
Mistura grossa (alimento doce)	0-20	-	-
Palhiço	0-3,7	-	-
Cubos	0-24	-	2
Farelo de soja	0-2,2	0,8	0,7
Linhaça (fervida)	0-1,5	0,8	1,5
Turfa com melaço	0-0,5	-	0,4
Cenouras	0-2	-	-
Péletes de gramíneas	0-6	-	-
Melaço	0-1,5	-	1,4
Feno de gramíneas	28-53	49	40,6
Farinha de calcário	0-1,1	-	1,1
Sal (cloreto de sódio)	0-0,1	-	0,07
Óleo de milho	0-0,57	0,11	-
Vitaminas, oligoelementos minerais e minerais	0-4	0,2	0,1
Algumas características químicas			
Proteína bruta (%)	7,2-11,5	7,3	7,4
Lisina total (%)	0,35-0,5	0,36	0,4
Ca (%)	0,15-1,38	0,15	0,68
P (%)	0,24-0,43	0,25	0,28
K (%)	-	1,5	-
Na (%)	-	0,16	-
Mg (%)	-	0,18	-
Zn (mg/kg)	-	-	24
Mn (mg/kg)	-	-	46

978-85-7241-725-9

Comentários gerais:

- Aveias e feno de gramíneas de qualidade ruim constituem com freqüência mais de 90% da dieta e sua composição é variável e desconhecida.
- Vários suplementos de micronutrientes não complementares são usados com freqüência na mesma dieta.
- Freqüentemente, consome-se sal comum insuficiente em climas quentes.
- Freqüência de alimentação é geralmente insuficiente.
- Taxas de troca de ração e de consumo energético freqüentemente inapropriadas.
- Noção de que um repouso aos domingos com modificações no manejo e nos benefícios alimentares é errôneo em eqüinos, ao contrário dos benefícios em seres humanos.

Erros comuns:

- Consumos variáveis de proteínas e lisina.
- Relações subótimas de proteína:energia.

- Extrema variabilidade no consumo de Ca.
- Relações subótimas de Ca:P.
- Excessos de vitaminas A e D_3.
- Inadequada oferta de ácido fólico e possivelmente de outras vitaminas hidrossolúveis e sal.
- Quantidades incorretas de vitaminas, oligoelementos minerais e minerais providas pela maioria dos suplementos.

978-85-7241-725-9

Falhas nas dietas (1) e (2) especificadas anteriormente:

(1) Claudicação, distúrbios metabólicos (por exemplo, azotúria, mal da segunda-feira).
Falhas dietéticas incluem excessos de vitaminas A e D e de iodo.
Ca insuficiente e relação adversa de Ca:P.
Sódio e ácido fólico insuficientes, proteína marginal e provavelmente uma relação muito ampla de energia:proteína.

(2) Características sangüíneas anormais.
Consumo protéico marginalmente baixo.
Ofertas insuficientes de zinco, ácido fólico e sal.

APÊNDICE C

Composição Química dos Itens Alimentares Usados para Eqüinos

978-85-7241-725-9

Os valores para os itens alimentares (a) presumem 880g de matéria seca (MS)/kg (traços implicam em nenhum valor disponível); valores para forrageiras (b) são típicos ao invés dos valores médios. Equações em (c), (d) e (e) podem ser usadas para estimar os valores de *unité fourragère cheval* (UFC") a partir da composição química dos alimentos.

(a) Composição química dos itens alimentares (g/kg), presumindo 880g de MS/kg

	Proteína bruta (g/kg)	MADC (g/kg de MS)	MADC (88% de MS)	Óleo (g/kg)	Fibra bruta (g/kg)	Fibra detergente-ácida modificada (DAM) (g/kg)	Fibra em detergente neutro (FDN) (g/kg)	Cinzas (g/kg)	Ca (g/kg)	P (g/kg)
Aveias	96	103	91	45	100	170	240	40	0,7	3
Cevada	95	92	81	18	50	70	167	25	0,6	3,3
Trigo	100	98	86	15	22	40	123	19	0,4	3,2
Milho	85	79	70	38	25	30	95	15	0,2	3
Sorgo (branco)	10,6			25	27	60	201	18	0,3	2,7
Arroz (cru)	73			17	90	–	–	52	0,4	2,6
Milheto	88			13	277	–	–	81	–	–
Farinha de peixe branca	660			80	0	0	0	215	57	34
Leite desnatado em pó (*spray*)	340			6	0	0	0	80	10,5	9,8
Linhaça	219			316	76	135	–	45	2,4	5,2
Farelo de linhaça prensado	320	323	284	60	100	170	220	60	3	7,3
Farelo de soja extraído	440	437	385	10	62	100	132	60	2,4	6,3
Farelo de girassol extraído	280-450	344	303	18	230	–	360-450	77	2,9	8
Torta de cotonária prensada	410			37	140	220	250	65	2	10,5
Farelo de amendoim extraído com 48 a 50% de PB	470	–	–	13	40	220	–	50	2	7,1
Glúten de milho	210	191	168	25	70-80	–	–	70	2,5	7,5
Glúten de milho (40%)	410	427	376	25	50	–	–	40	2	5,1
Feijões comuns	255	272	239	90	74	114	–	29	0,8	4,8
Ervilhas	229	223	196	50	57	82	172	27	0,7	4
Farelo de gramíneas rico em proteínas	160			32	220	360	540	70	6	2,3
Farelo de alfafa	170	101-122	89-107	30	170-250	400	410	100	15	2

978-85-7241-725-9

K (g/kg)	Lisina (g/kg)	ED (MJ/kg)	UFC'' (g/kg de MS)	(88% de MS)	Alfa-tocoferol (mg/kg)	Ácido fólico livre (mg/kg)	Biotina disponível (µg/kg)	Tiamina (mg/kg)	Riboflavina (mg/kg)	Ácido pantotênico mg/kg)
5	3,2	10,9-12,1	0,99	0,87	9	0,12	50	17	1,7	12
5	3,1	12,8	1,16	1,02	7	0,11	12	5	1,8	14
4,2	2,8	14,1	1,26	1,11	9	0,12	4	4	1,1	11
3,1	2,6	14,2	1,33	1,17	9	0,06	65	2	1,5	6
4,1	2,4	13	–	–	7	0,13	–	3	1,1	12
–	2,5	11,1	–	–	–	0,2	15	2,5	0,9	–
–	–	–	–	–	–	–	–	–	–	–
8,3	48	14,1	–	–	13	0,22	100	5	5	8,8
16	29	15,1	–	–	10	0,6	330	4	20	30
9,4	7,7	18,5	–	–	2	–	–	7	2,5	–
11	11,3	13,9	0,92	0,81	1	–	–	8	3	12
23,5	26	13,3	1,06	0,99	2	0,57	280	6	3,3	14
14	13	9,5	0,79	0,7	10	–	415	34	3	–
15	14	12,8	–	–	5	0,22	250	7	4	9,5
12	15	12,5	1,01	0,89	2	0,5	300	8	3	40
9,7	5,8	12,8	0,96	0,85	7	0,2	85	2	2,2	14
1	11,2	13,1	1,14	1	7	0,2	90	0,4	1,8	12
11	17	13,1	1,04	0,92	–	–	–	–	–	–
11	15,8	14,1	1,15	1,01	8	–	–	–	1,4	–
21	8	9,6	–	–	25	1,8	300	3	15	25
22	8,2	9-10	0,57-0,68	0,5-0,6	30	3	400	3,7	14	25

(*Continua*)

978-85-7241-725-9

(*Continuação*)

	Proteína bruta (g/kg)	MADC (g/kg de MS)	MADC (88% de MS)	Óleo (g/kg)	Fibra bruta (g/kg)	Fibra detergente-ácida modificada (DAM) (g/kg)	Fibra em detergente neutro (FDN) (g/kg)	Cinzas (g/kg)	Ca (g/kg)	P (g/kg)
Levedura de cerveja	450			10	30	–	–	65	4,4	13,3
Farelo de semente de colza extraído	350			24	130	–	210	70	6,5	11
Partes não aproveitadas do trigo	155	148	130	35	85	100	310	50	1	10
Farelo de trigo	155	130	114	30	110	120	380	70	1	12,1
Farelo de arroz extraído	135			15	120	190	400	125	1,1	19
Partes não aproveitadas da aveia	50			22	250	400	635	70	0,8	1,2
Brotos do malte (caules)	250	257	226	20	140	–	390	65	2	7
Grãos de cerveja secos	180-250	251	221	62	140-170	180	405	38	2,6	5,1
Cascas de soja	114	–	–	20	370	440	586	43	5	1,7
Polpa de beterraba	100	45	40	10	174	340	392	50	7	0,8
Polpa de beterraba com melaço	90-120			1-6	130	–	300	60-80	6	0,7
Feno de gramínea	42-80	40-60	35-53	25	330	380	670	50	2,9	1,7
Feno de capim matua	90-170	–	–	40-80	–	270-350	520-700	60-140	–	–
Silagem pré-seca com gramíneas	62	24	21	–	–	–	–	–	5,1	1,8
Silagem em fardos grandes	98-100	52	46	35	232	273	–	62	4,1	3,3
Silagem de trincheira	108-135	73	64	28	299	334	–	62	4,8-5,3	2,6-2,9
Silagem de milho	70	–	–	–	–	245	430	45	2,7	2
Feno de trevos/gramíneas	60-100	50-70	44-62	27	330	380	600	65	4	1,7

978-85-7241-725-9

978-85-7241-725-9

K (g/kg)	Lisina (g/kg)	ED (MJ/kg)	UFC" (g/kg de MS)	UFC" (88% de MS)	Alfa-tocoferol (mg/kg)	Ácido fólico livre (mg/kg)	Biotina disponível (µg/kg)	Tiamina (mg/kg)	Riboflavina (mg/kg)	Ácido pantotênico mg/kg)
18	29,3	12,2			2	2,31	300	100	39	105
-	20	11,5			-	-	575	1	3,6	9
12	6,1	11	1,09	0,96	23	0,67	15	13	4,5	16
14	6	10,8	0,86	0,75	21	0,3	15	7,3	5,4	26
19	5,3	10,8	-		-	-	20	23	2,6	23
7	1,9	7,7			-	-	-	-	-	-
-	12	10	0,92	0,81	-	-	-	-	-	-
1	8,3	10	0,79	0,7	10	-	-	0,6	1	10
10	4,6	6,9	-	-	-	0,5	-	1,5	3,5	13
2	5,6	11	0,86	0,75	-	-	-	0,4	0,6	1,5
16	2,6	12	-	-	1	-	-	0,4	0,4	2
17	3	5-7,4	0,41-0,55	0,36-0,48	7	-	-	1,5	10	-
-	-	-	-	-	-	-	-	-	-	-
-	-	8	-	-	-	-	-	-	-	-
-	-	8,7	0,65-0,72	0,57-0,63	-	-	-	-	-	-
15	-	9,2-10,5	0,6-0,68	0,53-0,6	-	-	-	-	-	-
-	3,8	4,49	-	-	-	-	-	-	-	-
19	5,2	6–8	0,51-0,57	0,45-0,5	8	-	-	2	15	-

(*Continua*)

(*Continuação*)

	Proteína bruta (g/kg)	MADC (g/kg de MS)	MADC (88% de MS)	Óleo (g/kg)	Fibra bruta (g/kg)	Fibra detergente-ácida modificada (DAM) (g/kg)	Fibra em detergente neutro (FDN) (g/kg)	Cinzas (g/kg)	Ca (g/kg)	P (g/kg)
Silagem de milho em espigas	70	30	26	–	–	245	430-760	45	2,7	2
Cevada, palha cereal da primavera	30	0	0	19	410	590	640	70	2	0,4
Óleo vegetal	0	–	–	100	0	0	0	0	0	0
Melaços (cana)	30	34	30	0	0	0	0	85	7,2	1
Melaços (beterraba)	–	83	73	–	–	–	0	–	–	–
Palha nutricionalmente melhorada*	45	–	–	12	340	490	–	–	4	1
Farinha de calcário	0	0	0	0	0	0	0	990	365	4
Fosfato dicálcico	0	0	0	0	0	0	0	100	238	187
Farinha de osso cozido a vapor	0	–	–	0	0	0	0	980	323	133
Pastagens:										
1. Primeiro crescimento	167	103	91	38	176	194	400	97	5,3	3,1
2. Segundo crescimento	180	130-92	114-81	35	195	215	425	90	5,3	1,9
Trevo puro	200	112	99	31	176	229	275	97	15,8	1,9
Gramíneas puras	176	98	86	13	264	290	450	85	5,7	1,8
3. Florescência	–									
Trevo puro	150	96	84	26	211	308	340	105	14,1	2
Gramíneas puras	79	40	35	13	264	290	570	92	3,1	1,8
4. Inverno após término do pastoreio até julho e crescimento livre de julho até dezembro	136			26	194			70		

* Contém 30g de Na/kg.

978-85-7241-725-9

K (g/kg)	Lisina (g/kg)	ED (MJ/kg)	UFC" (g/kg de MS)	UFC" (88% de MS)	Alfa-tocoferol (mg/kg)	Ácido fólico livre (mg/kg)	Biotina disponível (µg/kg)	Tiamina (mg/kg)	Riboflavina (mg/kg)	Ácido pantotênico mg/kg)
-	3,8	4,49	0,85	0,75	-	-	-	-	-	-
19	0	6	0,36	0,32	-	-	-	-	-	-
0	0	35	-	-	-	0	0	0	0	0
27	-	11,4	1,07	0,94	0	0,08	100	0,8	1	35
-	-	-	1,06	0,93	0	-	-	-	-	-
18	-	-	0,46	0,4	0	-	-	-	-	-
0	0	0	0	0	0	0	0	0	0	0
0	0	0	0	0	0	0	0	0	0	0
0	0	0	-	-	0	0	0	0	0	0
26	5	7,4-9,3	0,88	0,77						
21		9,6	0,79	0,69						
18		9	0,8	0,7						
21		9,5	0,8	0,7						
17		8,8	0,7	0,6						
15		8,4	0,67	0,59						
		6,6								

ED = energia digestível; MADC = *matières azotées digestibles corrigées* (ou *cheval*); MS = matéria seca; PB = proteína bruta; UFC" = *unité fourragère cheval.*

973-85-7241-725-9

(b) Forrageiras

	Proteína bruta (g/kg)	MADC (g/kg de MS)	MADC (88% de MS)	Óleo (g/kg)	Fibra bruta (g/kg)	Fibra DAM (g/kg)	FDN (g/kg)	Cinzas (g/kg)
Pastagens:								
(1) Primeiro crescimento	167			38	176	194	400	97
(2) Segundo crescimento	180			35	195	215	425	90
Trevo puro	200			31	176	229	275	97
Gramíneas puras	176			13	264	290	450	85
(3) Florescência								
Trevo puro	150			26	211	308	340	105
Gramíneas puras	79			13	264	290	570	92
(4) Inverno após término do pastoreio até julho e crescimento livre de julho a dezembro	136			26	194	-		70
Silagem de trincheira	105-160	40-60	35-64	28	299	334		62
Silagem de grandes fardos	98-110	36-55	32-48	35	232	273		62
Silagem pré-seca de gramíneas	62	-	21	-	-	-	-	-
Feno de alfafa de meia-florada	150-160	84	74	17	270	350	415	70

978-85-7241-725-9

978-85-7241-725-9

Ca (g/kg)	P (g/kg)	K (g/kg)	Lisina (g/kg)	ED (MJ/kg)	UFC″ (g/kg de MS)	(88% de MS)	pH	NH_3N como % de N total
5,3	3,1	26	5	7,4-9,3			-	-
5,3	1,9	21	-	9,6	0,79	0,69	-	-
15,8	1,9	18	-	9	0,8	0,7	-	-
5,7	1,8	21	-	10	0,8	0,7	-	-
14,1	2	17	-	8,8	0,7	0,6	-	-
3,1	1,8	15	-	8,4	0,67	0,59	-	-
-	-	-		6,6			-	-
4,8-5,5	2,6-3,3	15	-	9,2-11,9	0,6-0,68	0,53-0,6	4,2	12,4
4-4,6	2,8-3,3	-	-	8,7-9,8	0,65-0,72	0,57-0,63	5,1	8,9
5,1	1,8	-		8	-	-	5,5-6,2	-
11,4	1,9	16	-	7,6	0,5-0,63	0,44-0,55	-	-

DAM = detergente-ácida modificada; ED = energia digestível; FDN = fibra em detergente neutro; MADC = *matières azotées digestibles corrigées* (ou *cheval*); MS = matéria seca; UFC″ = *unité fourragère cheval.*

(c) Alguns fatores necessários para a estimativa do *km*, usado no cálculo dos valores de UFC" e a estimativa dos valores de UFC" a partir da composição química dos alimentos. Energia bruta (EB, kJ/g) e *km* % de nutrientes.

	EB	*km*
Glicose (GL)	15,65	85
Acetato (C_2)	14,6	
Propionato (C_3)	20,76	
Butirato (C_4)	24,94	
Aminoácido (AA)	23,44	70*
Ácidos graxos de cadeia longa (AGCL)	39,76	80

* Energia metabolizável de aminoácido.

Assim,

$$km = 0{,}85E_{GL} + 0{,}80E_{AGCL} + 0{,}70E_{AA}\ (0{,}63 \text{ a } 0{,}68)\ E_{AGV} - 0{,}14\ (76{,}4 - DE),$$

em que E é a porcentagem de energia absorvida da glicose ou lactato (GL), etc., DE é a digestibilidade energética (%) do alimento e o último termo da equação corresponde ao custo de alimentação, um termo não incluído para alimentos concentrados. A porcentagem de energia absorvida a partir de uma dieta típica eqüina de forragens e concentrados é representada por 9 a 41% de GL, 45 a 82% de ácidos graxos voláteis (AGV), 7 a 17% de aminoácido (AA) e 2 a 6% de ácidos graxos de cadeia longa (AGCL) (Vermorel *et al.*, 1997).

978-85-7241-725-9

(d) Variações nas proporções molares, conteúdo de energia (E, kJ/g de mistura de AGV) e eficiência (*km*) da utilização de E das misturas de AGV absorvidos a partir do cólon do eqüino recebendo dietas de três concentrações de fibras brutas (Vermorel & Martin-Rosset, 1997):

Fibra bruta % MS:	15	20	30
C_2 %*	65	68	73
C_3 %	21	19	16
C_4 %	14	13	11
E, kJ/g	17,91	17,7	17,24
km %	66,6	65,8	64,5

* A proporção molar de acetato (C_2) na mistura de AGV aumenta com a elevação de fibra bruta (FB) dietética, C_2% = 0,54 FB (% de matéria seca [MS]) + 57. A energia gasta na mastigação também se eleva com o aumento da fibra bruta dietética, Δkm = -0,20 FB % + 2,5, assim os valores anteriores de *km* diminuem mais a partir de 15 a 30% de FB. O calor da fermentação e a energia gasta no metabolismo são maiores com o metabolismo de C_2 do que com outros AGV. Assim, o aumento das fibras está associado com o aumento da produção de calor de desgaste e feno ruim de campina tem um *km* % de somente 61, ao passo que o do milho é de 80.

(e) Previsão do valor de UFC" por kg de matéria seca (MS) das forrageiras e concentrados a partir dos conteúdos de carboidrato citoplasmático (CC), proteína bruta (PB), fibra bruta (FB) e matéria orgânica digerível (MOD), kg/kg de MS, ou energia digerível (ED, MJ/kg de MS) (Vermorel & Martin-Rosset, 1997).

(i) Forrageiras

UFC" = –0,124 + 0,254CC + 1,330MOD, RSD* 0,012, R^2 0,988.
UFC" = –0,056 + 0,562CC + 0,0619ED, RSD 0,007, R^2 0,996.

(ii) Concentrados

UFC" = -0,134 + 0,274FB - 0,362PB + 0,316CC + 0,0755ED, RSD 0,017, R^2 0,995.

Veja Martin-Rosset (1996c) quanto aos valores de CC, isto é, carboidratos hidrossolúveis, dos alimentos e referência a uma fonte abrangente de informações.

(iii) Alimentos compostos

UFCo = 1,333 - 1,684FDAo** - 0,096PBo, RSD 0,060, R^2 0,958.

Martin-Rosset *et al.* (1996c) definiram UFCo como uma UFC" por kg de matéria orgânica para considerar o elevado conteúdo mineral de alguns alimentos compostos. Os valores de UFCo dos alimentos compostos precisam ser aumentados em 0,02 UFCo para cada 1% de extrato etéreo acima de 3,5% do alimento.

(iv) Digestibilidade da matéria orgânica de forrageiras (DMO %)

Três métodos alternativos são propostos para a determinação da DMO % dos eqüinos, sendo o segundo e o terceiro os métodos preferidos.

978-85-7241-725-9

(1) DMO % = 67,78 + 0,07088PB - 0,000045FDN^2 - 0,12180LDA, RSD 2,5, R^2 0,878, Martin-Rosset *et al.* (1996a); em que a FDN é a fibra em detergente neutro, g/kg de MS e LDA é a lignina detergente ácida, g/kg de MS.

(2) DMO % em eqüinos pressuposta por espectrofotometria de infravermelho próximo (NIRS); RSD 1,80, R^2 0,93, Andrieu *et al.* (1996).

(3) DMO % = -29,38 + di + 2,3032DPC - 0,01384DPC^2, RSD 1,90, R^2 0,927, Martin-Rosset (1996b); em que di = +4,12 para forrageiras verdes, di = 0 para fenos de gramíneas e di = -2,61 para fenos de leguminosas; DPC é a degradabilidade da pepsina celulase (%) de MS.

---

* N. do E.: RSD = *residual standard deviation.*
** N. do E.: FDA = fibra em detergente ácido.

APÊNDICE D

Estimativas do Excesso de Base de uma Dieta e do Plasma Sangüíneo

ESTIMATIVA DO EXCESSO DE BASE DE UMA DIETA A PARTIR DO CONTEÚDO DE ÍONS FIXADOS

Para maiores detalhes, ver Capítulo 9.

$$(\text{Cátions} - \text{ânions})_{\text{absorvidos}} - (\text{cátions} - \text{ânions})_{\text{excretados na urina}} - H^+ \text{ endógeno} = \text{e. b} \quad (1)$$

Aqui é feita somente a conta dos íons fixados absorvidos a partir da dieta e a equação (2) demonstra os principais envolvidos (íons fixados são aqueles que não podem ser degradados pelo metabolismo).

$$(\text{Cátions} - \text{ânions})_{\text{absorvidos}} = \text{mEq } (0{,}95\text{Na} + 0{,}95\text{K} + 0{,}5^*\text{Ca} + 0{,}5\text{Mg}) - \text{mEq } (0{,}95\text{Cl} + 0{,}95\text{S} + 0{,}5^*\text{P}) \quad (2)$$

* Valores aproximados inversamente relacionados à concentração dietética.

Na tentativa de evitar um grau de arbitrariedade, propôs-se um equilíbrio simplificado dos íons e estes são demonstrados na equação (3) em relação à sua variação ótima na dieta de um eqüino em exercício leve.

$$(\text{Na} + \text{K} - \text{Cl})_{\text{absorvido}} = 200 - 300\text{mEq/kg de dieta} \quad (3)$$

(Nota: $Na^+ + K^+$ = 95% de todos os cátions no líquido extracelular e $Cl^- + HCO_3^-$ = 85% de todos os ânions).

ESTIMATIVA DO EXCESSO DE BASE DO PLASMA SANGÜÍNEO A PARTIR DE SUA CONCENTRAÇÃO DE BICARBONATO

Bicarbonato plasmático (HCO_3^-) (mEq/L) em um pH 7,4:

$$\cong [HCO_3^-]_{\text{mensurado}} - 10\,(7{,}4 - \text{pH mensurado})$$

excesso de base (e.b.) do plasma no pH 7,4

$$\cong [HCO_3^-] \text{ no pH } 7{,}4 - 24$$

978-85-7241-725-9

(Bicarbonato normal do sangue venoso no pH 7,4 = 24mEq/L).

Se for observado que o plasma venoso de um eqüino tem um pH de 7 e $[HCO_3^-]$ for de 30mEq/L, então $[HCO_3^-]$ no pH de 7,4 seria

= 30 – 10 (7,4 – 7)
= 26mEq/L

978-85-7241-725-9

Por isso

e.b. = 26 - 24

= 2mEq/L

Outros ânions ácidos orgânicos também poderiam ser incluídos em um cálculo de e.b.

GLOSSÁRIO

Os termos nas definições que são também itens do glossário estão destacados em negrito.

Aboral – Para longe ou afastado da boca.

Acidemia – Concentração aumentada de íon hidrogênio (acidez) e reduzido bicarbonato sangüíneo, ou reduzido **pH** do sangue.

Ácidos graxos – Composto de uma cadeia de hidrocarbono de uma ou mais de vinte unidades fixadas a um grupamento carboxila. Na formação das gorduras de estocagem, os ácidos graxos são neutralizados pelo álcool triídrico glicerol. A gordura neutra e os ácidos graxos circulam no sangue (ver também **ácidos graxos livres [AGL]** e **ácidos graxos voláteis**).

Ácidos graxos livres (AGL) – Durante o trabalho, as gorduras de estocagem são mobilizadas quando as enzimas lípase catalisam a produção dos ácidos graxos, separando-os do glicerol e levando a um aumento na concentração plasmática sangüínea de ambos os componentes.

Ácidos graxos voláteis – Ácidos de curta cadeia e destilados a vapor, principalmente o acético, o propiônico, o butírico e menores quantidades de ácidos mais ricos, que são produtos residuais microbianos da fermentação dos polissacarídeos dietéticos e das proteínas dentro do canal alimentar. São absorvidos para dentro da circulação sangüínea e constituem uma fonte de energia principal para o eqüino.

Acidose – Veja **acidemia.**

ACTH – Hormônio adrenocorticotrópico (corticotropina) é secretado pela glândula hipófise anterior, contro lando assim a secreção de cortisol pelo córtex adrenal. A liberação do ACTH, por sua vez, é controlada pelo hormônio liberador de corticotropina (CRH) secretado pelo hipotálamo.

Aeróbico – Na respiração aeróbica, os nutrientes produtores de energia são quebrados com o consumo do oxigênio dissolvido que atingiu as células teciduais a partir dos pulmões. Na respiração anaeróbica, a quebra desses nutrientes é incompleta, produz menos energia e ocorre na ausência de oxigênio.

Aerofagia – Uma expressão antiga para **engolidor de ar**, um vício de eqüinos e pôneis domesticados. Consiste na deglutição habitual de ar enquanto o animal morde, ou empurra com seus dentes incisivos superiores algum objeto sólido, como uma cerca, ou um portão. O pescoço é ligeiramente arqueado e golpes de ar são deglutidos para dentro do estômago com emissão de um grunhido. O termo "engolidor de ar" é também inadequadamente usado para descrever éguas que aspiram ar e freqüentemente material fecal para dentro da vagina. Corrige-se pela operação de Caslick.

Aferente – As fibras nervosas aferentes conduzem os impulsos de forma centrípeta, por exemplo, dos órgãos sensíveis para o sistema nervoso central.

Agalactia – Falha da secreção de leite.

AGL – Ver **ácidos graxos livres (AGL).**

Aglutinação – Agrupamento de antígeno particulado (substância estranha) na presença de anticorpos homólogos (substância de defesa).

AGNE – Ácidos graxos não esterificados ou livres, produzidos a partir da hidrólise do triacilgliceróis ou triglicérides.

978-85-7241-725-9

Agudo – Aplicado a um distúrbio metabólico, ou doença, que progride rapidamente até um clímax seguido de morte, ou de rápida recuperação. Contrasta com condição ou doença **crônica**.

AGV – Veja **ácidos graxos voláteis**.

Alcalemia – Reduzida concentração sangüínea do íon hidrogênio, ou elevado **pH**, sem relação com as modificações no bicarbonato sangüíneo. O pH sangüíneo arterial normal é de 7,5.

Aldosterona – O principal hormônio mineralocorticóide secretado pelo córtex adrenal, promovendo a reabsorção de Na e, por isso, a água pelos túbulos renais.

Alergia – Condição de suscetibilidade exagerada, ou sensibilidade, a uma substância específica, usualmente, mas não necessariamente, contendo uma proteína específica. A exposição, especialmente a grandes quantidades do alérgeno, por meio de inalação, ingestão, injeção, ou mesmo contato de pele, pode causar dificuldades respiratórias, espirros, erupções de pele, ou diarréia de gravidade aumentada com contatos repetidos.

Alfa-amilase – Importante enzima digestiva na digestão de amido e outros polissacarídeos contendo três ou mais unidades de D-glicose com ligações alfa-1,4. Hidrolisa as ligações alfa-1,4-glucans.

Alfafa – Uma leguminosa, *Medicago sativa*. Uma lavoura de forrageira perene com raiz pivotante forte, que cresce bem em solos levemente alcalinos em climas quentes. As plantas precisam ser mantidas em trincheiras durante seu estabelecimento.

Alfa-tocoferol – O principal tocoferol com a potência da vitamina E (ver Cap. 4).

Alifafe – Aumento de volume de cerca de 100cm abaixo do ponto do jarrete, decorrente de esforços impróprios, causando torção do ligamento calcâneo cubóide, ou do tendão flexor superficial.

Alimentação *ad libitum* – Sistema no qual o suprimento alimentar é irrestrito em todos os momentos exceto durante o exercício. Porém, usualmente se aplica somente a eqüinos em crescimento.

Alimento – Fornecido ao animal para consumir, tanto um componente alimentar simples quanto uma mistura, mas excluindo-se a água. Não é sinônimo de **ração**.

Alimento doce – Termo americano para uma mistura concentrada contendo melaço.

Alimento "excitável" – Alimento concentrado, prontamente digestível e fermentável e que causa rápido aumento nos metabólitos sangüíneos, produção de calor de desgaste e, provavelmente, algum aumento na taxa metabólica.

Alimento no cocho privativo – Um alimento, normalmente péletes secos, oferecido aos potros através de uma barreira, que não possibilita o acesso da égua, mas permite ao potro entrar.

Alimentos compostos – Misturas balanceadas de componentes alimentares grosseiros, ou processados, aos quais suplementos apropriados de vitaminas, minerais e oligoelementos minerais são adicionados.

ALT (também **GPT**) – Alanina aminotransferase (EC 2.6.1.2), formalmente chamada de piruvato transaminase glutâmica. A atividade dessa enzima no plasma sangüíneo mostra uma reação similar àquela da **AST**, em particular com relação a exercício e lesão muscular.

Aminoácidos – Esses compostos contendo N são blocos de construção das proteínas. Existem 25 tipos diferentes, dez dos quais são conhecidos como nutrientes indispensáveis (essenciais) dietéticos, sendo a lisina o mais crucial destes.

978-85-7241-725-9

Aminoácidos dispensáveis – Aminoácidos sintetizados nos tecidos dos eqüinos, e/ou disponíveis a partir da síntese pelos microrganismos intestinais, em quantidade suficiente para atingir os requerimentos teciduais dos eqüinos sem uma fonte dietética.

Aminoácidos indispensáveis (essenciais) – Aminoácidos que não são sintetizados nos tecidos do eqüino, ou não estão disponíveis a partir, por exemplo, da síntese pelos microrganismos intestinais, em quantidades suficientes para atingir os requerimentos dos tecidos e que precisam estar presentes no alimento.

AMP cíclico – Mediador hormonal intracelular formado pelo ATP sob a influência do hormônio estimulador.

Anabolismo – Processo de síntese de moléculas orgânicas complexas no corpo a partir de precursores mais simples (comparado com **catabolismo**).

Analgésico – Substância que alivia a dor.

Anemia – Condição na qual existe um número reduzido de hemácias e/ou um baixo conteúdo de hemoglobina do sangue. O volume corpuscular das hemácias reduz-se quando se altera o equilíbrio entre a perda de sangue, por meio de sangramento ou destruição, e a produção de sangue.

Angiogênese – Desenvolvimento de vasos; no texto, se refere aos vasos sangüíneos.

Anorexia – Ausência, ou perda, de apetite por comida.

Antibiótico – Substância química produzida por e obtida de células vivas, especialmente de plantas menores, como fungos, leveduras, ou bactérias, que é antagonista a, ou destrói, outras formas de vida. Pode ser usado para destruir microrganismos infecciosos.

Anticorpo – Substância específica (imunoglobulina) encontrada no sangue, ou em certas secreções, em resposta a estímulos antigênicos de bactérias, vírus, parasitas e algumas outras substâncias estranhas. Um anticorpo tem uma seqüência específica de aminoácidos e pode se combinar especificamente com a entidade indutora estranha (antígeno), ajudando a inativá-la.

Antígeno – Qualquer substância capaz, sob condições apropriadas, de induzir a formação de anticorpos e de reagir especificamente com eles.

Anti-helmíntico – Substância usada para destruir vermes parasitários.

Anti-histamínico – Droga que reage contra os efeitos da histamina, ou de certas outras aminas que causam inflamação.

Antitoxina – Substância encontrada no soro sangüíneo, ou em outro líquido corpóreo, antagonista a uma **toxina** em particular. Para o uso terapêutico, ou de proteção, pode ser injetada nos eqüinos para neutralizar a toxina de uma doença em particular, mas como não estimula o eqüino a produzir suas próprias toxinas, seu efeito (passivo) pode durar somente algumas semanas.

Arritmia – Qualquer variação do ritmo normal dos batimentos cardíacos.

Arroto – Eructação ou eliminação de gás do trato gastrointestinal.

Artéria – Um vaso contendo músculo liso por onde o sangue passa do coração para as várias partes do corpo.

Ascarídeos – Vermes redondos. Um grupo de parasitas intestinais grandes do filo Nematoda. Têm de 15 a 20cm de comprimento, são esbranquiçados e infestam primariamente eqüinos jovens, pois aqueles com mais de três a quatro anos de idade em geral desenvolveram imunidade considerável (quanto ao ciclo de vida, ver Cap. 11). Grande número de vermes adultos no intestino pode causar compactação, perfuração intestinal e cólica.

Ascite – Efusão e acúmulo de líquido seroso na cavidade abdominal.

978-85-7241-725-9

AST (também **GOT**) – Aspartato aminotransferase (EC 2.6.1.1), formalmente chamada de transaminase oxaloacética. Essa enzima é liberada no sangue após lesão do fígado ou de células musculares, de forma que o nível sangüíneo aumenta acentuadamente. A atividade plasmática da enzima usualmente aumenta após exercício intenso. O nível plasmático sangüíneo máximo normal em eqüinos adultos é de 250UI/L.

Atamento – Condição em eqüinos de corrida na qual ocorrem rigidez, tremores e sudorese após um período de exercício intenso prolongado, sendo causado por uma depleção do glicogênio muscular (ver Caps. 9 e 11).

Ataxia – Falha da coordenação muscular, ou irregularidade da ação muscular, resultando em um andar cambaleante. Pode resultar particularmente de exaustão, ou de alteração patológica nos nervos.

ATP – Adenosina trifosfato medeia a transferência de energia da quebra de glicose e ácidos graxos (reações exergônicas) para processos sintéticos de crescimento, secreção de leite, etc. (reações endergônicas) e para ação muscular. O ATP é dividido pela enzima ATPase, com a liberação de fosfato inorgânico.

Autógeno – Autogerado. No texto, refere-se particularmente aos anticorpos produzidos pela mãe contra as proteínas sangüíneas do feto que circulam em seu sangue. Se o colostro for, então, obtido pelo potro dentro das primeiras 12h, haverá uma reação de anticorpos com as proteínas sangüíneas do potro.

978-85-7241-725-9

Azotemia – Excesso de uréia e outros compostos nitrogenados no sangue.

Azotúria – Excesso de compostos nitrogenados na urina. Considerada sinônimo de miopatia por esforço. Ocorre freqüentemente dentro de um curto intervalo de tempo do início do exercício, após um repouso de dois ou três dias. Caracteriza-se por relutância em movimentar-se e espasmos musculares e o ácido láctico se acumula nos músculos. Os músculos dos membros posteriores ficam tensos e existe uma tendência ao emboletamento. Em certo estágio, o eqüino eliminará quantidades de urina de coloração vinho a amarronzada. Algumas vezes, a urina é retida e requer uso de um cateter para ser liberada.

Baço – Órgão semelhante a uma glândula, mas sem duto, na parte anterior da cavidade abdominal do lado esquerdo. Suas funções são pelo menos três: primeiro, desintegrar as hemácias, liberando a hemoglobina, a qual o fígado converte em bilirrubina, conservando o ferro; segundo, atua como estoque de hemácias, as quais são liberadas dentro do sangue durante períodos de maior demanda de oxigênio; terceiro, evidências (principalmente em outras espécies) indicam um papel do baço nas respostas imunológicas. O baço é um tecido formador de anticorpos e os macrófagos constituem uma forma celular predominante nele.

Banda coronária (matriz coronariana) – Corre ao redor do casco do eqüino, imediatamente abaixo da linha de pêlos, e forma parte das estruturas sensíveis das quais se origina a parede do casco. Um defeito permanente na parede do casco usualmente acompanha uma lesão à banda coronária.

Betacaroteno – Veja caroteno

Beta-galactosidase – Lactase neutra ou de borda em escovadura. Essa enzima está presente no líquido intestinal de eqüinos jovens normais. É necessária para a clivagem do açúcar lácteo (lactose) em glicose e galactose, que podem ser então absorvidas para o sangue.

Biureto – Composto orgânico simples contendo três átomos de N, que vem sendo proposto como fonte de nitrogênio não-protéico (NPN) dietético. A uréia, composto estruturalmente relacionado, contém somente dois átomos de N por molécula.

Bociógeno – Termo aplicado a substâncias em certos alimentos, derivadas, por exemplo, dos membros da planta do gênero *Brassica* (família Cruciferae) que, se consumidos persistentemente em grandes quantidades, causam o bócio (um aumento de tamanho da **glândula tireóide**). Uma deficiência de iodo na dieta causará condição semelhante, especialmente em eqüinos jovens.

Boleto – A articulação do "tornozelo" do eqüino nos membros anteriores e posteriores entre o metacarpo ou o metatarso (ossos da canela) e a primeira falange (osso longo da **quartela**).

Borborigmos – Ruídos surdos e prolongados causados pela propulsão de gases através dos intestinos.

Botulismo – Paralisia motora rapidamente fatal causada pela ingestão de toxinas de *Clostridium botulinum*, uma bactéria anaeróbica formadora de esporos, que se prolifera no tecido animal em decomposição e algumas vezes no material herbário. A toxina (uma proteína de dupla cadeia, PM 140000) é a substância mais neurotóxica conhecida. No texto (Cap. 10), o botulismo se refere aos casos nos quais os eqüinos consumiram **silagem** (**ensilagem**) submetida à fermentação anormal. A toxina parece inibir irreversivelmente a liberação de acetilcolina pelos nervos periféricos e assim impede a transmissão neuromuscular. Uma paralisia flácida descendente se desenvolve.

Bradicardia – Batimentos cardíacos lentos.

Braquignatia – Osso mandibular anormalmente curto, criando dificuldades, por exemplo, no pastoreio.

Brotamento – Processo de formação de brotos laterais a partir da base do tronco das plantas gramíneas (cereais e gramíneas). O pastoreio, ou corte, na fase vegetativa do crescimento estimula esse processo, assim espessando a base dos campos jovens de pastagens e aumentando sua adequação ao pastoreio e a eqüinos em exercício.

978-85-7241-725-9

Bruxismo – Mastigar rítmico, ou espasmódico dos dentes.

Cabeça inchada – Uma condição vista em eqüinos e pôneis que recebem ração baseada em cereais, farelo e feno ruim sem adequada suplementação mineral. Os ossos da maxila e da face aumentam de tamanho em razão da substituição de sua estrutura mineral normal por tecido conjuntivo fibroso.

Calcitonina – Hormônio sintetizado pelas células parafoliculares da **glândula tireóide**. É secretada quando a concentração sérica de íons Ca aumenta, promovendo a deposição de Ca nos ossos e assim se opondo à ação do **paratormônio**.

Cálculos – Os cálculos urinários consistem em acúmulos de substâncias minerais no trato urinário. Formam-se na bexiga, com menos freqüência na uretra e raramente nos rins. Em geral, são grosseiros e amarelo-amarronzados e são formados por carbonato de cálcio. São mais comumente vistos nos eqüinos com dietas ricas em forrageiras, ou ao pasto. Os cálculos menos comuns de fosfato são macios e esbranquiçados e ocorrem com rações ricas em cereais. Baixo consumo de água pode predispor o eqüino aos cálculos e os sinais incluem dificuldade em urinar e incontinência.

Caloria – Uma unidade de energia, sendo a quantidade de calor requerida para aumentar em 1°C 1g de água. 1.000 calorias = 1 quilocaloria (kcal). O joule (J) vem sendo adotado agora como unidade de energia em nutrição; 4,184kJ = 1kcal.

Canal/trato alimentar – Veja **trato gastrointestinal**. Além disso, inclui cavidade bucal e esôfago.

978-85-7241-725-9

Caquexia – Estado profundo e acentuado de desordem constitucional; doença geral e má nutrição.

Carboidratos – Compostos formados por carbono, hidrogênio e oxigênio e que incluem açúcares, amido e outros carboidratos de estocagem e carboidratos estruturais (fibras) – celulose e hemicelulose; também pectinas, resinas e mucilagem. A lignina é incluída na fibra estrutural, mas não é rigorosamente um carboidrato.

Caroteno – Plantas verdes contêm pigmentos amarelados carotenóides, sendo os mais importantes alfa, beta e gamacarotenos e o hidroxibetacaroteno. O mais potente destes, o betacaroteno, é convertido em vitamina A pela parede intestinal.

Carpo – O "joelho" do membro anterior do eqüino entre o **rádio** acima e o **metacarpo** abaixo.

Catabolismo – Quebra dos nutrientes e componentes teciduais em moléculas menos complexas (comparado com **anabolismo**).

Catártico – Purgante, ou remédio, que acelera a evacuação dos intestinos.

Catecolaminas – Grupo de compostos similares com ação simpaticomimética. Incluem epinefrina, norepinefrina e dopamina. As duas últimas atuam como neurotransmissores e as duas primeiras são hipertensivas, estimulando a musculatura lisa.

Cátion – Elementos positivamente carregados dos eletrólitos, incluindo todos os íons metálicos e hidrogênio.

Cavidade bucal – A cavidade da boca entre os molares cercada em uma extremidade pelos lábios e na outra pela faringe.

Ceco – Saco grande em forma de vírgula entre o intestino delgado e o cólon. No eqüino adulto tem cerca de 1,25m de comprimento, com capacidade de 25 a 30L (ver Cap. 1).

Células de Kupffer – Células fagocíticas que delineiam as paredes dos sinusóides do fígado e formam parte do sistema reticuloendotelial.

Células epiteliais – Todas as superfícies corpóreas, incluindo a superfície externa da pele, as superfícies internas dos tratos digestório, respiratório e geniturinário, as coberturas internas dos vasos e dutos de todas as glândulas secretoras e excretoras são cobertas por uma, ou mais camadas de células chamadas de epitélio ou células epiteliais.

Celulólise – Quebra, ou digestão, da celulose. Os eqüinos e outros mamíferos dependem de certas bactérias em seus tratos intestinais para realizarem isso, pois não secretam as enzimas capazes de fazê-lo.

Celulose – Carboidrato estrutural (fibra) de células das plantas.

Ceratinizar – Tornar-se cornificado. A ceratina, principal proteína da epiderme, dos pêlos e do casco, é muito insolúvel e contém quantidade relativamente grande de enxofre. A ceratinização aumentada dos epitélios pode ocorrer sob condições fisiológicas e sob condições patológicas, por exemplo, deficiência de vitamina A.

Cernelha – Protuberância no dorso do eqüino sobre os processos dorsais das vértebras torácicas e as lâminas dos ombros, diretamente à frente da sela.

Choque hipoglicêmico, choque de insulina – Ocorre quando a glicose sangüínea cai abaixo do intervalo normal, causando nervosismo, tremores e sudorese.

Ciclo do ácido tricarboxílico (CAT) – Série de reações metabólicas pelas quais a acetil coenzima A (acetil-CoA) é oxidada em dióxido de carbono e água. A energia liberada é estocada como **ATP** e o processo ocorre somente nas **mitocôndrias** das células (ver Cap. 9). A acetil-CoA é gerada pelo **catabolismo** de ácidos graxos, carboidratos e aminoácidos.

Ciclo estral – Um ciclo na égua tipicamente dura 21 dias na estação reprodutiva em que há um padrão de eventos fisiológicos e de comportamento sob controle hormonal. O ciclo, que forma a base da atividade sexual, tem dois componentes: o estro (cio), no qual a égua é receptiva ao garanhão e o oócito é eliminado, e o diestro, um período de quiescência sexual.

Ciclo reprodutivo – O tempo da concepção de um potro até a concepção do seguinte.

Cinzas – O conteúdo de cinzas do alimento é determinado pela combustão de um peso conhecido delas a 500°C até que o carbono seja removido. O resíduo representa aproximadamente os constituintes inorgânicos do alimento – principalmente Ca, K, Mg, Na, S, P e Cl. Alguns alimentos, particularmente aqueles contaminados com solo, podem conter uma quantidade significativa de sílica.

CK – Creatina cinase (EC 2.7.3.2). Essa enzima é mensurada como um indicador de lesão muscular. O nível plasmático máximo normal em eqüinos adultos é de 105UI/L.

***Clearance* renal** – A relação entre a concentração de uma substância na urina e a sua concentração no sangue multiplicada pela taxa de formação de urina. Como a última é normalmente desconhecida, a relação do *clearance* de creatinina é mensurada (ver Cap. 12). Para calcular a taxa de filtração glomerular, quando a taxa de formação de urina é conhecida, a **creatinina**, ou a insulina podem ser usadas; essas substâncias são prontamente filtradas pelo glomérulo, mas não secretadas, ou absorvidas pelos **túbulos renais**.

Coenzima – Composto orgânico não protéico, que pode ser um vitâmero. Sua presença é requerida por uma enzima para que ocorra a catálise de uma reação em particular.

Colestase – Supressão do fluxo de bile. Pode ser incomumente causada pelas pedras vesicais, chamada então de *colelitíase*.

Cólica – Dor abdominal. A que se origina de parte do trato gastrointestinal é denominada "cólica verdadeira" e a que se origina de um dos outros órgãos vitais ou músculos é definida como "cólica falsa".

Cólon – Formado pelo cólon maior, que se origina do orifício cecocólico e termina onde se junta ao cólon menor, e por este último, que continua até o reto. No eqüino adulto, o cólon maior tem de 3 a 3,7m de comprimento com um diâmetro médio de 20 a 25cm e o cólon menor tem um diâmetro de 7,5 a 10cm e um comprimento de cerca de 3,5m.

Colostro – Secretado pela glândula mamária da égua logo antes do parto e nas primeiras 24h após o nascimento do potro. É rico em **gamaglobulinas**, que compreendem os anticorpos que o potro absorve para o sangue sem digerir, durante as primeiras 12 a 18h de vida, fornecendo uma medida de proteção contra doenças.

Concentrados – A porção da ração eqüina, ou componente alimentar, rica em amido, proteína, ou ambos e que contém menos que 15 a 17% de **fibra bruta**.

Condrócito – Célula madura de cartilagem envolvida dentro da matriz cartilaginosa.

Condutância – Capacidade de conduzir e, nesse contexto, de transferir calor de um meio, ou corpo, para outro. A unidade da condutância elétrica é o mho.

Contagens sangüíneas – Normalmente, incluem o número de hemácias (eritrócitos) por unidade de volume, o volume corpuscular (hematócrito), ou a proporção de hemácias por volume no total de sangue mensurado após o sangue ser centrifugado e o conteúdo de hemoglobina do sangue total. Três outras características das hemácias (VCM, volume corpuscular médio; HCM, hemoglobina corpuscular média; e CHCM, concentração de hemoglobina corpuscular média) são calculadas a partir dessas informações. O número

978-85-7241-725-9

de células brancas do sangue (leucócitos) por unidade de volume e a contagem diferencial (proporção de cada tipo de célula branca) podem também ser mensurados.

Contagioso – Transmissível de um eqüino para o outro.

Contratura de tendões – Hiperflexão, ou deformidade flexural dos membros. A condição em potros varia de membros anteriores, ou posteriores bem retos até o emboletamento e/ou incapacidade de estender as articulações. Não incomum em potros TB. A correção de anormalidades leves pode incluir o uso de botas e, nos casos mais graves, a incisão de fibras dos músculos flexores e tendões, ou a desmotomia do ligamento *check* superior.

Convulsões – Contração involuntária violenta, ou série de contrações, dos músculos voluntários (esqueléticos).

Coprofagia – A ingestão de fezes por um animal. Dentro de três semanas após o nascimento, os potros comerão as fezes da mãe, adquirindo assim as espécies de bactérias e protozoários necessárias para o rápido desenvolvimento de uma população microbiana normal em seu trato gastrointestinal, de forma a inibir parcialmente a invasão por microrganismos perigosos.

Cordão umbilical – A nutrição do feto passa principalmente através do cordão a partir da placenta. Após o nascimento, o cordão não deve sofrer interferência, pois o corte precoce priva o potro recém-nato de 1.000 a 1.500mL de sangue fetal placentário, ao passo que sob condições "normais" a quantidade está abaixo de 200mL.

Córnea – A estrutura transparente que forma a parte anterior do globo ocular.

Corpo lúteo – "Corpo amarelo". Uma massa glandular amarela no ovário, formada por um folículo ovariano que amadureceu e eliminou um oócito. Contém carotenóides e secreta progesterona.

Corticosteróides – Compreendem os hormônios naturais glicocorticóides, cortisona e hidrocortisona, secretados pelo córtex adrenal e equivalentes sintéticos, por exemplo, prednisona, prednisolona e fluoroprednisolona, usados no tratamento de inflamação, choque, estresse e, em outros animais, de cetose.

CP – Creatina fosfato (fosfocreatina). A fixação de energia na forma de ATP é um fenômeno transitório e qualquer energia produzida em excesso aos requerimentos imediatos é estocada de modo mais permanente em compostos como fosfocreatina muscular. Conforme o ATP é depletado, mais é gerado a partir da fosfocreatina por uma reação reversa.

Creatina cinase – Ver **CK**.

Creatinina – Produto da quebra excretada normalmente da creatina muscular encontrada na urina dos eqüinos. Como a quantidade produzida por dia é relativamente constante para um eqüino em particular, sendo proporcional à massa muscular, sua concentração na urina é usada na avaliação do nível de outras substâncias excretadas na urina (ver Cap. 12). Os níveis sangüíneos de creatinina aumentam muito após a falha renal.

Crônico – Demorado; o oposto de **agudo**.

Débito cardíaco – Volume de sangue expelido por cada ventrículo por minuto. O *stroke volume* é o volume de sangue eliminado por cada ventrículo a cada batimento (isto é, o débito cardíaco dividido pela freqüência cardíaca). O débito cardíaco do ventrículo esquerdo após o nascimento é 2 a 8% maior do que o do direito, assim o valor cotado representa a média desses dois.

Déficit de oxigênio – Definido pelo equivalente de O_2 da diferença entre o ATP suprido de forma oxidativa a partir do VO_2 pulmonar e o ATP utilizado no músculo exercitado durante a

978-85-7241-725-9

atividade intensa. Uma porção principal de déficit de O_2 no eqüino se origina da glicólise anaeróbica. Assim, o déficit é o O_2 requerido para metabolizar completamente os produtos da glicólise anaeróbica, suprido quando o exercício intenso é interrompido.

Desaminação – Quando há aminoácidos além das necessidades para a síntese de proteína tecidual, ou quando o eqüino é forçado a catabolizar o tecido para manter as funções essenciais, os aminoácidos podem ser degradados para fornecer energia. Isso ocorre principalmente no fígado e em certa extensão nos rins. O primeiro passo na degradação oxidativa de aminoácidos é a remoção do grupo amino, um processo chamado de desaminação. Esse grupamento é então transferido para um cetoácido para produzir outro aminoácido, ou é incorporado à uréia.

Descarboxilação – No texto, esse termo é principalmente restrito às reações dos aminoácidos. Enzimas (chamadas carboxilases) elaboradas por bactérias – por exemplo, no trato intestinal e na silagem durante os estágios iniciais da fermentação do silo – que atuam sobre os aminoácidos para produzir aminas e dióxido de carbono. Isso implica em uma perda do valor protéico dietético e as aminas, incluindo histaminas e triptaminas, podem ter efeitos tóxicos após a absorção.

Desidratado – Alimento do qual a maioria da umidade é removido. Isso estende a meia-vida e retarda de forma considerável a velocidade de, ou inibe, o estrago por fungos.

DHL – Desidrogenase láctica (EC 1.1.1.27). Enzima tecidual que tem várias formas diferentes e isoenzimas. Catalisa a transferência de H^+ com a formação de ácido pirúvico e a redução de piruvato na presença de NADH. A atividade do DHL no sangue eleva-se durante e após o exercício extremo e após a lesão tecidual.

Diáfise – Tronco de um osso longo entre as extremidades, ou epífises, as quais são usualmente mais amplas e articulares.

Diafragma – Fina divisão muscular, ou membrana que separa o tórax (cavidade torácica) do abdome. Durante sua contração, o ar é direcionado para dentro dos pulmões e quando relaxa, o ar é expelido.

Diálise – Processo de separação dos cristalóides dos colóides em solução por meio da diferença em suas taxas de difusão através de uma membrana semipermeável; os colóides passam muito lentamente, ou não por inteiro.

Dicumarol – Anticoagulante com propriedades semelhantes à varfarina, exceto que sua ação tem início mais lento, duração mais longa e resposta menos previsível. Quando as plantas de trevo cheiroso (*Melilotus officinalis*), ou trevo-branco (*M. alba*) são danificadas pelo clima, mal cortadas, ou quando, como feno, se tornam mofadas, a cumarina contida no trevo cheiroso é quebrada em dicumarol. Tanto o trevo cheiroso quanto o branco são encontrados nas pastagens no Reino Unido e o trevo-branco cresce como lavoura de forragem na América do Norte e na ex-União Soviética.

Discondroplasia – Formação cartilaginosa desordenada, ou anormal.

Disenteria – Diarréia.

Disfagia – Dificuldade em deglutir.

Displasia – Anormalidade no desenvolvimento das células.

Dispnéia – Respiração trabalhosa ou com dificuldade.

Disponibilidade de minerais – A proporção de um nutriente mineral suprido no alimento que, em nível inicial de inclusão e nível de alimentação, pode ser absorvido e utilizado pelo eqüino para atingir seu requerimento líquido. Não necessariamente é sinônimo de digestibilidade verdadeira.

978-85-7241-725-9

978-85-7241-725-9

Distal – Longe, afastado do centro, ou origem, como oposto de **proximal.**

Distrofia – Nutrição imperfeita. Distrofia dos músculos causa sua atrofia e degeneração.

Diurese – Secreção aumentada de urina. Uma droga diurética induz a diurese.

Doença das gramíneas – Doença de eqüinos, pôneis e asininos que não parece ser contagiosa. Ocorre principalmente nos meses de verão entre os animais de pastoreio em certas pastagens na Europa em uma forma hiperaguda na qual a morte se dá dentro de 8 a 16h do início após alguns períodos de grande violência. Na forma subaguda, o eqüino fica débil, inquieto e saliva bastante. O intestino fica compactado e distendido. O material alimentar pode aparecer nas narinas. Parece haver alguma perda do controle motor do trato gastrointestinal. Os músculos do dorso ficam endurecidos, o eqüino fica encolhido e há contrações musculares sobre os ombros. A recuperação é incomum (ver Cap. 10).

Doença do desgaste – Estado de emaciação crônica.

Dopamina – Neurotransmissor e intermediário na síntese de norepinefrina.

Duodeno – Primeira parte (proximal) do intestino delgado e conectada ao estômago. No eqüino adulto tem 1m de comprimento com um diâmetro de 5 a 10cm.

Duto biliar – Duto carreando bile, sintetizada pelo fígado, para o duodeno, onde a bile facilita a emulsificação de gorduras e contribui com a produção de uma reação alcalina do conteúdo intestinal.

ED – Energia digestível. A energia bruta (ou calor de combustão) de um alimento menos a energia bruta das fezes correspondentes expressa em MJ ou kJ/kg de alimento total. Sinônimo de energia digestível aparente.

Edema – A presença de quantidades anormalmente grandes de líquido nos espaços de tecido intercelular do corpo. Aplicado no texto especialmente a um acúmulo no tecido subcutâneo.

EL – Energia líquida, o valor energético do produto animal formado, ou de substâncias corpóreas mantido em, ou abaixo da manutenção, por unidade de peso de alimento consumido. EL = energia líquida - incremento de calor.

Eletrólitos – Substâncias que na solução aquosa são quebradas em partículas carreando cargas elétricas. Os principais eletrólitos do ponto de vista nutricional são Na^+, K^+, Cl^-, HCO_3^-, Ca^{2+}, Mg^{2+} e HPO_4^{2-}.

EM – Energia metabolizável. A energia digestível (**ED**) de uma unidade de peso do alimento menos o calor de combustão dos produtos correspondentes da urina e gasosos da digestão.

Emboletamento – Em geral, refere-se à flexão da articulação do **boleto** decorrente da contração de músculos e tendões, ou ligamentos atrás da canela.

Encefalopatia hepática – Doença degenerativa do cérebro que resulta de modo secundário de doença avançada do fígado, ou se um desvio portocaval ocorre.

Endógeno – Originando-se dentro do eqüino, isto é, excluindo o lúmen do trato gastrointestinal.

Endotoxemia – Presença no sangue de endotoxinas, que são não-proteínas, fragmentos lipopolissacarídeos da parede celular de bactérias gram-negativas. Por miligrama, são muito menos tóxicas do que as exotoxinas, mas parecem ter um papel crucial em certas desordens de origem intestinal relacionadas à dieta, incluindo as formas de **cólica** e **laminite**.

Enema – Um líquido para injeção dentro do reto, ou cólon menor com propósitos catárticos, ou diagnósticos.

Energia digestível – Veja **ED**.

Enfisema – Aumento de volume, ou inflação do tórax, causado principalmente pela presença de ar no tecido intra-alveolar dos pulmões após o rompimento alveolar.

Engolidor de ar (aerofagia) – Na literatura inglesa, esses termos se referem ao ato de deglutir golpes de ar para dentro do estômago. São vícios habituais. O engolidor de ar esfrega a extremidade do cocho, da cerca, etc. com os dentes incisivos coincidindo com a elevação do assoalho da boca, abrindo o palato mole e, com uma ação de deglutição, um pouco de ar passa para o estômago (Figura 11.2, Cap. 11). O engolidor de ar obtém os mesmos resultados sem um local de repouso para os dentes. Os animais jovens sem atividade adquirem o hábito dos indivíduos em sua companhia que tenham esse hábito confirmado, o que pode iniciar repetidos ataques de cólica leve. O excessivo desgaste dos dentes incisivos pode comprometer a capacidade de pastoreio do animal. Algumas vezes, uma coleira é ajustada confortavelmente ao redor da parte superior do pescoço de praticantes persistentes. A literatura americana restringe o termo "engolidor de ar" às éguas que aspiram ar e material fecal para dentro da vagina. Isso é corrigido pela operação de Caslick. O termo aerofagia é então reservado para a aspiração de ar para o estômago.

ENN – Extrativos não nitrogenados. Mensurados em gramas por quilograma de alimento, são numericamente avaliados como 1.000 – (umidade + cinzas + proteína bruta + extrato etéreo + fibra bruta). Os ENN incluem alguns dos alimentos de celulose, hemicelulose, lignina, açúcares, frutanos, amido, pectinas, ácidos orgânicos, resinas, taninos, pigmentos e vitaminas hidrossolúveis, se cada um desses componentes estiver presente em quantidades significativas no alimento original.

978-85-7241-725-9

Enterotoxemia – Presença de toxinas no sangue, produzidas e secretadas pelos intestinos por certas bactérias, como por exemplo, as do *Clostridium perfringens* referidas no texto (Cap. 11). A enterotoxina produzida em grande quantidade por esses microrganismos é também específica para as células da mucosa intestinal e causa enterite. Esse microrganismo anaeróbico é encontrado no solo e o consumo de um número relativamente pequeno de esporos nas ervas geralmente não tem efeitos consideráveis (ver também **botulismo**).

Epífise – Extremidade de um osso longo unida ao tronco, ou diáfise, durante o crescimento por uma placa de crescimento epifisária – uma metáfise.

Epifisite – Inflamação de uma epífise, ou da cartilagem que a separa do tronco durante o crescimento.

Epinefrina – Ver **catecolaminas**.

Epistaxe – Sangramento pelas narinas. O sangue pode estar presente nas narinas após tosse a partir de vasos sangüíneos lesionados no pulmão. As perdas pequenas podem ser fenômenos normais após uma corrida, mas as perdas persistentes podem ocorrer na bronquite crônica.

Equilíbrio de N (retenção de N) – O ganho líquido do nitrogênio (N) por um animal. O N no alimento menos (N nas fezes + N na urina) menos perda de amônia expirada no ar por unidade de tempo.

Eqüino de sangue frio – Na Europa, dois tipos de eqüinos se desenvolveram – o pônei céltico de membros curtos e o grande eqüino da idade média (grande e poderoso, mas lento e pesado). As raças atuais, cujas principais linhagens de sangue se originam desses dois tipos, são denominadas "sangue frio" (comparado com **eqüino de sangue quente**).

Eqüino de sangue quente – Os eqüinos de sangue quente (comparados ao **eqüino de sangue frio**) são aqueles originados em extensão significativa das raças de países mediterrâneos, que vieram a se chamar Árabes, Barb e Turcos. As raças modernas desse tipo incluem TB, Árabes, *Standardbred* americano, Cavalo de Sela americano, Morgan, Quarto de Milha e Tennessee Walker. As principais raças norte européias de sangue quente são Hanoveriana, Trakehner, *German* Holstein, *Dutch Warmblood* e Oldenburgs.

Eqüino leve – Um termo amplo para pequenas e grandes montarias de senhoras, em geral de raças mistas, que podem incluir TB e Árabe inglês. Uma definição alternativa inclui todos os eqüinos de montaria dos dias atuais nessa classificação, o que exclui os eqüinos pesados de tração e os pôneis.

Ergot – Fungo que infecta e finalmente substitui a semente de um cereal, ou gramínea, em especial o esclerócio do *Claviceps purpurea* (cravagem do centeio). Esse *ergot* é pequeno, firme, negro e lembra as fezes de camundongos. O *ergot* promove a contração de fibras musculares arteriolares e outras não estriadas. Suas toxinas são usadas para conter hemorragia após o parto e lesão interna. O consumo persistente da cravagem de *ergot* diminui de modo suficiente o fluxo sangüíneo causando gangrena (tipicamente de orelhas, cauda e membros). Várias toxinas de *ergot* causam abortamentos. Após a ingestão de grandes quantidades de feno com *ergot*, os eqüinos ficam débeis e indiferentes, uma sudorese fria ocorre no pescoço e nos flancos, a respiração fica lenta e profunda, a temperatura corpórea subnormal e o pulso fraco. A morte ocorre durante o coma profundo dentro das primeiras 24h. Quantidades menores por um período mais longo podem causar diarréia, cólica, tremores e perda da condição.

Eritrócitos – Veja **hemácias (eritrócitos)**.

Esclerose – Endurecimento que resulta especialmente de inflamação persistente.

Esôfago – Tubo ou canal membranoso muscular que se estende da faringe ao estômago.

Espaço extracelular – O espaço de líquido, ou volume, dentro do corpo que é externo às células.

Espaço intracelular – Volume líquido dentro das células do corpo, diferente de espaço de líquido extracelular. Movimento de íons, água, glicose, etc. de uma parte para outra está sob controle metabólico.

978-85-7241-725-9

Esparavão – O esparavão ósseo é uma doença do jarrete, ou tarso, em que as modificações ocorrem nos pequenos ossos no aspecto interno da articulação, resultando na deposição de novo osso. O esparavão *bog* (alifafe) é um aumento de tamanho localizado (empolado) da mesma articulação.

Estomatite – Condição degenerativa do tecido córneo na fenda central ou **ranilha** do casco eqüino causada por infecção bacteriana e com freqüência resultante da permanência do animal em baias úmidas e sujas com cama insuficientemente seca e limpa.

Estradiol – O estrógeno ovariano e placentário de ocorrência natural mais potente que prepara o útero para a implantação do oócito fertilizado e que induz e mantém as características sexuais secundárias da fêmea.

Estridor – Som respiratório áspero e muito agudo.

Estrôngilos – Grupo de nematóides estrongilóides ou vermes redondos amplamente distribuídos no conteúdo intestinal de mamíferos. Nos eqüinos, os estrôngilos são comumente chamados de vermes castanhos (ver Cap. 11).

Excesso de base e déficit de base – O excesso de base é definido como a base titulável usando um ácido forte em um pH de 7,4, P_{CO2} de 40mmHg a 37°C. O excesso de base não é uma medida do poder de tamponamento total e pode ser originado, sob certas circunstâncias, do pH e do bicarbonato somente. O déficit de base é o excesso negativo de base, definido como o ácido titulável usando uma base forte em pH 7,4 (pH normal: arterial 7,347 a 7,475; venoso 7,345 a 7,433).

Expansão, extrusão – Baseia-se nos efeitos de cocção do vapor superaquecido injetado dentro de uma pasta fluida comprimida contra uma superfície tipo face através de uma hélice giratória e subseqüente queda rápida na pressão durante a extrusão. O material é submetido a uma temperatura de cerca de 120°C por mais ou menos um minuto.

Extrato etéreo – Substâncias químicas solúveis em éter e extraídas por meio dele. Deve sempre ser especificado se foi usado o dietil éter, ou o éter de petróleo (40:60).

Fasciculações – Contração local, ou de ramificações, dos músculos.

Fator de crescimento semelhante à insulina-I (IGF-I) (somatomedina) – Proteína com topologia que lembra a insulina, associada com sua função, mas produzida pelo fígado e por outros tecidos. A concentração plasmática de IGF-I no homem parece depender da secreção do hormônio de crescimento (GH) pelo tecido hipofisário e do estado nutricional. Estimula a síntese protéica e funciona na diferenciação e no crescimento celulares. O IGF-I atua como hormônio endócrino via sangue e localmente como fator parácrino/autócrino, suprimindo a secreção de GH e a ação sensibilizante da insulina.

FDN (fibra em detergente neutro) – FDN é uma medida dos carboidratos estruturais indigestíveis das paredes celulares das plantas definidas de acordo com o método de determinação de Van Soest (1963) e Van Soest *et al.* (1991) e descrito no Ponto 3 do Anexo 1 do EC Directive 73/46/EEC (**b**). O procedimento é também usado nos métodos descritos no livreto *Prediction of Energy Values of Compound Feeding Stuffs for Farm Animals* publicado pelo Ministry of Agriculture, Fisheries and Food Publications, Londres, SE99 7JT.

Fermentação – Decomposição de substâncias orgânicas por microrganismos. No trato gastrointestinal eqüino, se refere especialmente às bactérias, leveduras e protozoários ciliados; o primeiro grupo é mais significativo.

Fertilizante – Fertilizantes inorgânicos são nutrientes de plantas preparados sinteticamente, ou extraídos como minerais. Fertilizantes orgânicos são fontes dos mesmos nutrientes de origens animal e vegetal ligados na forma **orgânica**.

Fibra bruta – Resíduo alimentar identificado após submeter-se o alimento residual da extração etérea a sucessivos tratamentos com fervura ácida e álcali de concentrações definidas. A fibra bruta contém celulose, hemicelulose e lignina, mas não é uma medida precisa porque subestima os componentes estruturais da matéria vegetal (ver **ENN**).

Fibra DAM – Fibra detergente-ácida modificada. Uma fração de fibra de alimento determinada pelo procedimento de fibra DAM isola principalmente o complexo lignocelulose. Esse complexo é a fração do material herbário que tem mais influência sobre a digestibilidade energética do alimento. Em comparação, durante o procedimento químico para determinação da **fibra bruta**, uma quantidade considerável de lignina pode se tornar solúvel e assim perdida do resíduo, causando uma superestimativa da fração digestível do alimento.

Fibrina – Proteína insolúvel formada a partir do fibrinogênio pela ação proteolítica da trombina durante a coagulação normal do sangue.

Fitase – A fitase (EC 3.1.3.8) é produzida pelo *Aspergillus niger* (CBS 114.94) e é listada como uma enzima permitida que hidrolisa os fitatos. A fitase é produzida por várias células microbianas, mas pelo que se sabe não ocorre em qualquer secreção digestiva do eqüino.

978-85-7241-725-9

978-85-7241-725-9

Fitatos – Muito do fósforo presente nos grãos cereais e outras sementes ocorre como fitatos, que são Ca, Mg e outros sais de ácido fítico, um derivado do ácido fosfórico, formado de uma estrutura de anel com seis carbonos com um grupamento fosfato ligado indigestivelmente a cada átomo de carbono. O eqüino pode utilizar o fósforo do fosfato somente em uma extensão de cerca de 30%, em parte pela atividade da fitase bacteriana presente nos intestinos, mas provavelmente também como resultado de alguma atividade de fitase identificada na parede intestinal de várias espécies. O fitato reduz a disponibilidade do zinco dietético. O farelo de trigo contém 1% de P presente como fitina.

***Flutter* diafragmático sincrônico** – Contração do diafragma em sincronismo com os batimentos cardíacos. É observado nos eqüinos com fadiga após exercício intenso em clima quente, quando a sudorese excessiva pode precipitar grande redução na concentração plasmática de Ca ionizado, Cl e K.

Forrageira – Existem vários tipos de forrageiras, que caem amplamente dentro das seguintes categorias: (1) longas e secas, por exemplo, feno e palha; (2) feno, palha e subprodutos da aveia moídos e peletizados; (3) gramíneas longas ensiladas e forragens suculentas comparáveis; e (4) material ensilado suculento cortado. Dentro de cada categoria, somente os alimentos analisados que contenham mais que 20% de fibra bruta com base na secagem a ar devem ser incluídos. As forrageiras tendem a reduzir o consumo de matéria seca em eqüinos alimentados *ad libitum* e a diminuir o consumo de energia líquida nesses animais em comparação àqueles que também recebem **concentrados**. A fibra é útil na manutenção das populações microbianas do intestino grosso em um estado estabilizado.

Fosfogênios – Um grupo de compostos, incluindo a fosfocreatina e o ATP, que ocorrem em tecidos e que produzem fosfato inorgânico, com a liberação de energia na clivagem. São classificados como compostos de fosfato ricos em energia.

Fotossensibilização – O desenvolvimento da reatividade anormalmente elevada da pele à luz solar. No texto, a referência é feita a uma reação de pele dos eqüinos após o consumo de certas plantas. Há relatos de animais domésticos reagindo à erva-de-são-joão (*Hypericum* spp.), ou ao natércio (*Narthecium ossifragum*). Eqüinos brancos, tordilhos, ou malhados, ou aqueles com lesão hepática são os mais suscetíveis.

Furlong – Medida linear equivalente a 201,17m (1/8 de milha). Originalmente, o comprimento do sulco no campo comum. O lado de um quadrado de dez acres de estatuto.

Gamaglobulinas – Fração protéica da globulina plasmática, que tem mobilidade eletroforética lenta. A maioria dos anticorpos é gamaglobulina.

***Gap* de ânion** – Diferença entre os cátions e os ânions mensurados. Quantitativamente, reflete aqueles íons que não são mensurados por causa do princípio da eletroneutralidade, em que a soma de todos os ânions e de todos os cátions precisa ser igual tanto no plasma como na urina.

$[Na^+] + [K^+] + CN = ([HCO_3^-] + [Cl^-]) + AN$, assim $[AN] - [CN] = [Na^+] + [K^+] - ([HCO_3^-] + [Cl^-]) =$ *gap* de ânion,

em que AN = ânions não mensurados e CN = cátions não mensurados, ambos mensurados em mEq/L. É usado para distinguir as formas de titulação e secreção da acidose metabólica. O *gap* aumenta conforme o pH cai na forma de titulação (por exemplo, ácido láctico aumentado), ao passo que o *gap* é normal na forma de secreção. Na urina ácida (pH < 6,5), a concentração de bicarbonato é muito baixa e desprezível e existe normalmente uma correlação negativa entre o *gap* de ânion e o íon amônio urinário.

Garrotilho – Uma febre aguda contagiosa de eqüinos, asininos e muares causada pela bactéria *Streptococcus equi*, caracterizada pela inflamação catarral das membranas mucosas das passagens nasais e faringe e acompanhada com freqüência pela formação de abscessos nas glândulas linfáticas submaxilares, ou faringianas detectáveis sob a mandíbula.

Garupa – Aquela parte dos quartos posteriores do eqüino imediatamente atrás do lombo. A "ponta da garupa" é a parte mais alta e corresponde aos ângulos internos do ílio.

Gastrophilus – Ver **mosca de gastrófilos (berne)**.

GGT – Gama-glutamiltransferase (EC 2.3.2.2) é liberada dentro do sangue após lesão hepática. A atividade sangüínea dessa enzima está elevada na cirrose hepática, na pancreatite e na doença renal. A variação normal da atividade plasmática é de 0 a 41UI/L e a seneciose pode causar aumento para até 80 a 280UI/L.

Glândula endócrina, hormônios e secreções relacionadas – Uma glândula endócrina secreta uma substância específica (hormônio) que é liberada diretamente dentro do sistema circulatório (sangue, linfa, ou canais neurossecretores) e que influencia o metabolismo em pontos no corpo distantes da glândula. Dois outros tipos de secreção hormonal são: secreção *autócrina*, que influencia a função das células que a produzem; e secreção *parácrina*, produzida por um tipo de célula endócrina e que influencia as secreções de células próximas que não são seu alvo. Uma glândula *exócrina* é aquela que secreta para fora por um duto que se abre dentro da superfície epitelial interna ou externa.

Glândula paratireóide – Glândula endócrina localizada na região superior do pescoço adjacente à glândula tireóide. Quando a concentração sérica de íons cálcio cai, o hormônio paratireóideo é secretado dentro do sangue. Induz a mobilização de Ca ósseo, aumenta a absorção de Ca pelo intestino, a reabsorção do Ca pelos túbulos renais e a excreção urinária de P. Seus efeitos são contrariados pelos da **calcitonina**. Veja também **hiperparatireoidismo nutricional secundário**.

Glândula tireóide – Situada no pescoço em conexão com a extremidade superior da traquéia. A glândula secreta dois hormônios: tiroxina, contendo iodo, e **calcitonina** (tirocalcitonina) (ver Cap. 3).

Glândulas adrenais – Par de glândulas sem dutos, cada qual situada próxima de cada rim e consistindo em uma medula interna, que secreta os hormônios epinefrina e norepinefrina (adrenalina e noradrenalina), e um córtex externo, que secreta corticosterona, cortisol (glicocorticóides) e aldosterona.

Glicogênico – Que promove o aumento de glicose, ou a produz. De acordo com uma classificação muito usada, os aminoácidos são cetogênicos se (como a leucina) são convertidos em acetil-CoA e, quando fornecidos a um animal em jejum, produzem cetonas no sangue. Os aminoácidos glicogênicos, como a valina, quando fornecidos a um animal em jejum, promovem a síntese de glicose e glicogênio.

Glicólise – A principal via pela qual a glicose é metabolizada para fornecer energia é um processo de dois estágios; o primeiro, chamado de glicólise, pode ocorrer anaerobicamente e produz piruvato.

Gliconeogênese – Formação de glicose a partir de aminoácidos dentro do corpo através de várias rotas que incluem o ácido pirúvico e o ácido láctico, mas não via acetil-CoA.

Glicosúria – Quantidades anormais de glicose na urina. Origina-se de falha da reabsorção tubular renal, ou de anormalidade do estado hormonal, como no diabetes melito.

Glossite – Inflamação da língua. Observada nos eqüinos deficientes de ácido fólico, tratados por períodos prolongados com drogas sulfonamidas (ver texto sobre ácido fólico, Cap. 4).

978-85-7241-725-9

Glucagon – Hormônio polipeptídeo secretado pelas células alfa das ilhotas de Langerhans em resposta à hipoglicemia. Estimula a glicogenólise no fígado e se opõe à ação da **insulina**.

Glutationa peroxidase (GSH-Px) – A atividade dessa enzima (EC 1.11.1.9) nos eritrócitos eqüinos é usada como indicador da condição de selênio do eqüino. A atividade é determinada como mmol de NADH oxidado em 1min por 1mL de eritrócitos. Em TB, evidência (Blackmore *et al.*, 1982) indica que a atividade deve ser de aproximadamente 25 a 35 unidades/mL de hemácias.

Golpes – Veja ***flutter* diafragmático sincrônico**.

Gossipol – Toxina encontrada com outros dois pigmentos tóxicos nas glândulas pigmentares das sementes de algodão. É um derivado binaftaleno polifenólico. É inativado pelo aquecimento, mas nesse procedimento combina-se à lisina, reduzindo o valor protéico. O cruzamento seletivo produziu sementes sem glândulas, não amplamente disponíveis.

GOT – Veja **AST**.

GPT – Veja **ALT**.

Grânulos, cubos – Misturas compostas de alimentos eqüinos que foram comprimidas em cilindros sólidos de 3 a 10mm de diâmetro e duas a três vezes tão longas ao forçá-las através dos orifícios de uma lâmina metálica. A mistura pode ou não ter sido previamente cozida a vapor em uma caldeira.

Haustral – Refere-se aos haustros, ou saculações, do cólon.

Heaves – Expressão aplicada a doenças respiratórias de longa duração em que um esforço expiratório duplo é uma característica. As causas incluem bactérias, vírus e, raramente, tumores pulmonares. Uma causa comum é a reação alérgica e discute-se no Capítulo 11 a inalação de esporos e partículas dos fungos *Micropolyspora faeni* e *Aspergillus fumigatus*.

Hemácias (eritrócitos) – As células mais numerosas no sangue (6,8 a 12,9 x 10^{12}/L), com somente 5,4 a 14,3 × 10^{9}/L de células brancas (leucócitos). A porção celular do sangue forma 32 a 53% do total, o restante sendo o plasma. Cerca de 35% de cada hemácia é a proteína hemoglobina, que transporta oxigênio dos pulmões para os vários tecidos corpóreos.

Hemaglutininas – Agora chamadas de lectinas, contidas no *Phaseolus* spp., incluindo o *P. vulgaris*. Graves doenças gastrointestinais podem ser causadas por essas substâncias quando fornecidas em altas concentrações dietéticas. São proteínas das quais a concavalina A do feijão de porco é usada de modo medicinal como agente mitogênico e preferencialmente para aglutinar células cancerígenas.

Hematócrito – Volume corpuscular (VC). A proporção de sangue por volume formado de células, em especial hemácias, e expresso como um percentual. Determina-se pela centrifugação de amostras de sangue contendo um anticoagulante.

Hematopoese – Formação e desenvolvimento das células do sangue.

Hemoglobina – Pigmento vermelho carreador de oxigênio das hemácias (eritrócitos). Uma proteína conjugada que consiste na proteína globina combinada a um grupamento prostético contendo ferro (heme).

Hemólise – O rompimento das hemácias do sangue.

Hemorragias petequiais – Manchas de sangue pequenas e subcutâneas causadas pela efusão de sangue de um capilar. Manchas freqüentemente numerosas estão presentes no tecido reagindo às toxinas, como as endotoxinas.

Hepatite – Inflamação do fígado.

978-85-7241-725-9

Hiper, hipo – Prefixos: hiper significando acima do normal ou excessivo e hipo significando abaixo.

Hiper e hipocalemia – Nível anormal de potássio plasmático. A hipocalemia pode ser causada por uma combinação de inadequado K dietético e perdas excessivas do corpo. As causas de hipo e hipercalemia podem ser distúrbios metabólicos, quando há desvios anormais de K^+ entre os espaços intra e extracelulares, como na acidose.

Hipercalciúria – Quantidades anormalmente grandes de Ca na urina; hipocalciúria é o termo para quantidades anormalmente pequenas de Ca.

Hipercapnia – Excesso de dióxido de carbono nos líquidos corpóreos.

Hiperemia – Aumento de volume com sangue.

Hiperglicemia – Elevada concentração sangüínea de glicose.

Hiperlipidemia – Termo geral para elevação de quaisquer, ou todos, os lipídeos no plasma, incluindo a hiperlipoproteinemia e hipercolesterolemia, ao passo que a hiperlipemia se refere especificamente a uma elevação dos triacilgliceróis, antes conhecidos como triglicérides.

Hiperparatireoidismo – Atividade anormalmente elevada da **glândula paratireóide**, causando perda de Ca dos ossos.

Hiperparatireoidismo nutricional secundário – Secreção aumentada de **paratormônio** como mecanismo compensatório direcionado contra distúrbio na homeostase mineral induzida por desequilíbrios nutricionais. Uma perda de Ca dos ossos é induzida, resultando em condição marcada por dor, fraturas espontâneas, fraqueza muscular e osteofibrose (ver Caps. 3 e 11).

Hiperplasia – Multiplicação anormal, ou aumento, do número de células normais na disposição normal em um tecido.

Hiperplasmia – Excesso na proporção de plasma em relação às células no sangue.

Hiperpnéia – Aumento anormal na profundidade e na velocidade dos movimentos respiratórios.

Hipersensibilidade – Reação exagerada a um agente estranho. Essas respostas imunes são classificadas como imediatas, ou tardias, ou como tipos I a IV.

Hipertensão – Em geral, refere-se à elevada pressão sangüínea arterial, que pode estar confinada a uma circulação específica, como a pulmonar, ou a renal.

Hipertermia – Temperatura corpórea anormalmente elevada.

Hipertônica – Líquido corpóreo com concentração, ou pressão osmótica acima do normal (mais do que isotônico).

Hipertrofia – Aumento, ou excesso de crescimento de um órgão, ou tecido pelo aumento no tamanho de suas células individuais.

Hipervolemia – Neste texto, o termo se refere à hipervolemia das hemácias. A hipervolemia é um aumento anormal no volume do sangue circulante, que pode ser do plasma e/ou da massa de hemácias. Nos estudos relacionados a trotadores *Standardbred*, o volume plasmático estava dentro de limites normais. O volume elevado de hemácias não deve ser confundido com um elevado volume corpuscular médio (VCM), que é um aumento médio anormal no volume das hemácias, de modo individual, tipicamente observado no alcoolismo.

Hipocalcemia – Redução do Ca sangüíneo abaixo do intervalo normal de concentração.

Hipocupremia – Concentração subnormal de cobre sangüíneo.

978-85-7241-725-9

Hipófise (glândula pituitária) – Glândula que repousa na base do cérebro, conectada ao hipotálamo através do pedúnculo hipofisário. Fisiologicamente, consiste em duas partes, a hipófise anterior e a posterior. Seis hormônios são secretados pela porção anterior: hormônio do crescimento, adrenocorticotropina, hormônio tiróido-estimulador, prolactina, hormônio folículo-estimulante e hormônio luteinizante. A porção posterior secreta o hormônio antidiurético (vasopressina) e a ocitocina.

Hipoglicemia – Concentração de glicose sangüínea abaixo do limite normal para a raça.

Hipomagnesemia – Redução do Mg sangüíneo abaixo do intervalo normal de concentração.

Hiponatremia – Concentração plasmática anormalmente baixa de Na.

Hipotensão – Pressão sangüínea anormalmente baixa.

Hipovolemia – Volume anormalmente reduzido de plasma sangüíneo circulante.

Hipoxemia – Oxigenação deficiente do sangue.

Hipóxia – Redução abaixo dos limites fisiológicos do suprimento de oxigênio aos tecidos, apesar da adequada perfusão pelo sangue.

Homeostase – Estabilidade do estado corpóreo normal. Refere-se com freqüência à constância de pH e à composição química dos líquidos extracelulares.

Hormônio – Substância química discreta secretada dentro dos líquidos corpóreos por uma glândula endócrina e que influencia a ação de um tecido, ou órgão, diferente do que o produziu.

Icterícia – Coloração amarelada das membranas mucosas visíveis – olhos, boca, narinas e órgãos genitais. Pode também ser detectada no plasma sangüíneo de animais em estábulos que recebem dieta pobre em pigmentos e pode ser causada por certas infecções resultando em destruição das hemácias e liberação de pigmento heme (icterícia hemolítica), ou por lesão hepática.

Icterícia hemolítica dos potros – Causada pela absorção de anticorpos colostrais que destroem as hemácias (ver Cap. 7).

IGF-I – Veja **fator de crescimento semelhante à insulina-I**.

Íleo – Porção distal do intestino delgado estendendo-se do jejuno até o ceco.

***Imprinting* (estampagem)** – Tendência inata de um potro neonato de se fixar a um grupo de objetos, ou um único objeto, como sua mãe.

Imunidade – Resistência à infecção por um microrganismo, ou à ação de certos venenos. A imunidade pode ser herdada, adquirida de modo natural, ou artificialmente adquirida.

Imunoglobulinas – Proteínas específicas, encontradas no sangue, no **colostro** e na maioria das secreções, produzidas pelas células plasmáticas em resposta à estimulação por antígenos específicos, que por sua vez são inativados. Os antígenos podem ser carreados por, ou liberados de bactérias, vírus, ou mesmo certos parasitas.

Infarto – Área de **necrose** tecidual decorrente de anemia local resultante da obstrução da circulação sangüínea. No texto, se refere aos efeitos das larvas de **estrôngilos** em migração nos vasos sangüíneos mesentéricos, provocando a morte de um segmento intestinal.

Inorgânico – Não é um termo preciso, mas pode ser usado para se referir ao conteúdo de cinzas do corpo remanescente após sua incineração, o que remove H, C e N como óxidos. Os **minerais**, em forma oxidada, permanecem juntos com uma proporção muito pequena de carbonatos.

978-85-7241-725-9

Insulina – Hormônio protéico sintetizado pelas ilhotas de Langerhans no pâncreas e secretado no sangue onde regula o metabolismo de glicose. É deficiente no diabetes melito.

Integração lavoura-pecuária – Sementes de gramíneas e trevos semeadas como parte de uma rotação de lavouras e usualmente removidas após um a seis anos. A distinção de pastagem permanente não é absoluta.

Intussuscepção – Prolapso de uma parte do intestino para dentro do lúmen de outra parte imediatamente adjacente.

Isoanticorpo – **Anticorpo** gerado no corpo em reação a um **isoantígeno**. Um exemplo é encontrado no sangue e no **colostro** da mãe em resposta a uma proteína fetal que entrou em sua circulação sangüínea.

Isoantígeno – Antígeno no corpo que irá induzir a produção de anticorpo contra si próprio.

Isoenzimas – Ou isozimas, são fisicamente distintas, por exemplo, imunologicamente, mas todas catalisam a mesma reação.

Isquemia – Deficiência no suprimento de sangue para um tecido, órgão, ou parte do corpo.

Jarrete – Articulação do tarso entre **tíbia** e **metatarso** (osso da canela) do membro posterior.

Joelhos abertos – Uma aparência côncava em disco da parte dianteira do "joelho" ou articulação do carpo, causada pela **epifisite** imediatamente acima da articulação.

Joule – Unidade SI (Système Internationale d'Unités) de energia: 4,184 J = 1caloria. O joule é definido como a energia gasta quando 1kg é movimentado por uma força de um Newton (1Nm), $1J = 1kgm^2s^{2-}$, ou um watt segundo (1Ws) ($1N = 1kgms^{2-}$). Quilojoule (kJ) = 10^3 joules e megajoule (MJ) = 10^6 joules.

Lábil – Quimicamente instável.

Lactase – Enzima que hidrolisa o açúcar do leite, a lactose, para formar glicose e galactose. A enzima que realiza isso no intestino do eqüino é a beta-galactosidase.

Laminação – Termo usado na prensagem de grãos cereais entre lâminas onduladas para romper as sementes e aumentar ligeiramente a digestibilidade.

Laminite – Doença dolorosa do casco em que existe aparentemente uma inflamação transitória seguida pela congestão das lâminas dos cascos. É mais freqüente em pôneis, mas pode ser induzida prontamente tanto em eqüinos como em pôneis por meio de um repentino aumento no conteúdo de amido, ou de proteína da dieta. Algumas vezes, todos os quatro membros são afetados, às vezes somente os cascos anteriores e ocasionalmente apenas os cascos posteriores, ou um único casco. O casco afetado fica quente e a temperatura corpórea pode se elevar. O posicionamento em estação não é natural, os membros anteriores acometidos são colocados para frente e o eqüino reluta em se mover.

Latirismo – Condição caracterizada pela paralisia repentina e transitória da laringe, com a quase sufocação do eqüino, causada pela beta-aminopropionitrila no *Lathyrus sativus* (chícharo) e outros *Lathyrus* spp., incluindo o *L. odoratus* (ervilheira de cheiro).

Leguminosas – Plantas da família Leguminosae ou Fabaceae, que incluem espécies úteis de forrageiras (por exemplo, trevos e **alfafa**) e espécies de sementes (como soja, ervilhas, e feijões).

Leptina – Hormônio protéico produzido pelo tecido adiposo (branco) e pela hipófise, que atua nos receptores hipotalâmicos para controlar o consumo de alimentos, como fator de saciedade, equilíbrio energético e adiposidade. No eqüino, os níveis plasmáticos são maiores nos animais alimentados do que nos em jejum e nos indivíduos alimentados as

978-85-7241-725-9

concentrações plasmáticas são maiores durante 12 a 24h do que de 0 a 12h diárias (Buff *et al.*, 2001). No homem e em animais domésticos e de laboratório que foram investigados esses receptores podem ser regulados de forma negativa por meio de alimentação inicial exuberante, ou de forma positiva mediante escassez alimentar. A regulação negativa aparentemente aumenta os níveis circulantes de leptina (isto é, sensibilidade reduzida dos receptores) e a propensão à obesidade tardia. O nível circulante também se modifica diurnamente com a alimentação e, presumindo-se uma sensibilidade padrão, um nível elevado diminui o consumo energético. As alterações genéticas na molécula de leptina afetam a sensibilidade do receptor hipotalâmico a ela. No texto, as baixas concentrações plasmáticas de leptina estão correlacionadas ao anestro em éguas.

Leucocitose – Aumento transitório no número de células brancas no sangue.

Ligamento – Estrutura fibrosa e resistente que sustenta vísceras, ou que une ossos. Nas diferentes situações, os ligamentos são semelhantes a cordões, ou faixas planas, ou, na formação da cápsula articular, têm a forma de folhetos, evitando o deslocamento.

Linfáticos – Sistema de vasos que drenam a linfa de vários tecidos corpóreos e a conduzem para a circulação sistêmica, conduzindo as gorduras neutras do intestino delgado após terem sido absorvidas.

Linfedema – Aumento de volume, ou **edema**, dos membros, decorrente do acúmulo de líquido por baixo da pele, freqüentemente causado por um período de inatividade com alimentos ricos imediatamente após um período prolongado de atividade. Exercício, purgação e uma redução no consumo energético normalmente trazem um alívio rápido. A condição é também ocasionalmente vista em eqüinos com fígado lesionado, especialmente se a dieta for de baixa qualidade e deficiente em proteína.

Lípases – Uma classe de enzimas, cujos membros são encontrados nas secreções digestivas e em tecidos corpóreos. As lípases individuais têm como funções principais a hidrólise das gorduras para produzir ácidos graxos, monoglicerídeos, glicerol e colesterol, e a hidrólise de fosfolipídeos.

Lipídeos – Grupo de substâncias encontrado em plantas e tecidos animais, insolúvel em água, mas solúvel em solventes orgânicos comuns, incluindo petróleo, benzeno, éter e clorofórmio. A gordura bruta do alimento é o material extraído usando-se petróleo leve.

Lipólise – Decomposição de gordura em glicerol e ácidos graxos e, por exemplo, no caso do fosfoglicerídeo lecitina, em ácido fosfórico e colina também.

Lisina – Um dos **aminoácidos indispensáveis (essenciais)**, cuja concentração, ou freqüência, na maioria das proteínas vegetais limita seu valor biológico. Hidrocloreto de L-lisina é usado algumas vezes como aditivo alimentar para melhorar qualquer déficit na proteína dietética.

Mandíbula – Arcada inferior. No eqüino adulto macho, apresenta cavidades para três incisivos, um canino, três pré-molares e três molares, de cada lado (na fêmea, os caninos são em geral ausentes, ou rudimentares). Seus movimentos de moagem são controlados por músculos poderosos.

Manutenção – No nível de manutenção do alimento, os requerimentos do eqüino de nutrientes para a continuidade dos processos vitais dentro do corpo, incluindo a reposição das perdas obrigatórias nas fezes e na urina e pela pele, são imediatamente atingidos de forma que não existe ganho, ou perda líquida de nutrientes e outras substâncias teciduais pelo animal.

978-85-7241-725-9

Mascado – Expulsão de alimento parcialmente mastigado da boca. O hábito pode se originar de lesões na língua, ou nas bochechas, resultantes de dentes molares muito pontudos, irregulares em altura, ou alinhamento, ou mesmo de dentes permanentes empurrando os temporários para fora das gengivas. As causas também incluem as infecções de boca, ou dentes e a paralisia da garganta com a conseqüente incapacidade de deglutição.

Mastigação de madeira – Hábito desenvolvido por vários eqüinos provavelmente como resultado do tédio. O eqüino normalmente não deglute a madeira e é improvável que o hábito tenha qualquer implicação dietética.

Mecônio – Material amarronzado, viscoso, semifluido, ou endurecido que se acumula nos intestinos do potro antes do nascimento. Deve ser eliminado logo após o nascimento. O **colostro** tem uma ação purgante natural sobre ele.

Membros inchados – Edema ou empolamento dos membros. Quantidades anormalmente grandes de líquido (exsudato) nos espaços de tecido intercelular abaixo da pele. A causa mais comum em eqüinos sadios é um período de inatividade em baia após estação de exercícios intensos, particularmente se houver fornecimento de milho ou outro alimento concentrado. Porém, não é um envenenamento protéico. O edema pode também se originar de doenças do coração, fígado, ou rins, ou de má nutrição em longo prazo envolvendo dietas pobres em proteínas.

978-85-7241-725-9

Mesentério – Prega membranosa peritoneal inserindo os intestinos à parede dorsal do abdome.

Metabolismo – Um termo envolvendo os processos químicos de **anabolismo** e **catabolismo** no corpo.

Metacarpo – A parte do membro anterior entre o carpo e o dígito (comparado ao **metatarso**). Existem três ossos metacárpicos: o central ou terceiro (canela) é o maior; os outros dois são os metacárpicos rudimentares.

Metaemoglobina – Uma forma modificada de hemoglobina em que o ferro foi convertido do estado ferroso para o férrico, não podendo mais se combinar ao oxigênio e nem transportá-lo. As lesões podem ocorrer após a administração de grandes doses de certas drogas, ou após o consumo de nitritos no alimento ou na água.

Metafisite – Inflamação da metáfise, visualizada como aumento de tamanho, ou inchaços adjacentes às articulações dos ossos dos membros.

Metaloproteinase – Proteínas enzimáticas ligadas a um metal, incluindo ceruloplasmina, citocromo oxidase, lisil oxidase e a superóxido dismutase.

Metatarso – A parte do membro posterior entre o tarso ou jarrete e o dígito. É semelhante em estrutura ao **metacarpo**, com um grande osso metatársico central (canela) e os metatársicos acessórios.

Micotoxinas – Substâncias produzidas sob condições específicas por certos fungos. Sua forma química e seus efeitos nos animais variam muito. Incluem efeitos semelhantes aos hormônios, alterações das funções intestinais, renais e hepáticas, indução de tumores e efeitos antibacterianos. A maioria dos antibióticos é micotoxina. As micotoxinas mais bem conhecidas incluem: aflatoxinas, produzidas pelo *Aspergillus flavus*; toxina T-2, produzida por *Fusarium* e *Myrothecium* spp.; ergotoxinas, produzidas por *Claviceps purpurea*; zearalenona (F-2), produzida por *Fusarium* spp.; dicumarina, produzida no trevo cheiroso por *Aspergillus* e *Penicillium* spp.; e vomitoxinas produzidas por *Fusarium* spp. Várias micotoxinas são perigosas para os eqüinos em condições normais de criação.

978-85-7241-725-9

Micronização – A cocção de cereais e sementes de leguminosas sob maçaricos de cerâmica que emitem irradiação infravermelha no comprimento de onda de 2 a 6mm, resultando em rápido aquecimento interno da semente e em elevação da pressão do vapor de água, durante o que os grãos de amido aumentam de tamanho, se quebram e se gelatinizam.

Milho – *Zea mays*. Um membro da família das gramíneas, a Gramineae, cujas sementes, tanto cozidas quanto cruas, constituem um excelente grão cereal rico em energia para os eqüinos. As partes vegetais acima do solo, no estágio de colheita, podem formar uma boa silagem para eqüinos.

Minerais – Outros elementos essenciais na dieta diferentes do carbono (C), do hidrogênio (H) e do nitrogênio (N). Incluem os macrominerais cálcio (Ca), fósforo (P), magnésio (Mg), potássio (K), sódio (Na), cloro (Cl) e enxofre (S) e os oligoelementos minerais ferro (Fe), zinco (Zn), manganês (Mn), cobre (Cu), cobalto (Co), iodo (I), selênio (Se) e flúor (F). Alguns outros elementos, tais como cromo (Cr), níquel (Ni) e molibdênio (Mo), são requeridos em quantidades muito pequenas. Os elementos minerais são necessários para incorporação em compostos diferentes da forma principal que podem aparecer na dieta, ao passo que C, H e N são requeridos como constituintes de nutrientes orgânicos pré-formados. Uma aproximação crua do conteúdo mineral da dieta é obtida a partir da mensuração do conteúdo de **cinzas** do alimento.

Mioglobina – Pequena proteína carreadora de oxigênio do tecido muscular contendo o pigmento heme com um átomo de ferro em seu centro. Lesões musculares graves causam seu aparecimento na urina na **azotúria**. Sendo uma molécula muito menor do que a hemoglobina, atravessa o filtro glomerular muito mais prontamente, dando coloração castanha à urina. A precipitação da mioglobina nos túbulos renais, como com a hemoglobina, pode contribuir com a **uremia** terminal.

Miopatia – Doença de um músculo.

Miopatia por esforço – Mioemoglobinúria **azotúria**. Condição aguda em que os músculos afetados, em especial do quarto posterior, se tornam duros ao toque e os membros posteriores rapidamente se tornam inflexíveis e fracos, ou cambaleantes. Existe uma tendência ao emboletamento. O risco é maior nos eqüinos em trabalho contínuo que abruptamente repousam por alguns dias com alimentação completa e então retornam ao trabalho.

Mitocôndrias – Corpos pequenos no citoplasma de células (exceto bactérias e algas azul-esverdeadas ou cianobactérias). Exercem importantes funções respiratórias tanto em seqüências catabólicas quanto biossintéticas. São o local do ciclo do ácido cítrico, a via da beta-oxidação e da fosforilação oxidativa.

MJ – 1.000kJ ou 10^6 joules.

Mosca de gastrófilos (berne) – As larvas de *Gastrophilus* spp. causam gastrite crônica e perda de condição em animais de pastoreio. O *Gastrophilus intestinalis* deposita ovos do tamanho da cabeça de alfinetes nos pêlos do animal durante o verão. Quando o eqüino se lambe, os ovos são levados à boca e eclodem lá, ou no estômago. Em raras ocasiões, causam perfuração do estômago e morte (ver Cap. 11).

Necrose – Morte de uma célula, ou de um grupo de células em contato com o tecido vivo.

Nefrite – Inflamação do rim; processo proliferativo focal, ou difuso, ou destrutivo, que pode envolver o glomérulo, tecido renal tubular, ou intersticial (comparado à **nefrose**).

Nefrose – Qualquer doença do rim, em especial a caracterizada pela degeneração dos túbulos renais (comparado à **nefrite**).

Nefrotóxico – Tóxico ou destrutivo para as células renais.

Nematóide – Nematoda é uma classe de helmintos cilíndricos em fita, os vermes redondos, do filo Aschelminthes. Nem todos são parasitas.

Nervo vago (pneumogástrico) – Grande nervo parassimpático (décimo craniano) do **sistema nervoso autônomo**, que possui tanto fibras eferentes como aferentes distribuídas para laringe, pulmões, coração, esôfago, estômago, fígado, intestinos e para as principais vísceras abdominais. Por isso, tem um papel considerável na digestão e nos exercícios físicos.

Neurotransmissor – Um químico, por exemplo, norepinefrina, acetilcolina, dopamina, etc., liberado do axônio terminal de um neurônio pré-sináptico, ou excitatório, que viaja através da fenda sináptica para excitar, ou inibir a célula-alvo.

Nitrogênio não-protéico – Veja **NNP (nitrogênio não-protéico)**.

Nível de alimentação – Peso da dieta seca completa ingerida diariamente, não confinada à energia. Estritamente, deve ser fornecida como uma proporção do tamanho corpóreo metabólico ($PC^{0,75}$), ou, mais precisamente, para cada 100kg de peso corpóreo.

NNP (nitrogênio não-protéico) – A determinação do conteúdo de proteína bruta de um alimento parte do princípio que o conteúdo protéico é geralmente 6 a 25 vezes o conteúdo determinado de N. Porém, existem vários compostos no alimento, incluindo os ácidos nucléicos, a creatina e outros, que não têm valor protéico, mas que são incluídos no cálculo. Também, as ervas mais jovens são ricas em aminoácidos e nitratos que são componentes dos NNP, apesar dos aminoácidos terem um valor protéico equivalente.

Oligoelementos minerais – Veja **minerais**.

Oral – Da boca, ou na boca.

Orgânico – Moléculas complexas contendo pelo menos C e H e sintetizadas por tecido vivo.

Osmolalidade – Uma solução que tem 1osmol de soluto dissolvido em 1kg de água tem uma osmolalidade de 1Osm/kg (1/1000Osm dissolvido/kg de água tem uma osmolalidade de 1mOsm/kg); comparado à **osmolaridade**, a medida mais prática, que é a concentração osmolar expressa como osmoles por litro de solução ao invés de por quilograma de água. Para soluções diluídas, como no corpo, a diferença quantitativa é menos que 1%.

Osmolaridade – O número total de partículas dissolvidas, ou osmoles, na solução aquosa. Os líquidos com uma osmolaridade maior que a dos líquidos corpóreos são hipertônicos e aqueles em que é menor são hipotônicos. A osmolaridade depende da concentração molar e não dos equivalentes por litro (mEq/L). Por exemplo, se a concentração de Mg^{2+} for de 30mEq/L, isto, é 15mmol/L ou 15mOsm/L, 100mL de $NaHCO_3$ a 0,6M provêem 60mmol de Na^+ e 60mmol de HCO_3^- ou 120mOsm, com a suposição de que o sal é completamente dissociado. A osmolaridade dos líquidos corpóreos é de cerca de 285mOsm/L.

978-85-7241-725-9

Ossificação endocondral – Formação óssea dentro da cartilagem, comparada com ossificação periostal.

Osso cortical – Osso compacto formando o cilindro do tronco, ou diáfise dos ossos longos, e resultando principalmente da ossificação periostal.

Osteoartrite – Doença articular degenerativa crônica, múltipla, caracterizada por degeneração da cartilagem articular, hipertrofia do osso nas margens e modificações na membrana sinovial.

Osteoartrose – Artrite crônica de caráter não inflamatório.

Osteocondrite – Inflamação do osso e da cartilagem.

Osteóide – A matriz orgânica do osso jovem.

Osteomalacia – Amolecimento dos ossos em adultos em razão da deficiência de vitamina D, ou de minerais. Existe uma quantidade aumentada de matriz óssea não calcificada (osteóide).

Oxalato – Um ânion ácido orgânico que se combina ao Ca e a alguns minerais dietéticos positivamente carregados para formar um precipitado muito insolúvel que inibe a digestão e a absorção (ver *Gramados e forrageiras tropicais*, Cap. 10). Os oxalatos circulantes no sangue também reagem com o Ca sangüíneo ionizado e formam um depósito cristalino nos rins.

Oxyuris equi – Um verme nematóide intestinal, que não é um perigo sério para os eqüinos. Causa intensa irritação na região anal, estimulando o esfregar da cauda e o ato de morder. Compostos à base de piperazina são eficientes.

Pâncreas – Uma glândula na cavidade abdominal que secreta um líquido contendo enzimas digestivas para dentro do duodeno (ver Cap. 1) e secreta os hormônios **insulina** e **glucagon** para dentro da circulação sangüínea.

Parascaris equorum – Um nematóide intestinal que comumente infecta potros, eqüinos de 12 meses e abaixo de três anos de idade. Causa problemas intestinais, cólica, tosse e secreção nasal (ver Cap. 11).

Paratormônio – Hormônio paratireóideo sintetizado pela **glândula paratireóide**.

Paresia (geral) – Condição curta de completa paralisia, em que certos músculos estão relaxados e fracos. Se for mais generalizada, o animal pode não se sustentar, ou tropeça. Algumas vezes, existe uma leve paralisia – ou seja, existe alguma lesão, ou efeito em certos nervos motores e uma incapacidade de realizar movimentos intencionalmente.

Paresia (parturiente) – Esse sinal clínico, associado com a **hipocalcemia**, *não* é característico de éguas. A **tetania** da lactação foi comumente observada em éguas de tração. A **hipocalcemia** é uma característica consistente, apesar da **hipomagnesemia** ter sido associada com transporte recente. As éguas que pastam em gramíneas viçosas e com um intenso fluxo de leite são particularmente propensas à tetania. Para outras causas veja os Capítulos 3, 9, 10 e 11.

Parte posterior do intestino – O intestino grosso, consistindo em ceco e cólon.

Parto – Ato, ou processo, de parição.

Pelagem – Cobertura de pêlos do eqüino e de outros mamíferos.

Perda obrigatória – Em geral, refere-se a uma perda mínima inevitável de um nutriente pela do corpo, com consumos dietéticos baixos daquele nutriente.

Período latente – Período, ou estado de inatividade aparente entre o momento do estímulo e o início da resposta, por exemplo, o intervalo entre a injeção, ou absorção do antígeno e o primeiro aparecimento do anticorpo.

Peristaltismo – Contrações musculares involuntárias rítmicas do canal alimentar que misturam e impulsionam a ingesta na direção do reto.

pH – O símbolo usado para expressar a concentração do íon H^+ em soluções aquosas. Significa o logaritmo negativo da concentração de íon H^+ em grama de moléculas (moles) por litro (o logaritmo do recíproco da concentração de íon H). O pH 7 é neutro. Progressivamente acima desse valor, a alcalinidade aumenta, e abaixo dele, a acidez aumenta.

Piloereção – Ereção dos pêlos.

Piloro – Abertura distal ou duodenal do estômago. É controlado por um esfíncter muscular e através dele o conteúdo estomacal entra no intestino delgado.

Pirexia – Elevação anormal da temperatura corpórea.

978-85-7241-725-9

pK – Símbolo usado para expressar a constante de dissociação dos ácidos fracos (ou bases) na forma de um logaritmo negativo. Quanto maior o valor, mais fraco, ou menos dissociado, é o ácido. Quando as concentrações iguais de sal de um ácido e o ácido são misturadas, o pK = **pH** e a capacidade de tamponamento da mistura estão no máximo. Assim, para a ionização primária de ácido carbônico em bicarbonato, como no sangue, pK é igual a 6,36, e no pH de 6,36 a metade das moléculas de ácido carbônico é dissociada, formando bicarbonato. No pH normal do sangue venoso (7,4), a mistura é ainda mais eficiente como tampão ao ácido produzido durante a atividade muscular anaeróbica com a formação de ácido carbônico não dissociado.

Placa metafisária – A região de crescimento linear dos ossos longos dos eqüinos em crescimento entre a epífise, ou cabeça, e a diáfise, ou tronco.

Placenta – Órgão que se desenvolve dentro do útero no início da gestação e que estabelece a comunicação entre a mãe e o feto em desenvolvimento. É formado de uma porção materna e uma porção fetal fixada ao feto pelo cordão umbilical. Após o **parto**, é eliminada como as secundinas (páreas).

Poliartrite – Doença em que os microrganismos entram no corpo via umbigo aberto, causando abscessos no local e em algumas articulações.

Pressão oncótica – Como usada no texto, se refere à pressão oncótica do plasma, que é a pressão osmótica decorrente dos colóides presentes, principalmente albumina, que contrabalança a pressão sangüínea capilar.

Pressão osmótica – A pressão que pode ser exercida quando a água se movimenta de uma solução para outra de maior concentração através de uma membrana semipermeável, como a das hemácias. As soluções que têm a mesma pressão osmótica, isto é, são isotônicas com a pressão osmótica das hemácias, são usadas para injeções; por outro lado, com o uso da água, a membrana celular se tornará distendida e romperá (hemólise). A energia dos compostos ricos em energia é consumida quando qualquer nutriente é requerido a se mover contra um gradiente de pressão osmótica.

Progesterona – Hormônio liberado pelo corpo lúteo, pelo córtex adrenal e pela placenta. Prepara o útero para a recepção, o desenvolvimento e a manutenção do oócito fertilizado.

Prognatismo – Protrusão anormal dos ossos das arcadas superior, ou inferior, criando dificuldades, por exemplo, no pastoreio.

Prolactina – Hormônio secretado pela hipófise anterior, que estimula e mantém a lactação.

Prostaglandinas – Agrupadas em seis séries principais de compostos cíclicos originados de ácidos graxos insaturados como o ácido araquidônico – ele mesmo um derivado do ácido linoléico dietético indispensável (essencial) – e de ácidos graxos com uma ligação dupla a mais e uma a menos. As prostaglandinas foram primeiro identificadas no líquido seminal e na glândula prostática. Mostram uma variedade de ações biológicas que influenciam a contração da musculatura lisa (como na contração do músculo uterino e no controle da pressão do sangue) e são mediadoras na regulação da dilatação e da permeabilidade de arteríolas, capilares e vênulas na resposta inflamatória. Estão envolvidas nos mecanismos imunes e são usadas para sincronização do estro e para os abortamentos nos casos de fetos gêmeos. A prostaglandina F_{2}a (PGF_{2}a), que interrompe a vida do corpo lúteo, tem sido a mais comumente usada.

Protease – Enzima que digere proteínas por meio da repartição hidrolítica dos aminoácidos. Vários tipos são secretados dentro do canal alimentar (ver Cap. 10).

978-85-7241-725-9

978-85-7241-725-9

Proteínas – As proteínas verdadeiras são cadeias nas quais as ligações são os aminoácidos. Todos os aminoácidos possuem pelo menos um grupamento contendo N. O conteúdo de proteína bruta da dieta é definido como o conteúdo de N x 6,25, pois se supõe que a proteína contenha 16% de nitrogênio. Porém, esse método inclui os ácidos nucléicos dietéticos, glicosídeos nitrogenados, aminas, nitratos, etc., superestimando assim o conteúdo verdadeiro de proteínas.

Proteínas de fase aguda – Proteínas séricas específicas que aumentam rapidamente em concentração (até 100 vezes) após a infecção, como por exemplo, proteína C-reativa, e que aumentam durante a resposta inflamatória, como a ceruloplasmina (ferroxidase), que também transporta cobre (contém cerca de 3% do cobre corpóreo).

Proteólise – Digestão enzimática da proteína que, se realizada pelas próprias secreções do eqüino, produz proteoses, peptonas e aminoácidos, mas se fetia pelas bactérias intestinais, inclui a desaminação com perda do valor protéico.

Proximal – Mais próximo do centro ou origem, oposto a **distal**. O duodeno é proximal ao jejuno e o "joelho" é proximal ao boleto.

Purgante – Catártico, um remédio que estimula a ação peristáltica e a evacuação dos intestinos.

Quartela – Região do membro entre o boleto e o casco dos membros anterior e posterior, formada pelas falanges primeira e segunda que criam a articulação da quartela. A terceira falange está no casco.

Quarto de Milha – Uma raça inventada a partir de fêmeas de origem espanhola, por longo tempo cruzadas por índios americanos, e a partir de reprodutores Galloway, introduzidos pelos primeiros fazendeiros da América do Norte.

Ração – A quantidade de alimento diário e não sua composição. Deve incluir todos os constituintes da dieta diferentes da água.

Rádio – Um dos dois ossos longos do "antebraço", entre o ponto do "cotovelo" e o "joelho". O outro osso longo é a **ulna**.

Ranilha – Parte central ceratinizada da superfície palmar/plantar do casco, sujeita a fissura, uma infecção por bactérias e fungos que ocorre em estábulos úmidos e sem higiene quando existe uma rotina ruim de cuidado com casco.

Raquitismo – Calcificação defeituosa da cartilagem epifisária dos eqüinos em crescimento, decorrente de inadequada vitamina D dietética, Ca e P, ou uma incorreta proporção de Ca em relação ao P na dieta.

Região glandular do estômago – Grande região do estômago contendo glândulas de dois tipos de células. Distal às regiões esofágica e cardíaca e proximal à região pilórica.

Relação das trocas respiratórias – A relação de troca respiratória é:

$$\frac{\text{Velocidade de produção de } CO_2 \text{ pelos pulmões}}{\text{Velocidade de consumo de } O_2 \text{ pelos pulmões}}$$

Renina – Enzima proteolítica sintetizada pelas células justaglomerulares do rim, que participa do controle da pressão sangüínea por meio da catalisação da conversão de angiotensinogênio em angiotensina quando a pressão arterial renal cai.

Reologia – Ciência da deformação e do fluxo da matéria. Neste texto, está relacionada ao fluxo de sangue através do sistema vascular, especialmente conforme afetado por um elevado VC durante o exercício intenso.

Requerimento (nutriente) – O requerimento de qualquer nutriente é a quantidade daquele nutriente que precisa ser suprido na dieta para atingir o requerimento líquido de um animal sadio normal que recebe uma dieta completamente adequada em um ambiente compatível com a boa saúde. O requerimento líquido é a quantidade do nutriente que deve ser absorvida para se atingirem as necessidades de **manutenção**, incluindo a reposição das perdas obrigatórias, e de qualquer atividade, crescimento, produção, ou reprodução que esteja ocorrendo.

Reto – Porção distal do intestino grosso, estendendo-se do cólon menor até o ânus e contendo as fezes.

Rinopneumonite (eqüina) – Leve doença viral do trato respiratório anterior dos eqüinos que comumente também causa os abortamentos.

Ruminante – Espécies herbívoras que possuem um pré-estômago aumentado (rúmen) e que mastigam o alimento por meio da regurgitação da ingesta dos pré-estômagos para a boca.

Sacarase (invertase) – Enzima digestiva secretada pelo intestino delgado, que hidrolisa a sacarose (açúcar de cana, ou beterraba), formando glicose e frutose, ambas prontamente absorvidas.

Sangradores – Vasos sangüíneos lesionados. Em geral, refere-se à perda de sangue pelas narinas após exercício intenso. O sangue é perdido por pequenos vasos sangüíneos lesionados nos pulmões, ou vias aéreas, de cerca da metade da população de TB sadios durante o exercício intenso e a condição não requer tratamento a não ser que grandes vasos sangüíneos estejam envolvidos.

Seco a vapor – Sob os regulamentos do Reino Unido, o alimento que se permite secar sem aquecimento ao ar contém 100 a 140g de umidade/kg.

Septicemia – Uma séria condição na qual as bactérias circulam no sangue e se tornam amplamente distribuídas por praticamente todos os órgãos. O eqüino fica esgotado em septicemia grave, as freqüências respiratória e cardíaca se aceleram e a temperatura corpórea se eleva.

Silagem (ensilagem) – Alimento suculento preservado tanto pela adição de ácido como pela fermentação natural sob condições anaeróbicas no material compactado. O pH obtido é de aproximadamente 4 a 4,2. Um pH muito baixo limita o consumo e um muito alto provoca a quebra de proteínas. Materiais ensilados incluem gramíneas frescas, lavouras de forrageiras, o crescimento acima do solo de lavouras de cereais jovens e uma variedade de subprodutos, desde polpa de beterraba até dejetos de peixe. O conteúdo de matéria seca é de 30 a 50%.

Silagem pré-seca – originalmente nome registrado para uma silagem contendo proporção elevada (35 a 50%) de matéria seca feita a partir da forragem murcha, ceifada de forma precisa em um comprimento nominal de aproximadamente 12 a 25mm e ensilada em um silo em torre de Harvestore. Porém, o nome adquiriu definição mais liberal para incluir o material não cortado e embalado a vácuo.

Sistema nervoso autônomo – É a parte autocontroladora do sistema nervoso – não está sujeita a influência direta pelo cérebro consciente. O sistema simpático (efusão toracolombar) e o sistema parassimpático (fluxo craniossacral) têm ações amplamente antagônicas. O sistema combinado é importante na regulação de atividades de várias glândulas, musculatura lisa do trato gastrointestinal e outras partes, coração e vasos sangüíneos.

Sobreosso – Qualquer exostose óssea, ou qualquer aumento de volume das articulações interfalangianas do membro do eqüino, ou qualquer aumento de tamanho ósseo na mesma região.

978-85-7241-725-9

Soldra – Articulação correspondente à articulação do joelho em seres humanos no topo do membro posterior.

Solução de Ringer – Solução isotônica, formulada por Sydney Ringer, contendo cloreto de sódio, cloreto de potássio e cloreto de cálcio. Porém, é pouco mais fisiológica do que a salina fisiológica, pois sua concentração de cloreto é ainda maior e por isso pode causar acidose metabólica de mesma magnitude (ver Cap. 9).

Soluções isotônicas – Soluções que têm a mesma concentração ou, mais especificamente, a mesma pressão osmótica.

Soro – O líquido claro que separa o coágulo dos corpúsculos na coagulação do sangue.

Splints – Aumentos de volume ósseo que ocorrem nos ossos da canela, ou na conexão com os metacárpicos, ou metatársicos acessórios (ossos *splint*) como resultado de inflamação local do osso, ou do periósteo (periostite, ou osteíte).

Sufocação – Obstrução da passagem de alimento através da faringe e do esôfago, tanto parcial como completa. Causada com freqüência por uma massa de alimento seco compactado.

Tampões – Substâncias que em soluções aquosas aumentam as quantidades de ácido ou de base e que podem ser adicionadas sem alterar o pH, ou os graus de acidez ou de alcalinidade. No geral, um tampão é feito de até dois componentes: (1) um ácido fraco, por exemplo, H_2CO_3, e (2) sua base correspondente, HCO_3^-. O sangue arterial está bem tamponado em um pH de cerca de 7,5.

Taquicardia – Rapidez excessiva da ação cardíaca e do pulso.

Taquipnéia – Respiração excessivamente rápida e superficial.

Tarso – Ossos do jarrete. Em geral, são seis ossos do jarrete que se articulam com a tíbia acima e os dois ossos metatársicos abaixo, no membro posterior.

Tecido adiposo – As células deste tecido estocam prontamente gordura que é usada como fonte de energia, especialmente quando os níveis sangüíneos de glicose e de AGV estão baixos.

Tempo de protrombina – A síntese da protrombina ocorre no fígado e requer a vitamina K. É essencial para a coagulação do sangue e qualquer defeito na formação da protrombina, ou na atividade de outras substâncias envolvidas na coagulação, estende o intervalo entre o início do processo e a formação da fibrina a partir do fibrinogênio. A fibrina coagula espontaneamente. O **dicumarol**, que se origina da atividade de um fungo sobre a cumarina em trevos doces contaminados, interfere com o metabolismo da vitamina K, causando retardo do tempo da protrombina e conseqüente hemorragia extensa (ver Cap. 11).

Tendões flexores – Músculos estão inseridos aos ossos longos dos membros por meio de tendões extensores, que estendem ou posicionam de forma reta o membro naquele ponto quando o músculo se contrai, e por tendões flexores, que flexionam as articulações pela contração dos músculos apropriados.

Tetania – Condição na qual existem contrações espasmódicas localizadas, ou movimentos rápidos, dos músculos (ver Cap. 11 quanto à tetania por estresse).

***Thoroughbred* (TB)** – Raça de sangue quente de cerca de 1,625m (16 palmos), originada no Reino Unido e que tem sido usada para melhorar várias outras raças.

Thoroughpin – Distensão da bainha do tendão flexor profundo onde passa sobre o arco do **tarso** (jarrete) resultante de um entorse. Geralmente, não é sério.

Tíbia – Principal osso longo entre a **soldra** e o **jarrete**.

978-85-7241-725-9

Timpanismo – Preenchimento do estômago, ou do intestino com gases, geralmente causado pela rápida fermentação microbiana da ingesta, provocando distensão do abdome semelhante a um tambor e cólica.

Torção – Como descrito no texto, a torção, ou rotação, de parte do intestino, causando obstrução.

Toxina – Qualquer substância venenosa de origem microbiana, vegetal, ou animal.

Trato gastrointestinal – Estômago e intestinos. Algumas vezes usado de forma sinônima a trato alimentar, que é todo o tubo que se estende dos lábios para o ânus.

Tripsina – Enzima que atua nas ligações peptídicas que envolvem os grupamentos carboxila da lisina e da arginina e rompem as cadeias protéicas nesses pontos. É uma das enzimas proteolíticas secretadas pelo pâncreas, mas na forma inativa de tripsinogênio. Este é ativado pela enzima enterocinase liberada pela mucosa do duodeno.

Tromboflebite – Inflamação de uma veia associada com a formação de trombos.

Tronco (do osso longo) – Veja **diáfise**.

Túbulos renais – Correm do glomérulo através do córtex do rim, como túbulos contornados, e então através da medula como túbulos coletores, abrindo-se dentro da pelve do rim nos ápices das pirâmides renais. Sua principal função é a reabsorção de água e vários solutos – glicose, cloreto, Ca, P, etc. – requeridos pelo animal.

Turgor – A consistência normal do tecido mole, oposta à condição flácida de desidratação.

UI – Veja **unidades internacionais (UI)**.

Ulna – Osso caudal ao rádio no membro anterior que forma o ponto do cotovelo. O tronco da ulna é um vestígio e a extremidade afilada é fundida ao rádio.

Unidades fúngicas – Os fungos que contaminam os alimentos produzem uma base miceliana de filamentos delgados e corpos frutificantes a partir dos quais os esporos são disseminados. Quando alimentos muito afetados são manipulados, os filamentos micelianos podem se quebrar em partículas pequenas e novo crescimento pode ser iniciado por cada uma destas partículas ou pela germinação dos esporos. A unidade fúngica é qualquer partícula a partir da qual novo crescimento possa ser iniciado.

Unidades internacionais (UI) – Como aplicada para vitaminas, é a unidade de uso internacional da potência para uma vitamina em particular que pode ter várias formas moleculares. A unidade está agora sendo substituída em favor de mensurações gravimétricas de cada forma molecular ou vitâmeros.

978-85-7241-725-9

Uréia – O principal produto de dejeto nitrogenado sintetizado no fígado, eliminado pelo corpo na urina e também secretado no intestino delgado. É altamente solúvel em água e a quantidade produzida pelo eqüino sadio que recebe refeições regulares é proporcional ao conteúdo de proteína bruta da dieta.

Uremia – Presença de constituintes urinários no sangue e a condição tóxica produzida por isso. O nível normal de uréia no sangue é enormemente excedido, indicando uma falha da função renal normal.

Urticária – Grande número de pequenos inchaços, ou áreas elevadas, de cerca de 0,5cm de diâmetro sob a pele, eventualmente formando crostas. Aparecem de modo repentino e são causadas por uma resposta alérgica a componentes específicos de alimentos, drogas, ou insetos picadores. A causa (**antígeno**) em geral pode ser determinada por testes alérgicos e a recuperação ocorre após a remoção da fonte da dieta, ou do ambiente geral. A condição, algumas vezes, se origina quando alimentos "ricos" são repentinamente introduzidos na dieta.

Útero – Órgão oco muscular que repousa na cavidade abdominal da fêmea, ventral ao reto. Na égua, tem corpo grande e cornos pequenos. Carrega o potro e o nutre durante a gestação por meio da placenta inserida às suas paredes.

978-85-7241-725-9

Valores biológicos – A quantidade de N retido por um animal por unidade de N.

Veia – Vasos de paredes mais finas do que as **artérias**, em que o sangue não oxigenado, sob pressão menor, é carreado de volta ao coração. As veias possuem um sistema de válvulas que controla a direção do fluxo de sangue. A contração e o relaxamento musculares dos membros fornecem a principal força pela qual o sangue é levado de volta dos membros contra a força da gravidade.

Verme achatado – Cestóide parasitário intestinal formado por numerosos segmentos achatados e fixados à parede intestinal por uma cabeça. De ocorrência freqüente em eqüinos, mas geralmente sem causar problemas maiores. O *Anoplocephala perfoliata*, única espécie que se demonstrou infectar eqüinos no Reino Unido, pode ocasionalmente bloquear o esfíncter ileocecal e causar cólica grave.

Vértebras – Cadeia de ossos desde a base do cérebro até a ponta da cauda e que carrega no canal espinal a medula espinal – a parte posterior do sistema nervoso central.

Vilosidade – Pequenos processos vasculares cobrindo o epitélio mucoso do intestino delgado. Aumentam enormemente a área de superfície para a absorção de nutrientes para as ramificações do sistema da porta e para o sistema linfático.

Vísceras – Neste texto, o termo se refere às vísceras abdominais – os órgãos da cavidade abdominal.

Vitâmeros – Qualquer composto que possui uma determinada atividade vitamínica.

Vitaminas – Grupo de substâncias orgânicas não relacionadas que ocorrem em vários alimentos em pequenas quantidades e que são necessárias ao metabolismo normal do corpo. Foram arbitrariamente divididas em um grupo de quatro principais vitaminas lipossolúveis e pelo menos dez hidrossolúveis (ver Cap. 4).

Volume corrente – Volume de ar inspirado, ou expirado com cada respiração normal.

Volume *stroke* – Ver **débito cardíaco**.

Vólvulo – Obstrução intestinal decorrente de nó, ou de torção do intestino.

Wobbler – Nome dado a um eqüino que demonstra uma ligeira ação de balanço do quarto posterior, ou cambalear, ocorrendo principalmente entre um e três anos de idade. Os sinais podem se tornar progressivamente piores nos seis a nove meses seguintes, quando o eqüino fica incapaz de trotar sem movimentar-se de um lado para o outro e cair. A condição aparentemente resulta da lesão à medula espinal no pescoço por meio de lesão e/ou anormalidades nutricionalmente induzidas das vértebras, causadas por desequilíbrios ou insuficiências de Ca e P.

Zona de neutralidade térmica – Variação de temperaturas ambientais sobre a qual a produção de calor por um animal é minimizada. Abaixo desse intervalo, o animal precisa aumentar a produção de calor por meio de tremores e outros modos, na tentativa de manter uma temperatura corpórea normal. Acima do intervalo, os mecanismos de resfriamento normais se mostram inadequados, a temperatura corpórea aumenta e com ela a taxa metabólica.

REFERÊNCIAS BIBLIOGRÁFICAS

Abrams, J.T. (1979) The effect of dietary vitamin A supplements on the clinical condition and track performance of racehorses. *Bibl. Nutr. Dieta*, **27**, 113-20.

Adam, K.M.G. (1951) The quantity and distribution of the ciliate protozoa in the large intestine of the horse. *Parasitology*, **41**, 301-311.

Agriculture and Food Research Council (AFRC) Institute for Grassland and Animal Production, Welsh Plant Breeding Station, Plas Gogerddan, Aberystwyth. Various publications on grassland research.

Agricultural Research Council (1980) *The Nutrient Requirements of Ruminant Livestock*, p. 293. Common wealth Agriculture. Bureaux, London.

Agricultural Research Council (1981) *The Nutrient Requirements of Pigs*, p. 146. Commonwealth Agricultural Bureaux, London.

Aherne, F.X. & Kennelly, J.J. (1983) Oilseed meals for livestock feeding. In: *Recent Advances in Animal Nutrition 1982* (ed. W. Haresign), pp. 39-89. Butterworths, London.

Ahlswede, L. & Konermann, H. (1980) Experiences with oral and parenteral administration of β-carotene in the horse. *Praktische Tieriirztliche*, **68**, 56-60.

Aiken, G.E., Potter, G.D., Conrad, B.E. & Evans, J.W. (1989) Growth performance of yearling horses grazing Bermuda-grass pastures at different grazing pressures. *Journal of Animal Science*, **67**, 2692-7.

Aitken, M.M., Anderson, M.G., Mackenzie, G. & Sanford, J. (1974) Correlations between physiological and biochemical parameters used to assess fitness in the horse. *Journal of the South African Veterinary Association*, **45**, 361-70.

Aldred, T., Fontenot, J.P. & Webb, K.E., Jr (1978) Availability of phosphorus from three sources for ponies. *Virginia Polytechnic Institute State University Research Division Report*, **174**, 152-7.

Alexander, F. (1963) Digestion in the horse. In: *Progress in Nutrition and Allied Sciences* (ed. D.P. Cuthbertson), pp. 259-68. Oliver & Boyd, Edinburgh.

Alexander, F. (1972) Symposium (1). Certain aspects of the physiology and pharmacology of the horse's digestive tract. *Equine Veterinary Journal*, **4**, 166-9.

Alexander, F. (1978) The effect of some anti-diarrhoeal drugs on intestinal transit and faecal excretion of water and electrolytes in the horse. *Equine Veterinary Journal*, **10**, 229-34.

Alexander, F. & Benzie, D. (1951) A radiological study of the digestive tract of the foal. *Quarterly Journal of Experimental Physiology*, **36**, 213-17.

Alexander, F. & Hickson, J.C.D. (1969) The salivary and pancreatic secretions of the horse. In: *Physiology of Digestion and Metabolism in the Ruminant. Proceedings of the 3rd International Symposium*, (ed. A.T. Phillipson) August 1969, Cambridge, pp. 375-89. Oriel Press, Stocksfield.

Alexander, F., Macpherson, J.D. & Oxford, A.E. (1952) Fermentative activities of some members of the normal coccal flora of the horse's large intestine. *Journal of Comparative Pathology*, **62**, 252-9.

Alexander, J.C. (1977) Biological effects due to changes in fats during heating. *Journal of the American Oil Chemists' Society*, **55**, 711-17.

Allen, G.K., Campbell-Beggs, C., Robinson, J.A., Johnson, P.J. & Green, E.M. (1996) Induction of early phase endotoxin tolerance in horses. *Equine Veterinary Journal*, **28**, 269-74.

Almeida, F.Q., Filho, S.C.V., Donzele, J.L., *et al.* (1999) Prececal digestibility of amino acids in diets for horses. *Proceedings of the 16th Equine Nutrition and Physiology Symposium*, North Carolina State University, Raleigh, 2-5 June 1999, pp 274-9.

Aluja, A.S., de Gross, D.R., McCosker, P.J. & Svendsen, J. (1968) Effect of altitude on horses. *Veterinary Record*, **82**, 368-72.

Anderson, C.E., Potter, G.D., Kreider, J.L. & Courtney, C.C. (1981) Digestible energy requirements for exercising horses. *Journal of Animal Science*, 53 (Suppl. 1), 42, abstract 101.

Anderson, C.E., Potter, G.D., Kreider, J.L. & Courtney, C.C. (1983) Digestible energy requirements for exercising horses. *Journal of Animal Science*, **56**, 91-5.

Anderson, M.G. (1975a) The effect of exercise on blood metabolite levels in the horse. *Equine Veterinary Journal*, **7**, 27-33.

Anderson, M.G. (1975b) The influence of exercise on serum enzyme levels in the horse. *Equine Veterinary Journal*, **7**, 160-65.

Anderson, M.G. (1976) The effect of exercise on the lactic dehydrogenase and creatine kinase isoenzyme composition of horse serum. *Research in Veterinary Science*, **20**, 191-6.

Anderson, P.H., Patterson, D.S.P. & Berrett, S. (1978) Selenium deficiency. *Veterinary Record*, **103**,145-6.

Anderson, R.A., Bryden, N.A., Polansky, M.M. & Patterson, K.Y. (1983) Strenuous exercise: effects on selected clinical values and chromium, copper and zinc concentrations in urine and serum of male runners. *Federation Proceedings*, **42**, 804, abstract 2998.

Andrews, A.H. & Humphreys, D.J. (1982) *Poisoning in Veterinary Practice*, 2nd edn., National Office of Animal Health, Enfield.

Andrieu, J., Jestin, M. & Martin-Rosset, W. (1996) Prediction of organic matter digestibility (OMD) of forages in horses by near infrared spectrophotometry (NIRS). *47th European Association of Animal Production Meeting*, Lillehammer, Norway, 25-29th. August 1996. Horse Commission Session-H4: Nutrition, pp. 1-6.

Angsubhakorn, S., Poomvises, P., Romruen, K. & Newberne, P.M. (1981) Aflatoxicosis in horses. *Journal of the American Veterinary Medical Association*, **178**, 274-8.

Anon. (1976a) Drugs and doping in horses. *Veterinary Record*, **98**, 453.

Anon. (1976b) Salmonellosis in horses. *Veterinary Record*, **99**, 19-20.

Anon. (1984) Tables des apports alimentaires recommandés pour le cheval. In: *Le Cheval. Reproduction, Sélection, Alimentation, Exploitation* (eds R. Jarridge & W. Martin-Rossett), pp. 645-89. INRA, Paris.

Anon. (1986) Better use of nitrogen – the prospect for grassland. *National Agricultural Conferente Proceedings.* Royal Agricultural Society of England and Agricultural Development and Advisory Service, National Agriculture Centre, Warwickshire.

Anon. (1995a) *Compendium of Data Sheets for Veterinary Products, 1994-95.* National Office of Animal Health, Enfield.

Anon. (1995b) *The UK Pesticide Guide* (ed. R. Whitehead). CAB International, Wallingford and the British Crop Protection Council, Farnham.

Anon. (1995c) The Feeding Stuffs Regulations 1995. *Statutory Instruments, 1995, No. 1412, Agriculture.* The Stationery Office, London.

Anon. (2000a) U.K. Statutory Instruments No. 2481. *The Feeding Stuffs Regulations 2000.* The Stationery Office Ltd, PO Box 29, Norwich, NR3 1GN.

Anon. (2000b) U.K. Statutory Instruments 2000 No. 2481, Schedule 3. *The Feeding Stuffs Regulations 2000 and European Commission Regulation (EC)* No. 2316/98.

Anon. (2002) New mycotoxin binder. *Journal of Equine Veterinary Science*, **22**, 708.

Answer, M.S., Chapman, T.E. & Gronwall, R. (1976) Glucose utilization and recycling in ponies. *American Journal of Physiology*, **230**, 138-42.

Answer, M.S., Gronwall, R., Chapman, T.E. & Klentz, R.D. (1975) Glucose utilization and contribution to milk components in lactating ponies. *Journal of Animal Science*, **41**, 568-71.

Araya, O., Vits, L., Paredes, E. & Ildefonso, R. (2002) Grass sickness in horses in southern Chile. *Veterinary Record*, **150**, 695-7.

Archer, M. (1973) Variations in potash levels in pastures grazed by horses: a preliminary communication. *Equine Veterinary Journal*, **5**, 45-6.

Archer, M. (1978a) Studies on producing and maintaining balanced pastures for studs. *Equine Veterinary Journal*, **10**, 54-9.

Archer, M. (1978b) Further studies on palatability of grasses to horses. *Journal of the British Grassland Society*, **33**, 239-43.

Argenzio, R.A. (1975) Functions of the equine large intestine and their interrelationship in disease. *Cornell Veterinarian*, **65**, 303-29.

Argenzio, R.A. (1993) Digestion, absorption and metabolism. In: *Duke's Physiology of Domestic Animals* (eds M.J. Swenson & W.O. Reece), 11th edn. pp. 325-35. Comstock Publishing Associates, Ithaca, USA.

Argenzio, R.A. & Hintz, H.F. (1970) Glucose tolerance and effect of volatile fatty acid on plasma glucose concentration in ponies. *Journal of Animal Science*, **30**, 514-18.

Argenzio, R.A. & Hintz, H.F. (1972) Effect of diet on glucose entry and oxidation rates in ponies. *Journal Nutrition*, **102**, 879-92.

Argenzio, R.A., Lowe, J.E., Hintz, H.F. & Schryver, H.F. (1974) Calcium and phosphorus homeostasis in horses. *Journal of Nutrition*, **104**, 18-27.

978-85-7241-725-9

Argenzio, R.A., Southworth, M., Lowe, J.E. & Stevens, C.E. (1977) Interrelationship of $NaHCO_3$ and volatile fatty acid transport by equine large intestine. *American Journal of Physiology*, **233**, E469-78.

Argiroudis, S.A., Kent, J.E. & Blackmore, D.J. (1982) Observations on the isoenzymes of creatine kinase in equine serum and tissues. *Equine Veterinary Journal*, **14**, 317-21.

Argo, McG.C., Collingsworth, M.G.R. & Cox, J.E. (2001) Seasonal changes in reproductive and pelage status during the initial 'quiescent' and first 'active' breeding seasons of the peripubertal pony colt. *Animal Science*, **72**, 55-64.

Argo, McG.C., Cox, J.E., Lockyer, C. & Fuller, Z. (2002) Adaptive changes in the appetite, growth and feeding behaviour of pony mares offered *ad libitum* access to a complete diet in either a pelleted or chaff-based forro. *Animal Science*, **74**, 517-28.

Argo, McG.C., Fuller, Z. & Cox, J.E. (2001) Digestible energy intakes, growth and feeding behaviour of pony mares offered *ad libitum* access to a complete diet in a pelleted or chaff-based forro. *Proceedings the 17th Equine Nutrition and Physiology Symposium*, The University of Kentucky, Lexington, 31 May-2 June 2001, pp. 170-72.

Art, T. & Lekeux, P. (1993) Training-induced modifications in cardiorespiratory and ventilatory measurements in Thoroughbred horses. *Equine Veterinary Journal*, **25**, 532-6.

Asmundsson, T., Gunnarsson, E. & Johannesson, T. (1983) 'Haysickness' in Icelandic horses: precipitin tests and other studies. *Equine Veterinary Journal*, **15**, 229-32.

Atwill, E.R., McDougald, N.K. & Perea, L. (2000) Cross-sectional study of faecal shedding of *Giardia duodenalis* and *Cryptosporidium parvum* among packstock in the Sierra Nevada Range. *Equine Veterinary Journal*, **32**, 247-52.

Austic, R.E. (1980) Acid-base interrelationships in nutrition. *Proceedings of the Cornell Nutrition Conference for Feed Manufactureis*, 12-17. Cornell University, Ithaca, New York.

Baalsrud, K.J. & Overnes, G. (1986) Influence of vitamin E and selenium supplement on antibody production in horses. *Equine Veterinary Journal*, **18**, 472-4.

Bachman, S.E., Galyean, M.L., Smith, G.S., Hallford, D.M. & Graham, J.D. (1992) Early aspects of locoweed toxicosis and evaluation of a mineral supplement or clinoptilolite as dietary treatments. *Journal of Animal Science*, **70**, 3125-32.

Bacon, C.W. (1995) Toxic endophyte-infected tall fescue and range grasses: historic perspectives. *Journal Animal Science*, **73**, 861-70.

Badnell-Waters, A.J., Nicol. C.J., Wilson, A.D., Harris, P.A. & Davidson, H.B. (2003) Crib-biting in foals is associated with gastric ulceration and mucosal inflammation. *Proceedings of the 18th Equine Nutrition and Physiology Society Symposium*, Michigan State University, East Lansing, 4-7 June 2003, p 128.

Bailey, S.R., Cunningham, F.M. & Elliott, J. (2000) Endotoxin and dietary amines may increase plasma 5-hydroxytryptamine in the horse. *Equine Veterinary Journal*, **32**, 497-504.

Bailey, S.R., Rycroft, A. & Elliott, J. (2002) Production of amines in equine cecal contents in an *in vitro* model of carbohydrate overload. *Journal of Animal Science*, **80**, 2656-62.

Baker, H.J. & Lindsey, J.R. (1968) Equine goiter due to excess dietary iodide. *Journal of American Veterinary Medical Association*, **153**, 1618-30.

Baker, J.P. (1971) Horse nutritive requirements. *Feed Management*, September, pp. 10-15.

Baker, J.P., Lieb, S., Crawford, B.H., Jr & Potter, G.D. (1972) Utilization of energy sources by the equine. *Proceedings of the 27th Distillers Feed Conference*, **27**, 28-33. Distillers Co.

Baker, J.P. & Quinn, P.J. (1978) A report on clinical aspects and histopathology of sweet itch. *Equine Veterinary Journal*, **10**, 243-8.

Baker, J.P., Sutton, H.H., Crawford, B.H., Jr & Lieb, S. (1969) Multiple fistulation of the equine large intestine. *Journal of Animal Science*, **29**, 916-20.

Baker, J.R. (1970) Salmonellosis in the horse. *British Veterinary Journal*, **126**, 100-105.

Baker, J.R. & Leyland, A. (1973) Diarrhoea in the horse associated with stress and tetracycline therapy. *Veterinary Record*, **93**, 583-4.

Baker, J.R., Wyn-Jones, G. & Eley, J.L. (1983) Case of equine goitre. *Veterinary Record*, **112**, 407-408.

Baker, L.A., Kearney-Moss, T., Pipkin, J.L., Bachman, R., Haliburton, J.T. & Veneklasen, G.O. (2003) The effect of supplemental inorganic and organic sources of copper and zinc on bone metabolism in exercised yearling geldings. *Proceedings of the 18th Equine Nutrition and Physiology Society Symposium*, Michigan State University, East Lansing, 4-7 June 2003, pp. 96-7.

978-85-7241-725-9

Baker, L.A., Topliff, D.R., Freeman, D.W., Telter, R.G. & Breazile, J.W. (1992) Effect of dietary cation anion balance on acid-base status in horses. *Journal of Equine Veterinary Science*, **12**, 160-3.

Ball, K.A., Brady, H.A., Allen, V.G., *et al.* (1999) Matua hay for mares in gestation and lactation. *Proceedings of the 16th Equine Nutrition and Physiology Symposium*, North Carolina State University, Raleigh, 2-5 June 1999, p. 9.

Balls, D. (1976) Notes on equine toxicology. *Veterinary Practice*, **8**, 5-6.

Banach, M.A. & Evans, J.W. (1981a) The effects of energy intake during gestation and lactation on reproductive performance in mares. *Proceedings of the Western Section of the American Society of Animal Science*, Vancouver, British Columbia, 23-25 June 1981, **32**, 264-7.

Banach, M.A. & Evans, J.W. (1981b) The effects of energy intake during gestation and lactation on reproductive performance in mares. *Journal of Animal Science*, *53* (Suppl. 1), **500**, abstract 94.

Baranova, D. (1977) Vitamins in the feeding of weaned foals. *Konevodstvoi Konnyi Sport*, No. **10**, 29-30.

Barclay, M.N.I. & MacPherson, A. (1992) Selenium content of wheat for bread making in Scotland and the relationship between glutathione peroxidase (EC 1.11.1.9) levels in whole biood and bread consumption. *British Journal of Nutrition*, **68**, 261-70.

Barratt, M.E.J., Strachan, P.J. & Porter, P. (1979) Immunologically mediated nutritional disturbances associated with soya-protein antigens. *Proceedings of the Nutrition Society*, **38**, 143-50.

Bartel, D.L., Schryver, H.F., Lowe, J.E. & Parker, R.A. (1978) Locomotion in the horse: a procedure for computing the internai forces in the digit. *American Journal of Veterinary Research*, **39**, 1721-7.

Barth, K.M., Williams, J.W. & Brown, D.G. (1977) Digestible energy requirements of working and nonworking ponies. *Journal of Animal Science*, **44**, 585-9.

Bartley, E.E., Avery, TU, Nagaraja, T.G., *et al.* (1981) Ammonia toxicity in cattle v. ammonia concentration of lymph and portal, carotid and jugular biood after the ingestion of urea. *Journal of Animal Science*, **53**, 494-8.

Basler, S.E. & Holtan, D.W. (1981) Factors affecting biood selenium levels in Oregon horses and association of biood selenium level with disease incidence. *Proceedings of the Western Section of the American Society of Animal Science*, **32**, 399-400.

Batt, R.M. (1991) Oral sugar tests for diagnosis of small intestinal disease. *Equine Veterinary Journal*, **23**, 325-6.

Battle, G.H., Jackson, S.G. & Baker, J.P. (1988) Acceptability and digestibility of preservative-treated hay by horses. *Nutrition Reports International*, **37**, 83-9.

Baucus, K.L., Ralston, S.L., Rich, G. & Squires, E.L. (1987) The effect of dietary copper and zinc supplementation on composition of mares' milk. *Proceedings of the 10th Equine Nutrition and Physiology Society*, Colorado State University, Fort Collins, 11-13 June 1987, pp. 179-80.

Bauer, J.E. (1983) Plasma lipids and lipoproteins of fasted ponies. *American Journal of Veterinary Research*, **44**, 379-84.

Båverud, V., Franklin, A:, Gunnarsson, A., Gustafsson, A. & Hellander-Edman, A. (1998) *Clostridium difficile* associated with acute colitis in mares when their foals are treated with erythromycin and rifampicin for *Rhodococcus equi* pneumonia. *Equine Veterinary Journal*, **30**, 482-8.

Båverud, V., Gustafsson, A., Franklin, A., Aspán, A. & Gunnarsson, A. (2003) *Clostridium difficile:* prevalence in horses and environment, and antimicrobial susceptibility. *Equine Veterinary Journal*, **35**, 465-71.

Båverud, V., Gustafsson, A., Franklin, A., Lindholm, A. & Gunnarsson, A. (1997) *Clostridium difficile* associated with acute colitis in mature horses treated with antibiotics. *Equine Veterinary Journal*, **29**, 279-84.

Belko, A.Z., Barbieri, T.F. & Wong, E.C. (1986) Effect of energy and protein intake and exercise intensity on the thermic effect of food. *American Journal of Clinical Nutrition*, **43**, 863-9.

Belko, A.Z. & Roe, D.A. (1983) Exercise effects on riboflavin status. *Federation Proceedings*, 42, 804, abstract 2995.

Bell, R.A., Nielsen, B.D., Waite, K., Heleski, C., Rosenstein, D. & Orth, M. (1999) Influence of housing on third metacarpal bone mass in weanling horses. *Proceedings of the 10th Equine Nutrition and Physiology Symposium*, North Carolina State University, Raleigh, 2-5 June 1999, pp. 26-31.

Benamou, A.E. & Harris, R.C. (1993) Effect of carnitine supplement to the dam on plasma carnitine concentration in the sucking foal. *Equine Veterinary Journal*, **25**, 49-52.

Bendroth, M. (1981) A survey of reasons for some trotters being non-starters as 2-, 3-, and 4-year olds. *Proceedings of the 32nd Annual Meeting of the European Association of Animal Production*, Zagreb, Yugoslavia, 31 August-3 September 1981, IIA-1.

Bentley, O.E., Burns, S.J., McDonald, D.R., *et al.* (1978) Safety evaluation of pyrantel pamoate administered with trichlorfon as a broad-spectrum anthelmintic in horses. *Veterinary Medicine and Small Animal Clinician*, **73**, 70-73.

978-85-7241-725-9

Bergsten, G., Holmb ck, R. & Lindberg, P. (1970) Blood selenium in naturally fed horses and the effect of selenium administration. *Acta Veterinary Scandinavica*, **11**, 571-6.

Berliner, V.R. (1942) Seasonal influences on the reproductive performance of mares and jennets in Mississippi. *Journal of Animal Science*, 63-4.

Berschneider, H.M., Blikslager, A.T. & Roberts, M.C. (1999) Pathophysiology of equine gastric ulcers: effect of feeding frequency on gastric acid and bile salt concentrations. *Proceedings of the 16th Equine Nutrition and Physiology Symposium*, North Carolina State University, Raleigh, 2-5 June 1999, p. 87.

Besancon, B.L., Pipkin, J.L., Baker, L.A., *et al.* (1999) The effect of an extruded concentrate with or without the addition of fat on mature exercising horses. *Proceedings of the 10th Equine Nutrition and Physiology Symposium*, North Carolina State University, Raleigh, 2-5 June 1999, pp. 294-5.

Beuchat, L.R. (1978) Microbial alternations of grains, legumes and oil seeds. *Food Technology*, May, 193-6.

Bird, A.R., Chandler, K.D. & Bell, A.W. (1981) Effects of exercise and plane of nutrition on nutrient utilization by the hind limb of the sheep. *Australian Journal of Biological Sciences*, **34**, 541-50.

Bird, J.L.E., Platt, D., Wells, T., May, S.A. & Bayliss, M.T. (2000) Exercise-induced changes in proteoglycan metabolism of equine articular cartilage. *Equine Veterinary Journal*, **32**, 161-3.

Björnsdóttir, S., Axelsson, M., Eksell, P., Sigurdsson, H. & Carlsten, J. (2000) Radiographic and clinical survey of degenerative joint disease in the distal tarsal joints in Icelandic horses. *Equine Veterinary Journal*, **32**, 268-72.

Blackmore, D.J. & Brobst, D. (1981) *Biochemical Values in Equine Medicine.* Animal Health Trust, Newmarket, Suffolk.

Blackmore, D.J., Campbell, C., Dant, C., Holden, J.E. & Kent, J.E. (1982) Selenium status of thorough breds in the United Kingdom. *Equine Veterinary Journal*, **14**, 139-43.

Blackmore, D.J. & Elton, D. (1975) Enzyme activity in the serum of Thoroughbred horses in the United Kingdom. *Equine Veterinary Journal*, **7**, 34-9.

Blackmore, D.J., Henley, M.I. & Mapp, B.J. (1983) Colorimetric measurement of albumin in horse sera. *Equine Veterinary Journal*, **15**, 373-4.

Blackmore, D.J., Willett, K. & Agness, D. (1979) Selenium and gamma-glutamyl transferase activity in the serum of thoroughbreds. *Research in Veterinary Science*, **26**, 76-80.

Blaney, B.J., Gartner, R.J.W. & McKenzie, R.A. (1981a) The effect of oxalate in some tropical grasses on the availability to horses of calcium, phosphorus and magnesium. *Journal of Agricultural Science, Cambridge*, **97**, 507-514.

Blaney, B.J., Gartner, R.J.W. & McKenzie, R.A. (1981b) The inability of horses to absorb calcium from calcium oxalate. *Journal of Agricultural Science, Cambridge*, **97**, 639-41.

Blaxter, K.L. (1962) *The Energy Metabolism of Ruminants.* Hutchinson, London.

Bochröder, B., Schubert, R. & Bödeker, D. (1994) Studies on the transport *in vitro* of lysine, histidine, arginine and ammonia across the mucosa of the equine colou. *Equine Veterinary Journal*, **26**, 131-3.

Boening, K.J. & Leendertse, I.P. (1993) Review of 115 cases of colic in the pregnant mare. *Equine Veterinary Journal*, **25**, 518-21.

Bogan, J.A., Lees, P. & Yoxall, A.T. (eds) (1983) *Pharmacological Basis of Large Animal Medicine.* Blackwell Science, Oxford.

Bolton, J.R., Merritt, A.M., Cimprich, R.E., Ramberg, C.F. & Streett, W. (1976) Normal and abnormal xylose absorption in the horse. *Cornell Veterinarian*, **66**, 183-90.

Bonhomme-Florentin, A. (1988) Degradation of hemicellulose and pectin by horse caecum contents. *British Journal of Nutrition*, **60**, 185-92.

Booth, J.A., Miller-Auwerda, P.A. & Rasmussen, M.A. (2001) The effect of a microbial supplement (Horse-Bac) containing *Lactobacillus acidophilus* on the microbial and chemical composition of the cecum in the sedentary horse. *Proceedings of the 17th Equine Nutrition and Physiology Symposium*, The University of Kentucky, Lexington, 31 May-2 June 2001, pp. 183-5.

Booth, J.A., Moore, J.A., Tyler, H.D. & Miller, P.A. (2003) Soybean hulls as an alternative feed for horses. *Proceedings of the 18th Equine Nutrition and Physiology Society Symposium*, Michigan State University, East Lansing, 4-7 June 2003, p. 31.

Booth, M.E., Pearson, R.A. & Cuddeford, D. (1998) Thermoregulation in wet Shetland ponies. *Proceedings of the British Society of Animal Science*, p. 126.

Boren, S.R., Topliff, D.R., Freeman, D.W., Bahr, R.J., Wagner, D.G. & Maxwell, C.V. (1987) Growth of weanling Quarter horses fed varying energy and protein levels. *Proceedings of the 10th Equine Nutrition and Physiology Society*, Colorado State University, Fort Collins, 11-13 June 1987, pp. 43-8.

978-85-7241-725-9

978-85-7241-725-9

Bos, M., De Bosschere, H., Deprez, P., *et al.* (2002) Chemical identification of the (causative) lipids in a case of exogenous lipoid pneumonia in a horse. *Equine Veterinary Journal*, 34, 744-7.

Bouwman, H. (1978) Digestibility trials with extruded feeds and rolled oats in ponies. *Landbouwkundig Tijdschrift*, 90, 2-6.

Bouwman, H. & van der Schee, W. (1978) Composition and production of milk from Dutch warmblooded saddle horse mares. *Zeitschrift für Tierphysiologie Tierernährung und Futtermittelkunde*, **40**, 39-53.

Bowland, J.P. & Newell, J.A. (1974) Fatty acid composition of shoulder fat and perinephric fat from pasture-fed horses. *Canadian Journal of Animal Science*, **54**, 373-6.

Bowman, V.A., Meacham, T.N., Dana, G.R. & Fontenot, J.P. (1978) Pelleted complete rations containing different roughage bases for horses. *Va Polytech Inst State University Research Div Reports*, **174**, 179-82.

Box, A.C., Baker, L.A., Pipkin, J.L. & Halliburton, J.C. (2001) The digestibility and mineral availability of Matua grass hay in mature horses. *Proceedings of the 17th Equine Nutrition and Physiology Symposium*, The University of Kentucky, Lexington, 31 May-2 June 2001, pp. 53-4.

Bracher, V., von Fellenberg, R., Winder, C.N., Gruenig, G., Hermann, M. & Kraehenmann, A. (1991) An investigation of the incidence of chronic obstructive pulmonary disease (COM) in random populations of Swiss horses. *Equine Veterinary Journal*, **23**, 136-41.

Brady, P.S., Ku, P.K. & Ullrey, D.E. (1978) Lack of effect of selenium supplementation on the response of the equine erythrocyte glutathione system and plasma enzymes to exercise. *Journal of Animal Science*, **47**, 492-6.

Brady, P.S., Shelle, J.E. & Ullrey, D.E. (1977) Rapid changes in equine erythrocyte glutathione reductase with exercise. *American Journal of Veterinary Research*, **38**, 1045-7.

Brama, P.A.J., Tekoppele, J.M., Bank, R.A., Barneveld, A., Firth, E.C. & van Weeren, P.R. (2000) The influence of strenuous exercise on collagen characteristics of articular cartilage in Thoroughbreds aged 2 years. *Equine Veterinary Journal*, **32**, 551-4.

Bramlage, L.R. (1999) The science and art of angular limb deformity correction. *Equine Veterinary Journal*, **31**, 182-3.

Brauer, T.S., Booth, T.S. & Riedesel, E. (1999) Physeal growth retardation leads to correction of intracarpal angular deviations as well as physeal valgus deformity. *Equine Veterinary Journal*, **31**, 193-6.

Braverman, Y. (1988) Preferred landing sites of *Culicoides* species (Diptera: Ceratopogonidae) on a horse in Israel and its relevance to summer seasonal recurrent dermatitis (sweet itch). *Equine Veterinary Journal*, **20**, 426-9.

Brent, J. (2001) Current management of ethylene glycol poisoning. *Drugs*, **61** (7), 979-88.

Breuer, L.H. (1970) Horse nutrition and feeding. *Feedstuffs*, **42**, 44-5.

Breukink, H.J. (1974) Oral mono- and disaccharide tolerance tests in ponies. *American Journal of Veterinary Research*, **35**, 1523-7.

Bridges, C.H. & Harris, E.D. (1988) Experimentally induced cartilaginous fractures (osteochondritis dissecans) in foals fed low-copper diets. *Journal of the American Veterinary Medical Association*, **193**, 215-21.

British Equine Veterinary Association (c. 1978) *Veterinary Guidelines on Equine Endurance Competitions*, working party report. BEVA, London.

British Horse Society (n.d.) *Grassland Management for Horse and Pony Owners.* BHS, Kenilworth, Warwickshire.

Brobst, D.F. & Bayly, W.M. (1982) Response of horses to a water deprivation test. *Journal of Equine Veterinary Science*, **2**, 51-6.

Brody, S. (1945) *Bioenergetics and Growth.* Reinhold Publishing Corporation, New York.

Brook, D. & Schmidt, G.R. (1979) Pre-renal azotaemia in a pony with an oesophageal obstruction. *Equine Veterinary Journal*, **11**, 53-5.

Brophy, P.O. (1981) Assessment of the immunological status of the newborn foal. *Proceedings of the 32nd Annual Meeting of the European Association of Animal Production*, Zagreb, Yugoslavia, 31 August-3 September, IIIa-5.

Brouwer, E. (1965) Energy Metabolism. Report of Sub-committee on Constants and Factors. *European Association for Animal Production, Publication No II. Proceedings of the 3rd Symposium*, Troon, Scotland, May 1964, pp. 441-3.

Brouwer, E. (1965) Nutrient requirements of horses. Report of the subcommittee on constants and factors. *Energy Metabolism; Proceedings of the 3rd Symposium on the Energy Metabolism of Farm Animals* (ed. K.L. Blaxter) 5th edn. EAAP Publication 11. Academic Press. NRC 1989.

Brown, R.F., Houpt, K. & Schryver, H.F. (1976) Stimulation of food intake in horses by diazepam and promazine. *Pharmacology Biochemistry and Behavior*, **5**, 495-7.

Brown, R.H. (1978) Horses can digest high fat levels, Georgians told. *Feedstuffs*, 50 (10), 15.

Brown, W.Y., Roberts, K., Bird, S.H. & Rowe, J.B. (2001) Safer grain feeding for horses. *Proceedings of the 17th Equine Nutrition and Physiology Symposium*, The University of Kentucky, Lexington, 31 May-2 June 2001, pp. 180-81.

Browning, G.F., Chalmers, R.M., Snodgrass, D.R., *et al.* (1991) The prevalence of enteric pathogens in diarrhoeic Thoroughbred foals in Britain and Ireland. *Equine Veterinary Journal*, **23**, 405-409.

Brownlow, M.A. & Hutchins, D.R. (1982) The concept of osmolality; its use in the evaluation of 'dehydration' in the horse. *Equine Veterinary Journal*, **14**, 106-110.

Bruemmer, J.E., Coy, R.C., Squires, E.L. & Graham, J.K. (2002) Effect of pyruvate on the function of stallion spermatozoa stored for up to 48 hours. *Journal of Animal Science*, **80**, 12-18.

Bryden, W.L. (1995) Corn linked to fatal equine disease. *Australian Equine Veterinarian*, **13**, 6-7.

Bryden, W.L. (1998) Neuromycotoxicoses in Australia. In: *Plant-associated Toxins, Agricultural Phytochemical, Ecological* (eds S.M. Colegate & P.R. Sorling) pp. 363-8. CABI, Wallingford, U.K.

Bryden, W.L., Shanks, G.J., Ravindran, G., Summerell, B.A. & Burgess, L.W. (1998) Mycotoxin contamination of Australian pastures and feedstuffs; and Occurrence of *Fusarium moniliforme* and fumonisins in Australian maize in relation to animal disease. In: *Toxic Plants and Other Natural Toxicants* (eds T. Garland & A.C. Barr), pp. 464-8 and 474-8. CABI, Wallingford, U.K.

Buchholz, M.A., Baker, L.A., Pipkin, J.L., *et al.* (1999) The effect of calcium and phosphorus supplementation, inactivity, and subsequent aerobic training on the mineral balance of varying ages of horses. *Proceedings of the 16th Equine Nutrition and Physiology Symposium*, North Carolina State University, Raleigh, 2-5 June 1999, pp. 12-17.

Buff, P.R., Dodds, A.C., Morrison, C.D., *et al.* (2002) Leptin in horses: Tissue localization and relationship between peripheral concentrations of leptin and body condition. *Journal of Animal Science*, **80**, 2942-8.

Buff, P.R., Johnson, RJ, Wiedmeyer, C.E. & Keisler, D.H. (2003) Effects of ractopamine hydrochloride on nutritionally restricted obese pony mares. *Proceedings of the 18th Equine Nutrition and Physiology Society Symposium*, Michigan State University, East Lansing, 4-7 June 2003, p. 151.

Buff, P.R., Morrison, C.D., McFadin-Buff, E.L. & Keisler, D.H. (2001) Diurnal and fasting effects on plasma leptin and growth hormone concentrations in pony mares. *Proceedings of the 17th Equine Nutrition and Physiology Symposium*, The University of Kentucky, Lexington, 31 May-2 June 2001, pp. 41-2.

Buffa, E.A., Van Den Berg, S.S., Verstraete, F.J.M. & Swart, N.G.N. (1992) Effect of dietary biotin supplement on equine hoof horn growth rate and hardness. *Equine Veterinary Journal*, **24**, 472-4.

Bunch, T.D., Panter, K.E. & James, L.F. (1992) Ultrasound studies of the effects of certain poisonous plants on uterine function and fetal development in livestock. *Journal of Animal Science*, **70**, 1639-43.

Buntain, B.J. & Coffman, J.R. (1981) Polyuria polydypsia in a horse induced by psychogenic salt consumption. *Equine Veterinary Journal*, **13**, 266-8.

Burke, D.J. & Albert, W.W. (1978) Methods for measuring physical condition and energy expenditure in horses. *Journal of Animal Science*, **46**, 1666-72.

Burridge, J.C., Reith, J.W.S. & Berrow, M.L. (1983) Soil factors and treatments affecting trace elements in crops and herbage. In: *Trace Elements in Animal Production and Veterinary Practice* (eds N.F. Suttle, R.G. Gunn, W.M. Allen, K.A. Linklater and G. Weiner), Occasional Publication No. 7, pp. 77-85. British Society of Animal Production, Edinburgh.

Burrows, G.E. (1981) Endotoxaemia in the horse. *Equine Veterinary Journal*, 13, 89-94.

Burton, J.H., Pollack, G. & de la Roche, T. (1987) Palatability and digestibility studies with high moisture forage. *Proceedings of the 10th Equine Nutrition and Physiology Society*, Colorado State University, Fort Collins, 11-13 June 1987, pp. 599-602.

Bush, J.A., Freeman, D.E., Mine, K.H., Merchen, N.R. & Fahey, G.C., Jr (2001) Dietary fat supplementation effects on *in vitro* nutrient disappearance and *in vivo* nutrient intake and total tract digestibility by horses. *Journal of Animal Science*, **79**, 232-9.

Butler, K.D., Jr & Hintz, H.F. (1977) Effect of level of feed intake and gelatin supplementation on growth and quality of hoofs of pomes. *Journal of Animal Science*, **44**, 257-63.

Butler, P. & Blackmore, D.J. (1982) Retinol values in the plasma of stabled thoroughbred horses in training. *Veterinary Record*, **111**, 37-8.

Butler, P. & Blackmore, D.J. (1983) Vitamin E values in the plasma of stabled thoroughbred horses in training. *Veterinary Record*, **112**, 60.

978-85-7241-725-9

Cabrera, L., Julliand, V., Faurie, F. & Tisserand, J.L. (1992) Influence of feeding roughage and concentrate (soybean meal) simultaneously or consecutively on levels of plasma free amino acids and plasma urea in the equine. *First Europäische Konferenz über die Ernährung des Pferdes*, Institut für Tierernahrüng, Tierärzliche Hochschule, Hannover, 3-4 September 1992, pp. 144-9.

Callear, J.F.F. & Neave, R.M.S. (1971) The clinical use of the anthelmintic mebendazole. *British Veterinary Journal*, **127**, xli-xlii.

Cameron, I.R. & Hall, R.J.C. (1975) The effect of dietary K^+ depletion and subsequent repletion on intracellular K^+ concentration and pH of cardiac and skeletal muscle in rabbits. *Journal of Physiology*, **251**, 70-71.

Campbell, J.R. (1977) Bone growth in foals and epiphyseal compression. *Equine Veterinary Journal*, **9**, 116-21.

Campbell, J.R. & Lee, R. (1981) Radiological estimation of differential growth rates of the long bones of foals. *Equine Veterinary Journal*, **13**, 247-50.

Candau, M. & Bueno, L. (1977) Motricité caecale et transit chez le poney: influence de l'état de réplétion du caecum et des fermentations microbiennes. *Annals Biological Animal Biochemistry Biophysic*, **17**, 503-508.

Cantile, C., Di Guardo, G., Eleni, C. & Arispici, M. (2000) Clinical and neuropathological features of West Nile virus equine encephalomyelitis in Italy. *Equine Veterinary Journal*, **32**, 31-5.

Cape, L. & Hintz, H.F. (1982) Influence of month, color, age, corticosteroids, and dietary molybdenum on mineral concentration of equine hair. *American Journal of Veterinary Research*, **43**, 1132-6.

Caple, I.W., Edwards, S.J.A., Forsyth, W.M., Whiteley, P., Selth, R.H. & Fulton, L.J. (1978) Blood glutathione peroxidase activity in horses in relation to muscular dystrophy and selenium nutrition. *Australian Veterinary Journal*, **54**, 57-60.

Cardinet, G.H., Fowler, M.E. & Tyler, W.S. (1963) Heart rates, respiratory rates for evaluating performance in horses during endurance trial ride competition. *Journal of the American Veterinary Medical Association*, **143**, 1303-309.

Cardinet, G.H., Littrell, J.F. & Freedland, R.A. (1967) Comparative investigations of serum creatine phosphokinase and glutamic-oxaloacetic transaminase activities in equine paralytic myoglobinuria. *Research in Veterinary Science*, **8**, 219-26.

Care, A.D., Abbas, S.K., Ousey, J. & Johnson, L. (1997) The relationship between the concentration of ionised calcium and parathyroid hormone-related protein (PTHrP[1-34]) in the milk of mares. *Equine Veterinary Journal*, **29**, 186-9.

Carlin, J.I., Harris, R.C., Cederblad, G., Constantin-Teodosiu, D., Snow, D.H. & Hultman, E. (1990) Association between muscle acetyl-CoA and acetylcarnitine levels in the exercising horse. *Journal of Applied Physiology*, **69**, 42-5.

Carlson, G.P. (1975) Hematological alterations in endurance-trained horses. *Proceedings of the Ist International Symposium on Equine Hematology*, Michigan State University, 28-30 May 1975, pp. 444-9. American Association of Equine Practitioners, Golden, Colorado.

Carlson, G.P. (1983a) Response to saline solution of normally fed horses and horses dehydrated by fasting. *American Journal of Veterinary Research*, **44**, 964-8.

Carlson, G.P. (1983b) Thermoregulation and fluid balance in the exercising horse. In: *Equine Exercise Physiology, Proceedings of the Ist International Conference*, Oxford 1982 (eds D.H. Snow, S.G.B. Persson & R.J. Rose), pp. 291-309. Granta Editions. Cambridge.

Carlson, G.P. & Mansmann, R.A. (1974) Serum electrolyte and plasma protein alterations in horses used in endurance rides. *Journal of the American Veterinary Medical Association*, **165**, 262-4.

Carlson, G.P. & Ocen, P.O. (1979) Composition of equine sweat following exercise in high environmental temperatures and in response to intravenous epinephrine administration. *Journal of Equine Medicine and Surgery*, **3**, 27-31.

Carlson, G.P., Ocen, P.O. & Harrold, D. (1976) Clinicopathologic alterations in normal and exhausted endurance horses. *Theriogenology*, **6**, 93-104.

Carlson, L.A., Fröberg, S. & Persson, S. (1965) Concentration and turnover of the free fatty acids of plasma and concentration of blood glucose during exercise in horses. *Acta Physiologica Scandinavica*, **63**, 434-41.

Carrick, J.B., Morris, D.D. & Moore, J.N. (1993) Administration of a receptor antagonist for plateletactivating factor during equine endotoxaemia. *Equine Veterinary Journal*, **25**, 152-7.

Carroll, C.L., Hazard, G., Coloe, P.J. & Hooper, P.T. (1987) Laminitis and possible enterotoxaemia associated with carbohydrate overload in mares. *Equine Veterinary Journal*, **19**, 344-6.

Carroll, C.L. & Huntington, P.J. (1988) Body condition scoring and weight estimation of horses. *Equine Veterinary Journal*, **20**, 41-5.

Carroll, F.D., Goss, H. & Howell, C.E. (1949) The synthesis of B vitamins in the horse. *Journal of Animal Science*, **8**, 290-96.

Carson, K. & Wood-Guch, D.G.M. (1983) Behaviour of Thoroughbred foals during nursing. *Equine Veterinary Journal*, **15**, 257-62.

Cartmill, J.A., Thompson, D.L., Jr, Storer, W.A., Gentry, L.R. & Huff, N.K. (2003) Endocrine responses in mares and geldings with high body condition scores grouped by high vs. low resting leptin concentrations. *Journal of Animal Science*, **81**, 2311-21.

Chachula, J. & Chachulowa, J. (1969) The use of the concentrates in feeding arden and fjord stallions. *Rocz. Nauk rol.*, **91B-4**, 635-56.

Chachula, J. & Chachulowa, J. (1970) Further investigations on the use of mixed feeds in feeding of various groups of breeding horses. *Rocz. Nauk Rol.*, **92B-3**, 351-75.

Chachula, J. & Chrzanowski, S. (1972) Investigations upon several factors affecting the results of breeding of the fjording horse at the Nowielice state stud. *Instytut Genetyki i Hodowli Zwierzat Biuletyn*, **26**, 71-85.

Chandler, K., McNeill, P.M. & Murphy, D. (2000) Small intestinal malabsorption in an aged mare. *Equine Veterinary Education*, **12**, 124-8.

Chandler, K.J. & Love, S. (2002) Patterns of equine faecal egg counts following spring dosing with either fenbendazole or moxidectin. *Veterinary Record*, **151**, 269-70.

Chapman, D.I. Haywood, P.E. & Lloyd, P. (1981) Occurrence of glycosuria in horses after strenuous exercise. *Equine Veterinary Journal*, **13**, 259-60.

Cheeke, P.R. (1995) Endogenous toxins and mycotoxins in forage grasses and their effects on livestock. *Journal of Animal Science*, **73**, 909-918.

Chiara, A.O., Fernando, Q., de A., Antonio, A.V., *et al.* (2003) Kinetics of passage of digesta and water and nitrogen balance in horses fed diets with different ratios of concentrate to roughage. *Proceedings of the 18th Equine Nutrition and Physiology Society Symposium*, Michigan State University, East Lansing, 4-7 June 2003, p. 281.

Chong, Y.C., Duffus, W.P.H., Field, H.J., *et al.* (1991) The raising of equine colostrum-deprived foals; maintenance and assessment of specific pathogen (EHV-1/4) free status. *Equine Veterinary Journal*, **23**, 111-15.

Chrichlow, E.C., Yoshida, K. & Wallace, K. (1980) Dust levels in a riding stable. *Equine Veterinary Journal*, **12**, 185-8.

Christen, S., Woodall, A.A., Shigenaga, M.K., *et al.* (1997) Gamma-tocopherol traps mutagenic electrophiles such as NO_2 and complements alpha-tocopherol: physiological implications. *Proceedings of the National Acadamy of Sciences, USA.* **94**, 3217-22.

Clark, H., Alcock, M.B. & Harvey, A. (1987) Tissue turnover and animal production on perennial ryegrass swards continuously stocked by sheep to maintain two sward surface heights. In: *Efficient Sheep Production* (ed. G.E. Pollott), pp. 149-52. British Grassland Society, Occasional Symposium, No. 21

Clark, I. (1969) Metabolic interrelations of calcium, magnesium and phosphorus. *American Journal of Physiology*, **217**, 871-8.

Clarke, A.F. (1987) A review of environmental and host factors in relation to equine respiratory disease. *Equine Veterinary Journal*, **19**, 435-41.

Clarke, A.F. (1993) Stable dust – threshold limiting values, exposures variables and host risk factors. *Equine Veterinary Journal*, **25**, 172-4.

Clarke, A.F. & Madelin, T.M. (1987) The relationship of air hygiene in stables to lower airway disease and pharyngeal lymphoid hyperplasia in two groups of Thoroughbred horses. *Equine Veterinary Journal*, **19**, 524-30.

Clarke, E.G.C. & Clarke, M.L. (1975) *Veterinary Toxicology.* Baillière Tindall, London.

Clater, F. (1786) *Every Man His Own Farrier, or, the Whole Art of Farriery Laid Open.* J. Tomlinson for Baldwin and Bladon, Newark.

Clay, C.M., Squires, E.L., Amann, R.P. & Nett, T.M. (1988) Influences of season and artificial photoperiod on stallions: luteinizing hormone, follicle-stimulating hormone and testosterone. *Journal of Animal Science*, **66**, 1246-55.

Clayton, H.M., Bonin, S.J., Johnson, T., Lanovaz, J.L. & Mullineaux, D.R. (2003) Three-dimensional movements in the temporomandibular joint in horses chewing hay and pellets. *Proceedings of the 18th Equine Nutrition and Physiology Society Symposium*, Michigan State University, East Lansing, 4-7 June 2003, p. 282.

Codazza, D., Maffeo, G. & Redaelli, G. (1974) Serum enzyme changes and haematochemical levels in Thoroughbreds after transport and exercise. *Journal of the South African Veterinary Association*, **45**, 331-4.

978-85-7241-725-9

978-85-7241-725-9

Coenen, M. (1992a) Chloridkonzentrationen und Mengen im Verdauungskanal des Pferdes. *First Europäische Konferenz über die Ernährung des Pferdes*, Institut für Tierernahrüng, Tierärzliche Hochschule, Hannover, 3-4 September 1992, pp. 73-6.

Coenen, M. (1992b) Observations in the occurrence of gastric ulcers in horses. *First Europäische Konferenz über die Ernährung des Pferdes*, Institut für Tierarnahrüng, Tierärzliche Hochschule, Hannover, 3-4 September 1992, pp. 188-91.

Coenen, M. (1999) Basics for chloride metabolism and requirement. *Proceedings of the 16th Equine Nutrition and Physiology Symposium*, North Carolina State University, Raleigh, 2-5 June 1999, pp. 353-4.

Coenen, M., Müller, G. & Enbergs, H. (2003c) Grass silages vs. hay in feeding horses. *Proceedings of the 18th Equine Nutrition and Physiology Society Symposium*, Michigan State University, East Lansing, 4-7 June 2003, pp. 140-41.

Coenen, M., Schnermann, J., Vervuert, I., Lindner, A. & Sallmann, H.P. (1999) Effects of oral glucose or electrolyte supplementation after exercise on electrolyte and fluid balance in Standardbred horses. *Proceedings of the 16th Equine Nutrition and Physiology Symposium*, North Carolina State University, Raleigh, 2-5 June 1999, pp. 304-5.

Coenen, M., Vervuert, I., Borchers, A., *et al.* (2003a) Feed composition and nutrient intake in Hanoverian Warmblood mares and foals with regard to the incidence of osteochondrotic lesions in foals. *Proceedings of the 18th Equine Nutrition and Physiology Society Symposium*, Michigan State University, East Lansing, 4-7 June 2003, pp. 131-2.

Coenen, M., Vervuert, I., Möhrer, J. & Bichmann, M. (2003b) Expanded sugar beet pulp in feeding intensively exercising horses. *Proceedings of the 18th Equine Nutrition and Physiology Society Symposium*, Michigan State University, East Lansing, 4-7 June 2003, pp. 138-9.

Coffman, J. (1979a) Blood glucose 1 – factors affecting blood levels and test results. *Veterinary Medicine and Small Animal Clinician*, **74**, 719-23.

Coffman, J. (1979b) Blood glucose 2 – clinical application of blood glucose determination per se. *Veterinary Medicine and Small Animal Clinician*, **74**, 855-8.

Coffman, J. (1979c) Plasma lactate determinations. *Veterinary Medicine and Small Animal Clinician*, **74**, 997-1002.

Coffman, J. (1979d) The plasma proteins. *Veterinary Medicine and Small Animal Clinician*, *74*, 1168-70. Coffman, J. (1980a) Calcium and phosphorus physiology and pathophysiology. *Veterinary Medicine and Small Animal Clinician*, **75**, 93-6.

Coffman, J. (1980b) Adrenocortical pathophysiology and consideration of sodium, potassium and chloride. *Veterinary Medicine and Small Animal Clinician*, **75**, 271-5.

Coffman, J. (1980c) Acid:base balance. *Veterinary Medicine and Small Animal Clinician*, 75, 489-98. Coffman, J. (1980d) Percent creatinine clearance ratios. *Veterinary Medicine and Small Animal Clinician*, **75**, 671-6.

Coffman, J. (1980e) Urology – 2. Testing for renal disease. *Veterinary Medicine and Small Animal Clinician*, **75**, 1039-44.

Coffman, J. (1980f) Hemostasis and bleeding disorders. *Veterinary Medicine and Small Animal Clinician*, **75**, 1157-64.

Coffman, J. (1980g) A data base for abdominal pain - 1. *Veterinary Medicine and Small Animal Clinician*, **75**, 1583-8.

Coffman, J.R., Hammond, L.S., Garner, H.E., Thawley, D.G. & Selby, L.A. (1980) Haematology as an aid to prognosis of chronic laminitis. *Equine Veterinary Journal*, **12**, 30-31.

Coger, L.S., Hintz, H.F., Schryver, H.F. & Lowe, J.E. (1987) The effect of high zinc intake on copper metabolism and bone development in growing horses. *Proceedings of the 10th Equine Nutrition and Physiology Society*, Colorado State University, Fort Collins, 11-13 June 1987, pp. 173-7.

Coleman, R.J., Mathison, G.W., Hardin, R.T. & Milligan, J.D. (2001) Effect of dietary forage and protein concentration on total tract, precaecal and post-ileal protein and lysine digestibilities of forage based diets fed to mature ponies. *Proceedings of the 17th Equine Nutrition and Physiology Symposium*, The University of Kentucky, Lexington, 31 May-2 June 2001, pp. 461-3.

Colles, C.M. (1979) A preliminary report on the use of warfarin in the treatment of navicular disease. *Equine Veterinary Journal*, **11**, 187-90.

Comben, N., Clark, R.J. & Sutherland, D.J.B. (1983) Improving the integrity of hoof horn in equines by high-level dietary supplementation with biotin. *Proceedings of the Annual Congress of the British Equine Veterinary Association*, University of York, York, 5 September 1983, pp. 1-17.

Comben, N., Clark, R.J. & Sutherland, D.J.B. (1984) Clinical observations on the response of equine hoof defects to dietary supplementation with biotin. *Veterinary Record*, **115**, 642-5.

Comerford, P.M., Edwards, R.L., Hudson, L.W. & Wardlaw, F.B. (1979) Supplemental lysine and methionine for the equine. *Technical Bulletin of the South Carolina Agricultural Experimental Station*, No. 1073.

Comline, R.S., Hall, L.W., Hickson, J.C.D., Murillo, A. & Walker, R.G. (1969) Pancreatic secretion in the horse. *Proceedings of the Physiology Society*, **204**, 10-11P.

Comline, R.S., Hickson, J.C.D. & Message, M.A. (1963) Nervous tissue in the pancreas of different species. *Proceedings of the Physiology Society*, **170**, 47-8P.

Cook, W.R. (1973) Diarrhoea in the horse associated with stress and tetracycline therapy. *Veterinary Record*, **93**, 15-17.

Cooper, J.P., Green, J.D. & Haggar, R. (1981) *The Management of Horse Paddocks. A Booklet of Instructions.* Horserace Betting Levy Board, London.

Cooper, S.R., Mine, K.H., Foreman, J.H., *et al.* (1995) Effects of dietary cation-anion balance on blood pH, acid-base parameters, serum and urine mineral levels, and parathyroid hormone (PTH) in weanling horses. *Journal of Equine Veterinary Science*, **15**, 417-20.

Cooper, S.R., Topliff, D.R., Freeman, D.W., Breazile, J.E. & Geisert, R.D. (1999a) Effect of dietary cation-anion difference on growth and serum osteocalcin levels in weanling horses. *Proceedings of the 16th Equine Nutrition and Physiology Symposium*, North Carolina State University, Raleigh, 2-5 June 1999, pp. 110-15.

Cooper, S.R., Topliff, D.R., Freeman, D.W., Breazile, J.E. & Geisert, R.D. (1999b) Effect of dietary cation-anion difference on mineral balance in weanling horses. *Proceedings of the 16th Equine Nutrition and Physiology Symposium*, North Carolina State University, Raleigh, 2-5 June 1999, pp. 116-21.

Corbally, A.F. (1995) *The contribution of the sport horse industry to the Irish economy.* MEqS thesis, Faculty of Agriculture, National University of Ireland, Dublin.

Corke, M.J. (1986) Diabetes mellitus: the tip of the iceberg. *Equine Veterinary Journal*, **18**, 87-8.

Corn, C.D., Potter, G.D. & Odom, T.W. (1993) Blood buffering in sedentary miniature horses after administration of sodium bicarbonate in single doses of varying amounts. *Proceedings of the 13th Equine Nutrition and Physiology Society*, University of Florida, Gainesville, 21-23 January 1993, No. 504, pp. 108-112.

Cornell, C.N., Garner, G.B., Yates, S.G. & Bell, S. (1982) Comparative fescue foot potential of fescue varieties. *Journal of Animal Science*, **55**, 180-84.

Cornwell, R.L. & Jones, R.M. (1968) Critical tests in the horse with the anthelmintic pyrantel tartrate. *Veterinary Record*, **82**, 483-4.

Couroucé, A., Chrétien, M. & Valette, J.P. (2002) Physiological variables measured under field conditions according to age and state of training in French Trotters. *Equine Veterinary Journal*, **34**, 91-7.

Cross, D.L., Redmond, L.M. & Strickland, J.R. (1995) Equine fescue toxicosis: signs and solutions. *Journal of Animal Science*, **73**, 899-908.

Crowell-Davis, S.L., Houpt, K.A. & Carnevale, J. (1985) Feeding and drinking behavior of mares and foals with free access to pasture and water. *Journal of Animal Science*, **60**, 883-9.

Cuddeford, D. (1994) Artificially dehydrated lucerne for horses. *Veterinary Record*, **135**, 426-9.

Cuddeford, D., Pearson, R.A., Archibald, R.F. & Muirhead, R.H. (1995) Digestibility and gastrointestinal transit time of diets containing different proportions of alfalfa and oat straw given to Thoroughbreds, Shetland ponies, Highland ponies and donkeys. *Animal Science*, **61**, 407-417.

Cuddeford, D., Woodhead, A. & Muirhead, R. (1992) A comparison between the nutritive value of short-cutting cycle, high temperature-dried alfalfa and timothy hay for horses. *Equine Veterinary Journal*, **24**, 84-9.

Cunha, T.J. (1969) Horse feeding & nutrition. *Feedstuffs*, **41** (28), 19-24.

Cunha, T.J. (1971) The mineral needs of the horse. *Feedstuffs*, **43** (46), 34-8.

Cushnahan, A. & Gordon, F.J. (1995) The effects of grass preservation on intake, apparent digestibility and rumen degradation characteristics. *Animal Science*, **60**, 429-38.

Cushnahan, A. & Mayne, C.S. (1995) Effects of ensilage of grass on performance and nutrient utilization by dairy cattle. 1. Food intake and milk production. *Animal Science*, 6n0, 337-45.

Cushnahan, A., Mayne, C.S. & Unsworth, E.F. (1995) Effects of ensilage of grass on performance and nutrient utilization by dairy cattle. 2. Nutrient metabolism and rumen fermentation. *Animal Science*, **60**, 347-59.

Custalow, S.E., Ferrante, P.L., Taylor, L.E., *et al.* (1993) Lactate and glucose responses to exercise in the horse are affected by training and dietary fat. *Proceedings of the 13th Equine Nutrition and Physiology Society*, University of Florida, Gainesville, 21-23 January 1993, No. 504, pp. 179-84.

978-85-7241-725-9

Cutmore, C.M.M., Snow, D.H. & Newsholme, E.A. (1985) Activities of key enzymes of aerobic and anaerobic metabolism in middle gluteal muscle from trained and untrained horses. *Equine Veterinary Journal*, **17**, 354-6.

Cutmore, C.M.M., Snow, D.H. & Newsholme, E.A. (1986) Effects of training on enzyme activities involved in purine nucleotide metabolism in Thoroughbred horses. *Equine Veterinary Journal*, 18, 72-3.

Cygax, A. & Gerber, H. (1973) Normal values of and the effect of age on haematocrit, total bilirubin, calcium, inorganic phosphates and alkaline phosphatase in the serum of horses. *Schweizer Archiv für Tierheilkunde*, **115**, 321-31.

Cymbaluk, N.F. & Christison, G.I. (1989) Effects of dietary energy and phosphorus content on blood chemistry and development of growing horses. *Journal of Animal Science*, **67**, 951-8.

Cymbaluk, N.F., Christison, G.I. & Leach, D.H. (1989a) Energy uptake and utilization by limit-and *ad libitum-fed* growing horses. *Journal of Animal Science*, **67**, 403-413.

Cymbaluk, N.F., Christison, G.I. & Leach, D.H. (1989b) Nutrient utilization by limit and *ad libitum-fed* growing horses. *Journal of Animal Science*, **67**, 414-25.

Cymbaluk, N.F., Christison, G.I. & Leach. D.H. (1990) Longitudinal growth analysis of horses following limited and *ad libitrmt* feeding. *Equine Veterinary Journal*, **22**, 198-204.

Cymbaluk, N.F., Fretz, P.B. & Loew, F.M. (1978) Amprolium-induced thiamine deficiency in horses: clinical features. *American Journal of Veterinary Research*, **39**, 255-61.

Cymbaluk, N.F., Schryver, H.F. & Hintz, H.F. (1981a) Copper metabolism and requirement in mature ponies. *Journal of Nutrition*, **111**, 87-95.

Cymbaluk, N.F., Schryver. H.F., Hintz, H.F., Smith, D.F. & Lowe, J,E. (1981) Influence of dietary molybdenum on copper metabolism in ponies. *Journal of Nutrition*, **111**, 96-106.

Cysewski, S.J., Pier, A.C., Baetz, A.L. & Cheville, N.F. (1982) Experimental equine aflatoxicosis. *Toxicology and Applied Pharmacology*, **65**, 354-65.

Darlington, F.G. & Chassels, J.B. (1960) The final inclusive report on a 5-year-study on the effect of administering alpha-tocopherol to Thoroughbreds. *The Summary*, **12**, 52.

Datt, S.C. & Usenik, E.A. (1975) Intestinal obstruction in the horse. Physical signs and blood chemistry. *Cornell Veterinarian*, **65**, 152-72.

Davie, A.J., Evans, D.L., Hodgson, D.R. & Rose, R.J. (1994) The effects of an oral polymer on muscle glycogen resynthesis in standardbred horses. *American Institute of Nutrition, Journal of Nutrition*, **124**, 27405-41.5.

Davies, A. & Jones, D.R. (1988) Changes in the grass/clover balance in continuously grazed swards in relation to sward production components. *European Grassland Federation Proceedings*, 12th Meeting, Dublin, pp. 297-301.

Davies, J.V., Gerring, E.L., Goodburn, R. & Manderville, P. (1984) Experimental ischaemia of the ileum and concentrations of the intestinal isoenzyme of alkaline phosphatase in plasma and peritoneal fluid. *Equine Veterinary Journal*, **16**, 215-17.

Davies, M.E. (1968) Role of colon liquor in the cultivation of cellullolytic bacteria from the large intestine of the horse. *Journal of Applied Bacteriology*, **31**, 286-89.

Davies, M.E. (1971) The production of vitamin B_{12} in the horse. *British Veterinary Journal*, **127**, 34-6.

Davies, M.E. (1998) Copper and the inhibition of synovial inflammation *Equine Nutrition Workshop, Horserace Betting Levy Board, Veterinary Advisory Committee*, p. 22.

Davies, W. (1952) *The Grass Crop; Its Development, Use and Maintenance. E.* and F.N. Spon, London.

Dawson, K.A., Hopkins, D.M., Lawrence, L., Drouet, N., Drogoul, C. & Julliand, V. (1999) Effects of dietary barley on the composition and activities of the cecal microbial populations in ponies. *Proceedings of the 16th Equine Nutrition and Physiology Symposium*, North Carolina State University, Raleigh, 2-5 June 1999, pp. 355-6.

Dawson, W.M., Phillips, R.W. & Speelman, S.R. (1945) Growth of horses under Western range conditions. *Journal of Animal Science*, **4**, 47-51.

Deegen, E., Ohnesorge, B., Dieckmann, M. & Stadler, P. (1992a) Ulcerative gastritis in horses. *First Europäische Konferenz über die Ernährung des Pferdes*, Institute für Tierernahrüng, Tierärzliche Hochschule, Hannover, 3-4 September 1992, pp. 183-7.

Deegen, E., Ohnesorge, B. & Harps, O. (1992b) Therapy in typhlocolitis. *First Europäische Konferenz über die Ernährung des Pferdes*, Institut für Tierernahrüng, Tierärzliche Hochschule, Hannover, 3-4 September 1992, pp. 207-208.

De Gray, T. (1639) *The Compleat Horseman and Expert Farrier. In Two Bookes.* Thomas Harper, London.

978-85-7241-725-9

De Jaeger, E., De Keersmaecker, S. & Hannes, C. (2000) Cystic urolithiasis in horses. *Equine Veterinary Education*, **12**, 20-23.

Demarquilly, C. (1970) Feeding value of green forages as influenced by nitrogen fertilization. *Annals of Zootechnology*, **19**, 423-37.

Denman, A.M. (1979) Nature and diagnosis of food allergy. *Proceedings of the Nutrition Society*, **38**, 391-402.

Denoix, J.M., Thibaud, D. & Riccio, B. (2003) Tiludronate as a new therapeutic agent in the treatment of navicular disease: a double-blind placebo-controlled clinical trail. *Equine Veterinary Journal*, **35**, 407-13.

De Palo, E.F., Gatti, R., Cappellin, E., Schiraldi, C., de Palo, C.B. & Spinella, p (2001) Plasma lactate, GH, and GH-binding protein levels in exercise following BCAA supplementation in athletes. *Amino Acids*, **20**, 1-11.

DePew, C.L., Thompson, D.L., Jr, Fernandez, J.M., Southern, L.L., Sticker, L.S. and Ward, T.L. (1994a) Plasma concentrations of prolactin, glucose, insulin, urea nitrogen, and total amino acids in stallions after ingestion of feed or gastric administration of feed components. *Journal of Animal Science*, **72**, 2345-53.

DePew, C.L., Thompson, D.L., Jr, Fernandez, J.M., Sticker, L.S. & Burleigh, D.W. (1994b) Changes in concentrations of hormones, metabolites, and amino acids in plasma of adult horses relative to overnight feed deprivation followed by a pellet-hay meal fed at noon. *Journal of Animal Science*, **72**, 1530-39.

Derksen, F.J. (1993) Chronic obstructive pulmonary disease (heaves) as an inflammatory condition. *Equine Veterinary Journal*, **25**, 257-8.

Diekman, M.A. & Green, M.L. (1992) Mycotoxins and reproduction in domestic livestock. *Journal of Animal Science*, **70**, 1615-27.

Dimock, A.N., Ralston, S.L., Malinowski, K. & Horohov, D.W. (1999) The effect of supplementary dietary chromium on the immune status of geriatric mares. *Proceedings of the 16th Equine Nutrition and Physiology Symposium*, North Carolina State University, Raleigh, 2-5 June 1999, pp. 10-11.

Dimock, A.N., Siciliano, P.D. & Mcllwraith, C.W. (2000) Evidence supporting an increased presence of reactive oxygen species in the diseased equine joint. *Equine Veterinary Journal*, **32**, 439-43.

Dingboom, E.G., van Oudheusden, H., Eizema, K. & Weijs, W.A. (2002) Changes in fibre type composition of gluteus medius and semitendinosus muscles of Dutch Warmblood foals and the effect of exercise during the first year postpartum. *Equine Veterinary Journal*, **34**, 177-83.

Divers, T.J., de Lahunta, A., Hintz, H.F., Riis, R.C., Jackson, C.A. & Mohammed, H.O. (2001) Equine motor neuron disease. *Equine Veterinary Education*, **13**, 63-7.

Divers, T.J., Mohammed, H.O., Cummings, J.F., *et al.* (1994) Equine motor neuron disease: findings in 28 horses and proposal of a pathophysiological mechanism for the disease. *Equine Veterinary Journal*, **26**, 409-415.

Dixon, P.M. & Brown, R. (1977) Effects of storage on the methaemoglobin content of equine blood. *Research in Veterinary Science*, **23**, 241-3.

Dixon, P.M., McPherson, E.A. & Muir, A. (1977) Familial methaemoglobinaemia and haemolytic anaemia in the horse associated with decreased erythrocytic glutathione reductase and glutathione. *Equine Veterinary Journal*, **9**, 198-201.

Dixon, P.M., Railton, D.I. & McGorum, B.C. (1995) Equine pulmonary disease: a case control study of 300 referred cases. Parts 1-4. *Equine Veterinary Journal*, **27**, 416-39.

Dixon, P.M., Tremaine, W.H., Pickles, K., *et al.* (2000a) Equine dental disease part 3: a long-term study of 400 cases: disorders of wear, traumatic damage and idiopathic fractures, tumours and miscellaneous disorders of the cheek teeth. *Equine Veterinary Journal*, **32**, 9-18.

Dixon, P.M., Tremaine, W.H., Pickles, K., *et al.* (2000b) Equine dental disease part 4: a long-term study of 400 cases: apical infections of cheek teeth. *Equine Veterinary Journal*, **32**, 182-94.

Doherty, T.J., Andrews, F.M., Blackford, J.T., Rohrbach, B.W., Sandin, A. & Saxton, A.M. (2003) Effects of lipopolysaccharide and phenylbutazone on gastric contents in the horse. *Equine Veterinary Journal*, **35**, 472-5.

Doige, C.E. & McLaughlin, B.G. (1981) Hyperplastic goitre in newborn foals in Western Canada. *Canadian Veterinary Journal*, **22**, 42-5.

Dollahite, J.W., Younger, R.L., Crookshank, H.R., Jones, L.P. & Peterson, H.D. (1978) Chronic lead poisoning in horses. *American Journal of Veterinary Research*, **39**, 961-4.

Domingue, B.M.F., Wilson, P.R., Dellow, D.W. & Barry, T.N. (1992) Effects of subcutaneous melatonin implants during long daylength on voluntary feed intake, rumen capacity and heart rate of red deer *(Cervus elaphus)* fed on forage diet. *British Journal of Nutrition*, **68**, 77-88.

Donoghue, S., Kronfield, D.S., Berkowitz, S.J. & Copp, R.L. (1981) Vitamin A nutrition of the equine: growth serum biochemistry and hematology. *Journal of Nutrition*, **111**, 365-74.

978-85-7241-725-9

Doreau, M. (1978) Comportement alimentaire du cheval à l'écurie. *Annals of Zootechnology*, **27**, 291-302.

Doreau, M., Martin-Rosset, W. & Boulot, S. (1988) Energy requirements and the feeding of mares during lactation: a review. *Livestock Production Science*, **20**, 53-68.

Doreau, M., Moretti, C. & Martin-Rosset, W. (1990) Effect of quality of hay given to mares around foaling on their voluntary intake and foal growth. *Annals of Zootechnology*, **39**, 125-31.

Doreau, M., Boulot, S. & Martin-Rosset, W. (1991) Effect of parity and physiological state on intake, milk production and blood parameters in lactating mares differing in body size. *Animal Production*, **53**, 111-18.

Doreau, M., Boulot, S., Bauchart, D., Barlet, J.-P. & Martin-Rosset, W. (1992) Voluntary intake, milk production and plasma metabolites in nursing mares fed two different diets. *Journal of Nutrition*, **122**, 992-9.

Dorn, C.R., Garner, H.E., Coffman, J.R., Hahn, A.W. & Tritschler, L.G. (1975) Castration and other factors affecting the risk of equine laminitis. *Cornell Veterinarian*, **65**, 57-64.

Doxey, D.L., Gilmour, J.S. & Milne, E.M. (1991a) The relationship between meteorological features and equine grass sickness (dysautonomia). *Equine Veterinary Journal*, **23**, 370-73.

Doxey, D.L., Milne, E.M., Gilmour, J.S. & Pogson, D.M. (1991b) Clinical and biochemical features of grass sickness (equine dysautonomia). *Equine Veterinary Journal*, **23**, 360-64.

Drew, B., Barber, W.P. & Williams, D.G. (1975) The effect of excess dietary iodine on pregnant mares and foals. *Veterinary Record*, **97**, 93-5.

Driscoll, J., Hintz, H.F. & Schryver, H.F. (1978) Goiter in foals caused by excessive iodine. *Journal of American Veterinary Medical Association*, **173**, 858-9.

Drolet, R., Laverty, S., Braselton, W.E. & Lord, N. (1996) Zinc phosphide poisoning in a horse. *Equine Veterinary Journal*, **28**, 161-2.

Drudge, J.H. & Lyons, E.T. (1972) Critical tests of a resin-pellet formulation of dichlorvos against internal parasites of the horse. *American Journal of Veterinary Research*, **33**, 1365-75.

Drummond, R.O. (1981) Biology and control of insect pests of horses. *Pony of the Americas*, **26**, August, 30-32.

DuBose, L.E. (1987) The effect of urea and lysine in alfalfa and coastal Bermuda grass hay rations on the growth of young equines. *Proceedings of the 10th Equine Nutrition and Physiology Society*, Colorado State University, Fort Collins, 11-13 June 1987, p. 605.

Duncan, A.J., Frutos, P. & Young, S.A. (1997) Rates of oxalic acid degradation in the rumen of sheep and goats in response to different levels of oxalic acid administration. *Animal Science*, **65**, 451-5.

Duncan, J.L., McBeath, D.G., Best, J.M.J. & Preston, N.K. (1977) The efficacy of fenbendazole in the control of immature strongyle infections in ponies. *Equine Veterinary Journal*, **9**, 146-9.

Duncan, J.L., McBeath, D.G. & Preston N.K. (1980) Studies on the efficacy of fenbendazole used in a divided dosage regime against strongyle infections in ponies. *Equine Veterinary Journal*, **12**, 78-80.

Duncan, J.L. & Reid, J.F.S. (1978) An evaluation of the efficacy of oxfendazole against the common nematode parasites of the horse. *Veterinary Record*, **103**, 332-4.

Dunnett, M. & Harris, R.C. (1992) Determination of carnosine and other biogenic imidazoles in equine plasma by isocratic reversed-phase ion-pair high-performance liquid chromatography. *Journal of Chromatography*, **579**, 45-53.

Dunsmore, J.D. (1985) Integrated control of *Strongylus vulgaris* infection in horses using ivermectin. *Equine Veterinary Journal*, **17**, 191-5.

Duren, S.E., Manohar, M., Sikkes, B., Jackson, S. & Baker, J. (1992) Influence of feeding and exercise on the distribution of intestinal and muscle blood flow in ponies. *First Europäische Konferenz über die Ernährung des Pferdes*, Institut für Tierernahrüng, Tierärzliche Hochschule, Hannover, 3-4 September 1992, pp. 24-28.

Durham, A.E., Phillips, T.J., Walmsley, J.P. & Newton, J.R. (2004) An investigation of the nutritional and clinicopathological effects of post operative parenteral nutrition in the mature horse. *Equine Veterinary Journal*, in press.

Dybdal, N.O., Gribble, D., Madigan, J.E. & Stabenfeldt, G.H. (1980) Alterations in plasma corticosteroids, insulin and selected metabolites in horses used in endurance rides. *Equine Veterinary Journal*, **12**, 137-40.

Dyce, K.M., Hartman, W. & Aalfs, R.H.G. (1976) A cinefluoroscopic study of the caecal base of the horse. *Research in Veterinary Science*, **20**, 40-6.

Dyer, J., Merediz, E.F.-C., Salmon, K.S.H., Proudman, C.J., Edwards, G.B. & Shirazi-Beechey, S.P. (2002) Molecular characteristics of carbohydrate digestion and absorption in equine small intestine. *Equine Veterinary Journal*, **34**, 349-58.

Eckersall, P.D., Aitchison, T. & Colquhoun, K.M. (1985) Equine whole saliva: variability of some major constituents. *Equine Veterinary Journal*, **17**, 391-3.

Edens, L.M., Robertson, J.L. & Feldman, B.F. (1993) Cholestatic hepatopathy, thrombocytopenia and lymphopenia associated with iron toxicity in a Thoroughbred gelding. *Equine Veterinary Journal*, **25**, 81-4.

Eder, C., Curik, I., Brem, G., *et al.* (2001) Influence of environmental and genetic factors on allergen specific immunoglobulin-E levels in sera from Lipizzan horses. *Equine Veterinary Journal*, **33**, 714-20.

Edwards, G.B. & Proudman, C.J. (1994) An analysis of 75 cases of intestinal obstruction caused by pedunculated lipomas. *Equine Veterinary Journal*, **26**, 18-21.

Edwards, J.G.T., Newton, J.R., Ramzan, P.H.L., Pilsworth, R.C. & Shepherd, M.C. (2003) The efficacy of dantrolene sodium in controlling exertional rhabdomyoiysis in the Thoroughbred racehorse. *Equine Veterinary Journal*, **35**, 707-10.

Egan, D.A. & Murrin, M.P. (1973) Copper concentration and distribution in the livers of equine fetuses, neonates and foals. *Research in Veterinary Science*, **15**, 147-8.

El Shorafa, W.M. (1978) Effect of vitamin D and sunlight on growth and bone development of young ponies. *Dissertation Abstracts International B*, **30**, 1556-7, No. 781-7436.

El Shorafa, W.M., Feaster, J.P., Ott, E.A. & Asquith, R.L. (1979) Effect of vitamin D and sunlight on growth and bone development of young ponies. *Journal of Animal Science*, **48**, 882-6.

Ellis, R.N.W. & Lawrence, T.L.J. (1978a) Energy under-nutrition in the weanling filly foal. 1. Effects on subsequent Tive-weight gains and onset of oestrus. *British Veterinary Journal*, **134**, 205-11.

Ellis, R.N.W. & Lawrence, T.L.J. (1978b) Energy under-nutrition in the weanling filly foal. II. Effects on body conformation and epiphyseal plate closure in the fore-limb. *British Veterinary Journal*, **134**, 322.

Ellis, R.N.W. & Lawrence, T.L.J. (1978c) Energy under-nutrition in the weanling filly foal. III. Effects on heart rate and subsequent voluntary food intake. *British Veterinary Journal*, **134**, 333-41.

Ellis, R.N.W. & Lawrence, T.L.J (1979) Energy and protein under-nutrition in the weanling filly foal. *British Veterinary Journal*, **135**, 331-7.

Ellis, R.N.W. & Lawrence, T.L.J. (1980) The energy and protein requirements of the light horse. *British Veterinary Journal*, **136**, 116-21.

Elsden, S.R., Hitchcock, M.W.S., Marshall, R.A. & Phillipson, A.T. (1946) Volatile acid in the digesta of ruminants and other animals. *Journal of Experimental Biology*, **22**, 191-202.

Epstein, V. (1984) Relationship between potassium administration, hyperkalaemia and the electrocardiogram: an experimental study. *Equine Veterinary Journal*, **16**, 453-6.

Erickson, H.H., Erickson, B.K., Landgren, G.L., Hopper, M.K., Butler, H.C. & Gillespie, J.R. (1987) Physiological characteristics of a champion endurance horse. *Proceedings of the 10th Equine Nutrition and Physiology Society*, pp. 493-8.

Essén-Gustavsson, B. & Lindholm, A. (1985) Muscle fibre characteristics of active and inactive standardbred horses. *Equine Veterinary Journal*, **17**, 434-8.

Essén-Gustavsson, B., Karlstrdm, K. & Lindholm, A. (1984) Fibre types, enzyme activities and substrate utilisation in skeletal muscles of horses competing in endurance rides. *Equine Veterinary Journal*, **16**, 197-202.

Essén-Gustavsson, B., Lindholm, A. & Thornton, J. (1980) Histochemical properties of muscle fibre types and enzyme activities in skeletal muscles of standardbred trotters of different ages. *Equine Veterinary Journal*, **12**, 175-80.

Estepa, J.C., Aguilera-Tejera, E., Mayer-Valor, R., Almadén, Y., Felsenfeld, A.J. & Rodríguez, M. (1998) Measurement of parathyroid hormone in horses. *Equine Veterinary Journal*, **30**, 476-81.

Evans, C. (1995) The homeopathic treatment of horses. Thesis, Diploma, Equine Studies, University College, Dublin.

Evans, D.L. & Rose, R.J. (1988) Determination and repeatability of maximum oxygen uptake and other cardiorespiratory measurements in the exercising horse. *Equine Veterinary Journal*, **20**, 94-8.

Eyre, P. (1972) Equine pulmonary emphysema: a bronchopulmonary mould allergy. *Veterinary Record*, **91**, 134-40.

Fagan, T.W. (1928) Factors that influence the chemical composition of hay. *Welsh Journal of Agriculture*, **4**, 92.

Feldman, J.F. (1987) Hypocalcemia associated with colic in a horse. *Equine Practice*, **9**, 7-10.

Fenton, J.I., Chlebek-Brown, K.A., Caron, J.P. & Orth, M.W. (1999) Glucosamine inhibits cartilage degradation in equine articular cartilage explants. *Proceedings of the 16th Equine Nutrition and Physiology Symposium*, North Carolina State University, Raleigh, 2-5 June 1999, pp. 52-3.

Fernández, A.S., Henningsen, E., Larsen, M., Nansen, P., Gronvold, J. & Sondergaard, J. (1999) A new isolate of the nematophagous fungus *Duddingtonia flagrans* as biological control agent against free living larvae of horse strongyles. *Equine Veterinary Journal*, **31**, 488-91.

978-85-7241-725-9

Ferrante, P.L., Kronfeld, D.S., Taylor, L.E. & Meacham, T.N. (1994a) Plasma $[H^+]$ responses to exercise in horses fed a high-fat diet and given sodium bicarbonate. *Journal of Nutrition*, **124**, 2736S-7s.

Ferrante, P.L., Taylor, L.E., Kronfeld, D.S. & Meacham, T.N. (1994b) Blood lactate concentration during exercise in horses fed a high-fat diet and administered sodium bicarbonate. *Journal of Nutrition*, **124**, 2738S-9S.

Ferrante, P.L., Taylor, L.E., Meacham, T.N., Kronfeld, D.S. & Tiegs, W. (1993) Evaluation of acid-base status and strong ion difference (SID) in exercising horses. *Proceedings of the 13th Equine Nutrition and Physiology Society*, University of Florida, Gainesville, 21-23 January 1993, No. 504, pp. 123-4.

Ferraro, J. & Cote, J.F. (1984) Broodmare management techniques improve conception rates. *Standardbred*, **12**, 56-8.

Firth, E.C. (1998) Effect of copper supplementation on the incidence of developmental orthopaedic disease in pasture-fed New Zealand Thoroughbreds. *Equine Nutrition Workshop*, Horserace Betting Levy Board, Veterinary Advisory Committee, p. 20.

Firth, E.C., Delahunt, J., Wichtel, J.W., Birch, H.L. & Goodship, A.E. (1999) Galloping exercise induces regional changes in bone density within the third and radial carpal bones of Thoroughbred horses. *Equine Veterinary Journal*, **31**, 111-15.

de Fombelle, A., Goacher, A.G., Varloud, M., Boisot, P & Julliand, V. (2003) Effect of the diet on prececal digestion of different starches in the horse measured with the mobile bag technique. *Proceedings of the 18th Equine Nutrition and Physiology Society Symposium*, Michigan State University, East Lansing, 4-7 June 2003, pp. 115-16.

de Fombelle, A., Jacotot, E., Drogoul, C., Bonnefoy, T. & Julliand, V. (1999a) Effect of the hay: grain ratio on digestive physiology and microbial ecosystem of ponies. *Proceedings of the 10th Equine Nutrition and Physiology Symposium*, North Carolina State University, Raleigh, 2-5 June 1999, pp. 151-4.

de Fombelle, A., Julliand, V., Drogoul, C. & Jacotot, E. (personal communication *1999b)* Feeding and microbial disorders in horses: 1-Effects of an abrupt incorporation of two levels of barley in a hay diet on microbial profile and activities. 3-Effects of three hay: grain ratios on microbial profile and activities.

de Fombelle, A., Varloud, M., Goachet, *et al.* (2003). Characterization of the microbial and biochemical profile of the different segments of the digestive tract in horses given two distinct diets. *Animal Science*, **77**, 1293-304.

Fonnesbeck, P.V. (1981) Estimating digestible energy and TDN for horses with chemical analysis of feeds. *Journal of Animal Science, 53 (Suppl. 1)*, **241**, abstract 290.

Fonnesbeck, P.V. & Symons, L.D. (1967) Utilization of the carotene of hay by horses. *Journal of Animal Science*, **26**, 1030-8.

Forbes, T.J., Dibb, C., Green, J.O., Hopkins, A. & Peel, S. (1980) *Factors Affecting Productivity of Permanent Grassland. A National Farm Survey.* Grassland Research Institute, Hurley.

Ford, C.W., Morrison, I.M. & Wilson, J.R. (1979) Temperature effects on lignin hemicellulose and cellulose in tropical and temperate grasses. *Australian Journal of Agricultural Research*, **30**, 621-33.

Ford, E.J.H. & Evans, J. (1982) Glucose utilization in the horse. *British Journal of Nutrition*, **48**, 111-17.

Ford, E.J.H. & Simmons, H.A. (1985) Gluconeogenesis from caecal propionate in the horse. *British Journal of Nutrition*, **53**, 55-60.

Ford, J. & Lokai, M.D. (1979) Complications of sand impaction colic. *Veterinary Medicine and Small Animal Clinician*, **74**, 573-8.

Foster, C.V.L. & Harris, R.C. (1989) Plasma carnitine concentrations in the horse following oral supplementation using a triple dose regime. *Equine Veterinary Journal*, **21**, 376-7.

Foster, C.V.L. & Harris, R.C. (1992) Total carnitine content of the middle gluteal muscle of Thoroughbred horses: normal values, variability and effect of acute exercise. *Equine Veterinary Journal*, **24**, 52-7.

Foster, C.V.L., Harris, R.C. & Pouret, E.J.M. (1989) Effect of oral L-carnitine on its concentration in the plasma of yearling thoroughbred horses. *Veterinary Record*, **125**, 125-8.

Foster, C.V.L., Harris, R.C. & Snow, D.H. (1988) The effect of oral L-carnitine supplementation on the muscle and plasma concentrations in the thoroughbred horse. *Comparative Biochemistry and Physiology*, **91A**, 827-35.

Fowden, A.L., Comline, R.S. & Silver, M. (1984) Insulin secretion and carbohydrate metabolism during pregnancy in the mare. *Equine Veterinary Journal*, **16**, 239-46.

Franceso, L.L., Saurin, L.L. & Dibana, G.F. (1981) Mechanism of negative potassium balance in the magnesium deficient rat. *Proceedings of the Society for Experimental Biology and Medicine*, **168**, 382-8.

Francis-Smith, K. & Wood-Gush, D.G.M. (1977) Coprophagia as seen in Thoroughbred foals. *Equine Veterinary Journal*, **9**, 155-7.

978-85-7241-725-9

Frank, C.J. (1970) Equine colic – a routine modern approach. *Veterinary Record*, **87**, 497-8.

Frank, N.B., Meacham, T.N. & Fontenot, J.P. (1987) Effect of feeding two levels of protein on performance and nutrition of exercising horses. *Proceedings of the 10th Equine Nutrition and Physiology Society*, Colorado State University, Fort Collins, 11-13 June 1987, pp. 579-83.

Frape, D.L. (1975) Recent research into the nutrition of the horse. *Equine Veterinary Journal*, *7*, 120-30. Frape, D.L. (1980) Facts about feeding horses. In *Practice*, **2**, 14-21.

Frape, D.L. (1981) Digestibility studies in horses and ponies. *Proceedings of the 32nd Annual Meeting of the European Association of Animal Production*, Zagreb, Yugoslavia, 31 August-3 September, IVb.

Frape, D.L. (1983) Nutrition of the horse. In: *Pharmacological Basis of Large Animal Medicine* (eds J.A. Bogan, P. Lees and A.T. Yoxall). Blackwell Science, Oxford.

Frape, D.L. (1984a) Straw in the diet of other ruminants and non-ruminant herbivores. In: *Straw and Other Fibrous Byproducts for Food. Developments in Animal and Veterinary Sciences*, 14 (eds E. Owen and F. Sundstl), pp. 487-532. Elsevier Science, Amsterdam.

Frape, D.L. (1984b) The relevance of red cell potassium in diagnosis. *Equine Veterinary Journal*, **16**, 401-2.

Frape, D.L. (1985) Toxicology and diet. *Equine Veterinary Journal*, **17**, 426-7.

Frape, D. L. (1986) *Equino Nutrition and Feeding*, pp. *1-373*. Longman Scientific & Technical, Harlow. Frape, D.L. (1987) Calcium balance and dietary protein content. *Equine Veterinary Journal*, **19**, 265-70.

Frape, D.L. (1988) Dietary requirements and athletic performance of horses. *Equine Veterinary Journal*, **20**, 163-72.

Frape, D.L. (1989) Nutrition and the growth and racing performance of thoroughbred horses. *Proceedings of the Nutrition Society*, **48**, 141-52.

Frape, D.L. (1993) Arterio-venous differences of NEFA during exercise. *Equine Veterinary Journal*, **25**, 4-5.

Frape, D.L. (1994) Diet and exercise performance in the horse. *Proceedings of the Nutrition Society*, **53**, 189-206.

Frape, D.L. (1996) Sherlock Holmes and chemical poisons. *Equine Veterinary Journal*, **28**, 89-91.

Frape, D.L. (2002a) Ethylene glycol toxicity. *Equine Veterinary Education*, **14**, 238-9.

Frape, D.L. (2002b) Poisoning in horses. In: *Veterinary Notes for Horse Owners* (ed. R. Knightbridge), 18th edn. pp 595-612. Ebury Press, London.

Frape, D.L. & Boxall, R.C. (1974) Some nutritional problems of the horse and their possible relationship to those of other herbivores. *Equine Veterinary Journal*, **6**, 59-68.

Frape, D.L., Cash, R.S.G. & Ricketts, S.W. (1983) Panda food allergy. *Lancet*, **1**, 870-1.

Frape, D.L., Peace, C.K. & Ellis, P.M. (1979) Some physiological changes in a fit and an unfit horse associated with a long distance ride. *Proceedings of the 30th Annual Meeting of the European Association of Animal Production*, H-VI-5.

Frape, D.L. & Pringle, J.D. (1984) Toxic manifestations in a dairy herd consuming haylage contaminated by lead. *Veterinary Record*, **114**, 615-16.

Frape, D.L. & Tuck, M.G. (1977) Determining the energy values of ingredients in pig feeds. *Proceedings of the Nutrition Society*, **36**, 179-87.

Frape, D.L., Tuck, M.G., Sutcliffe, N.H. & Jones, D.B. (1982a) The use of inert markers in the measurement of the digestibility of cubed concentrates and of hay given in several proportions to the pony, horse and white rhinoceros *(Diceros simus)*. *Comparative Biochemistry and Physiology*, **72A**, 77-83.

Frape, D.L., Wayman, B.J. & Tuck, M.G. (1981) The effect of dietary fibre sources on aflatoxicosis in the weanling male rat. *British Journal of Nutrition*, **46**, 315-26.

Frape, D.L., Wayman, B.J., Tuck, M.G. & Jones, E. (1982b) The effects of gum arabic, wheat offal and its various fractions on the metabolism of ^{14}C-labelled aflatoxin B, in the male weanling rat. *British Journal of Nutrition*, **48**, 97-110.

Freeman, D.W., Potter, G.D., Schelling, G.T. & Kreider, J.L. (1988) Nitrogen metabolism in mature horses at varying levels of work. *Journal of Animal Science*, **66**, 407-12.

Freeman, K.P., Roszel, J.F., McClure, J.M., Mannsman, R., Patton, P.E. & Naile, S. (1993) A review of cytological specimens from horses with and without clinical signs of respiratory disease. *Equine Veterinary Journal*, **25**, 523-6.

Frey, L.P., Mine, K.H., Foreman, J.H. & Lyman, J.T. (2001) Technical Note: Using calcium carbonate as an osmolar control treatment for acid-base studies in horses. *Journal of Animal Science*, **79**, 1858-62.

Frey, L.P., Mine, K.H., Foreman, J.H., Lyman, J.T. & Butadom, P (1999) Effects of alternative alkalizing compounds on blood plasma acid-base balance in exercising horses. *Proceedings of the l dth Equine Nutrition and Physiology Symposium*, North Carolina State University, Raleigh, 2-5 June 1999, pp. 161-2.

978-85-7241-725-9

Fricker Ch, Riek, W. & Hugelshofer, J. (1982) Occlusion of the digital arteries – a model for pathogenesis of navicular disease. *Equine Veterinary Journal*, **14**, 203-7.

Fuller, Z., Cox, J.E. & Argo, C.McG. (1998) Photoperiod entrainment of seasonal changes in appetite and growth in pony colts. *Proceedings of the British Society of Animal Science*, p 133.

Fuller, Z., Cox, J.E. & Argo, C.McG. (2001) Photoperiod entrainment of seasonal changes in the appetite, feeding behaviour, growth rate and pelage of pony colts. *Animal Science*, **72**, 65-74.

Funkquist, P., Nyman, G. & Persson, S.G.B. (2000) Haemodynamic response to exercise in Standardbred trotters with red cell hypervolaemia. *Equine Veterinary Journal*, **32**, 426-31.

Gabal, M.A., Awad, Y.L., Morcos, M.B., Barakat, A.M. & Malik, G. (1986) Fusariotoxicoses of farm animals and mycotoxic leucoencephalomalacia of the equine associated with the finding of trichothecenes in feedstuffs. *Veterinary and Human Toxicology*, **28**, 207.

Gallagher, J.R. & McMeniman, N.P. (1988) The nutritional status of pregnant and non-pregnant mares grazing South East Queensland pastures. *Equine Veterinary Journal*, **20**, 414-16.

Gallagher, K., Leech, J. & Stowe, H. (1992a) Protein energy and dry niatter consumption by racing standardbreds: a field survey. *Journal of Equine Veterinary Science*, **12**, 382-8.

Gallagher, K., Leech, J. & Stowe, H. (1992b) Protein energy and dry matter consumption by racing Thoroughbreds: a field survey. *Journal of Equine Veterinary Science*, **12**, 43-8.

Garner, H.E., Coffman, J.R., Hahn A.W., Hutcheson, D.P. & Tumbleson, M.E. (1975) Equine laminitis of alimentary origin: an experimental model. *American Journal of Veterinary Research*, **36**, 441-4.

Garner, H.E., Hutcheson, D.P., Coffman, J.R., Hahn, A.W. & Salem, C. (1977) Lactic acidosis: a factor associated with equine laminitis. *Journal of Animal Science*, **45**, 1037-41.

Garner, H.E., Moore, J.N., Johnson, J.H., *et al.* (1978) Changes in the caecal flora associated with the onset of laminitis. *Equine Veterinary Journal*, **10**, 249-52.

Gartner, R.J.W., Blaney, B.J. & McKenzie, R.A. (1981) Supplements to correct oxalate induced negative calcium and phosphorus balances in horses fed tropical grass hays. *Journal of Agricultural Science, Cambridge*, **97**, 581-9.

Geelen, S.N.J., Blázquez, C., Geelen, M.J.H., van Oldruitenborgh-Oosterbaan, M.M.S. & Beynen, A.C. (2001) High fat intake lowers hepatic fatty acid synthesis and raises fatty acid oxidation in aerobic muscle in Shetland ponies. *British Journal of Nutrition*, **86**, 31-6.

GEH: Gesellschaft für Ern hrungsphysiologie (1994); Empfehlungen zur Energie- und Nährstoffversorgung der Pferde. 2. Auflage, DLG-verlag, Frankfurt/Main.

Genetzky, R.M., Loparco, F.V. & Ledet, A.E. (1987) Clinical pathologic alterations in horses during a water deprivation test. *American Journal of Veterinary Research*, **48**, 1007-11.

Gentry, L.R., Thompson, D.L., Jr, Gentry, G.T., Jr, Davis, K.A. & Cartmill, J.A. (2001) The relationship between body condition (BC) and reproductive and hormonal characteristics of mares during winter. *Proceedings of the 17th Equine Nutrition and Physiology Symposium*, The University of Kentucky, Lexington, 31 May-2 June 2001, pp 383-4.

Gentry, L.R., Thompson, D.L., Jr, Gentry, G.T., Jr., Davis, K.A., Godke, R.A. & Cartmill, J.A. (2002) The relationship between body condition, leptin, and reproductive and hormonal characteristics of mares during seasonal anovulatory period. *Journal of Animal Science*, **80**, 2695-703.

Gibbs, P.G., Potter, G.D., Blake, R.W. & McMullan, W.C. (1982) Milk production of quarterhorse mares during 150 days of lactation. *Journal of Animal Science*, **54**, 496-9.

Gibbs, P.G., Potter, G.D., Schelling, G.T., Kreider, J.L. & Boyd, C.L. (1988) Digestion of hay protein in different segments of the equine digestive tract. *Journal of Animal Science*, **66**, 400-6.

Gibbs, P.G., Potter, G.D., Schelling, G.T., Kreider, J.L. & Boyd, C.L. (1996) The significance of small vs. large intestinal digestion of cereal grain and oilseed protein in the equine. *Journal of Equine Veterinary Science*, **16**, 60-5.

Gibbs, P.G., Sigler, D.H. & Goehring, T.B. (1987) Influence of diet on growth and development of yearling horses. *Proceedings of the 10th Equine Nutrition and Physiology Society*, Colorado State University, Fort Collins, 11-13 June 1987, pp. 37-42.

Gibson, W. (1726) *The True Method of Dieting Horses*. Osborn and Longman, London.

Giddings, R.F., Argenzio, R.A. & Stevens, C.E. (1974) Sodium and chloride transport across the equine cecal mucosa. *American Journal of Veterinary Research*, **35**, 1511-14.

Gilchrist, D.G., Wang, H. & Bostock, R.M. (1995) Sphingosine-related mycotoxins in plant and animal diseases. *Canadian Journal of Botany*, **73** *(Suppl. 1)*, S459-S467.

978-85-7241-725-9

Gilchrist, D.G., Ward, B., Moussato, V. & Mirocha, C. (1992) Genetic and physiological response to fumonisin and AAL-toxin by intact tissue of a higher plant. *Mycopathologia*, **117**, 57-64.

Giles, C.J. (1983) Outbreak of ragwort *(Senecio jacobea)* poisoning in horses. *Equine Veterinary Journal*, **15**, 248-50.

Gillespie, J.R., Kauffman, A., Steere, J. & White, L. (1975) Arterial blood gases and pH during long distance running in the horse. *Proceedings of the 1st International Symposium on Equine Hematology*, 450-68.

Gilmour, J.S. (1973a) Grass sickness: the paths of research. *Equine Veterinary Journal*, **5**, 102-4.

Gilmour, J.S. (1973b) Observations on neuronal changes in grass sickness of horses. *Research in Veterinary Science*, **15**, 197-200.

Gilmour, J.S., Brown, R. & Johnson, P. (1981) A negative serological relationship between cases of grass sickness in Scotland and *Clostridium perfringens* type A enterotoxin. *Equine Veterinary Journal*, **13**, 56-8.

Gilmour, J.S. & Jolly, G.M. (1974) Some aspects of the epidemiology of equine grass sickness. *Veterinary Record*, **95**, 77-81.

Glade, M.J. (1983a) Nutrition and performance of racing thoroughbreds. *Equine Veterinary Journal*, **15**, 31-6.

Glade, M.J. (1983b) Nitrogen partitioning along the equine digestive tract. *Journal of Animal Science*, **57**, 943-53.

Glade, M.J. (1984) The influence of dietary fiber digestibility on the nitrogen requirements of mature horses. *Journal of Animal Science*, **58**, 638-46.

Glade, M.J. (1986) The control of cartilage growth in osteochondrosis: a review. *Journal of Equine Veterinary Science*, **6**, 175-87.

Glade, M.J. & Bell, P.1. (1981) Nitrogen partitioning along the equine digestive tract. *Journal of Animal Science*, *53* (Suppl. 1), **243**, abstract 294.

Glade, M.J., Beller, D., Bergen, J., *et al.* (1985) Dietary protein in excess of requirements inhibits renal calcium and phosphorus reabsorption in young horses. *Nutrition Reports International*, **31**, 649-59.

Glade, M.J. & Biesik, L.M. (1986) Enhanced nitrogen retention in yearling horses supplemented with yeast culture. *Journal of Animal Science*, **62**, 1635-40.

Glade, M.J., Gupta, S. & Reimers, T.J. (1984) Hormonal responses to high and low planes of nutrition in weanling Thoroughbreds. *Journal of Animal Science*, **59**, 658-65.

Glade, M.J., Krook, L., Schryver, H.F. & Hintz, H.F. (1982) Calcium metabolism in glucocorticoidtreated pony foals. *Journal of Nutrition*, **112**, 77-86.

Glade, M.J. & Luba, N.K., (1987a) Serum triiodothyronine and thyroxine concentrations in weanling horses fed carbohydrate by direct gastric infusion. *American Journal of Veterinary Research*, **48**, 578-82.

Glade, M.J. & Luba, N.K. (1987b) Benefits to foals of feeding soybean meal to lactating broodmares. *Proceedings of the lOth Equine Nutrition and Physiology Society*, Colorado State University, Fort Collins, 11-13 June 1987, pp. 593-4.

Glade, M.J., Luba, N.K. & Schryver, H.F. (1986) Effects of age and diet on the development of mechanical strength by the third metacarpal and metatarsal bones of young horses. *Journal of Animal Science*, **63**, 1432-44.

Glade, M.J. & Sist, M.D. (1990) Supplemental yeast culture alters the plasma amino acid profiles of nursling and weanling horses. Equine Nutrition and Physiology Society, llth Symposium, *Journal of Equine Veterinary Science*, September/October, p. 8.

Gleadhill, A., Marlin, D., Harris, P.A. & Michell, A.R. (2000) Reduction of renal function in exercising horses. *Equine Veterinary Journal*, **32**, 509-14.

Gleeson, M., Greenhaff, P.L. & Maughan, R.J. (1987) Diet, acid-base status and the metabolic response to exercise in man. *Proceedings of the Physiological Society*, 108P.

Glendinning, S.A. (1974) A system of rearing foals on an automatic calf feeding machine. *Equine Veterinary Journal*, **6**, 12-16.

Glinsky, M.J., Smith, R.M., Spires, H.R. & Davis, C.L. (1976) Measurement of volatile fatty acid production rates in the cecum of the pony. *Journal of Animal Science*, **42**, 1465-71.

Goachet, A.G., Ricard, J.M., Drogoul, C. & Julliand, V. (2003) Effect of transport on the intestinal ecosystem of the horse. *Proceedings of the 18th Equine Nutrition and Physiology Society Symposium*, Michigan State University, East Lansing, 4-7 June 2003, pp 124-5.

Goater, L.E., Meacham, T.H., Gwazdauskas, F.C. & Fontenot, J.P. (1981) Effect of dietary energy level in mares during gestation. *Journal of Animal Science*, **53** (Suppl. 1), 243, abstract 295.

Goater, L.E., Snyder, J.L., Huff, A.N. & Meacham, T.N. (1982) A review of recurrent problems in feeding horses. *Journal of Equine Veterinary Science*, 2, 58-61.

978-85-7241-725-9

Godbee, R.G. & Slade, L.M. (1979) Range blocks with urea for broodmares increase the nutritional value of pasture feeding. *Feedstuffs*, **51** (16), 34-5.

Godbee, R.G. & Slade, L.M. (1981) The effect of urea or soybean meal on the growth and protein status of young horses. *Journal of Animal Science*, **53**, 670-6.

Godbee, R.G., Slade, L.M. & Lawrence, L.M. (1979) Use of protein blocks containing urea for minimally managed broodmares. *Journal of Animal Science*, **48**, 459-63.

Goering, H.K. & Van Soest, P.J. (1975) Forage fiber analyses (apparatus, reagents, procedures and some applications). Agricultural Handbook, **379**, ARS, USDA, Washington DC.

Goodman, H.M., van der Noot, G.W., Trout, J.R. & Squibb, R.L. (1973) Determination of energy source utilized by the light horse. *Journal of Animal Science*, **37**, 56-62.

Goodwin, D., Davidson, H.P.D. & Harris, P. (2002) Foraging enrichment for stabled horses: effects on behaviour and selection. *Equine Veterinary Journal*, **34**, 686-91.

Gossett, K.A., Cleghorn, B., Martin, G.S. & Church, G.E. (1987) Correlation between anion gap, blood L-lactate concentration and survival in horses. *Equine Veterinary Journal*, **19**, 29-30.

Gotte, J.O. (1972) In: *Handbuch Tierernährung, Vol. 2* (eds W. Lenkeit, K. Breirem & E. Crasemann), pp. 393-8. Paul Parey, Berlin/Hamburg.

Gottlieb, M. (1989) Muscle glycogen depletion patterns during draught work in standardbred horses. *Equine Veterinary Journal*, **21**, 110-15.

Grace, N.D., Gee, E.K. & Shaw, H.L. (1998a) Determination of digestible energy intakes and the apparent absorption of crude protein, carbohydrate, acid-detergent fibre, neutral detergent fibre and macro-elements in pasture-fed yearlings. *Equine Nutrition Workshop*, Horserace Betting Levy Board, Veterinary Advisory Committee, pp 4-5.

Grace, N.D., Pearce, S.G., Firth, E.C. & Fennessy, P.F. (1998b) Total body mineral composition and determination of the dietary requirements of copper, zinc, calcium, phosphorus and magnesium for the young horse. *Equine Nutrition Workshop*, Horserace Betting Levy Board, Veterinary Advisory Committee, pp 16-17.

Graham, P.M., Ott, E.A., Brendermuhl, J.H. & TenBroeck, S.H. (1993) The effect of supplemental lysine and threonine on growth and development of yearling horses. *Proceedings of the 13th Equine Nutrition and Physiology Society*, 21-23 January 1993, University of Florida, Gainesville, pp. 80-1.

Graham, P.M., Ott, E.A., Brendermuhl, J.H. & TenBroeck, S.H. (1994) The effect of supplemental lysine and threonine on growth and development of yearling horses. *Journal of Animal Science*, **72**, 380-6.

Graham-Thiers, P.M., Holder, S., Jenney, C., *et al.* (2001) Dietary protein influences: Acid-base balance in horses at rest. *Proceedings of the 17th Equine Nutrition and Physiology Symposium*, The University of Kentucky, Lexington, 31 May-2 June 2001, pp 168-9.

Graham-Thiers, P.M., Kronfeld, D.S., Hatsell, C., Stevens, K. & McCreight, K. (2003) Amino acid supplementation improves muscle mass in aged horses. *Proceedings of the 18th Equine Nutrition and Physiology Society Symposium*, Michigan State University, East Lansing, 4-7 June 2003, pp 136-7.

Graham-Thiers, P.M., Kronfeld, D.S., Mine, K.A., McCullough, T.M. & Harris, P.A. (1999) Dietary protein level and protein status during exercise, training and stall rest. *Proceedings of the 16th Equine Nutrition and Physiology Symposium*, North Carolina State University, Raleigh, 2-5 June 1999, pp. 104-5.

Graham-Thiers, P.M., Kronfeld, D.S., Mine, K.A., Sklan, D.J. & Harris, P.A. (2000) Protein status of exercising Arabian horses fed diets containing 14% or 7.5% crude protein fortified with lysine and threonine. *Journal of Equine Veterinary Science*, **20**, 516-21.

Green, D.A. (1961) A review of studies on the growth rate of the horse. *British Veterinary Journal*, **117**, 181.

Green, D.A. (1969) A study of growth rate in Thoroughbred foals. *British Veterinary Journal*, **125**, 539-46.

Green, D.A. (1976) Growth rate in Thoroughbred yearlings and two-year-olds. *Equine Veterinary Journal*, **8**, 133-4.

Green, J.O. (1982) *A Sample Survey of Grassland in England and Wales 1970-1972*. Grassland Research Institute, Hurley, Maidenhead.

Greene, H.J. & Oehme, F.W. (1976) A possible case of equine aflatoxicosis. *Clinical Toxicology*, **9**, 251-4.

Greenhaff, P.L., Hanak, J., Harris, R.C., *et al.* (1991a) Metabolic alkalosis and exercise performance in the thoroughbred horse. *Equine Exercise Physiology*, **3**, 353-60.

Greenhaff, P.L., Harris, R.C. & Snow, D.H. (1990a) The effect of sodium bicarbonate ($NaHCO_3$) administration upon exercise metabolism in the thoroughbred horse. *Journal of Physiology*, **420**, 69P.

Greenhaff, P.L., Harris, R.C., Snow, D.H., Sewell, D.A. & Dunnett, M. (1991b) The influence of metabolic alkalosis upon exercise metabolism in the thoroughbred horse. *European Journal of Applied Physiology*, **63**, 129-34.

978-85-7241-725-9

Greenhaff, P.L., Snow, D.H., Harris, R.C. & Roberts, C.A. (1990b) Bicarbonate loading in the Thoroughbred: dose, method of administration and acid-base changes. *Equine Veterinary Journal*, (Suppl. 9), 83-5.

Greet, T.R.C. (1982) Observations on the potential role of oesophageal radiography in the horse. *Equine Veterinary Journal*, **14**, 73-9.

Greiwe-Crandell, K.M., Meacham, T.N., Fregin, G.F. & Walberg, J.L. (1989) Effect of added dietary fat on exercising horses. *Proceedings of the 11th Equine Nutrition Physiology Society*, Oklahoma State University, 18-20 May 1989, pp. 101-6.

Greiwe-Crandell, K.M., Kronfeld, D.S., Gay, L.A. & Sklan, D. (1995) Seasonal vitamin A depletion in grazing horses is assessed better by the relative dose response test than by serum retinol concentration. *Journal of Nutrition*, **125**, 2711-16.

Greppi, G.F., Casini, L., Gatta, D., Orlandi, M. & Pasquim, M. (1996) Daily fluctuations of haematology and blood biochemistry in horses fed varying levels of protein. *Equine Veterinary Journal*, **28**, 350-3.

Griffiths, I.R., Kyriakides, E., Smith, S., Howie, F. & Deary, A.W. (1993) Immunocytochemical and lectin histochemical study of neuronal lesions in autonomic ganglia of horses with grass sickness. *Equine Veterinary Journal*, **25**, 446-52.

Groenendyk, S., English, P.B. & Abetz, I. (1988) Externai balance of water and electrolytes in the horse. *Equine Veterinary Journal*, **20**, 189-93.

Groff, L., Pagan, J., Hoekstra, K., Gardner, S., Rice, O., Roose, K. & Geor, R. (2001) Effect of preparation method on the glycemic response to ingestion of beet pulp in Thoroughbred horses. *Proceedings of the 17th Equine Nutrition and Physiology Symposium*, The University of Kentucky, Lexington, 31 May-2 June 2001, pp 125-6.

Gronwall, R. (1975) Effects of fasting on hepatic function in ponies. *American Journal of Veterinary Research*, **36**, 145-8.

Gronwall, R., Engelking, L.R., Answer, M.S., Erichsen, D.F. & Klentz, R.D. (1975) Bile secretion in ponies with biliary fistulas. *American Journal of Veterinary Research*, **36**, 653-8.

Gronwall, R., Engelking, L.R. & Noonan, N. (1980) Direct measurement of biliary bilirubin excretion in ponies during fasting. *American Journal of Veterinary Research*, **41**, 125-6.

Guay, K.A., Brady, H.A., Allen, V.G., *et al.* (2002) Matua bromegrass hay for mares in gestation and lactation. *Journal of Animal Science*, **80**, 2960-66.

Güllner, H., Gill, J.R. & Bartler, F.C. (1981) Correction of hypokalemia by magnesium repletion in familial hypokalemic alkalosis with tubulopathy. *American Journal of Medicine*, **71**, 578-82.

Gupta, A.K., Marota, Y.P. & Yadav, M.P. (1999) Effect of feed deprivation on biochemical indices in equids. *Journal of Equine Science*, **10**, 33-8.

Guy, P.S. & Snow, D.H. (1977a) The effect of training and detraining on muscle composition in the horse. *Journal of Physiology*, **269**, 33-51.

Guy, P.S. & Snow, D.H. (1977b) The effect of training and detraining on lactate dehydrogenase isoenzymes in the horse. *Biochemical and Biophysical Research Communications*, **75**, 863-9.

Haenlein, G.F.W. (1969) Nutritive value of a pelleted horse ration. *Feedstuffs*, **41** (26), 19-20.

Haggar, R.J. & Jones, D. (1989) Increasing flora diversity in grassland swards. *Proceedings of the 16th International Grassland Congress*, Nice, pp. 1633-4.

Hagstrom, D.J., Vogelsang, M.M., Cartright, A.L., Harms, P.G., Potter, G.D. & Riccitelli, K.R. (1999) Luteinizing hormone concentrations in mares foaling in thin body condition and fed a fat-supplemented diet. *Proceedings of the 16th Equine Nutrition and Physiology Symposium*, North Carolina State University, Raleigh, 2-5 June 1999, pp 58-63.

Hails, M.R. & Crane, T.D. (1982) Plant poisoning in animals. A Bibliography From the World Literature, 1960-1979. *Veterinary Bulletin*, **52**, *No.* 8, 557-1048. Also produced (1983) by Commonwealth Agricultural Bureaux of Animal Health, Slough.

Hale, C.E. & Moore-Colyer, M.J.S. (2001) Voluntary food intakes and apparent digestibilities of hay, big-bale grass silage and red clover silage by ponies. *Proceedings of the 17th Equine Nutrition and Physiology Symposium*, The University of Kentucky, Lexington, 31 May-2 June 2001, pp 468-9.

Hall, G.M., Adrian, T.E., Bloom, S.R. & Lucke, J.N. (1982) Changes in circulating gut hormones in the horse during long distance exercise. *Equine Veterinary Journal*, **14**, 209-12.

Hambleton, P.L., Slade, L.M., Hamar, D.W., Kienholz, E.W. & Lewis, L.D. (1980) Dietary fat and exercise conditioning effect on metabolic parameters in the horse. *Journal of Animal Science*, **51**, 1330-9.

Hamlin, M.J., Shearman, J.P. & Hopkins, W.G. (2002) Changes in physiological parameters in overtrained Standardbred racehorses. *Equine Veterinary Journal*, **34**, 383-8.

Hammond, C.J., Mason, D.K. & Watkins, K.L. (1986) Gastric ulceration in mature Thoroughbred horses. *Equine Veterinary Journal*, **18**, 284-7.

Hanna, C.J., Eyre, P., Wells, P.W. & McBeath, D.G. (1982) Equine immunology 2: immunopharmacology-biochemical basis of hypersensitivity. *Equine Veterinary Journal*, **14**, 16-24.

Hansen, T.O. & White, N.A., (II) (1988) Total parenteral nutrition in four healthy adult horses. *American Journal of Veterinary Research*, **49**, 122-4.

Hanson, C.M., Mine, K.H., Foreman, J.H. & Frey, L.P. (1993) Effect of sodium bicarbonate on plasma volume, electrolytes and blood gases in resting quarter horses. *Proceedings of the 13th Equine Nutrition and Physiology Society*, University of Florida, Gainesville, 21-23 January 1993, No. 504, 115-20.

Harbers, L.H., McNally, L.K. & Smith, W.H. (1981) Digestibility of three grass hays by the horse and scanning electron microscopy of undigested leaf remnants. *Journal of Animal Science*, **53**, 1671-7.

Harbour, L.E., Lawrence, L.M., Hayes, S.H., Stine, C.J. & Powell, D.M. (2003) Concentrate composition, forco, and glycemic response in horses. *Proceedings of the 18th Equine Nutrition and Physiology Society Symposium*, Michigan State University, East Lansing, 4-7 June 2003, pp 329-30.

Hardy, Q.P., Bruemmer, J.E., McCue, P.M., Denniston, D.J. & Squires, E.L. (2003) Efficacy of lutropin V on inducing ovulation in estrual mares. *Proceedings of the 18th Equine Nutrition and Physiology Society Symposium*, Michigan State University, East Lansing, 4-7 June 2003, pp 63-4.

Hargreaves, B.J., Kronfeld, D.S., Holland, J.L., *et al.* (2001) Bioavailability and kinetics of natural and synthetic forms of vitamin E in Thoroughbred horses. *Proceedings of the 17th Equine Nutrition and Physiology Symposium*, The University of Kentucky, Lexington, 31 May-2 June 2001, pp 127-8.

Hargreaves, B.J., Kronfeld, D.S. & Naylor, J.R.J. (1999) Ambient temperature and relative humidity influenced packed cell volume, total plasma protein and other variables in horses during an incremental submaximal field exercise test. *Equine Veterinary Journal*, **31**, 314-18.

Harkins, J.D., Beadle, R.E. & Kamerling, S.G. (1993) The correlation of running ability and physiological variables in Thoroughbred racehorses. *Equine Veterinary Journal*, **25**, 53-60.

Harkins, J.D. & Kamerling, S.G. (1992) Effects of induced alkalosis on performance in thoroughbreds during a 1600-m race. *Equine Veterinary Journal*, **24**, 94-8.

Harkins, J.D., Morris, G.S., Tulley, R.T., Nelson, A.G. & Kamerling, S.G. (1992) Effect of added dietary fat on racing performance in thoroughbred horses. *Journal of Equine Veterinary Science*, **12**, 123-9.

Harmeyer, J., Twehues, R., Schlumbohm, C., Stadermann, B. & Meyer, H. (1992) The role of vitamin D on calcium metabolism in horses. *First Europäische Konferenz über die Ernährung des Pferdes*, Institut für Tierarnahrüng, Tierärzliche Hochschule, Hannover, 3-4 September 1992, pp. 81-5.

Harmon, D.L., Britton, R.A. & Prior, R.L. (1983) Rates of utilization of L (+) and D (-) lactate in bovine tissues. *Federation Proceedings*, **42**, 815, abstract 3065.

Harper, O.F. & Noot, G.W.V. (1974) Protein requirement of mature maintenance horses. *Journal of Animal Science*, **39**, 183, abstract 181.

Harrington, D.D. (1974) Pathologic features of magnesium deficiency in young horses fed purified rations. *American Journal of Veterinary Research*, **35**, 503-13.

Harrington, D.D. (1975) Influence of magnesium deficiency on horse foal tissue concentrations of Mg, calcium and phosphorus. *British Journal of Nutrition*, **34**, 45-57.

Harrington, D.D. (1982) Acute vitamin D_2 (ergocalciferol) toxicosis in horses: case report and experimental studies. *Journal American Veterinary Medical Association*, **180**, 867-73.

Harrington, D.D. & Walsh, J.J. (1980) Equine magnesium supplements: evaluation of magnesium oxide, magnesium sulphate and magnesium carbonate in foals fed purified diets. *Equine Veterinary Journal*, **12**, 32-3.

Harris, R.C. (1987) Carbonic anhydrase isoenzymes – enigmatic variations. *Equine Veterinary Journal*, **19**, 489-93.

Harris, P. & Snow, D.H. (1988) The effects of high intensity exercise on the plasma concentration of lactate, potassium and other electrolytes. *Equine Veterinary Journal*, **20**, 109-13.

Harris, P. & Snow, D.H. (1992) Plasma potassium and lactate concentrations in thoroughbred horses during exercise of varying intensity. *Equine Veterinary Journal*, **24**, 220-5.

Harris, R.C., Dunnett, M. & Snow, D.H. (1991a) Muscle carnosine content is unchanged during maximal intermittent exercise. *Equine Exercise Physiology*, **3**, 257-61.

Harris, R.C. & Foster, C.V.L. (1990) Changes in muscle free carnitine and acetylcarnitine with increasing work intensity in the Thoroughbred horse. *European Journal of Applied Physiology*, **60**, 81-5.

Harris, R.C. & Hultman, E. (1992a) Muscle phosphagen status studied by needle biopsy. In: *Energy Metabolism: Tissue Determinants and Cellular Corollaries* (eds J.M. Kinney & H.N. Tucker), pp. 367-79. Raven Press, New York.

978-85-7241-725-9

Harris, R.C. & Hultman, E. (1992b) Nutritional strategies for enhanced performance in the racing camel: lessons learned froco man and horse. *Proceedings of the Ist International Camel Conferente*, Dubai, United Arab Emirates, 2-6 February 1992, pp. 243-6.

Harris, R.C., Marlin, D.J., Dunnett, M., Snow, D.H. & Hultman, E. (1990) Muscle buffering capacity and dipeptide content in the thoroughbred horse, greyhound dog and man. *Comparative Biochemistry and Physiology*, **97A**, 249-51.

Harris, R.C., Marlin, D.J. & Snow, D.H. (1987) Metabolic response to maximal exercise of 800 and 2000 in the thoroughbred horse. *Journal of Applied Physiology*, **63**, 12-19.

Harris, R.C., Marlin, D.J. & Snow, D.H. (1991b) Lactate kinetics, plasma ammonia and performance following repeated bouts of maximal exercise. *Equine Exercise Physiology*, **3**, 173-8.

Harris, R.C., Marlin, D.J., Snow, D.H. & Harkness, R.A. (1991c) Muscle ATP loss and lactate accumulation at different work intensities in the exercising Thoroughbred horse. *European Journal of Applied Physiology*, **62**, 235-44.

Harris, R.C., Söderlund, K. & Hultman, E. (1992) Elevation of creatine In resting and exercised muscle of normal subjects by creatine supplementation. *Clinical Science*, **83**, 367-74.

Harrison, R.J. (1974) Vitamin B_{12} content in erythrocytes in horse and sheep. *Research Veterinary Science*, **17**, 259-60.

Hart, G.H., Goss, H. & Guilbert, H.R. (1943) Vitamin A deficiency not the cause of joint lesions in horses. *American Journal of Veterinary Research*, **4**, 162-8.

Harthoorn, A.M. & Young, E. (1974) A relationship between acid-base balance and capture myopathy in zebra *(Equus burchelli)* and an apparent therapy. *Veterinary Record*, **95**, 337-42.

Hatak, J. (1977) Effect of the degree of training and the physiological condition of horses on the dynamics of some urine metabolites. *Veterinarstvi*, **27** *(7)*, 301-2.

Hatfull, R.S., Milner, I. & Stanway, V. (1980) Determination of theobromine in animal feeding stuffs. *Journal of the Association of Public Analysts*, **18**, 19-22.

Hathaway, R.L., Oldfield, J.E. & Buettner, M.R. (1981) Effect of selenium in a mineral salt mixture on heifers grazing tall fescue and quack grass pastures. *Proceedings of the Western Section of the American Society of Animal Science*, Vancouver, British Columbia, 23-25 June 1981, **32**, 32-3.

Hawkes, J., Hedges, M., Daniluk, P., Hintz, H.F. & Schryver, H.F. (1985) Feed preferences of ponies. *Equine Veterinary Journal*, **17**, 20-2.

Hayes, S., Werner, H. & Lawrence, L. (2003) *In vitro* assessment of fibre digestion capacity in foals. *Proceedings of the 18th Equine Nutrition and Physiology Society Symposium*, Michigan State University, East Lansing, 4-7 June 2003, pp 273-4.

Haywood, P.E., Teale, P. & Moss, M.S. (1990) The excretion of theobromine in Thoroughbred racehorses after feeding compounded cubes containing cocoa husk – establishment of a threshold value in horse urine. *Equine Veterinary Journal*, **22**, 244-6.

Heat, S.E., Bell, R.J. & Harland, R.J. (1988) Botulinum type C intoxication in a mare. *Canadian Veterinary Journal*, **29**, 530-1.

Heleski, C.R., Shelle, A.C., Nielsen, B.D., Waite, K.L. & Zanella, A.J. (1999) Influence of housing on behavior in weanling horses. *Proceedings of the 16th Equine Nutrition and Physiology Symposium*, North Carolina State University, Raleigh, 2-5 June 1999, pp 249-50.

Hemken, R.W., Boling, J.A., Bull, L.S., Hatton, R.H., Buckner, R.C. & Bush, L.P. (1981) Interaction of environmental temperature and anti-quality factors on the severity of summer fescue toxicosis. *Journal of Animal Science*, **52**, 710-14.

Hemken, R.W., Jackson, J.A., Jr & Boling, J.A. (1984) Toxic factors in tall fescue. *Journal of Animal Science*, **58**, 1011-16.

Heneke, D.R., Potter, G.D. & Kreider, J.L. (1981) Rebreeding efficiency in mares fed different levels of energy during late gestation. *Proceedings of the 7th Equine Nutrition and Physiology Society*, Airlie House, Warrenton, Virginia, 30 April-2 May 1981, pp. 101-4.

Henry, J.C., Cooper, S.R., Freeman, D.W. & Kropp, J.R. (2003) Effects of exercise on bone metabolism in yearling horses. *Proceedings of the 18th Equine Nutrition and Physiology Society Symposium*, Michigan State University, East Lansing, 4-7 June 2003, pp 230-35.

Henry, M.M. & Moore, J.N. (1991) Whole blood re-calcification time in equine colic. *Equine Veterinary Journal*, **23**, 303-8.

978-85-7241-725-9

Herd, R.P. (1986a) Epidemiology and control of equine strongylosis at Newmarket. *Equine Veterinary Journal*, **18**, 447-52.

Herd, R.P. (1986b) Pasture hygiene: a nonchemical approach to equine endoparasite control. *Modern Veterinary Practice*, **67**, 36-8.

Herd, R.P. & Willardson, K.L. (1985) Seasonal distribution of infective strongyle larvae on horse pastures. *Equine Veterinary Journal*, **17**, 235-7.

Hess, T.M., Greiwe-Crandell, K., Kronfeld, D.S., *et al.* (2003) Potassium-free electrolytes and calcium supplementation in an endurance race. *Proceedings of the 18th Equine Nutrition and Physiology Society Symposium*, Michigan State University, East Lansing, 4-7 June 2003, pp 148-50.

Heusner, G.L., Albert, W.W. & Norton, H.W. (1976) Energy and systems of feeding for weanlings. *Journal of Animal Science*, **43**, 253, abstract 170.

Heusner, G.L., Froetschel, M.A. & McPeake, C.A. (2001) The utilization of cottonseed hulls as the single fiber source In rations for the growing horse. *Proceedings of the 17th Equine Nutrition and Physiology Symposium*, The University of Kentucky, Lexington, 31 May-2 June 2001, p 328.

Heyman, M. (2001) How dietary antigens access the mucosal immune system. *Proceedings of the Nutrition Society*, **60**, 419-26.

Higgins, A.J. & Wright, I.M. (eds) (1995) *The Equine Manual.* W.B. Saunders, London.

Hill, A.B., Lawrence, L.M. & Hayes, S.H. (2001) The effect of endophyte infected tall fescue on mares in early and mid gestation. *Proceedings of the 17th Equine Nutrition and Physiology Symposium*, The University of Kentucky, Lexington, 31 May-2 June 2001, pp. 470-71.

Hill, J. & Gutsell, S. (1998) Effect of supplementation of a hay and concentrate diet with live yeast culture on the digestibility of nutrients in 2 and 3 year old riding school horses. *Proceedings of the British Society of Animal Science*, p. 128.

Hill, K.R. (1959) Discussion on seneciosis in man and animals. *Proceedings of the Royal Society of Medicine*, **53**, 281-2.

Hillyer, M.H. & Mair, T.S. (1997a) Recurrent colic in the mature horse: A retrospective review of 58 cases. *Equine Veterinary Journal*, **29**, 421-4.

Hinchcliff, K.W., Lauderdale, M.A., Dutson, J., Geor, R.J., Lacombe, V.A. & Taylor, L.E. (2002) High intensity exercise conditioning increases accumulated oxygen deficit of horses. *Equine Veterinary Journal*, **34**, 9-16.

Hinchcliff, K.W., McKeever, K.H., Muir, W.W. & Sams, R. (1993) Effect of oral sodium loading on acid:base responses of horses to intense exertion. *Proceedings of the 13th Equine Nutrition and Physiology Society*, University of Florida, Gainesville, 21-23 January 1993, No. 504, pp. 121-2.

Hinckley, K.A., Fearn, S., Howard, B.R. & Henderson, I.W. (1996) Nitric oxide donors as treatment for grass induced acute laminitis in ponies. *Equine Veterinary Journal*, **28**, 17-28.

Hiney, K.M., Nielsen, B.D. & Rosenstein, D. (2002) Influence of short duration, high intensity exercise on bone mineral content in stalled weanlings. *Journal of Animal Science*, 80 (Suppl. 1), Abstr. 621.

Hiney, K.M. & Potter, G.D. (1996) A review of recent research on nutrition and metabolism in the athletic horse. *Nutrition Research Reviews*, **9**, 149-73.

Hinton, M. (1978) On the watering of horses: a review. *Equine Veterinary Journal*, **10**, 27-31.

Hintz, H.F. (1980a) Growth in the horse. In: *Stud Manager's Handbook, Vol.* 16, pp. 59-66. Agriservices Foundation, Clovis, California.

Hintz, H.F. (1980b) Diagnosis of nutritional status. In: *Stud Manager's Handbook, Vol.* 16, pp. 185-7. Agriservices Foundation, Clovis, California.

Hintz, H.F. (1983) Nutritional requirements of the exercising horse – a review. In: *Equine Exercise Physiology* (eds D.H. Snow, S.G.B. Persson & R.J. Rose), pp. 275-90. Granta Editions, Cambridge.

Hintz, H.F. (1990) Digestive physiology. In: *The Horse*, (eds J.W. Evans, A. Borton, H.F. Hintz & L.D. Van Vleck), 2nd edn. pp 189-207. Freeman and Company, New York, USA.

Hintz, H.F. (1994) Nutrition and equine performance. *Journal of Nutrition*, **124**, 2723S-9S.

Hintz, H.F., Hintz, R.L. & Van Vleck, L.D. (1979a) Growth rate of Thoroughbreds. Effect of age of dam, year and month of birth and sex of foal. *Journal of Animal Science*, **48**, 480-7.

Hintz, H.F. & Kallfelz, F.A. (1981) Some nutritional problems of horses. *Equine Veterinary Journal*, **13**, 183-6.

Hintz, H.F., Lowe, J.E. & Schryver, H.F. (1969) Protein sources for horses. *Proceedings of the Cornell Nutrition Conferente for Feed Manufacturers*, 65-8. Cornell University, Ithaca, New York.

978-85-7241-725-9

Hintz, H.F. & Meakim, D.W. (1981) A comparison of the 1978 National Research Council's recommendations of nutrient requirements of horses with recent studies. *Equine Veterinary Journal*, **13**, 187-91.

Hintz, H.F., Ross, M.W., Lesser, F.R., *et al.* (1978a) The value of dietary fat for working horses. Biochemical and hematological evaluations. *Journal of Equine Medicine and Surgery*, **2**, 483-8.

Hintz, H.F., Ross, M.W., Lesser, F. R., *et al.* (1978b) Value of supplemental fat in horse rations. *Feedstuffs*, **50** (12), 27-8.

Hintz, H.F. & Schryver, H.F. (1972) Magnesium metabolism in the horse. *Journal of Animal Science*, **35**, 755-9.

Hintz, H.F. & Schryver, H.F. (1973) Magnesium, calcium and phosphorus metabolism in ponies fed varying levels of magnesium. *Journal of Animal Science*, **37**, 927-30.

Hintz, H.F. & Schryver, H.F. (1975a) The evolution of commercial horse feeds. *Feedstuffs*, **47** (36), 26-8.

Hintz, H.F. & Schryver, H.F. (1975b) Recent developments in equine nutrition. *Proceedings of the Cornell Nutrition Conferente for Feed Manufacturers*, 95-8. Cornell University, Ithaca, New York.

Hintz, H.F. & Schryver, H.F. (1976a) Corrugated paper boxes can be ingredients in complete pelleted diets for horses. *Feedstuffs*, **48** (44), 51-3.

Hintz, H.F. & Schryver, H.F. (1976b) Current status of mineral nutrition in the equine. *Proceedings of the University of Maryland Nutrition Conferente for Feed Manufacturers*, University of Maryland Agriculture Experimental Station, College Park, Maryland, pp. 42-4.

Hintz, H.F. & Schryver, H.F. (1976c) Nutrition and bone development in horses. *Journal-American Veterinary Medical Association*, **168**, 39-44.

Hintz, H.F. & Schryver, H.F. (1976d) Potassium metabolism in ponies. *Journal of Animal Science*, **42**, 637-43.

Hintz, H.F., Schryver, H.F. & Cymbaluk, N.F. (1979b) Feeding dehydrated forages to horses. In: *Proceedings of the 2nd International Green Crop Drying Congress* (ed. R.E. Howarth), pp. 314-18. University of Saskatchewan, Saskatoon, Canada.

Hintz, H.F., Schryver, H.F., Doty, J., Lakin, C. & Zimmerman, R.A. (1984) Oxalic acid content of alfalfa hays and its influence on the availability of calcium, phosphorus and magnesium. *Journal of Animal Science*, **58**, 939-42.

Hintz, H.F., Schryver, H.F. & Lowe, J.E. (1973) Digestion in the horse. *Feedstuffs*, **45** (27), 25-31.

Hintz, H.F., Schryver, H.F. & Lowe, J.E. (1976) Delayed growth response and limb conformation in young horses. *Proceedings of the Cornell Nutrition Conferente for Feed Manufacturers*, 94-6. Cornell University, Ithaca, New York.

Hintz, H.F., Sedgewick, C.J. & Schryver, H.F. (1976) Some observations on digestion of a pelleted diet by ruminants and non-ruminants. *International Zoology Yearbook*, **16**, 54-7.

Hintz, H.F., White, K., Short, C., Lowe, J. & Ross, M. (1980) Effects of protein levels on endurance horses. *Journal of Animal Science*, **51** (Suppl.), 202-3.

Hintz, H.F., Williams, A.J., Rogoff, J. & Schryver, H.F. (1973) Availability of phosphorus in wheat bran when fed to ponies. *Journal of Animal Science*, **36**, 522-5.

Hintz, R.L., Hintz, H.F. & Van Vleck, L.D. (1978c) Estimation of heritabilities for weight, height and front cannon bone circumference of Thoroughbreds. *Journal of Animal Science*, **47**, 1243-5.

Hodge, S.L., Kreider, J.L., Potter, G.D. & Harms, P.G. (1981) Influence of photoperiod on the pregnant and postpartum mare. *Journal of Animal Science*, **330** (Suppl. 1), abstract 505.

Hodgson, D.R. (1993) Exercise-associated myopathy: is calcium the culprit? *Equine Veterinary Journal*, **25**, 1-3.

Hodgson, D.R., Rose, R.J., Allen, J.R. & Dimauro, J. (1984) Glycogen depletion patterns in horses performing maximal exercise. *Research in Veterinary Science*, **36**, 169-73.

Hoekstra, K.E., Newman, K., Kennedy, M.A.P. & Pagan, J.D. (1999) Effect of corn processing on glycemic response in horses. *Proceedings of the 16th Equine Nutrition and Physiology Symposium*, North Carolina State University, Raleigh, 2-5 June 1999, pp 144-8.

Hoffman, K.L., Wood, A.K.W., Griffiths, K.A., Evans, D.L., Gill, R.W. & Kirby, A.C. (2001) Postprandial arterial vasodilation in the equine distal thoracic limb. *Equine Veterinary Journal*, **33**, 269-73.

Hoffmann, L., Jentsch, W., Klein, M. & Schiemann, R. (1977) The conversion of feed energy by growing pigs. 1. Energy and nitrogen metabolism in the early stage of growth. *Arch. Tierernährung*, **27**, 421-38.

Hoffman, R.M., Boston, R.C., Stefanovski, D., Kronfeld, D.S. & Harris, P.A. (2003a) Obesity and diet affect glucose dynamics and insulin sensitivity in Thoroughbred geldings. *Proceedings of the 18th Equine Nutrition and Physiology Society Symposium*, Michigan State University, East Lansing, 4-7 June 2003, pp 126-7.

Hoffman, R.M., Boston, R.C., Stefanovski, D., Kronfeld, D.S. & Harris, P.A. (2003b) Obesity and diet affect glucose dynamics and insulin sensitivity in Thoroughbred geldings. *Journal of Animal Science*, **81**, 2333-42.

978-85-7241-725-9

978-85-7241-725-9

Hoffman, R.M., Lawrence, L.A., Kronfeld, D.S., *et al.* (1999) Dietary carbohydrates and fat influence radiographic bone mineral content of growing foals. *Journal of Animal Science*, **77**, 3330-38.

Hoffman, R.M., Morgan, K.L., Lynch, M.P., Zinn, S.A., Faustman, C. & Harris, P.A. (1999) Dietary vitamin E supplemented in the periparturient period influences immunoglobulins in equine colostrum and passive transfer in foals. *Proceedings of the 16th Equine Nutrition and Physiology Symposium*, North Carolina State University, Raleigh, 2-5 June 1999, pp 96-7.

Hoffman, R.M., Morgan, K.L., Phillips, A., Dinger, J.E., Zinn, S.A. & Faustman, C. (2001) Dietary vitamin E and ascorbic acid influence nutritional status of exercising polo ponies. *Proceedings of the 17th Equine Nutrition and Physiology Symposium*, The University of Kentucky, Lexington, 31 May-2 June 2001, pp 129-30.

Hoffman, R.M., Wilson, J.A., Kronfeld, D.S., *et al.* (2001) Hydrolyzable carbohydrates in pasture, hay and horse feeds: direct assay and seasonal variation. *Journal of Animal Science*, **79**, 500-506.

Holcombe, S.J., Jackson, C., Gerber, V., *et al.* (2001) Stabling is associated with airway inflammation in young Arabian horses. *Equine Veterinary Journal*, **33**, 244-9.

Holland, J.L., Kronfeld, D.S. & Meacham, T.N. (1996) Behavior of horses is affected by soy lecithin and corn oil in the diet. *Journal of Animal Science*, **74**, 1252-5.

Hollands, T. & Cuddeford, D. (1992) Effect of supplementary soya oil on the digestibility of nutrients contained in a 40:60 roughage/concentrate diet fed to horses. *First Europäische Konferenz über die Ernährung des Pferdes*, Institut für Tierarnahrüng, Tierärzliche Hochschule, Hannover, 3-4 Septamber 1992, pp. 128-32.

Holmes, J.R. (1982) A superb transport system. The circulation. *Equine Veterinary Journal*, **14**, 267-76.

Holmes, P.H. (1993) Interactions between parasites and animal nutrition: the veterinary consequences. *Proceedings of the Nutrition Society*, **52**, 113-20.

van der Holst, W., Tj alsma, E.J. & Wonder, C.I. (1984) Experiences with oral administration of β-carotene to pony mares in early spring. *35th Annual Meeting of the European Association for Animal Production*, the Hague, pp. 2-15.

Holt, P.E. & Pearson, H. (1984) Urolithiasis in the horse – a review of 13 cases. *Equine Veterinary Journal*, **16**, 31-4.

Holton, D.W., Garrett, B.J. & Cheeke, P.R. (1983) Effects of dietary supplementation with BHA, cysteine and B vitamins on tansy ragwort toxicity in horses. *Proceedings of the Western Section of the American Society of Animal Science*, Washington State University, Pullman, 26-29 July, **34**, 183-6.

Hood, D.M., Hightower, D., Amoss, M.S., Jr, *et al.* (1987) Thyroid function in horses affected with laminitis. *Southwestern Veterinarian*, **38**, 85-91.

Hopkins, A. (1986) Botanical composition of permanent grassland in England and Wales in relation to soil, environment and management factors. *Grass and Forage Science*, **41**, 237-46.

Hopkins, A., Martyn, T.M. & Bowling, P.J. (1994) Companion species to improve seasonality of production and nutrient uptake in grass/clover swards. *Proceedings of the 15th General Meeting, European Grassland Federation* (ed. L. Mannetje), Wageningen, the Netherlands, pp. 73-6.

Houpt, K.A. (1991) Investigating equine ingestive, maternal, and sexual behavior in the field and in the laboratory. *Journal of Animal Science*, **69**, 4161-6.

Houpt, K.A. (1983) Taste preferences in horses. *Equine Practice*, **5**, 22-5.

Houpt, K.A., Hintz, H.F. & Pagan, J.D. (1981) The response of mares and their foals to brief separation. *Journal of Animal Science*, *53 (Suppl. 1)*, **129**, abstract 6.

Houpt, K.A. & Houpt, T.R. (1988) Social and illumination preferences of mares. *Journal of Animal Science*, **66**, 2159-64.

Houpt, K.A., Parsons, M.S. & Hintz, H.F. (1982) Learning ability of orphan foals, of normal foals and of their mothers. *Journal of Animal Science*, **55**, 1027-32.

Houpt, T.R. & Houpt, K.A. (1971) Nitrogen conservation by ponies fed a low protein ration. *American Journal of Veterinary Research*, **32**, 579-88.

Householder, D.D., Potter, G.D., Lichtenwainer, R.E. & Hesby, J.H. (1976) Growth and digestion in horses fed sorghum or oats. *Journal of Animal Science*, **43**, 254.

Hoven, R. Van Den., Breuknk, H.J., Vaandrager-Verduin, M.H.V. & Scholte, H.R. (1989) Normal resting values of plasma free carnitine and acylcarnitine in horses predisposed to exertional rhabdomyolysis. *Equine Veterinary Journal*, **21**, 307-8.

Hoyt, J.K., Potter, G.D., Greene, L.W. & Anderson, J.G., Jr (1995a) Mineral balance in resting and exercised miniature horses. *Journal of Equine Veterinary Science*, **15**, 310-14.

Hoyt, J.K., Potter, G.D., Greene, L.W. & Anderson, J.G., Jr (1995b) Copper balance in miniature horses fed varying amounts of zinc. *Journal of Equine Veterinary Science*, **15**, 357-9.

Huchton, J.D., Potter, G.D., Sorensen, A.M., Jr & Orts, F.A. (1976) Foal development related to prepartum nutrition. *Journal of Animal Science*, **43**, 253, abstract 171.

Hudson, C., Pagan, J., Hoekstra, K., Prince, A., Gardner, S. & Geor, R. (2001) Effects of exercise training on the digestibility and requirements of copper, zinc and manganese in Thoroughbred horses. *Proceedings of the 17th Equine Nutrition and Physiology Symposium*, The University of Kentucky, Lexingtori, 31 May-2 June 2001, pp 138-40.

Huisman, J., Heinz, Th., Van der Poel, A.F.B., Van Leeuwen, P., Souffrant, W.B. & Verstegen, M.W.A. (1992) True protein digestibility and amounts of endogenous protein measured with the ^{15}N-dilution technique in piglets fed on peas *(Pisum sativum)* and common beans *(Phaseolus vulgaris). British Journal of Nutrition*, **68**, 101-10.

Hunt, R.J. (1993) A retrospective evaluation of laminitis in horses. *Equine Veterinary Journal*, **25**, 61-4.

Hunter, L. & Houpt, K.A. (1989) Bedding material preferences of ponies. *Journal of Animal Science*, **67**, 1986-91.

Hunter, L.C., Miller, J.K. & Poxton, I.R. (1999) The association of *Clostridium botulinum* type C with equine grass sickness: a toxicoinfection? *Equine Veterinary Journal*, **31**, 492-9.

Hunter, L.C. & Poxton, I.R. (2001) Systemic antibodies to *Clostridium botulinum* type C: do they protect horses from grass sickness (dysautonomia)? *Equine Veterinary Journal*, **33**, 547-53.

Hussein, H.S., Han, H., Tanner, J.P. & Cirelli, A.A. (2001) *Journal of Animal Science*, **79** (Suppl. 1), p 456.

Hyslop, J.J., Bayley, A., Tomlinson, A.L. & Cuddeford, D. (1998b) Voluntary feed intake and apparent digestibility *in vivo* in ponies given *ad libitum* access to dehydrated grass or hay harvested from the same grass crop. *Proceedings of the British Society of Animal Science*, p. 131.

Hyslop, J.J., Jessop, N.S., Stefansdottir, G.J. & Cuddeford, D. (1997) Comparative protein and fibre degradation measured *in situ* in the caecum of ponies and in the rumen of steers. *Proceedings of the British Society of Animal Science*, Scarborough, March 1997, p. 121.

Hyslop, J.J., Roy, S. & Cuddeford, D. (1998c) *Ad libitum* sugar beet pulp as the major fibre source in equine diets when ponies are offered a restricted amount of mature grass hay. *Proceedings of the British Society of Animal Science*, p. 132.

Hyslop, J.J., Stefansdottir, G.J., McLean, B.M.L., Longland, A.C. & Cuddeford, D. (1999) *In situ* incubation sequence and its effect on degradation of food components when measured in the caecum of ponies. *Animal Science*, **69**, 147-56.

Hyslop, J.J., Tomlinson, A.L., Bayley, A. & Cuddeford, D. (1998a) Voluntary feed intake and apparent digestibility *in vivo* in ponies offered a mature threshed grass hay *ad libitum. Proceedings of the British Society of Animal Science*, p. 130.

Hyslop, J.J., Tomlinson, A.L., Bayley, A. & Cuddeford, D. (1998d) Development of the mobile bag technique to study the degradation dynamics of forage feed constituents in the whole digestive tract of equids. *Proceedings of the British Society of Animal Science*, p. 129.

Inoue, Y., Matsui, A., Asai, Y., *et al.* (2003) Effects of exercise on iron metabolism in Thoroughbred horses. *Proceedings of the 18th Equine Nutrition and Physiology Society Symposium*, Michigan State University, East Lansing, 4-7 June 2003, p 268.

International Union of Biochemistry and Molecular Biology on the Nomenclature and Classification of Enzymes (1992) *Enzyme Nomenclature Recommendations*. Academic Press, San Diego, California.

INRA (1990) *L'Alimentation des Chevaux* (ed. W. Martin-Rosset). INRA Publications, Versailles.

Ishü, M., Ogata, H., Shimizu, H., *et al.* (2002) Effects of vitamin E and selenium administration on pregnant, heavy draft mares on placental retention time and reproductive performance and on white muscle disease in their foals. *Journal of Equine Veterinary Science*, **22**, 213-18.

Jablonska, E.M., Ziolkowska, S.M., Gill, J., Szykula, R. & Faff, J. (1991) Changes in some haematological and metabolic indices in young horses during the first year of jump-training. *Equine Veterinary Journal*, **23**, 309-11.

Jackson, B.F., Blumsohn, A., Goodship, A.E., Wilson, A.M. & Price, J.S. (2003) Circadian variation in biochemical markers of bone cell activity and insulin-like growth factor-I in two-year-old horses. *Journal of Animal Science*, **81**, 2804-2810.

Jackson, C.A., Ott, E.A., Porter, M.B. & Kivipelto, J. (2001) The effect of medium-chain triglycerides in exercising Thoroughbred horses. *Proceedings of the 17th Equine Nutrition and Physiology Symposium*, The University of Kentucky, Lexington, 31 May-2 June 2001, pp 45-7.

Jacobs, I. (1981) Lactate, muscle glycogen and exercise performance in man. *Acta Physiologica Scandinavica*, **495** (Suppl.), 3-35.

Jacobs, K.A. & Bolton, J.R. (1982) Effect of diet on the oral glucose tolerance test in the horse. *Journal – American Veterinary Medical Association*, **180**, 884-6.

Jacobs, K.A., Norman, P., Hodgson, D.R.G. & Cymbaluk, N. (1982) Effect of diet on oral D-xylose absorption test in the horse. *American Journal of Veterinary Research*, **43**, 1856-8.

Jaeschke, G. & Keller, H. (1978) The ascorbic acid status in horses. 2. Clinical aspects and deficiency symptoms. *Berlin und München Tierärztliche Wochenschrift*, **91**, 375-9.

James, L.F., Panter, K.E., Nielsen, D.B. & Molyneux, R.J. (1992) The effect of natural toxins on reproduction in livestock. *Journal of Animal Science*, **70**, 1573-9.

Janicki, K.M., Lawrence, L.M., Barnes, T. & Stine, C.J. (2001) The effect of dietary selenium source and level on selenium concentration, glutathione peroxidase activity, and influenza titers in broodmares and their foals. *Proceedings of the 17th Equine Nutrition and Physiology Symposium*, The University of Kentucky, Lexington, 31 May-2 June 2001, pp 43-4.

Jansen, W.L., Geelen, S.N.J., Van Der Kuilen, J. & Beynen, A.C. (2002) Dietary soyabean oil depresses the apparent digestibility of fibre in trotters when substituted for an iso-energetic amount of corn starch or gucose. *Equine Veterinary Journal*, **34**, 302-5.

Jansen, W.L., Van Der Kuilen, J., Geelen, S.N.J. & Beynen, A.C. (2000) The effect of replacing nonstructural carbohydrates with soybean oil on the digestibility of fibre in trotting horses. *Equine Veterinary Journal*, **32**, 27-30.

Jarrett, S.H. & Schurg, W.A. (1987) Use of a modified relative dose response test for determination of vitamin A status in horses. *Nutrition Reports International*, **35**, 733-42.

Jarridge, R. & Tisserand, J.L. (1984) Métabolisme besoins et al.imentation azotée du cheval. In: *Le Cheval. Reproduction, Sélection, Alimentation, Exploitation* (R. Jarridge and W. Martin-Rossett), pp. 277-302. INRA, Paris.

Jeffcott, L.B. (1974a) Some practical aspects of the transfer of passive immunity to newborn foals. *Equine Veterinary Journal*, **6**, 109-15.

Jeffcott, L.B. (1974b) Studies on passive immunity in the foal. 1. y-Globulin and antibody variations associated with the maternal transfer of immunity and the onset of active immunity. *Journal of Comparative Pathology*, **84**, 93-101.

Jeffcott, L.B. (1974c) Studies on passive immunity in the foal. II. The absorption of ^{125}I-labelled PVP (polyvinyl pyrrolidone) by the neonatal intestine. *Journal of Comparative Pathology*, **84**, 279-89.

Jeffcott, L.B. (1974d) Studies on passive immunity in the foal. III. The characterization and significance of neonatal proteinuria. *Journal of Comparative Pathology*, **84**, 455-65.

Jeffcott, L.B. (1991) Osteochondrosis in the horse – searching for the key to pathogenesis. *Equine Veterinary Journal*, **23**, 331-8.

Jeffcott, L.B., Dalin, G., Drevemo, S., Fredricson, I., Björne, K. & Bergquist, A. (1982a) Effect of induced back pain on gait and performance of trotting horses. *Equine Veterinary Journal*, **14**, 129-33.

Jeffcott, L.B., Field, J.R., McLean, J.G. & O'Dea, K. (1986) Glucose tolerance and insulin sensitivity in ponies and standardbred horses. *Equine Veterinary Journal*, **18**, 97-101.

Jeffcott, L.B. & Kold, S.E. (1982) Stifle lameness in the horse: a survey of 86 referred cases. *Equine Veterinary Journal*, **14**, 31-9.

Jeffcott, L.B., Rossdale, P.D., Freestone, J., Frank, C.J. & Towers-Clark, P.F. (1982b) An assessment of wastage in Thoroughbred racing from conception to 4 years of age. *Equine Veterinary Journal*, **14**, 185-98.

Jeffcott, L.B., Rossdale, P.D. & Leadon, D.P. (1982c) Haematological changes in the neonatal period of normal and induced premature foals. *Journal of Reproduction and Fertility Suppl.* **32**, 537-44.

Ji, L.L., Dillon, D.A., Bump, K.D. & Lawrence, L.M. (1990) Antioxidant enzymes response to exercise in equine erythrocytes. *Journal of Equine Veterinary Science*, **10**, 380-3.

Johnson, A.L. (1986) Serum concentrations of prolactin, thyroxine and triiodothyronine relative to season and the estrous cycle in the mare. *Journal of Animal Science*, **62**, 1012-20.

Johnson, A.L. & Malinowski, K. (1986) Daily rhythm of cortisol, and evidence for a photo-inducible phase for prolactin secretion in non-pregnant mares housed under non-interrupted and skeleton photoperiods. *Journal of Animal Science*, **63**, 169-75.

Johnson, B.L., Stover, S.M., Daft, B.M., *et al.* (1994) Causes of death in racehorses over a two year period. *Equine Veterinary Journal*, **26**, 327-30.

978-85-7241-725-9

Johnson, J.H., Vatistas, N., Castro, L., Fischer, T., Pipers, F.S. & Maye, D. (2001) Field survey of the prevalence of gastric ulcers in Thoroughbred racehorses and on response to treatment of affected horses with omeprazole paste. *Equine Veterinary Education*, **13**, 221-4.

Johnson, K.A., Sigler, D.H. & Gibbs, P.G. (1988) Nitrogen utilization and metabolic responses of ponies to intense anaerobic exercise. *Journal of Equine Veterinary Science*, **8**, 249-54.

Johnson, K.G., Tyrrell, J., Rowe, J.B. & Pethick, D.W. (1998) Behavioural changes in stabled horses given nontherapeutic levels of virginiamycin. *Equine Veterinary Journal*, **30**, 139-43.

Johnson, R.J. & Hart, J.W. (1974a) Influence of feeding and fasting on plasma free amino acids in the equine. *Journal of Animal Science*, **38**, 790-98.

Johnson, R.J. & Hart, J.W. (1974b) Utilization of nitrogen from soybean meal, biuret and urea by equine. *Nutrition Reports International*, **9**, 209-15.

Johnson, R.J. & Hughes, I.M. (1974) Alfalfa cubes for horses. *Feedstuffs*, **46** (43), 31.

Jones, D.G.C., Greatorex, J.C., Stockman, M.J.R. & Harris, C.P.J. (1972) Gastric impaction in a pony: relief via laparotomy. *Equine Veterinary Journal*, **4**, 98-9.

Jones, D.L., Potter, G.D., Greene, L.W. & Odom, T.W. (1992) Muscle glycogen in exercised miniature horses at various body conditions and fed a control or fat supplemented diet. *Journal of Equine Veterinary Science*, **12**, 287-91.

Jones, S. & Blackmore, D.J. (1982) Observations on the isoenzymes of aspartate aminotransferase in equine tissues and serum. *Equine Veterinary Journal*, **14**, 311-16.

Jordan, R.M. (1979) Effect of corn silage and turkey litter on the performance of gestating pony mares and weanlings. *Journal of Animal Science*, **49**, 651-3.

Jordan, R.M. (1982) Effect of weight loss of gestating mares on subsequent production. *Journal of Animal Science*, **55** (Suppl. 1), 208.

Jordan, R.M. & Marten, G.C. (1975) Effect of three pasture grasses on yearling pony weight gains and pasture carrying capacity. *Journal of Animal Science*, **40**, 86-9.

Jordan, R.M., Myers, V.S., Yoho, B. & Spurell, F.A. (1975) Effect of calcium and phosphorus levels on growth, reproduction and bone development of ponies. *Journal of Animal Science*, **40**, 78-84.

Josseck, H., Zenker, W. & Geyer, H. (1995) Hoof horn abnormalities in Lipizzaner horses and the effect of dietary biotin on macroscopic aspects of hoof horn quality. *Equine Veterinary Journal*, **27**, 175-82.

Joyce, J.P. & Blaxter, K.L. (1965) The effect of wind on heat Tosses of sheep. *Association for Animal Production, Publication No II. Proceedings of the 3rd Symposium*, Troon, Scotland, May 1964, pp 355-67.

Judson, G.J. & Mooney, G.J. (1983) Body water and water turnover rate in Thoroughbred horses in training. In: *Equine Exercise Physiology* (eds D.H. Snow, S.G.B. Persson & R.J. Rose), pp. 354-61. Granta Editions, Cambridge.

Jugdaohsingh, R., Anderson, S.H.C., Tucker, K.L., Elliott, H., Kiel, D.P. & Thompson, R.P.H. (2002). Dietary silicon intake and absorption. *American Journal of Clinical Nutrition*, **75**, 887-93.

Julen, T.R., Potter, G.D., Greene, L.W. & Stott, G.G. (1995) Adaptation to a fat-supplemented diet by cutting horses. *Journal of Equine Veterinary Science*, **15**, 436-40.

Julliand, V. (1992) Microbiology of the equine hindgut. *First Europäische Konferenz über die Ernährung des Pferdes*, Institut für Tierernahrüng, Tierärzliche Hochschule, Hannover, 3-4 September 1992, pp. 42-7.

Kamphues, J., Denell, S. & Radicke, S. (1992) Lipopolysaccharid-Konzentrationen im MagenDarm-Trakt von Ponys nach Aufnahme von Heu bzw. einer kraftfutterreichen Ration. *First Europäische Konferenz über die Ernährung des Pferdes*, Institut für Tierernahrüng, Tierärzliche Hochschule, Hannover, 3-4 September 1992, pp. 59-63.

Kamphues, J. & Schad, D. (1992) Verstopfungskoliken bei Pferden nach Fütterung von Windhalm – (A. *peraspica venti) –. First Europäische Konferenz über die Ernährung des Pferdes*, Institut für Tierarnahrüng, Tierärzliche Hochschule, Hannover, 3-4 September 1992, pp. 213-15.

Kane, E., Baker, J.P. & Bull, L.S. (1979) Utilization of a corn oil supplemented diet by the pony. *Journal of Animal Science*, **48**, 1379-84.

Kaup, F.J., Drommer, W., Damsch, S. & Deegen, E. (1990) Ultrastructural findings in horses with chronic obstructive pulmonary disease (COM) II: pathomorphological changes of the terminal airways and the alveolar region. *Equine Veterinary Journal*, **22**, 349-55.

Kaup, F.J., Drommer, W. & Deegen, E. (1990) Ultrastructural findings in horses with chronic obstructive pulmonary disease (COM) 1: alterations of the larger conducting airways. *Equine Veterinary Journal*, **221**: 343-8.

978-85-7241-725-9

978-85-7241-725-9

Kavazis, A.N., Kivipelto, J. & Ott, E.A. (2002) Supplementation of broodmares with copper, zinc, iron, manganese, cobalt, iodine and selenium. *Journal of Equine Veterinary Science*, **22**, 460-65.

Kavazis, A.N. & Ott, E.A. (2003) Growth rates in Thoroughbred horses. *Proceedings of the 18th Equine Nutrition and Physiology Society Symposium*, Michigan State University, East Lansing, 4-7 June 2003, p. 305.

Kavazis, A.N., Ott, E.A., Johnson, E., McDowell, L., Sobota, J.S. & Kivipelto, J. (2001) Influence of trace mineral intake of mares on the trace mineral status of their foals. *Proceedings of the 17th Equine Nutrition and Physiology Symposium*, The University of Kentucky, Lexington, 31 May-2 June 2001, pp. 24-5.

Kavazis, A.N., Smith, I., Dodd, S. & Ott, E.A. (2003) The role of alanine and histidine in muscle fatigue. *Proceedings of the 18th Equine Nutrition and Physiology Society Symposium*, Michigan State University, East Lansing, 4-7 June 2003, pp 285-6.

Kawcak, C.E., Mcllwraith, C.W., Norrdin, R.W., Park, R.D. & James, S.P. (2001) The role of subchondral bone in joint disease: a review. *Equine Veterinary Journal*, **33**, 120-26.

Keenan, D.M. (1978) Changes of plasma uric acid levels in horses after galloping. *Research in Veterinary Science*, **25**, 127-8.

Kellerman, T.W., Marasas, W.F.O., Thiel, P.G., Gelderblom, W.C.A., Cawood, M. & Coetzer, A.W. (1990) Leukoencephalomalacia in two horses induced by oral dosing of fumonisin B_1. *Onderstepoort Journal of Veterinary Research*, **57**, 269-75.

Kellock EM (1982) The origins of the Thoroughbred. *Equi*, No. 13, November/December, 4-5.

Kelly, A.P., Jones, R.T., Gillick, J.C. & Simms, L.D. (1984) Outbreak of botulism in horses. *Equine Veterinary Journal*, **16**, 519-21.

Kelly, W.R. & Lambert, M.B. (1978) The use of cocoa-bean meal in the diets of horses: pharmacology and pharmacokinetics of theobromine. *British Veterinary Journal*, **134**, 171-80.

Kempson, S.A. (1987) Scanning electron microscope observations of hoof horn from horses with brittle feet. *Veterinary Record*, **120**, 568-70.

Kempson, S.A., Currie, R.J.W. & Johnston, A.M. (1989) Influence of biotin supplementation on pig claw horn: a scanning electron microscopic study. *Veterinary Record*, **124**, 37-40.

Kennedy, M.A.P., Pagan, J.D., Hoeskstra, K.E., Langfoss, E. & Heiderscheidt, K. (1999) An evaluation of corri oil, rice bran and refined dry fat as energy sources for exercised Thoroughbreds. *Proceedings of the 16th Equine Nutrition and Physiology Symposium*, North Carolina State University, Raleigh, 2-5 June 1999, pp 130-34.

Kennedy, L.G. & Hershberger, T.V. (1974) Protein quality for the non-ruminant herbivore. *Journal of Animal Science*, **39**, 506-511.

Kidd, J.A. & Barr, A.R.S. (2002) Flexural deformities in foals. *Equine Veterinary Education*, **14**, 311-21.

Kienzle, E., Radicke, S., Wilke, S., Landes, E. & Meyer, H. (1992) Praeileale Stärkeverdauung in Abhängigheit von Stärkeart und -zubereitung. *First Europäische Konferenz über die Ernährung des Pferdes*, Institut für Tierarnahrüng, Tierärzliche Hochschule, Hannover, 3-4 September 1992, pp. 103-6.

Kilshaw, P.J. & Sissons, J.W. (1979) Gastrointestinal allergy to soyabean protein in preruminant calves. Allergenic constituents of soyabean products. *Research in Veterinary Science*, **27**, 366-71.

Kim, H.L., Herrig, B.W., Anderson, A.C., Jones, L.P. & Calhoun, M.C. (1983) Elimination of adverse effects of ethoxyquin (EQ) by methionine hydroxy analog (MHA). Protective effects of EQ and MHA for bitterweed poisoning in sheep. *Toxicology Letters*, **16**, 23-9.

Kinde, H., Hietala, S.K., Bolin, C.A. & Dowe, J.T. (1996) Leptospiral abortion in horses following a flooding incident. *Equine Veterinary Journal*, **28**, 327-30.

King, J.N. & Gerring, E.L. (1991) The action of low dose endotoxin on equine bowel motility. *Equine Veterinary Journal*, **23**, 11-17.

Kirschvink, N., Fiévez, L., Bougnet, V., *et al.* (2002) Effect of nutritional antioxidant supplementation on systemic and pulmonary antioxidant status, airway inflammation and lung function in heaves-affected horses. *Equine Veterinary Journal*, **34**, 705-12.

Klein, H.-J., Schulze, E., Deegen, E. & Giese, W. (1988) Metabolism of naturally occurring [^{13}C] glucose given orally to horses. *American Journal of Veterinary Research*, **49**, 1259-62.

Klendshoj, C., Potter, G.D., Lichtenwalner, R.E. & Householder, D.D. (1979) Nitrogen digestion in the small intestine of horses fed crimped or micronized sorghum grain or oats. In: *Proceedings of the 6th Equine Nutrition and Physiology Society*, A. and M. University, Texas, pp. 91-4.

Klingeberg-Kraus, S. (2001) *Beitrag zur Ernährungsforschung bei Pferden bis 1950 (verdauungsphysiologie, Energie-und Eiweisstoffwechsel)*. Inaugral-dissertation, durch die Tierärztliche Hochschule Hannover, Hannover.

Knaus, E. (1981) Diseases of the foal in the first days of life. *Proceedings of the 32nd Annual Meeting of the European Association of Animal Production*, Zagreb, Yugoslavia, 31 August-3 September, IIIa.

Knight, D.A. & Tyznik, W.J. (1985) The effect of artificial rearing on the growth of foals. *Journal of Animal Science*, **60**, 1-5.

Kohn, C.W., Muir, W.W. & Sams, R. (1978) Plasma volume and extracellular fluid volume in horses at rest and following exercise. *American Journal of Veterinary Research*, **39**, 871-4.

Kold, S. (1992) Is it possible to accelerate the restoration of a deficient skeleton? *Equine Veterinary Journal*, **24**, 335.

Kollarczik, B., Enders, C., Friedrich, M. & Gedek, B. (1992) Effect of diet composition on microbial spectrum in the jejunum of horses. *First Europäische Konferenz über die Ernährung des Pferdes*, Institut für Tierarnahrüng, Tierärzliche Hochschule, Hannover, 3-4 September 1992, pp. 49-54.

Körber, H.-D. (1971) Zur Kolikstatistic des Pferdes. *Berlin und München Tierãrztliche Wochenschrift*, **84**, 75-7.

Kosiniak, K. (1981) Some properties of semen from young stallions and its value for preservation in liquid nitrogen. *Proceedings of the 32nd Annual Meeting of the European Association of Animal Production*, Zagreb, Yugoslavia, 31 August-3 September, 1-10.

Kossila, V. & Ljung, G. (1976) Value of whole oat plant pellets in horse feeding. *Annales Agriculturae Fenniae*, **15**, 316-21.

Kossila, V., Tanhuanpaa, E., Virtanen, E. & Luoma, E. (1972) Hb value, blood glucose, cholesterol, minerals and trace elements in saddle horses. 1. Differences due to age and maintenance. *Journal of the Scientific Agricultural Society of Finland*, **44**, 249-57.

Kownacki, M. (1983) The development of type in the Polish Konik. *Rocz. Nauk rol.* B **82-1**, 71-104.

Kozak, A. & Bickel, H. (1981) Die Verdaulichkeit von Gras dreier Weidetypen Ostafrikas. *Proceedings of the 32nd Annual Meeting of the European Association of Animal Production*, Zagreb, Yugoslavia, 31 August-3 September, 1-11.

Kronauer, M. & Bickel, H. (1981) Estimation of the energy value of East African pasture grass. *Proceedings of the 32nd Annual Meeting of the European Association of Animal Production*, Zagreb, Yugoslavia, 31 August-3 September, 1-12.

Kronfeld, D.S., Ferrante, P.L. & Grandjean, D. (1994) Optimal nutrition for athletic performance, with emphasis on fat adaptation in dogs and horses. *Journal of Nutrition*, **124**, 2745S-53S.

Kronfeld, D.S., Holland, J.L., Rich, G.A., *et al.* (2002) Digestibility of fat. *Proceedings of the 17th Equine Nutrition and Physiology Symposium*, The University of Kentucky, Lexington, 31 May-2 June 2001, pp. 156-8.

Krook, L. (1968) Dietary calcium-phosphorus and lameness in the horse. *Cornell Veterinarian*, **58**, 59-73.

Krook, L., Bélanger, L.F., Henrikson, P., Lutwak, L. & Sheffy, B.E. (1970) Bone flow. *Revue Canadienne de Biologie*, **29**, 157-67.

Kruczynska, H., Ponikiewska, T. & Berthold, St. (1981) Einfluss der mit Gülle gedüngten Weide auf die Milchleistung und Mineralbilanz bei Kühen. *Proceedings of the 32nd Annual Meeting of the European Association of Animal Production*, Zagreb, Yugoslavia, 31 August-3 September, IV-14.

Krusic, L., Pagan, J.D., Lorenz, J. & Pen, A. (2001) Influence of high carbohydrate and high fibre diet on caecum content of organic matter and volatile fatty acids. *Proceedings of the 17th Equine Nutrition and Physiology Symposium*, The University of Kentucky, Lexington, 31 May-2 June 2001, pp. 425-34.

Krzywanek, H. (1974) Lactic acid concentrations and pH values in trotters after racing. *Journal of the South African Veterinary Association*, **45**, 355-60.

Kumar, U., Sareen, V.K. & Singh, S. (1994) Effect of *Saccharomyces cerevisiae* yeast culture supplement on ruminai metabolism in buffalo calves given a high concentrate diet. *Animal Production*, **59**, 209-215.

Kuwano, A., Tanaka, K., Kawabata, M., *et al.* (1999) A survey of white line disease in Japanese racehorses. *Equine Veterinary Journal*, **31**, 515-18.

LaCasha, P.A., Brady, H.A., Allen, V.G., Richardson, C.R. & Pond, K.R. (1999) Voluntary intake, digestibility and subsequent selection of Matua bromegrass, coastal bermudagrass and alfalfa hays by yearling horses. *Journal of Animal Science*, **77**, 2766-73.

Lang, K.J., Nielsen, B.D., Waite, K.L., Hill, G.M. & Orth, M.W. (2001) Supplemental silicon increases plasma and milk silicon concentrations in horses. *Journal of Animal Science*, **79**, 2627-33.

Langlands, J.P. & Cohen, R.D.H. (1978) The nutrition of ruminants grazing native and improved pastures. III. Mineral composition of bones and selected organs from grazing cattle. *Australian Journal of Agricultural Research*, **29**, 1301-11.

Lapointe, J.-M., Vrins, A. & McCarvill, E. (1994) A survey of exercise-induced pulmonary haemorrhage in Quebec Standardbred racehorses. *Equine Veterinary Journal*, **26**, 482-5.

Lavoie, J.P., Drolet, R., Parsons, D., *et al.* (2000) Equine proliferative enteropathy: a cause of weight loss, colic, diarrhoea and hypoproteinaemia in foals on three breeding farms in Canada. *Equine Veterinary Journal*, **32**, 418-25.

Lavoie, J.P. & Teuscher, E. (1993) Massive iron overload and liver fibrosis resembling haemochromatosis in a racing pony. *Equine Veterinary Journal*, **25**, 552-4.

Lawrence, L., Bicudo, J., Davis, J. & Wheeler, E. (2003b) Relationship between intake and excretion for nitrogen and phosphorus in horses. *Proceedings of the 18th Equine Nutrition and Physiology Society Symposium*, Michigan State University, East Lansing, 4-7 June 2003, pp. 306-307.

Lawrence, L., Kline, K., Miller-Graber, P., *et al.* (1987a) Effect of sodium bicarbonate on racing standardbreds. *Proceedings of the 10th Equine Nutrition and Physiology Society*, Colorado State University, Fort Collins, 11-13 June 1987, pp. 499-503.

Lawrence, L., Kline, K., Miller-Graber, P., *et al.* (1990) Effect of sodium bicarbonate on racing standardbreds. *Journal of Animal Science*, **68**, 673-7.

Lawrence, L.A., Hearne, H.R., Davis, S.P., Pagan, J.D., Fitzgerald, A. & Greene, E.A. (2003a) Characteristics of growth of Morgan horses. *Proceedings of the 18th Equine Nutrition and Physiology Society Symposium*, Michigan State University, East Lansing, 4-7 June 2003, pp. 317-22.

Lawrence, L.A., Ott, E.A., Asquith, R.L. & Miller, G.J. (1987b) Influence of dietary iron on growth, tissue mineral composition, apparent phosphorus absorption and chemical and mechanical properties of bone in ponies. *Proceedings of the 10th Equine Nutrition and Physiology Society*, Colorado State University, Fort Collins, 11-13 June 1987, pp. 563-71.

Lawrence, L.A., Ott, E.A., Miller, G.J., Poulos, P.W., Piotrowski, G. & Asquith, R.L. (1994) The mechanical properties of equine third metacarpals as affected by age. *Journal of Animal Science*, **72**, 2617-23.

Lawrence, L.M., Slade, L.M., Nockels, C.F. & Shideler, R.K. (1978) Physiologic effects of vitamin E supplementation on exercised horses. *Proceedings of the Western Section of the American Society of Animal Science*, Vancouver, British Columbia, 23-25 June 1981, **29**,173-7.

Lawrence, L.M., Soderholm, L.V., Roberts, A.M., Williams, J. & Hintz, H.F. (1993) Feeding status affects glucose metabolism in exercising horses. *Journal of Nutrition*, **123**, 2152-7.

Lawrence, L.M., Williams, J., Soderholm, L.V., Roberts, A.M. & Hintz, H.F. (1995) Effect of feeding state on the response of horses to repeated bouts of intense exercise. *Equine Veterinary Journal*, **27**, 27-30.

Lawson, G.H.K., McPherson, E.A., Murphy, J.R. *et al.* (1979) The presence of precipitating antibodies in the sera of horses with chronic obstructive pulmonary disease (COPD). *Equine Veterinary Journal*, **11**, 172-6.

Lebis, C., Bourdeau, P. & Marzin-Keller, F. (2002) Intradermal skin tests in equine dermatology: a study of 83 horses. *Equine Veterinary Journal*, **34**, 666-72.

Ledgard, S.F., Steele, K.W. & Saunders, W.H.M. (1982) Effects of cow urine and its major constituents on pasture properties. *New Zealand Journal of Agricultural Research*, **25**, 61-8.

Lee, J., McAllister, E.S. & Scholz, R.W. (1995) Assessment of selenium status in mares and foals under practical management conditions. *Journal of Equine Veterinary Science*, **15**, 240-5.

Lees, P., Dawson, J. & Sedgwick, A.D. (1986) Eicosanoids and equine leucocyte locomotion *in vitro. Equine Veterinary Journal*, **18**, 493-7.

Leonard, T.M., Baker, J.P. & Willard, J.G. (1974) Effect of dehydrated alfalfa on equine digestion. *Journal of Animal Science*, **39**, 184, abstract 188.

Leonard, T.M., Baker, J.P. & Willard, J.G. (1975) Influence of distillers' feeds on digestion in the equine. *Journal of Animal Science*, **40**, 1086-90.

Levine, S.B., Myhre, G.D., Smith, G.L., Burns, J.G. & Erb, H. (1982) Effect of a nutritional supplement containing *N*, N-dimethylglycine (DMG) on the racing standardbred. *Equine Practice*, **4**, 17-20.

Lewis, L.D. (1982) *Feeding and Care of the Horse.* Lea and Febiger, Philadelphia.

Lieb, S. & Mislevy, P. (2001) Comparative intake and nutrient digestibility of three grass forages: Florakirk and Tifton 85 bermudagrasses and Florona stargrass to Coastal bermudagrass fed to horses. *Proceedings of the 17th Equine Nutrition and Physiology Symposium*, The University of Kentucky, Lexington, 31 May-2 June 2001, pp 390-91.

Lieb, S. & Mislevy, P. (2003) Comparative nutrient digestibility of the grass forages: florakirk and Tifton 85 bermudagrasses and florona stargrass to coastal bermudagrass fed to horses, trial 2. *Proceedings of the 18th Equine Nutrition and Physiology Society Symposium*, Michigan State University, East Lansing, 4-7 June 2003, pp. 324-5.

978-85-7241-725-9

Lieb, S. & Weise, J. (1999) A group experiment on the management of sand intake and removal in the equine. *Proceedings of the 16th Equine Nutrition and Physiology Symposium*, North Carolina State University, Raleigh, 2-5 June 1999, p. 257.

Lillie, H.C., McCall, C.A., McElhenney, W.H., Taintor, J.S. & Silverman, S.J. (2003) Comparison of gastric pH in crib-biting and normal horses. *Proceedings of the 18th Equine Nutrition and Physiology Society Symposium*, Michigan State University, East Lansing, 4-7 June 2003, p 247.

Lindberg, J.E. & Karlsson, C.P. (2001) Effect of partial replacement of oats with sugar beet pulp and maize oil on nutrient utilisation in horses. *Equine Veterinary Journal*, **33**, 585-90.

Lindemann, G., Schmidt, M. & Meyer, H. (1983) Digestive physiology of horses. 8. Precaecal digestibility of starch and lactose and their effect on caecal metabolism. Original language title: Beitrage zur Verdauungsphysiologie des Pferdes. 8. Untersuchungen uber die praecaecale Verdaulichkeit von Starke und Lactose sowie ihren Einfluss auf den caecalen Stoffwechsel. *Zeitschrift fur Tierphysiologie, Tierernahrung und Futtermittelkunde*, **50**, 157-69.

Lindholm, A. (1974) Glycogen depletion pattern and the biochemical response to varying exercise intensities in standardbred trotters. *Journal of the South African Veterinary Association*, **45**, 341-3.

Lindholm, A., Bjerneld, H. & Saltin, B. (1974) Glycogen depletion pattern in muscle fibres of trotting horses. *Acta Physiologica Scandinavica*, **90**, 475-84.

Lindholm, A., Johansson, H.-E. & Kjaersgaard, P. (1974) Acute rhabdomyolysis ('tying-up') in standardbred horses. A morphological and biochemical study. *Acta Veterinaria Scandinavica*, **15**, 325-39.

Lindholm, A. & Piehl, K. (1974) Fibre composition, enzyme activity and concentrations of metabolites and electrolytes in muscles of standardbred horses. *Acta Veterinaria Scandinavica*, **15**, 287-309.

Lindholm, A. & Saltin, B. (1974) The physiological and biochemical response of standardbred horses to exercise of varying speed and duration. *Acta Veterinaria Scandinavica*, **15**, 310-24.

Lindner, A., von Wittke, P., Bendig, M. & Sommer, H. (1991) Effect of an energy enriched electrolyte fluid concentrate on heart rate and lactate concentration of ponies during and after exercise. *Proceedings of the 12th Equine Nutrition and Physiology Society*, University of Calgary, 6-8 June 1991, pp. 93-4.

Lindner, A., von Wittke, P. & Frigg, M. (1992) Effect of biotin supplementation on the V_{LA4} of thoroughbred horses. *Journal of Equine Veterinary Science*, **12**, 149-52.

Little, D., Flowers, J.R., Hammerberg, B.H. & Gardner, S.Y. (2003) Management of drug-resistant cyathostominosis on a breeding farm in central North Carolina. *Equine Veterinary Journal*, **35**, 246-51.

Little, D., Redding, W.R., Spaulding, K.A., Dupree, S.H. & Jones, S.L. (2000) Unusual presentation of nutritional secondary hyperparathyroidism in a Paint colt. *Equine Veterinary Education*, **12**, 297-302.

Littlejohn, A., Kruger, J.M. & Bowles, F. (1977) Exercise studies in horses: 2. The cardiac response to exercise in normal horses and in horses with chronic obstructive pulmonary disease. *Equine Veterinary Journal*, **9**, 75-83.

Lloyd, D.R., Evans, D.L., Hodgson, D.R., Suann, C.J. & Rose, R.J. (1993) Effects of sodium bicarbonate on cardiorespiratory measurements and exercise capacity in Thoroughbred horses. *Equine Veterinary Journal*, **25**, 125-9.

Lloyd, K.C.K. (1988) Alternative diagnosis in the colic patient. *Veterinary Clinics of North America: Equine Practice*, **4**, 17-34.

Loew, F.M. (1973) Thiamin and equine laryngeal hemiplegia. *Veterinary Record*, **92**, 372-3.

Loew, F.M. & Bettany, J.M. (1973) Thiamine concentrations in the blood of standardbred horses. *American Journal of Veterinary Research*, **34**, 1207-1208.

Lohrey, E., Tapper, B. & Hove, E.L. (1974) Photosensitization of albino rats fed on lucerne-protein concentrate. *British Journal of Nutrition*, **31**, 159-67.

Lolas, G.M. & Markakis, P. (1975) Phytic acid and other phosphorus compounds of beans *(Phaseolus vulgaris)*, *Journal of Agricultural and Food Chemistry*, **23**, 13-15.

Longland, A.C., Cairns, A.J. & Humphreys, M.O. (1999) Seasonal and diurnal changes in fructan concentration in *Lolium perenne:* implications for the grazing management of equines pre-disposed to laminitis. *Proceedings of the 10th Equine Nutrition and Physiology Symposium*, North Carolina State University, Raleigh, 2-5 June 1999, pp 258-9.

Longland, A.C. & Murray, J.M.D. (2003) Effect of two varieties of perennial ryegrass *(Lolium perenne)* differing in fructan content on fermentation parameters *in Vitro* when incubated *in Vitro* with a pony faecal inoculum. *Proceedings of the 18th Equine Nutrition and Physiology Society Symposium*, Michigan State University, East Lansing, 4-7 June 2003, pp. 144-5.

978-85-7241-725-9

Lopes, M.A.F. & White, N.A. (2002) Parenteral nutrition for horses with gastrointestinal disease: a retrospective study of 79 cases. *Equine Veterinary Journal*, **34**, 250-7.

Lopez, N.E., Baker, J.P. & Jackson, S.G. (1987) Effect of cutting and vacuum cleaning on the digestibility of oats by horses. *Proceedings of the 10th Equine Nutrition and Physiology Society*, Colorado State University, Fort Collins, 11-13 June 1987, pp. 611-13.

López, S., Hovell, F.D.DeB., Manyuchi, B. & Smart, R.I. (1995) Comparison of sample preparation methods for the determination of the rumen degradation characteristics of fresh and ensiled forages by the nylon bag technique. *Animal Science*, **60**, 439-50.

Lopez-Rivero, J.L., Morales-Lopez, J.L., Galisteo, A.M. & Aguera, E. (1991) Muscle fibre type composition in untrained and endurance-trained Andalusian and Arab horses. *Equine Veterinary Journal*, **23**, 91-3.

Lord, K.A. & Lacey, J. (1978) Chemicals to prevent the moulding of hay and other crops. *Journal of the Science of Food and Agriculture*, **29**, 574-5.

Loretti, A.P., Colodel, E.M., Gimeno, E.J. & Driemeier, D. (2003) Lysosomal storage disease in *Sida carpinifolia* toxicosis: an induced mannosidosis in horses. *Equine Veterinary Journal*, **35** (5) 434-8.

Löscher, W., Jaeschke, G. & Keller, H. (1984) Pharmacokinetics of ascorbic acid in horses. *Equine Veterinary Journal*, **16**, 59-65.

Lucke, J.N. & Hall, G.M. (1978) Biochemical changes in horses during a 50-mile endurance ride. *Veterinary Record*, **102**, 356-8.

Lucke, J.N. & Hall, G.M. (1980) Further studies on the metabolic effects of long distance riding: Golden Horseshoe Ride 1979. *Equine Veterinary Journal*, **12**, 189-92.

Lunn, P.G. & Austin, S. (1983) Dietary manipulation of plasma albumin concentration. *Journal of Nutrition*, **113**, 1791-802.

Lyons, E.T., Drudge, J.H. & Tolliver, S.C. (1980) Antiparasitic activity of parbendazole in critical tests in horses. *American Journal of Veterinary Research*, **41**, 123-4.

McCall, C.A. (1990) A review of learning behavior in horses and its application in horse training. *Journal of Animal Science*, **68**, 75-81.

McCall, C.A. Potter, G.D., Friend, T.H. & Ingram, R.S. (1981) Learning abilities in yearling horses using the Hebb-Williams closed field maze. *Journal of Animal Science*, **53**, 928-33.

MacCallum, F.J., Brown, M.P. & Goyal, H.O. (1978) An assessment of ossification and radiological interpretation in limbs of growing horses. *British Veterinary Journal*, **134**, 366-73.

McCann, J.S., Caudle, A.B., Thompson, F.N., Stuedemann, J.A., Heusner, G.L. & Thompson, D.L., Jr (1992) Influence of endophyte-infected tall fescue on serum prolactin and progesterone in gravid mares. *Journal of Animal Science*, **70**, 217-23.

McCann, J.S., Meacham, T.N. & Fontenot, J.P. (1987) Energy utilization and blood traits of ponies fed fat-supplemented diets. *Journal of Animal Science*, **65**, 1019-26.

MacCarthy, D.D., Spillane, T.A. & O'Moore, L.B. (1976) Type and quality of oats used for bloodstock feeding in Ireland. *Irish Journal of Agricultural Research*, **15**, 47-54.

McCleary, B.V. (2003) Dietary fibre analysis. *Proceedings of the Nutrition Society*, **62**, 3-9.

Macheboeuf, D., Poncet, C., Jestin, M. & Martin-Rosset, W. (2003) Mobile bag technique (MNBT) in caecum fistulated horses as an alternative method for estimating precaecal and total tract nitrogen digestibilities of feedstuffs. *Proceedings of the 18th Equine Nutrition and Physiology Society Symposium*, Michigan State University, East Lansing, 4-7 June 2003, pp 347-51.

McDaniel, A.L., Martin, S.A., McCann, J.S. & Parks, A.H. (1993) Effects of *Aspergillus oryzae* fermentation extract on *in vitro* equine cecal fermentation. *Journal of Animal Science*, **71**, 2164-72.

McDonald, P., Edwards, R.A. & Greenhalgh, J.F.D. (1981) *Animal Nutrition*. Longman, London and New York.

McGavin, M.D. & Knake, R. (1977) Hepatic midzonal necrosis in a pig fed aflatoxin and a horse fed moldy hay. *Veterinary Pathology*, **14**, 182-7.

McGorum, B.C. (2003) HBLB Conferente: transforming racehorse health in the 21th century. *Equine Veterinary Education*, **15**, 117-19.

McGorum, B.C. & Anderson, R.A. (2002) Biomarkers of exposure to cyanogens in horses with grass sickness. *Veterinary Record*, **151**, 442-5.

McGorum, B.C. & Dixon, P.M. (1993) Evaluation of local endobronchial antigen challenges in the investigation of equine chronic obstructive pulmonary disease. *Equine Veterinary Journal*, **25**, 269-72.

978-85-7241-725-9

McGorum, B.C., Dixon, P.M. & Halliwell, R.E.W. (1993a) Evaluation of intradermal mould antigen testing in the diagnosis of equine chronic obstructive pulmonary disease. *Equine Veterinary Journal*, **251**, 273-5.

McGorum, B.C., Dixon, P.M. & Halliwell, R.E.W. (1993b) Responses of horses affected with chronic obstructive pulmonary disease to inhalation challenges with mould antigens. *Equine Veterinary Journal*, **25**, 261-7.

McGorum, B.C., Ellison, J. & Cullen, R.T. (1998) Total and respirable airborne dust endotoxin concentrations in three equine management systems. *Equine Veterinary Journal*, **30**, 430-34.

McGorum, B.C. & Kirk, J. (2001) Equine dysautonomia (grass sickness) is associated with altered plasma amino acid levels and depletion of plasma sulphur amino acids. *Equine Veterinary Journal*, **33**, 473-7.

McGorum, B.C., Wilson, R., Pirie, R.S., Mayhew, I.G., Kaur, H. & Aruoma, 01 (2003) Systemic concentrations of antioxidants and biomarkers of macromolecular oxidative damage in horses with grass sickness. *Equine Veterinary Journal*, **35**, 121-6.

McGowan, C.M., Posner, R.E. & Christley, R.M. (2002) Incidence of exertional rhabdomyolysis in polo horses in the USA and the United Kingdom in 1999/2000 season. *Veterinary Record*, **150**, 535-7.

McGuinness, E.E., Morgan, R.G.H., Levison, D.A., Frape, D.L., Hopwood, D. & Wormsley, K.G. (1980) The effect of long-term feeding of soya flour on the rat pancreas. *Scandinavian Journal of Gastroenteritis*, **15**, 497-502.

McKeever, K.H. (1998) Blood viscosity and its role in the haemodynamic responses to intense exertion. *Equine Veterinary Journal*, **30**, 3.

McKeever, K.H., Hinchcliff, K.W., Reed, S.M. & Robertson, J.T. (1993) Plasma constituents during incremental treadmill exercise in intact and splenectomised horses. *Equine Veterinary Journal*, **25**, 233-6.

McKenzie, E.C., Valberg, S.J., Godden, S.M., *et al.* (2002) Plasma and urine electrolyte and mineral concentrations in Thoroughbred horses with recurrent exertional rhabdomyolysis after consumption of diets varying in cation-anion balance. *American Journal of Veterinary Research*, **63**, 1053-60.

McKenzie, R.A., Blaney, B.J., Gartner, R.J.W., Dillon, R.D. & Standfast, N.F. (1979) A technique for the conduct of nutritional balance experiments in horses. *Equine Veterinary Journal*, **11**, 232-4.

McLaughlin, C.L. (1982) Role of peptides from gastrointestinal cells in food intake regulation. *Journal of Animal Science*, **55**, 1515-27.

McLean, B.M.L., Hyslop, J.J., Longland, A.C. & Cuddeford, D. (1998a) Effect of physical processing on *in situ* degradation of barley in the caecum of ponies. *Proceedings of the British Society of Animal Science*, p. 127.

McLean, B.M.L., Hyslop, J.J., Longland, A.C. & Cuddeford, D. (1998b) Partition of starch digestion in the horse. *Equine Nutrition Workshop*, Horserace Betting Levy Board, Veterinary Advisory Committee, p. 10.

McLean, L.M., Hall, M.E. & Bederka, J.P., Jr. (1987) Plasma amino acids/intermediary metabolites in the racing horse. *Proceedings of the 10th Equine Nutrition and Physiology Society*, Colorado State University, Fort Collins, 11-13 June 1987, pp. 437-42.

McMeniman, N.P. & Hintz, H.F. (1992) Effect of vitamin E status on lipid peroxidation in exercised horses. *Equine Veterinary Journal*, **24**, 482-4.

McMiken, D.F. (1983) An energetic basis of equine performance. *Equine Veterinary Journal*, **15**, 123-33.

McPherson, E.A., Lawson, G.H.K., Murphy, J.R., Nicholson, J.M., Breeze, R.G. & Pirie, H.M. (1979a) Chronic obstructive pulmonary disease (COM) in horses: aetiological studies: responses to intradermal and inhalation antigenic challenge. *Equine Veterinary Journal*, **11**, 159-66.

McPherson, E.A., Lawson, G.H.K., Murphy, J.R., Nicholson, J.M., Breeze, R.G. & Pirie, H.M. (1979b) Chronic obstructive pulmonary disease (COPD): factors influencing the occurrence. *Equine Veterinary Journal*, **11**, 167-71.

McPherson, E.A. & Thomson, J.R. (1983) Chronic obstructive pulmonary disease in the horse: nature of the disease. *Equine Veterinary Journal*, **15**, 203-206.

McPherson, R. (1978) Selenium deficiency. *Veterinary Record*, **103**, 60.

Madelin, T.M., Clarke, A.F. & Mair, T.S. (1991) Prevalence of serum precipitating antibodies in horses to fungal and thermophilic actinomycete antigens: effects of environmental challenge. *Equine Veterinary Journal*, **23**, 247-52.

Madigan, J.E. & Evans, J.W. (1973) Insulin turnover and irreversible loss rate in horses. *Journal of Animal Science*, **36**, 730-33.

Madigan, J.E., Pusterla, N., Johnson, *E.*, *et al.* (2000) Transmission of *Ehrlichia risticii*, the agent of Potomac horse fever, using naturally infected aquatic insects and helminth vectors: preliminary report. *Equine Veterinary Journal*, **32**, 275-9.

978-85-7241-725-9

Mäenpää, P.H., Koskinen, T. & Koskinen, E. (1988a) Serum profiles of vitamins A, E and D in mares and foals during different seasons. *Journal of Animal Science*, **66**, 1418-23.

Mäenpää, P.H., Pirhonen, A. & Koskinen, E. (1988b) Vitamin A, E, and D nutrition in mares and foals during the winter season: effect of feeding two different vitamin mineral concentrates. *Journal of Animal Science*, **66**, 1424-9.

Mair, T.S. & Hillyer, M.H. (1997) Chronic colic in the mature horse: A retrospective review of 106 cases. *Equine Veterinary Journal*, **29**, 415-20.

Mair, T.S., Hillyer, M.H., Taylor, F.G.R. & Pearson, G.R. (1991) Small intestinal malabsorption in the horse: an assessment of the specificity of the oral glucose tolerance test. *Equine Veterinary Journal*, **23**, 344-6.

Mair, T.S. & Osborn, R.S. (1990) The crystalline composition of normal equine urine deposits. *Equine Veterinary Journal*, **22**, 364-5.

Malinowski, K., Johnson, A.L. & Scanes, C.G. (1985) Effects of interrupted photoperiods on the induction of ovulation in anestrous mares. *Journal of Animal Science*, **61**, 951-5.

Maloiy, G.M.O. (1970) Water economy of the Somali donkey. *American Journal of Physiology*, **219**, 1522-7.

Malone, J.C. (1969) Hazards to domestic pet animals from common toxic agents. *Veterinary Record*, **84**, 161-5.

Mansell, B.J., Baker, L.A., Pipkin, J.L., *et al.* (1999) The effects of inactivity and subsequent aerobic training, and mineral supplementation on bone remodeling in varying ages of horses. *Proceedings of the 16th Equine Nutrition and Physiology Symposium*, North Carolina State University, Raleigh, 2-5 June 1999, pp 46-51.

Marasas, W.F.O., Jaskiewicz, K., Venter, F.S. & Van Schalkwyk, D.J. (1988a) *Fusarium moniliforme* contamination of maize in oesophageal cancer areas in Transkei. *South African Medical Journal*, **74**, 110-14.

Marasas, W.F.O., Kellerman, T.S., Gelderblom, W.C.A., Coetzer, J.A.W., Thiel, P.G. & Van Der Lugt, J.J. (1988b) Leukoencephalomalacia in horse induced by fumonisin B_1 isolated from *Fusarium moniliforme. Onderstepoort Journal of Veterinary Research*, **55**, 197-203.

Marijanovic, D.R., Holt, P., Norred, W.P., *et al.* (1991) Immunosuppressive effects of *Fusarium moniliforme* corn cultures in chickens. *Poultry Science*, **70**, 1895-1901.

Markham, G. (1636) *Markhams Maister-Peece. In Two Bookes.* Nicholas and John Okes, London.

Marlin, D.J., Harris, R.C., Gash, S.P. & Snow, D.H. (1989) Carnosine content of the middle gluteal muscle in thoroughbred horses with relation to age, sex and training. *Comparative Biochemistry and Physiology*, **93A**, 629-32.

Marlin, D.J., Scott, C.M., Schroter, R.C., *et al.* (1999) Physiological responses of horses to a treadmill simulated speed and endurance test in high heat and humidity before and after humid heat accümation. *Equine Veterinary Journal*, **31**, 31-42.

Marquardt, R.R. McKirdy, J.A., Ward, T. & Campbell, L.D. (1975) Amino acid, hemagglutinin and trypsin inhibitor levels, and proximate analyses of faba beans *(Vicia faba)* and fatia bean fractions. *Canadian Journal of Animal Science*, **55**, 421-9.

Marti, E., Gerber, H., Essich, G., Oulehla, J. & Lazary, S. (1991) The genetic basis of equine allergic diseases. 1. Chronic hypersensitivity bronchitis. *Equine Veterinary Journal*, **23**, 457-60.

Martin, B., Robinson, S. & Robertshaw, D. (1978) Influence of diet on leg uptake of glucose during heavy exercise. *American Journal of Clinical Nutrition*, **31**, 62-7.

Martin, K.L., Hoffman, R.M., Kronfeld, D.S., Ley, W.B. & Warnick, L.D. (1996a) Calcium decreases and parathyroid hormone increases in serum of periparturient mares. *Journal of Animal Science*, **74**, 834-9.

Martin, R.G., McMeniman, N.P. & Dowsett, K.F. (1991) Effects of a protein deficient diet and urea supplementation on lactating mares. *Journal of Reproductive Fertility*, (Suppl. 44), 543-50.

Martin, R.G., McMeniman, N.P. & Dowsett, K.F. (1992) Milk and water intakes of foals suckling grazing mares. *Equine Veterinary Journal*, **24**, 295-9.

Martin, R.G., McMeniman, N.P., Norton, B.W. & Dowsett, K.F. (1996b) Utilization of endogenous and dietary urea in the large intestine of the mature horse. *British Journal of Nutrition*, **76**, 373-86.

Martin-Rosset, W. (1990) L'alimentation des chevaux, techniques et pratiques, pp 1-232 [Ed. committee], 75007 Paris, INRA.

Martin-Rosset, W., Andrieu, J. & Jestin, M. (1996a) Prediction of organic matter digestibility (OMD) of forages in horses from the chemical composition. *47th European Association of Animal Production Meeting*, Lillehammer, Norway, 25-29th August. Horse Commission Session-H4: Nutrition, pp 1-5.

Martin-Rosset, W., Andrieu, J. & Jestin, M. (1996b) Prediction of the organic matter digestibility (OMD) of forages in horses by the pepsine cellulase method. *47th European Association of Animal Production Meeting*, Lillehammer, Norway, 25-29th August. Horse Commission Session-H4: Nutrition, pp 1-6.

978-85-7241-725-9

Martin-Rosset, W., Andrieu, J. & Vermorel, M. (1996c) Routine methods for predicting the net energy value of feeds for horses. *47th European Association of Animal Production Meeting*, Lillehammer, Norway, 25-29th August. Horse Commission Session-H4: Nutrition, pp 1-15.

Martin-Rosset, W., Boccard, R. & Robelin, J. (1979) Relative growth of different organs, tissues and body regions in the foal from birth to 30 months. *Proceedings of the 30th Annual Meeting of the European Association of Animal Production*, Zagreb, Yugoslavia, 31 August-3 September, pp. 1-6.

Martin-Rosset, W., Doreau, M. & Cloix, J. (1978) Grazing behaviour of a herd of heavy brood mares and their foals. *Annals of Zootechnology*, **27**, 33-45.

Martin-Rosset, W., Doreau, M. & Thivend, P. (1987) Digestion of diets based on hay or maize silage in growing horses. *Reproduction Nutritional Development*, **27**, 291-2.

Martin-Rosset, W. & Dulphy, J.P. (1987) Digestibility interactions between forages and concentrates in horses: influence of feeding level – comparison with sheep. *Livestock Production Science*, **17**, 263-76.

Martin-Rosset, W., Vermorel, M., Doreau, M., Tisserand, J.L. & Andrieu, J. (1994) The French horse feed evaluation systems and recommended allowances for energy and protein. *Livestock Production Science*, **40**, 37-56.

Mason, D.K. & Kwok, H.W. (1977) Some haematological and biochemical parameters in racehorses in Hong Kong. *Equine Veterinary Journal*, **9**, 96-9.

Masri, M.D., Merritt, A.M., Gronwall, R. & Burrows, C.F. (1986) Faecal composition in foal heat diarrhoea. *Equine Veterinary Journal*, **18**, 301-306.

Mathiason-Kochan, K.J., Potter, G.D., Caggiano, S. & Michael, E.M. (2001) Ration digestibility, water balance and physiologic responses in horses fed varying diets and exercised in hot weather. *Proceedings of the 17th Equine Nutrition and Physiology Symposium*, The University of Kentucky, Lexington, 31 May-2 June 2001, pp. 261-6.

Matsuoka, T., Novilla, M.N., Thomson, T.D. & Donoho, A.L. (1996) Review of monensin toxicosis in horses. *Journal of Equine Veterinary Science*, **16**, 8-15.

Matthews, H. & Thornton, I. (1982) Seasonal and species variation in the content of cadmium and associated metais in pasture plants at Shipham. *Plant and Soil*, **66**, 181-93.

Maughan, R.J. (1999) Nutritional ergogenic aids and exercise performance. *Nutrition Research Reviews*, **12**, 255-80.

Mawdsley, A. (1993) *Linear assessment of the Thoroughbred horse*. MEqS thesis, Faculties of Agriculture and Veterinary Medicine, National University of Ireland, Dublin.

Mayhew, I.G. (1994) Odds and SODs of equine motor neuron disease. *Equine Veterinary Journal, 26*, 342-3.

Mayhew, I.G., Brown, C.M., Stowe, H.D., Trapp, A.L., Derksen, F.J. & Clement, S.F. (1987) Equine degenerative myeloencephalopathy: a vitamin E deficiency that may be familial. *Journal of Veterinary Internal Medicine*, **1**, 45-50.

Meadows, D.G. (1979) Utilization of dietary protein or non-protein nitrogen by lactating mares fed soybean meal or urea. *Dissertation Abstracts International B*, **40**, 999.

Meakin, D.W., Ott, E.A., Asquith, R.L. & Feaster, J.P. (1981) Estimation of mineral content of the equine third metacarpal by radiographic photometry. *Journal of Animal Science*, **53**, 1019-26.

Medina, B., Girard, I.D., Jacotot, E. & Julliand, V. (2002) Effect of a preparation of *Saccharomyces cerevisiae* on microbial profiles and fermentation patterns in the large intestine of horses fed a high fiber or a high starch diet. *Journal of Animal Science*, **80**, 2600-609.

Medina, B., Jacotot, E. & Julliand, V. (2001) Effects of a live yeast culture on the microbial enzymatic activities in the equine hindgut fed high fibre or high starch diets. *Proceedings of the 17th Equine Nutrition and Physiology Symposium*, The University of Kentucky, Lexington, 31 May-2 June 2001, pp 474-6.

Mehring, J.S. & Tyznik, W.J. (1970) Equine glucose tolerance. *Journal of Animal Science*, **30**, 764-6.

Mello, D.M., Nielsen, B.D., Peters, T.L. & Orth, M.W. (2001) Preliminary studies on the comparative effects of hexosamines in the inhibition of equine articular cartilage degradation. *Proceedings of the 17th Equine Nutrition and Physiology Symposium*, The University of Kentucky, Lexington, 31 May-2 June 2001, pp. 55-60.

Merkt, H. & Günzel, A.-R. (1979) A survey of early pregnancy losses in West German Thoroughbred mares. *Equine Veterinary Journal*, **11**, 256-8.

Merritt, A.M. (1975) Treatment of diarrhoea in the horse. *Journal of the South African Veterinary Association*, **46**, 89-90.

Merritt, J.B. & Pearson, R.A. (1989) Voluntary food intake and digestion of hay and straw diets by donkeys and ponies. *Proceedings of the Nutrition Society*, **48**, 169A.

978-85-7241-725-9

Merritt, T., Mallonee, P.G. & Merritt, A.M. (1986) D-xylose absorption in the growing foal. *Equine Veterinary Journal*, **18**, 298-300.

van der Merwe, J.A. (1975) Dietary value of cubes in equine nutrition. *Journal of the South African Veterinary Association*, **46**, 29-37.

Meyer, H. (1982) *Contributions to Digestive Physiology of the Horse.* Paul Parey, Hamburg and Berlin.

Meyer, H. (1983a) The pathogenesis of disturbances in the alimentary tract of the horse in the light of newer knowledge of digestive physiology. *Proceedings of the Horse Nutrition Society*, Uppsala, Sweden, 1983 C, 95-109.

Meyer, H. (1983b) Protein metabolism and protein requirement in horses. *Proceedings of the 4th International Symposium on Protein Metabolism and Nutrition*, Clermont-Ferrand, France, 5-9 September, 1983, No. 16. INRA, Paris.

Meyer, H. (1987) Nutrition of the equine athlete. In: *Equine Exercise Physiology 2*, pp. 644-73. ICEEP Publications, Davis, California.

Meyer, H. (1990) Contributions to water and mineral metabolism of the horse. In: *Advances in Animal Physiology and Animal Nutrition, Journal of Animal Physiology and Animal Nutrition*, pp. 1-102. (Suppl. 21), Paul Parey, Berlin and Hamburg.

Meyer, H. (1992) Intestinaler Wasser- und Elektrolytstoffwechsel Pferdes. *First Europäische Konferenz über die Ernährung des Pferdes*, Institut für Tierarnahrüng, Tierärzliche Hochschule, Hannover, 3-4 September 1992, pp. 67-72.

Meyer, H. (1996) Influence of feed intake and composition, feed and water restriction, and exercise on gastrointestinal fill in horses, part 3. *Equine Practice*, **18**, 25-8.

Meyer, H. (1998) Einfluss der ernährung auf die fruchtbarkeit der stuten und die vitalität neugerborener fohlen. *Übers. Tierernährung*, **26**, 65-86.

Meyer, H. (2001) Krampfkolik beim Pferd- Vorstellungen zu einer alimentären Genese. *Pferdeheilkunde*, **17**, 463-70.

Meyer, H. & Ahlswede, L. (1976) Intrauterine growth and the body composition of foals, and the nutrient requirements of pregnant mares. *Ubersichten zur Tierernährung*, **4**, 263-92.

Meyer, H. & Ahlswede, L. (1977) Studies on Mg metabolism in the horse. *Zentralblatt für Veterinärmedizin*, **24A** (2), 128-39.

Meyer, H., Ahlswede, L. & Pferdekamp, M. (1975a) Untersuchungen über Magenentleerung und Zusammensetzung des Mageninhaltes beim Pferd. *Deutsche Tierärztliche Wochenschrift*, **87**, 43-7.

Meyer, H., Ahlswede, L. & Reinhardt, H.J. (1975b) Untersuchungen über Frel3dauer, Kaufrequenz und Futterzerkleinerung beim Pferd. *Deutsche Tierärztliche Wochenschrift*, **82**, 49-96.

Meyer, H., von Bieberstein, S., Zentek, J., Kietzmann, M. & Nyari, A. (1991) Über die Verwertung und Wirkung organischer Mg-Verbindungen bei ruhenden und arbeitenden Pferden. *Pferdeheilkunde*, **7**, 205-208.

Meyer, H., Coenen, M. & Stadermann, B. (1993) The influente of size on the weight of the gastrointestinal tract and the liver of horses and ponies. *Proceedings of the 13th Equine Nutrition and Physiology Society*, University of Florida, Gainesville, 21-23 January 1993, No. 504, 18-23.

Meyer, T.S., Fedde, M.R., Cox, J.H. & Erickson, H.H. (1999) Hyperkalaemic periodic paralysis in horses: a review. *Equine Veterinary Journal*, **31**, 362-7.

Meyer, H., Heckotter, E., Merkt, M., Bernoth, E.M., Kienzle, E. & Kamphus, J. (1986) Current problems in veterinary advice on feeding. 6. Adverse effects of feeds in horses. *Deutsche Tierärztliche Wochenschrift*, **93**, 486-90.

Meyer, H., Lindemann, G. & Schmidt, M. (1982a) Einfluss unterschiedlicher Mischfuttergaben pro Mahlzeit auf praecaecale- und postileale Verdauungsvorgänge beim Pferd. In: *Contributions to Digestive Physiology of the Horse. Advances in Animal Physiology and Animal Nutrition.* Supplement to *Journal of Animal Physiology and Animal Nutrition*, **13**, 32-9. Paul Parey, Berlin and Hamburg.

Meyer, H., Muuss, H., Güldenhaupt, V. & Schmidt, M. (1982b) Intestinaler Wasser, Natrium- und Kaliumstoffwechsel beim Pferd. In: *Contributions to Digestive Physiology of the Horse. Advances in Animal Physiology and Animal Nutrition.* Supplement to *Journal of Animal Physiology and Animal Nutrition*, **13**, 52-60. Paul Parey, Berlin and Hamburg.

Meyer, H., Pferdekamp, M. & Huskamp, B. (1979) Studies on the digestibility and tolerante of different feeds by typhlectomized ponies. *Deutsche Tierärztliche Wochenschrift*, **86**, 384-90.

Meyer, H., Radicke, S., Kienzle, E., Wilke, S., Kleffken, D. & Illenseer, M. (1995) Investigations on preileal digestion of starch from grain, potato and manioc in horses. *Journal of Veterinary Medicine*, **42**, 371-81.

978-85-7241-725-9

Meyer, H. & Sallmann, H.-P. (1996) Fettfütterung beim Pferd. *Übers Tierernährung*, **24**, 199-227.

Meyer, H., Schmidt, M. & Guldenhaupt, V. (1981) Untersuchungen über Mischfutter für Pferde. *Deutsche Tierärztliche Wochenschrift*, **88**, 2-5.

Meyer, H., Schmidt, M., Lindemann, G. & Muuss, H. (1982c) Praecaecale und postileale Verdaulichkeit von Mengen- (Ca, P, Mg) und Spurenelementen (Cu, Zn, Mn) beim Pferd. In: *Contributions to Digestive Physiology of the Horse. Advances in Animal Physiology and Animal Nutrition.* Supplement to *Journal of Animal Physiology and Animal Nutrition*, **13**, 61-9. Paul Parey, Berlin and Hamburg.

Meyer, H. & Stadermann, B. (1990) Energie- und N hrstoffbedarf hochtragender Stuten. *Effem-Forschung für Heimtiernahrung*, International Stockmen School, Houston, Texas, February 1990, Waltham Report No. **31**, 1-14.

Meyer, H., Winkel, C., Ahlswede, L. & Weidenhaupt, C. (1978) Untersuchungen über Schweissmenge und Schweisszusammensetzung beim Pferd. *Tierärztliche Umschulung*, **33**, 330-36.

Meyers, M.C., Potter, G.D., Evans, J.W., Greene, L.W. & Crouse, S.F. (1989) Physiologic and metabolic response of exercising horses to added dietary fat. *Journal of Equine Veterinary Science*, **9**, 218-23.

Meyers, M.C., Potter, G.D., Greene, L.W., Crouse, S.F. & Evans, J.W. (1987) Physiological and metabolic response of exercising horses to added dietary fat. *Proceedings of the 10th Equine Nutrition and Physiology Society*, Colorado State University, Fort Collins, 11-13 June 1987, pp. 107-113.

Michael, E.M., Potter, G.D., Mathiason-Kochan, K.J., *et al.* (2001) Biochemical markers of bone modeling and remodeling in juvenile racehorses fed differing levels of minerais. *Proceedings of the 17th Equine Nutrition and Physiology Symposium*, The University of Kentucky, Lexington, 31 May-2 June 2001, pp 117-21.

Micol, D. & Martin-Rosset, W. (1995) Feeding systems for horses on high forage diets in the temperate zone. In: *Proceedings of the IVth International Symposium on the Nutrition of Herbivores*, pp. 569-84; Clermont-Ferrand, France, 11-15 September, *Recent Developments in the Nutrition of Herbivores*, (eds M. Journet, E. Grenet, M.-H. Farce *et al.)*, INRA Editions, Paris.

Milić, B.Lj. (1972) Lucerne tannins. I. Content and composition during growth. *Journal of the Science of Food and Agriculture*, **23**, 1151-6.

Milić, B.Lj. & Stojanović, S. (1972) Lucerne tannins. III. Metabolic fate of lucerne tannins in mice. *Journal of the Science of Food and Agriculture*, **23**, 1163-7.

Milić, B.Lj., Stojanović, S. & Vučurević, N. (1972) Lucerne tannins. II. Isolation of tannins froco lucerne, their nature and influence on the digestive enzymes *in vitro. Journal of the Science of Food and Agriculture*, **23**, 1157-62.

Miller, E.D., Baker, L.A., Pipkin, J.L., Bachman, R.C., Haliburton, J.T. & Veneklasen, G.O. (2003) The effect of supplemental inorganic and organic forms of copper and zinc on digestibility in yearling geldings in training. *Proceedings of the 18th Equine Nutrition and Physiology Society Symposium*, Michigan State University, East Lansing, 4-7 June 2003, pp 107-12.

Miller-Graber, P.A. & Lawrence, L.M. (1988) The effect of dietary protein level on exercising horses. *Journal of Animal Science*, **66**, 2185-92.

Miller-Graber, P.A., Lawrence, L.M., Foreman, J.H., Bump, K.D., Fisher, M.G. & Kurcz, E.V. (1991) Dietary protein level and energy metabolism during treadmill exercise in horses. *Journal of Nutrition*, **121**, 1462-9.

Miller-Graber, P.A., Lawrence, L.M., Mine, K., *et al.* (1987) Plasma ammonia and other metabolites in the racing standardbred. *Proceedings of the 10th Equine Nutrition and Physiology Society*, Colorado State University, Fort Collins, 11-13 June 1987, pp. 397-402.

Mills, D.S. & Davenport, K. (2002) The effect of a neighbouring conspecific *versus* the use of a mirror for the control of stereotypic weaving behaviour in the stabled horse. *Animal Science*, **74**, 95-101.

Mills, D.S., Eckley, S. & Cooper, J.J. (2000) Thoroughbred bedding preferences, associated behaviour differences and their implications for equine welfare. *Animal Science*, *70*, 95-106.

Millward, D.J., Davies, C.T.M., Halliday, D., Wolman, S.L., Matthews, D. & Rennie, M. (1982) Effect of exercise on protein metabolism in humans as explored with stable isotope. *Federation Proceedings*, **41**, 2686-91.

Milne, D.W. (1974) Blood gases, acid-base balance and electrolyte and enzyme changes in exercising horses. *Journal of the South African Veterinary Association*, **45**, 345-54.

Milne, D.W., Skarda, R.J., Gabel, A.A., Smith, L.G. & Ault, K. (1976) Effects of training on biochemical values in standardbred horses. *American Journal of Veterinary Research*, **37**, 285-90.

Milner, J. & Hewitt, D. (1969) Weight of horses: improved estimate based on girth and length. *Canadian Veterinary Journal*, **10**, 314-17.

978-85-7241-725-9

Ministère de l'Agriculture (1980) *Aménagement et Équipement des Centres Équestres. Section Technique des Équipements Hippiques.* Fiche Nos CE.E.4, 5, 13 and 14. Service des Haras et de l'Equitation, Institut de Cheval, Le Lion-d'Angèrs.

Ministry of Agriculture, Fisheries & Food (1977) *Drainage of Grassland.* ADAS Leaflet No. 7. HMSO, London.

Ministry of Agriculture, Fisheries & Food (1978) *Drainage Maintenance.* ADAS Leaflet No. 7. HMSO, London.

Ministry of Agriculture, Fisheries & Food (1979) *Lime and Fertiliser Recommendations. 1. Arable Crops and Grassland.* ADAS Booklet No. 2191. HMSO, London.

Ministry of Agriculture, Fisheries & Food (1984) *Poisonous Plants in Britain and Their Effects on Animals and Man* (Reference Book 161). HMSO. London.

Minnick, P.D., Brown, C.M., Braselton, W.E., Meerdink, G.L. & Slanker, M.R. (1987) The induction of equine laminitis with an aqueous extract of the heartwood of black walnut *(Juglans nigra). Veterinary and Human Toxicology*, **29**, 230-33.

Miraglia, N., Poncet, C. & Martin-Rosset, W. (2003) Effect of feeding level, physiological status and breed on the digesta passage of forage based diet in the horse. *Proceedings of the 18th Equine Nutrition and Physiology Society Symposium*, Michigan State University, East Lansing, 4-7 June 2003, pp. 275-80.

Mirocha, C.J., Gilchrist, D.G., Shier, W.T., Abbas, H.K., Wen, Y. & Vesonder, R.F. (1992) AAL toxins, fumonisins (biology and chemistry) and host-specificity concepts. *Mycopathologia*, **117**, 47-56.

Mishra, P.C. (1988) Ultrastructural changes in an alimentary model of equine laminitis and the comparative vascular changes induced by histamine and endotoxin – including an hypothesis as to the pathogenesis of the lesions in the foot. *Dissertation Abstracts International*, **48**, 1910B.

Mitten, L.A., Hinchcliff, K.W., Holcombe, S.J. & Reed, S.M. (1994) Mechanical ventilation and management of botulism secondary to an injection abscess in an adult horse. *Equine Veterinary Journal*, **26**, 420-33.

Mlekoday, J.A., Mickelson, J.R., Valberg, S.J., Horton, J.H., Gallant, E.M. & Thompson, L.V. (2001) Calcium sensitivity of force production and myofibrillar ATPase activity in muscles from Thoroughbreds with recurrent exertional rhabdomyolysis. *American Journal of Veterinary Research*, **62**, 1647-52.

Moffett, A.D., Cooper, S.R., Freeman, D.W. & Purvis, H.T. (2001) Response of yearling Quarter Horses to varying concentrations of dietary calcium. *Proceedings of the 17th Equine Nutrition and Physiology Symposium*, The University of Kentucky, Lexington, 31 May-2 June 2001, pp 62-8.

Moffitt, P.G., Potter, G.D., Kreider, J.L. & Moritani, T.M. (1985) Venous lactic acid levels in exercising horses fed N,N-dimethylglycine. *Proceedings of the 9th Equine Nutrition and Physiology Society*, Michigan State University, 23-25 May 1985, pp. 248-53.

Moinard, C., Caldefie-Chezet, F., Walrand, S., Vasson, M.-P. & Cynober, L. (2003) Evidence that glutamine modulates respiratory burst in stressed rat polymorphonuclear cells through its metabolism into arginine. *British Journal of Nutrition*, **88**, 689-95.

Moise, L.L. & Wysocki, A.A. (1981) The effect of cottonseed meal on growth of young horses. *Journal of Animal Science*, **53**, 409-413.

Moore, B.E. & Dehority, B.A. (1993) Effects of diet and hindgut defaunation on diet digestibility and microbial concentrations in the cecum and colon of the horse. *Journal of Animal Science*, **71**, 3350-58.

Moore, J.N. (1988) Recognition and treatment of endotoxemia. *Veterinary Clinics of North America: Equine Practice*, **4**, 105-113.

Moore, J.N. (1991) Rethinking endotoxaemia in 1991. *Equine Veterinary Journal*, **23**, 3-4.

Moore, J.N., Garner, H.E., Berg, J.N. & Sprouse, R.F. (1979) Intracecal endotoxin and lactate during the onset of equine laminitis: a preliminary report. *American Journal of Veterinary Research*, **40**, 722-3.

Moore, J.N., Garner, H.E. & Coffman, J.R. (1981) Haematological changes during development of acute laminitis hypertension. *Equine Veterinary Journal*, **13**, 240-42.

Moore, J.N., Garner, H.E., Shapland, J.E. & Hatfield, D.G. (1980) Lactic acidosis and arterial hypoxemia during sublethal endotoxemia in conscious ponies. *American Journal of Veterinary Research*, **41**, 1696-8.

Moore, J.N., Garner, H.E., Shapland, J.E. & Hatfield, D.G. (1981) Prevention of endotoxin-induced arterial hypoxaemia and lactic acidosis with flunixin meglumine in the conscious pony. *Equine Veterinary Journal*, **13**, 95-8.

Moore, J.N., Owen, R. ap R. & Lumsden, J.H. (1976) Clinical evaluation of blood lactate levels in equine *colic. Equine Veterinary Journal*, **8**, 49-54.

Moore-Colyer, M.J. (1998) Dietary fibre for performance. *Equine Nutrition Workshop*, Horserace Betting Levy Board, Veterinary Advisory Committee, pp 12-14.

978-85-7241-725-9

Moore-Colyer, M., Hyslop, J.J., Longland, A.C. & Cuddeford, D. (1997) The degradation of organic matter and Grude protein of four botanically diverse feedstuffs in the foregut of ponies as measured by the mobile bag technique. *Proceedings of the British Society of Animal Science*, p. 120.

Moore-Colyer, M.J.S. & Longland, A.C. (2000) Intakes and *in vivo* apparent digestibilities of four types of conserved grass forage by ponies. *Animal Science*, **71**, 527-34.

Moore-Colyer, M.J.S., Longland, A.C. & Murray, J. (2003) Microbial activity and degradation capacity in nine regions of the equid gut using the gas production technique. *Proceedings of the 18th Equine Nutrition and Physiology Society Symposium*, Michigan State University, East Lansing, 4-7 June 2003, pp 119-20.

Moore-Colyer, M.J.S., Morrow, H.J. & Longland, A.C. (2003) Mathematical modelling of digesta passage rate, mean retention time and *in vivo* apparent digestibility of two different lengths of hay and big bale grass silage in ponies. *British Journal of Nutrition*, **90**, 109-18.

Moraillon, R., De Faucompret, P. & Cloche, D. (1978) Results of the long-term administration of a flaked or granulated complete feed into saddle horses. *Recueil de Médecine Vétérinaire*, **154**, 999-1007.

Morris, E.A. & Seeherman, H.J. (1991) Clinical evaluation of poor performance in the racehorse: the results of 275 evaluations. *Equine Veterinary Journal*, **23**, 169-74.

Morris, L.H.A. & Allen, W.R. (2002) Reproductive efficiency of intensively managed Thoroughbred mares in Newmarket. *Equine Veterinary Journal*, **34**, 51-60.

Morris-Stoker, L.B., Baker, L.A., Pipkin, J.L., Bachman, R.C. & Haliburton, J.C. (2001) The effect of supplemental phytase on nutrient digestibility in mature horses. *Proceedings of the 17th Equine Nutrition and Physiology Symposium*, The University of Kentucky, Lexington, 31 May-2 June 2001, pp 48-52.

Morse, E.V., Duncan Margo, A., Page, E.A. & Fessler, J.F. (1976) Salmonellosis in Equidae: a study of 23 cases. *Cornell Veterinarian*, **66**, 198-213.

Moss, M.S. (1975) Recent advances in the field of doping detection. *Equine Veterinary Journal*, *7*, 173-4. Moss, M.S. & Clarke, E.G.C. (1977) A review of drug 'clearance times' in racehorses. *Equine Veterinary Journal*, **9**, 53-6.

Moss, M.S. & Haywood, P.E. (1984) Survey of positive results from racecourse antidoping samples received at Racecourse Security Services' Laboratories. *Equine Veterinary Journal*, **16**, 39-42.

Moyer, W., Spencer, P.A. & Kallish, M. (1991) Relative incidence of dorsal metacarpal disease in young Thoroughbred racehorses training on two different surfaces. *Equine Veterinary Journal*, **23**, 166-8.

Mullen, P.A. (1970) Variations in the albumin content of blood serum in Thoroughbred horses. *Equine Veterinary Journal*, **2**, 118-20.

Mullen, P.A., Hopes, R. & Sewell, J. (1979) The biochemistry, haematology, nutrition and racing performance of two-year-old Thoroughbreds throughout their training and racing season. *Veterinary Record*, **104**, 90-95.

Mundt, H.C. (1978) Untersuchungen über die Verdaulichkeit von aufgeschlossenem Stroh beim Pferd. Published thesis, Tierarztliche Hochschule, Hannover.

Murphy, D., Reid, S.W.J. & Love, S. (1997) The effect of age and diet on the oral glucose tolerance test in ponies. *Equine Veterinary Journal*, **29**, 467-70.

Murphy, J.R., McPherson, E.A. & Dixon, P.M. (1980) Chronic obstructive pulmonary disease (COPD): effects of bronchodilator drugs on normal and affected horses. *Equine Veterinary Journal*, **12**, 10-14.

Murray, A. (1993) *The intake of a molassed mineral block by a group of horses at pasture.* MEqS thesis, Faculties of Agriculture and Veterinary Medicine, National University of Ireland, Dublin.

Murray, J.M.D., Longland, A.C., Moore-Colyer, M.J.S. & Dunnett, C. (2003) The effect of diet and donor animal on the fermentative capacity of equine faecal inocula for use in *in vitro* digestibility determinations. *Proceedings of the 18th Equine Nutrition and Physiology Society Symposium*, Michigan State University, East Lansing, 4-7 June 2003, pp 121-3.

Murray, M. (1985) Hepatic lipidosis in a post parturient mare. *Equine Veterinary Journal*, **17**, 68-9.

Murray, M.J. & Mahaffey, E.A. (1993) Age-related characteristics of gastric squamous epithelial mucosa in foals. *Equine Veterinary Journal*, **25**, 514-17.

Murray, M.J., Murray, C.M., Sweeney, H.J., Weld, J., Digby, N.J.W. & Stoneham, S.J. (1990) Prevalence of gastric lesions in foals without signs of gastric disease: an endoscopic survey. *Equine Veterinary Journal*, **22**, 6-8.

Murray, M.J. & Schusser, G.F. (1993) Measurement of 24-h gastric pH using an indwelling pH electrode in horses unfed, fed and treated with ranitidine. *Equine Veterinary Journal*, **25**, 417-21.

Murray, M.J., Schusser, G.F., Pipers, F.S. & Gross, S.J. (1996) Factors associated with gastric lesions in Thoroughbred racehorses. *Equine Veterinary Journal*, **28**, 368-74.

978-85-7241-725-9

Mussman, H.C. & Rubiano, A. (1970) Serum protein electrophoregram in the Thoroughbred in Bogota, Colombia. *British Veterinary Journal*, **126**, 574-8.

Muuss, H., Meyer, H. & Schmidt, M. (1982) Entleerung und Zusammensetzung des Ileumchymus beim Pferd. *In: Contributions to Digestive Physiology of the Horse. Advances in Animal Physiology and Animal Nutrition.* Supplement to *Journal of Animal Physiology and Animal Nutrition*, **13**, 13-23. Paul Parey, Berlin and Hamburg.

Muylle, E. & van den Hende, C. (1983) The concept of osmolality. *Equine Veterinary Journal*, **15**, 80-81.

Muylle, E., van den Hende, C., Deprez, P., Nuytten, J. & Oyaert, W. (1986) Non-insulin dependent diabetes mellitus in a horse. *Equine Veterinary Journal*, **18**, 145-6.

Muylle, E., van den Hende, C., Nuytten, J., Deprez, P., Vlaminck, K. & Oyaert, W. (1984b) Potassium concentration in equine red blood cells: normal values and correlation with potassium levels in plasma. *Equine Veterinary Journal*, **16**, 447-9.

Muylle, E., Nuytten, J., van den Hende, C., Deprez, P., Vlaminck, K. & Oyaert, W. (1984a) Determination of red cell potassium content in horses with diarrhoea. A practical approach for therapy. *Equine Veterinary Journal*, **16**, 450-52.

Muylle, E., van den Hende, C., Nuytten, J., Oyaert, W. & Vlaminck, K. (1983) Preliminary studies on the relationship of red blood cell potassium concentration and performance. In: *Equine Exercise Physiology* (eds D.H. Snow, S.G.B. Persson and R.J. Rose), pp. 366-70. Granta Editions, Cambridge.

Muylle, E., van den Hende, C., Oyaert, W., Thoonen, H. & Vlaminck, K. (1981) Delayed monensin sodium toxicity in horses. *Equine Veterinary Journal*, **13**, 107-108.

Muylle, E., Oyaert, W., de Roose, P. & van den Hende, C. (1973) Hypocalcaemia in the horse. *Vlaams Diergeneeskundig Tijdschrift*, **42**, 44-51 [in Dutch].

Nadeau, J.A., Andrews, F.M., Mathew, A.G., Argenzio, R.A. & Blackford, J.T. (1999) Implications of diet in the cause of gastric ulcer disease in horses. *Proceedings of the 16th Equine Nutrition and Physiology Symposium*, North Carolina State University, Raleigh, 2-5 June 1999, pp 20-21.

Nadeau, J.A., Andrews, F.M., Patton, C.S., Argenzio, R.A., Mathew, A.G. & Saxton, A.M. (2003) Effects of hydrochloric, valeric, and other volatile fatty acids on pathogenesis of ulcers in the nonglandular portion of the stomach of horses. *American Journal of Veterinary Research*, **64**, 413-17.

Nadeau, J.A., Andrews, F.M., Patton, C.S., Saxton, A.M. & Argenzio, R.A. (2001) Pathogenesis of acid injury in the nonglandular region of the equine stomach. *Proceedings of the 17th Equine Nutrition and Physiology Symposium*, The University of Kentucky, Lexington, 31 May-2 June 2001, pp 39-40.

Nagata, Y., Takagi, S. & Kubo, K. (1972a) Studies on gas metabolism in light horses fed a complete pelleted ration. 1. Gas metabolism at rest (the effects of diets and season on gas metabolism at rest). *Experimental Reports of the Equine Health Laboratory*, No. 9, 84-9.

Nagata, Y., Takagi, S. & Kubo, K. (1972b) Studies on gas metabolism in light horses fed a complete pelleted ration. II. Gas metabolism at excitement (the effect of epinephrine infusion on gas metabolism). *Experimental Reports of the Equine Health Laboratory*, No. 9, 90-5.

Nahani, F. & Atiabt, N. (1977) Electrophoretic analysis of blood serum protein of normal horses. *Journal of the Veterinary Faculty of the University of Tehran*, 33, 75-9.

Nahapetian, A. & Bassiri, A. (1975) Changes in concentrations and interrelationships of phytate, phosphorus, magnesium, calcium and zinc in wheat during maturation. *Journal of Agricultural and Food Chemistry*, **23**, 1179-83.

National Institute of Agricultural Botany (1983-4a) *Grasses and Legumes for Conservation.* Technical Leaflet No. 2. NIAB, Cambridge.

National Institute of Agricultural Botany (1983-4b) *Recommended Varieties of Herbage Legumes.* Farmers Leaflet No. 4. NIAB, Cambridge.

National Institute of Agricultural Botany (1983-4c) *Recommended Varieties of Grasses.* Farmers Leaflet No. 16. NIAB, Cambridge.

National Research Council (1978) *Nutrient Requirements of Domestic Animals.* No. 6. *Nutrient Requirements of Horses*, 4th edn revised. National Academy of Sciences, Washington DC.

National Research Council (1989) *Nutrient Requirements of Domestic Animals. Nutrient Requirements of Horses*, 5th edn revised. National Academy of Sciences, Washington DC.

Naujeck, A. & Hill, J. (2003) Influence of sward height on bite dimensions of horses. *Animal Science*, **77**, 95-100.

Naylor, J.M., Kronfield, D.S. & Acland, H. (1980) Hyperlipemia in horses: effects of undernutrition and diseases. *American Journal of Veterinary Research*, **41**, 899-905.

978-85-7241-725-9

Naylor, J.M., Jones, V. & Berry, S.-L. (1993) Clinical syndrome and diagnoses of hyperkalaemic periodic paralysis in quarter horses. *Equine Veterinary Journal*, **25**, 227-32.

Neave, R.M.S. & Callear, J.F.F. (1973) Further clinical studies on the uses of mebendazole (R17635) as an anthelmintic in horses. *British Veterinary Journal*, **129**, 79-82.

Nelson, P.E., Desjardins, A.E. & Plattner, R.D. (1993) Fumonisins, mycotoxins produced by *Fusarium* species: biology, chemistry, and significance. *Annual Review of Phytopathology*, **31**, 233-52.

Nengomasha, E.M., Pearson, R.A. & Smith, T. (1999) The donkey as a draught power resource in smallholder farming in semi-arid western Zimbabwe. 1. Live weight and food and water requirements. *Animal Science*, **69**, 297-304.

Nengomasha, E.M., Pearson, R.A. & Smith, T. (1999) The donkey as a draught power resource in smallholder farming in semi-arid western Zimbabwe. 2. Performance compared with that of cattle when ploughing on different soil types using two plough types. *Animal Science*, **69**, 305-12.

Nielsen, B.D., Potter, G.D., Morris, E.L., *et al.* (1993) Training distance to failure in young racing quarter horses fed sodium zeolite A. *Proceedings of the 13th Equine Nutrition and Physiology Society*, University of Florida, Gainesville, 21-23 January 1993, No. 504, 5-10.

Nieto J.E., Spier, S.J., van Hoogmoed, L., Pipers, F., Timmerman, B. & Snyder, J.R. (2001) Comparison of omeprazole and cimetidine in healing of gastric ulcers and prevention of recurrence in horses. *Equine Veterinary Education*, **13**, 260-64.

Nijkamp, H.J. (1965) Some remarks about the determination of the heat of combustion and the carbon content of urine. *Association for Animal Production, Publication No II. Proceedings of the 3rd Symposium*, Troon, Scotland, May 1964, pp 147-57.

Nimmo, M.A., Snow, D.H. & Munro, C.D. (1982) Effects of nandrolone phenylpropionate in the horse: (3) skeletal muscle composition in the exercising animal. *Equine Veterinary Journal*, **14**, 229-33.

Nolan, M.M., Potter, G.D., Mathiason, K.J., *et al.* (2001) Bone density in the juvenile racehorse fed differing levels of minerals. *Proceedings of the 17th Equine Nutrition and Physiology Symposium*, The University of Kentucky, Lexington, 31 May-2 June 2001, pp 33-8.

Noot, G.W.V., Symons, L.D., Lydman, R.K. & Fonnesbeck, P.V. (1967) Rate of passage of various feedstuffs through the digestive tract of horses. *Journal of Animal Science*, **26**, 1309-1311.

Nyman, S., Jansson, A., Lindholm, A. & Dahlborn, K. (2002) Water intake and fluid shifts in horses: effects of hydration status during two exercise tests. *Equine Veterinary Journal*, **34**, 133-42.

Ödberg, F.O. & Francis Smith, K. (1976) A study on eliminative and grazing behaviour – the use of the field by captive horses. *Equine Veterinary Journal*, **8**, 147-9.

Obel, N. (1948) College Paper, Veterinary Institute, Stockholm, **63**.

O'Donohue, D.D. (1991) *A study of the feeding, management and some skeletal problems of growing Thoroughbred horses in Ireland.* MVM thesis, Faculty of Veterinary Medicine, University College, Dublin.

O'Donohue, D.D., Smith, F.H. & Strickland, K.L. (1992) The incidente of abnormal limb development in the Irish Thoroughbred from birth to 18 months. *Equine Veterinary Journal*, **24**, 305-309.

Oftedal, O.T., Hintz, H.F. & Schryver, H.F. (1983) Lactation in the horse: milk composition and intake by foals. *Journal of Nutrition*, **113**, 2096-2106.

Oldham, S.L., Potter, G.D., Evans, J.W., Smith, S.B., Taylor, T.S. & Barnes, W. (1990) Storage and mobilization of muscle glycogen in exercising horses fed a fat-supplemented diet. *Journal of Equine Veterinary Science*, **10**, 353-9.

O'Moore, L.B. (1972) Nutritional factors in the rearing of the young Thoroughbred horses. *Equine Veterinary Journal*, **4**, 9-16.

O'Neill, W., McKee, S. & Clarke, A.F. (2002) Immunological and haematinic consequentes of feeding a standardised Echinacea *(Echinacea angustifolia)* extract to healthy horses. *Equine Veterinary Journal*, **341**, 222-7.

Ordakowski, A.L., Kronfeld, D.S., McDonald, T., Durbin, J.A. & Gay, L.S. (2003) Oral folic acid supplementation does not improve folate status or oxidative stress in horses engaged in routine submaximal exercise. *Proceedings of the 18th Equine Nutrition and Physiology Society Symposium*, Michigan State University, East Lansing, 4-7 June 2003, p. 106.

Ordakowski, A.L., Kronfeld, D.S., Williams, C.A. & Gay, L.S. (2001) Folate status during lactation and growth in the Thoroughbred. *Proceedings of the 17th Equine Nutrition and Physiology Symposium*, The University of Kentucky, Lexington, 31 May-2 June 2001, pp. 134-5.

Ordakowski, A.L., Kronfeld, D.S., Williams, C.A., Holland, J.L. & Gay, L.S. (2002) Pyrimethamine and sulfadiazine administration lowers plasma folate and increases plasma homocysteine in horses. *Journal of Animal Science*, **80** (Suppl. 1), Abstr. 623.

978-85-7241-725-9

978-85-7241-725-9

Ordidge, R.M., Schubert, F.K. & Stoker, J.W. (1979) Death of horses after accidental feeding of monensin. *Veterinary Record*, **104**, 375.

Orme, C.E., Harris, R.C., Marlin, D.J. & Hurley, J. (1997) Metabolic adaptation to a fat-supplemented diet by the Thoroughbred horse. *British Journal of Nutrition*, **78**, 443-58.

Orr, J.A., Bisgard, G.E., Forster, H.V., Rawlings, C.A., Buss, D.D. & Will, J.A. (1975) Cardiopulmonary measurements in nonanesthetized, resting normal ponies. *American Journal of Veterinary Research*, **36**, 1667-70.

Orskov, E.R. & Hovell, F.D. de B. (1981) Principles and appropriate technology for improving the nutritive value of tropical feeds. *Proceedings of the 32nd Annual Meeting of the European Association of Animal Production*, Zagreb, Yugoslavia, **31** August-3 September, 1-6.

Orton, R.G. (1978) Biochemical changes in horses during endurance rides. *Veterinary Record*, *102*, 469. Orton, R.K., Hume, I.D. & Leng, R.A. (1985a) Effects of level of dietary protein and exercise on growth rates of horses. *Equine Veterinary Journal*, **17**, 381-5.

Orton, R.K., Hume, I.D. & Leng, R.A. (1985b) Effects of exercise and level of dietary protein on digestive function in horses. *Equine Veterinary Journal*, **17**, 386-90.

Osborn, T.G., Schmidt, S.P., Marple, D.N., Rahe, C.H. & Steenstra, J.R. (1992) Effect of consuming fungus-infected and fungus-free tall fescue and ergotamine tartrate on selected physiological variables of cattle in environmentally controlled conditions. *Journal of Animal Science*, **70**, 2501-2509.

Osborne, M. (1981) Rearing the orphan foal. *Proceedings of the 32nd Annual Meeting of the European Association of Animal Production*, Zagreb, Yugoslavia, **31** August-3 September, III-1.

Ostblom, L.C., Lund, C. & Melsen, F. (1982) Histological study of navicular bone disease. *Equine Veterinary Journal*, **14**, 199-202.

Ostblom, L.C., Lund, C. & Melsen, F. (1984) Navicular bone disease: results of treatment using egg-bar shoeing technique. *Equine Veterinary Journal*, **16**, 203-206.

Osweiler, G.D., van Gelder, G.D. & Buck, G.A. (1978) Epidemiology of lead poisoning in animals. In: *Toxicity of Heavy Metals in the Environment* (ed. F.W. Oehme), Part 1, pp. 143-71. Marcel Dekker, New York.

Ott, E.A. (1981) Influence of level of feeding on digestive efficiency of the horse. *Proceedings of the 7th Equine Nutrition and Physiology Society*, Airlie House, Warrenton, Virginia, 30 April-2 May 1981, pp. 37-43.

Ott, E.A. & Asquith, R.L. (1989) The influence of mineral supplementation on growth and skeletal development of yearling horses. *Journal of Animal Science*, **67**, 2831-40.

Ott, E.A. & Asquith, R.L. (1994) Trace mineral supplementation of broodmares. *Journal of Equine Veterinary Science*, **14**, 93-101.

Ott, E.A. & Asquith, R.L. (1995) Trace mineral supplementation of yearling horses. *Journal of Animal Science*, **73**, 466-71.

Ott, E.A., Asquith, R.L. & Feaster, J.P. (1981) Lysine supplementation of diets for yearling horses. *Journal of Animal Science*, **53**, 1496-503.

Ott, E.A., Asquith, R.L., Feaster, J.P. & Martin, F.G. (1979a) Influence of protein level and quality on the growth and development of yearling foals. *Journal of Animal Science*, **49**, 620-28.

Ott, E.A., Feaster, J.P. & Lieb, S. (1979b) Acceptability and digestibility of dried citrus pulp by horses. *Journal of Animal Science*, **49**, 983-7.

Ott, E.A. & Kivipelto, J. (1999) Influence of chromium tripicolinate on growth and glucose metabolism in yearling horses *Journal of Animal Science*, **77**, 3022-30.

Ott, E.A. & Kivipelto, J. (2003) Influence of concentrate: hay ratio on growth and development of weanling horses. *Proceedings of the 18th Equine Nutrition and Physiology Society Symposium*, Michigan State University, East Lansing, 4-7 June 2003, pp. 146-7.

Ousey, J.C. (1998) Nutrition in neonatal foals. *Equine Nutrition Workshop*, Horserace Betting Levy Board, Veterinary Advisory Committee, p. 26.

Owen, J.M. (1975) Abnormal flexion of the corono-pedal joint or 'contracted tendons' in unweaned foals. *Equine Veterinary Journal*, **7**, 40-45.

Owen, J.M. (1977) Liver fluke infection in horses and ponies. *Equine Veterinary Journal*, **9**, *31*.

Owen, J.M., McCullagh, K.G., Crook, D.H. & Hinton, M. (1978) Seasonal variations in the nutrition of horses at grass. *Equine Veterinary Journal*, **10**, 260-66.

Owen, R. ap R. (1985) Potato poisoning in a horse. *Veterinary Record*, **117**, 246.

Pagan, J.D. (1989) Calcium, hindgut function affect phosphorus needs. *Feedstuffs*, **61**, No 35, 21 August, pp. 1-2.

Pagan, J.D. (1997) Measuring the digestible energy content of horse feeds. *Kentucky Equine Research, Equine Nutrition Conferente*, pp. 1-5.

Pagan, J.D., Essén-Gustavsson, B., Lindholm, A. & Thornton, J. (1987a) The effect of exercise and diet on muscle and liver glycogen repletion in standardbred horses. *Proceedings of the 10th Equine Nutrition and Physiology Society*, Colorado State University, Fort Collins, 11-13 June 1987, pp. 431-6.

Pagan, J.D., Essén-Gustavsson, B., Lindholm, A. & Thornton, J. (1987b) The effect of dietary energy source on exercise performance in standardbred horses. In: *Equine Exercise Physiology* 2, pp. 686-700. Granta Editions, Cambridge.

Pagan, J.D., Essén-Gustavsson, B., Lindholm, A. & Thornton, J. (1987c) The effect of dietary energy source on blood metabolites in standardbred horses during exercise. *Proceedings of the 10th Equine Nutrition and Physiology Society*, Colorado State University, Fort Collins, 11-13 June 1987, pp. 425-30.

Pagan, J.D., Harris, P.A., Kennedy, M.A.P., Davidson, N. & Hoekstra, K.E. (1999a) Feed type and intake affects glycemic response in Thoroughbred horses. *Proceedings of the 10th Equine Nutrition and Physiology Symposium*, North Carolina State University, Raleigh, 2-5 June 1999, pp. 149-50.

Pagan, J.D. & Hintz, H.F. (1986a) Equine energetics. 1. Relationship between body weight and energy requirements in horses. *Journal of Animal Science*, **63**, 815-21.

Pagan, J.D. & Hintz, H.F. (1986b) Equine energetics. 11. Energy expenditure in horses during submaximal exercise. *Journal of Animal Science*, **63**, 822-30.

Pagan, J.D., Hintz, H.F. & Rounsaville, T.R. (1984) The digestible energy requirements of lactating pony mares. *Journal of Animal Science*, **58**, 1382-7.

Pagan, J.D., Jackson, S.G. & DeGregorio, R.M. (1993a) The effect of early weaning on growth and development in Thoroughbred foals. *Proceedings of the 13th Equine Nutrition and Physiology Society*, University of Florida, Gainesville, 21-23 January 1993, No. 504, 76-9.

Pagan, J.D., Karnezos, P., Kennedy, M.A.P., Currier, T. & Hoekstra, K.E. (1999b) Effect of selenium source on selenium digestibility and retention in exercised Thoroughbreds. *Proceedings of the 16th Equine Nutrition and Physiology Symposium*, North Carolina State University, Raleigh, 2-5 June 1999, pp. 135-40.

Pagan, J.D., Tiegs, W., Jackson, S.G. & Murphy, H.Q. (1993b) The effect of different fat sources on exercise performance in Thoroughbred racehorses. *Proceedings of the 13th Equine Nutrition and Physiology Society*, University of Florida, Gainesville, 21-23 January 1993, No. 504, 125-9.

Palmer, E. & Driancourt, M.A. (1981) Consequences of foaling at different seasons and under different photoperiods. *Proceedings of the 32nd Annual Meeting of the European Association of Animal Production*, Zagreb, Yugoslavia, 31 August-3 September, 1-1.

Palmer, J.L. & Bertone, A.L. (1994) Joint structure, biochemistry and biochemical disequilibrium in synovitis and equine joint disease. *Equine Veterinary Journal*, **26**, 263-77.

Papaioannou, D.S., Kyriakis, S.C., Papasteriadis, A., Roumbies, N., Yannakopoulos, A. & Alexopoulos, C. (2002) A field study on the effect of in-feed inclusion of a natural zeolite (clinoptilolite) on health status and performance of sows/gilts and their litters. *Research in Veterinary Science*, **72**, 51-9.

Parry, B.W. (1983) Survey of 79 referral colic cases. *Equine Veterinary Journal*, **15**, 345-8.

Parry, B.W., Anderson, G.A. & Gay, C.C. (1983) Prognosis in equine colic: a study of individual variables used in case assessment. *Equine Veterinary Journal*, **15**, 337-44.

Parsons, A.J., Johnson, I.R. & Harvey, A. (1988) Use of a model to optimize the interaction between frequency and severity of intermittent defoliation and to provide a fundamental conparison of the continuous and intermittent defoliation of grass. *Grass and Forage Science*, **43**, 49-59.

Pashen, R.L. & Allen, W.R. (1976) Genuine anoestrus in mares. *Veterinary Record*, *99*, 362-3.

Patience, J.F. (1990) A review of the role of acid-base balance in amino acid nutrition. *Journal of Animal Science*, **68**, 398-408.

Patterson, D.P., Cooper, S.R., Freeman, D.W. & Teeter, R.G. (2002) Effects of varying levels of phytase supplementation on dry matter and phosphorus digestibility in horses fed a common textured ration. *Journal of Equine Veterinary Science*, **22**, 456-9.

Patterson, P.H., Coon, C.N. & Hughes, I.M. (1985) Protein requirements of mature working horses. *Journal of Animal Science*, **61**, 187-96.

Pearce, S.G., Firth, E.C., Grace, N.D. & Fennessy, P.F. (1998b) Effect of copper supplementation on the evidence of developmental orthopaedic disease in pasture-fed New Zealand Thoroughbreds. *Equine Veterinary Journal*, **30**, 204-10.

978-85-7241-725-9

Pearce, S.G., Grace, N.D., Firth, E.C., Wichtel, J.J., Holle, S.A. & Fennessy, P.F. (1998a) Effect of copper supplementation on the copper status of pasture-fed young Thoroughbreds. *Equine Veterinary Journal*, **30**, 204-10.

Pearson, R.A., Cuddeford, D., Archibald, R.F. & Muirhead, R.H. (1992) Digestibility of diets containing different proportions of alfalfa and oat straw in thoroughbreds, Shetland ponies, highland ponies and donkeys. *First Europäische Konferenz über die Ernährung des Pferdes*, Institut für Tierarnahrüng, Tierärzliche Hochschule, Hannover, 3-4 September 1992, pp. 153-7.

Pearson, R.A. & Merritt, J.B. (1991) Intake, digestion and gastrointestinal transit time in resting donkeys and ponies and exercised donkeys given *ad libitum* hay and straw diets. *Equine Veterinary Journal*, **23**, 339-43.

Pedersen, E.J.N. & Moller, E. (1976) Perennial ryegrass and clover in pure stand and in mixture. The influence of mixture, nitrogen fertilization and number of cuts on field and quality. *Beretning fra Faellesudvalget for Statens Planteavls-og Husdyrbrugsforsøg, København*, No. 6, 1-27.

Peel, S., Mayne, C.S., Titchen, N.M. & Huckle, C.A. (1987) Beef production from grass/white clover swards. In: *Efficient Beef Production* (ed. J. Frame), pp. 97-104. British Grassland Society, Occasional Symposium, No. 22.

Peek, S.F., Divers, T.J. & Jackson, C.J. (1997) Hyperammonaemia associated with encephalopathy and abdominal pain without evidence of liver disease in four mature horses. *Equine Veterinary Journal*, **29**, 70-74.

Pérez, R., Valenzuela, S., Merino, V., *et al.* (1996) Energetic requirements and physiological adaptation of draught horses to ploughing work. *Animal Science*, **63**, 343-51.

Persson, S.G.B. (1983) Evaluation of exercise tolerance and fitness in the performance horse. In: *Equine Exercise Physiology* (eds D.H. Snow, S.G.B. Persson and R.J. Rose), pp. 441-57. Granta Editions, Cambridge.

Petersen, E.D., Siciliano, P.D., Turner, A.S., Kawcak, C.E. & Mcllwraith, C.W. (2001) Effect of growth rate on bone mineral content and density of selected regions of the appendicular skeleton in growing horses. *Proceedings of the 17th Equine Nutrition and Physiology Symposium*, The University of Kentucky, Lexington, 31 May-2 June 2001, pp. 123-4.

Peterson, A.J., Bass, J.J. & Byford, M.J. (1978) Decreased plasma testosterone concentrations in rams affected by ryegrass staggers. *Research in Veterinary Science*, **25**, 266-8.

Peterson, C.J., Lawrence, L.A., Coleman, R., *et al.* (2003) Effect of quality of diet on growth during weaning. *Proceedings of the 18th Equine Nutrition and Physiology Society Symposium*, Michigan State University, East Lansing, 4-7 June 2003, pp. 326-7.

Pethick, D.W., Harman, N. & Chong, J.K. (1987) Non-esterified long-chain fatty acid metabolism in fed sheep at rest and during exercise. *Australian Journal of Biological Sciences*, **40**, 221-34.

Pethick, D.W., Rose, R.J., Bryden, W.L. & Gooden, J.M. (1993) Nutrition utilisation by the hindlimb of Thoroughbred horses at rest. *Equine Veterinary Journal*, **25**, 41-4.

Pfister, J.A., Stegelmeier, B.L., Cheney, C.D., Ralphs, M.H. & Gardner, D.R. (2002) Conditioning taste aversions to locoweed *(Oxytropis sericea)* in horses. *Journal of Animal Science*, **80**, 79-83.

Pfister, J.A., Stegelmeier, B.L., Gardner, D.R. & James, L.F. (2003) Grazing of spotted locoweed *(Astragalus lentiginosus)* by cattle and horses in Arizona. *Journal of Animal Science*, **81**, 2285-93.

Piercy, R.J., Hinchcliff, K.W. & Reed, S.M. (2002) Folate deficiency during treatment with orally administered folic acid, sulfadiazine and pyrimethamine in a horse with suspected equine protozoal myeloencephalitis. *Equine Veterinary Journal*, **34**, 311-16.

Pirie, R.S., Dixon, P.M. & McGorum, B.C. (2002) Evaluation of nebulised hay dust suspensions (HDS) for the diagnosis and investigation of heaves. 3: Effect of fractionation of HDS. *Equine Veterinary Journal*, **34**, 343-7.

Pitt, J.I. & Hocking, A.D. (1996) Current knowledge of fungi and mycotoxins associated with food commodities in southeast Asia. In: *Mycotoxin Contamination in Grains. 17th ASEAN Technical Seminar on Grain Postharvest Technology*, Lumut, Malaysia, 25-27 July 1995 (eds E. Highley & G.I. Johnson) *ACIAR Technical Reports Series;* No 37; pp. *5-10. Publ.* Australian Centre for International Agricultural Research, Canberra.

Platt, D. (2001) The role of oral disease-modifying agents glucosamine and chondroitin sulphate in the management of equine degenerative joint disease. *Equine Veterinary Education*, **13**, 206-15.

Platt, D. & Bayliss, M.T. (1994) An investigation of the proteoglycan metabolism of mature equine articular cartilage and its regulation by interleukin – 1. *Equine Veterinary Journal*, **26**, 297-303.

Platt, H. (1978) Growth and maturity in the equine foetus. *Journal of the Royal Society of Medicine*, **71**, 658-61.

Platt, H. (1982) Sudden and unexpected deaths in horses: a review of 69 cases. *British Veterinary Journal*, **138**, 5417-29.

978-85-7241-725-9

Plummer, C., Knight, P.K., Ray, S.P. & Rose, R.J. (1991) Cardiorespiratory and metabolic effects of propranolol during maximal exercise. In: *Equine Exercise Physiology*, **3** (eds S.G.B. Persson, A. Lindholm and L. Jeffcott), pp. 465-74. ICEEP Publications, Davis, California.

Podoll, K.L., Bernard, J.B., Ullrey, D.E., DeBar, S.R., Ku, P.K. & Magee, W.T. (1992) Dietary selenate versus selenite for cattle, sheep, and horses. *Journal of Animal Science*, **70**, 1965-70.

Poggenpoel, D.G. (1988) Measurements of heart rate and riding speed on a horse during a training programme for endurance rides. *Equine Veterinary Journal*, **20**, 224.

Pohlenz, J., Stockhofe-Zurwieden, N. & Rudat, R. (1992) Pathology and potential pathogenesis of typhlocolitis in horses. *First Europäische Konferenz über die Ernährung des Pferdes*, Institut für Tierarnahrüng, Tierärzliche Hochschule, Hannover, 3-4 September 1992, pp. 201-206.

Pollitt, C.C. (1990) An autoradiographic study of equine hoof growth. *Equine Veterinary Journal*, **22**, 366-8.

Poole, D.C., Marlin, D.J. & Erickson, H.H. (2002) Plasticity of muscle energetics in the horse after training. *Equine Veterinary Journal*, **34**, 6-7.

Popplewell, J.C., Topliff, D.R., Freeman, D.W. & Breazile, J.E. (1993) Effects of dietary cation-anion balance on acid-base balance and blood parameters in anaerobically exercised horses. *Proceedings of the 13th Equine Nutrition and Physiology Society*, University of Florida, Gainesville, 21-23 January 1993, No. 504, 191-6.

Porter, J.K. (1995) Analysis of endophyte toxins: fescue and other grasses toxic to livestock. *Journal of Animal Science*, **73**, 871-80.

Porter, J.K. & Thompson, F.N. Jr (1992) Effects of fescue toxicosis on reproduction in livestock. *Journal of Animal Science*, **70**, 1594-603.

Potter, G.D., Arnold, F.F., Householder, D.D., Hansen, D.H. & Brown, K.M. (1992a) Digestion of starch in the small or large intestine of the equine. *First Europäische Konferenz über die Ernährung des Pferdes*, Institut für Tierarnahrüng, Tierärzliche Hochschule, Hannover, 3-4 September 1992, pp. 107-111.

Potter, G.D., Evans, J.W., Webb, G.W. & Webb, S.P. (1987) Digestible energy requirements of Belgian and Percheron horses. *Proceedings of the 10th Equine Nutrition and Physiology Society*, Colorado State University, Fort Collins, 11-13 June 1987, pp. 133-8.

Potter, G.D., Gibbs, P.G., Haley, R.G. & Klendshoj, C. (1992c) Digestion of protein in the small and large intestines of equines fed mixed diets. *First Europäische Konferenz über die Ernährung des Pferdes*, Institut für Tierarnahrüng, Tierärzliche Hochschule, Hannover, 3-4 September 1992, pp. 140-3.

Potter, G.D., Hughes, S.L., Jullen, T.R. & Swinney, D.L. (1992b) A review of research on digestion and utilization of fat by the equine. *First Europäische Konferenz über die Ernährung des Pferdes*, Institut für Tierarnahrüng, Tierärzliche Hochschule, Hannover, 3-4 September 1992, pp. 119-23.

Potter, G.D., Webb, S.P., Evans, J.W. & Webb, G.W. (1990) Digestible energy requirements for work and maintenance of horses fed conventional and fat supplemented diets. *Journal of Equine Veterinary Science*, **10**, 214-18.

Powell, D., Lawrence, L., Brewster-Barnes, T., *et al.* (1999) Effect of long-term calorie restriction and diet composition on thyroid hormone concentration and metabolic responses to feeding a meal. *Proceedings of the l6th Equine Nutrition and Physiology Symposium*, North Carolina State University, Raleigh, 2-5 June 1999, pp. 100-01.

Powell, D.M., Lawrence, L.M., Fitzgerald, B.P., *et al.* (2000) Effect of short-term feed restriction and calorie source on hormonal and metabolic responses in geldings receiving a small meal. *Journal of Animal Science*, **78**, 3107-13.

Powell, D.M., Lawrence, L.M. & Hayes, S. (2003) Effect of dietary restriction and exercise on prolactin response to a thyrotropin releasing hormone challenge. *Proceedings of the 18th Equine Nutrition and Physiology Society Symposium*, Michigan State University, East Lansing, 4-7 June 2003, pp. 271-2.

Pratt, S.E., Clarke, A.F., Riddolls, L. & McKee, S. (2001) A study of the absorption of methylsulfonylmethane in horses. *Proceedings of the 17th Equine Nutrition and Physiology Symposium*, The University of Kentucky, Lexington, 31 May-2 June 2001, pp 141-2.

Prescott, J.F., Staempfli, H.R., Barker, IK., Bettoni, R. & Delaney, K. (1988) A method for reproducing fatal idiopathic colitis (colotis X) in ponies and isolation of a clostridium as a possible agent. *Equine Veterinary Journal*, **20**, 417-20.

Price, J.S., Jackson, B., Eastell, R., *et al.* (1995) Age related changes in biochemical markers of bone metabolism in horses. *Equine Veterinary Journal*, **27**, 201-207.

Price, J.S., Jackson, B.F., Gray, J.A., *et al.* (2001) Biochemical markers of bone metabolism in growing thoroughbreds: a longitudinal study. *Research in Veterinary Science*, **71**, 37-44.

Prinz, K. (1978) Effect of vitamin A-E emulsion on stallion semen. *Tierartz Umschau*, **33**, 27-30.

978-85-7241-725-9

Prior, R.L., Hintz, H.F., Lowe, J.E. & Visek, W.J. (1974) Urea recycling and metabolism of ponies. *Journal of Animal Science*, **38**, 565-71.

Proudman, C.J. & Edwards, G.B. (1993) Are tapeworms associated with equine colic? A case control study. *Equine Veterinary Journal*, **25**, 224-6.

Proudman, C.J., French, N.P. & Trees, A.J. (1998) Tapeworm infection is a significant risk factor for spasmodic colic and ileal impaction colic in the horse. *Equine Veterinary Journal*, **30**, 194-9.

Pruett, H.E., Thompson, D.L., Jr, Cartmill, J.A., Williams, C.C. & Gentry, L.R. (2003) Thyrotropin releasing hormone interactions with growth hormone secretion in horses. *Journal of Animal Science*, **81**, 2343-51.

Pusztai, A., Clarke, E.M.W. & King, T.P. (1979) The nutritional toxicity of *Phaseolus vulgaris* lectins. *Proceedings of the Nutrition Society*, **38**, 115-20.

Putnam, M. (1973) Micronization – a new feed processing technique. *Flour Animal Feed Milling*, June, 40-41.

Quinn, P.J., Baker, K.P. & Morrow, A.N. (1983) Sweet itch: responses of clinically normal and affected horses to intradermal challenge with extracts of biting insects. *Equine Veterinary Journal*, **15**, 266-72.

Quiroz-Rothe, E., Novales, M., Aguilera-Tejero, E. & Rivero, J.L.L. (2002) Polysaccharide storage myopathy in the M. longissimus lumborum of showjumpers and dressage horses with back pain. *Equine Veterinary Journal*, **34**, 171-6.

Raisz, L.G. & Bingham, P.J. (1972) Effect of hormones on bone development. *Annual Review of Pharmacology*, **12**, 337-52.

Ralston, S.L. (1984) Controls of feeding in horses. *Journal of Animal Science*, **59**, 1354-61.

Ralston, S.L. (1988) Nutritional management of horses competing in 160 km races. *Cornell Veterinarian*, **78**, 53-61.

Ralston, S.L. (1992) Effect of soluble carbohydrate content of pelleted diets on postprandial glucose and insulin profiles in horses. *First Europäische Konferenz über die Ernährung des Pferdes*, Institut für Tierarnahrüng, Tierärzliche Hochschule, Hannover, 3-4 September 1992, pp. 112-15.

Ralston, S.L. & Baile, C.A. (1981) Feeding behaviour of ponies after intragastric nutrient and intravenous glucose infusion. *Journal of Animal Science*, **53** (Suppl. 1), 131, abstract 12.

Ralston, S.L. & Baile, C.A. (1982a) Plasma glucose and insulin concentrations and feeding behavior in ponies. *Journal of Animal Science*, **54**, 1132-7.

Ralston, S.L. & Baile, C.A. (1982b) Gastrointestinal stimuli in the control of feed intake in ponies. *Journal of Animal Science*, **55**, 243-53.

Ralston, S.L. & Baile, C.A. (1983) Effects of intragastric loads of xylose, sodium chloride and corn oil on feeding behavior of ponies. *Journal of Animal Science*, **56**, 302-308.

Ralston, S.L. & Breuer, L.H. (1996) Field evaluation of a feed formulated for geriatric horses. *Journal of Equine Veterinary Science*, **16**, 334-8.

Ralston, S.L., Dimock, A.N. & Socha, M. (1999) Glucose/insulin responses to iv dextrose versus oral concentrate challenges following chromium supplementation in geriatric mares. *Proceedings of the 16th Equine Nutrition and Physiology Symposium*, North Carolina State University, Raleigh, 2-5 June 1999, pp. 90-91.

Ralston, S.L., Foster, D.L., Divers, T. & Hintz, H.F. (2001) Effect of dental correction on feed digestibility in horses. *Equine Veterinary Journal*, **33**, 390-93.

Ralston, S.L., Freeman, D.E. & Baile, C.A. (1983) Volatile fatty acids and the role of the large intestine in the control of feed intake in ponies. *Journal of Animal Science*, **57**, 815-25.

Ralston, S.L., Van den Broek, G. & Baile, C.A. (1979) Feed intake patterns and associated blood glucose, free fatty acid and insulin changes in ponies. *Journal of Animal Science*, **49**, 838-45.

Randall, R.P. & Pulse, R.E. (1974) Taste reactions in the immature horse. *Journal of Animal Science*, **38**, 1330, abstract 45.

Randall, R.P., Schurg, W.A. & Church, D.C. (1978) Response of horses to sweet, salty, sour and bitter solutions. *Journal of Animal Science*, **47**, 51-5.

Rasmussen, R.A., Cole, C.L. & Miller, M.S. (1944) Carotene, vitamin A and ascorbic acid in mare's milk. *Journal of Animal Science*, **3**, 346-52.

Raub, R.H., Jackson, S.G. & Baker, J.P. (1989) The effect of exercise on bone growth and development in weanling horses. *Journal of Animal Science*, **67**, 2508-14.

Raymond, S.L., Smith, T.K., Curtis, E.F. & Clarke, A.F. (2001) An investigation of the levels of selected *Fusarium* mycotoxins and the degree of mold contamination found in the diets of performance horses in Ontario. *Proceedings of the 17th Equine Nutrition and Physiology Symposium*, The University of Kentucky, Lexington, 31 May-2 June 2001, pp 86-92.

978-85-7241-725-9

Read, E.K., Barber, S.M., Wilson, D.G., Bailey, J.V. & Naylor, J.M. (2002) Oesophageal rupture in a Quarter Horse mare: unique features of liquid enteral hyperalimentation and fistula management. *Equine Veterinary Education*, **14**, 126-31.

Reed, S.M. & Andrews, F.M. (1986) The biochemical evaluation of liver function in the horse. *Proceedings of the American Association of Equine Practitioners*, **32**, 81-93.

Reeves, M.J., Salman, M.D. & Smith, G. (1996) Risk factors for equine acute abdominal disease (colic): results from a multi-centered case-control study. *Preventive Veterinary Medicine*, **26**, 285.

Reid, J.T. & Tyrrell, H.F. (1964) Effect of level of intake on energetic efficiency of animals. *Proceedings of the Cornell Nutrition Conference for Feed Manufacturers*, 25-38. Cornell University, Ithaca, New York.

Reid, R.L. & Horvath, D.J. (1980) Soil chemistry and mineral problems in farm livestock. A review. *Animal Feed Science and Technology*, **5**, 95-167.

Reilly, J.D., Cottrell, D.F., Martin, R.J. & Cuddeford, D. (1999) Effect of supplementary dietary biotin on hoof growth and hoof growth rate in ponies: controlled trial. *Equine Veterinary Journal* (Suppl. 26), S1-S7.

Reinhold, J.G. (1953) Total protein, albumin and globulin. In *Standard Methods of Clinical Chemistry*, vol 1 (ed Reiner, M.) pp. 88-97. Academic Press, New York.

Reinowski, A.R. & Coleman, R.J. (2003) Voluntary intake of big bluestem, eastern gamagrass, Indiangrass, and timothy grass hays by mature horses. *Proceedings of the 18th Equine Nutrition and Physiology Society Symposium*, Michigan State University, East Lansing, 4-7 June 2003, pp. 3-5.

Reinowski, A.R., Coleman, R.J. & White, L. (2003) Preference selection of big bluestem, Indiangrass, and timothy grass hays by mature horses. *Proceedings of the 18th Equine Nutrition and Physiology Society Symposium*, Michigan State University, East Lansing, 4-7 June 2003, pp. 308-309.

Reitnour, C.M. (1978) Response to dietary nitrogen in ponies. *Equine Veterinary Journal*, **10**, 65-8.

Reitnour, C.M. (1979) Effect of cecal administration of corn starch on nitrogen metabolism in ponies. *Journal of Animal Science*, **49**, 988-91.

Reitnour, C.M. (1982) Protein utilization in response to caecal corn starch in ponies. *Equine Veterinary Journal*, **14**, 149-52.

Reitnour, C.M., Baker, J.P., Mitchell, G.E. Jr, Little, C.O. & Kratzer, D.D. (1970) Amino acids in equine cecal contents, cecal bacteria and serum. *Journal of Nutrition*, **100**, 349-54.

Reitnour, C.M. & Salsbury, R.L. (1972) Digestion and utilization of cecally infused protein by the equine. *Journal of Animal Science*, **35**, 1190-93.

Reitnour, C.M. & Salsbury, R.L. (1975) Effect of oral or caecal administration of protein supplements on equine plasma amino acids. *British Veterinary Journal*, **131**, 466-71.

Reitnour, C.M. & Salsbury, R.L. (1976) Utilization of proteins by the equine species. *American Journal of Veterinary Research*, **37**, 1065-7.

Rej, R., Rudofsky, U. & Magro, A. (1990) Effects of exercise on serum amino-transferase activity and pyridoxal phosphate saturation in Thoroughbred racehorses. *Equine Veterinary Journal*, **22**, 205-208.

Rerat, A. (1978) Digestion and absorption of carbohydrates and nitrogenous matters in the hindgut of the omnivorous nonruminant animal. *Journal of Animal Science*, **46**, 1808-837.

Respondek, F., Lambey, J.L., Drogoul, C. & Julliand, V. (2003) Feeding practices in racehorses stables in France. *Proceedings of the 18th Equine Nutrition and Physiology Society Symposium*, Michigan State University, East Lansing, 4-7 June 2003, pp. 244-6.

Revington, M. (1983a) Haematology of the racing Thoroughbred in Australia. 1. Reference values and the effect of excitement. *Equine Veterinary Journal*, **15**, 141-4.

Revington, M. (1983b) Haematology of the racing Thoroughbred in Australia. 2. Haematological values compared to performance. *Equine Veterinary Journal*, **15**, 145-8.

Reynolds, J.A., Potter, G.D., Odom, T.W., *et al.* (1993) Physiological responses to training in racing two year old quarter horses fed sodium zeolite A. *Proceedings of the 13th Equine Nutrition and Physiology Society*, University of Florida, Gainesville, 21-23 January 1993, No. 504, 197-202.

Ribeiro, J.M.C.R., MacRae, J.C. & Webster, A.J.F. (1981) An attempt to explain differences in the nutritive value of spring and autumn harvested dried grass. *Proceedings of the Nutrition Society*, **40**, 12A.

Rice, L., Ott, E.A., Beede, D.K., *et al.* (1992) Use of oral tolerance tests to investigate disaccharide digestion in neonatal foals. *Journal of Animal Science*, **70**, 1175-81.

Rice, O., Geor, R., Harris, P., Hoekstra, K., Gardner, S. & Pagan, J. (2001) Effects of restricted hay intake on body weight and metabolic responses to high-intensity exercise in Thoroughbred horses. *Proceedings of the 17th*

Equine Nutrition and Physiology Symposium, The University of Kentucky, Lexington, 31 May-2 June 2001, pp. 273-9.

Richardson, S.M., Siciliano, P.D., Engle, T.E. & Ward, T.L. (2003) Effect of selenium supplementation and source (organic vs. inorganic) on selenium status of horses. *Proceedings of the 18th Equine Nutrition and Physiology Society Symposium*, Michigan State University, East Lansing, 4-7 June 2003, pp. 18-19.

Ricketts, S.W. & Frape, D.L. (1990) Big bale silage as a horse feed. *Veterinary Record*, **118**, 55.

Ricketts, S.W., Greet, T.R.C., Glyn, P.J., *et al.* (1984) Thirteen cases of botulism in horses fed big bale silage. *Equine Veterinary Journal*, **16**, 515-18.

Rieker, J.M., Cooper, S.R., Topliff, D.R., Freeman, D.W. & Teeter, R.G. (2000) Copper balance in mature geldings fed supplemental molybdenum. *Journal of Equine Veterinary Science*, **20**, 522-5.

Rieker, J.M., Topliff, D.R., Freeman, D.W., Teeter, R.G. & Cooper, S.R. (1999) The effects of supplemental molybdenum on copper balance in mature geldings. *Proceedings of the 16th Equine Nutrition and Physiology Symposium*, North Carolina State University, Raleigh, 2-5 June 1999, pp. 365-70.

Robert, C., Valette, J.P. & Denoix, J.M. (2000) The effects of treadmill inclination and speed on the activity of two hindlimb muscles in the trotting horse. *Equine Veterinary Journal*, **32**, 312-17.

Roberts, M.C. (1974a) The D (+) xylose absorption test in the horse. *Equine Veterinary Journal*, **6**, 28-30.

Roberts, M.C. (1974b) Total serum cholesterol levels in the horse. *British Veterinary Journal*, **130**, xvi-xviii.

Roberts, M.C. (1974c) The development and distribution of alkaline phosphatase activity in the small intestine of the horse. *Research in Veterinary Science*, **16**, 110-11.

Roberts, M.C. (1974d) Amylase activity in the small intestine of the horse. *Research in Veterinary Science*, **17**, 400-401.

Roberts, M.C. (1975a) Carbohydrate digestion and absorption in the equine small intestine. *Journal of the South African Veterinary Association*, **46** (1), 19-27.

Roberts, M.C. (1975b) Carbohydrate digestion and absorption studies in the horse. *Research in Veterinary Science*, **18**, 64-9.

Roberts, M.C. (1983) Serum and red cell folate and serum vitamin B_{12} levels in horses. *Australian Veterinary Journal*, **60**, 101-105.

Roberts, M.C. & Hill, F.W.G. (1973) The oral glucose tolerance test in the horse. *Equine Veterinary Journal*, **5**, 171-3.

Roberts, M.C., Hill, F.W.G. & Kidder, D.E. (1974) The development and distribution of small intestinal disaccharidases in the horse. *Research in Veterinary Science*, **17**, 42-8.

Roberts, M.C., Kidder, D.E. & Hill, F.W.G. (1973) Small intestinal beta-galactosidase activity in the horse. *Gut*, **14**, 535-40.

Roberts, M.C. & Norman, P. (1979) A re-evaluation of the D (+) xylose absorption test in the horse. *Equine Veterinary Journal*, **11**, 239-43.

Roberts, M.C. & Seawright, A.A. (1983) Experimental studies of drug-induced impaction colic in the horse. *Equine Veterinary Journal*, **15**, 222-8.

Robinson, D.W. & Slade, L.M. (1974) The current status of knowledge on the nutrition of equines. *Journal of Animal Science*, **39**, 1045-66.

Robinson, J.A., Allen, G.K., Green, E.M., Fales, W.H., Loch, W.E. & Wilkerson, C.G. (1993) A prospective study of septicaemia in colostrum-deprived foals. *Equine Veterinary Journal*, **25**, 214-19.

Rodd, J.G. (1979) Exercise: a factor to be considered in the determination of the thiamin requirement. MSc thesis, Cornell University, Ithaca, New York.

Rollinson, J., Taylor, F.G.R. & Chesney, J. (1987) Salinomycin poisoning in horses. *Veterinary Record*, **121**, 126-8.

Romić, S. (1974) Changes in some blood properties of horses during fattening. *Poljoprivredna Znanstvena Smotra*, **33**, 17-24.

Romić, S. (1978) Dietary and protective value of lucerne in the feeding of horses. *Poljoprivredna Znanstvena Smotra*, **45**, 5-17.

Ronéus, B.O., Hakkarainen, R.V.J., Lindholm, C.A. & Työppönen, J.T. (1986) Vitamin E requirements of adult standardbred horses evaluated by tissue depletion and repletion. *Equine Veterinary Journal*, **18**, 50-58.

Ronéus, M. & Lindholm, A. (1991) Muscle characteristics in Thoroughbreds of different ages and sexes. *Equine Veterinary Journal*, **23**, 207-210.

978-85-7241-725-9

Ronéus, N., Essén-Gustavsson, B., Lindholm, A. & Persson, S. (1999) Muscle characteristics and plasma lactate and ammonia response after racing in Standardbred trotters: relation to performance. *Equine Veterinary Journal*, **31**, 170-73.

Rooney, J.R. (1968) Biomechanics of equine lameness. *Cornell Veterinarian*, **58**, 49-58.

Roose, K.A., Hoekstra, K.E., Pagan, J.D. & Geor, R.J. (2001) Effect of an aluminium supplement on nutrient digestibility and mineral metabolism in Thoroughbred horses. *Proceedings of the 17th Equine Nutrition and Physiology Symposium*, The University of Kentucky, Lexington, 31 May-2 June 2001, pp. 364-9.

Ropp, J.K., Raub, R.H. & Minton, J.E. (2003) The effect of dietary energy source on serum concentration of insulin-like growth factor-I, growth hormone, insulin, glucose, and fat metabolites in weanling horses. *Journal of Animal Science*, **81**, 1581.

Rose, R.J. (1979) Studies on some aspects of intravenous fluid infusion in the dog. PhD thesis, University of Sydney.

Rose, R.J. (1981) A physiological approach to fluid and electrolyte therapy in the horse. *Equine Veterinary Journal*, **13**, 7-14.

Rose, R.J., Allen, LR., Hodgson, D.R. & Kohnke, J.R. (1983) Studies on isoxsuprine hydrochloride for the treatment of navicular disease. *Equine Veterinary Journal*, **15**, 238-43.

Rose, R.J., Arnold, K.S., Church, S. & Paris, R. (1980a) Plasma and sweat electrolyte concentrations in the horse during long distance exercise. *Equine Veterinary Journal*, **12**, 19-22.

Rose, R.J. & Hodgson, D.R. (1982) Haematological and plasma biochemical parameters in endurance horses during training. *Equine Veterinary Journal*, **14**, 144-8.

Rose, R.J., Ilkiw, J.E., Arnold, K.S., Backhouse, J.W. & Sampson, D. (1980) Plasma biochemistry in the horse during three-day event competition. *Equine Veterinary Journal*, **12**, 132-6.

Rose, R.J., Ilkiw, J.E. & Martin, I.C.A. (1979) Blood-gas, acid-base and haematological values in horses during an endurance ride. *Equine Veterinary Journal*, **11**, 56-9.

Rose, RJ., Ilkiw, J.E., Sampson, D. & Backhouse, J.W. (1980) Changes in blood-gas, acid-base and metabolic parameters in horses during three-day event competition. *Research in Veterinary Science*, **28**, 393-5.

Rose, R.J., Purdue, R.A. & Hensley, W. (1977) Plasma biochemistry alterations in horses during an endurance ride. *Equine Veterinary Journal*, **9**, 122-6.

Rose, R.J. & Sampson, D. (1982) Changes in certain metabolic parameters in horses associated with food deprivation and endurance exercise. *Research in Veterinary Science*, **32**, 198-202.

Ross, M.W., Lowe, J.E., Cooper, B.J., Reimers, T.J. & Froscher, B.A. (1983) Hypoglycemic seizures in a Shetland pony. *Cornell Veterinarian*, **73**, 151-69.

Rossdale, P.D. (1971) Experiences in the use of corticosteroids in horse practice. In: *The Application of Corticosteroids in Veterinary Medicine.* Symposium of the Royal Society of Medicine, London, pp. 29-31. Glaxo Laboratories, Greenford.

Rossdale, P.D. (1972) Modern concepts of neonatal disease in foals. *Equine Veterinary Journal*, **4**, 117-28.

Rossdale, R.D., Burguez, P.N. & Cash, R.S.G. (1982) Changes in blood neutrophil/lymphocyte ratio related to adrenocortical function in the horse. *Equine Veterinary Journal*, **14**, 293-8.

Rossdale, P.D. & Ricketts, S.W. (1980) *Equine Stud Farm Medicine.* Cassell (Baillière Tindall), London.

Roughan, P.G. & Slack, C.R. (1973) Simple methods for routine screening and quantitative estimation of oxalate content of tropical grasses. *Journal of the Science of Food and Agriculture*, **24**, 803-811.

Round, M.C. (1968a) The diagnoses of helminthiasis in horses. *Veterinary Record*, **82**, 39-43.

Round, M.C. (1968b) Experiences with thiabendazole as an anthelmintic for horses. *British Veterinary Journal*, **124**, 248-58.

Rowe, J.B., Lees, M.J. & Pethick, D.W. (1994) Prevention of acidosis and laminitis associated with grain feeding in horses. *American Institute of Nutrition. Journal of Nutrition*, **124**, 2742S-4S.

Roždestvenskaja, G.A. (1961) Growth of the bony tissue in skeleton of extremities in foals from birth to one year of age. *Trudy vses Inst Konevodstva*, **23**, 321-30.

Rudolph, W.G. & Corvalan, E.O. (1992) Urinary and serum gamma glutamyl transpeptidase in relation to urinary pH and proteinuria in healthy Thoroughbred horses in training. *Equine Veterinary Journal*, **24**, 316-17.

Rudra, M.M. (1946) Vitamin A in the horse. *Biochemistry Journal*, **40**, 500.

Russell, M.A., Rodiek, A.V. & Lawrence, L.M. (1986) Effect of meal schedules and fasting on selected plasma free amino acids in horses. *Journal of Animal Science*, **63**, 1428-31.

Saastamoinen, M.T. (1990) Factors affecting growth and development of foals and young horses. *Acta Agriculturae Scandinavica*, **40**, 387-96.

978-85-7241-725-9

Saastamoinen, M.T. & Koskinen, E. (1993) Influence of quality of dietary protein supplement and anabolic steroids on muscular and skeletal growth of foals. *Animal Production*, **56**, 135-44.

Saastamoinen, M.T., L hdekorpi, M. & Hyypp, S. (1990) Copper and zinc levels in the diet of pregnant and lactating mares. *Proceedings of the 41st Annual Meeting of the European Association for Animal Production*, pp. 1-9.

Saba, N., Symons, A.M. & Drane, H.M. (1974) The effects of feeding white clover pellets and red clover hay on teat length, plasma gonadotrophins and pituitary function in wethers. *Journal of Agricultural Science, Cambridge*, **82**, 357-61.

Sainsbury, D.W.B. (1981) Ventilation and environment in relation to equine respiratory disease. *Equine Veterinary Journal*, **13**, 167-70.

St John, Sir Paulet (1780) *Every Man His Own Farrier.* J. Wilkes for S. Crowder, Winton.

St. Lawrence, A.C., Lawrence, L.M. & Coleman, R.J. (2001) Using an empirical equation to predict voluntary intake of grass hays by mature equids. *Proceedings of the 17th Equine Nutrition and Physiology Symposium*, The University of Kentucky, Lexington, 31 May-2 June 2001, pp. 99-100.

Salimem, K. (1975) Cobalt metabolism in horse serum levels and biosynthesis of vitamin B_{12}. *Acta Physiologica Scandinavica*, **16**, 84-94.

Sallmann, H.P., Kienzlle, E., Fuhrmann, H., Grunwald, D., Eilmans, 1. & Meyer, H. (1992) Einfluss einer marginalen Fettversorgung auf Fettverdaulichkeit, Lipidgehalt und- Zusammensetzung von Chymus, Gewebe und Blut. *First Europäische Konferenz über die Ernährung des Pferdes*, Institut für Tierarnahrüng, Tierärzliche Hochschule, Hannover, 3-4 September 1992, pp. 124-7.

von Sandersleben, J. & Schlotke, B. (1977) Muscular dystrophy (white muscle disease) in foals, apparently a disease of increasing prevalence. *Deutsche Tierãrztliche Wochenschrift*, **84**, 105-107.

Sanderson, I.R. (2001) Nutritional factors and immune functions of gut epithelium. *Proceedings of the Nutrition Society*, **60**, 443-7.

Sandford, J. & Aitken, M.M. (1975) Effects of some drugs on the physiological changes during exercise in the horse. *Equine Veterinary Journal*, **7**, 198-202.

Sandgren, B. (1993) *Osteochondrosis in the tarsocrural joint and osteochondral fragments in the metacarpo/metatarsophalangeal joints in young standardbreds.* PhD thesis, Swedish University of Agricultural Sciences, Uppsala.

Sandin, A., Skidell, J., Häggström, J. & Nilsson, G. (2000) *Post-mortem* findings of gastric ulcers in Swedish horses older than age one year: a retrospective study of 3715 horses (1924-1996). *Equine Veterinary Journal*, **32**, 36-42.

Santidrian, S. (1981) Intestinal absorption of D-glucose, D-galactose and L-leucine in male growing rats fed raw field bean *(Vicia faba)* diet. *Journal of Animal Science*, **53**, 414-19.

Sato, T., Oda, K. & Kubo, M. (1978) Hematological and biochemical values of Thoroughbred foals in the first six months of life. *Cornell Veterinarian*, **69**, 3-19.

Savage, C.J. (1991) The influente of nutrition on skeletal growth and induction of osteochondrosis (dyschondroplasia) in horses. PhD thesis, University of Melbourne, Australia.

Savage, C.J., McCarthy, R.N. & Jeffcott, L.B. (1993a) Effects of dietary energy and protein on induction of dyschondroplasia in foals. *Equine Veterinary Journal* (Suppl. 16), 74-9.

Savage, C.J., McCarthy, R.N. & Jeffcott, L.B. (1993b) Effects of dietary phosphorus and calcium on induction of dyschondroplasia in foals. *Equine Veterinary Journal* (Suppl. 16), 80-83.

Scarratt, W.K., Moon. M.L., Sponenberg, D.P. & Feldman, B. (1998) Innappropriate administration of mineral oil resulting in lipoid pneumonia in three horses. *Equine Veterinary Journal*, **30**, 85-8.

Schell, T.C., Lindemann, M.D., Kornegay, E.T., Blodgett, D.J. & Doerr, J.A. (1993) Effectiveness of different types of clay for reducing the detrimental effects of aflatoxin-contaminated diets on performance and serum profiles of weanling pigs. *Journal of Animal Science*, **71**, 1226-31.

Schmidt, M., Lindemann, G. & Meyer, H. (1982) Intestinaler N-Umsatz beim Pferd. In: *Contributions to Digestive Physiology of the Horse. Advances in Animal Physiology and Animal Nutrition.* Supplement to *Journal of Animal Physiology and Animal Nutrition*, **13**, 40-51. Paul Parey, Berlin and Hamburg.

Schmidt, O., Deegen, E., Fuhrmann, H., Duhlmeier, R. & Sallmann, H.P. (2001) Effects of fat feeding and energy level on plasma metabolites and hormones in Shetland ponies. *Journal of Veterinary Medicine, Animal Physiology, Pathology and Clinical Medicine*, **48**, 39-49.

Schmidt, S.P., Hoveland, C.S., Clark, E.M., *et al.* (1983) Association of an endophytic fungus with fescue toxicity in steers fed Kentucky 31 tall fescue seed or hay. *Journal of Animal Science*, **55**, 1259-63.

978-85-7241-725-9

Schoental, R. (1960) The chemical aspects of seneciosis. *Proceedings of the Royal Society of Medicine*, **53**, 284-8.

Scholefield, D. & Matkin, E.A. (1987) Amelioration of poached swards. In: *Grassland for the 90s Publication and Environmental Research*, p. 9.3. British Grassland Society, Winter Meeting, Hurley, Maidenhead. *Proceedings of the 13th Equine Nutrition and Physiology Society*, University of Florida, Gainesville, 21-23 January 1993, No. 504, 18-23.

Scholte, H.R., Verduin, M.H.M., Ross, J.D., *et al.* (1991) Equine exertional rhabdomyolysis: activity of the mitochondrial respiratory chain and the carnite system in skeletal muscle. *Equine Veterinary Journal*, **23**, 142-4.

Schott II, H.C., Butudom, P., Cardoso, F.F. & Neilsen, B.D. (2003) Innate variability in voluntary drinking in Arabian horses. *Proceedings of the 18th Equine Nutrition and Physiology Society Symposium*, Michigan State University, East Lansing, 4-7 June, p. 346.

Schryver, H.F. (1975) Intestinal absorption of calcium and phosphorus by horses. *Journal of the South A frican Veterinary Association*, **46**, 39-45.

Schryver, H.F., Bartel, D.L., Langrana, N. & Lowe, J.E. (1978b) Locomotion in the horse: kinematics and external and internai forces in the normal equine digit in the walk and trot. *American Journal of Veterinary Research*, **39**, 1728-33.

Schryver, H.F., Craig, P.H., Hintz, H.F., Hogue, D.E. & Lowe, J.E. (1970b) The site of calcium absorption in the horse. *Journal of Nutrition*, **100**, 1127-31.

Schryver, H.F., Craig, P.H. & Hintz, H.F. (1970a) Calcium metabolism in ponies fed varying levels of calcium. *Journal of Nutrition*, **100**, 955-64.

Schryver, H.F. & Hintz, H.F. (1972) Calcium and phosphorus requirements of the horse: a review. *Feedstuffs*, **44** (28), 35-8.

Schryver, H.F., Hintz, H.F. & Craig, P.H. (1971a) Calcium metabolism in ponies fed a high phosphorus diet. *Journal of Nutrition*, **101**, 259-64.

Schryver, H.F., Hintz, H.F. & Lowe, J.E. (1971b) Calcium and phosphorus interrelationships in horse nutrition. *Equine Veterinary Journal*, **3**, 102-109.

Schryver, H.F., Hintz, H.F. & Lowe, J.E. (1974a) Calcium and phosphorus in the nutrition of the horse. *Cornell Veterinarian*, **64**, 493-515.

Schryver, H.F., Hintz, H.F. & Lowe, J.E. (1975) The effect of exercise on calcium metabolism in horses. *Proceedings of the Cornell Nutrition Conferente for Feed Manufacturers* 99-101. Cornell University, Ithaca, New York.

Schryver, H.F., Hintz, H.F. & Lowe, J.E. (1978a) Calcium metabolism, body composition and sweat losses of exercised horses. *American Journal o, f Veterinary Research*, **39**, 245-8.

Schryver, H.F., Hintz, H.F., Lowe, J.E., Hintz, R.L., Harper, R.B. & Reid, J.T. (1974b) Mineral composition of the whole body, liver and bone of young horses. *Journal of Nutrition*, **104**, 126-32.

Schryver, H.F., Meakim, D.W., Lowe, J.E., Williams, J., Soderholm, L.V. & Hintz, H.F. (1987) Growth and calcium metabolism in horses fed varying levels of protein. *Equine Veterinary Journal*, **19**, 280-87.

Schryver, H.F., Oftedal, O.T., Williams, J., Soderholm, L.V. & Hintz, H.F. (1986) Lactation in the horse: the mineral composition of mare milk. *Journal of Nutrition*, **116**, 2142-7.

Schryver, H.F., Parker, M.T., Daniluk, P.D., *et al.* (1987) Salt consumption and the effect of salt on mineral metabolism in horses. *Cornell Veterinarian*, **77**, 122-31.

Schryver, H.F., Van Wie S., Daniluk, P. & Hintz, H.F. (1978c) The voluntary intake of calcium by horses and ponies fed a calcium deficient diet. *Journal of Equine Medicine and Surgery*, **2**, 337-40.

Schuback, K., Essén-Gustavsson, B. & Persson, S.G.B. (2000) Effect of creatine supplementation on muscle metabolic response to a maximal treadmill exercise test in Standardbred horses. *Equine Veterinary Journal*, **32**, 533-40.

Schubert, R. (1990) Zusätzliche Gaben von Vitamin E verbessern die Rennleistung. *Vollblut, Zucht und Rennen*, **121**, 189-90. Dt. Sportverl. K. Stoof, Kõln, Sommer.

Schubert, R. (1991) Nutrition of the performance horse. Influence of high vitamin E doses on performance of racehorse. Session II: horse production. *Proceedings of the 42nd Annual Meeting of the European Association for Animal Production*, 8-12 September, Berlin, p. 538.

Schuh, J.C.L., Ross, C. & Meschter, C. (1988) Concurrent mercuric blister and dimethyl sulphoxide (DMSO) application as a cause of mercury toxicity in two horses. *Equine Veterinary Journal*, **20**, 68-71.

Schulz, E. & Peterson, U. (1978) Evaluation of horse beans *(Vicia faba L. minor)*, sweet lupins *(Lupinus lutens L.)* and solvent-extracted rapeseed oil meai. *Landwirtschrift Forschung*, **31**, 218-32.

Schurg, W.A., Frei, D.L., Cheeke, P.R. & Holtan, D.W. (1977) Utilization of whole corri plant pellets by horses and rabbits. *Journal of Animal Science*, **45**, 1317-21.

978-85-7241-725-9

978-85-7241-725-9

Schurg, W.A. & Pulse, R.E. (1974) Grass straw: an alternative roughage for horses. *Journal of Animal Science*, **38**, 1330, abstract 46.

Schwabenbauer, K., Meyer, H. & Lindemann, G. (1982) Gehalt an flüchtigen Fetts uren und Ammoniak in Caecuminhalt des Pferdes in Abhängigkeit von Futterart, Fütterreihenfolge und Fütterungszeitpunkt. In: *Contributions to Digestive Physiology of the Horse. Advances in Animal Physiology and Animal Nutrition.* Supplement to *Journal of Animal Physiology and Animal Nutrition*, **13**, 24-31. Paul Parey, Berlin and Hamburg.

Scott, B.D., Potter, G.D., Evans, J.W., Reagor, J.C., Webb, G.W. & Webb, S.P. (1987) Growth and feed utilization by yearling horses fed added dietary fat. *Proceedings of the 10th Equine Nutrition and Physiology Society*, Colorado State University, Fort Collins, 11-13 June 1987, pp. 101-106.

Scott, B.D., Potter, G.D., Greene, L.W., Hargis, P.S. & Anderson, J.G. (1992) Efficacy of a fat supplemented diet on muscle glycogen concentrations in exercising thoroughbred horses maintained in varying body conditions. *Journal of Equine Veterinary Science*, **12**, 109-113.

Scott, B.D., Potter, G.D., Greene, L.W., Vogelsang, M.M. & Anderson, J.G. (1993) Efficacy of a fat supplemented diet to reduce thermal stress in exercising Thoroughbred horses. *Proceedings of the 13th Equine Nutrition and Physiology Society*, University of Florida, Gainesville, 21-23 January 1993, No. 50, 4566-71.

Seawright, A.A., Groenendyk, S. & Silva, K.I.N.G. (1970) An outbreak of oxalate poisoning in cattle grazing *Setaria sphacelata. Australian Veterinary Journal*, **46**, 293-6.

Seeherman, H.J. & Morris, E.A. (1991) Comparison of yearling, two-year-old and adult Thoroughbreds using a standardised exercise test. *Equine Veterinary Journal*, **23**, 175-84.

Sellers, A.F. & Lowe, J.E. (1986) Review of large intestinal motility and mechanisms of impaction in the horse. *Equine Veterinary Journal*, **18**, 261-3.

Sewell, D.A. & Harris, R.C. (1991) Lactate and ammonia appearance in relation to exercise duration in the thoroughbred horse. *Journal of Physiology*, **434**, 43P.

Sewell, D.A. & Harris, R.C. (1992) Adenine nucleotide degradation in the thoroughbred horse with increasing exercise duration. *European Journal of Applied Physiology*, **65**, 271-7.

Sewell, D.A., Harris, R.C. & Dunnett, M. (1991a) Carnosine accounts for most of the variation in physico-chemical buffering in equine muscle. *Equine Exercise Physiology*, **3**, 276-80.

Sewell, D.A., Harris, R.C., Hanak, J. & Jahn, P. (1992a) Muscle adenine nucleotide degradation in the thoroughbred horse as a consequence of racing. *Comparative Biochemistry and Physiology*,**101B**, 375-81.

Sewell, D.A., Harris, R.C., Marlin, D.J. & Dunnett, M. (1991b) Muscle fibre characteristics and carnosine content of race-trained thoroughbred horses. *Journal of Physiology*, **435**, 79P.

Sewell, D.A., Harris, R.C., Marlin, D.J. & Dunnett, M. (1992b) Estimation of the carnosine content of different fibre types in the middle gluteal muscle of the thoroughbred horse. *Journal of Physiology*, **455**, 447-53.

Shearman, J.P., Hamlin, M.J. & Hopkins, W.G. (2002) Effect of tapered normal and interval training on performance of Standardbred pacers. *Equine Veterinary Journal*, 34, 395-9.

Sheldrick, R.D., Lavender, R.H. & Martyn, T.M. (1991) A comparison of methods to rejuvenate grass clover swards – strip-seeding or sward management? In: *Grazing September Grassland Renovation and Weed Control, Europe, European Grassland Federation Symposium, Graz, 18-21* September 1991, pp. 19-21.

Sheldrick, R.D., Lavender, R.H., Martyn, T.M. & Deschard, G. (1990) *Rates and frequencies of super phosphate fertiliser application for grass-clover swards.* Session 1: Poster 2, pp. 1-2. British Grassland Society, Research Meeting No. 2, Scottish Agricultura) College, Ayr.

Shingu, Y., Kondo, S., Hata, H. & Okubo, M. (2001) Digestibility and number of bites and chews on hay at fixed level in Hokkaido native horses and light half-bred horses. *Journal of Equine Science*, **12**, 145-7.

Shupe, J.L., Eanes, E.D. & Leone, N.C. (1981) Effect of excessive exposure to sodium fluoride on composition and crystallinity of equine bone tumors. *American Journal of Veterinary Research*, **42**, 1040-42.

Siciliano, P.D., Culley, K.D., Engle, T.E. & Smith, C.W. (2001) Effect of trace mineral source (inorganic vs organic) on hoof wall growth rate, hardness, and tensile strength. *Proceedings of the 17th Equine Nutrition and Physiology Symposium*, The University of Kentucky, Lexington, 31 May-2 June 2001, pp. 143-4.

Siciliano, P.D., Engle, T.E. & Swenson, C.K. (2003a) Effect of trace mineral source on hoof wall characteristics. *Proceedings of the 18th Equine Nutrition and Physiology Society Symposium*, Michigan State University, East Lansing, 4-7 June 2003, pp. 96-7.

Siciliano, P.D., Engle, T.E. & Swenson, C.K. (2003b) Effect of trace mineral source on humoral immune response. *Proceedings of the 18th Equine Nutrition and Physiology Society Symposium*, Michigan State University, East Lansing, 4-7 June 2003, pp. 269-70.

Siciliano, P.D., Kawcak, C.E. & Mcllwraith, C.W. (1999a) The effect of initiation of exercise training in young horses on vitamin K status. *Proceedings of the 16th Equine Nutrition and Physiology Symposium*, North Carolina State University, Raleigh, 2-5 June 1999, pp. 92-3.

Siciliano, P.D., Kawcak, C.E. & Mcllwraith, C.W. (2000) The effect of initiation of exercise training in young horses on vitamin K status. *Journal of Animal Science*, **78**, 2353-8.

Siciliano, P.D., Warren, L.K. & Lawrence, L.M. (1999b) Changes in vitamin K status over time in the growing horse. *Proceedings of the 16th Equine Nutrition and Physiology Symposium*, North Carolina State University, Raleigh, 2-5 June 1999, pp. 94-5.

Siciliano, P.D. & Wood, C.H. (1993) The effect of added dietary soybean oil on vitamin E status of the horse. *Journal of Animal Science*, **71**, 3399-402.

Silva, C.A.M., Merkt, H., Bergamo, P.N.L., *et al.* (1987) Consequente of excess iodine supply in a Thoroughbred stud in southern Brazil. *Journal of Reproduction Fertilization (Suppl.* 35), 529-33.

Singer, J.W., Bobsin, N., Kluchinski, D. & Bamka, W.J. (2001) Equine stocking density effect on botanical composition, species density and soil phosphorus. *Communications in Soil Science and Plant Analysis*, **32**, 2549-59.

Sissons, S. & Grossman, J.D. (1961) *The Anatomy of the Domestic Animals.* W.B. Saunders, Philadelphia and London.

Skarda, R.T., Muir, W.W., Milne, D.W. & Gabei, A.A. (1976) Effects of training on resting and postexercise ECG in standardbred horses, using a standardized exercise test. *American Journal of Veterinary Research*, **37**, 1485-8.

Sklan, D. & Donoghue, S. (1982) Serum and intracellular retinol transport in the equine. *British Journal of Nutrition*, **47**, 273-80.

Slade, L.M. (1987) Effects of feeds on racing performance of quarter horses. *Proceedings of lhe 10th Equine Nutrition and Physiology Society*, Colorado State University, Fort Collins, 11-13 June 1987, pp. 585-91.

Slade, L.M., Bishop, R., Morris, J.G. & Robinson, D.W. (1971) Digestion and the absorption of ^{15}N-labelled microbial protein in the large intestine of the horse. *British Veterinary Journal*, **127**, xi-xiii.

Slade, L.M., Lewis, L.D., Quinn, C.R. & Chandler, M.L. (1975) Nutritional adaptations of horses for endurance performance. *Proceedings of the Equine Nutrition and Physiology Society*, 114-28.

Slade, L.M., Robinson, D.W. & Casey, K.E. (1970) Nitrogen metabolism in nonruminant herbivores. 1. The influente of nonprotein nitrogen and protein quality on the nitrogen retention of adult mares. *Journal of Animal Science*, **30**, 753-60.

Slagsvold, P., Hintz, H.F. & Schryver, H.F. (1979) Digestibility by ponies of oat straw treated with anhydrous ammonia. *Animal Production*, **28**, 347-52.

Slater, M.R. & Hood, D.M. (1997) A cross-sectional epidemiological study of equine hoof wall problems and associated factors. *Equine Veterinary Journal*, **29**, 67-9.

Slater, M.R., Hood, D.M. & Carter, G.K. (1995) Descriptive epidemiological study of equine laminitis. *Equine Veterinary Journal*, **27**, 364-7.

Slocombe, R.F., Huntington, P.J., Friend, S.C.E., Jeffcott, L.B., Luff, A.R. & Finkelstein, D.K. (1992) Pathological aspects of Australian stringhalt. *Equine Veterinary Journal*, **24**, 174-83.

Smalley, E.B. (1992) Identification of mycotoxin producing fungi and conditions leading to aflatoxin contamination of stored foodgrains. In: *Mycotoxin Prevention and Control in Foodgrains*, Bankok (eds R.L. Semple, A.S. Frio, P.A. Hicks & J.V. Lozare), pp. 117-21. Publ. UNDP/FAO REGNET and ASEAN Grain Postharvest Programme.

Smith, A., Allcock, P.J., Cooper, E.M. & Forbes, T.J. (1982) *Permanent Grassland Studies. 4. An Investigation Into the Influence of Sward Composition and Environment on Stocking Rate, Using Census and Survey Data*, pp. 1-51. The GRI-ADAS Joint Permanent Pasture Group. Grassland Research Institute, Hurley.

Smith, B.L. & O'Hara, P.J. (1978) Bovine photosensitization in New Zealand. *New Zealand Veterinary Journal*, **26**, 2-5.

Smith, B.S.W. & Wright, H. (1984) 25-Hydroxyvitamin D concentrations in equine serum. *Veterinary Record*, **115**, 579.

Smith, J.D., Jordan, R.M. & Nelson, M.L. (1975) Tolerance of ponies to high levels of dietary copper. *Journal of Animal Science*, **41**, 1645-9.

Smith, J.E., Cipriano, J.E., DeBowes, R. & Moore, K. (1986) Iron deficiency and pseudo-iron deficiency in hospitalized horses. *Journal of American Veterinary Medical Association*, **188**, 285-7.

Smith, J.E., Erickson, H.H., DeBowes, R.M. & Clark, M. (1989) Changes in circulating equine erythrocytes induced by brief, high-speed exercise. *Equine Veterinary Journal*, **21**, 444-6.

Smith, J.E., Moore, K., Cipriano, J.E. & Morris, P.G. (1984) Serum ferritin as a measure of stored iron in horses. *Journal of Nutrition*, **114**, 677-81.

Smith, J.F., Jagusch, K.T., Brumswick, L.F.C. & Kelly, R.W. (1979) Coumestans in lucerne and ovulation in ewes. *New Zealand Journal of Agricultural Research*, **22**, 411-16.

Smith, T.K., James, L.J. & Carson, M.S. (1980) Nutritional implications of *Fusarium* mycotoxins. *Proceedings of the Cornell Nutrition Conference for Feed Manufacturers*, 35-42. Cornell University, Ithaca, New York.

Snow, D.H. (1977) Identification of the receptor involved in adrenaline mediated sweating in the horse. *Research in Veterinary Science*, **23**, 246-7.

Snow, D.H. (1985) The horse and dog, elite athletes – why and how? *Proceedings of the Nutrition Society*, **44**, 267-72.

Snow, D.H. (1987) Assessment of fitness in the horse. *In Practice*, **9**, January, 26-30.

Snow, D.H. (1994) Ergogenic aids to performance in the race horse: nutrients or drugs. *Journal of Nutrition*, **124**, 2730S-5S.

Snow, D.H., Baxter, P.B. & Rose, R.J. (1981) Muscle fibre composition and glycogen depletion in horses competing in an endurance ride. *Veterinary Record*, **108**, 374-8.

Snow, D.H. & Frigg, M. (1987a) Oral administration of different formulation of ascorbic acid to the horse. *Proceedings of the 10th Equine Nutrition and Physiology Society*, Colorado State University, Fort Collins, 11-13 June 1987, pp. 617-19.

Snow, D.H. & Frigg, M. (1987b) Plasma concentration at monthly intervals of ascorbic acid, retinol, β-carotene and a-tocopherol in two thoroughbred racing stables and the effects of supplementation. *Proceedings of the 10th Equine Nutrition and Physiology Society*, Colorado State University, Fort Collins, 11-13 June 1987, pp. 55-60.

Snow, D.H., Gash, S.P. & Cornelius, J. (1987) Oral administration of ascorbic acid to horses. *Equine Veterinary Journal*, **19**, 520-23.

Snow, D.H. & Guy, P.S. (1980) Muscle fibre type composition of a number of limb muscles in different types of horse. *Research in Veterinary Science*, **28**, 137-44.

Snow, D.H. & Harris, R.C. (1989) The use of conventional and unconventional supplements in the thoroughbred horse. *Proceedings of the Nutrition Society*, **48**, 135-9.

Snow, D.H., Harris, R.C., Macdonald, I.A., Forster, C.D. & Marlin, D.J. (1992) Effects of high-intensity exercise on plasma catecholamines in the Thoroughbred horse. *Equine Veterinary Journal*, **24**, 462-7.

Snow, D.H., Kerr, M.G., Nimmo, M.A. & Abbott, E.M. (1982) Alterations in blood, sweat, urine and muscle composition during prolonged exercise in the horse. *Veterinary Record*, **110**, 377-84.

Snow, D.H. & Mackenzie, G. (1977a) Some metabolic effects of maximal exercise in the horse and adaptations with training. *Equine Veterinary Journal*, **9** (3), 134-40.

Snow, D.H. & MacKenzie, G. (1977b) Effect of training on some metabolic changes associated with submaximal endurance exercise in the horse. *Equine Veterinary Journal*, **9**, 226-30.

Snow, D.H., Persson, S.G.B. & Rose, R.J. (eds) (1983) *Equine Exercise Physiology.* Granta Editions, Cambridge.

Snow, D.H., Ricketts, S.W. & Mason, D.K. (1983) Haematological response to racing and training exercise in Thoroughbred horses, with particular reference to the leucocyte response. *Equine Veterinary Journal*, **15**, 149-54.

Snow, D.H. & Rose, R.J. (1981) Hormonal changes associated with long-distance exercise. *Equine Veterinary Journal*, **13**, 195-7.

Snow, D.H. & Summers, R.J. (1977) The actons of the (3-adrenoceptor blocking agents propranolol and metoprolol in the maximally exercised horse. *Journal of Physiology*, **271**, 39-40P.

Sobel, A.E. (1955) Composition of bones and teeth in relation to blood and diet. *Voeding*, **16**, 567-75.

Sobota, J.S., Ott, E.A., Johnson, E., McDowell, L., Kavazis, A.N. & Kivipelto, J. (2001) Influence of manganese on yearling horses. *Proceedings of the 17th Equine Nutrition and Physiology Symposium*, The University of Kentucky, Lexington, 31 May-2 June 2001, pp. 136-7.

Soldevila, M. & Irizarry, R. (1977) Complete diets for horses. *Journal of the Agricultura) University of Puerto Rico*, **61**, 413-15.

Solleysel, S. de (1711) *The Compleat Horseman: or, Perfect Farrier. In Two Parts.* R. Bonwicke and others, London.

Sommer, H. & Felbinger, U. (1983) The influence of racing on selected serum enzymes, electrolytes and other constituents in Thoroughbred horses. In: *Equine Exercise Physiology* (eds D.H. Snow, S.G.B. Persson and R.J. Rose), pp. 362-5. Granta Editions, Cambridge.

978-85-7241-725-9

Southwood, L., Evans, D., Brydon, W. & Rose, R. (1993a) Feeding practices in Thoroughbred and Standardbred racehorses' stables. *Australian Veterinary Journal*, **70**, 184-5.

Southwood, L., Evans, D., Brydon, W. & Rose, R. (1993b) Nutrient intakes of Thoroughbred and Standardbred racehorses' stables. *Australian Veterinary Journal*, **70**, 164-8.

Spais, A.G., Papasteriadis, A., Roubiës, N., Agiannidis, A., Yantzis, N. & Argyroudis, S. (1977) Studies on iron, manganese, zinc, copper and selenium retention and interaction in horses. *Proceedings of the 3rd International Symposium on Trace Element Metabolism in Man and Animals*, Greece, pp. 501-5. Arbeitskreis für Tierernährungsforschung Weihenstephan, Freising-Weihenstephan, Germany.

Spearman, K.R., Ott, E.A. & Kivipelto, J. (2003) The effect of Biomos on immune response of mares and their foals. *Proceedings of the 18th Equine Nutrition and Physiology Society Symposium*, Michigan State University, East Lansing, 4-7 June 2003, pp. 98-9.

Spencer, H., Kramer, L. & Osis, D. (1988) Do protein and phosphorus cause calcium loss? *Journal of Nutrition*, **118**, 657-60.

Spiers, S., May, S.A., Bennett, D. & Edwards, G.B. (1994) Cellular sources of proteolytic enzymes in equine joints. *Equine Veterinary Journal*, **26**, 43-7.

Sprouse, R.F., Garner, H.E. & Green, E.M. (1987) Plasma endotoxin levels in horses subjected to carbohydrate induced laminitis. *Equine Veterinary Journal*, **19**, 25-8.

Srivastava, V.K. & Hill, D.C. (1976) Effect of mild heat treatment on the nutritive value of low glucosinolate-low erucic acid rapeseed meals. *Journal of the Science of Food and Agriculture*, **27**, 953-8.

Stadermann, B., Nehring, T. & Meyer, H. (1992) Ca and Mg absorption with roughage or mixed feed. *First Europäische Konferenz über die Ernährung des Pferdes*, Institut für Tierarnahrüng, Tierärzliche Hochschule, Hannover, pp. 77-80.

Staley, T.E., Jones, E.W., Corley, L.D. & Anderson, I.L. (1970) Intestinal permeability to *Escherichia coli* in the foal. *American Journal of Veterinary Research*, **31**, 1481-3.

Stanek, Ch. (1981) Conservative therapy for correction of poor limb conformation in foals. *Proceedings of the 32nd Annual Meeting of the European Association of Animal Production*, Zagreb, Yugoslavia, 31 August-3 September, IIIa-4.

Staniar, W.B., Akers, R.M., Williams, C.A., Kronfeld, D.S. & Harris, P.A. (2001) Plasma insulin-like growth factor-I (IGF-I) in growing Thoroughbred foals fed a fat and fiber versus a sugar and starch supplement. *Proceedings of the 17th Equine Nutrition and Physiology Symposium*, The University of Kentucky, Lexington, 31 May-2 June 2001, pp. 176-7.

Staniar, W.B., Kronfeld, D.S., Akers, R.M., Burk, J.R. & Harris, P.A. (2002) Feeding-fasting cycle in meal-fed yearling horses. *Journal of Animal Science*, **80** (Suppl. 1), Abstr. 622.

Staniar, W.B., Kronfeld, D.S., Hoffman, R.M., Burk, J.R., Wilson, J.A. & Harris, P.A. (2003) Weight estimation of Thoroughbred foals. *Proceedings of the 18th Equine Nutrition and Physiology Society Symposium*, Michigan State University, East Lansing, 4-7 June 2003, pp. 248-9.

Staniar, W.B., Kronfeld, D.S., Wilson, J.A., Lawrence, L.A., Cooper, W.L. & Harris, P.A. (2001) Growth of Thoroughbreds fed a low-protein supplement fortified with lysine and threonine. *Journal of Animal Science*, **79**, 2143-51.

Staniar, W.B., Wilson, J.A., Lawrence, L.H., Cooper, W.L., Kronfeld, D.S. & Harris, P.A. (1999) Growth of Thoroughbreds fed different levels of protein and supplemented with lysine and threonine. *Proceedings of the 16th Equine Nutrition and Physiology Symposium*, North Carolina State University, Raleigh, 2-5 June 1999, pp. 88-9.

Stark, G., Schneider, B. & Gemeiner, M. (2001) Zinc and copper plasma levels in Icelandic horses with *Culicoides* hypersensitivity. *Equine Veterinary Journal*, **33**, 506-509.

Steel, C.M. & Gibson, K.T. (2001) Colic in the pregnant and periparturient mare. *Equine Veterinary Education*, **13**, 94-104.

Steiss, J.E., Traber, M.G., Williams, M.A., Kayden, H.J. & Wright, J.C. (1994) Alpha tocopherol concentrations in clinically normal adult horses. *Equine Veterinary Journal*, **26**, 417-19.

Stephens, T.L., Ott, E.A. & Kivipelto, J. (2003) Pasture versus dry lot programs for yearling horses. *Proceedings of the 18th Equine Nutrition and Physiology Society Symposium*, Michigan State University, East Lansing, 4-7 June 2003, pp. 142-3.

Stephens, T.L., Potter, G.D., Mathiason, K.J., *et al.* (2001) Mineral balance in juvenile horses in race training. *Proceedings of the 17th Equine Nutrition and Physiology Symposium*, The University of Kentucky, Lexington, 31 May-2 June 2001, pp. 26-31.

978-85-7241-725-9

Stick, J.A., Robinson, N.E. & Krehbiel, J.D. (1981) Acid-base and electrolyte alterations associated with salivary loss in the pony. *American Journal of Veterinary Research*, **42**, 733-7.

Sticker, L.S., Thompson, D.L., Jr, Bunting, L.D., Fernandez, J.M. & DePew, C.L. (1995) Dietary protein and (or) energy restriction in mares: plasma glucose, insulin, nonesterified fatty acid, and urea nitrogen responses to feeding, glucose, and epinephrine. *Journal of Animal Science*, **73**, 136-44.

Sticker, L.S., Thompson, D.L., Jr, Bunting, L.D. & Fernandez, J.M. (1996) Dietary protein and energy restriction in mares: rapid changes in plasma metabolite and hormone concentrations during dietary alteration. *Journal of Animal Science*, **74**, 1326-35.

Sticker, L.S., Thompson, D.L., Jr, Fernandez, J.M., Bunting, L.D. & DePew, C.L. (1985) Dietary protein and (or) energy restriction in mares: plasma growth hormone, IGF-I, prolactin, cortisol, and thyroid hormone responses to feeding, glucose, and epinephrine. *Journal of Animal Science*, **73**, 1424-32.

Sticker, L.S., Thompson, D.L., Jr & Gentry, L.R. (2001) Pituitary hormone and insulin responses to infusion of amino acids and N-methyl-D,L-aspartate in horses. *Journal of Animal Science*, **79**, 735-44.

Sticker, L.S., Thompson, D.L., Jr, Smith, L.A., Leise, B.S. & Gentry, L.R. (1999) Pituitary hormone and insulin responses to infusion of amino acids and N-methyl-D,L-aspartate (NMA) in horses. *Proceedings of the 16th Equine Nutrition and Physiology Symposium*, North Carolina State University, Raleigh, 2-5 June 1999, pp. 98-9.

Stoker, J.W. (1975) Monensin sodium in horses. *Veterinary Record*, **97**, 137-8.

Storer, W.A., Thompson, D.L., Jr & Cartmill, J.A. (2003) Effects of melatonin or dexamethasone on the reproductive axis of the stallion. *Proceedings of the 18th Equine Nutrition and Physiology Society Symposium*, Michigan State University, East Lansing, 4-7 June 2003, pp. 59-60.

Stowe, H.D. (1968a) Effects of age and impending parturition upon serum copper of thoroughbred mares. *Journal of Nutrition*, **95**, 179-84.

Stowe, H.D. (1968b) Alpha-tocopherol requirements for equine erythrocyte stability. *American Journal of Clinical Nutrition*, **21**, 135-42.

Stowe, H.D. (1982) Vitamin A profiles of equine serum and milk. *Journal of Animal Science*, **54**, 76-81.

Strickland, K., Smith, F., Woods, M. & Mason, J. (1987) Dietary molybdenum as a putative copper antagonist in the horse. *Equine Veterinary Journal*, **19**, 50-54.

Stubley, D., Campbell, C., Dant, C. & Blackmore, D.J. (1983) Copper and zinc levels in the blood of Thoroughbreds in training in the United Kingdom. *Equine Veterinary Journal*, **15**, 253-6.

Stull, C.L., Hullinger, P.J. & Rodiek, A.V. (2001) Metabolic responses of fat supplementation to alfalfa diets in refeeding the starved horse. *Proceedings of the 17th Equine Nutrition and Physiology Symposium*, The University of Kentucky, Lexington, 31 May-2 June 2001, pp. 159-60.

Stull, C.L. & Rodiek, A.V. (1988) Responses of blood glucose, insulin and cortisol concentrations to common equine diets. *Journal of Nutrition*, **118**, 206-213.

Stull, C.L., Rodiek, A.V. & Arana, M.J. (1987) The effects of common equine feeds on blood levels of glucose, insulin, and cortisol. *Proceedings of the 10th Equine Nutrition and Physiology Society*, Colorado State University, Fort Collins, 11-13 June 1987, pp. 61-6.

Stull, C., Spier, S., Aldridge, B., Blanchard, M. & Stott, J. (2003) Effects of long-term road transport and adaptogenic herbs on blood immunologic parameters. *Proceedings of the 18th Equine Nutrition and Physiology Society Symposium*, Michigan State University, East Lansing, 4-7 June 2003, pp. 251-2.

Sturgeon, L.S., Baker, L.A., Pipkin, J.L., Haliburton, J.C. & Chirase, N.K. (1999) The digestibility and mineral availability of matua, bermudagrass, and alfalfa hay in mature horses. *Proceedings of the 16th Equine Nutrition and Physiology Symposium*, North Carolina State University, Raleigh, 2-5 June 1999, pp. 1-6.

Stutz, W.A., Topliff, D.R., Freeman, D.W., Tucker, W.B., Breazile, J.W. & Wall, D.L. (1992) Effect of dietary cation-anion balance on blood parameters in exercising horses. *Journal of Equine Veterinary Science*, **12**, 164-7.

Sufit, E., Houpt, K.A. & Sweeting, M. (1985) Physiological stimuli of thirst and drinking patterns in ponies. *Equine Veterinary Journal*, **17**, 12-16.

Suttle, N.F. (1983) The nutritional basis for trace element deficiencies in ruminant livestock. In: *Trace Elements in Animal Production and Veterinary Practice* (eds N.F. Suttle, R.G. Gunn, W.M. Allen, K.A. Linklater and G. Wiener), pp. 19-25. British Society of Animal Production, Occasional Publication No. 7, Edinburgh.

Suttle, N.F., Gunn, R.G., Allen, W.M., Linklater, K.A. & Wiener, G. (eds) (1983) *Trace Elements in Animal Production and Veterinary Practice*. British Society of Animal Production, Occasional Publication No. 7, Edinburgh.

Suttle, N.F., Small, J.N.W., Collins, E.A., Mason, D.K. & Watkins, K.L. (1996) Serum and hepatic copper concentrations used to define normal, marginal and deficient copper status in horses. *Equine Veterinary Journal*, **28**, 497-9.

978-85-7241-725-9

Sutton, E.I., Bowland, J.P. & McCarthy, J.F. (1977) Studies with horses comparing 4 N-HCl insoluble ash as an index material with total fecal collection in the determination of apparent digestibilities. *Canadian Journal of Animal Science*, **57**, 543-9.

Sutton, E.I., Bowland, J.P. & Ratcliff, W.D. (1977) Influence of level of energy and nutrient intake by mares on reproductive performance and on blood serum composition of the mares and foals. *Canadian Journal of Animal Science*, **57**, 551-8.

Suwannachot, P., Verkuleij, C.B., Kocsis, S., van Weeren, P.R. & Everts, M.E. (2001) Specificity and reversibility of training effects on the concentration of $Na^{+}K^{+}$-ATPase in foal skeletal muscle. *Equine Veterinary Journal*, **33**, 250-55.

Swanson, C.A., Hoffman, R.M., Kronfeld, D.S. & Harris, P.A. (2003) Effects of diet and probiotic supplementation on stress during weaning in Thoroughbred foals. *Proceedings of the 18th Equine Nutrition and Physiology Society Symposium*, Michigan State University, East Lansing, 4-7 June 2003, p. 243.

Swartzman, J.A., Hintz, H.F. and Schryver, H.F. (1978) Inhibition of calcium absorption in ponies fed diets containing oxalic acid. *American Journal of Veterinary Research*, **39**, 1621-3.

Sweeting, M.P., Houpt, C.E. & Houpt, K.A. (1985) Social facilitation of feeding and time budgets in stabled ponies. *Journal of Animal Science*, **60**, 369-74.

Swinney, D.L., Potter, G.D., Greene, L.W., Schumacher, J., Murray-Gerzik, M. & Goldy, G. (1995) Digestion of fat in the equine small and large intestine. *Proceedings of the Equine Nutrition and Physiology Society*, **7**, 144-8.

Switzer, S.T., Baker, L.A., Pipkin, J.L., Bachman, R.C. & Haliburton, J.C. (2003) The effect of yeast culture supplementation on nutrient digestibility in aged horses. *Proceedings of the 18th Equine Nutrition and Physiology Society Symposium*, Michigan State University, East Lansing, 4-7 June 2003, pp. 12-17.

Swor, T.M., Aubry, P., Murphey, E.D., Hines, M.T., Gant, R.G. & Talcott, P.A. (2002) Acute ethylene glycol toxicosis in a horse. *Equine Veterinary Education*, **14**, 234-9.

Takagi, H., Hashimoto, Y., Yonemochi, C., *et al.* (2002) Digestibility of nutrients of roughages determined by total feces collection method in Thoroughbreds. *Journal of Equine Science*, **13**, 23-7.

Tallowin, J.R.B. & Brookman, S.K.E. (1988) Herbage potassium levels in a permanent pasture under grazing. *Grass and Forage Science*, **43**, 209-12.

Talukdar, A.H., Calhoun, M.L. & Stinson, A.W. (1970) Sensory end organs in the upper lip of the horse. *American Journal of Veterinary Research*, **31**, 1751-4.

Tasker, J.B. (1967) Fluid and electrolyte studies in the horse. III: intake and output of water, sodium and potassium in normal horses. *Cornell Veterinarian*, **57**, 649-57.

Taylor, L.E., Ferrante, P.L., Kronfeld, D.S. and Meacham, T.N. (1995) Acid-base variables during incremental exercise in sprint-trained horses fed a high-fat diet. *Journal of Animal Science*, **73**, 2009-2018.

Taylor, L.E., Ferrante, P.L., Meacham, T.N., Kronfeld, D.S. & Tiegs, W. (1993) Acid-base responses to exercise in horses trained on a diet containing added fat. *Proceedings of the 13th Equine Nutrition and Physiology Society*, University of Florida, Gainesville, 21-23 January 1993, No. 504, 185-90.

Taylor, L.E., Johnson, T.M., Markert, C.D., Braun, K.L. & Kanter, M.J. (2003) Palatability and safety of oat oil for horses. *Proceedings of the 18th Equine Nutrition and Physiology Society Symposium*, Michigan State University, East Lansing, 4-7 June 2003, p. 133.

Taylor, L.E., Kronfeld, D.S., Ferrante, P.L. & Wison, J.A. (1999) Acid-base responses to repeated sprint exercise, training, and a lecithin/corn oil diet. *Proceedings of the 16th Equine Nutrition and Physiology Symposium*, North Carolina State University, Raleigh, 2-5 June 1999, pp. 108-109.

Taylor, M.C., Loch, W.E., Heimann, E.D. & Morris, J.S. (1981) Effect of nitrogen fertilization and selenium supplementation on the hair selenium concentration in pregnant pony mares grazing fescue. *Journal of Animal Science*, **53** (Suppl. 1), 266, abstract 350.

Teeter, S.M., Stillions, M.C. & Nelson, W.E. (1967) Maintenance levels of calcium and phosphorus in horses. *Journal – American Veterinary Medical Association*, **151**, 1625-8.

Thamsborg, S.M., Leifsson, P.S., Grondahl, C., Larsen, M. & Nansen, P. (1998) Impact of mixed strongyle infections in foals after one month on pasture. *Equine Veterinary Journal*, **30**, 240-45.

Thiel, P.G., Marasas, W.F.O., Sydenhan, E.W., Shephard, G.S. & Gelderblom, W.C.A. (1992) The implications of naturally occurring levels of fumonisins in corn for human and animal health. *Mycopathologia*, **117**, 3-9.

Thijssen, H.H.W., Van der Bogaard, A.E.J.M., Wetzel, J.M., Maes, J.H.J. & Muller, A.P. (1983) Warfarin pharmacokinetics in the horse. *American Journal of Veterinary Research*, **44**, 1192-6.

978-85-7241-725-9

Thomas, B., Thompson, A., Oyenuga, V.A. & Armstrong, R.H. (1952) The ash constituents of some herbage plants at different stages of maturity. *Empire Journal of Experimental Agriculture*, **20**, 10-13.

Thomas, P.T. (1963) Breeding herbage plants for animal production and well-being. *Proc Br Vet Ass A Congr*, 1-4.

Thompson, J.P., Casey, P.B. & Vale, J.A. (1995) Pesticide incidents reported to the Health and Safety Executive 1989/90-1991/92. *Human and Experimental Toxicology*, **14**, 630-633.

Thompson, K.N. (1995) Skeletal growth rates of weanling and yearling Thoroughbred horses. *Journal of Animal Science*, **73**, 2513-17.

Thompson, K.N., Jackson, S.G. & Baker, J.P. (1988) The influence of high planes of nutrition on skeletal growth and development of weanling horses. *Journal of Animal Science*, **66**, 2459-67.

Thomson, J.R. & McPherson, E.A. (1981) Prophylactic effects of sodium cromoglycate on chronic obstructive pulmonary disease in the horse. *Equine Veterinary Journal*, **13**, 243-6.

Thomson, J.R. & McPherson, E.A. (1983) Chronic obstructive pulmonary disease in the horse: therapy. *Equine Veterinary Journal*, **15**, 207-210.

Thomson, J.R. & McPherson, E.A. (1984) Effects of environmental control on pulmonary function of horses affected with chronic obstructive pulmonary disease. *Equine Veterinary Journal*, **16**, 35-8.

Thorbeck, G. & Neergaard, L. (1965) Some remarks about instruments and methods applied to an opencircuit respiration apparatus for pigs. *Association for Animal Production, Publication No II. Proceedings of the 3rd Symposium*, Troon, Scotland, May 1964, pp. 179-87.

Thorén-Tolling, K. (1988) Serum alkaline phosphatase isoenzymes in the horse – variation with age, training and in different pathological conditions. *Journal of Veterinary Medical Association*, **35**, 13-23.

Thornton, I. (1983) Soil-plant-animal interactions in relation to the incidence of trace element disorders in grazing livestock. In: *Trace Elements in Animal Production and Veterinary Practice* (eds N.F. Suttle, R.G. Gunn, W.M. Allen, K.A. Linklater & G. Wiener), pp. 39-49. British Society of Animal Production, Occasional Publication No. 7, Edinburgh.

Thornton, J.R. & Lohni, M.D. (1979) Tissue and plasma activity of lactic dehydrogenase and creatine kinase in the horse. *Equine Veterinary Journal*, **11**, 235-8.

Tinker, M.K., White, N.A., Lessard, P., *et al.* (1997a) Prospective study of equine colic incidence and mortality. *Equine Veterinary Journal*, **29**, 448-53.

Tinker, M.K., White, N.A., Lessard, P., *et al.* (1997b) Prospective study of equine colic risk factors. *Equine Veterinary Journal*, **29**, 454-8.

Tisserand, J.L., Candau, M., Houiste, A. & Masson, C. (1977) Evolution de quelques paramètres physicochimiques du contenu caecal d'un poney au cours du nycthémère. *Annals of Zootechnology*, **26**, 429-34.

Tisserand, J.-L. & Martin-Rosset, W. (1996) Evaluation of nitrogen value of feeds in the horse in the MADC system. *47th European Association of Animal Production Meeting*, Lillehammer, Norway, 25-29th August. Horse Commission Session-H4: Nutrition, pp. 1-14.

Tisserand, J.L., Masson, C., Ottin-Pecchio, M. & Creusot, A. (1977) Mesure du pH et la concentration en AGV dans le caecum et le colon du poney. *Ann. Biol. Anim. Bioch. Biophys.*, **17**, 533-7.

Tobin, T. & Combie, J. (1984) Some reflections on positive results from medication control tests in the USA. *Equine Veterinary Journal*, **16**, 43-6.

Todhunter, R.J., Erb, H.N. & Roth, L. (1986) Gastric rupture in horses: a review of 54 cases. *Equine Veterinary Journal*, **18**, 288-93.

Topliff, D.R., Lee, S.F. & Freeman, D.W. (1987) Muscle glycogen, plasma glucose and free fatty acids in exercising horses fed varying levels of starch. *Proceedings of the 10th Equine Nutrition and Physiology Society*, Colorado State University, Fort Collins, 11-13 June 1987, pp. 421-4.

Topliff, D.R., Potter, G.D., Kreider, J.L. & Cregan, C.R. (1981) Thiamin supplementation for exercising horses. *Proceedings of the 7th Equine Nutrition and Physiology Society*, Airlie House, Warrenton, Virginia, 30 April-2 May 1981, pp. 167-72.

Topliff, D.R., Potter, G.D., Krieder, J.L., Dutson, T.R. & Jessup, G.T. (1985) Diet manipulation, muscle glycogen metabolism and anaerobic work performance in the equine. *Proceedings of the 9th Equine Nutrition and Physiology Society*, Airlie House, Warrenton, Virginia, 30 April-2 May 1981, pp. 167-72.

Torún, B., Scrimshaw, N.S. & Young, V.R. (1977) Effect of isometric exercises on body potassium and dietary protein requirements of young men. *American Journal of Clinical Nutrition*, **30**, 1983-93.

Townley, P., Baker, K.P. & Quinn, P.J. (1984) Preferential landing and engorging sites of *Culicoides* species landing on a horse in Ireland. *Equine Veterinary Journal*, **16**, 117-20.

978-85-7241-725-9

Townson, J. (1992) *A survey and assessment of racehorse stables in Ireland.* MEqS thesis, Faculties of Agriculture and Veterinary Medicine, National University of Ireland, Dublin.

Treacher, T.T., Orr, R.J. & Parsons, A.J. (1986) Direct measurement of the seasonal pattern of production on continuously stocked swards (ed. J. Frame), pp. 204-5. *Proceedings of Con ference of British Grassland Society*, Malvern, *Occasional Symposium*, No. 19.

Turcott, S.K., Nielsen, B.D., O'Connor, C., Skelly, C.D., Rosenstein, D.S. & Herdt, T. (2003) The influence of various concentrate-to-roughage ratios on dietary intake and nutrient digestibilities of weanlings. *Proceedings of the 18th Equine Nutrition and Physiology Society Symposium*, Michigan State University, East Lansing, 4-7 June 2003, pp. 1-2.

Tyler, C.M., Hodgson, D.R. & Rose, R.J. (1996) Effect of a warm-up on energy supply during high intensity exercise in horses. *Equine Veterinary Journal*, **28**, 117-20.

Tyznik, W.K. (1968) Nutrition. In: *Care and Training of the Trotter and Pacer* (ed. J.C. Harrison), USTA, Columbus, Ohio.

Tyznik, W.K. (1975) Recent advances in horse nutrition. *Proc 35th Semi-annual meeting of the AFMA Nutrition Council*, Kansas City, Missouri, 12-13 November 1975, 32-8. American Feed Manufacturers Association, Arlington, Virginia.

Ullrey, D.E., Ely, W.T. & Covert, R.L. (1974) Iron, zinc and copper in mare's milk. *Journal of Animal Science*, **38**, 1276-7.

Ullrey, D.E., Struthers, R.D., Hendricks, D.G. & Brent, B.E. (1966) Composition of mare's milk. *Journal of Animal Science*, **25**, 217-22.

Underwood, E.J. (1977) *Trace Elements in Human and Animal Nutrition, l4th* edn. Academic Press, New York and London.

United Kingdom Agricultural Supply Trade Association (1984) *Code of Practice for Cross-contamination in Animal Feeding Stuffs Manufacture.* Amended Code, June 1984. UKASTA, London.

Urch, D.L. & Allen, W.R. (1980) Studies on fenbendazole for treating lung and intestinal parasites in horses and donkeys. *Equine Veterinary Journal*, **12**, 74-7.

Urquhart, K. (1981) Diarrhoea in foals. *In Practice*, **3** (1), 22-3, 25, 27, 29.

Valberg, S. (1986) Glycogen depletion patterns in the muscle of standard trotters after exercise of varying intensities and durations. *Equine Veterinary Journal*, **18**, 479-84.

Valberg, S., Essén-Gustavsson, B., Lindholm, A. & Persson, S.G.B. (1985) Energy metabolism in relation to skeletal muscle fibre properties during treadmill exercise. *Equine Veterinary Journal*, **17**, 439-43.

Valberg, S., Essén-Gustavsson, B., Lindholm, A. & Persson, S.G.B. (1989) Blood chemistry and skeletal muscle responses during and after different speeds and durations of trotting. *Equine Veterinary Journal*, **21**, 91-5.

Valberg, S., Haggendal, J. & Lindholm, A. (1993) Blood chemistry and skeletal muscle metabolic responses to exercise in horses with recurrent exertional rhabdomyolysis. *Equine Veterinary Journal*, **25**, 17-22.

Valberg, S., Jönsson, L., Lindholm, A. & Holmgren, N. (1993) Muscle histopathology and plasma aspartate amino transferase, creatine kinase and myoglobin changes with exercise in horses with recurrent exertional rhabdomyolysis. *Equine Veterinary Journal*, **25**, 11-16.

Valberg, S.J., Macleay, J.M., Billstrom, J.A., Hower-Moritz, M.A. & Mickelson, J.R. (1999) Skeletal muscle metabolic response to exercise in horses with 'tying-up' due to polysaccharide storage myopathy. *Equine Veterinary Journal*, **31**, 43-74.

Valentine, B.A. (2003) Equine polysaccharide storage myopathy. *Equine Veterinary Education*, **15**, 254-62.

Van den Berg, J.S., Guthrie, A.J., Meintjes, R.A., *et al.* (1998) Water and electrolyte intake and output in conditioned Thoroughbred horses transported by road. *Equine Veterinary Journal*, **30**, 316-23.

Van Dam, B. (1978) Vitamins and sport. *British Journal of Sports Medicine*, **12**, 74-9.

Van der Kolk, J.H., Ijzer, J., Overgaauw, P.A.M. & van der Linde-Sipman, J.S. (2001) Pituitary independent Cushing's syndrome in a horse. *Equine Veterinary Journal*, **33**, 110-12.

Van der Kolk, J.H., Nachreiner, R.F., Refsal, K.R., Brouillet, D. & Wensing, Th. (2002) Heparinised blood ionised-calcium concentrations in horses with colic or diarrhoea compared to normal subjects. *Equine Veterinary Journal*, **34**, 528-31.

Van Soest, P.J. (1963) The use of detergents in the analysis of fibrous feeds, II. A rapid method for the determination of fibre and lignin. *Journal of the Association of Official Analytical Chemists*, **46**, 829-35.

Van Soest, P.J., Robertson, J.B. & Lewis, B.A. (1991) Methods for dietary fiber, neutral detergent fiber and nonstarch polysaccharides in relation to animal nutrition. *Journal of Dairy Science*, **74**, 3583-97.

978-85-7241-725-9

978-85-7241-725-9

Van Weeren, P.R., Knaap, J. & Firth, E.C. (2003) Influence of liver copper status of mare and newborn foal on the development of osteochondrotic lesions. *Equine Veterinary Journal*, **35**, 67-71.

Varloud, M., Goacher, A.G., de Fombelle, A., Guyonvarch, A. & Julliand, V. (2003) Effect of the diet on prececal digestibility of dietary starch measured on horses with acid insoluble ash (AIA) as an internal marker. *Proceedings of the 18th Equine Nutrition and Physiology Society Symposium*, Michigan State University, East Lansing, 4-7 June 2003, pp. 117-18.

Veira, D.M. (1986) The role of ciliate protozoa in nutrition of the ruminant. *Journal of Animal Science*, **633**, 547-60.

Verberne, L.R.M. & Mirck, M.H. (1976) A practical health programme for prevention of parasitic and infectious diseases in horses and ponies. *Equine Veterinary Journal*, **8**, 123-5.

Verhulst, D., Barnett, K.C. & Mayhew, I.G. (2001) Equine motor neuron disease and retinal degeneration. *Equine Veterinary Education*, **13**, 59-61.

Vermorel, M. & Martin-Rosset, W. (1997) Concepts, scientific bases, sructures and validation of the French horse net energy system (UFC). *Livestock Production Science*, **47**, 261-75.

Vermorel, M., Martin-Rosset, W. & Vernet, J. (1997) Energy utilization of twelve forages or mixed diets for maintenance by sport horses. *Livestock Production Science*, **47**, 157-67.

Vernet, J., Vermorel, M. & Martin-Rosset, W. (1995) Energy cost of eating long hay, straw and pelleted food in sport horses. *Animal Science*, **61**, 581-8.

Vervuert, I., Coenen, M., Borchers, A., *et al.* (2003a) Growth rates and the incidence of osteochondrotic lesions in Hanoverian Warmblood foals. *Proceedings of the 18th Equine Nutrition and Physiology Society Symposium*, Michigan State University, East Lansing, 4-7 June 2003, pp. 113-14.

Vervuert, I., Coenen, M., Lindner, A., Schermann, J. & Sallmann, H.P. (1999) Hormonal and metabolic effects of oral glucose or electrolyte supplementation after exercise in Standardbred horses. *Proceedings of the 10th Equine Nutrition and Physiology Symposium*, North Carolina State University, Raleigh, 2-5 June 1999, pp. 166-7.

Vervuert, I., Coenen, M., Watermülder, E. & Zamhöfer, J. (2003c) Effect of tryptophan supplementation on metabolic response to exercise in horses. *Proceedings of the 18th Equine Nutrition and Physiology Society Symposium*, Michigan State University, East Lansing, 4-7 June 2003, pp. 287-8.

Vervuert, I., Coenen, M., Wedemeyer, U., Chrobok, C., Harmeyer, J. & Sporleder, H.-P. (2002) Calcium homeostasis and intact plasma parathyroid hormone during exercise and training in young Standardbred horses. *Equine Veterinary Journal*, **34**, 713-18.

Vervuert, I., Coenen, M., Zamhöfer, J. & Watermülder, E. (2003b) Calcium homeostasis during draught load exercise in horses. *Proceedings of the 18th Equine Nutrition and Physiology Society Symposium*, Michigan State University, East Lansing, 4-7 June 2003, pp. 289-90.

Vogel, C. (1984) Navicular disease and equine insurance. *Veterinary Record*, **115**, 89.

Wagner, E.L., Potter, G.D., Michael, E.M., Gibbs, P.G. & Hood, D.M. (2003) Absorption and retention of various forms of trace minerais in horses. *Proceedings of the 18th Equine Nutrition and Physiology Society Symposium*, Michigan State University, East Lansing, 4-7 June 2003, pp. 26-30.

Waite, R. & Sastry, K.N.S. (1949) The composition of timothy *(Phleum pratense)* and some other grasses during seasonal growth. *Emp J Exp Agric*, **17**, 179-82.

Walker, D. & Knight, D. (1972) The anthelmintic activity of mebendazole: a field trial in horses. *Veterinary Record*, **90**, 58-65.

Wall, D.L., Topliff, D.R., Freeman, D.W., Breazile, J.E., Wagner, D.G. & Stutz, W.A. (1993) The effect of dietary cation-anion balance on mineral balance in the anaerobically exercised horse. *Proceedings of the 13th Equine Nutrition and Physiology Society*, University of Florida, Gainesville, 21-23 January 1993, No. 504, 50-53.

Wallace, W.M. & Hastings, A.B. (1942) The distribution of the bicarbonate ion in mammalian muscle. *Journal of Biological Chemistry*, **144**, 637-49.

Waller, P.J. (1999) Biological control of parasitic nematodes of the horse: the need, practicalities and prospects. *Equine Veterinary Journal*, **31**, 449-50.

Wang, E., Ross, P.F., Wilson, T.M., Riley, R.T. & Merrill, A.H., Jr (1992) Increases in serum sphingosine and sphinganine and decreases in complex sphingolipids in ponies given feed containing fumonisins, mycotoxins produced by *Fusarium moniliforme. Journal of Nutrition*, **122**, 1706-1716.

Ward, D.S., Fessler, J.F., Bottoms, G.D. & Turek, J. (1987) Equine endotoxaemia: cardiovascular, eicosanoid, hematologic, blood chemical, and plasma enzyme alterations. *American Journal of Veterinary Research*, **48**, 1150-56.

Warren, L.K., Lawrence, L.M., Roberts, A., O'Connor, C., Powell, D. & Pratt, S. (2001) The effect of dietary fiber on gastrointestinal fluid volume and the response to dehydration and exercise. *Proceedings of the 17th Equine Nutrition and Physiology Symposium*, The University of Kentucky, Lexington, 31 May-2 June 2001, pp. 148-9.

Waterman, A. (1977) A review of the diagnosis and treatment of fluid and electrolyte disorders in the horse. *Equine Veterinary Journal*, **9**, 43-8.

Watson, E.D., Cuddeford, D. & Burger, I. (1996) Failure of β-carotene absorption negates any potential effect on ovarian function in mares. *Equine Veterinary Journal*, **28**, 233-6.

Watson, T.D.G., Burns, L., Love, S., Packard, C.J. & Shepherd, J. (1992) Plasma lipids, lipoproteins and post-heparin lipases in ponies with hyperlipaemia. *Equine Veterinary Journal*, **24**, 341-6.

Webb, J.S., Lowenstein, P.L., Howarth, R.J., Nichol, I. & Foster, R. (1973) *Provisional Geochemical Atlas of Northern Ireland.* Applied Geochemical Research Group Technical Communication No. 60, Imperial College, London.

Webb, J.S., Thornton, I., Howarth, R.J., Thompson, M. & Lowenstein, P.L. (1978) *The Wolfson Geochemical Atlas of England and Wales.* Oxford University Press, Oxford.

Webb, S.P., Potter, G.D. & Evans, J.W. (1987a) Physiologic and metabolic response of race and cutting horses to added dietary fat. *Proceedings of the 10th Equine Nutrition and Physiology Society*, Colorado State University, Fort Collins, 11-13 June 1987, pp. 115-20.

Webb, S.P., Potter, G.D., Evans, J.W. & Greene, L.W. (1987b) Digestible energy requirements for mature cutting horses. *Proceedings of the 10th Equine Nutrition and Physiology Society*, Colorado State University, Fort Collins, 11-13 June 1987, pp. 139-44.

Webb, S.P., Potter, G.D., Evans, J.W. & Webb, G.W. (1990) Influence of body fat content on digestible energy requirements of exercising horses in temperate and hot environments. *Journal of Equine Veterinary Science*, **10** (2), 116-20.

Webster, A.J.F. (1980) The energetic efficiency of growth. *Livestock Production Science*, **7**, 243-52.

Webster, A.J.F., Osuji, P.O., White, F. & Ingram, J.F. (1975) The influence of food intake on portal blood flow and heat production in the digestive tract of the sheep. *British Journal of Nutrition*, **34**, 125-39.

Webster, A.J., Clarke, M.T.M. & Wathes, C.M. (1987) Effects of stable design, ventilation and management on the concentration of respirable dust. *Equine Veterinary Journal*, **19**, 448-53.

Weese, J.S., Staempfli, H.R. & Prescott, J.F. (2001) A prospective study of the roles of *Clostridium difficile* and enterotoxigenic *Clostridium perfringens* in equine diarrhoea. *Equine Veterinary Journal*, **33**, 403-409.

Weise, J. & Lieb, S. (2001) The effects of protein and energy deficiencies on voluntary sand intake and behavior in the horse. *Proceedings of the 17th Equine Nutrition and Physiology Symposium*, The University of Kentucky, Lexington, 31 May-2 June 2001, pp. 103-105.

Weiss, D.J. & Smith, C.M. (1998) Haemorrheological alterations associated with competitive racing in horses: Implications for exercise-induced pulmonary haemorrhage (EIPH). *Equine Veterinary Journal*, **30**, 7-12.

Weiss, T. (1982) Equine nutrition in New Mexico. *Veterinary Medicine and Small Animal Clinician*, **77**, 817-9.

Welch, K.J., Perry, T.W., Adams, S.B. & Battaglia, R.A. (1981) Effect of partial typhlectomy on nutrient utilization in ponies. *Journal of Animal Science*, **53** (Suppl. 1), 92, abstract 58.

Weller, R.F. & Cooper, A. (1995) The effect of the grazing management of mixed swards on herbage production, clover composition and animal performance. In: *Grassland to the 21st Century* (ed. G.E. Pollott), pp. 292-4. *British Grassland Society, Occasional Symposium*, No. 29, 50th Meeting, Harrogate.

Wells, P.W., McBeath, D.G., Eyre, P. & Hanna, C.J. (1981) Equine immunology: an introductory review. *Equine Veterinary Journal*, **13**, 218-22.

West, H.J. (1996) Clinical and pathological studies in horses with hepatic disease. *Equine Veterinary Journal*, **28**, 146-56.

West, J.B. & Mathieu-Costello, O. (1994) Stress failure of pulmonary capillaries as a mechanism for exercise induced pulmonary haemorrhage in the horse. *Equine Veterinary Journal*, **26**, 441-7.

Weston, C.F.M., Cooper, B.T., Davies, J.D. & Levine, D.F. (1987) Veno-occlusive disease of the liver secondary to ingestion of comfrey. *British Medical Journal*, **295**, 183.

Whang, R., Morasi, H.T. & Rogers, D. (1967) The influence of sustained magnesium deficiency on muscle potassium repletion. *Journal of Laboratory Clinical Medicine*, **70**, 895-902.

White, G. (1789) *Natural History and Antiquities of Selborne.* British Veterinary Association Library, London.

White, J. (1823) *A Compendium of the Veterinary Art, Vol.* 3. British Veterinary Association Library, London.

978-85-7241-725-9

White, K.K., Short, C.E., Hintz, H.F., *et al.* (1978) The value of dietary fat for working horses. II. Physical evaluation. *Journal of Equine Medicine and Surgery*, **2**, 525-30.

White, M.G. & Snow, D.H. (1987) Quantitative histochemical study of glycogen depletion in the maximally exercised Thoroughbred. *Equine Veterinary Journal*, **19**, 67-9.

White, N.A., Moore, J.N. & Douglas, M. (1983) SEM study of *Strongylus vulgaris* larva-induced arteritis in the pony. *Equine Veterinary Journal*, **15**, 349-53.

Whitehead, C.C. & Bannister, D.W. (1980) Biotin status, blood pyruvate carboxylase (EC 6.4.1.1) activity and performance in broilers under different conditions of bird husbandry and diet processing. *British Journal of Nutrition*, **43**, 541-9.

Wickens, C.L., Ku, P.K. & Trottier, N.L. (2002) An ideal protein for the lactating mare. *Journal of Animal Science*, 80 (Suppl. 1), Abstr. 620.

Wickens, C.L., Moore, J., Shelle, J., Skelly, C., Clayton, H.M. & Trottier, N.L. (2003) Effect of exercise on dietary protein requirement of the Arabian horse. *Proceedings of the 18th Equine Nutrition and Physiology Society Symposium*, Michigan State University, East Lansing, 4-7 June 2003, pp. 129-30.

Willard, J.G. (1976) Feeding behavior in the equine fed concentrate versus roughage diets. *Dissertation Abstracts International*, **36**, 4772-B-3-B.

Willard, J.G., Bull, L.S. & Baker, J.P. (1978) Digestible energy requirements of the light horse at two levels of work. *Proc 70th A Meet Am Soc Anim Sci*, 324.

Willard, J.G., Willard, J.C., Wolfram, S.A. & Baker, J.P. (1977) Effect of diet on cecal pH and feeding behavior of horses. *Journal of Animal Science*, **45**, 87-93.

Williams, C.A., Kronfeld, D.S., Hess, T.M., *et al.* (2003b) Vitamin E intake and oxidative stress in endurance horses. *Proceedings of the 18th Equine Nutrition and Physiology Society Symposium*, Michigan State University, East Lansing, 4-7 June 2003, pp. 134-5.

Williams, C.A., Kronfeld, D.S., Staniar, W.B. & Harris, P.A. (2001a) Guucose and insulin responses in Thoroughbred mares are influenced by reproductive stage and diet. *Proceedings of the 17th Equine Nutrition and Physiology Symposium*, The University of Kentucky, Lexington, 31 May-2 June 2001, pp. 178-9.

Williams, C.A., Kronfeld, D.S., Staniar, W.B. & Harris, P.A. (2001b) Plasma glucose and insulin responses of Thoroughbred mares fed a meal high in starch and sugar or fat and fiber. *Journal of Animal Science*, **79**, 2196-201.

Williams, M. (1974) The effect of artificial rearing on the social behaviour of foals. *Equine Veterinary Journal*, **6**, 17-18.

Williams, J.L., Potter, G.D., Michael, E.M., *et al.* (2003a) Pretraining influence on bone growth and development in weanling horses. *Proceedings of the 18th Equine Nutrition and Physiology Society Symposium*, Michigan State University, East Lansing, 4-7 June 2003, pp. 32-7.

Williams, N.R., Rajput-Williams, J., West, J.A., Nigdikar, S.V., Foote, J.W. & Howard, A.N. (1995) Plasma, granulocyte and mononuclear cell copper and zinc in patients with diabetes mellitus. *Analyst*, **120**, 887-90.

Williamson, H.M. (1974) Normal and abnormal electrolyte levels in the racing horse and their effect on performance. *Journal of the South African Veterinary Association*, **45**, 335-40.

Willoughby, R.A., MacDonald, E. & McSherry, B.J. (1972a) The interaction of toxic amounts of lead and zinc fed to young growing horses. *Veterinary Record*, 91, 382-3.

Willoughby, R.A., MacDonald, E., McSherry, B.J. & Brown, G. (1972b) Lead and zinc poisoning and the interaction between Pb and Zn poisoning in the foal. *Canadian Journal of Comparative Medicine*, **36**, *348-52.*

Wilsdorf, G., Berschneider, F. & Mill, J. (1976) Oriented determination of enzyme activities in racehorses and studies of selenium levels in their feed. *Monatschrift Veterinaermedizin*, **31**, 741-6.

Wilson, K.R., Gibbs, P.G., Potter, G.D., Michael, E.M. & Scott, B.D. (2003) Comparison of different body weight estimation methods to actual weight of horses. *Proceedings of the 18th Equine Nutrition and Physiology Society Symposium*, Michigan State University, East Lansing, 4-7 June 2003, pp. 238-42.

Wilson, K.R., Potter, G.D., Michael, E.M., Gibbs, P.G., Hood, D.M. & Scott, B.D. (2003) Alteration in the inflammatory response in athletic horses fed diets containing omega-3 polyunsaturated fatty acids. *Proceedings of the 18th Equine Nutrition and Physiology Society Symposium*, Michigan State University, East Lansing, 4-7 June 2003, pp. 20-25.

Wilson, T.M., Morrison, H.A., Palmer, N.C., Finley, G.G. & van Dreumel, A.A. (1976) Myodegeneration and suspected selenium/vitamin E deficiency in horses. *Journal – American Veterinary Medical Association*, **169**, 213-17.

Winter, L. (1980) *A survey of feeding practices at two Thoroughbred race tracks.* MSc thesis, Cornell University, Ithaca, New York.

Wintzer, H.J. (1986) Influence of supplementary vitamin H (biotin) on growth and quality of hoof horn in horses. *Tierärzliche Praxis*, **14**, 495-500.

978-85-7241-725-9

Wirth, B.L., Potter, G.D. & Broderick, G.A. (1976) Cottonseed meal and lysine for weanling foals. *Journal of Animal Science*, **43**, 261, abstract 200.

Wiseman, A., Dawson, CO., Pirie, H.M., Breeze, R.G. & Selman, I.E. (1973) The incidence of precipitins to *Micropolyspora faeni* in cattle fed hay treated with an additive to suppress bacterial and mould growth. *Journal of Agricultural Science, Cambridge*, **81**, 61-4.

Witherspoon, D.M. (1971) The oestrous cycle of the mare. *Equine Veterinary Journal*, **3**, 114-17.

Wolfram, S.A., Willard, J.C., Willard, J.G., Bull, L.S. & Baker, J.P. (1976) Determining the energy requirements of horses. *Journal of Animal Science*, **43**, 261, abstract 201.

Wolter, R., Durix, A. & Letourneau, J.C. (1974) Influence du mode de présentation du fourrage sur Ia vitesse du transit digestif chez le poney. *Annals Zootechnologie*, **23**, 293-300.

Wolter, R., Durix, A. & Letourneau, J.C. (1975) Influence du mode de présentation du fourrage sur Ia digestibilité chez le poney. *Annals Zootechnologie*, **24**, 237-42.

Wolter, R., Gouy, D., Durix, A., Letourneau, J.C., Carcelen, M. & Landreau, J. (1978) Digestibilité et activité biochimique intracaecale chez le poney recevant une même aliment complet presente sous forme granulée, expansée ou semi-expansée. *Annals Zootechnologie*, **27**, 47-60.

Wolter, R., Meunier, B., de Faucompret, R., Durix, A. & Landreau, J. (1977) Assai d'un aliment complet, granule ou expansé, en comparaison avec le regime traditionnel chez des chevaux de sport. *Revue de Médecine Vétérinaire*, **128**, 71-81.

Wolter, R., Moraillon, R. & Taulat, B. (1971) Aliments complets pour chevaux: nouveaux essais. *Recueil de Médecine Vétérinaire*, **147**, 565-76.

Wolter, R. & Wehrle, P. (1977) Appreciation of the principal mineral complements destined for horses. *Revue de Médecine Vétérinaire*, **128**, 467-8, 473-83.

Wooden, G.R., Knox, K.L. & Wild, C.L. (1970) Energy metabolism in light horses. *Journal of Animal Science*, 30, 544-8.

Wootten, J.F. & Argenzio, R.A. (1975) Nitrogen utilization within equine large intestine. *American Journal of Physiology*, **229**, 1062-7.

Worden, A.N., Sellers, K.C. & Tribe, D.E. (1963) *Animal Health, Production and Pasture.* Longmans Green, London.

Worth, M.J., Fontenot, J.P. & Meacham, T.N. (1987) Physiological effects of exercise and diet on metabolism in the equine. *Proceedings of the 10th Equine Nutrition and Physiology Society*, Colorado State University, Fort Collins, 11-13 June 1987, pp. 145-51.

Wright, C., Brendemuehl, J., Kenney, D., Haearn, P., Gardner, P.R.J. & Van Dreumel, T. (2003) Profiling pregnancy and parturition parameters in mares exposed to ergot alkaloid- and fusarium mycotoxin-contaminated forage: a field trial in Ontario. *Proceedings of the 18th Equine Nutrition and Physiology Society Symposium*, Michigan State University, East Lansing, 4-7 June 2003, pp. 260-61.

Wright, I.M. (1993) A study of 118 cases of navicular disease: treatment by navicular suspensory desmotomy. *Equine Veterinary Journal*, **25**, 501-509.

Wright, R.G. & Ireland, M.J. (2003) Case report: alsike clover poisoning, an old but should not be forgotten problem. *Proceedings of the 18th Equine Nutrition and Physiology Society Symposium*, Michigan State University, East Lansing, 4-7 June 2003, pp. 236-7.

Yamamoto, M., Tanaka, Y. & Sugano, M. (1978) Serum and Tiver lipid composition and lecithin:cholesterol acyltransferase in horses, *Equus caballus. Comparative Biochemistry and Physiology*, B **62**,185-93.

Yoakam, S.C., Kirkham, W.W. & Beeson, W.M. (1978) Effect of protein level on growth in young ponies. *Journal of Animal Science*, **46**, 983-91.

Yocum, P.M. & Alston-Mills, B. (2002) The effect of *Kluyveromyces marxianus* and *Saccharomyces cerevisiae* on lactose concentration of equine milk. *Journal of Animal Science*, **80** (Suppl. 1), Abstr. 619.

Young, J.Z. (1950) *The Life of Vertebrates.* The Clarendon Press, Oxford.

Zenker, W., Josseck, H. & Geyer, H. (1995) Histological and physical assessment of poor hoof horn quality in Lipizzaner horses and a therapeutic trial with biotin and a placebo. *Equine Veterinary Journal*, **27**, 183-91.

Zentek, J., Nyari, A. & Meyer, H. (1992) Untersuchungen zur postprandialen H_2- und CH_4-Exhalation beim Pferd. *First Europäische Konferenz über die Ernährung des Pferdes*, Institut für Tierarnahrüng, Tierärzliche Hochschule, Hannover, 3-4 September 1992, pp. 64-6.

Zimmerman, N.I., Wickler, S.J., Rodiek, A.V. & Howler, M.A. (1992) Free fatty acids in exercising Arabian horses fed two common diets. *Journal of Nutrition*, **122**, 145-50.

978-85-7241-725-9

C O N C L U S Ã O

Os princípios e a ciência da nutrição e da prática de alimentação de eqüinos podem ainda ser acomodados dentro de um texto, ainda que a narrativa esteja incompleta. A conclusão nunca é provável, pois nosso ambiente está em evolução contínua. Essa evolução necessitará da adaptação incessante da criação de eqüinos e da antecipação das prováveis necessidades a surgirem nas próximas décadas. Para muitos, o encolhimento infeliz da produção da agricultura no oeste da Europa pode fazer com que as pastagens sejam desenvolvidas especificamente para eqüinos, apesar de que, para vários estábulos, o acesso aos pastos adequados irá diminuir. Esses desenvolvimentos são ligados por questões que necessitam de direcionamento e de nossas pesquisas. Existe agora um uso mais amplo da silagem pré-seca do que havia nos anos de 1990 e há referências neste texto quanto aos procedimentos analíticos melhorados que descrevem com segurança as forragens. Essa facilidade de descrições de maior relevância deve permitir o uso mais econômico do campo e deve ser um recurso para uma criação melhor, causando redução de modo indireto no risco de doenças metabólicas relacionadas ao trato gastrointestinal. Ao contrário da situação da década de 1990, existe atualmente uma iluminação muito maior da relação entre a dieta e as secreções endócrinas. Isso pode enfim ajudar na orientação para o melhor controle da fisiologia reprodutiva e da obesidade. Ainda nas várias áreas da criação prática, existe somente uma compreensão incompleta dos princípios fisiológicos. Assim, a prática e a experiência na prática de alimentação precisam prevalecer no manejo de eqüinos individuais; mas esperamos que o presente texto forneça um útil resumo de evidências científicas recentemente publicadas a serem acomodadas pelos leitores com essas práticas.

978-85-7241-725-9

ÍNDICE ALFABÉTICO

978-85-7241-725-9

As letras *f*, *q* e *t*, que se seguem aos números de páginas significam, respectivamente, figuras, quadros e tabelas.

B

C

978-85-7241-725-9

978-85-7241-725-9

D

978-85-7241-725-9

978-85-7241-725-9

978-85-7241-725-9

978-85-7241-725-9

978-85-7241-725-9

N

O

978-85-7241-725-9

978-85-7241-725-9

R

S

978-85-7241-725-9

978-85-7241-725-9

T

U

V

W

Y

Z

978-85-7241-725-9

2024/6